GETÚLIO

LIRA NETO

Getúlio

Dos anos de formação à conquista do poder (1882-1930)

18ª reimpressão

Copyright © 2012 by Lira Neto

Grafia atualizada segundo o Acordo Ortográfico da Língua Portuguesa de 1990, que entrou em vigor no Brasil em 2009.

Capa
João Baptista da Costa Aguiar

Foto de capa
Fundação Getúlio Vargas — CPDOC

Foto da lombada
Sioma Breitman/ Cortesia de Samuel Breitman. Reprodução de Eneida Serrano

Preparação
Leny Cordeiro

Índice remissivo
Luciano Marchiori

Revisão
Márcia Moura
Adriana Cristina Bairrada

Dados Internacionais de Catalogação na Publicação (CIP)
(Câmara Brasileira do Livro, SP, Brasil)

Neto, Lira
    Getúlio : dos anos de formação à conquista do poder (1882-1930) / Lira Neto. — 1. ed — São Paulo : Companhia das Letras, 2012.

    ISBN 978-85-359-2093-2

    1. Brasil — História — República Velha, 1889-1930 2. Brasil —História — 1930 3. Vargas, Getúlio, 1883-1954 I. Título.

12-04296   CDD-923.281

Índice para catálogo sistemático:
1. Brasil : Políticos : Biografia 923.281

Todos os direitos desta edição reservados à
EDITORA SCHWARCZ S.A.
Rua Bandeira Paulista 702 cj. 32
04532-002 — São Paulo — SP
Telefone (11) 3707-3500
www.companhiadasletras.com.br
www.blogdacompanhia.com.br
facebook.com/companhiadasletras
instagram.com/companhiadasletras
twitter.com/cialetras

Sou contra biografias.
Getúlio Vargas

Para Adriana

Sumário

Prólogo
Onze aviões sobrevoam o Rio de Janeiro.
Na fuselagem, ostentam o emblema fascista (1931)............................ 13

1. A terra ali é vermelha feito brasa.
Dizem que é por tanto sangue derramado nela (1865-96)........................ 28

2. No tiroteio, um jovem tomba morto.
Seria Getúlio, aos quinze anos, o assassino? (1896-8)......................... 45

3. Getúlio levanta o braço e adere ao motim.
O gesto vai mudar sua vida (1898-1903).. 58

4. Após suspirar por uma Dama de Vermelho,
Getúlio cai de amores pela militância estudantil (1903-7)..................... 79

5. Simpático, republicano e deputado:
Getúlio é um bom partido para a filha do figurão local (1908-12)............. 103

6. Desafeto dos Vargas recebe um tiro no ouvido.
Ele sabia — e falava — demais (1913-6)....................................... 123

7. Índia é estuprada e cacique, morto a tiro.
O culpado é Getúlio Dornelles Vargas (1917-21).............................. 150

8. Nova guerra civil derrama sangue no Rio Grande.
O parecer de Getúlio é o estopim do conflito (1922-3)....................... 174

9. "Só é possível reprimir violência com violência",
lê Getúlio em seu primeiro discurso no Rio (1923)............................ 194

10. A Coluna Prestes começa a inflamar o Brasil.
Getúlio a compara a uma "correria de cangaceiros" (1924-6)................. 214

11. O ministro da Fazenda não entende de finanças.
Mas sabe tudo de política (1926-7).. 242

12. E se a República do café com leite se transformasse
na República do café com pão? (1928)... 272

13. Getúlio inaugura a arte de tirar as meias sem
descalçar os sapatos (1929)... 299

14. A "renovação criadora do fascismo" é citada
como exemplo pelo candidato Getúlio Vargas (1929)......................... 327

15. Guerra à vista: Rio Grande encomenda ao Canadá
5 milhões de "cartuchos pontiagudos" (1929)................................. 362

16. O clima no Rio de Janeiro é de "orgia cívica";
mas dessa vez Getúlio é o único a não sorrir (1930)......................... 392

17. Um jornalista entrevista o obelisco:
"Os cavalos gaúchos não vêm mais" (1930)................................... 419

18. Tropas federais chegam a Porto Alegre.
Getúlio, tranquilo, passeia a pé pela cidade (1930)......................... 447

19. A revolução explode nas ruas.
Os dois lados começam a contar seus mortos (1930).......................... 467

20. A massa não grita mais "Queremos!".
O brado agora é outro: "Já temos Getúlio!" (1930)............................ 493

Este livro... 525
Fontes.. 533
Notas... 548
Créditos das imagens.. 611
Índice remissivo.. 615

Prólogo

Onze aviões sobrevoam o Rio de Janeiro. Na fuselagem, ostentam o emblema fascista (1931)

Na tarde daquele 15 de janeiro de 1931, uma quinta-feira escaldante de verão carioca, as 10 mil pessoas aglomeradas ao longo da amurada da praia do Flamengo voltavam os olhos para o horizonte. Os relógios marcavam quatro e meia em ponto quando onze gigantescos hidroaviões Savoia Marchetti S-55 A, de fabricação italiana, surgiram em voo baixo, por trás do Pão de Açúcar. As aeronaves vinham dispostas em impecável formação, tomando o aspecto de uma pirâmide no ar. As fuselagens prateadas brilhavam sob o sol, destacadas no fundo azul de um céu sem nuvens. No mesmo minuto, obedecendo a um movimento rigorosamente cronometrado, a proa de um destróier cinzento de 107 metros de comprimento apareceu por trás da silhueta do morro Cara de Cão, à entrada da baía da Guanabara. O navio, com a bandeira da Itália e o pavilhão negro do regime fascista de Benito Mussolini tremulando no mastro, singrou rápido pelas águas, acompanhado por outras sete embarcações de guerra, dispostas em fila.[1]

Não se tratava de um ataque militar. Era uma manobra festiva. No alto, os onze aviões avançaram na direção da praia e, ainda em formação, deram um rasante sobre o público. Observados de perto, eram ainda mais impressionantes. Com 24 metros de envergadura, 16 de comprimento e 5 mil quilos cada um, arrancaram aplausos e gritos de entusiasmo. No leme, avistavam-se as três cores oficiais da nação italiana — verde, branco e vermelho. Em cada um dos flutuadores de pouso, estava pintado o *fascio*, o feixe de varas dourado acompanhado da machadinha, símbolo da justiça na Roma Antiga, reincorporado como insígnia pelos fascistas.

"Viva o Brasil! Viva a Itália! Viva Getúlio Vargas! Viva Mussolini!", bradava a multidão.[2]

Na avenida Rio Branco, na fachada do edifício Hasenclever — onde funcionava a sede dos Diários Associados e a sucursal brasileira da Hearst Corporation, o conglomerado de comunicação do magnata norte-americano William Randolph Hearst, um entusiasta do fascismo —, alto-falantes apontados para a rua multiplicavam o ruído dos motores Fiat de 1120 cavalos que equipavam os aviões. O radiotransmissor principal estava instalado na cabine de comando da aeronave que seguia imediatamente à frente das demais. Com o manche nas mãos protegidas por um par de luvas brancas, quem a pilotava era o próprio comandante da Aviação italiana, Italo Balbo, 33 anos, o mais jovem ministro de toda a Europa. Vestido com o uniforme escuro, Balbo era o comandante da expedição aérea que saíra de Orbetello no dia 17 de dezembro e, depois de escalas em Cartagena e no norte da África, cruzara o oceano Atlântico pelos ares até chegar ao Brasil, fazendo paradas prévias em Natal e Salvador, percorrendo um total de 10 400 quilômetros desde o ponto de partida, estabelecendo um novo marco na aviação mundial.[3]

"Asas gloriosas da Itália nova", lia-se na manchete do fluminense *Correio da Manhã*. "Os heróis italianos, identificados por um distintivo negro com o emblema do *fascio*, concluíram a sua última etapa, no maior empreendimento de aviação de todos os tempos", dizia a matéria. "Nunca será demais exaltar tão épico feito, em que o valor de um povo forte reponta como a própria esperança de mais brilhantes dias para a história da civilização."[4]

A travessia aérea sobre o Atlântico não era mais uma novidade desde 1922, quando os pilotos portugueses Gago Coutinho e Sacadura Cabral a efetuaram pela primeira vez. O ineditismo e a façanha de Balbo residiam no fato de fazê-la em formação de esquadrilha, o que acrescentava dificuldades consideráveis à missão, dada a necessidade de manter velocidade e posição constantes durante todo o trajeto, para que os aviões não se desgarrassem ou, mais grave ainda, se entrechocassem nos céus. Balbo e toda a Itália estavam orgulhosos da proeza, considerada uma verdadeira ode ao poder da máquina — e particularmente dos homens que as controlavam, forjados na disciplina férrea do regime fascista.[5]

"Ave, Roma! É mais uma vez o prestígio incontrolável da alma latina que se afirma no Universo, através do valor secular do povo italiano", saudou ainda o *Correio da Manhã*. A travessia, sustentava o periódico, era "um testemunho eloquentíssimo do valor civilizador da Itália moderna".[6]

Italo Balbo não chegara por acaso ao comando da força aérea de seu país. Na fase anterior à tomada do poder na Itália pelos fascistas, ele se notabilizara por ser um dos mais truculentos seguidores do *Duce* — o termo pelo qual os italianos se referiam a Mussolini, derivado do latim, *dux*, vocábulo que em português equivale a "líder". Balbo se vangloriava de ter ateado fogo e destruído à época inúmeros escritórios, gráficas, bibliotecas, cooperativas e círculos culturais ligados a grupos socialistas e comunistas de Ferrara, onde nascera e tivera sua iniciação política.[7] Em julho de 1922, comandara um ataque de 24 horas ininterruptas a prédios pertencentes a movimentos de esquerda na cidade. "Nossa passagem foi marcada por altas colunas de fogo e fumaça", descreveu, com orgulho, no diário que publicaria decorridos exatos dez anos do episódio. "Nosso objetivo era desmoralizar o Estado, destruir o regime e todas as suas veneráveis instituições. Quanto mais nossas ações fossem consideradas escandalosas, melhor."[8]

Além dos incêndios criminosos de Ferrara, também pesavam contra Balbo as acusações de ter sido conivente, em 1923, com o assassinato de um sacerdote antifascista, o padre Giuseppe Minzoni, pároco de Argenta. Mas o maior feito de seu currículo em prol do regime de extrema direita que então controlava a Itália ocorrera cerca de um ano antes da morte de Minzoni, quando Balbo foi o mais jovem dos quatro idealizadores da famosa Marcha sobre Roma, a manifestação que em outubro de 1922 reuniu cerca de 26 mil "camisas-negras" — grupo paramilitar encarregado de promover ações políticas por meio da violência — para "invadir a Cidade Eterna" e exigir a tomada do poder no país. A marcha marcou a ascensão de Mussolini à chefia do governo italiano e a posterior nomeação de Balbo para o ministério. Com experiência quase nula em aviação, fez um curso de pilotagem após assumir o cargo e logo em seguida criou a mística do "voo em massa", as travessias oceânicas com esquadrilhas aéreas que se transformaram em um dos símbolos máximos da propaganda fascista no exterior.[9]

A chegada de Balbo ao Rio de Janeiro fora antecedida por uma tragédia na equipe. Numa decolagem noturna na cidade de Bolama, então capital da Guiné-Bissau, última das escalas africanas antes de o grupo rumar para o Brasil, dois aviões apresentaram problemas logo nos primeiros minutos de voo. Um deles conseguiu descer no meio do oceano e ficou para trás. O outro teve menos sorte. Após um curto-circuito, explodiu no ar, matando os cinco tripulantes a bordo. Os corpos, carbonizados, jamais seriam resgatados das águas do Atlântico. Na Itália, Mussolini decretou luto oficial em toda a península. Por isso, em vez dos treze aviões que partiram de Orbetello, apenas onze amerissaram na enseada de Botafogo.[10]

Recepcionados por autoridades brasileiras no Hotel Glória, onde ficariam hospedados, Italo Balbo e seus 51 companheiros de viagem — entre aviadores, técnicos e oficiais militares, inclusive o chefe do Estado-Maior da aviação italiana, o general Giuseppe Valle, piloto de dirigíveis durante a Primeira Guerra Mundial — receberam as honras de representantes oficiais de Mussolini no Brasil. Ao se postar diante do microfone para pronunciar seu discurso de agradecimento pelas boas-vindas do povo brasileiro, Balbo sublinhou cada frase com gestos largos, que lembravam os trejeitos histriônicos do próprio *Duce* em suas aparições públicas. A diferença é que, ao invés da careca luzidia do chefe, o ministro italiano ostentava uma vasta cabeleira negra, da mesma cor do cavanhaque pontudo que cultivava desde os tempos de incendiário em Ferrara.[11]

"Trago a saudação da Itália fascista ao Brasil novo", declarou Balbo, em alusão ao fato de o país onde acabara de desembarcar estar sendo dirigido por um regime recém-surgido dos rescaldos de uma luta armada. Apenas dois meses e meio antes, o gaúcho Getúlio Dornelles Vargas, aos 48 anos de idade, assumira o comando da nação, após uma junta militar destituir o então presidente da República, Washington Luís.[12] Na agenda brasileira de Balbo, o principal compromisso era justamente uma audiência solene, no dia seguinte, com o chefe do Governo Provisório instaurado após a vitória da chamada "Revolução de 30". No bolso do uniforme, o italiano levaria um telegrama de Mussolini que daria o tom da conversa com o brasileiro Getúlio Vargas.

"Os corações de nossos povos irmãos batem juntos pela primeira vez. Certamente, não será a última", dizia a mensagem.[13]

O protocolo do Palácio do Catete — então sede do governo federal, no Rio de Janeiro, capital da República — exigiu dos convidados o uso de casaca, colete preto e gravata branca. Os militares deveriam trajar farda de gala.[14] Italo Balbo, em um elegante uniforme branco, chegou com sua comitiva rigorosamente às

15 horas, como indicado no convite. O ministro italiano tinha obsessão pelas "coisas excelentemente organizadas, matematicamente certas".[15] Depois de passar pela sequência de seis colunas neoclássicas do hall de entrada e subir a escadaria de ferro fundido para chegar ao piso nobre do prédio — onde estava localizado o salão de honra —, Balbo deparou-se com imagens que por certo lhe eram familiares. As esculturas, afrescos e vitrais com motivos da mitologia greco-romana não escapariam ao olhar de um observador habituado a celebrar os monumentos e a iconografia da Roma imperial, reapropriados pelo fascismo como símbolos da superioridade cultural latina e, mais especificamente, italiana.

No alto, em um nicho vermelho, a Afrodite de Cápua do Palácio do Catete era uma cópia em metal da obra verdadeira, de mármore, custodiada pelo Museu Arqueológico Nacional de Nápoles. As pinturas nas paredes exibiam reproduções de obras do pintor renascentista italiano Rafael Sanzio e remetiam à Vila Farnesina, em Roma. Conduzido ao Salão Amarelo, Balbo pôde observar a ornamentação suntuosa e o mobiliário pesado, de inspiração veneziana. Era como se um pedaço da Itália houvesse sido transplantado para os trópicos, provocando em um olho mais treinado uma certa (e inevitável) sensação de artificialismo. Conduzido enfim ao salão de honra — decorado com réplicas de pinturas que igualmente aludiam a temas da mitologia greco-romana —, o ministro de Mussolini foi anunciado e levado à presença de Getúlio Vargas.[16]

Conforme o testemunho do correspondente do jornal paulistano *Folha da Manhã* presente à solenidade, Balbo, com o peito estufado e apinhado de medalhas militares, perfilou-se diante do governante brasileiro. Rígido, de joelhos unidos, levantou subitamente o braço direito, deixando a palma da mão voltada para baixo, em posição estendida. Era a célebre saudação fascista. Getúlio olhou o visitante e, após alguns poucos segundos de hesitação, estendeu-lhe a mão, em um cumprimento convencional. Em fila indiana, todos os membros da comitiva italiana repetiram o gesto de Balbo. Como retribuição, tiveram as mãos apertadas por Getúlio.[17] "Tudo entre sorrisos", notou o repórter da *Folha*, destacando a informalidade do chefe de governo brasileiro, em contraposição ao cenário e à postura marcial dos convidados.[18]

"Conversei com Italo Balbo, espírito ágil, inteligente, e muito simpático", anotaria Getúlio mais tarde, em um caderninho de bolso, a capa revestida de tecido preto.[19] Desde o dia 3 de outubro do ano anterior, data do início do movimento que o conduzira ao comando da nação, ele começara a redigir um diário pessoal, no qual deixava preciosas anotações acerca do cotidiano e do exercício do poder. Já enchera um volume inteiro com elas e começara um segundo. Sobre a chegada da expedição aérea italiana ao Rio, a que assistira do mirante localizado no alto do morro Mundo Novo, nos fundos do Palácio Guanabara — residência oficial da Presidência da República —, registrara o seguinte comentário:

"Foi um espetáculo admirável."[20]

A audiência solene no Catete não demorou mais do que alguns minutos. Ao final, Getúlio recebeu das mãos de Balbo uma comprida caixa metálica, no interior da qual havia uma raridade cartográfica: um mapa do continente americano datado de 1751. Era um presente da Itália ao povo brasileiro, sublinhou o representante de Mussolini.[21]

A conversa entre Getúlio e Balbo teria continuidade e desdobramentos decisivos poucas horas depois, à noite, em um banquete oferecido aos militares estrangeiros no Palácio do Itamaraty, sede do Ministério das Relações Exteriores. À mesa, Getúlio sentou-se em frente a Balbo e ao lado do embaixador italiano no Brasil, Vittorio Cerrutti, e do núncio apostólico, representante da Santa Sé no país, o monsenhor italiano Benedetto Aloisi Masella — religioso que em 1943 prefaciaria a obra *Em defesa da Ação Católica*, de autoria de Plínio Correia de Oliveira, o fundador da organização Tradição, Família e Propriedade (TFP).[22]

Para apresentar ao ministro fascista os sabores exóticos da culinária brasileira, o jantar teve como atrações principais um caldo de tartaruga, filés de robalo, carneiro ao forno e macuco assado. À hora da sobremesa — compotas de frutas tropicais e sorvete de bacuri —, Italo Balbo levantou a taça de champanhe e fez um brinde ao Brasil. Disse que Mussolini desejava cultivar "com o máximo empenho" as relações de amizade entre os dois povos e governos. Depois de ouvirem o Hino Nacional Brasileiro, a Marcha Real Italiana e a "Giovinezza" (hino oficial do fascismo), os convidados seguiram para a biblioteca, onde lhes foram oferecidos cigarros, charutos, licor e café. O jornalista do *Correio da Manhã* aproximou-se da roda em que Getúlio e Balbo conversavam, e assim pôde ouvir e descrever parte da conversa. Para surpresa do repórter, Getúlio falava um italiano fluente.[23]

"O povo italiano adora café", comentou Balbo, após levar a xícara quente aos lábios. "Em todas as nossas cidades, sejam elas grandes ou pequenas, há um café em cada esquina. E estão sempre cheios. Estou certo de que em nenhum país da Europa se bebe mais café do que na Itália."[24]

Getúlio sorriu, rolando um grosso charuto entre os dedos. A palestra chegara aonde ele queria. A missão Balbo, espetaculoso golpe de publicidade fascista, tinha motivações evidentemente políticas, mas também financeiras. O governo italiano pretendia negociar com o Brasil a venda dos aviões militares que fizeram a travessia aérea do Atlântico. A recomendação do *Duce* era a de que Balbo e seus homens voltassem para casa de navio. Getúlio propôs então ao ministro italiano da Aviação uma espécie de escambo. O Exército brasileiro ficaria com as aeronaves. Em troca, em vez de dinheiro vivo, o país remeteria para Roma toneladas de café em grão. O negócio, costurado depois pelos representantes comerciais dos respectivos governos, acabou aprovado. O Brasil pagaria 8 mil contos de réis (8.000:000$000, na grafia da época, o equivalente então a cerca de 88 milhões de dólares), em sacas de café, para ficar com os modernos Savoia Marchetti.[25]

Foi um negócio e tanto. Mais de 20 milhões de sacas do produto estavam apodrecendo nos armazéns reguladores nacionais. Nas administrações anteriores, a política oficial de proteção ao café, principal item da pauta de exportações brasileiras, consistira na compra pelo governo dos excedentes de produção. Por algum tempo, o artifício interferira na lei da oferta e procura, mantendo os preços em alta no mercado internacional. Mas desde outubro de 1929, com o *crash* histórico da Bolsa de Nova York e a crise econômica mundial dela decorrente, os compradores mundo afora sumiram. Os preços, por conseguinte, despencaram. A saca de café, que chegara a custar 200 mil-réis em agosto de 1929, caíra para míseros 12 mil-réis naquele início de 1931, o que a rigor deixava o país à beira da bancarrota.[26]

A missão Balbo e a consequente negociação das aeronaves militares italianas ajudaram a minorar apenas uma pequena parte do problema, é bem verdade. Dali a menos de um mês, para socorrer os cafeicultores e aplacar o pânico instalado no setor, o governo federal recorreria ao velho expediente e decretaria a compra pelo Ministério da Fazenda de 17,5 milhões de novas sacas, mais da metade da safra anual que seria registrada no fim daquele ano.[27] Dali a mais alguns meses, Getúlio apelaria para uma medida ainda mais extrema: a incineração pura e simples dos estoques, numa tentativa desesperada de manter os preços estáveis.

As despedidas de Balbo ficariam marcadas por um escândalo diplomático. No Rio de Janeiro, o aviador e sua equipe foram alvos de seguidas recepções. Homenageados em um baile de gala no luxuoso Copacabana Palace e com uma corrida especial no Jockey Club, figuraram ainda como convidados de honra de um espetáculo musical no Theatro Lírico, cujo ponto alto seria a apresentação dos tenores Machado Del Negri e Francisco Pezzi, que entoaram canções do mais assumido repertório fascista. Entusiasmado com as atenções dispensadas, Balbo decidiu conhecer também São Paulo, ao ser informado de que na cidade existia a maior colônia de italianos no país. Na capital paulista, as homenagens prosseguiram, ainda mais acaloradas. Contudo, terminariam em tumulto.[28]

Com os aviões já praticamente negociados, a comitiva viajou para São Paulo por via férrea e, no mesmo dia da chegada, participou da inauguração da nova sede do consulado italiano na cidade, em um prédio localizado na praça da República. Numa concorrida solenidade, nas dependências do Instituto Médio Dante Alighieri (o futuro Colégio Dante), na alameda Jaú, as centenas de alunos da instituição e de outros estabelecimentos de ensino ítalo-brasileiros foram orientados pela direção e pelos professores a receber Italo Balbo com a saudação fascista, o que valeu uma nota de protesto na *Folha da Noite*. A admoestação do jornal provocou algum constrangimento aos anfitriões, mas algo muito mais grave ainda estava por vir.[29]

Antes de embarcarem de volta ao Rio, de onde deveriam tomar o vapor para a Europa, os aviadores foram surpreendidos por um burburinho na Estação da Luz. O que começou com um simples empurra-empurra derivou para cenas explícitas de pugilato. Imigrantes italianos adeptos do movimento anarquista entraram em confronto com os compatriotas simpatizantes do fascismo em São Paulo. No meio da confusão, manifestantes das duas facções rivais acabaram cercando o automóvel no qual se encontravam o embaixador italiano Vittorio Cerrutti e o comandante da esquadra de guerra que escoltara os aviões durante a travessia transatlântica, o almirante Umberto Bucci.[30]

Para escapar do conflito, Cerrutti saltou do carro e abriu caminho a esmo, distribuindo palavrões e cotoveladas em meio à multidão, tendo ofendido e atingido indistintamente anarquistas e fascistas ao longo do caminho. Bucci conseguiu acompanhá-lo de perto, mas ambos foram barrados pelo inspetor de polícia encarregado de impedir o acesso dos manifestantes à plataforma. O embaixador ainda tentou forçar a passagem. Mas o policial, por não conseguir distingui-los dos demais, e sem conseguir entender uma única palavra do que gritavam, conteve-os com um enérgico empurrão.[31]

"Não sabia o que eles diziam, mas pelo tom e pelas maneiras, compreendi que pronunciavam irreverências", depôs o rapaz mais tarde à imprensa.[32]

Revoltado com o bloqueio, o almirante desferiu uma sonora bofetada no rosto do inspetor. Cerrutti aproveitou para também atacá-lo, desfechando-lhe um soco de cima para baixo. O golpe passou de raspão, conseguindo apenas fazer com que o quepe do policial se deslocasse para a frente de seus olhos. O inspetor, sem enxergar nada por alguns instantes, disparou um murro cego, mas vigoroso, em direção aos oponentes. A pancada atingiu em cheio o rosto do embaixador, que ficou grogue. Recuperado da condição de inferioridade e antes que Bucci pudesse correr em auxílio do companheiro, o rapaz pegou o embaixador pelas lapelas do paletó e continuou lhe aplicando uma série de safanões.[33]

O quiproquó só terminou quando os demais membros da comitiva conseguiram se aproximar e, com a ajuda de um intérprete, explicaram que aqueles dois senhores desgrenhados eram altos representantes do governo italiano. O policial, lívido, percebendo o tamanho da complicação na qual se metera, pediu desculpas a ambos. O almirante retribuiu o gesto, mas o embaixador se negou a fazer o mesmo. O episódio resultou em um protesto dos estudantes da Faculdade de Direito de São Paulo, que exigiram o afastamento do embaixador do país e um pedido formal de desculpas do governo italiano pelo desacato a um representante da polícia brasileira.[34]

Getúlio precisou entrar em ação. Por causa do revide do inspetor contra Cerrutti, considerou que o mais recomendável era dar o assunto por encerrado, após uma rápida reunião de conciliação entre as partes e uma "indicação" à imprensa para que não se escrevesse mais nenhuma linha sobre o caso. O "pedido" do chefe do Governo Provisório foi prontamente atendido.[35]

De todo modo, Vittorio Cerrutti não demoraria muito mais tempo no Brasil. Dali a pouco mais de um ano, Mussolini o transferiria para a embaixada italiana na Alemanha, onde o líder do Partido Nacional Socialista dos Trabalhadores Alemães, mais conhecido como Partido Nazista, Adolf Hitler, preparava o terreno para sua ascensão ao poder.[36]

Embora o Palácio do Catete tenha estendido seus tapetes vermelhos ao fascista Italo Balbo, Getúlio Vargas ainda não deixara claro à opinião pública qual rumo ideológico pretendia imprimir ao governo após a tomada do poder. Particularmente em um momento histórico no qual o mundo assistia ao surgimento de governos totalitários à esquerda e à direita, a questão fazia todo sentido. Havia até mesmo quem desconfiasse de que estivesse em andamento um processo de aproximação com a União Soviética, a poderosa nação surgida cerca de oito anos antes, em 1922, após o triunfo da Revolução Russa de 1917 e da vitória do Exército Vermelho sobre o Exército Branco, na guerra civil que consolidou o domínio dos bolcheviques comandados por Vladímir Lênin. O jornalista e advogado paulista Plínio Barreto, redator-chefe do *O Estado de S. Paulo*, publicação que apoiou abertamente a Revolução de 30, apontava uma suposta inclinação esquerdista do novo governo brasileiro: "Recebidos com entusiasmo, os revolucionários começam, agora, a causar inquietação ao povo", denunciou Barreto. "O motivo desta reviravolta, manifesto a todos os olhos, se encontra na crença que justa ou injustamente se arraigou no espírito público de que estamos condenados a uma ditadura militar de caráter comunista."[37]

Entretanto, de Montevidéu, o engenheiro militar Luís Carlos Prestes, no exílio desde 1927 e às vésperas de ir morar na União Soviética a convite do governo daquele país, tratava de negar qualquer vínculo da Revolução de 30 — e do governo de Getúlio — com a causa marxista: "No Brasil, como em toda a América Latina, os mistificadores servem-se da palavra revolução para enganar grosseiramente as massas", acusava Prestes.[38]

Os que temiam a bolchevização do regime baseavam suas suspeitas no fato de estarem sendo organizadas por todo o país, com o apoio de membros influentes do governo federal e de pessoas bem próximas a Getúlio, as chamadas Legiões Revolucionárias, organizações que buscavam atrair o operariado com mensagens de forte conteúdo social. Os integrantes dessas agremiações utilizavam como distintivo uma sugestiva braçadeira vermelha. Em São Paulo, o primeiro manifesto dos legionários foi distribuído à população com a ajuda de um aeroplano que inundou a cidade com panfletos de linguagem ardente. Diziam os folhetos:

> Da vitória nas armas, não se conclua que a ação revolucionária tenha chegado ao seu termo e que os combatentes possam dar por findo o seu trabalho, e que a Nação, milagrosamente, esteja reintegrada no uso e gozo das suas prerrogativas inalienáveis. Povo de São Paulo! Ide hoje para o vosso trabalho, cada um de vós, com uma faixa vermelha no braço, expressão da certeza de que está disposto a cumprir sua missão.[39]

Em simultâneo, seria formada em Belo Horizonte a Legião Mineira, de assumida extração direitista. Em contraste com a braçadeira vermelha, seus afiliados adotaram como símbolo a camisa cáqui. Apesar de antagônicos nos aspectos externos, os métodos dos dois grupos eram de tal modo semelhantes que muitas vezes chegaram a se confundir. Como traço adicional de afinidade, existia a defesa intransigente que faziam do Governo Provisório. Afinal, ambas as correntes haviam nascido das fileiras revolucionárias que içaram Getúlio ao Catete.

A Revolução de 30 contara com o apoio e a coalizão dos mais diferentes matizes ideológicos, que então se sentiam no direito de cobrar sua parte correspondente no governo, impondo à nação os respectivos interesses. Posto no meio de um fogo cruzado, Getúlio até ali procurava contemporizar, ora afagando uns, ora agradando outros. A indefinição e a dualidade ajudariam a plasmar a imagem de um político de poucas palavras e muitos sorrisos, apto a atrair sobre si uma cordilheira de adjetivos recorrentes, que logo se encravariam em sua biografia como inevitáveis clichês. Passaria a ser, desde então, a "eterna esfinge", o "impenetrável", o "enigmático" Getúlio Vargas.

"O Rio Grande do Sul até aqui era uma floresta africana, que só produzia leões. O sr. Getúlio é a primeira raposa dos pampas", definia o jornalista Francisco de Assis Chateaubriand Bandeira de Mello — o Chatô, dono dos Diários Associados e uma das línguas mais venenosas da imprensa brasileira.[40] A imagem do "leão" era uma referência ao passado belicoso do povo gaúcho, historicamente envolvido com guerras de fronteiras e conflitos internos. A metáfora política da "raposa", bicho manhoso e astuto, ficaria para sempre associada à imagem de Getúlio.

"Maquiavel é pinto para o sr. Getúlio Vargas", reforçava Chatô.[41]

Só havia uma única certeza àquela altura dos acontecimentos. A despeito do viés ideológico que seu governo viesse a tomar, entregando-se aos braços do fascismo ou às mãos dos comunistas, Getúlio estava disposto a fazer um governo forte, sem nenhuma consideração aos princípios da representatividade parlamentar e do liberalismo econômico — valores que estavam em xeque desde que a crise da bolsa de Wall Street empurrara os Estados Unidos para o abismo da Grande Depressão. O desemprego em massa, o fechamento de bancos, as falências e os suicídios em série abalavam naquele instante a crença na democracia liberal e no Estado mínimo em todo o Ocidente. Em seu lugar, surgiram as propostas "regeneradoras" de regimes centralizadores, com forte ingerência do Estado sobre a economia e a tutela vigilante sobre a vida privada dos indivíduos. Desse desencanto político radical, por diferentes caminhos e em diferentes conjunturas, brotaria o fascismo na Itália, o nazismo na Alemanha, o franquismo na Espanha, o salazarismo em Portugal e, em certa medida, com suas especificidades, o getulismo no Brasil.[42]

"Deem-me a ordem que eu lhes darei boa administração", dizia Getúlio.[43]

Porém, nem propriamente fascista, muito menos comunista, ele inauguraria um autoritarismo todo particular, temperado por uma imagem pública bonachona, de um chefe de Estado capaz de sair do palácio sem nenhum guarda-costas e, como um cidadão comum, ir ao dentista de táxi, abdicando da prerrogativa do carro oficial. Foi exatamente o que Getúlio fez na manhã de 14 de novembro de 1930, apenas onze dias depois de tomar posse como chefe do Governo Provisório, ao visitar o odontólogo Bello R. Brandão, cujo escritório ficava à rua São José, nos altos do Café Rio Branco, ponto de encontro boêmio, frequentado por artistas e gente ligada ao futebol. Os *habitués* do estabelecimento ficaram surpresos com aquele novo dirigente da nação que caminhava de terno de linho branco e sapatos bicolores entre os comuns dos mortais, deixando atrás de si, como um rastro característico, as baforadas do inseparável charuto.[44]

A respeito da sem-cerimônia de Getúlio, uma saborosa marchinha popular, de autoria do irreverente Lamartine Babo e lançada naquele janeiro de 1931, sintetizava com perspicácia a imagem popular construída e desfrutada pelo novo governante brasileiro:

Só mesmo com a revolução,
Graças ao rádio e o "parabelo",
Nós vamos ter transformação
Neste Brasil verde e amarelo.

G-e — Ge
T-u — tu
L-i-o — lio.
Getúlio!

Certa menina do Encantado
Cujo papai foi senador
Ao ver o povo de encarnado
Sem se pintar, mudou de cor.[45]

Estava tudo lá, na letra da marchinha que Almirante gravou acompanhado pela Orquestra Guanabara e o Bando dos Tangarás: a luta armada, a habilidade de Getúlio para lidar com os novos meios de comunicação, o apelo nacionalista às cores da bandeira brasileira, a capacidade de atrair e aceitar adesistas de undécima hora. O refrão irresistivelmente pegajoso, ao soletrar as letras de seu nome à maneira infantil, conferia uma intimidade lúdica e uma identificação afetuosa entre o líder carismático e o povo. O título da música, "Gê-Gê", também referida no selo do disco como "Seu Getúlio", quebrava a solenidade do cargo, cunhava um apelido e o aproximava ainda mais dos milhares de brasileiros que ouviam a canção pelas ondas do rádio.

Por outro lado, Getúlio governava com a Constituição suspensa, um tribunal revolucionário arrolando dezenas de "inimigos do novo regime", o Judiciário cerceado e o Congresso arbitrariamente fechado. A demonização da política e dos políticos profissionais seria uma das marcas mais fortes do Governo Provisório — que logo se revelaria não tão provisório assim. A tese da "morte da política" seria explorada à exaustão não só pelos discursos oficiais de Getúlio, mas também na própria imprensa, por meio de charges que faziam um "humor a favor", ao retratar essa mesma política sempre como uma velha coroca, com traços de megera.

Na revista satírica *Careta*, a imagem de uma bruxa dependurada na forca e em cujos trajes se lia a expressão "política profissional" falava por si.[46] Na edição seguinte, a mesma publicação traria na capa, em cores, a ilustração da fachada do Congresso Nacional, onde se via afixada uma enorme placa de "aluga-se". Pelas escadarias, o estereótipo do político, de fraque e cartola, mas com a roupa em frangalhos e o olhar macambúzio, indicava o propalado declínio da classe. O "Jeca", representação tradicional que a revista fazia do povo, aparecia em trajes revolucionários e exclamava, apontando para a cena: "Eis a República dos meus sonhos!".[47]

Por trás da animosidade pública ao parlamento, inconsciente ou não, a tentação totalitária está sempre à espreita. Getúlio soube explorar a atávica indignação popular contra os congressistas e direcioná-la em seu proveito pessoal. Ele próprio sendo um político de carreira — ex-deputado estadual, ex-deputado federal, ex-ministro da Fazenda, ex-governante do Rio Grande do Sul —, apresentava-se como alguém que extirpara definitivamente a política da vida nacional, como se faz a um câncer, em nome da moralização dos costumes e em prol da eficiência administrativa.

Ao mesmo tempo, já nos primeiros decretos assinados como novo dirigente da nação, Getúlio estabeleceu a anistia aos exilados e presos políticos perseguidos pelos governos anteriores, além de criar o Ministério do Trabalho e o da Educação e Saúde. Pela primeira vez no Brasil, um presidente reconhecia a questão social, em vez de tratá-la como mero caso de polícia. Ao implementar uma inédita política trabalhista, Getúlio estabelecia novas perspectivas em um país que, apenas quatro décadas antes — período relativamente curto quando encarado em uma perspectiva histórica —, vivia sob o escândalo repugnante da escravidão. Se o trabalhismo inaugurado por ele tinha como objetivo reprimir os esforços de organização independente do operariado urbano e submetê-lo ao controle do estado, só os próximos anos diriam.

Mais instantânea foi sua conivência com a repressão da polícia do Distrito Federal à "Marcha da Fome", programada para 19 de janeiro de 1931, quando Italo Balbo ainda se encontrava em terras cariocas. A manifestação, anunciada em cartazes pregados pelos muros e postes do Rio, foi precedida de uma ação policial preventiva, que apreendeu boletins de propaganda e arrancou da cama, em plena madrugada, operários e organizadores, para depois levá-los à cadeia, onde foram postos em incomunicabilidade e ameaçados de degredo na ilha de Fernando de Noronha.

"A intenção única e pré-estudada da manifestação consistia em perturbar a ordem, tanto assim que os cartazes eram impressos em letras vermelhas", justificou a nota oficial da polícia distribuída à imprensa.[48]

Entre uma contradição e outra, Getúlio iniciava ali a mais longa trajetória de um único indivíduo no comando da república brasileira. Ao todo, contados os dois períodos à frente do poder, passaria dezoito anos e meio no Catete. Só morto o abandonaria, apontando contra o próprio peito o cano frio de um Colt calibre 32 com cabo de madrepérola. Tempo e gestos suficientes para fazer dele o personagem mais importante, mais dramático e mais controvertido da história política nacional.

Ninguém como Getúlio despertou tanta paixão e tanto ódio. Quase sessenta anos após sua morte, seu fantasma e as representações coletivas em torno de sua figura ainda nos rondam, provocando contestações, desafiando exegetas, contrapondo analistas. Para muitos, ele deixou uma herança de inestimáveis realizações a serviço da soberania do país e em nome do engrandecimento de seu povo. Para outros, transmitiu um legado maldito, que "atravanca o presente e retarda o avanço da sociedade brasileira", conforme afirmou o ex-presidente Fernando Henrique Cardoso, ao tomar posse da cadeira presidencial, em 1º de janeiro de 1995. O sucessor de FHC, Luiz Inácio Lula da Silva, pensaria de modo exatamente oposto. Lula, que jamais escondeu sua admiração por Getúlio, chegou a copiar-lhe uma imagem clássica, quando exibiu para os fotógrafos a mão tisnada de petróleo, do mesmo modo que o gaúcho fizera em 1952, quando da campanha pela criação da Petrobras. Em setembro de 2010, o mesmo Lula assinou a lei 12 326, que oficialmente inscreveu o nome de Getúlio Dornelles Vargas no Livro dos Heróis da Pátria, que se encontra no Panteão da Liberdade e da Democracia, em Brasília.

Bem antes de tudo isso, no longínquo 3 de dezembro de 1930, exatamente um mês após Getúlio ter assumido no Rio de Janeiro a chefia do Governo Provisório, um senhor de bigodes muito brancos escreveu-lhe uma carta, diretamente de São Borja, interior do Rio Grande do Sul. Pela dificuldade de comunicação à época, a mensagem só encontrou o destinatário em meados de janeiro, quando ele já estava envolto na intrincada tarefa de escolher, entre os muitos áulicos que o rodeavam, os homens que o acompanhariam ou não no governo. Havia, no meio destes, esquerdistas, direitistas, liberais, civis, militares, revolucionários sinceros, descarados oportunistas.

"Presumo que sairás daí velho, devido ao excessivo trabalho intelectual dia e noite. Olha, faz como o Marechal de Ferro [Floriano Peixoto]: confia em todos, desconfiando igualmente", dizia a tal carta.[49]

A assinatura era de um general quase nonagenário, de nome Manuel do Nascimento Vargas — o pai de Getúlio, eterno florianista, veterano da Guerra do Paraguai e de muitas outras batalhas travadas nas coxilhas gaúchas.

Getúlio, ao longo de toda a vida, jamais ousara desobedecer a uma ordem paterna. Não seria daquela vez que iria contrariar o velho general Vargas.

1. A terra ali é vermelha feito brasa. Dizem que é por tanto sangue derramado nela (1865-96)

No meio da tarde, ouviu-se o estrondo. O barulho vinha de dentro de casa. Não parecia estampido de tiro, coisa comum numa terra em que as questões eram resolvidas à bala. Era como se algo bem pesado houvesse despencado com violência e se espatifado ao chão. À sombra do velho umbuzeiro, cenário habitual das confabulações partidárias, o general Manuel do Nascimento Vargas, então com 51 anos, interrompeu a reunião e se apressou em investigar a origem do abalo.

Naquela tarde do verão de 1896, ele convocara à sede da fazenda Itu, localizada cerca de trinta quilômetros do centro de São Borja, um grupo de estancieiros locais para tomar chimarrão e, como de costume, tratar de negócios e de política — pautas que, para o general Vargas, membro do Partido Republicano no município e proprietário de largas faixas de terra ali na fronteira com a Argentina, constituíam, no fundo, o mesmo assunto. Aquele homem baixote, tronco volumoso, ombros largos, maxilar quadrado, vasto bigode, olhos negros encimados por cerradas sobrancelhas, adentrou acelerado na sala de jantar, seguido de perto pelos demais membros da reunião interrompida.[1]

O general deparou-se então com a cena que o deixaria perplexo. O solene quadro a óleo que retratava o poderoso Júlio de Castilhos, presidente do Rio Grande do Sul (o equivalente a governador, à época), líder dos republicanos de todo o estado, estava caído no piso da sala, a tela amarrotada, a moldura estilhaçada. Ao lado do retrato, havia um enigmático guarda-chuva aberto.

Nem houve tempo para Manuel Vargas conjecturar uma explicação para o caso, pois logo se ouviu o ganido na sala contígua: "Bamo dispará, nhonhô, sinão nóis entremo na madeira!".[2]

Além de constituir notória confissão de culpa, o grito tinha um autor evidente. A voz era a do pretinho Gonzaga, filho de ex-escravos, meninote que vivia por ali a dedilhar sempre o mesmo cavaquinho feito de lata velha, as cordas de crina de cavalo. Um diabinho, o preto Gonzaga, amigo mais chegado do terceiro dos então quatro filhos do general Vargas, o franzino Getúlio.

Um era a sombra do outro. Gonzaga e Getúlio viviam juntos, feito siameses. Se o primeiro tinha responsabilidade no entrevero, o segundo estaria naturalmente envolvido, como aliás atestavam as palavras de pânico do moleque. Era caso para distribuir bordoadas aos dois, sem nenhuma piedade, considerou o velho Vargas. Afinal, destruir o quadro de Júlio de Castilhos, naquela casa, equivalia a um crime de lesa-pátria. No lar do republicano Manuel do Nascimento Vargas, Júlio de Castilhos era considerado um mito, o herói que sete anos antes conspirara a favor da proclamação da República brasileira e lutara pela derrocada do majoritário Partido Liberal — agremiação adversária chefiada pelo poderoso Gaspar Silveira Martins, que chegou a ser retratado em uma caricatura de época ao pé da qual se lia a proverbial legenda:

"Eu posso, eu quero, eu mando, eu chovo."[3]

Mas, no início da República, quem então mandava e fazia chover no Rio Grande do Sul era Júlio de Castilhos. Por isso, enquanto cuidava de desaparecer do local do desastre, o pequeno Getúlio, que a esse tempo ainda não chegara aos catorze anos nem à altura do peito dos amigos de mesma idade, tinha consciência de que estava bem encrencado. Tudo não passara de um acidente, podia alegar a seu favor. Conforme ele próprio recordaria décadas mais tarde, ao admirar o guarda-chuva do pai, tentou experimentá-lo, para se exibir aos olhos de Gonzaga. Porém, não percebeu que se plantara rente demais à parede e, pior ainda, da pintura a óleo tão idolatrada pelo general Vargas. Deu-se a tragédia. As pontas das varetas abertas do guarda-chuva engancharam na moldura de madeira torneada e, ao tentar desvencilhá-las, Getúlio provocou a queda do quadro, que saltou do prego e foi ao chão.

O menino não se arriscaria a enfrentar o pai para gaguejar-lhe a devida explicação e o necessário pedido de desculpas. Conhecia bem a natureza das zangas paternas. Ao ouvir o som das botas do general que se aproximava, não hesitou. Seguiu a recomendação do pequeno comparsa e disparou dali. Pensou em se esquivar pela porta dos fundos da casa. Mas, por temer ser avistado pela mãe, denunciado pelos irmãos mais velhos ou, quem sabe, delatado por algum criado, decidiu escapar pela janela da sala ao lado, acompanhado de Gonzaga. O primeiro esconderijo que lhe ocorreu foi exatamente a copa do velho umbuzeiro.

Os dois, Getúlio e Gonzaga, galgaram troncos e galhos em segundos. Ali, suspensos a seis metros do chão, permaneceram ocultos entre a folhagem da árvore sob a qual o general Vargas, minutos antes, conferenciava aos visitantes. Lá de cima, o menino Getúlio ouviu o pai, colérico, ordenar a um peão da fazenda que procurasse pelos dois pirralhos e os trouxesse, de pronto, a sua presença. Iria aplicar-lhes a imediata lição.[4]

Se o pai o ameaçava com o relho, cumpriria a promessa. O general Manuel Vargas era homem rígido, incapaz de quebrar uma jura. Desde a mocidade, orgulhava-se da fama de audaz. Ninguém ousava lhe pisar no poncho, como se dizia por ali, na fazenda Itu.

"Se o general Vargas disse que é assim, então é porque é", rendiam-se os próprios oponentes.[5]

Aos vinte anos de idade, em 1865, aquele rio-grandense de Passo Fundo largara o avental sobre o balcão da loja de secos e molhados na qual trabalhava e se alistou nas tropas brasileiras que seguiam para a guerra contra o Paraguai.[6] À época, atendendo à convocação geral e compulsória, apresentara-se ao 28º Corpo Provisório de Cavalaria da Guarda Nacional, sediado em São Borja, então um pequenino município de apenas onze ruas de terra vermelha como brasa, traçadas à margem direita do rio Uruguai, remanescente do primeiro dos antigos Sete Povos das Missões, fundados pelos jesuítas espanhóis ainda no século XVII.[7] Quatro meses após Manuel Vargas ter sentado praça, São Borja, situada em zona de fronteira, foi invadida por uma coluna paraguaia de 12 mil homens, que partira de Encarnación, adentrara o território argentino e depois tomara o povoado de Santo Tomé, localizado na margem exatamente oposta do rio Uruguai. Os são-borjenses jamais esqueceriam aqueles dias de horror. Advertida, a maior parte dos moradores conseguiu fugir antes do ataque, deixando tudo o que possuía para trás.

Os soldados inimigos atravessaram o rio com a ajuda de lanchões e, comandado pelo coronel Antonio de La Cruz Estigarribia, pilharam São Borja durante uma semana inteira. Além dos litros de cachaça e das barricas de farinha e açúcar incorporadas ao farnel dos combatentes, os invasores se apoderaram de todas as mercadorias e objetos de valor que encontraram. O que não podia ser transportado a título de butim foi reduzido a destroços. As casas dos comerciantes e dos estancieiros eram as mais visadas. Poltronas foram rasgadas à faca. Mesas de mármore, quebradas a marteladas. Pianos, despedaçados com machadadas, e as teclas, espalhadas pelas ruas. Compoteiras, floreiras, xícaras e bules de delicada porcelana foram atirados com força às paredes e ao chão. Colchões e travesseiros, estripados a punhal, tiveram a lã e a palha do enchimento misturadas a carcaças de gatos e cachorros.[8]

Ao passo que a cidade missioneira ruía, o 28º Corpo Provisório, onde estava engajado o jovem Manuel Vargas, permaneceu imóvel nas barrancas do rio Uruguai, quarenta quilômetros ao norte de São Borja, acampado em território insalubre. Os homens, além do pavor da guerra, passaram a ser acossados pelo tifo, doença que viria a provocar incontáveis baixas antes mesmo do efetivo confronto. Mandado em uma primeira missão de reconhecimento à cidade, Manuel Vargas testemunhou o saque e o incêndio de estâncias situadas nos arredores de São Borja.

Por saber ler e escrever, fato singular entre os alistados, Manuel foi imediatamente promovido de soldado raso a cabo. Enviado ao combate, o cabo Vargas viveu seu batismo de fogo na sangrenta batalha do Butuí, quando os brasileiros investiram contra uma vanguarda adversária, que em inferioridade numérica havia voltado o cano das armas para o solo, em sinal de rendição. A despeito disso, foi trucidada.[9]

O menino Getúlio nascera e crescera ouvindo o pai falar das peripécias e façanhas dos tempos da Guerra do Paraguai. Manuel Vargas participara de 21 combates e, ao longo do conflito, fora sucessivamente promovido, sempre por bravura. De cabo a furriel. De furriel a sargento. De sargento a alferes. De alferes a tenente. De tenente a capitão.[10] Trouxera da guerra, além dos galões de oficial superior, uma reluzente medalha de mérito militar por heroísmo espetada no peito e as cicatrizes de dois ferimentos à lança, ambos sofridos na batalha de São

Solano, pouco depois de ter participado da maior carnificina registrada em toda a história do confronto, a Batalha do Tuiuti, ao fim da qual milhares de cadáveres paraguaios foram incinerados, por falta de covas, em pilhas de cinquenta a cem corpos por vez. Alimentadas pela gordura dos cadáveres, as labaredas crepitavam e cresciam ainda mais, em um espetáculo aterrador.[11]

De acordo com o que ele próprio revelaria anos mais tarde, quando garoto, em São Borja, Getúlio sempre pedia que o pai contasse, pela milionésima vez, as mesmas histórias da guerra, cujos pormenores ele já bem conhecia: datas, horários, vencedores e vencidos. Manuel Vargas atendia aos pedidos do filho com notório orgulho.[12] Como era de supor, as narrativas da campanha contra o Paraguai vinham sublinhadas por um autoproclamado espírito guerreiro. Mas, entre as batalhas de que o pai de Getúlio tomara parte, estava a operação desfechada em Cerro Corá, na fronteira paraguaia com Mato Grosso, na qual o exército inimigo, por ausência de novos braços para repor os milhares de soldados perdidos na frente de batalha, se resumira a um punhado de meninos e jovens imberbes, todos esqueléticos e famintos, que mal podiam com o peso do próprio fuzil. Na refrega, o ditador paraguaio Solano López foi alvejado e, depois de morto, teve os dentes quebrados a coronhadas, um dedo da mão cortado e parte do couro cabeludo arrancado para servir de troféu.[13]

Nas brincadeiras de criança, o pequeno Getúlio tentava reproduzir as pelejas vividas pelo velho Manuel Vargas, manobrando um exército em miniatura. No lugar dos tradicionais soldadinhos de chumbo, brincava com os ossos dos bois abatidos na fazenda. Nessas lutas de faz de conta, a patente dos combatentes era determinada por Getúlio com base na dimensão e largura dos ossos. Os menores eram simples recrutas. Os maiores e mais robustos, altivos generais.[14] De modo idêntico, na fantasia do garoto extasiado pelas narrativas bélicas do pai, até mesmo empinar papagaios de papel na rua e cortar a linha do adversário com cerol se transfiguravam em dramática intervenção de guerra.[15]

Quando não estava comandando soldadinhos de osso ou participando das batalhas de pandorgas (como são chamadas as pipas no Rio Grande do Sul), Getúlio gostava de construir armadilhas para capturar animais silvestres, abundantes nas verdes coxilhas da fronteira.[16] Também se dedicava, é verdade, a recreios menos marciais. Chegou a administrar uma fazendinha no fundo do quintal, onde as reses eram pacatos bichinhos-da-seda.[17] Entretanto, como se fazia obrigatório a todos os filhos de Manuel Vargas, desde muito cedo aprendeu a montar um cavalo de verdade, a atirar o laço e a marcar as cabeças de gado da fazenda com o ferro em brasa, na ponta do qual se liam as flamejantes iniciais do pai.[18]

Como bom filho de estancieiro, também aprendeu, ainda menino, a carnear um boi. Primeiro era preciso laçar o animal pelos chifres e perfurar-lhe a carótida com um golpe profundo no peito — provocando o espesso e incontrolável jorro de sangue. Depois pendurá-lo de ponta-cabeça, suspendendo-o pelas patas traseiras, degolando-o a facão. Em seguida, abrir a barriga do bicho com um talho de cima a baixo, para retirar as vísceras sangrentas, ainda mornas. Por fim, esquartejar a rês e separar a carne da carcaça, enquanto era aceso o braseiro para o tradicional churrasco gaúcho.

Para o rio-grandense, a carneação sempre foi um rito no qual a necessidade, a morte e a festa andam juntas. O berço missioneiro tratou de iniciar o menino Getúlio nesta implacável sentença dos pampas: o homem precisa matar com as próprias mãos, fazer jorrar o sangue de outras vidas para garantir a sobrevivência dos seus. O escritor e político gaúcho Pedro Vergara resumiria tudo em uma judiciosa sentença: "Não se pode comer sem matar; isso foi autorizado aos homens por uma divindade que se comprazia do cheiro da carne assada".[19]

Naquela tarde, ainda escondido em cima do umbuzeiro ao lado de Gonzaga, Getúlio ouviu a mãe relativizar o estrago do qual ele era o principal responsável:

"Este quadro estava tão velho que já devíamos tê-lo enviado para o retocarem na cidade", observou dona Candoca.[20]

Era sempre assim. Se nutria assumida admiração pela virilidade guerreira de Manuel Vargas, o menino Getúlio encontrava refúgio certo no colo da mãe, a sra. Cândida Dornelles Vargas, a dona Candoca. Era ela quem contemporizava com o marido sempre que qualquer um dos filhos exagerava nas travessuras, fato que não era difícil de ocorrer numa família em que todos os rebentos do casal eram meninos, criados na liberdade da estância, no convívio com peões rústicos, cavalos e touros bravios. Apesar do nome, dona Cândida, segundo relata a tradição familiar, era mulher de opinião. Em um episódio repetido geração após geração, narrado sempre em meio a inevitáveis sorrisos por parte dos Vargas, conta-se que certa vez Candoca mandara comprar um peixe, que ela mesma identificou como sendo um pati, espécie de pescado bem comum nos rios da região. O marido, contudo, afirmou que se tratava de um surubi, também facilmente encontrável nas águas do caudaloso Uruguai. A discussão caminhou por ali, sem que os dois chegassem à mínima probabilidade de acordo. Ela dizia que era pati. Ele garantia que era um surubi. Ficaram nisso, trocando resmungos durante horas, até a mulher desfechar o desconcertante veredicto, dando o assunto por encerrado:

"Pois então, Manuel, isso é um pati com cabeça de surubi."[21]

O resoluto Manuel Vargas e a geniosa Cândida Dornelles haviam se conhecido bem no início da Guerra do Paraguai, quando a tropa na qual marchava o então cabo Vargas arranchara na Fazenda Santos Reis, propriedade do major de milícias Serafim Dornelles. Ao fim da guerra, o já capitão Vargas retornou ao local, dessa vez pretextando uma visita de cortesia ao major, um dos maiores e mais prósperos estancieiros da região. Na realidade, planejara a ocasião para pedir-lhe a filha Candoca em casamento. Na condição de candidato a genro, informou que havia economizado parte do soldo e passara a negociar erva-mate, a matéria-prima do chimarrão e uma das fontes básicas da economia local. Havia comprado também algumas cabeças de gado, arrendara campos e iniciara a construção de um razoável patrimônio.[22] Não é inadmissível supor que a origem dessa relativa abastança de Manuel fosse decorrente, pelo menos em parte, dos despojos de guerra, uma vez que fazia parte da rotina dos soldados o chamado "carcheio" — gauchismo para definir a apropriação do espólio dos vencidos —, além de estar então em pleno vigor a prática oficial de se conceder sesmarias aos combatentes, a título de serviços prestados.[23]

É provável que, além do generoso pé-de-meia, o peso e o brilho da medalha de mérito militar que Manuel Vargas conquistara nos campos de batalha lhe serviram de credencial aos olhos do futuro sogro. No Rio Grande do Sul, estado historicamente às voltas com guerras e revoluções, o uso da farda passara a significar um indicador de autoridade e prestígio social, uma verdadeira mística, ao ponto de o uniforme ser então considerado, mais do que uma vocação, uma "segunda pele", como se dizia, para os rio-grandenses. Essa mitologia instituída em torno da presumida bravura, da força e do espírito guerreiro do povo local fazia parte, na realidade, de um processo gradativo de idealização dos antigos e verdadeiros gaúchos, bandoleiros indomáveis que perambulavam pela fronteira, muitas vezes ganhando a vida como ladrões de gado e de cavalos. A palavra "gaúcho", inicialmente, significava o mesmo que "bandido" ou "facínora". A partir de sua apropriação romântica, tornou-se motivo de orgulho e distinção, a ponto de passar a ser adotada como gentílico pelos rio-grandenses.[24]

Por um ou outro motivo, o major deu integral consentimento à união. Assim, Manuel Vargas e Cândida Dornelles casaram-se em 16 de janeiro de 1872 e se fixaram em São Borja, passando a dividir a vida entre a sede da Fazenda Triunfo, a primeira das propriedades compradas por Manuel, e uma casa localizada no centro da cidade, bem defronte à praça principal, onde mantinha um escritório para seus negócios comerciais. Um ano depois, começariam a surgir os filhos. Jovita, a única menina gerada pelo casal, não vingou. Morreu ainda bebê. Com isso, o menino Viriato, nascido em 1874, era o primogênito de fato e de direito da família Dornelles Vargas e, tudo indicava, o herdeiro destinado a ocupar o papel de sucessor natural do pai. Quando crescesse um pouco mais, à hora do almoço e do jantar, Viriato teria o direito de ocupar a cabeceira oposta àquela em que sentava Manuel Vargas.[25] Dona Candoca, por ser mulher, ficava à direita do marido. Coube a Protásio, de 1876, o posto de segundo irmão e a prerrogativa de sentar imediatamente ao lado da mãe. Somente seis anos depois nasceu o terceiro rebento, Getúlio.

"É um menininho, para você carregar, Viriato", avisaram ao irmão mais velho.[26]

Desde os primeiros minutos após o parto, percebeu-se que era uma criança frágil. Os próprios pais chegaram a imaginar que o pequeno Getúlio poderia vir a repetir a sina da infeliz Jovita.

"É meio magro, mas tem bons pulmões", teria se consolado Manuel Vargas ao contemplar o primeiro choro daquele menino de pernas curtas iguais às suas, nascido em 19 de abril de 1882, na sede da Fazenda Triunfo.[27]

Durante toda a infância, o magricela Getúlio padeceu de saúde precária. Quase morreu envenenado aos dois anos de idade, quando já ganhara mais um irmão, Espártaco. Um descuido dos pais fez com que despejasse garganta abaixo alguns goles de querosene. Sobreviveu, mas daria novo susto à família aos sete anos, quando caiu de cama, assolado por acessos incontroláveis de febre.[28]

Mais uma vez Getúlio resistiu. Porém, cresceu uma criança calada, dada a longos silêncios, trancafiado em seu próprio mundo, ao qual poucos tinham acesso. Preferia ouvir a falar. Quando provocado, respondia de forma evasiva, quase arisca. Ao recordarem dele, os amigos de infância apelariam para uma imagem tipicamente gauchesca. O menino Getúlio, contavam, era uma espécie de "bagual caborteiro" — o que no vocabulário dos pampas significa o potro difícil de domar. Um arredio.²⁹

Aos sete anos, o esquivo Getúlio assistira às contingências da política invadirem-lhe a porta de casa e se instalarem no seio familiar. Às vésperas da quartelada que resultou na proclamação da República, em 1889, os Vargas e os Dornelles se viram situados em campos políticos radicalmente opostos. O pai de Getúlio se declarou republicano convicto. Os irmãos de dona Candoca, ao contrário, como a maioria, permaneceram fiéis aos liberais comandados por Gaspar Silveira Martins, o homem que "mandava e fazia chover" no Rio Grande do Sul naquelas últimas décadas do Império.³⁰

Os dois clãs, Vargas e Dornelles, esqueceram a origem em comum. Ambos eram provenientes de troncos familiares que remetiam aos casais açorianos que, no século XVIII, haviam desembarcado no Brasil com a ilusão de encontrar aqui a Terra Prometida.³¹ Seus antepassados vieram em navios superlotados, obrigados a suportar mais de dois meses numa travessia marcada pela escassez de água e alimentos. Muitos foram atirados ao mar, depois de morrerem vitimados por doenças provocadas pela desnutrição e pela falta de higiene a bordo. Ao desembarcarem, em vez das benesses anunciadas, descobriram-se abandonados.

Sem a apregoada ajuda governamental, uns vagaram ao léu, outros aos poucos começaram a se aclimatar ao novo país e, com isso, deram início a núcleos de povoamento que seriam a origem de várias das futuras cidades gaúchas, inclusive a capital Porto Alegre. Cinco ou seis gerações depois, com a ocupação gradativa de territórios e a luta contínua pela posse de terras, alguns dos descendentes dos pioneiros açorianos haviam se firmado como estancieiros no interior da província.³² Era o caso dos Vargas e dos Dornelles, irmanados pela linhagem, mas tornados arquirrivais pelas circunstâncias da política partidária.

Como atestado de que era um antimonarquista histórico, o pai de Getúlio evocava um episódio ocorrido ainda nos tempos da Guerra do Paraguai, quando num gesto de promoção política o imperador d. Pedro II decidiu vistoriar o front, o que levou o monarca até a cidade de Uruguaiana, onde os paraguaios estavam submetidos ao cerco das tropas da Tríplice Aliança. Na ocasião, o oficial Manuel Vargas tivera a oportunidade de conhecer o imperador de perto mas, segundo ele próprio afirmaria depois ao filho Getúlio — e mais tarde aos netos —, recusara a honraria:

"Eu não ia beijar a mão de um homem de falinha de mulher, barba de milho, mãozinha delicada. Eu não fui falar com ele não", gabava-se o bigodudo Manuel Vargas.[33]

Seja isso fato ou folclore familiar, o certo é que o pai de Getúlio colaborou em uma das ações táticas mais significativas da pregação republicana: o abolicionismo. Antes da decretação da Lei Áurea, em consonância com a orientação emitida pelo congresso de 1884 do Partido Republicano do Rio Grande do Sul (PRR),[34] Manuel Vargas concedeu a carta de alforria a todos os escravos da estância[35] — muito embora, na zona de fronteira onde estava localizada a Fazenda Triunfo, o trabalho dos cativos nunca tenha representado uma presença realmente ativa na economia rural, ao contrário do que acontecia nas regiões rio-grandenses dedicadas à produção de outro produto básico da economia regional, o charque.[36]

Do mesmo modo, Manuel Vargas apoiou, desde a primeira hora, o nome do chefe do PRR, Júlio de Castilhos, para o comando político do estado. Não era à toa que Manuel mantinha o retrato do líder na parede principal da sala de jantar da fazenda. Castilhos, nascido em Cruz Alta, zona das serras gaúchas, bacharel pela Faculdade de Direito de São Paulo, havia sido o principal redator do jornal *A Federação*, combativo órgão da propaganda republicana local na chamada fase heroica do movimento. Gago, baixinho, atormentado pelas cicatrizes da varíola que lhe havia devastado o rosto na infância, Castilhos era um orador medíocre, mas um demônio diante de uma folha de papel em branco. Seus artigos, carregados de ironia e furor, fustigavam adversários e arrebatavam leitores.[37] Entre estes últimos, incluía-se Manuel Vargas, assinante compulsório de *A Federação*, o "alcorão partidário", como o jornal viria a ser definido,[38] e cujos exemplares chegavam à Fazenda Triunfo sempre atrasados, em companhia da correspondência trazida na mala semanal dos correios de Porto Alegre até São Borja, distantes quase 600 quilômetros uma da outra.[39]

Não se tem registro, contudo, de que Manuel Vargas fosse dado a leituras mais densas ou que fosse um esmerado discípulo de Auguste Comte, como se dizia de Júlio de Castilhos, que em seus escritos pregava a tese de que a sociedade precisava ser regida pelas mesmas leis e métodos da matemática e da biologia. Defendia, por isso mesmo, a necessidade de uma "ditadura científica", na qual o poder deveria decorrer do saber e não do voto. Inspirado no positivismo, Castilhos advogava a instalação de um governo forte, um "Executivo hipertrofiado", que se autoinvestisse da "tarefa suprema" de modernizar a sociedade, regenerar o Estado e educar os cidadãos para a vida em comum. É evidente que muitos líderes políticos rio-grandenses se utilizaram de tal doutrina como mera fachada ideológica para legitimar o autoritarismo que os caracterizava.[40] O menino Getúlio cresceu numa casa em que o sistema parlamentar defendido pelos liberais, para usar o trocadilho atribuído ao então deputado castilhista Germano Hasslocher, era tido como um "sistema pra lamentar".[41]

Quando veio a República, Manuel Vargas permaneceu na sede do município com o filho mais velho, Viriato, para acompanhar os desdobramentos da questão: "Tudo calmo", informou em carta à esposa Candoca, que ficara na estância. Ao lado das notícias políticas, Manuel reservou o fim de um parágrafo para indagar sobre os filhos mais novos. "Regozijo indescritível nos republicanos, mesmo entre aqueles que não aderiram, receando perseguição. Protásio vai bem? Como vai Getúlio?"[42]

Depois de uma série de instabilidades políticas e de articulações de bastidores, Castilhos e seu minoritário PRR assumiram oficialmente o governo do Rio Grande do Sul em julho de 1891, sob as graças do primeiro presidente da história do país, o marechal Deodoro da Fonseca. Logo tratou de pôr seu ideário em ação, lastreado por uma Constituição estadual que ele, Castilhos, havia escrito praticamente sozinho e que foi aprovada, por unanimidade, em uma assembleia constituinte dócil e que se reuniu por apenas duas semanas.[43] Pela Constituição castilhista, o Legislativo funcionava por minguados dois meses a cada ano e tinha a competência limitada à aprovação do orçamento, cabendo ao Executivo estadual a prerrogativa de governar por decreto. Em nome da continuidade administrativa, o presidente do estado podia se reeleger quantas vezes fosse de seu desejo, desde que obtivesse três quartos da votação total[44] — o que não era difícil de se conseguir com a pressão do voto a descoberto, em reforço às normas de conduta dos positivistas, que preconizavam a necessidade de os cidadãos "viverem às claras", em oposição ao princípio do sufrágio secreto.[45]

No positivismo seletivo de Júlio de Castilhos, a plena liberdade de expressão, defendida por Comte e também prevista na Constituição estadual rio-grandense, foi solenemente ignorada. A imprensa oposicionista era alvo de constantes perseguições, sendo frequente o empastelamento de jornais adversários ao governo.[46] Na retórica instaurada por Castilhos, repisada todo dia nas páginas oficiais de *A*

Federação, o campo da política era descrito como um "charco lodoso", onde apenas chafurdavam as ambições e veleidades pessoais. Assim, o discurso da austeridade e da excelência moral embalava uma doutrina partidária que tinha na eficiência técnica e na eficácia administrativa a sua pedra de toque. Qualquer questionamento à administração pública ou mesmo a mais leve crítica à ausência da representação parlamentar eram considerados portanto um retrocesso, ou seja, um retorno ao pântano mesquinho da política.[47]

Uma das primeiras medidas econômico-administrativas adotadas pelos republicanos desagradou em cheio aos adversários. Decretou-se o fim da antiga "tarifa especial", instituída ainda em 1878, quando o então todo-poderoso Gaspar Silveira Martins ocupava o cargo de ministro da Fazenda no Império. Por meio do velho benefício, a fronteira do Rio Grande do Sul se tornara uma espécie de zona de livre-comércio com o Uruguai — o que favorecera a elite pecuária e os negociantes tradicionais da região, em sua maioria leais a Gaspar Martins, em oposição às novas classes mercantis e financeiras do litoral, que viriam a ser uma das bases políticas de Castilhos. Além de extinguir a regalia alfandegária dos inimigos, os republicanos puseram em prática uma política de repressão ao contrabando na fronteira, o que novamente afrontou os gasparistas, defensores da ampla liberalização do comércio com os países do Prata.[48]

À ação, seguiu-se a correspondente reação. Em novembro de 1891, Castilhos foi apeado do poder local em consequência da queda do marechal Deodoro no plano federal. Os antigos liberais, reunidos a republicanos dissidentes contrários à liderança autocrática de Castilhos, trataram de ir à forra, coligados sob a denominação comum de "federalistas".[49] Em São Borja, o que antes era mera desavença política entre os Vargas e os Dornelles virou ódio mútuo. Acuado, Manuel Vargas teve que fugir da cidade para não ser preso — ou mesmo morto — pelos encarregados de instituir a nova ordem. Em segredo, cruzou a fronteira e exilou-se em Corrientes, província argentina.[50]

Getúlio contava então nove anos de idade, e os temores do pai não eram gratuitos. Relatos de época dão conta de pelo menos dois assassinatos cometidos por motivação política, nesse momento, em São Borja. O republicano João Pereira de Escobar, tenente-coronel da Guarda Nacional, foi morto supostamente após resistir à voz de prisão. Recebeu dois tiros, um atrás da orelha e outro na coxa, além de um golpe de lança à altura do umbigo. Outro republicano notório, o também tenente-coronel Marciano Loureiro, mereceu idêntico tratamento, com seu cadáver lanceado diante da própria família. Muitos republicanos tiveram as casas arrombadas e invadidas sob o pretexto da busca de armas. Dinarte Dornelles, irmão de dona Candoca, ordenava as operações.[51]

Mas a retirada de Manuel Vargas fora apenas uma manobra tática. Na Argentina, o pai de Getúlio prontamente aderiu à conspiração para reconduzir Júlio de Castilhos ao poder. Em reunião secreta na cidade de Monte Caseros, da qual participou, estabeleceu-se o plano. Os fiéis ao castilhismo reuniriam homens para invadir o Rio Grande do Sul por São Borja, em uma ação conjugada com os correligionários da capital, que providenciariam a insurreição simultânea em Porto Alegre. Naquela reunião histórica, além do pai de Getúlio, estiveram presentes outros nomes que dominariam o cenário político regional nos anos seguintes, incluindo o senador José Gomes Pinheiro Machado, que viria a se tornar um dos tutores da chamada Primeira República. O plano dos conjurados deu certo, com a conivência do novo chefe de governo, o marechal Floriano Peixoto, que pretendia neutralizar os partidários do velho Silveira Martins, que, além de parlamentaristas, eram acusados de serem monarquistas saudosos.[52]

Quando o menino Getúlio viu o pai Manuel Vargas retornar vitorioso a São Borja, havia chegado o momento da retaliação. Novamente donos da situação, os republicanos demitiram os federalistas de todos os cargos públicos e dos comandos municipais. Não ficaram nisso. Reproduziram, com sinal contrário, as mesmas perseguições das quais tinham sido vítimas pouco antes. Sobretudo no interior do estado, estabeleceu-se a barbárie.

"O inteiro desagravo da República ultrajada requer que ultrapassados mesmo certos limites, com as devidas cautelas e discrições, sofram pela eliminação o justo castigo que merecem odientos caudilhos", orientou Castilhos, em ofício classificado de "muito reservado", aos aliados do interior do estado.[53] "Não poupe adversários, castigue nas pessoas e bens, respeitando famílias. Viva a República!", explicitou.[54]

Em São Borja, havia notícias de federalistas arrancados de casa à força e levados à cadeia sem ordem judicial, depois de açoitados em público. Outros, de menos sorte, eram assassinados com a justificativa de praxe: resistência à prisão. Empregados e agregados de Dinarte Dornelles, o irmão de Candoca, foram igualmente mortos.[55]

Em todo o estado, institucionalizou-se a degola política. Não se tratava de uma simples metáfora. Era literal. A vítima era obrigada a ajoelhar-se de mãos atadas e, pelas costas, o inimigo montava-lhe os ombros. Com a mão esquerda, o degolador puxava-lhe o cabelo para trás. Com a direita, em um golpe rápido de facão, rasgava-lhe a garganta de uma ponta a outra, como numa rês por ocasião do abate. Uma variante consistia em deitar a vítima com as costas para o chão, sentar-lhe sobre as pernas e levantar-lhe o queixo com a sola da bota, para que o pescoço então ficasse à mercê do corte, de orelha a orelha.[56]

Enviado por Floriano Peixoto como observador oficial da presidência ao Rio Grande do Sul, o general de brigada João Baptista da Silva Telles, veterano da Guerra do Paraguai, expediu telegrama no qual confirmava as denúncias: "V. Excia. não faz ideia dos horrores que se têm praticado; os assassinatos são em número elevado, pois por toda parte se degolam homens, mulheres e crianças, como se fossem cordeiros".[57]

Como resposta à repressão exercida pelos republicanos, os decaídos federalistas planejaram a volta ao poder e, a partir da fronteira uruguaia, deflagraram aquela que carregaria a chaga de ser a maior e mais sanguinolenta de todas as guerras civis da história brasileira. As degolas sumárias de adversários passaram a ser adotadas como prática comum tanto por um quanto pelo outro lado. Sangravam o inimigo e, sobretudo nos casos de acusações de estupro, cortavam-lhe a facão os órgãos genitais, que depois eram inseridos na boca da vítima, como forma suprema de humilhação.[58]

Naquele cenário em que as elites rio-grandenses se digladiavam ferozmente, o menino Getúlio viu o pai e o tio Dinarte Dornelles se baterem em posições antagônicas. De um lado, Manuel Vargas retirou da parede da sala a velha espada dos tempos da Guerra do Paraguai, transformou a Fazenda Triunfo em campo de recrutamento e comandou uma das brigadas da célebre Divisão do Norte, lutando pelos republicanos, junto ao senador Pinheiro Machado. Dinarte, em contrapartida, chefiou uma das colunas federalistas arregimentadas em São Borja, tendo participado de encarniçadas ações revolucionárias. Um era "pica-pau", como foram apelidados os republicanos, por causa das listras brancas e do quepe vermelho que traziam no uniforme, embora sua marca fosse realmente o lenço branco amarrado ao pescoço, símbolo da legalidade. O outro era "maragato", alcunha pejorativa infligida aos federalistas pelo fato de muitos dos que se engajaram no movimento serem uruguaios, provenientes da província espanhola de Maragatería. O termo acabou sendo assumido pelos federalistas, que adotaram o lenço vermelho no pescoço como insígnia rebelde.[59]

Dividida entre a fidelidade devida ao marido pica-pau e a afeição fraternal ao mano maragato, dona Candoca chegou a esconder em casa outro irmão, Modesto Dornelles, sem que Manuel Vargas desconfiasse que havia um federalista de lenço vermelho abrigado em seus domínios na Fazenda Triunfo, de onde os revolucionários haviam confiscado centenas de cabeças de gado.[60]

Pelas ruas de São Borja, a meninada se sentia estimulada a repetir entre si o furor demonstrado pelos pais nos campos de combate. Divididos em grupos rivais, dezenas de maragatos e pica-paus de calças curtas muniam-se de paus, pedras ou canivetes e partiam para a briga, o que invariavelmente resultava em ferimentos graves para os dois lados. Em um desses duelos, o retraído Getúlio surpreendeu a todos ao aparecer um dia à frente dos pica-paus mirins, montado a cavalo, levantando poeira e armado de cacete, distribuindo bordoadas entre os pequenos maragatos, que fugiram assustados. Quando o pai, Manuel Vargas, soube do ocorrido, passou-lhe uma descompostura e ordenou ao filho que nunca mais repetisse o gesto. Guerra era coisa de homem, não uma brincadeira de criança.[61]

A guerra civil de verdade, a chamada Revolução Federalista, prolongou-se de 1893 até 1895, aprofundando a cizânia entre os Vargas e os Dornelles e resultando em mais de 10 mil mortos em combate, o equivalente então a um terço de toda a população masculina da capital Porto Alegre.[62] A vitória coube aos republicanos, com Júlio de Castilhos fortalecido à frente do governo rio-grandense, apoiado por Floriano Peixoto, mas também amparado por uma brigada militar estadual constituída para reprimir os adversários e por uma extensa teia de apoios políticos no interior do estado, onde pontificavam os chefes municipais que lhe juraram lealdade. Pela participação na repressão ao movimento, Manuel Vargas recebeu a patente honorária de general, por decreto assinado pelo próprio presidente da República. A partir daí, ele era o general Vargas, o homem que havia comandado a vanguarda da batalha que terminara com a morte de um dos principais líderes maragatos, Gumercindo Saraiva, cuja cabeça, conta-se, teria sido cortada e enviada numa caixa de papelão a Porto Alegre, para Júlio de Castilhos, como suvenir de guerra.[63]

Quando o peão voltou da busca, avisou ao general que não encontrara rastro de Getúlio e Gonzaga. No fim da tarde, os dois continuavam desaparecidos. Manuel Vargas ordenou então uma varredura pelos matos que contornavam a fazenda. Cerca de trinta pessoas foram designadas para a tarefa. Mesmo assim, ninguém localizou os meninos. O pai não se importou. Acreditava que, à hora do jantar, derrotados pela fome, eles voltariam acabrunhados, prontos para receber a prometida surra. Para surpresa de Manuel Vargas, não apareceram. Por volta da meia-noite, ainda foi feita nova procura, com a ajuda de lampiões que esquadrinharam a estância. Nada.

O general mostrou-se realmente preocupado quando uma lavadeira que servia à família jurou ter visto, pouco mais cedo, os dois garotos descerem em disparada na direção da lagoa que ficava por trás do matagal. Dona Candoca, assombrada, imaginou o pior. Talvez o mirrado Getúlio, que não sabia nadar muito bem, tivesse sido tragado pelas águas e se afogado. Uma tragédia familiar, alarmou-se a mãe. Sondaram-se então as margens escuras da lagoa, mas também não se obteve nenhuma pista.

Enquanto a família se desesperava, Getúlio e Gonzaga continuavam em cima do umbuzeiro. A essa altura, ambos estavam com o corpo torturado pela incômoda posição que tiveram de adotar para se equilibrar, durante horas, no alto do esconderijo. Para se distrair, Getúlio puxara do bolso um pequeno almanaque e, enquanto o sol forneceu luz suficiente, conseguiu tapear o tempo. Mais difícil, entretanto, foi quando a noite chegou.

Manuel Vargas e dona Candoca passaram a madrugada em sobressalto. Quando o dia amanheceu, ainda não havia notícia do filho. Durante a noite, tiritando de frio e de medo, Gonzaga havia proposto que descessem de uma vez por todas dali e entregassem o lombo às chavascadas do general. Talvez imaginasse que a surra que iriam levar seria, quem sabe, menos torturante do que aquela provação a que estavam submetidos desde o meio da tarde. Getúlio foi contra. Objetou que só podiam capitular depois que estivessem a salvo do risco de levarem uma boa sova. É fato que a raiva do pai já se transformara em preocupação, mas essa mesma preocupação precisava se converter em verdadeira aflição.

Apenas na manhã já alta, quando percebeu a mãe aparecer à varanda com os olhos inchados, Getúlio decidiu que havia chegado a hora da rendição. Desceu do umbuzeiro e correu ao encontro de dona Candoca, que o recebeu com um abraço, enxugando o rosto. O alívio por ver o filho incólume amoleceu também as iras do general, que o dispensou do castigo.

Décadas mais tarde, ao evocar a lembrança idealizada daquele longínquo episódio de infância, Getúlio dizia ter conseguido extrair dele um ensinamento que, segundo afirmava, guardou para sempre. Tal lição podia ser resumida em uma sentença pretensamente infalível: quando a circunstância não se mostrar garantida, o melhor a fazer é esperar, resistir, transformar o tempo em aliado. Jamais descer do umbuzeiro antes da hora.[64]

2. No tiroteio, um jovem tomba morto. Seria Getúlio, aos quinze anos, o assassino? (1896-8)

Para a polícia, a principal questão era saber quem disparara o primeiro tiro, aquele que iniciara a tragédia. Décadas mais tarde, os inimigos políticos de Getúlio não teriam nenhuma dúvida. Diriam ter sido ele o autor do crime, ocorrido na distante terça-feira de 7 de junho de 1897, em Ouro Preto, então capital de Minas Gerais. Aos quinze anos, segundo a versão dos futuros acusadores, Getúlio se revelara um delinquente juvenil, um assassino precoce.

O lusco-fusco típico do anoitecer ajudara a conferir ainda mais sombras a uma história já nebulosa. Os lampiões da iluminação pública não estavam de todo acesos e o sol já começava a desaparecer por trás das montanhas quando os dois grupos de estudantes rivais se esbarraram na sinuosa rua São José, próxima ao centro de Ouro Preto — cidade reconhecida, a esse tempo, não só pela riqueza histórica de sua arquitetura, mas pelos estabelecimentos de ensino que atraíam jovens de todo o país e faziam dela a pretensa "Atenas mineira". De um lado, a passo acelerado diante da fachada dos casarões coloniais, descendo o calçamento de paralelepípedos a caminho do largo do Rosário, ia o grupo de rapazes rio-grandenses. No sentido oposto, subindo a caminho do teatro municipal, seguiam os moços paulistas.[1]

A polícia apostou na tese da premeditação. Tratara-se de uma desforra, opinou o delegado ao assinar o relatório do inquérito policial de duzentas páginas posteriormente enviado à Justiça.[2] Dois dias antes do episódio, em 5 de junho de 1897, um domingo, Viriato Vargas, o irmão mais velho de Getúlio, trocara sopapos com um estudante paulista, Carlos de Almeida Prado, o Caíto, recém-chegado à cidade para cursar a Faculdade de Direito de Ouro Preto. Presunçosos por trás dos respectivos bigodes juvenis, Viriato e Caíto cultivavam a imagem de valentões entre os colegas. O motivo daquela primeira briga fora fútil. Uma arenga corriqueira de estudantes descambara para a violência. Viriato, 23 anos, aluno da Faculdade de Farmácia em Ouro Preto, não gostara de ver Caíto, de apenas dezenove anos, assobiando, desdenhoso, bem à porta do café e bilhar High Life, frequentado pela comunidade estudantil.

"Assobiar na rua é coisa de moleque!", censurou o empertigado Viriato.

O jovem paulista revidou com novo assobio. Seguiu-se um diálogo rápido, com desaforos de parte a parte:

"Você diz isso porque não sabe com quem está falando", pavoneou-se Caíto.

"Sei. Estou falando com um moleque!", insistiu Viriato.

"Ora, vá à puta que o pariu", rebateu Caíto.[3]

Viriato enfureceu-se. Ninguém iria ofender daquele modo o nome e a honra de sua mãe, dona Candoca, e permanecer impune. Lançou-se então sobre o oponente, brandindo o "rabo de tatu", o chicote de couro trançado, que sempre trazia dependurado, pela argola, no antebraço direito. Carlos de Almeida Prado não se intimidou. Não era homem de correr de briga, testemunhariam os amigos com quem dividia o quarto no Hotel Martinelli, transformado em república de estudantes paulistas em Ouro Preto. Caíto devolveu as chicotadas de Viriato com uma série de golpes desferidos com o castão da bengala que carregava consigo. Enquanto os dois estudantes duelavam, os demais faziam apostas, entre provocações, gritos e gracejos, para ver quem sairia vencedor do embate.

Após minutos de peleja e algazarra, Caíto levou a melhor. Deixou Viriato estendido no chão, cuspindo sangue, a cabeça lacerada pelas bengaladas. Outro rio-grandense, Balthazar do Bem, que saíra em defesa do amigo, também levara sua cota de hematomas na pancadaria. Enquanto os paulistas davam vivas ao colega vitorioso, o derrotado Viriato jurou vingança, mastigando palavras de ódio entre grunhidos. Ainda iria ensinar a Caíto como se aparam os cornos de um touro bravo. Daria o troco. Para patentear a todos que tinha mesmo intenção de honrar a promessa, Viriato passara a andar armado. Só saía de casa prevenido, com facão e revólver à cinta.[4]

Segundo a polícia, naquele comecinho de noite de terça-feira, na rua São José, um Viriato de cabeça enfaixada encontrara a oportunidade perfeita para a revanche. Alguns populares, intimados mais tarde a prestar declarações na delegacia de Ouro Preto, disseram ter visto os dois grupos de estudantes caminhando um em direção ao outro poucos instantes antes do conflito. Mas, como era junho, o sapateiro Francisco Querelle, dono de uma oficina de calçados ali perto, julgou que os primeiros disparos não passassem de inocentes bombinhas de são-joão. A mesma impressão teve o dr. Diogo de Vasconcelos, ex-deputado e historiador mineiro, que passeava pela rua São José naquele momento, em companhia do filho. Contudo, quando ambos perceberam o tumulto, seguido de corre-corre, não tiveram mais dúvidas. Era tiro.[5]

Muitos tiros. Ouviram-se de dez a quinze estampidos, um seguido do outro, segundo os depoimentos convergentes de Diogo de Vasconcelos e de Francisco Querelle na delegacia. Sinal de que, na verdade, haveria mais armas de fogo no confronto, calculou a polícia. Não era apenas Viriato que estaria preparado para resolver a diferença à bala. Os rio-grandenses teriam se organizado para promover uma chacina contra a colônia estudantil paulista, concluiu o delegado. Por sorte, outros não foram atingidos. Os gaúchos seriam bons em atrevimento, mas ruins de pontaria. Em meio à saraivada de tiros, Caíto foi o único a sair baleado. Com a mão apertando o peito, cambaleou alguns passos, subiu a calçada do lado oposto da rua e, com algum custo, conseguiu agarrar-se ao poste de luz.

"Estou ferido", gritou para os companheiros, pedindo ajuda.[6]

Caíto foi alvejado à queima-roupa, duas vezes. Um tiro lhe trespassara o pé, à altura do tornozelo. O outro lhe varara o tórax, centímetros abaixo do mamilo esquerdo.[7] Os rio-grandenses, ao notarem o sangue borbulhar na boca do estudante paulista, debandaram, cada um para seu lado. Desapareceram por becos e ladeiras, aproveitando a escuridão da noite que começava a chegar.[8] O rapaz agonizante foi acolhido na casa do sapateiro Querelle e, de lá, transportado para a vizinha Pharmacia Catão.[9] Apesar do socorro rápido, não resistiria ao segundo ferimento, que lhe perfurou o pulmão. Morreria três dias depois.[10]

Quando se soube que Caíto estava morto, a cidade se revoltou contra os moços do Rio Grande do Sul. Muitos moradores já haviam previsto que, mais dia, menos dia, aquilo não acabaria bem. A imagem de aguerridos que os rio-grandenses faziam questão de cultivar em Ouro Preto era encarada como uma catástrofe anunciada. Especialmente porque se sabia que Caíto não era moço de relevar qualquer desaforo que lhe fosse atirado à cara. Dizia-se que havia sido transferido da Faculdade de Direito de São Paulo por causa dos banzés que aprontara antes. Com pouco tempo em Ouro Preto, já se metera em novos burburinhos e, sempre que encontrara os rio-grandenses pela frente, saíra faísca.[11]

A polícia partiu em diligências, com patrulhas espalhadas por toda a Ouro Preto. A imprensa mineira, escandalizada, exigiu justiça. Em matéria de primeira página, o jornal *O Estado de Minas* apresentou suas condolências aos parentes da vítima e cobrou providências para se identificar os responsáveis pelos disparos contra o jovem paulista.[12]

Caíto era oriundo de família influente. O pai do estudante morto era ninguém menos que Carlos Vasconcellos de Almeida Prado, líder do Partido Republicano de São Paulo, em cuja casa se dera a célebre Convenção de Itu, a primeira convenção republicana do país, realizada em 1873.[13] Um consternado Almeida Prado tomou um trem especial e desembarcou em Ouro Preto naqueles dias, clamando pela imediata prisão dos envolvidos na morte do filho.[14]

O velório do rapaz se converteu em acontecimento político. O próprio presidente mineiro, Bias Fortes, se fez presente. As famílias mais proeminentes da cidade também foram homenagear o morto.

"Tudo quanto o Ouro Preto tem de seleto nas letras, nas artes, no comércio e na indústria compareceu, à porfia, à casa mortuária", noticiou o *Estado de Minas*. "Raras vezes tem esta capital presenciado homenagem tão comovente e tão sincera", relatou o jornal.[15]

Enquanto isso, *O Commercio de São Paulo*, periódico paulista ligado à família enlutada, informava que os demais estudantes de Ouro Preto estavam em estado de guerra contra a colônia rio-grandense.[16] Os colegas de Caíto, indignados, haviam partido em apoio à caçada policial. Juntos, soldados e alunos reviravam a cidade pelo avesso. Casas foram vistoriadas, quintais devassados, repúblicas estudantis invadidas. Com base no mais frágil indício, todo e qualquer aluno do Rio Grande do Sul passou a ser considerado suspeito, um facínora em potencial, denunciado imediatamente à polícia.

O garoto Getúlio chegara a Ouro Preto no carnaval de 1897, em pleno entrudo, com as ruas da cidade tomadas por mascarados e pelas tradicionais batalhas de confetes e serpentinas.[17] Não viera de tão longe para cair na farra. Dali por diante, teria que se concentrar nos estudos. Os irmãos Viriato e Protásio, enviados antes pela família à capital mineira para cursar, respectivamente, Farmácia e Engenharia, já haviam providenciado a papelada para que o mano requeresse matrícula no Ginásio Mineiro.[18] Getúlio deveria frequentar o curso secundário, a fim de prestar, dali a alguns anos, os exames necessários para ingressar também numa instituição de ensino superior. Até então, o menino só conhecia os bancos escolares de São Borja, quando esteve sob os cuidados pedagógicos do mestre-escola Fabriciano Júlio Braga, um tipo excêntrico de intelectual de província, negro retinto de carapinha e cavanhaque grisalhos, sempre vestido com o mesmo colete de listras verticais destoando da calça xadrez em preto e branco — da qual os alunos diziam em tom de gracejo que, de tão desbotada e suja, os quadradinhos pretos haviam se tornado brancos e os brancos, pretos.[19]

Fabriciano, que acumulava as funções de professor, ator de teatro e promotor público em São Borja, teria sido o primeiro a detectar no pequeno Getúlio um certo pendor para a leitura, o que o distinguiria dos demais colegas de turma, mais preocupados em laçar gado nas estâncias da fronteira.[20] Segundo Fabriciano, o menino sempre era visto com um livro ao colo, esquisitão, imune às traquinagens dos demais colegas — entre eles, Vicente Goulart, que bem mais tarde viria a ser o pai do futuro presidente da República João Goulart, o Jango.[21] A pequena São Borja, situada entre o pampa e a mata, a um só tempo rude e com pretensões aristocráticas nas sedes de suas grandes estâncias, ainda não tinha escolas secundárias e, portanto, a primeira alternativa à disposição da família Vargas era a de despachar o filho para alguma cidade mais desenvolvida como Pelotas ou mesmo a capital Porto Alegre, onde havia boas instituições de ensino.

"Não deixarei dinheiro para meus filhos, mas em troca lhes darei instrução. O dinheiro se perde, mas a instrução, nunca" — este era o mantra do estancieiro Manuel Vargas.[22]

A escolha acabou recaindo sobre a então capital mineira, destino comum de toda uma geração de estudantes rio-grandenses. A conceituada Escola de Minas de Ouro Preto, fundada vinte anos antes, revolucionara o ensino das ciências no Brasil e se tornara responsável pela formação de uma nova elite profissional, a dos engenheiros.[23] Contudo, o exame de admissão à Escola de Minas era rigoroso, exigindo dos pretendentes à vaga conhecimentos em agrimensura, geometria analítica e descritiva, além de matemática, química, física, botânica e zoologia, o que eliminava as chances da maioria dos candidatos oriundos das escolas secundárias tradicionais e demandara a criação de um curso anexo, introdutório, em que Protásio, o segundo filho de Manuel Vargas, se esforçava para acompanhar o extenuante currículo. Getúlio, tudo indicava, deveria seguir-lhe o exemplo, tão logo concluísse o secundário no Ginásio.

Como segunda escolha de uma futura carreira, o garoto poderia optar pela Escola de Farmácia de Ouro Preto, igualmente prestigiada, onde Viriato acabara de concluir o primeiro ano letivo. De um modo ou de outro, Getúlio ficaria sob a devida proteção dos irmãos mais velhos. Eles já estavam adaptados à cidade e haviam constituído uma república estudantil, no chamado Campo do Raimundo, bairro da Água Limpa, situado no alto de uma das mais íngremes ladeiras de Ouro Preto, afastado do burburinho do centro da cidade. Na casa, de cujas janelas se avistavam ao longe as torres da Igreja do Rosário, só moravam rio-grandenses. Viriato, que vez por outra fazia questão de envergar a farda de alferes com que coadjuvara o pai durante a Revolução Federalista no Rio Grande do Sul, tornara-se o líder natural da confraria, batizada pomposamente de República da Bastilha.[24]

De São Borja a Ouro Preto, porém, fora uma longa viagem. Como o inexperiente Getúlio nunca havia deixado a cidade em que nascera sem a companhia de algum adulto da família, Manuel Vargas aproveitou a ida de um contraparente ao Rio de Janeiro para que este servisse de companhia ao filho, ao menos até a metade do caminho. Não se tratava de um acompanhante qualquer. Cunhado de dona Candoca, o deputado Aparício Mariense da Silva, recém-eleito pelo Partido Republicano do Rio Grande do Sul para a Câmara Federal, estava de viagem à capital da República para assumir a cadeira parlamentar pela segunda vez.

Na data marcada, os dois pegaram um barco em São Borja até o município de Itaqui e, de lá, tomaram um trem até a cidade de Uruguaiana. Embarcaram depois em outro vapor até o porto argentino de Monte Caseros, pegaram nova embarcação até Buenos Aires para, enfim, subirem a bordo de um navio com destino ao Rio de Janeiro. Sem dúvida, aquilo importava em uma canseira sem fim. Mas Aparício Mariense, com sua cabeleira grisalha penteada para trás e o bigodão caprichosamente cofiado, tinha boas histórias para entreter o garoto ao longo de todo o caminho.

Além de ter secretariado a reunião secreta em Monte Caseros na qual fora traçado o plano para reconduzir Júlio de Castilhos ao poder no Rio Grande do

Sul em 1892, Aparício Mariense fora o primeiro político a pôr a pequena São Borja em evidência nacional ao propor, em 1888 — um ano antes da proclamação da República —, uma audaciosa moção às câmaras municipais de todo o país. Aparício sugerira à época que fosse realizado um plebiscito para decidir pelo voto popular se a princesa Isabel — a quem ele definia como "uma senhora fanática, obcecada por uma educação jesuítica e casada com um príncipe estrangeiro" — deveria ou não assumir a coroa imperial após a morte de Pedro II. Acatada pela maioria absoluta da câmara municipal, a proposta não foi adiante porque o imperador, furioso, mandou dissolver a casa e indiciar os vereadores da cidade, em especial Aparício Mariense, por crime de subversão. Com a proclamação da República, o caso foi arquivado.[25]

Ao término da longa viagem, depois de desembarcar com Getúlio no Rio de Janeiro, Aparício Mariense entregou-lhe um relógio de algibeira como recordação e pôs o garoto no primeiro trem que partiu, da Central do Brasil, sacolejando em direção à cidade mineira de Barbacena. Ali, os irmãos Viriato e Protásio já o esperavam para juntos vencerem a lombo de cavalo os mais de 100 quilômetros de vales e montanhas que ainda separavam Barbacena de Ouro Preto.[26] Uma das providências iniciais do exausto Getúlio ao chegar à República da Bastilha foi indagar aos irmãos onde poderia mandar confeccionar o primeiro terno e suas primeiras calças compridas. Afinal, já podia considerar-se um homenzinho. Ouro Preto representaria, para ele, um rito de passagem, a fronteira definitiva entre o fim da infância e o início da vida adulta.

Encaminhado pelos irmãos ao ateliê do alfaiate Jovelino Almeida, um dos mais conceituados da cidade, Getúlio deixou lá a encomenda de um elegante paletó de sarja, com direito a colete, sobrecasaca e gravatinha-borboleta. Pagou 13 mil-réis pelo conjunto. De praxe, o caprichoso Jovelino não fazia o mesmo serviço por menos de 26 mil-réis. Cobrou pela confecção do traje a metade do preço, segundo consta, porque gastou pouco pano: o pequeno Getúlio continuava mirradinho.[27]

"Este indiozinho é meu irmão. Veio estudar aqui em Ouro Preto também."

Foi assim que Viriato apresentou Getúlio ao conterrâneo Pedro Rache, aluno da Escola de Minas. O epíteto de "índio" era comum na fronteira e funcionava como um elogio quando alguém queria se referir ao indivíduo disposto e valoroso.²⁸ O garoto encarnava à risca o estereótipo do povo missioneiro, gente tida como calada e desconfiada, conforme logo constatariam os demais moradores da república estudantil. Anos mais tarde, quando viesse a escrever suas memórias, Pedro Rache descreveria o Getúlio que conheceu naquele dia como um menino "pequenino, magrinho, sempre com o risinho indefinível a lhe mascarar o pensamento, e sobretudo muito caladão — um enigma". Mesmo após estender-lhe a mão e cumprimentá-lo efusivamente, Rache continuou a obter apenas o silêncio como resposta:

"Ele não abriu a boca, continuou sorrindo amável, porém sem dizer nada. Já nesse tempo gostava mais de sorrir do que de falar."²⁹

Para poder ter aceita a matrícula no Ginásio Mineiro, Getúlio submeteu-se a um rápido exame de admissão que constava de um ditado e duas operações matemáticas. No ditado, um pequeno trecho do conto "A última corrida de touros em Salvaterra" — clássico da literatura portuguesa de autoria do escritor Rebelo da Silva —, Getúlio saiu-se bem, tendo cochilado somente uma única vez, em um pronome pessoal oblíquo que esqueceu de flexionar para o plural. Provou que era excelente em ortografia. Todavia, ainda parecia claudicar em aritmética. Acertou a primeira operação matemática, uma subtração, sem maiores dificuldades. Mas errou a segunda, uma multiplicação elementar. De todo modo, foi o suficiente para ser aprovado.³⁰

Matriculado como aluno do Ginásio, não demorou para Getúlio verificar que as turbulências da política rio-grandense se refletiam mesmo ali, de forma idêntica, na mineiríssima Ouro Preto. Os cerca de cinquenta rapazes do Rio Grande do Sul que estudavam na cidade estavam divididos em duas turmas inconciliáveis, a dos maragatos e a dos pica-paus.³¹ Reproduziam assim, a quilômetros de casa, as brigas e agressões que Getúlio se habituara a assistir durante toda a infância em São Borja. Nas noitadas pelos bilhares da rua São José ou na esfumaçada taverna do Gato em Pé, eram comuns os bombardeios de tacos, bolas, garrafas, copos, pratos, mesas e cadeiras, sempre que os dois grupos inimigos resolviam dividir o mesmo espaço. Como o teatro da cidade pouco abria as portas, a maior diversão para a rapaziada era mesmo trocar socos nos bares e no meio da rua.³²

Um dos mais ruidosos conflitos entre as duas facções estudantis se deu quando alguém teve a ideia de leiloar, em quermesse realizada nas dependências do teatro municipal, um quadro a óleo de Floriano Peixoto, morto cerca de dois anos antes. Na ocasião, os pica-paus presentes sugeriram que fosse tocado o Hino

Nacional em memória do "Marechal de Ferro", o homem que garantira e referendara a ascensão política de Júlio de Castilhos no Rio Grande do Sul. Os maragatos, antiflorianistas ferrenhos, se opuseram, revoltados. Um deles se levantou e gritou do alto de um camarote a frase que serviu de senha para a luta aberta:

"Não consinto que toquem o hino para esse bandido!"[33]

Depois disso, ninguém mais conseguiu se entender. O tumulto prosseguiu até o dia seguinte, quando os estudantes castilhistas saíram às ruas da cidade em passeata, incluindo os três irmãos Vargas, numa demonstração de força que deixou os oponentes acuados.

"Morram os maragatos!", bradavam os pica-paus, ameaçadores.[34]

Foi só uma questão de tempo para que a exaltação dos estudantes se direcionasse a inimigos indistintos. Quando o paulista Caíto chegou a Ouro Preto batendo no peito e contando vantagem, atraiu contra si o furor dos moços castilhistas que andavam ávidos por encontrar um adversário à altura, qualquer que fosse ele. A República da Bastilha, no Campo do Raimundo, passou a ser considerada o quartel-general dos pica-paus em Ouro Preto. Os Vargas, com Viriato à frente, sentiam-se senhores absolutos do território. Ninguém se atrevia a se meter com eles.

Ninguém exceto Caíto, o estudante paulista que terminaria seus jovens dias com o pulmão perfurado à bala.

Quando soube que os filhos estavam sendo caçados pela polícia mineira sob acusação de assassinato, o general Vargas resolveu ir a Ouro Preto para tentar dar conta da situação. Ao chegar, recebeu a notícia de que Protásio já se encontrava preso. Na tentativa de escapar da cidade, o rapaz fora apanhado na plataforma da estação de Tripuí. Segundo se contou, teria sido identificado por um detalhe que, na pressa da fuga, não cuidara de ocultar: o monograma P. V. — as iniciais de Protásio Vargas — que trazia bordado no bolso da camisa.[35]

Outros dois rio-grandenses também estavam trancafiados na cadeia pública, mantidos incomunicáveis pela polícia. O primeiro era o estudante Fernando Kaufmann, colega de Viriato na Faculdade de Farmácia. Depois de se esconder na noite do crime numa touceira de bananeira no fundo do quintal da pensão em que morava, Kaufmann resolvera entregar-se durante a madrugada. Na delegacia, jurou inocência. Confessou que estivera presente à cena do tiroteio, mas afirmou não portar nenhuma arma de fogo na ocasião. Escondera-se apenas por medo de ser linchado.³⁶

Mesmo tendo se apresentado de forma espontânea, Kaufmann foi preso em flagrante. Inconformado com a ordem de prisão, precisou ser contido por meio de uma camisa de força. Ficou tão fora de si que chegaria a ser transferido depois para um hospício no Rio de Janeiro, com os nervos em frangalhos, enquanto o processo corria na justiça.³⁷ O outro detido era Rodolpho Simch, casado, pai de uma filhinha recém-nascida, aluno de Engenharia, professor de alemão de Getúlio no Ginásio Mineiro, onde trabalhava para custear as despesas do curso na Escola de Minas. Segundo testemunhas, Simch fora visto na noite do crime esquivando-se de maneira suspeita para longe do local, ao lado de Kaufmann, ambos correndo em direção a uma ladeira que levava aos fundos da cidade.³⁸

Não havia notícias do paradeiro de Viriato Vargas, considerado o principal suspeito pela polícia, por causa do desentendimento anterior com Caíto.³⁹ Os três apanhados, Protásio, Kaufmann e Simch, disseram não saber onde Viriato havia se metido desde o momento em que Caíto tombara alvejado pelos dois balaços. Na fuga, haviam perdido contato.⁴⁰ Quanto a Getúlio, que completara quinze anos cerca de dois meses antes, não fora indiciado, embora o código penal em vigor previsse que maiores de catorze anos já podiam ser responsabilizados criminalmente.⁴¹

Tal circunstância ajudaria a atiçar a celeuma posterior quanto ao presumido envolvimento de Getúlio no episódio. Suspeitou-se que o general Manuel Vargas, que contratara três advogados para tentar tirar Protásio da cadeia, conseguira convencer a justiça mineira, por meios pouco ortodoxos, a deixar Getúlio de fora do processo.

"Meu avô vendeu uns mil e trezentos [hectares]. Teve de vender para ir buscar os filhos lá em Ouro Preto. Ele comprou os filhos de volta, corrompeu a justiça", sustentaria mais tarde o próprio neto do general, Manuel Antônio Vargas.⁴²

Os biógrafos oficiais de Getúlio tratariam de evitar o assunto, cercando o tema de silêncio, o que só contribuiu para estimular ainda mais as suspeitas.⁴³

Quando a polícia começou a ouvir as testemunhas do crime, na lista de interrogados estavam os três "sobreviventes", os estudantes paulistas que acompanhavam Caíto na noite do assassinato. Esperava-se que o depoimento deles oferecesse as informações necessárias para elucidar todos os detalhes que envolviam o caso. O primeiro a ser ouvido na delegacia de Ouro Preto foi Gabriel Teixeira, vinte anos, que disse não ter a menor dúvida de ser Viriato o autor do primeiro disparo. Ele, que assistira à cena de perto, estava convicto disso. Gabriel revelou que Caíto também empunhava um revólver naquela noite, mas havia baixado a arma quando membros dos dois grupos sugeriram que brigassem de mãos limpas, corpo a corpo. Viriato, contudo, atirara à traição, após incentivo de Fernando Kaufmann:

"Atira nele, Viriato. Se você errar o primeiro tiro, o segundo é meu", teria dito Kaufmann.[44]

Viriato puxara o gatilho e depois correra para se esconder atrás dos comparsas. Caíto o seguiu, revólver em punho. Ao todo, seriam quatro os rio-grandenses contra quatro paulistas, explicou Gabriel. Além de Viriato e Kaufmann, ele garantiu ter reconhecido no meio do grupo adversário o estudante Balthazar do Bem, o rapaz que participara da primeira briga, na qual Caíto revidara a agressão de Viriato a golpes de bengala. Contudo, Gabriel não sabia dizer ao certo quem era o último integrante do "bando". Não tivera tempo suficiente para averiguar, pois logo depois disso tivera início o tiroteio, de lado a lado. Na delegacia, em presença de Protásio e de Simch, ambos algemados, Gabriel disse não ter condições de afirmar se um dos dois era o quarto e misterioso agressor.

O segundo colega de Caíto a depor foi Raul de Queiroz Telles, 21 anos. Sua versão foi praticamente igual à do amigo Gabriel Teixeira: Viriato dera o primeiro tiro; Carlos de Almeida Prado apenas revidara. Raul acrescentou ter visto Kaufmann também atirar contra Caíto. Podia assegurar que Viriato, Kaufmann e Balthazar haviam participado diretamente do conflito. Contudo, da mesma forma que Gabriel, não reconhecera o quarto oponente. Não sabia de quem se tratava.[45] Por último, o depoimento do também paulista Wilfrido Arruda, dezenove anos, apenas ratificaria o que os companheiros haviam dito antes ao delegado: Viriato, Kaufmann e Balthazar faziam parte do quarteto que os atacou. Mas Wilfrido, do mesmo modo, não sabia dizer quem era o outro. Não o reconhecera. Não se lembrava de tê-lo visto antes na cidade.[46]

Permanecia o mistério.

Pressionado pelo delegado, o transtornado Fernando Kaufmann repetiu que não carregava nenhuma arma de fogo na noite do crime. Disse que estava armado apenas com um facão e uma bengala. O facão, admitiu, era dele. A bengala, tomara emprestada mais cedo ao professor Rodolpho Simch. Por mera coincidência, voltara a encontrar o professor na rua logo após a confusão, quando então implorara ajuda para se esconder. Por esse motivo, teriam sido vistos correndo juntos. Mas Simch estava limpo, garantiu Kaufmann. O professor não tivera participação no episódio além do fato de lhe ter emprestado uma simples bengala. Simch estaria preso injustamente. No curso do interrogatório, Kaufmann alegou que tudo ocorrera de modo tão rápido que nem sequer poderia afirmar quem dera o primeiro tiro. Podia ter sido, sim, Viriato. Mas também poderia ter sido Caíto. Quanto ao quarto colega do grupo ainda não identificado, Kaufmann não fez segredo. Era Protásio Vargas.[47]

Protásio, que continuava detido, confirmou a história. Fizera parte do confronto, admitiu, mas também negou que estivesse armado de revólver. Levava igualmente uma bengala como instrumento preventivo de defesa, uma vez que os espíritos estavam cada vez mais exaltados. Assim como Kaufmann, disse que não poderia precisar quem dera o primeiro disparo. Quando indagado por que tentara fugir, contou que teve o medo natural de ser preso, pois sabia que a polícia estava em perseguição indiscriminada a todos eles. Tivera a intenção de rumar para o Rio Grande do Sul e, por isso, levara consigo a quantia de um conto e duzentos mil-réis, o dinheiro que foi encontrado em seus bolsos ao ser apanhado. Deixara antes outros cerca de três contos e oitocentos mil-réis na república, sob a guarda do irmão mais novo, Getúlio, para cobrir as despesas habituais da casa e para a viagem que o garoto, assim que possível, deveria fazer também a São Borja.[48]

Nas mais de quinhentas páginas manuscritas que somaram, juntos, o inquérito policial e o processo judicial sobre a morte de Carlos de Almeida Prado, aquela foi a primeira e única menção ao nome de Getúlio, seja por parte dos acusados ou dos acusadores. Pelo que consta rigorosamente dos autos, ele não estava envolvido no caso, ao contrário do que sustentariam seus futuros desafetos. Um detalhe que parecia insignificante reforçaria a tese. Conforme o estudante paulista Raul de Queiroz Telles diria depois em depoimento à justiça, o misterioso "quarto elemento" do grupo usava bigode.[49]

O adolescente Getúlio, aos quinze anos, ainda não apresentava o mais leve sinal de buço sobre os lábios.

O caso caiu no vazio. Protásio foi despronunciado pela justiça, diante da fragilidade das evidências contra ele. Nem mesmo as testemunhas oculares, convocadas pela acusação, afirmaram tê-lo visto disparando um único tiro no confronto.⁵⁰ No tribunal do júri, realizado no fim de março do ano seguinte, Kaufmann e Simch também foram inocentados, por falta de indícios materiais eloquentes, não obstante existirem provas testemunhais contra o primeiro.⁵¹ Viriato e Balthazar do Bem continuaram foragidos.

Em represália ao desfecho, os alunos paulistas da Faculdade de Direito passaram a hostilizar o responsável pela sentença, o poeta, professor e juiz de direito Augusto de Lima, acusado pelos estudantes de ter acobertado "uma corja de assassinos cínicos e sanguinários". Chegou a se espalhar em Ouro Preto que, durante o processo, Lima recebera um telegrama do Rio Grande do Sul, assinado pelo presidente Júlio de Castilhos. Presumidamente, a mensagem recomendava que se abafasse o caso e os rapazes fossem absolvidos, a despeito dos rumos do inquérito.⁵²

Indignado por trás do pincenê, Augusto de Lima negaria tal suposição, embora não escondesse ser amigo do presidente rio-grandense desde os tempos em que os dois ainda eram estudantes, contemporâneos na Faculdade de Direito de São Paulo.⁵³ De nada adiantou a negativa. No primeiro dia de aula após a controvertida decisão, Lima foi recebido debaixo de vaias pelos alunos, à porta da faculdade.⁵⁴ Os estudantes se recusaram a continuar assistindo a suas aulas, o que levou o juiz e professor a pedir licença da segunda função.⁵⁵

Enquanto tudo isso ocorria, o clandestino Viriato Vargas permanecera bom tempo ali mesmo, próximo à delegacia, escondido na casa de um professor da Faculdade de Farmácia, Octávio de Brito. Viriato havia sido alvejado também, recebendo uma bala de revólver no antebraço durante o tiroteio.⁵⁶ Já recuperado do ferimento, com o auxílio do professor e de um colega de turma — um certo Benjamin Torres —, Viriato teve tranquilidade para planejar a fuga definitiva de Ouro Preto. Sem pressa, atravessou o interior de Minas Gerais, alcançou o Mato Grosso, rumou para o Paraguai e, por fim, desceu o rio Paraná em direção ao Sul. O crime ficaria sem castigo. A polícia nunca o apanharia. Viriato voltou a viver em São Borja, sob o amparo do pai, como se nada jamais houvesse ocorrido.⁵⁷

Pelo menos foi assim até que o clã dos Vargas se visse sacudido mais tarde por novas acusações, ainda mais graves, de serem autores e mandantes de outros assassinatos em São Borja.

3. Getúlio levanta o braço e adere ao motim. O gesto vai mudar sua vida (1898-1903)

O pai, Manuel Vargas, ordenara que Getúlio encilhasse o cavalo e fosse à estância do padrinho, o major Claudino Silva, veterano da Guerra do Paraguai. Getúlio teria que passar alguns dias por lá, auxiliando Claudino na tarefa de ferrar o gado. O rapaz jamais ousaria desobedecer a uma determinação paterna, embora soubesse que, em São Borja e em toda zona missioneira, diziam coisas estranhas a respeito do major. O homem era um esquisitão, um eremita barbudo que morava sozinho numa fazenda em ruínas. Contava-se que voltara desequilibrado da guerra e, por motivos nunca esclarecidos, assassinara o próprio pai. Depois enlouquecera de vez, aniquilado pelo remorso. Tropeiros de passagem por ali alongavam a viagem para não precisar pedir rancho na estância de Claudino. Havia notícia de viajantes que lhe solicitavam guarida para um pernoite e, após isso, nunca mais eram vistos.

O velho Manuel Vargas refutava tais histórias. Claudino era apenas um tipo excêntrico e solitário, argumentava o general. Era meio avarento e misantropo, vá lá.

"Mas de louco aquele ali não tem nada", assegurava.[1]

O filho podia ir, sem susto. Tudo ficaria bem, garantiu. Ao chegar à estância do major Claudino, num finzinho de tarde daquele início de 1900, Getúlio constatou que o local se encontrava em abandono. Os campos estavam tomados pelo mato; as paredes dos galpões, rachadas; as benfeitorias, carcomidas pela ação do tempo e pela falta de cuidados. Na casa principal, Getúlio encontrou portas e janelas fechadas, trancafiadas a chaves e ferrolhos. Gritou pelo nome do padrinho, mas não obteve resposta. Gritou outra vez. Mais outra. Nem mesmo assim alguém respondeu.

Getúlio apeou do cavalo e, como não lhe restasse alternativa senão esperar, deitou sobre o rústico tapete de lã de carneiro, estendido ao pé da porta principal. Já perto do anoitecer, levantou-se em alvoroço, ao ouvir latidos que se aproximavam. Olhou para os lados da porteira e vislumbrou, algumas dezenas de metros adiante, o vulto de um homem esguio vindo em sua direção. O sujeito estava montado em um cavalo escuro, o chapéu preto de abas largas pendendo sobre a testa, escondendo-lhe os olhos. Ao redor da sinistra figura, rosnava a matilha.

"Tu deves ser o filho do general. Solta o cavalo no potreiro e leva os arreios para o galpão", resmungou o homem, os cabelos caindo abaixo da linha dos ombros, a barba cerrada.[2]

Era, sem dúvida, o misterioso Claudino. Ao reconstituir a cena muitos anos depois durante uma longa entrevista concedida ao jornalista Barros Vidal, da *Revista do Globo*, Getúlio diria que era como se aquela voz gutural e abafada houvesse saído de dentro do oco de um tambor. Sem discutir, correu para cumprir o que fora solicitado. Feito isso, voltou e ficou calado, à espera de novas instruções, encolhido a um canto.

"Vamos fazer a janta", disse Claudino, no mesmo tom cavernoso de antes.

Improvisaram uma fogueira e, sobre as brasas, o bizarro anfitrião atirou um pedaço de charque que os dois comeriam depois em ruminante silêncio. Mal Getúlio havia conseguido engolir um naco de carne, o padrinho lançou nova ordem:

"Vamos dormir, que amanhã temos de madrugar."

À luz do toco de vela, Getúlio foi conduzido pela casa até a escada que levava a um quarto escuro e poeirento no sótão. Das paredes esburacadas, pendiam cortinas de teias de aranha. O major Claudino apontou para um colchão velho de palha jogado ao chão e informou:

"Esta é tua cama."

Antes de dar meia-volta e desaparecer na escuridão, Claudino avisou a Getúlio que era homem de muitos inimigos. Tinha certeza de que um dos maiores desafetos estaria naquele exato momento de tocaia no mato ali perto, pronto para assassiná-lo de surpresa durante a madrugada. Um pouco mais cedo, comentou, saíra com os cachorros em busca do salafrário, mas não encontrara sequer o cheiro dele.

"Se ouvires algum barulho durante a noite, me avisa imediatamente", recomendou, antes de sacar debaixo do poncho um pesado revólver calibre 45, que de imediato passou às mãos de Getúlio.

"Isto é para tu te defenderes", explicou.

Tão logo o padrinho saiu do quarto, o rapaz pulou de roupa e tudo sobre o colchão e, ato contínuo, cobriu-se com uma manta dos pés à cabeça. Nem ao menos cuidou de tirar as botas. Estava pronto para chispar dali ao menor sinal de encrenca. Na madrugada, ao ouvir de novo o latido ensandecido dos cães bem próximo à casa, deduziu que aquilo não era bom sinal. Enquanto se questionava a respeito do que estaria acontecendo lá fora, Getúlio quase teve uma síncope ao ver a porta do sótão abrir-se em um rompante. Por trás dela, desenhou-se a silhueta de Claudino.

"Vamos, levanta, que o sujeito está aí fora", convocou o padrinho.

Getúlio nem de longe imaginou contrariar o homem. Os dois, Claudino à frente, ele um passo atrás, desceram as escadas e, tateando por dentro da casa, saíram pela porta principal em direção ao breu lá fora. O uivo dos cachorros parecia ainda mais lancinante. Uns rosnavam como se estivessem atacando uma presa, outros ganiam como se agredidos por um inimigo mais forte.

"Trouxeste o revólver?", indagou Claudino.

Só então Getúlio percebeu que não. Não levara a arma. Estava tão atordoado que a esquecera no sótão, ao lado do colchão de palha. O major então lhe entregou o próprio 45 que trazia à cintura e vociferou:

"Se ele aparecer, passa fogo."

Dito isso, segundo detalharia mais tarde o próprio Getúlio, Claudino sumiu no negrume da noite, na provável intenção de enfrentar o inimigo à unha. Depois de uma hora completa, ainda não retornara. A certa altura, os cães pararam subitamente de latir. Ainda com o revólver pesando nas mãos trêmulas, Getúlio permaneceu imóvel, sem arriscar um passo. Duas, três horas depois, ainda não havia o menor sinal do major Claudino. Quando as primeiras luzes do dia iluminaram o verde ondulante das coxilhas, Getúlio correu em direção ao cavalo, botou-lhe os arreios e cavalgou o mais rápido possível para longe dali, em direção ao caminho de casa. Ao cruzar a porteira da estância paterna, um peão fez troça:

"Ué, o que aconteceu por lá? A cara do homem é muito feia?"

"Mais feia que briga de foice", respondeu Getúlio, ainda ofegante.

Poucos dias depois, chegaria a notícia. O major Claudino fora encontrado morto. Os urubus que sobrevoavam a casa haviam dado o alerta. Ao vasculharem a estância, depararam com o cadáver do padrinho de Getúlio, ensanguentado, em um quarto fechado. A porta estava trancada por dentro. O homem havia arrebentado os miolos com uma bala no ouvido.

"Nunca pude saber quem estava escondido no mato", diria Getúlio ao repórter Barros Vidal, em 1950. "Nem mesmo posso afirmar se Claudino tinha algum inimigo mortal. Creio que, na verdade, ele sofria do delírio da perseguição."

Fossem reais ou imaginários os inimigos de Claudino, uma coisa era certa: aquela havia sido a primeira vez que Getúlio, aos dezessete anos, olhara nos olhos de um suicida. Jamais conseguiria tirar da cabeça a imagem do corpo do padrinho, inerte, estatelado na cama.[3]

O jovem Getúlio estava resolvido. Decidiu que seria militar. Iria se alistar como voluntário nas fileiras do Exército Brasileiro. O pai ainda tentou ponderar. Apesar das condecorações conquistadas nos campos de batalha, o velho Manuel Vargas não parecia arrependido de ter trocado a farda pelas bombachas de estancieiro em São Borja. Não via com entusiasmo a hipótese de ter um dos filhos — justamente aquele de físico menos avantajado — abraçado a um pesado fuzil, derramando o sangue do clã numa eventual nova guerra. Porém, Manuel Vargas era obrigado a reconhecer que as narrativas bélicas com as quais embalara a infância do menino tinham responsabilidade nisso. Pela força do exemplo, era quase inevitável haver um soldado na família.[4]

Os Vargas, na realidade, orgulhavam-se da ascendência guerreira. O pai do general Manuel Vargas, Evaristo Vargas, avô de Getúlio, foi um carreteiro que havia lutado na chamada Revolução Farroupilha, também conhecida como a Guerra dos Farrapos — a conflagração que sacudiu o Rio Grande por uma década inteira, em pleno Império, entre 1835 e 1845. Os farroupilhas decretaram a separação temporária do estado do resto do Brasil, fundando a República de Piratini, e viriam a constituir, com sua crônica de guerra e sangue, o mito fundante do chamado "gauchismo".

Evaristo, originalmente, chamava-se Evaristo Vargas Bueno. Por parte de pai, descendia em linha direta do tronco paulista que ia dar nos costados do célebre Amador Bueno — o capitão-mor da capitania de São Vicente que chegou a ser aclamado rei, no século XVII, pelos fazendeiros descontentes com d. João IV, o restaurador da monarquia portuguesa. Evaristo renegou o sobrenome ilustre após o pai, Francisco de Paula Bueno, abandonar a mulher, Ana Joaquina Vargas. A partir dali, decidiu que seria apenas Evaristo Vargas, perpetuando o sobrenome materno e impedindo que seus descendentes, incluindo Getúlio, fossem Bueno — e sim Vargas.⁵

Conforme a memória familiar, Evaristo Vargas salvara a vida da célebre Anita Garibaldi, quando esta caíra prisioneira nas mãos dos governistas. Segundo consta, mesmo tendo guerreado ao lado das tropas oficiais, Evaristo ajudara Anita a fugir, condoído pela gravidez da mulher do líder inimigo Giuseppe Garibaldi. Embora a historiografia não faça menção à suposta ajuda de Evaristo em tal fuga, a tradição oral dos Vargas tratou de dar foros de veracidade ao fato:⁶

"Meu pai me contou isso", garantia o general Manuel Vargas, sempre que lhe indagavam a respeito.⁷

Adversos à inclinação da estirpe, os dois filhos mais velhos do general haviam tomado outro caminho. Viriato, depois dos malabarismos para retornar impune de Ouro Preto a São Borja, passara a ganhar a vida como rábula. Sem ter cursado Direito, montara um escritório de advocacia com a ajuda do pai, atividade que lhe abria caminho para uma carreira política na cidade.⁸ Protásio, disposto a seguir estudando Engenharia, conseguira colocação em uma repartição pública em Porto Alegre, a Secretaria de Obras Públicas, criada pelo regime castilhista.⁹ Quanto aos mais novos, era cedo para dizer. Espártaco — o Pataco, para os de casa — não passava de um menininho de quatro anos, mas o pai sonhava em fazê-lo médico.¹⁰ O mais novo membro da família, Benjamin, o "Bejo", que nascera no ano anterior, 1897, ainda sujava fraldas. Sendo assim, havia um possível político, um quase engenheiro e, talvez, um provável médico em casa. Se Getúlio, como bom rio-grandense que era, planejava tomar o caminho do quartel, não havia por que se opor a isso, rendeu-se Manuel Vargas.¹¹

A decisão do filho coincidia com o momento em que o Exército brasileiro revia a formação de seus quadros. Os muitos percalços no Paraguai e as primeiras três tentativas frustradas de ataque ao arraial de Canudos, na Bahia, haviam escancarado a deficiência crônica na preparação física, moral e intelectual das tropas nacionais.¹² Entre outras novidades, além dos antigos critérios de mérito e antiguidade para galgar as altas patentes, os regulamentos passaram a exigir o curso superior, em academia militar, para os novos pretendentes ao oficialato. No nascedouro da República brasileira, sob influência direta do positivismo, o Regulamento Benjamin Constant promovera uma reformulação geral no ensino militar, com o intuito de dar aos membros do Exército uma preparação intelectual razoável, com preponderância dos conhecimentos de matemática e ciências físicas.

"O militar precisa de uma suculenta e bem dirigida educação científica", dizia textualmente a exposição de motivos do novo regulamento.[13]

Por causa disso, os cadetes formados pelas escolas militares passaram a ser chamados, com alguma jocosidade, de os "doutores de espada". Diferenciavam-se assim da base da tropa, composta quase sempre por soldados rudes e bisonhos, em geral pobres e analfabetos, recrutados à força do laço. Todavia, para ser aceito nos quadros de uma academia militar — caso não fosse filho de combatente morto na guerra — o candidato precisava começar por baixo, sentando praça em alguma guarnição.[14]

"Cadetes, ides comandar; aprendei a obedecer", já prescrevia a máxima dos quartéis.

Assim, no início de 1898, Getúlio apresentou-se para jurar a bandeira na sede do 6º Batalhão de Infantaria, sediado em São Borja. Como soldado raso, o filho do general Vargas teria que se submeter às tarefas mais subalternas do ofício: limpar o piso com esfregão, fazer a sentinela noturna, lavar latrinas.

O esforço, porém, seria recompensado. Após um ano batendo continência como recruta, Getúlio ganhou o direito de exibir a patente de segundo-sargento do Exército.[15] Estava apto, portanto, a requerer matrícula na Escola Preparatória e de Tática de Rio Pardo, instituição destinada a preparar os futuros alunos da Escola Militar do Brasil, localizada na praia Vermelha, Rio de Janeiro, o berço da elite fardada que tomaria conta dos quartéis brasileiros em meados do século xx.[16] Porém, quando o então sargento Getúlio já estava de malas prontas à espera da convocação, veio a má notícia em papel timbrado do Ministério da Guerra: não havia vagas disponíveis em Rio Pardo para 1899.[17] Depois de um ano de estudo desperdiçado por causa dos incidentes em Ouro Preto e de mais outro consumido como recruta em São Borja, Getúlio se viu obrigado a perder mais um período letivo, o terceiro consecutivo.

Precisou esperar pacientemente pelo ano seguinte, quando só então, a 27 de março de 1900 — portanto menos de um mês antes de completar dezoito anos —, conseguiu vestir o jaquetão azul-turquesa com estrelinha no antebraço e gola alta, o uniforme de cadete em Rio Pardo. No livro de matrícula da Escola, ficou registrada a anotação:

> Aluno 73, da 1ª Companhia: Getúlio Dornelles Vargas, cor branca, cabelos pretos corridos, olhos pretos, solteiro, sabe ler e escrever. Já vacinado, imberbe, 1,50 m de altura.[18]

Nos documentos, entretanto, constava como se houvesse nascido a 19 de abril de 1883 — e não 1882.[19] Não se tratava de um erro fortuito. Para se adequar à faixa etária exigida pelo Exército, Getúlio rasurou a própria certidão de nascimento, reduzindo em um ano a idade verdadeira.[20] Dali por diante, até o fim da vida, adotaria a nova data como a oficial, perpetuando a imprecisão, o que viria a confundir mesmo os mais conscienciosos historiadores e biógrafos.

Aquele 1,50 metro de altura fazia de Getúlio praticamente um anão, quando comparado com o que constava da ficha escolar de alguns camaradas. Nos próximos anos, cresceria mais alguns centímetros, porém nunca passaria de 1,60 metro. À época, contudo, isso não constituía empecilho para a carreira militar. Além do mais, para seu alívio e consolo, Getúlio não era o único tampinha por ali. O cadete João Baptista Mascarenhas de Moraes, dezesseis anos, futuro comandante da Força Expedicionária Brasileira na Itália, tinha o mesmo 1,50 metro do companheiro de Escola. Um jovenzinho sardento e míope, Bertoldo Klinger, que mais tarde pegaria em armas contra Getúlio na Revolução Constitucionalista de 1932, também estava com dezesseis anos e, apelidado de "Alemãozinho" pelos colegas, era apenas um pouco mais alto — ou menos baixo — que os dois. Media 1,52 metro.[21] Outro aluno da época em Rio Pardo, o futuro presidente Eurico Gaspar Dutra, chegara a ser reprovado pela junta médica quando tentara se alistar pela primeira vez no Exército, em Cuiabá, por causa de um "sopro" no coração e por julgarem-no raquítico demais para a idade.[22] Numa segunda tentativa, o mato-grossense Dutra precisou fazer o mesmo que Getúlio: adulterou a certidão de nascimento. Foi ainda mais ousado. Reduziu a data verdadeira em dois anos. Terminou por ser aceito.[23]

"Ao atravessar a soleira do largo portão da Escola, tinha-se a impressão perfeita de haver penetrado numa casa de doidos", testemunharia depois o general Francisco de Paula Cidade, também contemporâneo de Getúlio em Rio Pardo.

"Os veteranos saltavam sobre os recém-chegados como um bando de tigres bravios", recordaria o general.²⁴

Embora não haja registros a respeito, é bem plausível que o calouro Getúlio Vargas tenha sido submetido por veteranos, como Mascarenhas e Klinger, aos tradicionais trotes da Escola Militar. As brincadeiras mais leves para espicaçar os "bichos" — como eram tratados os novatos — consistiam em filar-lhes cigarros, confiscar-lhes a sobremesa após a boia ou mesmo enfiar-lhes nariz adentro, por meio de um canudinho de papel, pitadas de fumo torrado e moído enquanto dormiam. Os trotes mais pesados, contudo, incluíam violência física. Havia relatos de espancamento e pelo menos um episódio de afogamento nas águas traiçoeiras do rio Pardinho, cenário dos temidos "caldos" contra os calouros.²⁵

Ao final do terceiro mês após o ingresso na Escola, os neófitos aprovados na primeira bateria de exames de habilitação — o temível "carro de fogo", como chamavam os alunos — podiam considerar-se integrados ao grupo. Não sem antes passarem por um derradeiro ritual de iniciação conhecido como "desinfeta": um a um, eram obrigados a atravessar um corredor formado por duas fileiras contíguas de veteranos munidos de toalhas molhadas e torcidas, utilizadas como açoite contra o lombo dos novos colegas. A pancadaria terminava em farra, o "caroço", com todos dançando um animado maxixe, em sinal de congraçamento. Na falta da presença feminina no quartel, dançavam uns com os outros, sendo os cadetes do primeiro ano obrigados ao último vexame: fazer o papel de mocinha no baile.²⁶

Se não há narrativas dos trotes provavelmente sofridos pelo calouro Getúlio, sabe-se que, tão logo se viu na condição de veterano, ele próprio atormentaria o novato Eurico Gaspar Dutra, registrado em Rio Pardo no início de 1902. Um sorridente Getúlio pedia que Dutra narrasse, com o maior número possível de detalhes, a longa viagem de quarenta dias que precisara fazer de Cuiabá até Rio Pardo.²⁷ Dutra, que sempre sofreu de um incontornável problema de dicção, servia de motivo de chacota para a turma inteira. Uma frase simples como "você já conhece essa história, Getúlio", na fala de Dutra, soaria como algo assim:

"Voxê xá conhexe exa hixtória, Xetúlio."

Caçoadas estudantis à parte, o ensino em Rio Pardo era rigoroso. Quase todos os professores eram circunspectos engenheiros militares que não admitiam a menor possibilidade de descontração na sala de aula. Ninguém se enganasse com a nota mínima exigida para aprovação nos exames: 3,5. Particularmente em aritmética, era preciso razoável esforço para atingi-la.

"Ou dormíamos tarde e saíamos da cama às quatro ou cinco horas da manhã para estudar ou desistíamos do curso", testemunharia o general Cidade em suas recordações do período.[28]

Em certas turmas, já nos primeiros exames trimestrais, a taxa de repetência chegava a atingir um terço dos alunos.

"O estudo aqui é muito apertado, por isso, apesar de estudar, receio rodar no exame de habilitação em julho", escreveu um apreensivo Getúlio em carta aos pais, às vésperas do "cavalo de fogo".[29]

Tais alarmes se mostraram infundados. Getúlio não só passou com sobra, como se revelou um aluno acima da média. Àquele tempo, uma "distinção" equivalia à nota superior a 9,5; um "plenamente" significava que o aluno havia tirado entre 6,0 e 9,5; um "simplesmente", entre 3,5 e 6,0. Abaixo disso, o boletim estampava o temível "insuficiente". Ao final do primeiro ano na Escola Militar de Rio Pardo, Getúlio conquistou "distinção" em geografia; "plenamente" em francês, aritmética e português; e "simplesmente" em desenho linear. No ano seguinte, o desempenho foi igualmente satisfatório: "distinção" em francês, "plenamente" em álgebra e desenho de aquarela; "simplesmente" em inglês e português.[30] Desafiando pela primeira vez a imagem de caladão incorrigível, saíra-se bem tanto nas provas escritas quanto nas temidas sabatinas orais. Sinal evidente de que o rapaz começava a ganhar autoconfiança. Não era mais um simples garotinho. Uma foto de época, aliás, revela o primeiro sinal de um bigodinho orgulhoso e ainda ralo no rosto do cadete Getúlio.

Para sorte dos mais franzinos como Mascarenhas, Klinger e Getúlio, o rigor na sala de aula não se repetia nos exercícios de instrução física. Mais preocupados com a formação intelectual dos cadetes, os regulamentos das escolas preparatórias ainda não tinham como pressuposto transformar meninos tenros em homens rijos. Os instrutores se limitavam a comandar os exercícios repetitivos de ordem-unida e a ginástica matinal em barras paralelas e argolas, além do adestramento com antiquados fuzis de pederneiras. Em Rio Pardo, havia um agravante para semelhante descuido na instrução bélica propriamente dita. Erguido para receber um hospital que ali nunca funcionou por falta de verbas, o comprido prédio de dois pisos fora adaptado para o uso militar e, por isso, sofria todas as deficiências decorrentes da improvisação. Além da ausência de instalações adequadas, eram escassos até mesmo os equipamentos para exercícios de artilharia. Raramente os poucos canhões Krupp eram acionados, pela flagrante carência de pólvora e munição.[31]

Havia coisa pior. À disposição das aulas de cavalaria, existia apenas um reduzido grupo de baios peludos e maltratados, em número insuficiente para todos os alunos. As lições de equitação quase sempre se reduziam a meros exercícios de espada em punho, com os cadetes a pé. Os exercícios de infantaria, quando muito, constavam de marchas coreografadas, puxadas pela banda de música e pelos estridentes corneteiros que tomavam conta das pacatas ruas de Rio Pardo — uma cidadezinha modorrenta de cerca de 20 mil habitantes, a 140 quilômetros de Porto Alegre, sem esgoto ou água encanada, com precária iluminação pública, ainda à base de querosene.[32] Durante as folgas, portanto, não havia muito a fazer ali senão estudar:

"De Rio Pardo não tenho nada a contar, porque é uma cidade sem vida, um verdadeiro cemitério, cujo único movimento que tem é devido às forças militares aqui estacionadas", descreveu Getúlio em carta aos pais.[33]

Por falar em cemitério, era na modesta necrópole de Rio Pardo que Getúlio buscava refúgio e silêncio para suas habituais horas de leitura.[34] Ali, entre poucos jazigos e muitas covas rasas, andava se aventurando a desbravar as obras de Auguste Comte, o fundador do positivismo, autor que era assunto obrigatório nas acaloradas reuniões dos cadetes após o jantar.[35]

Mas a maior distração era mesmo flanar pelas ruelas do lugar, exibindo os botões dourados da farda às vistas das sorridentes moçoilas rio-pardenses, que se punham à janela para vê-los passar. Afora isso, havia as corriqueiras trocas de sopapos com a polícia municipal, as gauchíssimas rodas de chimarrão e um prosaico passatempo que mobilizava toda a alunada: espantar os morcegos que ao anoitecer saíam em revoada pelos corredores do casarão que abrigava a escola. Se as diversões eram poucas, o mesmo se podia dizer da comida. Eram servidas apenas duas refeições aos cadetes, o almoço e o jantar, o que os obrigava a disfarçar a fome, nos intervalos entre um e outro, com laranjas e tangerinas. A água, igualmente escassa, provinha da única fonte disponível na cidade, as pipas de madeira trazidas do rio Pardinho, motivo do frequente desabastecimento nos tempos de poucas chuvas, o que agravava ainda mais as já péssimas condições de higiene no local.[36]

Não era de estranhar que as insatisfações se dessem de modo constante, embora os protestos fossem considerados "graves perturbações da ordem" e as menores manifestações classificadas como "episódios de desobediência coletiva". No início de 1902, já matriculado no terceiro e último ano do curso, frequentando as cadeiras de geometria, história universal, história natural e inglês, Getúlio se viu arrastado pelas consequências de um desses motins. Aos vinte anos, convicto de que encontrara na carreira militar a verdadeira vocação, ele não podia imaginar que sua vida estava prestes a sofrer nova e inesperada guinada.

"Você é um cínico!", gritou o capitão.
"Cínico é você, seu bandido!", devolveu o cadete.[37]
Foi um escândalo. Um simples aluno havia desafiado o oficial do dia. Tratava-se de evidente quebra de hierarquia, definiu o comando da Escola. O caso se complicou quando um grupo de estudantes declarou solidariedade ao camarada envolvido na cena de desacato. Em defesa do colega, argumentaram que o cadete Paulo Alves do Santos Júnior não aceitara calado a ofensa inicial e o empurrão gratuito que levara do capitão Marcos Antônio Telles Ferreira. Se havia um responsável por aquilo tudo, este era o capitão, afirmaram. O comando, como era de esperar, não aceitou tal versão e ameaçou punir os implicados com o desligamento. A Escola entrou em estado de conflagração.

Todo o imbróglio tivera início na noite de 3 de maio de 1902, quando o capitão Telles Ferreira se indignou ao perceber que, durante a chamada noturna da 2ª Companhia, alguns alunos haviam respondido por colegas ausentes. Provavelmente, isso significava que um grupo havia saído do prédio e não voltara no tempo marcado para a reapresentação — segundo consta nos livros da escola, o próprio Getúlio já amargara dois dias de cadeia por uma dessas escapadelas.[38]

O oficial, irritado, disse que procederia a uma nova chamada, para identificar os infratores. Ao ordenar a execução do "passo lateral à esquerda", julgou ter ouvido um ruído fora de propósito. Segundo interpretara o capitão, os cadetes teriam arrastado o solado das botas com força no chão, em desagravo. Mesmo assim, Telles Ferreira relevara o episódio. Todavia, poucos minutos depois, já tendo soado o toque de silêncio, foi despertado por um grupo de cerca de quinze cadetes que descia ruidosamente dos alojamentos com canecas em punho.

"Água! água!", gritavam em coro, protestando por causa do suposto desabastecimento nas pipas da Escola.[39]

Formou-se uma comissão de quatro alunos para cobrar providências ao oficial do dia, exatamente o capitão Telles. Mas este se negara a recebê-los, sob a alegação de que já providenciara o abastecimento das pipas e que, com o protesto, os cadetes estariam promovendo a balbúrdia, de modo deliberado, com o objetivo de semear a indisciplina geral. A tal ponto do diálogo, o terceiranista Paulo Alves tomou a frente do grupo. Dera-se então a ríspida troca de ofensas — na qual um chamara o outro de "cínico" —, seguido do alegado empurrão do capitão no aluno. No relatório que escreveu ao comandante, o oficial declarou ter visto o rapaz fazer menção de levar a mão à cintura para puxar uma arma. Agira em legítima defesa, justificou Telles. Na manhã seguinte, ao passar pelo pátio, o capitão foi alvo da tradicional e desmoralizadora vaia estudantil.

"Chega-se à conclusão de premeditação do desacato ao oficial", sentenciou em ordem do dia, assinada em 15 de maio de 1902, o comandante da escola, coronel Joaquim Martins de Melo.

No mesmo documento, o comandante decidiu pelo desligamento definitivo dos quatro cadetes que haviam composto a comissão de alunos que procurara o capitão Telles, além de determinar a prisão de outros vinte estudantes, delatados por um colega como os iniciadores da vaia e, por esse motivo, considerados incursos em caso de "transgressão disciplinar".

O corretivo não conseguiu conter as tensões. Dois dias depois, mais sete alunos, em apoio aos companheiros punidos e em protesto pela presumida delação, procuraram o comandante e declararam que também haviam participado do episódio. Como consequência, tiveram seus nomes do mesmo modo riscados do livro de matrícula da instituição.[40] Até então, Getúlio permanecera alheio ao movimento, atuando como simples observador, pois os alunos da 1ª Companhia não haviam tido nenhuma ligação com o caso. Mas os desligamentos em massa resultaram em uma assembleia geral de estudantes, ao fim da qual a maioria deliberou pelo voto de solidariedade aos colegas expulsos. Entre os braços levantados em apoio à medida, estava o de Getúlio.[41]

A direção da escola decidiu apertar ainda mais o torniquete contra os rebeldes. O comandante Joaquim Martins de Melo determinou a prisão dos participantes da reunião, além do desligamento imediato de outros vinte cadetes, que mesmo não tendo participação no entrevero declararam apoio explícito aos camaradas. A relação dos punidos chegou a 129 alunos, sendo 31 expulsos e 98 presos, o que significava mais da metade do contingente. Dessa vez, na lista de expulsos da Escola Preparatória e de Tática de Rio Pardo, estava o nome de Getúlio Dornelles Vargas.[42]

Getúlio sabia que, ao aderir ao movimento, renunciava ao projeto pessoal de seguir a carreira militar. Mascarenhas de Moraes e Bertoldo Klinger, que haviam acabado de concluir o curso, não participaram da confusão envolvendo o capitão Telles e foram aceitos sem problemas na Escola da Praia Vermelha, no Rio de Janeiro. A eles, pouco tempo depois se juntaria Eurico Gaspar Dutra, cujo nome não apareceu em nenhuma das listas de punição e, assim, pôde concluir sem obstáculos os estudos em Rio Pardo. Getúlio, portanto, teve ali seu destino temporariamente separado dos demais colegas, com quem só voltaria a cruzar anos mais tarde.

Antes de atravessar o portão de saída da Escola, Getúlio foi obrigado a desfilar pela última vez, ao lado de todos os excluídos, diante dos demais colegas devidamente perfilados. As páginas de *A Federação* traziam a público o caso dos estudantes de Rio Pardo. Segundo o jornal, os cadetes afastados foram apinhados no convés de um vapor, o *Vitória*, e enviados sob custódia para a cidade de Rio Grande, de onde seriam distribuídos para diferentes guarnições do estado, sem nenhuma espécie de regalia pelos anos de estudo na Escola Militar, rebaixados a simples soldados rasos.[43]

Durante boa parte do percurso até a cidade de Rio Grande, um dos cadetes expulsos foi visto calçando um único pé de botina. Era Getúlio. Ele teria atirado o outro pé do calçado no suposto delator dos colegas, tão logo o avistou no meio da tropa formada à saída da escola.[44]

O tempo parecia esvair-se para Getúlio. Mesmo tendo diminuído a idade, seus anos de juventude caminhavam, pelo visto, para lugar nenhum. Tal contingência provocava novos desgostos ao velho Manuel Vargas, que ficou furioso com a notícia do desligamento do filho da Escola Militar.[45] Quando tinha os mesmos vinte anos, o pai não só já participara de uma guerra como também já fora promovido a capitão. Ele, Getúlio, insistira em seguir carreira no Exército, mas ainda estava ali, fuzil ao ombro, varando as friorentas madrugadas gaúchas como sentinela noturno na modesta guarita do 25º Batalhão de Infantaria, em Porto Alegre.[46]

Em compensação, Getúlio associou o último período obrigatório que lhe restava do serviço militar de cinco anos a um programa intensivo de estudos. A vida no quartel não o seduzia mais. A imagem do herói guerreiro fora esmaecida pela rotina do soldado profissional. O confronto entre a visão idealizada do militar, encarnada na figura do pai, e a dura realidade da caserna fizera com que almejasse, a partir de então, seguir carreira civil. Além do mais, as façanhas nos campos de combate haviam deixado de ser o principal distintivo social para os filhos da elite estancieira. Naquele início de século XX, o bacharelato se tornara a marca mais característica dos aspirantes a uma posição de destaque e a algum cargo de mando no país.[47] Assim, com a ajuda dos caraminguás enviados pela família diretamente de São Borja, Getúlio matriculou-se na Escola Brasileira, instituição que era apresentada aos leitores do *Almanak Litterario e Estatístico do Rio Grande do Sul* como "o colégio mais bem frequentado da capital".[48] No estabelecimento de ensino que se vangloriava da "garantia de sucesso oferecida pelo diretor Inácio Montanha", ele se preparou para os exames necessários ao ingresso na Faculdade Livre de Direito de Porto Alegre, fundada dois anos antes. Na dupla jornada de soldado e colegial, Getúlio passava os dias na escola e, às noites, se apresentava ao quartel.[49]

Uma circunstância familiar terminou por facilitar o progressivo relaxamento de suas obrigações no 25º Batalhão. O irmão Protásio, então chefe de seção na Secretaria Estadual de Obras Públicas, estava de casamento marcado exatamente com a jovem Alaíde, filha do comandante da guarnição, o tenente-coronel Carlos Frederico de Mesquita. Com isso, Getúlio não encontrou dificuldades em conseguir autorização oficial para morar fora da caserna enquanto se preparava para os exames. Em companhia de outros alunos da escola do professor Montanha, passou a residir em uma república de estudantes na antiga rua da Concórdia (mais tarde rua José do Patrocínio), o que lhe garantiu um estilo de vida menos espartano.[50]

A república estudantil da rua da Concórdia apresentou Getúlio à boemia porto-alegrense. Os dois, ao que parece, se entenderam bem. Se antes, com colegas de batalhão, o rapaz já aproveitava as folgas para atravessar madrugadas ao som de violões e serenatas ao luar, com os amigos civis a prática se tornou ainda mais constante. Entre uma serenata e outra, Getúlio retornava aos livros escolares. Em dezembro de 1902, foi aprovado com o necessário "simplesmente" em todos os exames que prestara: geometria, história natural, história universal, inglês, física e química.[51] Como o latim se apresentou a ele como incontornável novidade, temeu um tropeço e, cauteloso, decidiu postergar tal disciplina, deixando-a para o período seguinte. A precaução não o impediu de encaminhar um requerimento à secretaria da faculdade, solicitando vaga como aluno ouvinte.

Em poucas semanas, o pedido foi deferido pela instituição que, recém-instalada, precisava aumentar o corpo discente, fonte básica de sua receita, uma vez que a Constituição castilhista impedia que o estado financiasse o ensino superior, dando prioridade ao ensino primário.[52] No início de 1903, na condição de aluno ainda não regularmente matriculado, Getúlio foi autorizado a assistir às aulas de filosofia do direito e direito romano. Diante disso, pediu baixa no Exército.[53] Como justificativa, mentiu à junta médica que assinou o atestado de dispensa: disse sofrer de epilepsia, a desculpa mais utilizada à época pelos que desejavam escapar dos rigores do serviço militar.[54]

Enquanto aguardava o desligamento do Exército, Getúlio Dornelles Vargas, o soldado número 212 do 25º Batalhão de Infantaria, foi surpreendido com a notícia de que o país, exatamente naquele momento, sofria a ameaça de nova guerra. Os colegas de república estudantil, que mal haviam curado a ressaca da comemoração pelo ingresso na Faculdade de Direito, quase não acreditaram quando viram Getúlio fardado, marchando ao lado da tropa, subindo a rampa de embarque do navio *Itaperuna*, de partida para o Mato Grosso. Naquela manhã, uma multidão saíra às ruas de Porto Alegre para saudar, com chuvas de pétalas e papel picado, os moços que eram enviados com a missão de "matar e morrer em nome da pátria".[55]

Aqueles jovens, Getúlio entre eles, iam se bater contra o exército da Bolívia, nação que passara a disputar com o Brasil, pela força das armas, o direito à posse do Acre. A Faculdade de Direito teria que esperar. Getúlio, mais uma vez, também.

Num dos casebres que serviam de acampamento às tropas brasileiras no bairro Borowski, em Corumbá, cidade vizinha à fronteira brasileira com a Bolívia, Getúlio escreveu a Martim Gomes, amigo na Escola Brasileira:

> Quando segui para cá, apesar da dor cruciante das saudades causadas por uma separação que bastante me custou, vinha contudo alegre, porque trazia a alma cheia de ilusões, porque julgava vir defender a minha pátria e, portanto, tinha a satisfação íntima de quem cumpria o seu dever.[56]

A carta, de três páginas, datava de 27 de abril de 1903. Portanto, um dia e uma semana depois de Getúlio ter completado 21 anos — ou vinte, como queria sua caderneta de militar. O aniversário fora celebrado pelos colegas com um jantar improvisado. Prosaicas sardinhas serviram de prato principal e barras de doce de amendoim fizeram as vezes de sobremesa.[57] Aquela sincera demonstração de camaradagem não bastou para que recuperasse o ânimo. Nem mesmo o fato de ter recobrado as divisas de sargento logo ao embarcar lhe serviu de alento. O tom da carta denunciava o espírito de Getúlio. Ele estava desolado.

As agruras começaram desde o embarque. No convés do *Itaperuna*, enquanto rumavam por via fluvial em direção ao pantanal mato-grossense, ele e os demais soldados permaneceram ao relento, expostos durante todo o trajeto ao sol e à chuva. Se antes Getúlio quisera saber os detalhes da viagem que o ex-colega Eurico Gaspar Dutra fora obrigado a fazer do Mato Grosso até o Rio Grande do Sul, tinha ele então a desventura de sofrer a mesma experiência, só que navegando na direção contrária — e de modo ainda mais precário. Mal acordava, com o uniforme ainda encharcado pelas tempestades noturnas, defrontava-se com nova dificuldade. A comida a bordo era de péssima qualidade.[58] Em terra firme, a situação não se mostrou melhor. Depois de dois meses acampados e deixados à míngua em Corumbá, as tropas pareciam ter sido esquecidas pelo comando central do Exército. Sofria-se com a falta de suprimentos e de remédios. O beribéri, provocado pela deficiência de vitamina B_1, acarretava fraqueza muscular e dificuldade respiratória, superlotando a palhoça que servia de enfermaria, erguida no bairro do Urucum.[59]

Enquanto Getúlio via os colegas padecerem com diarreias, febres palustres e picadas de mosquitos no pantanal mato-grossense, a ameaça de guerra reverberava a centenas de quilômetros dali, nos corredores do antigo Palácio do Itamaraty, no Rio de Janeiro. José Maria da Silva Paranhos Júnior, o barão do Rio Branco, então recém-nomeado pelo presidente Rodrigues Alves para o Ministério das Relações Exteriores, espanava o pó de pilhas de documentos antigos a fim de elaborar a defesa do Brasil numa questão potencialmente explosiva. O próprio presidente boliviano, José Manuel Pando, já estava entrincheirado próximo à fronteira brasileira, à frente de centenas de homens, dizendo-se pronto para entrar em combate. Getúlio, tudo indicava, tal qual o pai, iria experimentar as glórias e horrores de uma guerra travada entre duas nações vizinhas.

Rio Branco, no gabinete do Itamaraty, trabalhava para evitar o confronto.

Grandalhão, com sua careca rosada e espessos bigodes brancos amarelados pelo cigarro, ele era considerado um *bon vivant* de hábitos refinados, um exímio pé de valsa.[60] Ex-cônsul brasileiro em Liverpool, morador de Paris por mais de 25 anos, tão logo assumiu o ministério mandou remodelar inteiramente o Palácio do Itamaraty. Derrubou paredes, trocou toda a mobília, redecorou os salões. O presidente Rodrigues Alves relevava tais idiossincrasias da parte de quem estava habituado ao fausto e ao *dolce far niente*. Afinal, o emplumado Juca Paranhos — como o barão era mais conhecido nos salões e teatros do Rio — era também uma sumidade na arte da diplomacia.[61]

Em 1895, em Nova York, Rio Branco convencera o presidente norte-americano Grover Cleveland a admitir como brasileira uma fatia de terras contestadas pela Argentina — cerca de 30 mil quilômetros quadrados na fronteira entre os dois países sul-americanos, à altura dos atuais estados de Santa Catarina e Paraná. Escolhido por brasileiros e argentinos como árbitro da questão, Cleveland dobrou-se aos argumentos de Rio Branco, que desencavou dos arquivos do Itamaraty mapas antiquíssimos para demonstrar sua tese. Cinco anos depois, em 1900, conquistara para o Brasil o território do Amapá, após persuadir a arbitragem suíça, em Berna, a reconhecer o direito brasileiro sobre a região, pleiteada pela França como parte integrante da Guiana. Contudo, no caso do Acre, a demanda era mais intrincada.

Não apenas o 25º Batalhão de Infantaria de Porto Alegre, onde servia Getúlio, estava estacionado próximo à fronteira boliviana. Também haviam seguido para lá, por ordem do Ministério da Guerra — e por recomendação do próprio Rio Branco —, tropas regulares da Bahia, Pernambuco e Alagoas. A disputa internacional por aquele punhado de terra perdido no meio da floresta amazônica envolvia uma espécie singular de riqueza que brotava nele: a seringueira, árvore de tronco fino e roliço, de folhas miudinhas, aparentemente inexpressiva em meio aos gigantescos jatobás, sumaúmas e castanheiras do lugar. Mas os mercados internacionais compravam ao Brasil cerca de 147 mil toneladas anuais da borracha produzida a partir do látex da seringueira, avaliadas, por baixo, em 18 milhões de libras esterlinas. O Acre, sozinho, respondia por mais de 60% da produção nacional da mercadoria, matéria-prima indispensável ao fornecimento de pneus para a indústria automobilística, que então começava a surgir.[62] Havia motivos e libras esterlinas de sobra, o sargento Getúlio Dornelles Vargas devia saber, para a contenda entre Brasil e Bolívia.

Entretanto, mais do que qualquer outra coisa, o que de fato preocupava Getúlio era o abandono a que as tropas brasileiras estavam relegadas. Na carta ao colega Martim Gomes, enviada de Corumbá, lamentava:

> Grande foi a minha desilusão quando vi, ao chegar aqui, que isto não passava de um simples arreganho e que nós, como meros instrumentos, tínhamos sido atirados aqui apenas para servir de espantalho, da mesma maneira que se coloca um chapéu velho e esfarrapado em cima de um pau, para espantar os passarinhos que querem entrar em uma roça.[64]

Getúlio percebera que o deslocamento das tropas havia sido, se não uma encenação, apenas uma forma de intimidar os bolivianos. Um estratagema para fazê-los assinar, sem maiores esperneios, um tratado favorável ao Brasil. Desde o primeiro momento, o barão do Rio Branco traçara tal plano. Ainda atolado em prejuízos pela Guerra do Paraguai, o país não suportaria arcar com os custos de um novo conflito internacional.

"Deus nos livre de uma guerra, desmantelados, empobrecidos como estamos", confidenciara Rio Branco em carta reservada a um amigo, o escritor, historiador, crítico literário e jornalista José Veríssimo, autor do clássico *História da literatura brasileira*.[64]

Havia, porém, um grande entrave para a paz. Um tratado anterior assinado entre os dois países concedia aos bolivianos total direito sobre o território em litígio. O Acre era boliviano, decretara o Tratado de Ayacucho, assinado em 1867, quando o Brasil ainda guerreava com o Paraguai. A benevolência brasileira se justificara à época pela estratégia cautelosa de não fazer outro inimigo simultâneo. Entretanto, até as palmeiras imperiais que enfeitavam os majestosos jardins do Itamaraty sabiam que, a rigor, o antigo acordo sempre fora letra morta. Na realidade, o Acre, isolado geograficamente do resto da Bolívia pela quase inexpugnável floresta tropical, foi colonizado por brasileiros, sobretudo por cearenses tangidos da seca que, famélicos e desesperados, deportados de modo compulsório e em massa pelo governo local, se embrenharam na selva através dos afluentes e tributários da grande bacia amazônica.[65]

Determinada naquele instante a cobrar a conta pelo prejuízo histórico, a Bolívia reclamava a posse do território para então arrendá-lo a uma poderosa empresa estrangeira, o Bolivian Syndicate, em cujo rol de acionistas apareciam as assinaturas de grandes magnatas de Londres e Wall Street. Discutido na surdina, em sessões secretas do Congresso boliviano, o contrato com o Bolivian Syndicate previa a exploração do Acre por um período de trinta anos, durante o qual a empresa, associada à norte-americana U.S. Rubber Co., ganhava o direito de monopólio sobre a produção e a exportação da borracha, além de ser autorizada a cobrar toda espécie de impostos, navegar livremente pelos rios acreanos, instituir polícia própria e até mesmo manter uma força armada, com efetivos e tantos navios de guerra quantos julgasse necessário.

Era, em suma, a instituição de um Estado à parte dentro do Acre, nos moldes das *chartered companies* instaladas na África e na Ásia.[66] Quando a notícia vazou, os seringueiros acreanos se revoltaram, com o declarado apoio dos barões da borracha, comerciantes que erguiam fortunas às custas do produto em Manaus e Belém. À testa da insurreição estava um rio-grandense como Getúlio. O agrimensor e aventureiro Plácido de Castro, ex-combatente nas hostes da Revolução Federalista, ex-aluno da Escola Militar de Rio Pardo, foi convencido pelos revoltosos a pegar em armas em troca da administração política e militar do território após a presumida conquista. Com efeito, depois de dominar as forças bolivianas em Puerto Alonso, Plácido proclamou a independência do Acre, em janeiro daquele ano de 1903.[67]

Ao passo que Brasil e Bolívia rangiam dentes um para o outro, o Acre se declarara independente, à espera do socorro brasileiro. Em tal conjuntura, a guerra parecia inevitável, não fosse a costumeira habilidade diplomática de Juca Paranhos. A primeira tarefa foi convencer, em fins de fevereiro, os acionistas do Bolivian Syndicate a largar um negócio que se apresentava promissor, mas que poderia resultar em retumbante e milionário prejuízo, caso realmente explodisse um confronto armado entre os dois países em contenda. Para apaziguar os investidores, Rio Branco contou com os serviços do então embaixador brasileiro em Washington, Joaquim Francisco de Assis Brasil, um dos fundadores do Partido Republicano do Rio Grande do Sul — e, é óbvio, ninguém poderia imaginar, futuro ministro da Agricultura de Getúlio Vargas.

Com o Syndicate fora do jogo, ficou fácil barganhar com os bolivianos. Em 21 de março, em La Paz, Brasil e Bolívia assinaram um contrato preliminar, enquanto seus respectivos embaixadores prosseguiam as rodadas de negociações para um acordo final. Foi nesse interregno que Getúlio escreveu aquela sentida carta ao amigo Martim Gomes.

"A espada cedeu lugar à pena", observou Getúlio, nas últimas linhas da mensagem, quase em tom de lamento.

Não haveria guerra, tornara-se evidente. As tropas continuavam estacionadas na fronteira, em permanente atitude de espera, apenas como garantia para que os bolivianos não mudassem de opinião antes da assinatura definitiva de um tratado que pusesse fim ao assunto. Os soldados, de fato, estavam fazendo o papel de espantalho, como bem definira Getúlio.

"Foi contra essa verdade, que tem a dureza do granito, que vejo quebrar-se o castelo dourado das minhas ilusões", registrou na carta, mostrando-se descrente, de uma vez por todas, da carreira militar.[68]

Poucas semanas depois de remeter a mensagem, Getúlio pediu dispensa definitiva do Exército, após solicitar nova inspeção de saúde. Tão logo conseguiu retornar a Porto Alegre, cuidou de se preparar para o exame de latim, o último que lhe faltava para requerer a matrícula definitiva na Faculdade de Direito. Para expor a indignação que o movia, visitou a redação do jornal *O Independente* e lá deixou dois artigos, escritos de próprio punho, sobre a polêmica do Acre. Em ambos, revelou o desamparo vivido pelas forças que permaneciam insuladas em Corumbá.

"O abutre agoureiro da peste paira sobre a cabeça daqueles bravos, como um presságio sinistro", advertiu Getúlio, naquele que seria seu primeiro texto publicado em letra de fôrma.[69]

Os artigos que chamaram a atenção da opinião pública rio-grandense para o drama dos soldados no Mato Grosso foram publicados na primeira página de duas edições de *O Independente*. Getúlio denunciava que o comandante interino das tropas acampadas em Corumbá — o coronel Virgínio Napoleão Ramos, um veterano da Guerra de Canudos — estava retendo no acampamento até mesmo os enfermos dispensados pela junta médica. O coronel Ramos chegara a ordenar o desembarque imediato de um grupo de doentes já acomodados em um vapor, prontos a retornar para casa. Muitos, em estado grave, foram removidos do convés com a ajuda de padiolas.

"O governo não pode sacrificar inutilmente a vida de filhos denodados devido à má direção causada pela vaidade ou inépcia de um homem", protestou Getúlio, que definiu a enfermaria do bairro do Urucum como um "matadouro".[70]

A publicação dos dois textos assinados pelo sargento Getúlio Dornelles Vargas antecedeu em cerca de três meses o Tratado de Petrópolis, assinado em 17 de novembro de 1903, por meio do qual se estabeleceram as fronteiras entre Brasil e Bolívia. Um total de 200 mil quilômetros quadrados, incluindo o Acre, passavam a pertencer ao território brasileiro. Em troca, o Tesouro da Bolívia recebeu 2 milhões de libras esterlinas, a título de compensação financeira. Para que o acerto não se configurasse um simples arranjo de compra e venda entre duas nações soberanas, os bolivianos foram contemplados ainda com cerca de 3 mil quilômetros quadrados de terras contíguas ao Acre e terrenos na bacia do rio Paraguai. Além disso, para servir ao comércio e à economia dos dois países, o governo brasileiro se comprometeu a construir a ferrovia Madeira-Mamoré, que viria a ficar conhecida como a "Ferrovia do Diabo", por causa dos milhares de mortes de trabalhadores registradas durante as obras.[71]

Quando os jornais de Porto Alegre estamparam as notícias a respeito do Tratado de Petrópolis, Getúlio já frequentava, havia três meses, as salas de aula da Faculdade de Direito, como aluno ouvinte. Tempo suficiente para os novos colegas descobrirem naquele rapaz muito magro e baixinho, recém-saído do quartel, duas surpreendentes habilidades para alguém que até ali sempre fizera o tipo esquivo e caladão. A primeira, a de distinto orador. A outra, a de galanteador contumaz. Aos 21 anos, o jovem sorridente de São Borja começaria a experimentar duas paixões simultâneas: a queda irresistível pelas mulheres e o ardor indisfarçado pela política.

4. Após suspirar por uma Dama de Vermelho, Getúlio cai de amores pela militância estudantil (1903-7)

De um dos camarotes do tradicional Theatro São Pedro, em Porto Alegre, a figura atarracada de Getúlio se ergueu da cadeira. Embora não exibisse nenhum papel nas mãos, ele era o próximo orador oficial daquela noite. Iria falar de improviso, representando os estudantes da Faculdade de Direito. O interior do teatro, repleto de convidados especiais, estava adornado, de cima a baixo, com longas faixas de tecido preto. O palco fora transformado em salão fúnebre. Viam-se muitas coroas de flores e, ao lado delas, no alto de um estrado de madeira coberto de feltro escuro, uma menininha vestida de túnica branca, barrete vermelho à cabeça, simbolizava a República. Os bustos de Floriano Peixoto, Benjamin Constant, Deodoro da Fonseca e Tiradentes escoltavam o retrato de Júlio de Castilhos, chefe histórico do Partido Republicano do Rio Grande do Sul, o PRR.

"No centro da sala, um grande foco de luz elétrica espargia sobre o aspecto triste do recinto sua poderosa luz branca, a contrastar com o luto que se via por toda a parte", descreveria o jornal *A Federação*, que naquela semana circulou com uma tarja negra no alto das páginas.[1]

Oito dias antes, Júlio de Castilhos, fumante inveterado, morrera vítima de um câncer na garganta, doença diagnosticada à época como "faringite granulosa".[2] Castilhos, rouco nas últimas aparições públicas, sofrera durante meses com constantes acessos de tosse e incontroláveis crises de asfixia. Chegara a ser submetido a uma traqueostomia no fim da tarde de 24 de outubro de 1903, quando o ato de respirar já se tornara algo difícil para ele, mesmo com o auxílio de balões de oxigênio. Antes de ministrar-lhe a anestesia — um lenço embebido em clorofórmio aplicado no nariz —, o médico procurou reconfortá-lo. Com a lâmina do bisturi prestes a perfurar as cartilagens da garganta do paciente, o dr. Carlos Wallau, exímio cirurgião, professor da Faculdade de Medicina de Porto Alegre, pediu-lhe que tivesse coragem.

"Não preciso de coragem; é de ar que eu preciso", teria protestado Castilhos.[3]

Nem mesmo a decantada perícia de Wallau pôde salvar o chefe do PRR. O condutor dos pica-paus históricos, principal algoz dos maragatos, não resistiu à intervenção. Morreu aos 43 anos, na mesa de cirurgia improvisada em seu gabinete de estudos, próximo à janela que dava para o jardim.[4] Após uma semana de luto oficial, Getúlio, cabelos penteados para trás, o bigode com as pontas retorcidas para cima como o de um galã de cinema mudo, se preparava para pronunciar, no Theatro São Pedro, o primeiro grande discurso de sua vida.

Todas as autoridades estaduais — civis e militares — estavam representadas nos balcões e camarotes do Theatro São Pedro. Imediatamente antes de Getúlio falara o capitão maranhense Augusto Tasso Fragoso, que se encontrava no Rio Grande do Sul integrando o grupo encarregado de elaborar a Carta Geral da República — um grande projeto de levantamento geográfico do país, em substituição à antiga Carta Geral do Império.[5] Por coincidência histórica, coube a Fragoso — que 27 anos depois comandaria a junta governativa provisória que chegaria ao poder com a Revolução de 1930 —, passar a palavra ao jovem Getúlio Vargas, o mesmo a quem um dia passaria a presidência da República.

Getúlio não possuía a voz tonitruante dos oradores tradicionais, o que poderia ser encarado como grave demérito numa época em que a retórica representava um instrumento de notoriedade social. Mas a seu favor tinha a impecável acústica do Theatro São Pedro, capaz de tornar audível ao assistente da última fileira o simples sussurro de um ator em ação no palco. Além disso, era dono de uma dicção clara e de pausas bem calculadas, então combinadas ao arroubo próprio à juventude:

"Eu não venho salientar os feitos deste grande homem nem os dotes morais, porque estes são bem conhecidos de todos", avisou. "Venho somente lamentar convosco a queda do roble gigantesco que tinha raízes no coração da República", disse Getúlio. "Quando o terror invade um povo, transforma muitas vezes um fraco num forte, um pusilânime num herói e os espíritos que são fortes por natureza transformam-se em rochedos vivos", prosseguiu, burilando metáforas grandiloquentes para retratar o homenageado. "Espírito de águia, pulso de atleta, convicção de mártir", enumerou Getúlio. "Sigamos o exemplo desse homem que no passado foi um lutador, no presente um organizador e no futuro será um símbolo de glória", falou, enquanto do camarote presidencial ouvia-o o então presidente do estado, Borges de Medeiros, 39 anos, sucessor de Júlio de Castilhos à frente do poder político no Rio Grande do Sul.[6]

Com a morte de Castilhos, Borges de Medeiros acumulava o cargo de presidente estadual com o de chefe do PRR. Não era segredo para ninguém que fora eleito às custas da enorme influência do antecessor. Desde que saíra dos bastidores da administração pública para se sentar na cadeira de presidente do estado, comportara-se como uma espécie de secretário de luxo do antigo líder republicano.[7] Incapaz de grandes arrebatamentos de oratória, não tinha o carisma de Castilhos. Mantinha no rosto, além da vasta e desgrenhada bigodeira, o par de olhos de um azul embaçado. "Olhos mortiços de peixe recém-pescado", descreveria um contemporâneo.[8]

Político de gabinete, figura discreta e adepto de irrepreensível disciplina partidária, Borges de Medeiros fora pinçado por Castilhos do cargo de chefe de polícia para concorrer às eleições estaduais. A oposição se recusara a apresentar candidato, sob a alegação de que as costumeiras fraudes e as intimidações de praxe já anteviam o resultado das cédulas eleitorais.[9] Para o credo político do quase sacerdotal Júlio de Castilhos e de seu ungido Borges de Medeiros, tanto fazia. As urnas eram mesmo um mero acessório, um rito enfadonho, mas oportuno, para manter os laivos de legitimidade e o calor da arregimentação partidária. O governo, sustentava-se, deveria continuar a ser exercido apenas pelos "mais capazes", por alguém intelectualmente superior e moralmente respeitado, o "sumo sacerdote do partido e da sociedade", o "intérprete da vontade coletiva" — embora a coletividade não fosse considerada apta a escolher sozinha os seus próprios destinos e governantes.[10]

"Toda escolha dos superiores pelos inferiores é profundamente anárquica", escrevera, a propósito de eleições, o positivista Auguste Comte.[11]

Eleito em 1897 em um pleito sem adversários, reeleito em 1902 outra vez sem oponentes nas urnas, Borges de Medeiros governava amparado pela "bíblia castilhista", a Constituição rio-grandense de 1891: sustentava a crença no Executivo forte e conservava um Legislativo de fachada. Respaldado pelo discurso da eficácia combinado à prática da coerção política, manteve a ênfase na modernização do estado, martelou o dogma da moralidade administrativa e pregou a tese da incorporação de direitos civis aos trabalhadores. Estes últimos pontos explicavam o apoio das nascentes classes médias urbanas ao regime castilhista-borgista, a despeito da radical rejeição ao princípio da representação parlamentar.[12] O austero Borges de Medeiros, que não permitiria ao estado investir dinheiro público na compra sequer de um carro oficial para servir ao palácio, tinha a missão de dar continuidade a um "castilhismo sem Castilhos". O moço Getúlio, a propósito, fez questão de observar isso em seu discurso:

"A morte arrebatou-o. Porém, a sua memória pertence à posteridade. Júlio de Castilhos só desapareceu objetivamente", ressaltou Getúlio, que aproveitaria a ocasião para endossar o culto à personalidade do morto. Pleiteou a "canonização cívica" daquele que passara a ser considerado o "Patriarca" dos rio-grandenses.

"Júlio de Castilhos para o Rio Grande é um santo. É santo porque é puro, é puro porque é sagrado, é grande porque é sábio", discorreu Getúlio, em uma prédica característica ao positivismo. "Ele foi o homem puro da República, o Evangelizador de um povo, e o seu berço a Jerusalém dos eleitos."

Até aquela noite, Getúlio jamais falara para plateia tão seleta e ampla quanto aquela, formada por jornalistas, políticos, magistrados, estudantes, chefes de repartições públicas, líderes de associações de classe e militares de alto coturno. Quando aluno da Escola Brasileira do professor Montanha, os colegas do grêmio estudantil até o ouviram proferir breve alocução, também de improviso, sobre o presumido significado da data de Sete de Setembro para a história nacional.[13] Mas nada que pudesse ser comparado, nem de longe, àquela homilia fúnebre a Júlio de Castilhos, proferida do alto de um dos camarotes do Theatro São Pedro. A escolha de seu nome como representante dos acadêmicos de Direito — embora ainda fosse aluno ouvinte — revelava que o carisma de que já era possuidor conquistara, de imediato, a deferência dos novos colegas.

Aliás, nas colunas de *A Federação*, havia uma hierarquia de adjetivos que determinava a posição e o conceito que cada um dos membros do PRR desfrutava junto à cúpula partidária. Havia os que eram simplesmente tratados como o "nosso amigo Fulano de Tal", e os que eram, em nível de importância crescente, chamados de o "prestimoso amigo", o "prezado amigo", o "ilustre amigo" ou o "eminente amigo". "Chefe", só havia um: o "eterno" Júlio de Castilhos. O senador Pinheiro Machado era mencionado como "preclaro amigo" ou "ínclito república". Já Borges de Medeiros era citado como "eminente republicano" ou "insigne presidente".[14] Getúlio, a partir daquele dia, estava apto a ser considerado um "futuroso amigo" — o adjetivo reservado aos que começavam a despontar, com destaque, nas falanges castilhistas.[15]

A propósito, nas últimas frases do discurso em memória de Castilhos, Getúlio ofereceria aos futuros apologistas a hipótese de uma visão premonitória que, porventura, teria a respeito de si:

"Senhores! Resta-me uma satisfação: é que ele [Castilhos] não semeou em terra sáfara e os belos ensinamentos que nos deixou serão continuados por aqueles que o seguiram e compreenderam", sentenciou.

Menos do que uma profecia, mais do que palavras gratuitas, a preleção do estudante Getúlio Dornelles Vargas em memória de Júlio de Castilhos representava, na verdade, um inegável e sincero certificado de filiação política.

Naqueles primeiros anos de faculdade, uma enigmática dama escarlate roubou as atenções de Getúlio. Foi inspirado nela — na "visão momentânea de uma estranha e deslumbrante beleza feminina", conforme descreveu —, que ele, já como aluno regularmente matriculado, publicou no segundo número da *Revista Acadêmica*, órgão da Federação dos Estudantes do Rio Grande do Sul, um breve ensaio sobre as representações da mulher na obra de Goethe, Michelet, Mirabeau e Schopenhauer.[16] A pretensa erudição que emanava do texto — bem como o pseudônimo com o qual vinha assinado, "Adherbal" — não escondia o fato de que Getúlio estava apaixonado.

"Há música nos seus passos", garantia ele a respeito da amada, no ensaio para a revista estudantil. "As linhas de seu corpo imprimem no espaço formas radiosas de uma estética perfeita", escreveu. "Era uma carne triunfal, vazada em molde impecável de deusa pagã", comparou. "Mas ela não tinha a fria estatuária antiga. Não! Era a apoteose do movimento, o ritmo oscilatório da vaga em remando", derramou-se.

Adepto da discrição, Getúlio não era de sair apregoando conquistas amorosas enquanto entornava litros de cerveja Porco, uma das preferidas entre os estudantes de Porto Alegre àquele tempo. Quase nada se soube da tal donzela de vermelho, citada também aqui e ali, numa ou outra frase perdida, sempre ao rodapé das cartas trocadas por Getúlio com os colegas de faculdade.

"A Dama de Vermelho perguntou por ti", revelou-lhe certa vez um deles, provocativo.[17]

Tudo indica, porém, que tamanho deslumbramento não tenha passado de um caso de amor platônico. Alzira Prestes — era este o nome da moça — casaria dali a algum tempo com um telegrafista, Alfredo de Carvalho Soares, funcionário dos correios em Porto Alegre.[18]

"Nunca lhe ouvi a sonoridade da voz; desconheço qual o revestimento moral dessa estranha beleza física", lamentou Getúlio no artigo da *Revista Acadêmica*, arrematado com os versos de um poema das *Flores do mal*, de Charles Baudelaire:

... *je ne puis trouver parmi ces pâles roses*
Une fleur qui ressemble à mon rouge idéal.

[... não posso encontrar entre estas rosas frias
Uma flor que semelhe o meu vermelho ideal.][19]

Em breve viriam muitas outras musas, todas igualmente mencionadas na correspondência particular do acadêmico Getúlio por discretos codinomes, o que lhes protegeu para sempre as respectivas identidades. Havia, por exemplo, a "filha do general", a "irmã do Manezinho", a "beleza aduaneira".[20] Anos mais tarde, uma das filhas de Getúlio — que coincidentemente seria batizada de Alzira, não em homenagem à misteriosa "Dama de Vermelho", mas, ao que se sabe, em tributo à avó materna — encontraria um maço de cartas antigas trancafiadas em um velho baú pertencente ao pai, junto a uma montoeira de papéis roídos pelas traças.

"Sim, senhor, seu Don Juan! Até encontrares mamãe, quantas namoradas tiveste?", indagaria a filha, que obteria do pai, como resposta, apenas mais um de seus famosos sorrisos.[21]

Sabe-se que o jovem e galanteador Getúlio não era um janota. Estava longe da figura típica do dândi.[22] Tinha notória dificuldade de amarrar os cordões dos próprios sapatos. Mal arranjava o laço, este desatava logo em seguida, o que fazia com que volta e meia fosse visto com os cadarços arrastando pelo chão.[23] O único traço aparente de vaidade eram as unhas caprichosamente longas, conservadas sempre bem polidas.²⁴ Mas já cultivava seus prazeres. Por aquela mesma época de estudante da Faculdade de Direito, começou a degustar os primeiros charutos, hábito que viria a ser uma de suas marcas pessoais. Chegaria a fumar oito por dia, sendo dois ou três deles logo pela manhã.²⁵ Seus preferidos eram os das marcas Mil e Uma Noites e Soberano.²⁶

Após as aulas, Getúlio caminhava com seu passo miúdo pela tradicional e sofisticada rua da Praia, à época a mais importante da cidade, soltando baforadas feito uma chaminé ambulante. Demorava-se à porta das livrarias para conferir as novidades, especialmente nas prateleiras de filosofia, ciências e literatura. Investia boa parte da mesada de 200 mil-réis enviada pelo pai na aquisição de novos títulos. No acanhado quarto da república estudantil em que passara a morar — a Pensão Medeiros —, na rua do Riachuelo, 299, nos fundos do Theatro São Pedro, Getúlio começou a formar uma pequena biblioteca particular.

Cerca de 60 mil-réis iam para o pagamento do aluguel na pensão, conhecida pelos ruidosos moradores como "a República Infernal". Um outro tanto da mesada era empregado em despesas pessoais, o que lhe deixava por volta de 80 mil--réis de saldo a cada mês. Como nunca fizera questão de esbanjar dinheiro com roupas, quase todo o resto da mesada paterna era mesmo destinado à compra de charutos e livros.²⁷

No quarto que recendia a sarro de tabaco e erva-mate, as lombadas dos compêndios jurídicos perfilavam-se junto às de romances nacionais e estrangeiros. *O Ateneu*, de Raul Pompeia; *Os sertões*, de Euclides da Cunha; e *Germinal*, de Émile Zola, figuravam entre os títulos favoritos do rapaz.²⁸ A exemplo da maioria dos colegas, alimentava veleidades literárias. Segundo consta, Getúlio teria chegado a garatujar os capítulos de um romance histórico, *Os revolucionários*, ambientado na Revolução Farroupilha, mas durante um acesso de autocrítica rasgara todas as páginas, segundo justificaria depois, "em respeito à literatura".²⁹

Também ousou anunciar aos colegas que escreveria uma comédia para ser encenada por um famoso produtor teatral da época, Eduardo Victorino, português radicado no Brasil e autor de um manual para artistas do palco, *A arte de representar*. Todavia, Getúlio nunca cumpriu a promessa de entregar-lhe os originais. Em suas recordações do período, duas décadas mais tarde, Victorino ainda lastimaria o episódio:

"A política desviou o autor dramático, e as minhas sucessivas viagens, tendo-

-me afastado do Rio Grande do Sul, impediram-me de abrir as portas a mais um escritor teatral."[30]

As comichões de Getúlio por uma eventual carreira literária não foram adiante, embora seus trabalhos de faculdade demonstrassem algum estilo e uma relativa intimidade com a artesania da frase — descontado o empolamento próprio à época e o palavrório cientificista que, no caso específico de Getúlio, então contaminava tudo aquilo que punha no papel, por efeito de suas leituras de Darwin, Spencer, Nietzsche, Taine e, em especial, Saint-Simon, considerado um dos fundadores do socialismo.[31]

"Saint-Simon foi o meu filósofo. Na minha juventude eu o li muito, exaustivamente. Mandei vir da França uma edição completa das obras dos saint-simonianos, editadas em Paris. Não li todos os volumes, mas li muitos", diria mais tarde Getúlio.[32]

Em uma prova escrita de economia, deixaria registrada, de certo modo, o que pode ser considerada a gênese de seu pensamento político. Ao discorrer sobre a propriedade privada, o estudante Getúlio criticaria o liberalismo e defenderia a necessidade da intervenção do Estado na economia:

O Estado [...] é um aliado do indivíduo, deve garantir os direitos individuais, deve auxiliá-lo sempre que ele necessitar de tal auxílio. Por isso não ser previamente estabelecidos *a priori* os casos em que a intervenção do Estado se torne necessária, pois esta será exigida pela urgência dos fatos.[33]

Ao mesmo tempo, afirmava que o comunismo seria um regime essencialmente "reacionário" pois, ao pregar a abolição da propriedade, Karl Marx objetivava, de modo utópico, "volver a fases transatas da evolução", escreveria Getúlio. "Dado que fosse possível o comunismo, que se empregassem medidas para não afogar a liberdade individual no cosmo social, conseguir-se-ia volver àquela ingenuidade primitiva e àquela boa-fé que presidiam as primeiras comunidades?".

Getúlio considerava que não:

Mesmo que o comunismo não trouxesse a estagnação e a apatia pela abolição da concorrência, e pelo sopesamento de toda iniciativa individual, a continuação das mesmas falhas nos organismos individuais, as diferenças de capacidade, destreza, inteligência, energia, que foram causas da individualização das sociedades primitivas, não reapareceriam outra vez, tornando a distanciar os possuidores dos não possuidores? Parece-me que sim.³⁴

Na mesma prova, Getúlio argumentaria que o Estado deveria favorecer e facilitar as cooperativas dos operários, em forma de associações de classe — o que se coadunava com a tese positivista da necessidade de incorporação do proletariado à sociedade, sempre por meio da "tutela benéfica do Estado", já que para Comte o operariado era considerado uma classe "desprotegida" e "inculta", incapaz de gerir a si própria.³⁵

Mas as inclinações de Getúlio, nesse momento, eram mesmo mais literárias que políticas. No quarto ano de faculdade, escreveria um longo artigo para outra revista estudantil, *Pantum*, no qual pretendeu conjugar as predileções literárias com as lições aprendidas nos pensadores evolucionistas. Publicado sob o título de "Zola e a crítica", Getúlio discorreu, ao longo de quatro páginas e meia da revista, sobre a relevância da obra do escritor francês para o desenvolvimento da literatura universal.

"[Zola] compreendeu que, do filão riquíssimo existente na ciência, poderia extrair abundante material para a construção artística", observou, demonstrando razoável familiaridade com o tema.³⁶

É óbvio que um rapaz como Getúlio nem sempre estava às voltas com cartapácios científicos, literários ou acadêmicos. Como todos os moços de Porto Alegre, frequentava os esfumaçados cafés da cidade — locais apinhados de estudantes, que cometiam versos no tampo de mármore das mesas, discutiam política e literatura, enquanto se impregnavam de nicotina e gritavam por novas rodadas de bebida.³⁷ Ainda não existia cinema na capital rio-grandense, mas havia a cigarraria Manon, bem defronte ao prédio da faculdade, ponto de encontro obrigatório. Havia também a comemoração anual em honra ao Divino Espírito Santo, três dias que valiam por um ano inteiro de entretenimento. A festa, embora de origem religiosa, oferecia o pretexto para que os rapazes bebericassem a valer nos botequins das quermesses antes de sair para flertar nas praças da cidade.

"Durante aquele tríduo, com os ventos gelados remoinhando das praias do Guaíba, é que começavam quase todos os casamentos e quase todas as pneumonias", atestaria João Neves da Fontoura, também aluno da Faculdade de Direito, que se aproximaria de Getúlio depois de um encontro casual entre os dois na Livraria Echenique, então uma das mais concorridas de Porto Alegre.³⁸

Além das afinidades literárias, Getúlio e João Neves — que viriam mais tarde a compor uma chapa vitoriosa ao governo do estado e depois, ainda juntos, conspirariam em 1930 para derrubar o presidente Washington Luís —, descobririam outros pontos de convergência. Eram, por exemplo, quase da mesma altura, o que teria favorecido a pronta camaradagem entre eles:

"Em geral, um homem muito baixo não gosta de se mostrar, em público, com outro excessivamente alto", admitiria o próprio João Neves.[39]

A turba estudantil de Porto Alegre também afluía aos bilhares do Centro Castilhista, onde Getúlio construiu a reputação de jogador mediano, mas também de atento e silencioso observador das partidas alheias.[40] Assim como os velhos companheiros de escola em São Borja, os colegas desse tempo na capital rio-grandense recordariam os longos silêncios de Getúlio como uma imagem recorrente. Ele mordiscava o charuto no canto da boca e permanecia calado, o olhar à primeira vista distante, mesmo durante as discussões mais acaloradas — o que muitas vezes o fez passar por dono de uma frieza quase glacial. Todavia, a fama de homem de gelo, assegurariam os mais próximos, era apenas aparente.

"Sempre me pareceu estranho ouvir, anos mais tarde, dizerem que Papai era de índole calma e serena, o homem que sabia esperar. Saber, ele sabia. Mas não gostava", advertiria Alzira Vargas. "[Ele] aprendeu a controlar seu temperamento impaciente, ardoroso, quase intempestivo", observaria a filha.[41]

Getúlio esperava sem pressa pelo momento de se fazer ouvir, quando então procurava convencer o interlocutor com um raciocínio que lhe parecesse sólido o suficiente. Quando interpelado, levantava as sobrancelhas — gesto que denunciava um discreto estrabismo[42] —, demorava alguns instantes em suspense, crispava os lábios, e só então falava, pausadamente, como se medisse o peso e o efeito de cada palavra.

"O que dizia, então, tinha pé e cabeça. Ele era lógico", relataria Odon Cavalcanti, outro amigo à época.[43]

Getúlio era, também, um metódico. Sua escrivaninha de estudante exibia milimétrica arrumação, sem que ninguém jamais pudesse encontrar sobre ela algum objeto fora do lugar.[44] Com idêntico senso de organização, tomava notas minuciosas de cada aula e, ao chegar à pensão, transcrevia-as em um caderno pautado, com letra firme e clara. Com base nessas anotações, procurava reconstituir por escrito, com o maior número possível de detalhes, a explanação dos professores. No dia seguinte, levantava cedo, antes de todos os outros colegas, preparava o próprio chimarrão e relia tudo o que escrevera na véspera, para certificar-se de que havia fixado bem o conteúdo das aulas.[45] Os exames prestados por ele na Faculdade de Direito comprovariam a eficácia do método.

Ao longo do curso, Getúlio foi aprovado em todas as cadeiras com o conceito "plenamente", tendo obtido ainda duas "distinções" em direito internacional e direito público e constitucional. Manteria a regularidade no rendimento acadêmico do começo ao fim, embora os certificados de frequência denunciassem que, a partir do terceiro ano, ele já não fosse um aluno tão assíduo quanto antes.[46] Suas atenções passaram a ser divididas entre a sala de aula e as atividades absorventes do movimento estudantil. A política o aliciava, com suas seduções e caprichos. Getúlio não resistiria ao chamado.

No dia 13 de agosto de 1906, um ofício inesperado pousou sobre a mesa do desembargador Manuel André da Rocha, diretor da Faculdade de Direito. Assinado pelo quartanista Getúlio Dornelles Vargas e por Euribíades Dutra Villa, membro da Federação dos Estudantes de Porto Alegre, o documento podia ser interpretado como um acinte ao presidente estadual Borges de Medeiros:

> Ilmo. e Exmo. Sr. desembargador diretor da Faculdade de Direito desta capital.
>
> Os alunos das academias civis, melindrados com sucessivas descortesias feitas pelo governo do estado, tomaram a resolução definitiva de não comparecerem aos festejos organizados para a recepção do Exmo. Sr. Dr. Afonso Pena, presidente eleito da República.[47]

A decisão dos estudantes prometia render algum alvoroço. Era notória a expectativa pela chegada de Afonso Pena a Porto Alegre. Pela primeira vez na história, um presidente da República iria pisar o solo rio-grandense. Uma ampla programação havia sido elaborada para recepcioná-lo com todo o fausto que a ocasião sugeria. Ao divulgar a decisão da mocidade acadêmica de não fazer parte da solenidade, o jornal *Correio do Povo*, que se orgulhava de ser um "órgão sem facção partidária", mais noticioso que opinativo em meio a uma imprensa essencialmente proselitista,[48] daria a seguinte informação aos leitores:

> "Foi resolvido [pela Federação dos Estudantes] ficar sem efeito a escolha do acadêmico Getúlio Vargas para orador daquela sessão."[49]

O movimento estudantil, dizia o jornal, prometia uma manifestação paralela, na qual ficasse evidente o descontentamento com o governo do estado. Na oportunidade, o representante da comunidade acadêmica, Getúlio, em vez de orador oficial, seria o porta-voz da insatisfação.

Os tais "melindres" aludidos no ofício ao diretor da faculdade decorriam do fato de, pouco antes, o governo estadual ter se recusado a atender a um pedido da Federação dos Estudantes. A entidade pretendera mandar grande comitiva para o cortejo que acompanharia Afonso Pena, do porto da cidade de Rio Grande — onde o presidente eleito desembarcaria — até a capital Porto Alegre. O cerimonial do palácio alegara que o vapor reservado para o séquito estava lotado, pois haviam sido expedidos convites preferenciais para os representantes das classes produtivas e do mundo político. Quando muito, haveria uma única vaga disponível à participação estudantil.[50]

A Federação dos Estudantes, que congregava os alunos de todas as instituições de ensino da capital rio-grandense, não ficou satisfeita com tal oferta. Como represália, em assembleia realizada nos salões do Clube Caixeiral, na rua da Praia, a estudantada votou pelo boicote à homenagem oficial. Os que tentaram ponderar sobre o risco de se atrair a fúria da altiva Brigada Militar rio-grandense tiveram a palavra abafada pelos colegas.

"O governo tinha cometido verdadeira mancada com aquela despreocupação, que orçava pelo caipirismo. Não se deu conta de que não se briga com estudante", relataria João Neves da Fontoura, em suas recordações do episódio.[51]

Getúlio, ao ser indicado como orador da manifestação de repúdio, precisava fazer jus à confiança dos camaradas. Ao mesmo tempo, sabia que a família em São Borja era adepta — e consequentemente beneficiária — do clientelismo borgista. Além disso, a eleição de Afonso Pena para o Palácio do Catete trazia a marca das cavilações políticas do senador rio-grandense Pinheiro Machado, retratado nas charges da época ora como um galo de crista eriçada — "o chefe do terreiro" —, ora como uma raposa — "o terror dos galinheiros políticos do país". Hostilizar Pinheiro, por certo, não fazia parte dos planos de Getúlio. O homem não só era amigo e correligionário do general Manuel Vargas, como já manobrava de sua cadeira no Senado os cordéis da chamada Primeira República.

A propósito da ligação dos Vargas com Pinheiro Machado, uma reminiscência familiar dava conta de certa visita do senador a São Borja, quando Getúlio ainda não passava de um menininho a brincar, no chão, com soldadinhos de osso de boi. Conta-se que Pinheiro ficara tão impressionado com a curiosidade e a inteligência precoce do garoto que teria comentado com o pai de Getúlio, o velho Manuel Vargas:

"Este menino vai longe! Talvez chegue à presidência da República!"[52]

Repetida pelos biógrafos oficiais de Getúlio, a cena parece circunscrever-se àqueles casos em que a história é escrita com o propósito de fabular uma suposta predestinação do personagem. Porém, do episódio, pelo menos um fato é inegável: as relações de Manuel Vargas e Pinheiro Machado eram históricas. Os dois lutaram lado a lado na repressão à Revolução Federalista, na famosa Divisão do Norte, que impôs derrotas sucessivas aos comandos maragatos. A trajetória pessoal de Pinheiro, ressalte-se, era feita de lances que beiravam o improvável.

Quinto filho de uma família de doze rebentos, Pinheiro fugiu de casa aos catorze anos, em 1865, para se alistar como soldado durante a Guerra do Paraguai. Adoeceu no campo de batalha e passou dois anos se recuperando das moléstias contraídas nos combates. Depois viajou para terras paulistas transportando uma tropa de mulas xucras e só retornou em definitivo para o Rio Grande do Sul tempos depois, em 1879, levando na bagagem o diploma de advogado pela prestigiosa Faculdade de Direito de São Paulo. Fez-se vereador na rio-grandense São Luiz Gonzaga e, sob os auspícios do amigo Júlio de Castilhos, ganhou uma cadeira cativa no Senado, em 1891. No Rio de Janeiro, com o porte altivo e a colossal cabeleira, passou a brilhar com luz própria. Dono de uma capacidade inesgotável de fazer inimigos, chegaria a desafiar para um duelo com armas de fogo o jornalista Edmundo Bittencourt, que vivia a fustigá-lo em artigos do *Correio da Manhã*, nos quais Pinheiro era acusado de "só pensar no pôquer e em seus galos de briga".[53] Na então deserta praia de Ipanema, Pinheiro terminaria por mandar o contendor para o hospital com uma bala encravada no traseiro.[54]

Enquanto se preparava para o discurso que deveria pronunciar na manifestação estudantil, Getúlio devia ter consciência de que Pinheiro Machado, conforme noticiavam os jornais, participaria da recepção oficial ao novo chefe da nação. Um ano antes, o mesmo Pinheiro Machado inflara as pretensões do ex-presidente Campos Sales de retornar ao Catete. Ardiloso, Pinheiro apenas procurara semear a desavença entre os pretendentes ao posto máximo do país, com o indisfarçado propósito de viabilizar o próprio nome à presidência. Como o candidato oficial do Catete era um paulista — Bernardino de Campos, ex-presidente de São Paulo —, o anúncio da candidatura do também paulista Campos Sales provocou um racha no estado mais rico e poderoso da federação. A mobilização em São Paulo pela candidatura de Sales reverberou em Porto Alegre. Getúlio, além de outros 53 alunos da capital rio-grandense, pusera sua assinatura em um manifesto de apoio a ela.

"Resolvemos, como uma flâmula de combate, erguer o nome laureado do grande patriota dr. Manuel Ferraz de Campos Sales à presidência da República", dizia o manifesto dos estudantes, escrito em parte pelo próprio Getúlio.[55]

A candidatura de Campos Sales teve duração efêmera. Sobreviveu apenas tempo bastante para que o blefe de Pinheiro Machado produzisse os primeiros resultados. Entretanto, mesmo com os paulistas divididos, Pinheiro percebeu que ainda não chegara a hora de sentar ele próprio na cadeira presidencial: os votos rio-grandenses não eram suficientes para levá-lo à vitória. Optou então pela construção de um candidato de consenso e continuou a atuar nos bastidores, arquitetando alianças regionais que pudessem viabilizar, talvez mais tarde, o projeto pessoal de fazer-se presidente da República.[56] O nome de consenso foi justamente o do ex-senador mineiro e então vice-presidente da República, Afonso Pena, o "Tico-Tico", como o apelidaria a revista satírica *Careta*, por causa da "figura pequena e nervosa" do novo presidente.[57]

A inclusão do Rio Grande do Sul na rota das visitas festivas de Pena, já na condição de presidente eleito, representava um reconhecimento às articulações de Pinheiro Machado. Os jovens estudantes, portanto, estavam se metendo em assunto de gente grande — e sabiam disso. Conforme haviam prometido, logo no dia seguinte à solenidade oficial em Porto Alegre tomaram as ruas da cidade, como costumavam fazer sempre que chegava alguma autoridade política ou expressão do meio artístico. Entre eles, seguia Getúlio, com tiras de papel no bolso, onde rabiscara o esquema do discurso que deveria fazer no palanque armado bem defronte a uma das janelas principais do palácio do governo estadual, onde estava hospedado Afonso Pena.[58]

A manifestação esperou o anoitecer para produzir efeito mais admirável. Pouco depois das seis horas da tarde, a passeata começou a se deslocar da praça da Alfândega, com os participantes empunhando centenas de archotes e balões venezianos, cujas luzes conferiram uma dramaticidade ainda maior ao evento. Era uma *marche aux flambeaux* — a "marcha das tochas", na tradição inaugurada ainda nos tempos da Revolução Francesa, em comemoração à tomada da Bastilha.

"Os acadêmicos, formando filas de quatro, estenderam-se pela rua dos Andradas [denominação oficial da rua da Praia]. À frente, desfraldavam a bandeira nacional", noticiou o *Correio do Povo*. "As janelas dos sobrados e as portas dos estabelecimentos comerciais estavam repletas de pessoas que assistiam ao desfilar dos manifestantes", dizia a informação. "Durante o trajeto, os moços acadêmicos foram saudados com o agitar de lenços."[59]

Tudo jogo de cena. Tão logo percebeu que cometera um erro político estratégico, o governo do estado fez um acerto prévio com os estudantes. Uma comissão de alunos se entendeu com o próprio Afonso Pena, que de comum acordo com Borges de Medeiros não só autorizou a manifestação como prometeu assisti-la do modesto prédio neoclássico que então servia de sede ao governo estadual, popularmente conhecido como "Forte Apache" — cujas janelas superiores, na mesma linha da calçada, proporcionavam boa visão e boa audição a quem discursasse do alto para a praça ou, do contrário, da praça para o alto. Quando a passeata atingiu as cercanias da sede do governo, o presidente eleito já a aguardava, encasacado, junto aos demais membros da comitiva oficial. Se os estudantes haviam oferecido uma demonstração de força, Afonso Pena respondera com um previdente gesto de diplomacia. Não por acaso, os manifestantes, ao vislumbrar a figurinha pequena do "Tico-Tico" assomar à janela, entoaram aplausos e vivas. Segundo informaria o *Correio do Povo*, quando Getúlio assumiu posição no alto do tablado, seus camaradas fizeram silêncio.

"Não nos foi possível ir ao encontro de Vossa Excelência, como desejávamos", iniciou Getúlio o discurso. "Seja-nos ao menos permitido [saudá-lo] sob a cúpula azulada dos céus, no anfiteatro amplo da natureza, esta arena grandiosa, mais própria para os que se iniciam na vida pugnando pelo pensamento livre."

Não era uma fala de confronto. Getúlio não deixara de manifestar o desconforto dos estudantes pela desfeita de serem excluídos da solenidade oficial, mas também não alongara o assunto. Ao contrário, logo passou a louvar Afonso Pena:

"Vossa Excelência é o representante de uma revolução pacífica que alterou a diretriz da política nacional."

Getúlio não esqueceu de afagar também Pinheiro Machado, referindo-se a ele como o "pulso de bronze" que garantira o resultado das eleições presidenciais. Se havia incendiários na plateia, Getúlio tratara de neutralizá-los.[60] Tanto foi assim que, na avaliação do amigo João Neves da Fontoura, o discurso havia sido "vago", "mais literário do que político".[61]

O instante era de conciliação, não de afronta, percebera o jovem orador.

Para baixar ainda mais a temperatura do evento, Getúlio enfileirou em seu discurso uma série de considerações literárias e divagações filosóficas. Destacou passagens de Euclides da Cunha, fez menção a Nietzsche, enfatizou as concepções evolucionistas de Darwin e Spencer:

"Todos os corpos se transformam, se deslocam, se reduzem, aumentam, diminuem; desagregam-se, aparecem e desaparecem, sob as formas as mais diversas", teorizou, ao sugerir que o pensamento humano também deveria evoluir, sob pena de a imobilidade levar à inevitável extinção.

Apesar de todo aquele cientificismo representar uma espécie de mensagem cifrada para alguma parcela da audiência, era evidente que Getúlio se referia à necessidade de renovação também na própria política rio-grandense. Isso, conforme deixaria claro, sem jamais atraiçoar o princípio do "catecismo positivista" de Auguste Comte, pelo qual a sociedade estaria fadada a uma evolução natural e linear, dentro de um avanço cumulativo, baseado na disciplina e no equilíbrio — tudo de acordo com a tese sintetizada na divisa "ordem e progresso" estampada na bandeira nacional.

Getúlio, portanto, não falava ali em nome de conflagrações, movimentos bruscos, rupturas radicais. Condenou de modo explícito "os que julgam que só se rasga o véu do futuro com estilhaços de granada". Em contrapartida, também censurou os conservadores, acusando-os de representar "uma mola emperrada no funcionamento orgânico da sociedade", uma gente de "inteligência curta", envolvida na "estreita casamata dos preconceitos".

Nem revolução, nem estagnação. Nem subverter a ordem, nem retroagir o progresso, de acordo com o que propunha Comte e a chamada "divisa orgânica" do PRR: "conservar melhorando".[62] O tipo ideal de político, segundo Getúlio, era o do "conservador progressista", fórmula com a qual definiu Afonso Pena no fim do discurso.

Décadas mais tarde, diriam de Getúlio que coube a ele promover, exatamente, a efetiva "modernização conservadora" do país.

Aos 24 anos, já lhe soaria como o maior de todos os elogios.

No ano seguinte à visita de Afonso Pena ao Rio Grande do Sul, um grupo de rapazes se acotovelou em um dos quartos da chamada "República Infernal" — a Pensão Medeiros, onde morava Getúlio — para uma reunião histórica. Sugerida por João Neves da Fontoura, a assembleia foi organizada por mais dois estudantes: Jacinto Godoy, aluno da Faculdade de Medicina, e Maurício Cardoso, colega de Getúlio na Faculdade de Direito. Os três, Neves, Godoy e Cardoso, propunham aos camaradas a formação de um centro estudantil, uma espécie de ala jovem do Partido Republicano do Rio Grande do Sul. Os tais melindres em relação a Borges de Medeiros estavam superados desde o discurso conciliador de Getúlio. O nome escolhido para a agremiação explicitava sua matriz ideológica: Bloco Acadêmico Castilhista.[63]

O trio buscou o apoio de dois acadêmicos de Direito que julgaram indispensáveis ao sucesso da empreitada. Um deles era exatamente Getúlio Vargas, convocado por se destacar entre os pares pela "inteligência e serenidade", segundo as palavras de João Neves. O outro era Firmino Paim Filho, convidado por motivo justamente oposto: era um rapaz de temperamento combativo, intransigente na defesa das próprias ideias. Ambos, Paim e Getúlio, atenderam ao chamado. Juntos — um moderado, outro voluntarioso —, produziriam a liga perfeita, intuíram os colegas.

"O Paim é capaz de mandar fuzilar os amigos em nome dos princípios", brincava Getúlio.[64]

O Bloco Acadêmico Castilhista atendia a um propósito específico. Estava-se em abril de 1907 e, dali a cerca de sete meses, haveria eleição para o governo do estado. Em quinze anos, desde que Júlio de Castilhos se abancara na cadeira de presidente estadual, o Partido Republicano detinha a hegemonia política no Rio Grande do Sul. Mas, dessa vez, sem a onipresença de Castilhos, seus adversários estavam unindo forças para tentar derrotar o que chamavam de "castilhismo positivoide".[65] Uma aliança entre os antigos maragatos e um grupo de republicanos insatisfeitos era a novidade eleitoral, apesar da ameaça sempre presente das baionetas da Brigada Militar.

"Borges de Medeiros sempre que pode cuida da ordem, mas nunca do progresso", reclamava a oposição.[66]

O candidato oposicionista era Fernando Abbott, chefe do Partido Republicano no município de São Gabriel. Ex-comandante na repressão à Revolução Federalista, Abbott se considerava um herdeiro do castilhismo muito mais legítimo que Borges de Medeiros. Fora seu vice durante algum tempo e, para muitos, atuara como o verdadeiro braço direito do líder morto. Figura controvertida, além de médico, era conhecido como fabricante das populares "Pílulas Salutíferas do Dr. Fernando Abbott", então anunciadas na imprensa porto-alegrense como "o mais eficaz medicamento para curar dispepsia, doenças do estômago e intestinos".[67]

Pois ruim do fígado deve ter ficado Borges de Medeiros quando soube que o ex-correligionário, acusado de ter comandado uma série de atrocidades contra os federalistas na revolução de 1893, desfraldara uma candidatura de oposição que contava com a aberta simpatia dos antigos adversários.

A estreia pública do Bloco Acadêmico Castilhista se deu com um manifesto contundente contra Abbott, ao fim do qual se liam as assinaturas de cerca de duzentos estudantes — da Escola de Guerra, da Faculdade de Medicina, da Escola de Engenharia e, especialmente, da Faculdade de Direito, onde o nome de Getúlio encabeçava a lista entre os colegas.

"Estamos em plena contra-agitação", dizia o manifesto, que erguia uma muralha de impropérios contra Abbott e acusava os dissidentes do partido de se comportar como uma víbora "insidiosa" e "pérfida". A aliança com os federalistas era descrita no texto como um "concubinato político". Pelo fato de Abbott, dias antes, ter afirmado irrestrita fidelidade partidária a Borges de Medeiros em um evento público na cidade de Cachoeira e, seis horas depois, em outro município, Santa Maria, declarar-se candidato da oposição, o manifesto assinado por Getúlio ferroava:

"Dentro de qual partido estava o dr. Abbott às duas da tarde?"[68]

O texto revelava o tom do engajamento estudantil naquelas eleições, a primeira na qual Getúlio, ainda que apenas como militante, participaria na vida. Pinheiro Machado avaliou bem o impacto que teria aquele tipo de linguagem numa contenda política acirrada. O Bloco Acadêmico Castilhista representava uma renovação nas fileiras do Partido Republicano, que depois de tanto tempo no poder começava a apresentar os sinais de esgotamento.[69] Por isso, de passagem pelo Rio Grande do Sul, Pinheiro Machado fez questão de apertar a mão de cada um dos principais membros do Bloco Acadêmico antes de retornar às costumeiras articulações nacionais no Rio de Janeiro. Era o aval de que os estudantes precisavam para ser reconhecidos como força emergente e autorizada dentro do partido. Coube a Getúlio, mais uma vez, a responsabilidade de falar pelos colegas no encontro com Pinheiro Machado, realizado nos salões do palácio do governo estadual, o que conferiu ainda maior solenidade ao fato.

"A atitude de Vossa Excelência na política da República tem sido esperar a marcha dos acontecimentos, colocando-se à frente destes, para guiá-los", disse Getúlio a Pinheiro, numa frase que tempos depois o brasilianista John W. F. Dulles consideraria premonitória de dois atributos que o próprio Getúlio Vargas iria aperfeiçoar como ninguém: a paciência histórica e o senso de oportunidade política.[70]

Logo no dia seguinte à reunião com Pinheiro Machado, os estudantes tiveram ocasião de demonstrar que não ficariam circunscritos a falações e manifestos. Partiriam para ações mais ousadas. Puseram-se em alerta, por exemplo, quando souberam que a oposição agendara uma manifestação na praça da Matriz, bem ao lado do palácio do governo, na qual falariam dois dos mais notórios partidários da candidatura de Fernando Abbott. O primeiro, Rafael Cabeda, um dos bastiões do federalismo rio-grandense, era coautor de um livro bombástico, *Os crimes da ditadura*, editado no Uruguai e no qual se trazia à luz uma série de denúncias históricas contra os partidários de Júlio de Castilhos.[71] O segundo, Pedro Moacyr, orador polêmico e eloquente, olhos faiscantes e voz de tenor, virara a casaca e, de castilhista fervoroso no início, passara de malas e bagagem para o lado adversário.[72]

Os integrantes do Bloco Acadêmico haviam combinado comparecer ao evento não para aplaudir Cabeda e Moacyr, era evidente, mas para desafiá-los com apartes venenosos e provocações.

Foi justamente Pedro Moacyr quem primeiro tomou a palavra durante a manifestação, que teve direito a banda de música e a centenas de espectadores — o que por si só atestava a popularidade crescente do discurso oposicionista. Quando Moacyr desatou a falar, a palavra que mais se ouviu de seus lábios foi "democracia". Antes que algum estudante pudesse tentar interrompê-lo, um professor de Getúlio, Januário Gafrée, lente de filosofia do direito, especialista na obra do pensador alemão Immanuel Kant, tomou para si o papel de provocador:

"Mas, afinal de contas, o que é mesmo democracia?", desafiou Gafrée, com ar professoral.

A multidão esperou a réplica, que não se fez demorar:

"Ora, democracia é o que não existe no Rio Grande do Sul!", devolveu Pedro Moacyr, de bate-pronto.[73]

Não houve tempo para que a plateia, eletrizada, irrompesse em palmas. Tão logo Moacyr concluiu a frase, ouviu-se o estampido no ar. Um tiro de revólver. Alguém atirara para cima, com o intuito declarado de provocar confusão. Houve tumulto generalizado. Foi impossível evitar o pânico coletivo.

"O corre-corre atropelou a multidão. Gente foi jogada ao chão, pelos que temiam um conflito sangrento. Os vivas se entrecruzaram com as vaias", recordaria João Neves da Fontoura.[74]

Depois de alguns minutos de balbúrdia, a polícia interveio e Pedro Moacyr ainda tentou prosseguir o discurso. Mas não havia mais clima para tanto. Da janela do palácio ali vizinho, Borges de Medeiros assistia a tudo em presumível regozijo. Ao contrário dele, Getúlio e os demais colegas não ficaram para testemunhar o fim da manifestação. Tão logo se escutou o tiro, todos chisparam dali em desabalada carreira, considerando que sua missão já podia ser dada como cumprida. Longe da praça, esbaforidos e ao mesmo tempo excitados, entreolharam-se em busca da identificação do autor da façanha.

"Qual de nós disparou o tiro?", alguém perguntou.

Enquanto todos negavam a autoria do feito com caras espantadas, apenas um deles sorria. Era Getúlio.

"Então foi você, Getúlio?", indagaram-lhe os colegas quase em coro.

Getúlio não disse que sim. Mas também não disse que não.

Apenas comentou:

"Não tínhamos projetado mandar pelos ares a manifestação da oposição? Ela foi pelos ares ou não?"[75]

Nunca se soube quem realmente atirou. Getúlio jamais assumiu o ato, embora continuasse sem negá-lo de forma efetiva para o resto da vida. Anos mais tarde, ao saber da história por meio de um velho amigo do pai, a filha Alzira o interpelou a respeito. Getúlio não reagiu bem à inquirição.

"Olhou-me feio, por cima dos óculos", contaria Alzira, que obtenve apenas uma frase como resposta:

"Era o único meio de dissolver o comício", o pai lhe dissera.

"Não consegui arrancar-lhe mais nada nesse dia, nem depois. Fiquei com sérias desconfianças e ainda as mantenho, porque fugia sempre ao assunto com grande habilidade", recordaria a filha. "Não se acusou, mas não acusou ninguém. Poderia ser um pacto entre eles; poderia ser que aquele que me fez a insinuação desejasse verificar somente se papai era capaz de manter um segredo. Por isso, não insisti mais."[76]

Quando faltavam cerca de cinco meses para a eleição estadual, uma gazeta panfletária passou a circular pelas ruas de Porto Alegre. Getúlio Vargas, então quintanista da Faculdade de Direito, estava no rol dos principais redatores da nova publicação. Cabia a ele escrever os artigos de fundo, revezando-se na função com o colega Firmino Paim Filho, que respondia oficialmente pelo comando da redação. Com quatro páginas e circulação diária, *O Debate* trazia abaixo do título o seguinte dístico: "Jornal castilhista". A folha cultivava um estilo ácido, mas amparado em uma catilinária cientificista, o que lhe denunciava a origem acadêmica. O candidato da oposição, Fernando Abbott, era tratado pelos redatores como o representante maior de um grupo de "degenerados", uma gente arrastada à oposição "pela força irresistível de sua tara psíquica".[77]

Em uma das primeiras edições, o artigo de fundo de *O Debate*, com título de inspiração darwinista — "Seleção artificial" — e provavelmente escrito em parceria por Getúlio e Paim Filho, propunha que, para sanear a sociedade rio-grandense e eliminar os adversários "perturbadores da harmonia e da coletividade", só restariam duas soluções plausíveis:

1º Recolher os mencionados cretinos a um manicômio.
2º Enviá-los para o Acre. [...]
Não temos preferência por nenhum dos modos indicados, entregamos os miseráveis e pusilânimes vermes roedores da dignidade moral ao seguro julgamento da sociedade.[78]

Cauteloso ante a divergência no seio do partido, o presidente estadual Borges de Medeiros, em vez de pleitear uma segunda reeleição, como lhe facultava a Constituição rio-grandense, resolveu indicar à sucessão o nome de Carlos Barbosa Gonçalves, médico como Abbott e presidente da decorativa Assembleia de Representantes — como era denominado o Legislativo estadual, controlado pelo governo.[79] O que estava em xeque era a continuidade da autocracia castilhista-borgista, que vivia grave crise de legitimidade, refletida no avanço das oposições e das dissensões internas.

"Para manter o equilíbrio na sociedade, assegurando-lhe a tranquilidade, a paz e a harmonia, torna-se necessário o estabelecimento de um poder superior que lhe dite as normas e as faça seguir", argumentava um dos editoriais de *O Debate*. "Daí a indispensável existência do Estado, conduzido por governos fortes e capazes, que guiem os destinos coletivos", justificava o jornal do Bloco Acadêmico Castilhista.[80]

Getúlio foi um dos mais dedicados membros do corpo editorial de *O Debate*. Também, um dos mais ativos. Era o primeiro a chegar e o último a sair da redação.[81] O escritório estava instalado no número 48 da rua Andrade Neves, onde antes funcionara uma publicação de vida breve, *O Sul*, que teve as oficinas compradas e reativadas para rodar o novo jornal com o apoio financeiro de dirigentes do Partido Republicano — e a chancela política de Borges de Medeiros e Pinheiro Machado.[82] O próprio Borges costumava descer pessoalmente à redação de *O Debate*, situada a poucas centenas de passos do palácio, para conferir os artigos de fundo e certificar-se de que as diatribes seriam publicadas com a virulência desejada.[83] Uma das tarefas básicas do jornal era desqualificar a aliança suprapartidária estabelecida entre a defecção republicana e os inimigos maragatos:

"[Fernando Abbott] apregoa que governará sem partido, como se sobre a areia movediça das opiniões divergentes se pudesse construir alguma coisa", desdenhava o jornal, com a linguagem atrevida de sempre.[84]

Na verdade, o matutino escrito pelos rapazes do Bloco Acadêmico funcionava como uma trincheira auxiliar à guerra já travada contra os oposicionistas pelas páginas da tradicional e vespertina *A Federação*. Muitas vezes, os dois periódicos reproduziam entre si a íntegra de artigos estampados originalmente em um ou em outro, confirmando a clara afinidade de princípios, em que pesem as dessemelhanças estratégicas entre os respectivos projetos editoriais. Como diferencial maior em relação à publicação irmã, *O Debate* cultivava o estilo mais impetuoso, o que também contribuía para renovar o discurso e o perfil da militância republicana rio-grandense. Do lado adversário, com o propósito de desmerecer o arrebatamento juvenil que movia as oficinas de *O Debate*, os oposicionistas passaram a rotular os redatores do novo jornal de "guris", uma simples "petizada" que havia fundado um pasquim para achincalhar a honra alheia.[85]

Com efeito, além do panfletarismo, o humor era outra característica da gazeta do Bloco Acadêmico. Quando não estava elaborando os artigos de fundo, Getúlio divertia-se traçando irreverentes e longos perfis dos próprios colegas de redação, textos que eram publicados a cada nova edição e revelavam a verve até então oculta do autor.

Sobre o colega Cláudio Fernandes Júnior, por exemplo, Getúlio escreveu: "A idade já lhe vai desbastando a linda cabeleira, onde em idos tempos — suponho — havia de ter perdido algum olhar de morena apaixonada".[86] A respeito de outro colega, Henrique Araújo, Getúlio revelou: "Cavaleiro andante dos amores, inclinou-se, deveras, a uma donzela que logo depois abandonou, pelo tamanho desmesurado dos pés".[87] Já o amigo Francisco de Leonardo Truda seria retratado assim por Getúlio: "Na turma, ele representa o mesmo papel do cometa no sistema planetário, batendo deste modo, em todos os anos letivos, o recorde de faltas".[88] Já Firmino Paim Filho, segundo o perfil escrito por Getúlio, tinha "o ar empertigado de um valete de espadas".[89]

Coube ao colega Rodolpho Simch redigir o perfil de Getúlio nas páginas de *O Debate*. Simch conhecia Getúlio ainda dos tempos em que ambos moraram em Ouro Preto. Ele fora o professor de alemão do Ginásio Mineiro que se viu arrolado no inquérito policial — depois inocentado no tribunal do júri — quando da morte do estudante paulista Carlos de Almeida Prado. Após se ver livre das complicações na Justiça, voltara para o Rio Grande do Sul e recomeçava a vida como aluno de Direito. Sobre o camarada Getúlio, com quem travara amizade desde que este ainda usava calças curtas, escreveu Simch, com peculiar colorido:

> É baixo, rosto oval, fisionomia franca em que se destacam os olhos negros, perscrutadores e penetrantes. Fronte ampla, cabelo castanho escuro ligeiramente ondeado; bigode curto, negro, rigorosamente torcido; conjunto simpático e atraente.
>
> O corpo está sempre ereto e aprumado — talvez vestígio de seu tempo de aluno militar.
>
> [...]
>
> Entre os dedos anda invariavelmente preso um charuto.
>
> Traja, geralmente, de escuro e parece ter séria aversão ao fraque e à sobrecasaca; conheço-o há cinco anos e nunca o vi em tal "encadernação".
>
> [...]
>
> Misto de epicurista e estoico — ora saboreia os prazeres da vida sem precipitação, ora submete-se, imperturbável, às agruras da sorte — pouco se lhe dando de dormir em macio edredom ou em um montão de rijas correntes de ferro.[90]

Toda a insolência editorial dos moços de *O Debate* era reforçada pela ativa militância do Bloco Acadêmico Castilhista, que passou a estabelecer uma tática de corpo a corpo junto ao eleitorado, especialmente nas regiões de imigração ítalo-germânica, onde grassavam as insatisfações contra Borges, por causa das elevações do imposto territorial cobrado sobre as pequenas propriedades dos colonos. Com o mapa do Rio Grande do Sul sobre a mesa, seus membros fatiaram o estado em regiões estratégicas, seguindo os passos de Abbott, que peregrinava em contagiante campanha pela zona colonial. Deliberaram então que as principais cidades receberiam caravanas cívicas, com o intuito de neutralizar a mensagem de Abbott e de multiplicar tanto o alcance do discurso oficial quanto da candidatura de Barbosa Gonçalves. Getúlio foi escalado para comandar algumas dessas ações pelo interior rio-grandense, tendo então discursado em praças públicas de diversos municípios, o que sem dúvida lhe serviu como mais uma fonte de aprendizado político.[91] Todavia, uma folha de oposição, o *Petit Journal* — que rivalizava com *O Debate* em irreverência e panfletarismo —, tentou minimizar o alcance das tais excursões dos jovens republicanos. Na coluna assinada por um corrosivo "Periquito", lia-se a seguinte verrina, atribuindo aos redatores antagonistas, além de uma linguagem em forma de tatibitate infantil, uma atitude interesseira:

> O Centro Republicano fez ontem entrega de vários mimos aos bambinos que andaram em excursão política pelo interior, pregando a candidatura do dr. Barbosa Gonçalves. Tornou-se comunicativa a alegria da petizada ao receber bolas de borracha, cordas, chocalhos, caixas de soldadinhos, apitos etc.
>
> Um propagandista destoou do concerto das risadas da gurizada, emburrando-se todo e dizendo:
>
> "Isso não *quélo*. *Quelia* uma *plomotolia* que foi o que me prometeram."
>
> "Depois, benzinho. Quando sair da Escola ganhará uma promotoria. Todos os abnegados, assim, hão de ter uma."[92]

Em novembro de 1907, apurados os votos, declarada a vitória do candidato da situação por 61 mil sufrágios contra os 16 mil conseguidos pela oposição, o líder Borges de Medeiros tapou os ouvidos para as costumeiras acusações de fraude e logo tratou de distribuir benesses aos que haviam se engajado na campanha.[93] Getúlio, que estava prestes a receber o diploma de bacharel em Direito, teve garantida a sua parte no quinhão. Caberia a ele, exatamente, a segunda promotoria de Porto Alegre. Numa época em que o Ministério Público rio-grandense atuava como filial do palácio do governo, um cargo como aquele significava uma porta escancarada para o devido ingresso nos salões do poder.[94]

Getúlio, aos 25 anos, saberia transpô-la com singular desenvoltura.

5. Simpático, republicano e deputado: Getúlio é um bom partido para a filha do figurão local (1908-12)

Getúlio foi recebido com festa na volta a São Borja. Como as notícias forenses de *A Federação* eram orgulhosamente reproduzidas nas páginas do jornal republicano da cidade — o *Uruguay* —, os são-borjenses acompanhavam com interesse, passo a passo, a trajetória profissional daquele jovem promotor que, tempos antes, saíra dali tão discreto, um menino sempre tão calado. Reaparecia homem feito, aos 26 anos, com a reputação em alta e a fronte mais larga, por causa das primeiras entradas laterais na cabeleira negra.

"Ilustre moço, caráter talhado para, futuramente, elevar o nome deste já tão glorioso bocado das Missões", vaticinava o *Uruguay*.[1]

O tenente Antônio Sarmanho, que acumulava a função de gerente da agência local do Banco Pelotense com a ocupação de estancieiro na fronteira e o cargo de vice-intendente municipal (o equivalente a vice-prefeito à época), resolveu patrocinar, em sua mansão, a recepção a Getúlio. A casa, a mais suntuosa da cidade, era famosa pelo mobiliário elegante, pelas cortinas adamascadas e pelas alfaias caríssimas — mercadorias de luxo compradas em Buenos Aires, destino corriqueiro das viagens de negócios do tenente Sarmanho. Também tinham vindo encaixotadas da capital argentina a porcelana, os candelabros de prata, os perfumes usados pela família e até os vestidos das filhas, sempre cheios de rendas, laços e babados, encomendados aos magazines portenhos que importavam a última moda direto de Paris.[2]

Aquele era um lar essencialmente republicano. Antônio Sarmanho era casado com dona Alzira de Lima, filha do general Francisco Rodrigues Lima, presidente do Conselho Municipal (o correspondente então à Câmara dos Vereadores) e comandante da histórica Divisão do Norte, nos tempos da sanguinolenta Revolução Federalista.[3] Pela importância dos anfitriões e por deferência ao convidado de honra, o *Uruguay* cobriu de louvores a recepção oferecida pela família Lima Sarmanho a Getúlio. O jornal citou a presença da "harmoniosa banda de música da União Operária", descreveu o "estrugir de fogos de artifício" e reproduziu os "protestos do mais vivo apreço" dirigidos ao homenageado pela elite são-borjense.[4] À solenidade no solar dos Sarmanho seguiu-se uma visita de cortesia à casa do novo intendente da cidade, o velho general Manuel Vargas. Ele mesmo, o pai de Getúlio, eleito para o cargo no ano anterior, com o devido apoio de Borges de Medeiros e Pinheiro Machado.

Manuel Vargas tivera como adversário nas urnas uma candidatura articulada pelo contraparente Aparício Mariense, aquele que um dia propusera o plebiscito subversivo contra a princesa Isabel e acompanhara Getúlio na primeira parte da viagem a Ouro Preto. Mariense rompera os laços afetivos e políticos com os Vargas desde meados de 1907, quando se declarara a favor da candidatura oposicionista de Fernando Abbott ao governo do estado, passando então a liderar a dissidência republicana em São Borja. Contudo, na acachapante disputa municipal, a oposição obteve menos de 20% dos votos, contra os mais de 80% do pai de Getúlio.

"O abbottismo é hoje um cadáver. Este último alarido não passa da fermentação natural dos corpos em decomposição", sentenciara o *Uruguay*.[5]

Na residência do general Vargas, nova multidão esperava por Getúlio. Em meio aos muitos abraços e mãos estendidas pelos confrades de partido, ofereceram-lhe um espumante copo de cerveja para que aliviasse a garganta tão logo terminou de pronunciar mais um de seus longos e habituais discursos. "Foi uma peroração que eletrizou a grande massa que o escutava", registrou um jornalista presente ao evento.[6] Por certo, muita gente em São Borja estava ávida para conferir os dotes de retórica do sorridente promotor, que falou diante de uma mesa recheada de frutas e doces. "A oratória política de sobremesa é hoje uma instituição indestrutível", bem definiria a revista carioca *Kosmos*.[7]

A confiar no que noticiou o *Uruguay*, os são-borjenses aprovaram plenamente a alocução do "digníssimo correligionário", também citado na notícia como "ilustrado jovem" e "talentoso conterrâneo". Tantos adjetivos não eram despejados assim de modo gratuito. Os tribunais arrebatavam a curiosidade do público e, para um promotor, triunfar em causas de grande apelo popular era sinônimo de notoriedade e garantia de elogios desbragados na imprensa.[8]

Em geral, a teatralidade dos gestos, a exibição de uma cultura livresca e, sobretudo, a imagem carismática contavam mais pontos a favor do que uma sólida formação jurídica ou mesmo o estudo aplicado dos autos. A capacidade de arrancar lágrimas, provocar olhares de admiração e extrair suspiros da assistência era o caminho mais breve para a fama e o prestígio. Principalmente se isso viesse combinado a um eficiente tráfico de influências pessoais.

"A política, as amizades, o prestígio dos advogados e a cabala decidiam muitas vezes a sorte dos réus", admitiria em suas memórias João Neves da Fontoura, o amigo de Getúlio que dali a um ano também seria nomeado promotor por Borges de Medeiros, como recompensa por sua militância partidária.[9]

Getúlio, que não era exatamente uma personalidade histriônica, mas aperfeiçoava a arte de falar em público e aprendera depressa a se relacionar com a cúpula republicana em Porto Alegre, colecionou vitórias e derrotas ao longo dos 48 processos em que atuou na promotoria naquele ano de 1908.[10] A despeito disso, seus futuros apologistas se encarregariam de estabelecer uma crônica heroica ao se referir a seu desempenho à frente da função, minimizando os insucessos e supervalorizando os êxitos.[11] Destacariam sobretudo um episódio específico que, de fato, provocou relativa sensação à época. Certa tarde, em pleno julgamento, em vez de pedir a condenação do acusado como era próprio à promotoria, Getúlio surpreendeu a todos ao solicitar a absolvição do réu.[12]

Isso se deu quando o promotor Getúlio Dornelles Vargas compareceu ao tribunal para proceder à acusação de certo Antônio Paixão, indiciado por provocar ferimentos graves em outro homem, Fortunato de Barros, a golpes de formão, ferramenta de corte para entalhar madeira. Ao analisar o relatório policial, Getúlio constatou que a vítima se metera antes em uma discussão com um terceiro sujeito, Serapião Fernandes, pelo fato de este andar de namoro com a amante de um amigo comum dos três citados no inquérito. Fortunato e Serapião acabaram saindo no tapa e Antônio Paixão, que não tinha nada com a briga original, resolveu intervir. Terminou agredido por Fortunato e, para não ser espancado, apelou para o formão.[13]

À luz dos autos, mas para o pasmo do juiz, a surpresa dos jurados e o espanto do próprio advogado do réu, Getúlio, responsável pela acusação, arguiu a tese da legítima defesa. Ao tomar rumo tão inesperado, o julgamento terminou antes de começar e, pela singularidade, foi destaque na imprensa rio-grandense. No dia seguinte, o *Correio do Povo* noticiou:

> O dr. Getúlio Vargas, promotor público, cumpriu, ontem, o compromisso que havia contraído quando estreou nesse cargo. Disse, então [...], que naquela cadeira seria o representante do interesse da sociedade, e que não acusaria simplesmente pelo prazer de acusar, não pediria as penas da lei desde que não fosse um criminoso que comparecesse às barras do tribunal.[14]

Esse não foi o primeiro caso — nem mesmo o mais importante — em que atuou o promotor Getúlio Vargas. Mas foi o que lhe deu mais visibilidade. Nos meses seguintes, ele se enfronharia em pilhas de processos criminais que, no mais das vezes, diziam respeito a questões corriqueiras, como lesões corporais decorrentes de arengas entre bêbados, brigas de comadres, disputas de vizinhos.

Esporadicamente, Getúlio teve a chance de atuar em um ou outro processo capaz de despertar mais publicidade e comoção pública. No caso do defloramento de uma menina por um soldado da Brigada Militar, conseguiu a condenação do acusado a catorze meses de prisão, embora o código penal vigente previsse a pena de até quatro anos para o delito de abuso contra menor. Em outro episódio de violência sexual, o estupro de uma sexagenária, Getúlio mandou o réu para quatro anos e oito meses de cadeia — era de seis anos a pena máxima para a violação de uma "mulher honesta", conforme a expressão contida no Código Penal de 1890.[15] O público, ávido de entretenimento, batia palmas. Os jornais republicanos, dispostos a insuflar a carreira de um jovem correligionário, enalteciam o desempenho do estreante promotor.

Entre os poucos casos de assassinato nos quais Getúlio atuou na promotoria, o mais badalado pela imprensa porto-alegrense decorreu de um bate-boca por causa de um prosaico bigode raspado. Um servente da alfândega, Alcides Ferreira da Silveira, ficara furioso quando um barbeiro, João Rio-Grandense Duarte, resolveu fazer troça pelo fato de ele ter aparecido, no boteco de sempre, sem a taturana de pelos que até aquele dia costumara cultivar, à moda gaúcha, sobre os lábios. Pilhéria daqui, réplica dali, a discussão terminou com o punhal de Rio-Grandense cravado mortalmente no peito de Alcides.

A defesa pediu a absolvição do réu, sob o argumento de que João Rio-Grandense, trabalhador e sem antecedentes criminais, agira em estado alterado de consciência, após ingerir grande quantidade de cachaça. Quando foi a vez de a promotoria fundamentar a acusação, Getúlio recitou tratados clássicos de criminologia, passou em revista a teoria do livre-arbítrio, teorizou sobre a diferença entre embriaguez e alcoolismo para, ao final de quase três horas de preleção, recorrer ao exemplo dos poetas românticos:

"Cambaleando, de gênio, de vinhos e de amores, [Álvares de Azevedo, Castro Alves e Fagundes Varela] penetraram na crônica da história sem nunca levantarem um punhal assassino contra um amigo", argumentou Getúlio.[16] Os jurados se impressionaram com a prosopopeia. João Rio-Grandense Duarte acabou condenado a dez anos e meio de prisão.

Enquanto Getúlio se via às voltas com mais um caso de rotina no expediente da promotoria — um homem esfaqueara outro, após brigarem por causa de um casaco, encomendado pela amásia do primeiro à concubina do segundo[17] —, o pai o mantinha informado sobre a política local por meio de cartas sistemáticas. Além de notícias, o general Manuel Vargas enviava também dinheiro ao filho, obtido nas transações com cabeças de gado na zona de fronteira.

"Vendi a tropa. Foram nela os três bois que tinhas", comunicou certa vez o general a Getúlio. "De intendência vou indo perfeitamente, estabelecendo melhorias nas ruas, arrabaldes e distritos", comentou Manuel Vargas, acrescentando que andava bastante atribulado por causa da doença do auxiliar direto na administração municipal, Júlio Trois, advogado experiente, republicano histórico, ex-intendente da cidade. O assunto, de forma indireta, dizia respeito ao futuro de Getúlio.

"O Júlio Trois foi para Buenos Aires, e de lá para o Rio ou Europa em busca da saúde cada vez mais alterada", lamentou o velho. "De modo que estou completamente só na gerência do município e com toda a responsabilidade do partido", queixou-se. "Quando me vejo mal, chamo o Viriato, que tem a fazenda para atender", explicou.[18]

As queixas epistolares de Manuel Vargas foram evoluindo até o ponto em que solicitou, de modo explícito, que Getúlio retornasse a São Borja a fim de secundá-lo na intendência municipal. Poderia parecer insanidade, para alguém com toda uma carreira por construir na capital do estado, imaginar-se trocando a promotoria pública em Porto Alegre por um encargo subalterno na distante e provinciana zona missioneira. Mas, para Getúlio, o cálculo político a fazer não era tão elementar assim. O próprio líder Borges de Medeiros defendia que carreiras partidárias precisavam ser construídas pela base. Quando o então promotor João Neves da Fontoura consultasse Borges sobre se deveria permanecer em Porto Alegre ou, em alternativa, montar uma banca de advocacia na pequena Cachoeira, cidade onde o pai Isidoro Neves da Fontoura era intendente, o chefe republicano não pestanejaria:

"Tua carreira não vai circunscrever-se ao foro. Tens um grande futuro na política e precisas ganhá-lo desde baixo", recomendaria Borges de Medeiros a João Neves, que em suas recordações do período relataria os detalhes da audiência: "[Borges] fez-me ver que meu pai precisava de mim a seu lado, a fim de ajudá-lo na direção partidária e na administração. Ajudá-lo hoje, para sucedê-lo amanhã", registraria João Neves, que pouco depois da consulta ao líder partidário rumou para Cachoeira, cidadezinha de apenas 30 mil habitantes — "mais propriamente uma vila triste e desconfortável", como ele próprio definiu —, e onde se iniciaria na vida política.[19]

A mesma lógica valeria, portanto, para o promotor Getúlio Vargas. Pelo que se pode deduzir de uma carta que lhe foi enviada à época por Viriato, Getúlio não se opôs à hipótese de retornar a São Borja.

"Estarei aqui até que venhas, quando então poderei tornar à direção das fazendas de criação", escreveu-lhe Viriato. "Em novembro, espero-te com certeza, segundo prometes", completou.[20]

A carta era datada de 7 de maio de 1908, apenas quatro meses após a nomeação de Getúlio para o cargo de promotor, o que corrobora o fato de que, desde muito cedo, ele não apenas cogitava licenciar-se da função, como até marcara data para tal. Tanto era verdade que nem sequer chegou a providenciar a mudança do acanhado quarto de pensão onde vivera como estudante para um endereço mais confortável e de acordo com o salário mensal de 333 mil-réis recebidos como promotor público[21] — a título de comparação, um enorme sobrado de três pavimentos à rua Senhor dos Passos, no centro de Porto Alegre, onde funcionaria o Instituto de Belas-Artes do Rio Grande do Sul, foi arrendado à época pelo governo por 150 mil-réis mensais.[22]

Pela versão propagada por futuros biógrafos, o fato de Getúlio ter concordado em largar a promotoria de forma tão instantânea para regressar a São Borja revelaria um característico "desprendimento" de sua personalidade. Não resta dúvida de que era uma atitude arrojada por parte de um profissional neófito, que apenas começava a se estabelecer no ofício. Mas também é absolutamente legítimo supor que Getúlio estivesse consciente das possibilidades que tal gesto lhe descortinava.

"Penso que farás muito bem indo, no fim do ano, estabelecer tua tenda de advogado na gloriosa São Borja", incentivou-lhe o ex-colega de faculdade Firmino Paim Filho. "Lá farás carreira muito depressa, quer pelo lado social, quer encarada pelo lado monetário", anteviu Paim. "Em Porto Alegre, te conviria permanecer temporariamente, a fim de adquirires algum tirocínio da vida prática forense", concluiu o amigo.[23]

Ao estipular o fim daquele ano de 1908 como o prazo máximo de sua experiência como promotor público, Getúlio precisava organizar os preparativos para a volta a São Borja. Uma das principais providências era cuidar para que o irmão imediatamente mais novo que ele, Espártaco, o Pataco, então com catorze anos, ficasse estudando e morando sozinho em Porto Alegre após sua partida. Como ainda não existiam escolas secundárias em São Borja, Manuel Vargas enviara Pataco para a capital, onde o garoto ficara sob os cuidados de Getúlio desde o começo do ano.

"Ele deve ir para o ginásio, porque estou convencidíssimo que vadiou, prejudicando seu futuro, e me fazendo trabalhar mais do que devo e mais do que posso", lastimara o general, em confidência a Getúlio.[24]

Mais tarde, o próprio Pataco Vargas reconheceria que, a essa época, já começara a dar bastante trabalho não só ao pai, mas também ao irmão:

"Eu era vadio mesmo", admitiria.

Além de pouco afeito aos estudos, Espártaco saíra parecido em temperamento ao mano mais velho, Viriato. Era um briguento incorrigível e, por mais de uma vez, Getúlio precisou apartar as cenas de pugilato que ele armava na pensão e que, não raro, desandavam em confusões generalizadas.

"Era cadeira pra lá, cadeira pra cá", relembraria Pataco, descrevendo um desses muitos escarcéus.[25]

Getúlio tentava manter Espártaco sob rédea curta, mas estava longe de ser um empedernido moralista no duplo papel de irmão e tutor. Certa vez, flagrou Pataco fumando escondido um cigarro de palha. Em vez de passar uma ensaboadela no garoto, Getúlio ofereceu-lhe um robusto charuto, para que experimentasse artigo de melhor qualidade. O pirralho agradeceu, mas preferiu continuar queimando seu mata-rato, com a vantagem de a partir de então poder desfrutá-lo livremente, sem precisar fazer segredo disso a mais ninguém.[26] Enquanto administrava os conflitos cotidianos do pequeno Espártaco, Getúlio recebia notícias da crescente ebulição política em São Borja:

"A maragatada tem explorado enormemente a questão comercial", avisou-lhe Viriato, em nova carta.

Dito de outra forma, os eternos adversários estavam boicotando a política governamental de repressão ao contrabando na fronteira. Borges de Medeiros intensificara a ação das estações fiscais no estado — uma delas funcionava em São Borja — com dois propósitos. Por um lado, aumentava a arrecadação de impostos. Por outro, aprofundava o controle político e administrativo de uma região historicamente afeita ao discurso oposicionista de liberalização do comércio. Para coadjuvá-lo na fiscalização das fronteiras, Borges contava com a rede de lealdade partidária dos chefes municipais:

"Se não fosse a mão de ferro do nosso velho, que tem essa canalha segura pelo gasganete, haviam pintado o diabo", escreveu Viriato a Getúlio.[27]

Mas mesmo os republicanos fronteiriços não eram assim tão favoráveis à política de combate rigoroso ao contrabando. O comércio ilícito estava entranhado na cultura da zona missioneira e se devia, em boa parte, à precariedade do sistema de transportes na região, que permanecia isolada do resto do estado. A prática também era consequência direta da burocracia e da voracidade tributária do governo — uma mercadoria negociada entre o interior e a capital deveria seguir acompanhada de treze documentos distintos, em inúmeras vias, com a devida apresentação de 96 assinaturas e a cobrança de alguns milhares de réis em estampilhas.[28] Com tamanha parafernália legal, a traficância de mercadorias nas divisas gaúchas se tornara um fenômeno endêmico. A inventividade popular descobrira formas inusitadas de fazer passar mercadorias ilícitas pela fronteira, a exemplo de frutas e verduras costuradas em bolsos falsos na parte interna das saias das mulheres, rolos de fumo enrolados em torno da perna ou litros de álcool acondicionados em tripas de boi atadas à cintura.[29] Os guardas aduaneiros faziam vista grossa para a desproporção física daquelas mulheres que, às vezes de rosto magro e compleição franzina, ostentavam tamanha protuberância da cintura para baixo do corpo a ponto de não poderem sentar nos botes durante a travessia dos rios.³⁰

Mas, em paralelo a essa miuçalha, também havia o grande contrabando. Organizaram-se verdadeiras companhias dedicadas ao comércio ilegal na fronteira, providas de dezenas de "funcionários" — entre carregadores, seguranças e intermediários —, responsáveis por transportar mercadoria ilícita na escuridão da noite em carretas abarrotadas, cujas rodas eram previamente enroladas em pano para evitar que o ruído despertasse a atenção.³¹

"A extinção do contrabando aqui, se fosse possível, redundaria na miséria e na morte completa da fronteira", chegou a escrever Viriato ao irmão Getúlio, para em seguida reforçar:

> Só quem aqui vive é que pode avaliar os preços por que nos fica uma camisa vinda de Porto Alegre. O comércio não é que é contrabandista. O povo coagido por suas necessidades é que é o verdadeiro contrabandista. O comércio, para viver, tem então forçosamente que contrabandear também, porque senão não vende nem uma agulha.³²

Viriato advertiu Getúlio a respeito do quadro político que o irmão iria encontrar na volta para casa. Aparício Mariense, após a desmoralizadora derrota na eleição municipal, se recolhera à vida privada e não representava mais nenhuma espécie de ameaça. Aparício morreria pouco depois, em maio de 1910, no mais absoluto ostracismo político, dedicando-se ao silêncio de sua biblioteca e a organizar os originais literários de sua lavra, entre os quais se destacava o romance *Isaurinha*, um pastiche de *A escrava Isaura*, de Bernardo Guimarães.³³

Os Dornelles, por sua vez, paulatinamente deixariam de ser os oponentes mais diretos à proporção que ganhava corpo nova dissidência local no PRR, liderada pela família Escobar, que tinha três de seus membros — os estancieiros Domingos Escobar, Pedro Escobar e Rafael Escobar — no topo da lista dos maiores contribuintes de impostos municipais e estaduais na cidade.³⁴ Os Escobar eram ricos e poderosos. E, como se verificaria em bem pouco tempo, ainda dariam bastante trabalho aos Vargas.

Sob tal conjuntura, Getúlio pediu licença do cargo de promotor em dezembro e, conforme prometera, partiu para São Borja. A recepção triunfal que lhe foi oferecida pelo tenente Sarmanho tinha um significado menos evidente do que o simples regozijo de um mandachuva municipal pela volta de um jovem conterrâneo à sua terra. Na verdade, Getúlio levava na bagagem de volta, além dos estojos de charuto e dos muitos caixotes com os volumes de sua biblioteca particular, um compromisso implícito: ajudar a revigorar a hegemonia dos republicanos históricos de São Borja. Os correligionários confiavam que, com a ajuda de um mediador que se fizera tão próximo aos centros de decisão partidária na capital, seria possível conter o avanço e a influência da família Escobar e, mais ainda, intensificar a articulação política com o soberano Borges de Medeiros. Por isso, Getúlio foi recebido com festa. Por isso, também, tornou-se presença obrigatória em solenidades públicas, figura central nos convescotes patrocinados pela sociedade são-borjense.

Nos meses seguintes ao desembarque, Getúlio continuaria a ser paparicado pela comunidade local. Na manhã de 1º de janeiro de 1909, na comemoração do Ano-Novo, mais uma vez ele foi o convidado de honra, dessa feita em um "piquenique elegante" na chamada "Barranca Pelada", às margens do rio Uruguai. O ágape contou com a presença do "escol de São Borja", segundo as palavras de admiração do redator do *Uruguay*. Além do indispensável churrasco gaúcho, foram servidos "os melhores vinhos de fábricas nacionais", e também "licores e doces finíssimos". Para "animar os comensais", providenciou-se a apresentação de uma pequena orquestra, "composta por formosas senhorinhas e amáveis cavalheiros". Em meio aos instrumentistas, uma menininha respondia pelas notas tiradas de um dos dois bandolins do grupo: a pequena Darcy, treze anos, filha do tenente Sarmanho.[35]

À hora da sobremesa, os presentes exigiram o clássico discurso por parte do homenageado. Como era de esperar, Getúlio não os decepcionou. Já que se encontravam ali, na fronteira do Brasil com a Argentina, ele aproveitou para exibir seus conhecimentos históricos a respeito do ex-presidente do país vizinho, Bartolomé Mitre, falecido havia menos de dois anos. "Nosso jovem e estimado patrício foi delirantemente aplaudido", enalteceu mais uma vez o *Uruguay*.

Mas a comemoração ao ar livre, que começara com todo o esplendor, terminou de forma bem pouco glamorosa. Um repentino temporal obrigou o grupo a voltar para o centro da cidade antes da hora. A borrasca fez subir o nível das águas do rio e o barco que transportava "tão galantes senhores e tão gentis senhoras", todos devidamente ensopados em seus respectivos trajes de festa, quase veio a pique.[36]

Talvez algum Escobar de língua mais ferina pudesse acusar o jovem dr. Getúlio de ser um notório pé-frio. Afinal, menos de dois meses depois, por muito pouco o grande baile de Carnaval do seletíssimo Elite Club, que também o recebeu com honras de convidado especial, não terminou em tragédia. Em pleno calor da festa, uma lâmpada a gasolina explodiu e, ao estouro, seguiu-se um princípio de incêndio. Os sócios, Getúlio entre eles, entraram em pânico. Assistiu-se a uma correria incontrolável de pierrôs, colombinas, anjos, polichinelos, marinheiros, espanholas e arlequins. No meio dos mascarados, corria atarantada a menina Darcy Sarmanho, fantasiada de bebê.[37]

De azarento, contudo, Getúlio não tinha nada. Os bafejos da fortuna sopravam a seu favor. Passado o susto, no dia seguinte, em plena segunda-feira de Carnaval, ele embarcou para Porto Alegre. Iria pedir demissão do cargo de promotor, em caráter oficial e irrevogável, a Borges de Medeiros, o condutor de fato da administração estadual, apesar de o presidente de direito ser o dr. Carlos Barbosa Gonçalves.[38] Dali a três semanas, *A Federação* anunciou os membros do Partido Republicano que concorreriam a uma cadeira na Assembleia dos Representantes, como era chamado o Legislativo no Rio Grande do Sul. Na lista de postulantes ao cargo de deputado, lia-se o nome de Getúlio Dornelles Vargas.[39] Borges, estava claro, apoiara integralmente sua disposição de trocar a promotoria pela política.

Como as urnas rio-grandenses jamais reservavam más surpresas aos amigos do governo, Getúlio foi eleito com tranquilidade, assim como o amigo Firmino Paim Filho, o que representava o início da ascensão política da geração que esquentara os bancos da Faculdade de Direito e respondera pela redação do *Debate*.[40] Getúlio foi o terceiro candidato mais votado entre os seis deputados eleitos pelo quinto distrito eleitoral do Rio Grande do Sul (o estado era dividido em cinco distritos), obtendo 10153 votos, ficando atrás apenas do então presidente da Assembleia dos Representantes, Manuel Teófilo Barreto Viana (10190 sufrágios), natural de Taquari, e de José Antônio Flores da Cunha (10163 votos), nascido em Santana do Livramento e, mais tarde, um dos nomes de proa, ao lado de Getúlio, da chamada Revolução de 1930.[41]

"Moço, bastante moço, pois conta 25 anos, é já nessa idade, em que parece que os folguedos deviam dominar o espírito, o tipo mais bem acabado do pensador", lia-se no perfil lisonjeiro de Getúlio publicado pelo *Uruguay*.[42]

Na realidade, ele estava com 26 anos, às vésperas de completar 27. A esse tempo, com tal idade, de fato muitos homens já haviam assumido o papel de compenetrados chefes de família ou, pelo menos, entrado no rol dos cavalheiros compromissados. Mas Getúlio não. Ao contrário do que dizia o perfil estampado no jornal de São Borja, ele continuava adepto de um tipo bem específico de "folguedo":

"*Poente* anoitece aos poucos, saudosa dos teus olhos trocados e vadios", escreveu-lhe por essa época João Neves da Fontoura, referindo-se a mais um misterioso codinome feminino.[43]

Pelo disposto na Constituição castilhista do Rio Grande do Sul, a rotina de um deputado nada tinha de excitante.

"Um tribuno morreria de tédio", reconheceria um biógrafo oficial de Getúlio, André Carrazoni.[44]

Eleita em março de 1909, a Assembleia dos Representantes só se reuniu pela primeira vez seis meses depois, em setembro, para a escolha dos membros das comissões internas. Em outubro, começaram os trabalhos propriamente ditos. Conforme previsto no regimento, estes duraram bem pouco, apenas dois curtos meses, seguidos de outros dez meses de recesso parlamentar.[45]

Como as atribuições da Assembleia se resumiam a referendar o orçamento estadual, o plenário ficava vazio na maior parte do tempo. Não havia propriamente debate político, pois as eleições a bico de pena não permitiam à oposição eleger ninguém, embora a lei eleitoral previsse a representação das minorias, à proporção de um deputado por distrito. Para burlar tal regra, o Partido Republicano sempre recorria ao expediente de lançar um candidato "carancho", ou seja, um candidato avulso, oficialmente sem partido, mas ligado ao PRR, que tomava o lugar em tese reservado à oposição.[46] Não sem motivo a Assembleia dos Representantes era apelidada de "duminha", em alusão à Duma, o parlamento russo subjugado pelos tsares.[47] Mesmo a mais leve dissidência era silenciada. Nenhum deputado ousava discordar das orientações gerais do chefe do partido, Borges de Medeiros, maior responsável pela eleição de cada um deles:

"Conhecedor das normas e praxes do Partido Republicano, não viria apresentar à Assembleia um projeto ou uma proposta qualquer se suspeitasse que assim procedendo iria melindrar a orientação do governo do estado", resumiu a questão o deputado Alcides Cruz, em uma das raras sessões da casa.

"Toda a assembleia apoia o governo e jamais procede em desacordo com ele", apartou-lhe o colega Freitas Vale.[48]

Diante de semelhante pasmaceira, nem mesmo o mais retumbante dos oradores encontraria plateia propícia para assomos de eloquência. Getúlio, em quatro anos de mandato, animou-se a subir à tribuna em situações tão episódicas que dariam para ser contadas nos dedos de uma única mão.

"Não costumo ocupar a atenção da Assembleia senão quando a isso me compelem razões fortes", desculpar-se-ia perante os colegas em plenário.[49]

Numa das poucas ocasiões em que pediu a palavra, Getúlio o fez para elogiar a ação diplomática do barão do Rio Branco quando da assinatura do tratado internacional que regulava o direito ao uso compartilhado com o Uruguai das águas da lagoa Mirim e do rio Jaguarão, situados na fronteira entre os dois países.

"Rio Branco, apontando para o mapa do Brasil, poderá repetir a frase de Tácito diante das planícies de Roma — eis o meu poema", compararia Getúlio, sem deixar escapar a oportunidade de exibir o verniz de leitor dos clássicos.[50]

Em outro momento, em outubro de 1910, Getúlio Vargas subiu à tribuna para saudar a chegada dos republicanos ao poder em Portugal, fazendo menção ao episódio que, dois anos antes, servira de prenúncio à derrocada da monarquia lusitana: o assassinato do rei d. Carlos e do príncipe Luís Filipe.

"Ao se dar a tragédia sangrenta do largo do Paço verificou-se que o amor pela monarquia estava morto no coração do povo", discursou o sempre gongórico Getúlio.[51]

Afora isso, solicitou o uso da palavra apenas para defender verbalmente um projeto de lei de sua autoria que previa a isenção de taxas sobre pequenas heranças[52] e, também, para negar os rumores de que estaria em desavenças com um colega deputado, o coronel Marcos Alencastro de Andrade, chefe do partido na cidade de Viamão, conforme insinuara um jornal oposicionista.

"Se alguma intriga existe é a desses traficantes do jornalismo, que vivem a pescar em águas turvas", rechaçou Getúlio.[53]

Era no expediente das comissões internas que residiam os verdadeiros afazeres de um deputado. Também era por ali que circulavam as demandas mais singulares ao cargo. Pelas mãos pequeninas de Getúlio, eleito pelos colegas para a comissão de petições e reclamações, passou uma série de requerimentos para os quais ele precisou elaborar pareceres ora lastreados na legislação, ora no bom senso — ou, talvez fosse melhor dizer, no senso de humor. Certa feita, a professora Ida Kretz, diretora de uma escola de moças em Porto Alegre, solicitou à Assembleia que lhe custeasse uma viagem de seis meses à Europa. O parecer da comissão de petições e reclamações, que levava a assinatura de Getúlio, foi imperativo:

> Não costumando esta Assembleia fornecer subsídio para passeios à Europa, nem podendo avaliar a utilidade que desse passeio feito pela suplicante possa advir ao Estado, é a comissão de petições e reclamações de parecer que não se tome conhecimento do pedido.[54]

A maior parte das solicitações dizia respeito a questões recorrentes: servidores públicos que imploravam por aumentos de salário, negociantes endividados que pediam perdão para débitos com o tesouro estadual, produtores que suplicavam incentivos fiscais. Também era expressivo o número de escritores que pleiteavam ajuda governamental para a publicação de livros e, mais ainda, de pais de famílias que reclamavam apoio oficial para o envio dos respectivos rebentos a escolas no exterior. Um certo senhor Germano Gustavo Röreck, por exemplo, garantia que a filha, Anna Röreck, tinha "extraordinária aptidão e vocação para a pintura". Por esse motivo pedia a subvenção oficial de dois contos e meio de réis anuais — o equivalente a cerca de 20% do valor investido pelo governo estadual no Instituto de Belas-Artes de Porto Alegre — para que a talentosa donzela prosseguisse os estudos em Paris. Getúlio e os demais membros da comissão se negaram a sequer estudar o assunto.[55]

Se os pedidos eram previsíveis, as respostas também obedeciam a um padrão. Dívidas com o fisco, em geral, não costumavam ser perdoadas, em harmonia com o discurso positivista de austeridade financeira. Mas pedidos de isenção temporária de impostos, em nome da industrialização do estado, tinham melhor acolhida. De modo análogo, autorizações para a publicação de livros financiados pelo governo só eram dadas em caráter extraordinário, como no caso do *Annuario do Rio Grande do Sul*, editado com subvenção oficial. Quando os professores F. Mattozo Santos e Balthazar Osório batessem à porta da Assembleia pedindo ajuda para a publicação de seu tratado de *Zoologia Rio-grandense*, receberiam da comissão de petições e reclamações um parecer que, mesmo rotineiro no conteúdo, chamaria a atenção pela ausência de misericórdia na forma: "O requerimento apresentado é destituído de quaisquer elementos asseguradores do mérito da obra e do proveito que ela possa trazer ao estado".[56]

Findo o período do trabalho burocrático na Assembleia, Getúlio retornava imediatamente a São Borja, onde passava a maior parte do tempo e, por isso, montara sua banca de advocacia, improvisando o escritório numa das salas da frente na casa dos pais, no centro da cidade. Para atrair a clientela, fez publicar um anúncio nos jornais:

> Dr. Getúlio Dornelles Vargas
> Tem o seu escritório de advocacia à rua 7 de Setembro.
> Aceita trabalho neste e em qualquer outro foro da República.
> São Borja.[57]

Apesar da informação de que aceitava trabalho "em qualquer foro da República", sua atuação se restringia, na prática, a São Borja e, no máximo, a algumas cidades gaúchas próximas, como Itaqui, São Luiz Gonzaga e Santiago. Muitas vezes Getúlio chegou a advogar de graça, como era comum aos profissionais que queriam consolidar uma base política bastante sólida em seus locais de origem, por meio de uma rede clientelista de favores mútuos. O cotidiano do escritório se concentrava em questões de terra, desavenças de herdeiros, cobrança de pequenas dívidas, demandas da província.[58] Certa vez, Getúlio foi convidado a defender a causa de um estancieiro em litígio com o vizinho de cerca, porque este, pelo fato de não conseguir linha para falar com Porto Alegre sem interferências e ruídos de estática, ficou de tal modo enraivecido que mandou quebrar todos os postes telefônicos que serviam às duas propriedades.[59]

Além do trabalho de coordenação política do Partido Republicano no município, a fronteira proporcionava a oportunidade de bons ganhos financeiros, não necessariamente com a advocacia. Getúlio se tornara sócio do irmão Protásio em uma empreiteira, firma responsável pela implantação das linhas e dormentes da primeira ferrovia ligando São Borja à cidade de Santa Maria, distantes cerca de 300 quilômetros uma da outra. Para ficar à frente da execução do projeto, Protásio pediu dispensa temporária, não remunerada, da chefia de seção na secretaria de Obras Públicas, em Porto Alegre. Previdente, contudo, recorreu à influência do irmão Getúlio junto a Borges de Medeiros.

"Creio ser indispensável, como medida de prudência, pormos o sr. Borges a respeito", ponderou Protásio. "[É preciso] preparar terreno para eu não ficar incompatibilizado de chegar-me ao governo no fim do serviço e, como profissional, apresentar-me candidato a um outro lugar."[60]

Pelo que se compreendia, as relações de Getúlio com o líder Borges de Medeiros eram, até ali, as mais cordiais possíveis. A cada fim de ano, nos períodos de funcionamento da Assembleia, Getúlio agendava intermináveis reuniões com as lideranças partidárias em Porto Alegre. No caso do palácio do governo, além da civilidade devida ao ocupante oficial do cargo, havia um estímulo a mais para as audiências: a decantada beleza da filha do presidente estadual Carlos Barbosa Gonçalves, alcunhada de "Princesa" na correspondência particular entre Getúlio e o amigo João Neves da Fontoura. Em tais cartas, revelava-se que um par de olhos femininos costumava espreitar o simpático deputado Getúlio Vargas pelas cortinas palacianas.

Escreveria João Neves a ele:

Falemos primeiro das Princesas. [...]
   A Tua (repara a heráldica dessa maiúscula) soberba e magnífica, por lá transitava as suas saudades suaves [...]
   Pelo Cássio ouvi dizer que a menina te amava, e muito, que a velha ainda mais o queria e que o velho conhecia o romance.
   Soube mais que, na última visita da Assembleia ao palácio, ela te espiava por uma fresta, e que quando, na ocasião, pediste uma palavra ao velho, a velha percebendo o fato, chamou o Cássio e indagou afobada do assunto, supondo que já fosse o momento do [ilegível].
   E tu, superior e forte, pedias simplesmente escolas para São Borja.[61]

Getúlio, via-se, continuava seduzindo corações. Contudo, na mesma carta, João Neves aludia a um impasse afetivo, que ele, Getúlio, teria que tratar de resolver o mais rápido possível:

"Resta que me digas como vais com a esquiva e pudica açucena missioneira."

João Neves, portanto, ao que tudo indica, não foi pego de surpresa quando o amigo, pouco tempo depois de receber aquela missiva, lhe comunicou que acabara de ficar noivo. O impasse fora resolvido. A "Princesa", com palácio e tudo, fora preterida. A eleita de Getúlio havia sido a "pudica açucena missioneira", mais precisamente a pequena Darcy Sarmanho, que acabara de completar catorze anos. Darcy (em casa a chamavam Dárcy, com a tônica na primeira sílaba[62]) não era uma mocinha exatamente bonita e ainda estava na idade — segundo definia então a revista feminina *Íris* — na qual "a mulher é a crisálida que espera a luz do amor para tornar-se borboleta". Mesmo numa época em que os matrimônios se arranjavam por meio de acordos familiares, era preciso esperar até que ela completasse quinze anos, a idade mínima permitida por lei para o casamento — ou, na definição açucarada da revista *Íris*, a idade "da graça, da harmonia e do amor", depois da qual já estaria apta a "encontrar um coração de homem para dele fazer o seu altar".[63]

Mas uma derradeira sombra de dúvida ainda parece ter pairado sobre o galanteador Getúlio Vargas antes de ele assumir tão grave compromisso:

"Acho-me em estado de crise íntima [...], tendo fatalmente de desfechar ou num aventureirismo agitadiço ou numa harmonia burguesa e tranquilizadora", chegou a escrever a João Neves da Fontoura.[64]

As conveniências da tal "harmonia burguesa e tranquilizadora" cooptaram o eterno namorador. O "aventureirismo agitadiço" nunca seria totalmente reprimido, mas convinha domá-lo por uns tempos. Ao enviar a Getúlio os cumprimentos pela notícia, Maurício Cardoso, ex-colega da Faculdade de Direito, caçoou do amigo que iria abandonar a vida de solteiro:

"Consta que várias meninas vão constituir procurador para impetrar contra ti uma ação de perdas e danos", brincou: "Foste muito cruel. E a ocupação militar do estado?".[65]

Como presente à noiva, a pedido da própria, o deputado Getúlio levou de Porto Alegre um mimo insólito para ocasião tão solene, embora perfeitamente adequado à puerícia da futura esposa: um exemplar do almanaque infantil *Tico-Tico*.[66]

Não houve casamento religioso. O positivismo, que se propunha uma verdadeira "religião científica", cultuava uma "Trindade" composta pela Humanidade, pela Terra e pelo Universo, e tinha dogmas, templos e cultos, sendo o matrimônio um dos principais sacramentos, indispensável aos "sacerdotes", mas facultativo aos "cidadãos ordinários". Mesmo se não quisessem fugir ao receituário de Auguste Comte, Getúlio e Darcy poderiam ter trocado alianças em uma igreja católica, pois o *Catecismo positivista* não proibia o chamado "casamento misto", ou seja, a celebração simultânea em qualquer outro templo religioso, por "deferência pessoal" e "respeito cívico" à noiva, no caso de ela ser proveniente de uma família cristã ou, como diria Comte, de "outra crença atrasada".[67] Mesmo assim, Getúlio e Darcy não subiram ao altar. Oficializaram a união somente em cartório, em 4 de março de 1911.[68]

Getúlio estava sendo coerente. Não era um positivista ortodoxo, embora seu pensamento político devesse contas ao castilhismo. Mas, especialmente, Getúlio não era católico. Um de seus livros de cabeceira nesse tempo era o explosivo *Gesù Cristo non è mai esistito* [Jesus Cristo nunca existiu] do livre-pensador italiano Emilio Bossi que, como sugere o próprio título, discutia a veracidade histórica da existência de Jesus.[69] Aliás, quando foi escolhido orador da turma na Faculdade de Direito, Getúlio pronunciara um libelo contra o cristianismo.

"Foi sobre a ruinaria da civilização greco-romana que desabrochou a flor mórbida do pensamento cristão", discursara. "A moral cristã é contra a natureza humana", "o cristianismo é inimigo da civilização", sentenciara Getúlio. O desapego ao mundo material, proposto pelos evangelhos, o surgimento de uma religião baseada na "abstinência e na renúncia" teria resultado, segundo Getúlio, leitor de Nietzsche, na "apoteose da fraqueza". O cristianismo, considerava ele, significava um retrocesso em relação às "grandes conquistas progressivas da humanidade", um freio ao "ideal superior de força e energia" que teria sido legado à civilização ocidental pela cultura greco-romana. Como se não bastasse, o cristianismo, para Getúlio, "desnatura a grandeza da sexualidade, a força propagadora da espécie, a união dos seres numa transfusão do magnetismo amoroso, considerado como um comércio impuro".[70]

Não parece obra do acaso o fato de tal discurso ter ficado desaparecido durante décadas. Mais tarde, quando se tornasse um homem público de expressão nacional, não interessaria a Getúlio Vargas divulgar o ideário que professara, um dia, na mocidade. Em um país essencialmente católico, aquelas palavras iconoclastas de condenação ao cristianismo permaneceriam convenientemente omitidas da opinião pública por decisão expressa do autor. O discurso, jamais publicado na íntegra, ficaria oculto em seus papéis íntimos, até ser descoberto pela família em um armário fechado à chave, e só bem depois seria incorporado aos arquivos oficiais de Getúlio, sob a classificação de "confidencial".

Quando nascesse o primeiro filho, em 24 de fevereiro de 1912, um ano após o casamento, Getúlio daria munição mais explícita para os futuros desafetos. Registraria o menino com o nome de Lutero, homenagem a Martinho Lutero, o monge agostiniano excomungado pelo papa no século XVI, iniciador da Reforma Protestante. Getúlio sempre descartaria qualquer inspiração religiosa para o fato, atribuindo tal escolha à leitura entusiasmada que fazia de *Os heróis*, do historiador escocês Thomas Carlyle, exatamente quando do nascimento do primogênito.[71] No livro, com um viés historiográfico embasado na vida dos "grandes homens", Carlyle traçava o perfil daqueles que seriam os "modeladores universais de tudo o que a massa geral imaginou fazer ou atingir". Entre os perfilados de *Os heróis* estavam Maomé, Dante, Shakespeare, Rousseau, Cromwell e Napoleão. Mas Getúlio ficara particularmente impressionado com o texto sobre Lutero, definido na obra como "um destruidor de ídolos".[72]

A vida pacata de advogado e pai de família em São Borja em breve seria posta de ponta-cabeça. O nascimento de Lutero coincidiu com a indicação de Getúlio para um segundo mandato consecutivo de deputado. A exemplo da vez anterior, com o devido aval de Borges de Medeiros, a eleição realizada em 20 de agosto de 1913 foi garantida antes mesmo das mesas receptoras procederem à contagem das cédulas eleitorais. Getúlio foi o candidato mais votado no estado, com 76 141 votos.[73] Mas, tão logo foram declarados abertos os trabalhos da nova Assembleia dos Representantes, já na sessão inaugural, em 13 de outubro, o reeleito Getúlio surpreendeu os colegas com uma decisão inesperada: declarou que renunciava à cadeira de deputado. Não assumiria o cargo.

A renúncia, oficialmente, seria um ato de protesto à intervenção estadual nas eleições de Cachoeira, onde haviam sido eleitos para a Assembleia, à revelia de Borges de Medeiros, dois filiados ao PRR que não constavam da chapa oficial: Arlindo de Freitas Leal, conselheiro municipal, e Isidoro Neves da Fontoura, o pai de João Neves, amigo de Getúlio. Borges de Medeiros reservara uma das cadeiras para outra facção do partido na cidade, comandada por um dos mais abastados estancieiros locais, o coronel Horácio Borges. O sobrenome comum do coronel e do chefe republicano não era mera coincidência: Horácio era tio de Borges de Medeiros.[74] Quando o sobrinho viu os nomes indicados pelo tio serem riscados das cédulas do partido, trocados pelos de Isidoro e Arlindo, a indignação familiar se transformou em questão de Estado.

Borges ordenou que, pela disciplina partidária, Arlindo e Isidoro renunciassem aos respectivos mandatos, para que assim imperasse a vontade governamental e a hierarquia da legenda fosse restabelecida. Ambos não tiveram alternativa senão acatar a decisão do chefe. Em solidariedade, Getúlio teria decidido também entregar o cargo, com a justificativa de que em São Borja se dera fenômeno parecido: muitas cédulas eleitorais sufragaram apenas seu nome, em detrimento dos demais candidatos do mesmo PRR.

"Sinto-me compelido a renunciar, como ora renuncio, para que os meus dignos colegas não julguem que eu pretendi ascender às escadarias deste recinto praticando um ato de deslealdade política", explicou Getúlio em plenário.[75]

"O caso é diferente", aparteou um deputado, que recebeu gritos de "apoiado" dos outros colegas, segundo registraram as notas estenográficas daquela tumultuada sessão.

"Os votos a mais que recebi em São Borja foram-me dados espontaneamente, sem que eu os solicitasse", alegou Getúlio. "Não os solicitei a ninguém, do mesmo modo que não solicitei este mandato", prosseguiu, resoluto. "Recebi-o como uma investidura de confiança política ao chefe do meu partido", afirmou. "Mas, uma vez que a minha eleição infringiu as normas da disciplina implantada entre nós, devolvo-o a este mesmo chefe, para que dele faça o uso que lhe aprouver."[76]

Aos amigos, na intimidade, quando indagado sobre o caso, Getúlio seria menos comedido nas palavras:

"Renunciei porque quem muito se agacha perde com a indignidade do gesto o respeito que lhe é devido."[77]

A frase deixava margem para a hipótese de que, na verdade, haveria algo mais em jogo do que a simples solidariedade de Getúlio aos amigos de Cachoeira. E de fato havia. Borges de Medeiros estava incentivando uma disputa política de consequências até então inimagináveis em São Borja. O caso dizia respeito diretamente à honra da família Vargas. Honra que Viriato, o irmão mais velho de Getúlio, viria a lavar com sangue.

6. Desafeto dos Vargas recebe um tiro no ouvido. Ele sabia — e falava — demais (1913-6)

Foi um escândalo. Borges de Medeiros, após retornar oficialmente ao governo do Rio Grande do Sul, sucedendo a Carlos Barbosa Gonçalves e iniciando seu terceiro mandato no cargo, ordenou a ida imediata de um delegado especial a São Borja, com o intuito de realizar uma devassa na cidade. Dias antes, Borges recebera uma grave denúncia contra Viriato Vargas, vencedor das últimas eleições municipais e substituto do pai, general Manuel Vargas, à frente da intendência.

"O senhor Viriato é um deflorador habitual, como é público em São Borja", dizia o documento remetido ao palácio do governo.[1]

Além de citar nominalmente supostas vítimas de estupros e defloramentos que teriam sido praticados por Viriato Vargas, o texto apontava uma série de arbítrios cometidos por ele no exercício do poder municipal. As acusações iam da posse ilegal de terras desapropriadas pela intendência ao alegado envolvimento de Viriato com o contrabando, além de presumidas execuções de desafetos encomendadas a capangas e prepostos.

Entre os crimes de assassinato cuja autoria intelectual lhe era atribuída, constava o de Belizário Corrêa da Silva, homem de confiança do temido coronel João Francisco Pereira de Souza, um velho caudilho de Livramento que tentara montar uma companhia de charque em São Borja, mas fora escorraçado da cidade ao se pôr no caminho dos interesses políticos e comerciais de Viriato. São Borja era pequena demais para conter, ao mesmo tempo, dois homens do naipe de Viriato e João Francisco.

"Eram dois tatus machos na mesma toca", comentava-se.[2]

O fato de ter um indivíduo como João Francisco Pereira de Souza no topo da lista de inimigos — e, em especial, de ter conseguido expulsá-lo da cidade — assoalhava, por si só, o tamanho e a natureza do poder imposto por Viriato sobre a região. Afinal, a fama de sanguinário desfrutada por João Francisco era tão notória que, no Senado, ninguém menos que Rui Barbosa se referira a ele como "a Hiena do Cati".

O apelido, que passaria à história, era decorrente dos flagelos que, dizia-se, haviam sido patrocinados pelo 2º Regimento de Cavalaria Provisório, o chamado Regimento do Cati, encarregado da vigilância da fronteira brasileira com o Uruguai e a Argentina, comandado por João Francisco até 1908, quando foi extinto. Na repressão aos exilados da Revolução Federalista, a Hiena do Cati ordenara uma invasão ao território uruguaio que findara em carnificina, sendo relatados pela imprensa do país vizinho uma série de saques, estupros, orelhas cortadas e degolas. O caso, que provocou grave conflito diplomático entre as duas nações, resultou no pagamento de uma indenização de cem contos de réis por parte do governo brasileiro às famílias das vítimas do massacre.[3]

Se tivera coragem de enfrentar João Francisco — e de supostamente mandar matar-lhe o amigo Belizário Corrêa da Silva, que no dia do crime conduzia uma tropa com destino à charqueada do coronel —, era porque Viriato Vargas já passara de todos os limites do recato na condução política de São Borja, acusava o denunciante que escrevera a mensagem a Borges de Medeiros.

"Não temo devassa", telegrafou Viriato ao irmão Getúlio. "Um homem de bem, que por mera dedicação ocupa um lugar [com] sacrifícios não pode estar exposto a vexames, devassas e acusações [do] primeiro que aparece", indignou-se Viriato.[4]

A despeito do que protestava o telegrama, o autor daquele arrazoado de incriminações não era um observador recente, mas um velho conhecido dos irmãos Getúlio e Viriato Vargas. Tratava-se de Benjamin Torres, o mesmo que dezesseis anos antes auxiliara Viriato na fuga de Ouro Preto, logo após a morte do estudante paulista Carlos de Almeida Prado. À época, Benjamin fora bem recompensado. Por gratidão, o general Manuel Vargas o recomendara ao senador Pinheiro Machado, que por sua vez lhe conseguira um emprego na Secretaria de

Obras Públicas, com salário folgado o bastante para que pudesse concluir com tranquilidade os estudos superiores em Porto Alegre. Benjamin, disposto a mudar de ares e de carreira, desistira do curso de Engenharia que iniciara em Ouro Preto e ingressara na Faculdade de Medicina da capital rio-grandense. Uma vez formado, casou-se — tendo apresentado ao sogro uma carta de recomendação assinada por Manuel Vargas — e abriu consultório médico em São Borja, onde até aquele momento vivera sob a proteção do general.[5]

Todavia, as mesuras mútuas tiveram fim desde o dia em que se desconfiou de um conjecturado assédio de Viriato Vargas à bela Acindina Ferrugem Torres, mulher de Benjamin, mais conhecida pelo apelido de Pepita. No aniversário da garbosa dona Pepita, Viriato a presenteara com um vestido caríssimo, importado. O mimo pareceu exagerado aos olhos do marido da aniversariante. Para expressar seu incômodo, Benjamin decidiu expedir ao amigo um recado indireto, embora facilmente decifrável: ofertou à mulher de Viriato, Maria Balbina, um vestido mais caro ainda. O mal-estar entre ambos se tornou evidente.[6]

O rompimento definitivo veio quando Viriato passou a disseminar entre os parentes a hipótese de que Benjamin Torres estivesse fazendo a função de agente duplo em São Borja: bancando o mal-agradecido, ele traficaria informações confidenciais dos Vargas, levando-as sorrateiramente aos rivais Escobar.[7] Atingido pela desconfiança, despojado de todas as regalias, Benjamin resolveu soltar a língua e tornar públicas na cidade as presumidas delinquências de Viriato no cargo de intendente.

O que os Vargas talvez não esperavam era que Benjamin fizesse chegar as mesmas denúncias, por escrito, diretamente à mesa de Borges de Medeiros, na forma de uma representação pública. Quando o assunto passou a ser ventilado na imprensa de Porto Alegre, o caso ganhou amplitude e provocou comoção geral em São Borja. A chegada ao município do delegado especial enviado pelo governo tirou o sono de uns e causou excitação em outros. Com o emissário, Borges remeteu um destacamento da Brigada Militar, prevendo que o desassossego pudesse resultar em conflito armado entre as partes envolvidas.[8]

"A minha missão se tornou seriamente perigosa", escreveu o delegado especial Amaro de Campos Pereira no relatório enviado a Porto Alegre. Ele dizia temer a "explosão dos ódios" e o "sacrifício de vidas". Por isso, uma das primeiras providências foi demitir o chefe de polícia de São Borja, Deoclécio Dornelles Mota, filho de dona Zulmira Dornelles, irmã de Candoca. Deoclécio, segundo o mesmo relatório, estaria apavorando as testemunhas, ameaçando-as de morte caso ousassem depor contra o primo Viriato.⁹

A destituição do chefe de polícia e o desembarque dos homens da Brigada Militar na cidade revoltou Viriato Vargas, que se sentiu vilipendiado em sua autoridade. Antevendo o choque iminente, o emissário de Borges se entendeu com Getúlio — no seu conceito, "o mais ponderado" entre os Vargas — para negociar o afastamento temporário de Viriato da cidade, pelo menos enquanto durassem as investigações.

Viriato — um "espírito irrequieto" e "facilmente explosivo", de acordo com o relatório de Campos Pereira a Borges de Medeiros — atendeu ao irmão e recolheu-se a uma chácara fora da zona urbana. Do mesmo modo, Pereira conseguiu que Benjamin Torres se abrigasse no quartel do sexto regimento, sediado em São Borja, para que lhe fossem oferecidas ali as devidas garantias de vida, conforme solicitara em caráter oficial. Sob o título "As infâmias de um crápula", o *Uruguay*, jornal favorável aos Vargas, protestou:

> Covarde e vil, Benjamin Torres, após haver atirado ao povo desta terra, secundado por três ou quatro repugnantes indivíduos sem virtude e sem moral, todo o lodo existente na pantanosa cloaca de sua alma de Judas, foi apresentar-se ao delegado especial mendigando miseravelmente garantias de vida.¹⁰

A virulência daquelas palavras davam conta da tensão que imperava na cidade. Tão logo começou a convocar as testemunhas arroladas no inquérito, Campos Pereira percebeu que seria difícil arrancar delas alguma informação relevante. A maioria chegava ao local assustada, algumas aos prantos, temerosas de represálias contra si e familiares. O delegado especial resolveu mudar de tática e foi surpreendê-las em suas próprias casas, ouvindo-as sem intimação prévia, o que impedia os ameaçadores de saber o horário e o dia em que as testemunhas prestariam declarações.¹¹ Durante um mês inteiro de inquirições em São Borja, consubstanciou-se um alentado conjunto de provas circunstanciais contra Viriato.

Revelou-se, de modo particular, que o irmão de Getúlio manteria, em frente ao hospital municipal, uma casa mobiliada unicamente com cama, tapete e guarda-roupa, utilizada para encontros fugazes com moças da cidade, inclusive menores de idade. A casa, toda murada, com entrada paralela por uma rua que dava para um matagal, oferecia a possibilidade de se entrar nela de soslaio, longe do olhar dos bisbilhoteiros.[12] No relatório oficial, constou entre outros casos o nome de uma menina de apenas catorze anos, cujo pai teria recebido, em troca da "honra" da filha, uma residência no centro de São Borja e o emprego de zelador na praça pública da cidade.

"A certeza é de que realmente foi o coronel Viriato Vargas o deflorador, com o consentimento da família da vítima", registrou Campos Pereira.

Outra garota, também citada pelo nome na representação de Benjamin, negou que tivesse mantido qualquer espécie de relação com Viriato. Dizia-se virgem, embora um exame médico solicitado posteriormente revelasse que ela, nos dizeres do relatório oficial, já fosse "poluída pela cópula". Uma terceira moça assumiu que fora dezenas de vezes à casa onde funcionava o "ninho de amores de Viriato" — conforme se referia o relatório —, na companhia de uma amiga. Segundo apurou o delegado especial, o *modus operandi* era sempre o mesmo: o chofer de um carro de aluguel atraía as vítimas e, com as luzes do veículo apagadas, as conduzia até o local, mediante generosas promessas.

"Viriato prometeu-lhe três contos de réis e uma casa mobiliada", referia-se o relatório a um quarto caso, o de uma menina, irmã de um barbeiro, que ao contrário das demais teria se negado a aceitar a oferta indecorosa.[13]

Havia acusações de abusos de outra natureza. Aproveitando-se da ausência do juiz da comarca, que viajara para fora da cidade, Viriato Vargas, acompanhado de um funileiro, teria invadido a casa do juiz e violado o conteúdo de caixas metálicas que continham arquivos jurídicos destinados aos tribunais de Porto Alegre. Depois de ter remexido os papéis e retirado os documentos que lhe interessavam, Viriato determinara que o funileiro soldasse novamente as caixas, sem maiores cuidados para disfarçar as evidências do delito, tão certo estaria da impunidade.[14]

Quanto às acusações de contrabando, o relatório do delegado especial apontou a ocorrência, "pública e notória", de pelo menos uma grande entrada então recente de comércio ilegal em São Borja, coordenada pelo ex-delegado Deoclécio Dornelles Mota, com a alegada anuência de Viriato. Nove carretas, abarrotadas de mercadorias de procedência ilícita, haviam sido depositadas na casa do próprio Deoclécio. Os embates recorrentes entre os guardas aduaneiros e a força policial de São Borja já teriam motivado inúmeros conflitos. Um deles resultara na morte de um guarda encarregado de reprimir o contrabando, indicou a investigação.[15]

Embora não houvesse apurado nada de concreto em relação a algum caso de assassinato a mando de Viriato, o relatório do delegado especial era sólido o suficiente para provocar o indiciamento do acusado por roubo de documento público, sedução de menores e prática de comércio ilegal na fronteira. Ao tomar conhecimento do teor das acusações, na qualidade de irmão e advogado de Viriato, Getúlio se apressou em escrever longa carta a Borges de Medeiros. O tom, como se podia imaginar, era de indignação:

> Se algum defeito ele [Viriato] tem, para os adversários, é ser um temperamento resoluto e enérgico, fazendo uma administração de trabalho e economia, organizando um partido forte e inteiramente submisso à direção de Vossa Excelência.[16]

Getúlio evocava a fidelidade partidária para persuadir Borges de que as pessoas ouvidas em depoimentos pelo delegado especial não tinham idoneidade para atacar ninguém. A tática era desqualificar as testemunhas, definidas por Getúlio de "dois ou três indivíduos sem nenhuma imputabilidade, juntamente com duas ínfimas rameiras, compradas para depor". O próprio emissário do governo, alegou Getúlio Vargas, não mereceria confiança, já que teria demonstrado uma "manifesta parcialidade", "viciando de origem o inquérito, pelo seu ostensivo apoio aos acusadores". Getúlio apontava a existência de interesses políticos escusos e contrariados por trás das graves denúncias contra o irmão. Benjamin Torres — "indivíduo de incalculável perversão moral", definiu — estaria a serviço dos Escobar, uma família que, segundo Getúlio, tinha por vício o "culto ao dinheiro".

"Compreendo que não é intuito de Vossa Excelência entregar São Borja a gente dessa natureza, precipitando o município em uma luta cujas consequências são difíceis de prever", escreveu na carta a Borges.[17]

Pelo que se lia, Getúlio estava temeroso de que Borges de Medeiros pudesse aproveitar o episódio como desculpa para promover a alternância política em São Borja. A tática era conhecida. Na matemática partidária de Borges, às vezes dividir os subordinados era melhor que somá-los. As rivalidades internas do PRR nem sempre eram evitadas ou combatidas, mas em certas ocasiões eram até mesmo incentivadas pela cúpula. Ocorrera assim em Livramento, quando o poderoso João Francisco, a Hiena do Cati, acabou destituído do comando municipal em favor de uma nova facção do PRR, comandada pela família Flores da Cunha. Era sempre a mesma forma ardilosa de Borges de Medeiros preservar a autonomia do governo estadual, às custas de premeditadas viradas de mesa no âmbito dos municípios. Sempre que uma facção local apresentava o risco de escapar-lhe ao domínio, Borges cuidava de oferecer munição para outra, contrabalançando a situação.[18]

A verdade é que o líder estadual do Partido Republicano nunca dispensara maior confiança a Viriato. Antes mesmo da eleição que conduzira o primogênito de Manuel Vargas ao poder municipal, Borges manifestara seu desconforto com a indicação do impulsivo Viriato como candidato oficial do PRR.

"Não vejo outro nome para exercer esse cargo, uns por falta de capacidade, outros porque iriam causar desgostos e provocar cisões no seio do partido", tentara convencê-lo, à ocasião, Manuel Vargas.[19]

Precavido, Borges de Medeiros esperou a hora certa de agir e terminou por aceitar a condução de Viriato à intendência são-borjense. Porém, Borges parecia convicto de que os Vargas se mostravam altivos demais. Pela lógica borgista, era chegada a hora de lhes podar as asas. Benjamin Torres fornecera a Borges de Medeiros o pretexto para que levasse a cabo os planos de alternância municipal. Dada a enxurrada de evidências contra Viriato, Borges sugeriu a realização de novas eleições e concedeu aos Vargas a possibilidade de uma saída honrosa: a renúncia imediata de Viriato ao posto de intendente, em troca da permanência de Manuel Vargas como líder do PRR em São Borja. Seria uma liderança enfraquecida, apenas simbólica, pois o governo estadual iria pôr em ação uma reviravolta na titularidade dos principais cargos públicos da cidade, retirando da cota dos Vargas o direito de nomeação do escrivão de registro eleitoral, do juiz distrital e das autoridades policiais. De um único golpe, Borges quebrava a espinha dorsal da soberania dos Vargas em São Borja.[20]

Em Porto Alegre, Getúlio atuou como mediador da querela. Quando telegrafou ao pai informando os termos do acordo proposto por Borges, a reação de Manuel Vargas foi de revolta.

"Isso será provocar agitações estéreis", estrilou o general.

Manuel aceitava a hipótese de renúncia do enrascado Viriato à intendência, mas rechaçava a ideia de uma nova eleição. Até então, os Vargas dispunham de ampla e histórica maioria dos sufrágios no município. Mas, com a substituição dos funcionários encarregados de organizar as mesas eleitorais, a certeza da vitória ficava seriamente comprometida.

"A solução deve ser a legal, governar o resto do tempo o vice-intendente", contestou Manuel Vargas. "O doutor Borges perdeu a confiança no seu velho soldado?", impacientava-se o general, em mensagem telegráfica ao filho.[21]

Naquele momento crítico, deve ter pesado a favor dos Vargas uma carta enviada a Borges de Medeiros por Salvador Ayres Pinheiro Machado — vice-presidente do Rio Grande do Sul e irmão do senador Pinheiro Machado —, na qual se recomendava cautela na condução do caso:

> Esse nosso companheiro [Manuel Vargas], cujos serviços o senhor bem conhece e cujo caráter eu avalio pelas antigas relações que com ele mantenho, é o homem que pode trazer a confiança e tranquilidade ao seio do partido.[22]

Era uma clara demonstração de solidariedade ao velho camarada Manuel Vargas, o que confirmava o prestígio do general junto ao círculo íntimo do senador Pinheiro Machado, que a essa altura já era considerado o presidente de fato do país, manobrando o governo federal com o apoio das demais oligarquias estaduais. Borges de Medeiros decidiu seguir os trâmites previstos em lei: o vice-intendente de São Borja, coronel Antônio Garcia da Rosa, aliado do general Vargas, assumiria o cargo após a renúncia de Viriato. Borges, contudo, cederia no varejo para faturar no atacado: usou do que lhe facultava o texto legal e substituiu todos os funcionários públicos com poder de mando em São Borja.

No fim, entre perdas e ganhos, o acordo seria oportuno para ambas as partes. Em 12 de janeiro de 1914, Manuel Vargas anunciou oficialmente, por meio de um panfleto intitulado "Esclarecimento ao eleitorado", que o filho renunciava "de modo espontâneo" à intendência de São Borja. Alegou-se que Viriato estava com a saúde depauperada e que precisava de repouso.[23] Logo depois, o relatório oficial de Amaro Campos Pereira virou letra morta e o inquérito contra Viriato Vargas foi arquivado pelo governo do estado, a despeito da gravidade das denúncias.[24]

Mas o conchavo não resolveu a celeuma em definitivo. Apenas adiou um conflito que se sabia inexorável. Instaurou-se em São Borja a atmosfera de paz armada. Sem mandato e sem mais nada que o prendesse a Porto Alegre, Getúlio retornou à cidade, onde só saía à rua prevenido contra possíveis ciladas. Na pequena bolsa em que costumava transportar os charutos, começou a conduzir também um revólver. A mulher, Darcy, temia pela sorte do marido. Ela, que mal saíra do resguardo de um segundo parto — do qual nascera a menina Jandira, referência à heroína do romance *Ubirajara*, de José de Alencar[25] — estava novamente grávida, outra vez de uma menina, a que viria a se chamar Alzira. Darcy não esquecia de conferir se o marido levava a arma consigo a cada vez que o via abrir a porta para sair de casa:

"Esqueceste o teu revólver!", alertava-o, alarmada diante da hipótese de uma viuvez precoce.²⁶

Para os amigos que assistiam a tudo de relativa distância, Getúlio estava sendo tragado de modo constrangedor para o lodaçal da pequena política.

"Lamento a situação que a politicagem criou para o meu amigo nessa localidade", escreveu-lhe Ribeiro Dantas, seu ex-professor de Direito Criminal. "Mantenho, porém, a esperança de que conseguirá, por fim, desprender-se das engrenagens que aí o retêm", expressou-lhe o velho mestre.²⁷

"Hoje, a política para ti é um grande mal", definiu o colega Armando Porto Coelho, exibindo decepção semelhante. "[Você] está desviando a ação para o terreno estéril da politicagem de aldeia."²⁸

O mesmo pensava João Neves da Fontoura:

"De ti não tenho notícias precisas, sei apenas que [...] às vezes atiras na fogueira da politicagem local a tua acha de lenha."²⁹

Nas três missivas, a mesma palavra: politicagem. Getúlio era obrigado a concordar com os amigos, conforme deixou demonstrado em uma carta ressentida, escrita, segundo registrou, em uma cinzenta manhã de chuva em São Borja:

> A minha vida aqui se paralisa, chumbada a um mesquinho conflito de ambições aldeãs, pequeninas, rancorosas e nauseantes. Sem nada que me atraia, não posso, por dever moral, me desembaraçar delas. Apenas, de quando em vez, a necessidade de ação, exigindo um dinamismo de energias, desvia-me dum horizonte sem relevos, onde só se ouvem os mexericos das comadres.³⁰

Esporadicamente, visões de um passado idílico também chegavam com o malote do correio em São Borja. João Neves da Fontoura deparara-se por acaso, em Porto Alegre, com Alzira Prestes, a inatingível Dama de Vermelho. Neves a viu caminhar pela praça da Alfândega de braços dados com o marido telegrafista.

"Fiquei ali algum tempo a esperar que tu aparecesses do outro lado da rua, com o indefectível charuto nos beiços", brincou João Neves, narrando a cena a Getúlio. "Ainda fiquei algum tempo a pensar que aquele anacronismo sentimental dava bem a medida de nossos destinos", continuou, para se permitir uma inconfidência: "Nenhum de nós casou com quem pensava amar. Falhamos todos um pouco — uns por falta de voo, outros por impulsividade."[31]

Cartas como aquela não ajudavam a levantar o ânimo de Getúlio. Deprimido, ele chegou a anunciar ao amigo Firmino Paim Filho, então chefe de gabinete de Borges de Medeiros, a intenção de permanecer em São Borja o tempo que fosse necessário para ajudar politicamente o pai. Em seguida, abandonaria a vida pública para sempre:

> Temos elementos mais que suficientes para disputar uma eleição. Trabalharei até lá, para a votação de um candidato digno de todos os pontos de vista. Depois disso me retirarei da atividade política, onde nada mais pretendo, nem espero. Esta resolução é o segredo que confio a ti — o meu melhor amigo.
>
> [...]
>
> Abraços do amigo certo,
> Getúlio[32]

Mortificado com a notícia, Firmino Paim Filho tentou dissuadi-lo daquele intento:

"Semelhante resolução seria um duplo crime, praticado contra o Rio Grande e contra ti próprio", escreveu-lhe Paim, recomendando a Getúlio retornar o mais rápido possível à capital do estado, para se entender pessoalmente com Borges de Medeiros a respeito da questão de São Borja. Em uma conversa frente a frente, imaginava o amigo, chegariam a um consenso.[33] A sugestão, entretanto, foi rejeitada por Getúlio, de forma categórica:

"Por muita vontade que eu tenha de rever a vida de Porto Alegre, de abraçar a ti e alguns poucos amigos, não pretendo voltar aí na atitude de pedinte", explicou Getúlio. "Sinto que regressei daí politicamente humilhado e diminuído", avaliou.[34]

Logo viriam demonstrações de que Getúlio e sua família haviam mesmo caído em desgraça junto a Borges de Medeiros. As indicações de aliados dos Vargas para cargos da administração no município foram seguidamente indeferidas pelo governo. Em contrapartida, os novos funcionários nomeados para São Borja começaram a frequentar, sem cerimônia, reuniões políticas organizadas pelos Escobar.

"O juiz distrital parcializou-se de tal modo que não posso mais confiar na justiça de seus atos", queixou-se o general em carta a Borges.

O escrivão de registro eleitoral, responsável pela elaboração das listas de votação nos distritos da cidade — "um verdadeiro energúmeno", nas palavras de Manuel Vargas —, também se revelou simpático aos dissidentes.

"O que ficará para a velha guarda do partido republicano, esmagadora maioria política do município? Uma chefia nominal para mim, simples figura decorativa?", exasperava-se o pai de Getúlio.[35]

Borges de Medeiros, estava claro, apostava na ambiguidade. Poucos meses depois, ao perceber que oferecera corda demais a Rafael Escobar, passou a autorizar nomeações de apadrinhados dos Vargas para cargos públicos.

"Fez-se o concurso para a mesa de rendas, sendo nomeados os candidatos do general Vargas, não obstante absolutamente incompetente um e irremediavelmente doente outro", reclamou Escobar em mensagem ao presidente do estado.[36]

Os concursos eram de fachada, todos sabiam, e Borges seguia nomeando quem bem entendia, dividindo as forças, sem entregar o controle total do município a nenhum dos dois lados.

"Uma só palavra de Vossa Excelência seria o bastante para terminar este estado de coisas", clamava, em vão, Manuel Vargas, em cartas tão queixosas quanto quilométricas.[37]

O efeito colateral daquela estratégia de Borges — oferecer com uma mão para tirar com a outra — foi a radicalização dos antagonismos.

"A situação política aqui vai tomando um aspecto alarmante, crescendo dia a dia a arrogância e o atrevimento dos dissidentes", comunicou o general Vargas, denunciando a formação de bandos armados em São Borja, patrocinados pelos adversários. "Um grupo de cafajestes, contrabandistas e carregadores, que percorrem as ruas de revólver em punho, dando morras e gritos subversivos", definiu o general.[38]

Na realidade, não era apenas a família Escobar que passara a arregimentar capangas para fazer frente aos contendores. Viriato andava permanentemente acompanhado de ferozes guarda-costas. Getúlio, além do próprio revólver, também não dispensava mais a companhia de um segurança armado. Um dos homens que passara a lhe fazer escolta atendia pelo nome de Godofredo. Mesmo um admirador confesso de Getúlio, Paul Frischauer, outro de seus biógrafos oficiais, não economizaria palavras para descrever a carantonha do indivíduo, a quem conheceu pessoalmente:

> Minha impressão pessoal do senhor Godofredo foi a de que era preferível tê-lo como amigo do que como inimigo. Diante de sua dentadura, a do mais forte lobo das estepes siberianas ficaria envergonhada. Estou certo de que ele poderia ganhar a vida, em qualquer circo do mundo, só com a exibição de seus dentes e, também, de suas mãos.[39]

Nem só de revólveres e peitos-largos, contudo, consistia a guerra travada entre os Escobar e os Vargas. As palavras em letra de fôrma também forneciam munição de alto calibre. Os dissidentes haviam fundado um jornal, *O Missioneiro*, para fustigar o inimigo com nova carga de denúncias. Entre outras tantas, levantou-se a suspeita de que Getúlio Vargas ludibriara uma senhora às portas da morte, Felismina Lago, fazendo-a assinar uma procuração para que ele próprio, Getúlio, se beneficiasse de uma medição irregular dos terrenos que pertenciam à velha e que estavam destinados a ser divididos entre os filhos da moribunda. Um "informante", segundo o jornal, convencera dona Felismina a levantar da cama e fazer o protesto pela imprensa.[40] O caso era requentado e já havia sido objeto de inquérito, sem que fossem encontradas irregularidades nos documentos da medição.

"Há pessoas que têm exalações mefíticas pelo nariz, e tudo o que avistam lhes cheira mal. O defeito não está nos autos, está nas ventas do informante", rebateu Getúlio pelo *Uruguay*, perdendo o tradicional comedimento.[41]

Se até um homem fleumático como Getúlio Vargas acusava os golpes daquela forma, não demoraria muito para alguém intempestivo como Viriato perder de vez a cabeça. Na manhã de 22 de fevereiro de 1914, em frente a uma concorrida barbearia de São Borja, ele se deparou com o imigrante Orestes Cazzi Borroni, morador da cidade, que escrevera um artigo contra sua administração no *Stella d'Italia*, jornal da comunidade italiana em Porto Alegre. Depois de indagar se Borroni confirmava a autoria do texto e ouvir a consequente resposta positiva, Viriato partiu para cima do sujeito e lhe aplicou uma série de bengaladas na cabeça, deixando-o ferido, com escoriações à altura das orelhas.[42]

O delegado decidiu pela prisão do agressor, que acabou solto após Getúlio pagar a fiança estipulada em 800 mil-réis. O processo, contudo, seguiu na justiça, encaminhado ao Tribunal do Estado, com o réu obtendo o direito de respondê-lo em liberdade. Para preparar a defesa do irmão, Getúlio baseou-se na tese de que Rafael Escobar estava incitando os humores da cidade inteira contra Viriato e que as testemunhas oculares haviam mentido sobre a agressão em frente à porta da barbearia. Borroni simplesmente inventara a história e forjara os ferimentos, incentivado por Rafael Escobar, alegava a linha de defesa proposta por Getúlio.

"Afinal de contas, quem é Rafael Escobar?", indagava o editorial do *Uruguay*. "Ex-federalista, ex-democrata, ex-civilista, provisoriamente castilhista. Um malabarista político que aos trinta anos já percorreu toda uma gama de sensações, que muda de ideias como quem troca de camisa, borboleteando por sobre as estratificações partidárias com a frívola leviandade de uma cortesã", qualificava o jornal.[43]

Enquanto o caso das bengaladas ainda tramitava na justiça, o advogado Getúlio Vargas precisou concentrar a atenção em uma ocorrência milhares de vezes mais explosiva envolvendo o irmão. Além de todas as denúncias que já fizera, Benjamin Torres ameaçava contar barbaridades ainda maiores que dizia saber a respeito de Viriato. Em combinação com Rafael Escobar, Benjamin prometia reabrir o antigo caso de Ouro Preto.

"Em Minas, estão promovendo a extradição do nosso caro Viriato", advertiu Firmino Paim Filho, que obtivera informações privilegiadas a respeito do assunto dentro do próprio palácio do governo. "Ele [Viriato] deve tomar todas as precauções a fim de que não seja tomado de surpresa", acautelou Paim. "Eu, aqui, ficarei de atalaia, mas ele não deve de maneira alguma se descuidar. Esta carta é confidencial e para teu governo", avisou.[44]

"Benjamin Torres e Rafael Escobar, de comum acordo, levantaram uma questão, com o fito de se volver coisas passadas e provocar escândalos", escreveu um aflito Manuel Vargas a Borges de Medeiros, revelando que, à época dos acontecimentos de Ouro Preto, a família contara com o providencial amparo de Júlio de Castilhos.[45] "O falecido dr. Júlio de Castilhos me apoiou francamente nesse angustiado transe, recomendando-me a amigos seus em Minas", expôs o general.[46] Segundo Manuel Vargas, as discórdias em São Borja estavam enveredando por um caminho bem perigoso: "Benjamin Torres continua um elemento perniciosíssimo. Se V. Excia. conseguisse tirá-lo daqui com a promessa de qualquer emprego, suponho tudo acabaria", sugeriu.[47]

Uma década e meia depois, o esqueleto do estudante paulista Carlos de Almeida Prado voltava para assombrar o solar dos Vargas. Se um simples artigo de jornal, lido apenas por um punhado de imigrantes italianos, tirara a tranquilidade de Viriato, qual reação teria ele diante da notícia de que Benjamin Torres estava desencavando o nebuloso episódio de Ouro Preto dos arquivos dos tribunais mineiros?

Benjamin era o homem que sabia demais. E só havia uma forma de silenciá-lo.

Os dois homens mal-encarados entraram na farmácia que servia de consultório a Benjamin Torres, na esquina das ruas General Osório e Cândido Falcão, por volta das oito e meia da manhã daquele 12 de março de 1915. Um deles, de poncho, estava com o pé enfaixado. Quando avistaram por trás do balcão a figura de Benjamin, travaram um rápido diálogo, segundo afirmariam depois na polícia as testemunhas da cena:

"Este aí é que é o doutor Benjamin?", indagou o primeiro.

"É", confirmou o segundo.[48]

O que havia lançado a pergunta aproximou-se do balcão e disse ao médico que precisava se consultar, apontando para o pé envolvido em faixas de gaze. Benjamin não reconheceu aquele homem que lhe dirigia a palavra de modo pouco amistoso. Nunca o vira antes em São Borja. Mas sabia que o outro era João Antônio da Silva, o João Gago, um dos peões de Viriato Vargas, com larga fama de desordeiro na cidade. Precavido, mandou que esperassem um pouco, enquanto atendia o paciente que chegara primeiro, uma criança que, acompanhada da mãe, apresentava sintomas de difteria. Como intuísse que aquela dupla não aparentava boas intenções, Benjamin puxou o coldre que levava à cintura para a frente das calças, deixando bem à vista o cabo do revólver.

Com a intenção de mostrar calma, Benjamin tirou o charuto da boca e o depositou tranquilamente na beirada de uma prateleira, mas ficou em estado de alerta. Ao lado dele, o também médico José Chioretti, imigrante austríaco morador de São Borja, se entretinha na leitura de um jornal. O dono da farmácia, Amando Mota, estava na sala contígua, preparando uma seringa para a injeção receitada à criança. Por um milésimo de segundo, Benjamin Torres desviou a atenção dos dois visitantes suspeitos. Foi o quanto bastou para que um deles, o do pé enfaixado, se aproximasse ainda mais do balcão, puxasse uma arma por baixo do poncho e, à queima-roupa, acertasse um tiro na cabeça de Benjamin.

Era serviço de profissional. A bala entrou na base do ouvido direito, varou todo o crânio e saiu espirrando sangue do lado esquerdo, matando Benjamin Torres na hora. Enquanto o dr. Chioretti e o farmacêutico Mota corriam para acudir a vítima, os dois homens responsáveis pelo crime dispararam porta afora. Montaram às pressas em seus cavalos e galoparam a toda pela rua, em direção a uma das saídas da cidade. O autor do tiro, com a arma fumegante ainda em punho, ameaçava os que inadvertidamente se punham à frente dele, atrapalhando-lhe a fuga. Um dos transeuntes que os viu passar chispando em frente à casa de Manuel Vargas jurou à polícia ter ouvido um deles anunciar à meia distância ao general, que estava à calçada:

"Matei! Está morto!"[49]

Segundo a mesma fonte, o general Vargas, que estava à calçada, sem dizer uma só palavra, simplesmente se voltou, abriu a porta e entrou em casa.

Um automóvel, oferecido por um particular ao comandante da Brigada Militar, partiu no encalço dos criminosos. Ao ter notícia do que acontecera na farmácia de Armando Mota, um velho amigo de Benjamin Torres, Ignácio Corrêa de Sá, adversário político dos Vargas, emprestou também uma tropa de cavalos e alguns funcionários de seu rancho para ajudar na perseguição. Não foi difícil seguir os rastros que os dois bandidos deixavam para trás. Ao seguir as marcas de ferradura na estrada, sem parar para descanso, os perseguidores aos poucos foram diminuindo a vantagem dos fugitivos. Em uma estalagem ao meio do caminho, souberam que João Gago e seu companheiro haviam passado pouco antes por ali, tomado alguns goles de cachaça e seguido em frente. Tudo indicava se dirigiam para os lados da chácara de Viriato Vargas.

Justamente lá, na propriedade de Viriato, foram encontrados, já desmontados, recolhendo os cavalos ao cocho. Quando o homem que atirara em Benjamin percebeu a aproximação dos que vinham prendê-lo, esboçou reação. Apontou-lhes uma carabina e puxou o gatilho. A arma, porém, negou fogo. O pistoleiro sacou então o revólver da cintura e fez posição de tiro. Como resposta, recebeu uma saraivada de balas dos oponentes. Em desvantagem, não viu saída senão correr. Não conseguiu ir muito longe. Alguns metros adiante, tombou com as costas cravejadas por cerca de oito projéteis simultâneos. Percebendo-se sozinho, João Gago pôs as mãos para o alto e pediu que não o matassem também. Rendido, foi preso e levado de volta para o centro de São Borja. Na cadeia, contou sua versão para o crime.

De acordo com o que narrou João Gago na delegacia, o autor material do assassinato, morto na perseguição, respondia pela alcunha de João do Burro. Era um forasteiro, recém-chegado a São Borja. Gago o conhecera apenas dois dias antes, bem na casa que Viriato Vargas utilizava para encontros amorosos. Na véspera do crime, Viriato ordenara que João Gago fosse na manhã seguinte, bem cedo, com o tal João do Burro até a farmácia de Armando Mota. Lá, deveria apontar ao acompanhante quem era Benjamin Torres. No depoimento à polícia, Gago garantiu que sua participação no episódio se resumira a isso. Segundo alegou, não tinha conhecimento prévio da intenção do comparsa, que só depois, na fuga, teria lhe contado que fora contratado para eliminar Benjamin, a mando de Viriato, recebendo cinco contos de réis pelo serviço.[50]

Com base no depoimento de Gago, foi decretada a prisão preventiva de Viriato Vargas, que se encontrava em destino ignorado. Desde a véspera do crime, desaparecera da chácara onde antes ficara recolhido por recomendação de Getúlio. Enquanto se buscavam notícias sobre o paradeiro de Viriato, a casa do general Manuel Vargas foi cercada por uma multidão e por tropas da Brigada Militar, que por ordens da chefatura de polícia de Porto Alegre enviara para São Borja 22 homens do destacamento estacionado na cidade de Itaqui.[51] As notícias que corriam eram desencontradas. Uns diziam que a Brigada estava ali para impedir que a casa fosse invadida por gente disposta a fazer justiça com as próprias mãos. Outros espalhavam que a Brigada, ao contrário, estaria se preparando para invadir a residência do general, ao que a população se mostrava pronta para defendê-la. Lá dentro, a hipótese de uma invasão policial também pairava no ar.[52]

Enquanto isso, de Porto Alegre, Borges de Medeiros telegrafava para garantir aos Escobar que o crime seria punido exemplarmente: "Lamentando assassinato dr. Benjamin Torres, asseguro-vos Justiça saberá punir criminosos quaisquer que sejam. Determinei severas diligências para esse fim", dizia a mensagem.[53]

"O velho Borges queria acabar com a nossa família", recordaria anos depois Lutero Vargas, o filho mais velho de Getúlio. "Eu devia ter uns cinco anos", diria ele, puxando pela memória, ao lembrar que a família chegou a distribuir munição para responder ao possível ataque que, afinal, não veio.[54]

São Borja parou por completo. Lojas, armazéns e empórios cerraram as portas com receio de saques e quebra-quebras generalizados. Muitos moradores também se trancafiaram em casa, pelo temor de servir de alvo aleatório em um possível fogo cruzado. O corpo de Benjamin Torres foi velado debaixo de forte tensão, sendo embalsamado e transferido em trem expresso dois dias depois para Porto Alegre, onde foi sepultado sob intenso clamor público.[55]

De mão em mão, cópias de um poema anônimo passaram a circular em São Borja, sob o título "Morreu Benjamin Torres":

Nesta terra ingrata e santa
Do solo rio-grandense
Mataram este herói
Na farmácia São-Borjense.
　　　　Quem foi?

Atenção meus camaradas
Vou contar o triste fato
Foram dois índios bandidos
Mandados pelo Viriato.
　　　　Que bandido!

[...]

Foi morto de traição
Porque era muito valente
E os Vargas tinham medo
De atacá-lo de frente.
　　　　Que covardes!

[...]

Algum dia se for preciso
Sejamos bem unidos
Pois vamos nos bater
Com esta corja de bandidos.
　　　　Estamos prontos!

> *Com essa corja de bandidos*
> *Que temos de vencer*
> *Embora muitos morram*
> *Não podemos esmorecer.*
> *Nunca!*[56]

De Cachoeira, João Neves da Fontoura escreveu a Getúlio comentando os acontecimentos:

"O Benjamin, como bem dizes, pela sua ferocidade e audácia, fez jus à bala que o matou", avaliou Neves.[57]

"Benjamin não foi assassinado, foi justiçado", reiterava Armando Porto Coelho, também em carta a Getúlio. "Se foi Viriato o mandante, ele fez o que faria qualquer outro homem, torturado pelas calúnias e insultos do assassinado", julgava Porto.[58]

Na capital do estado, Firmino Paim Filho revelou que a morte de Benjamin e o pedido de prisão de Viriato acarretariam consequências políticas desastrosas:

"A atmosfera está fortemente carregada, sendo necessário trabalho hábil e demorado", comunicou Paim a Getúlio. "Agirei na medida de minhas forças e no que estiver ao meu alcance a fim de minorar semelhante estado de coisas", prometeu.[59]

Houve quem insinuasse que João do Burro, o executor de Benjamin, fora enviado a São Borja com carta de recomendação expressa de Paim Filho aos Vargas. Nada a esse respeito ficou esclarecido no inquérito, embora tempos antes o mesmo Paim tenha remetido a Getúlio uma missiva cheia de entrelinhas e não ditos:

"Julgo conveniente a tua vinda até cá, assim que o possa fazer, pois muito eu teria a dizer-te, se ao papel fosse dado confiar certas minudências que só de viva voz se podem transmitir", sugerira Paim.[60]

Seria leviano, com base unicamente nessas palavras, atribuir a Paim alguma participação na morte de Benjamin Torres. Mas o fato de João do Burro ser proveniente da região de Vacaria, terra de Paim, ajudou a nutrir ainda mais suspeitas a respeito, embora estas jamais tenham sido comprovadas. Os segredos que porventura tivesse o assassino foram enterrados na mesma cova rasa em que seu corpo perfurado de balas foi sepultado.

De concreto, havia uma única informação: Viriato, acusado de ser o mandante, permanecia foragido. Atravessara a fronteira e se refugiara em Santo Tomé, a cidade localizada na margem oposta do rio Uruguai, em terras argentinas. Para defender o filho, o general Vargas contratou dois advogados de nomeada. Um deles, Maurício Cardoso, ex-colega de Getúlio na faculdade de Direito. O outro, Plínio de Castro Casado, professor da mesma instituição. Do lado contrário, Rafael Escobar, que também advogava, ofereceu-se para auxiliar a promotoria pública. Pôs-se a serviço da acusação contra o arqui-inimigo Viriato.[61]

Uma nota anônima publicada no porto-alegrense *Correio do Povo* advertia as autoridades estaduais para uma possível eliminação de provas. João Gago, que continuava preso, passara a ser considerado um arquivo vivo. "Lembramos a necessidade de rápidas e enérgicas medidas, a fim de que o bandido preso não possa receber o favor de uma escapula, ou não se 'suicide' na prisão."[62]

Em São Borja, os editoriais de *O Missioneiro* pediam que não só Viriato mas toda a família Vargas — classificada pela publicação como a "dinastia Vargarof" — fosse enviada à cadeia para pagar pela morte de Benjamin Torres. Nas páginas do *Uruguay*, vinha a pronta resposta:

"Nos tempos idos, quando se dava um homicídio, a falta de uma compreensão nítida do Direito fazia com que entrasse em exercício a vingança privada", dizia um artigo apócrifo, sob o título "A verdade dos fatos", atribuído pelos adversários a Getúlio. "A época atual já não comporta o mesmo processo, por isso *O Missioneiro*, adotando embora a mesma ideia, procura executá-la de maneira diferente", acusava o texto.[63]

As esporadas contínuas da folha inimiga, que retratavam o general Manuel Vargas como o chefe de uma quadrilha familiar de celerados, logo fizeram Getúlio subir o tom. No dia 7 de abril de 1915, o *Uruguay* trouxe um texto curto, embora incisivo, ao fim do qual se lia, daquela vez, a mais límpida e assumida assinatura de Getúlio Vargas. A mensagem embutia uma enigmática ameaça:

Agora sou eu

O *Uruguay* tem redator responsável. Não precisa *O Missioneiro* escudar-se com meu nome, atribuindo-me a autoria do artigo "A verdade dos fatos", para insultar meu pai. Às torpezas e infamíssimas calúnias assacadas contra ele pelo bêbado Rafael Escobar, eu darei a devida resposta, mas não será pelo jornal.

Getúlio D. Vargas.[64]

Getúlio, o propalado homem de gelo, cedera à tentação do revide sanguíneo.

"Permite-me que te diga que pela primeira vez te exibiste muito diverso do que tu és", censurou-lhe o amigo Armando Porto Coelho, que lera nas palavras de Getúlio o anúncio cifrado de um duelo à mão armada com Rafael Escobar. "Um dos motivos por que tu te impuseste no meu espírito foi, justamente, por eu sempre haver admirado em ti o homem superior a todas as paixões, guiado apenas pelas luzes da razão serena", ressalvou Porto. "O duelo foi repudiado pela civilização brasileira", lembrava-lhe o amigo. "Se tu o desafiares, verás que nada mais hás de conseguir do que te expores às ironias do covarde difamador."

Porto cogitou que, em vez de se bater em duelo, Getúlio podia estar planejando dar uma surra em Escobar. Mas logo afastou tal hipótese. "Não admito [...] que um homem do teu caráter [...] vá dar um escândalo, agredindo, em plena rua, um covarde que não reagirá", ponderava em carta a Getúlio. "Tu não cometerás semelhante asneira", advertia Porto. "Nada mais conseguirias do que transformar o algoz de hoje em vítima de amanhã", meditava o amigo. "Resta-te o recurso de processá-lo. Deverás fazê-lo? [...] Caso o processes por crime de calúnia, terás contra ti o julgamento do júri, cuja justiça é problemática."[65] Armando Porto Coelho sabia dos caminhos tortuosos dos tribunais, onde as causas eram julgadas à revelia da lei, com base apenas no tráfico de influências. E o momento político não era favorável a Getúlio.

"A estas horas o correio estará anunciando ao dr. Borges que Rafael Escobar está ameaçado", conjecturou Porto. "Se ainda és Getúlio Vargas, responda a este miserável com o desprezo soberano das almas fortes", aconselhou. "Eu estou exigindo de ti que faças aquilo que eu não seria capaz de fazer, isto é, espero que sejas Getúlio Vargas", implorava a carta.[66]

Domado o ímpeto momentâneo, de fato, Getúlio voltou a ser Getúlio. Com alguma ajuda da sorte e considerável dose de argúcia, ele ajudou a manobrar a situação de modo a restituir à família o comando local em São Borja. Algo que, por consequência, lhe garantiria a própria sobrevivência política, uma vez que a possibilidade de largar a vida pública, que expressara naquela carta a Paim Filho, parecia mais um desabafo do que uma convicção. O cenário propício para tal reviravolta começou a se desenhar quando, apenas dois meses após a morte de Benjamin Torres em São Borja, Borges de Medeiros caiu de cama em Porto

Alegre, gravemente enfermo. Aos 51 anos, o presidente do Rio Grande do Sul precisou se afastar do cargo.

"O estado do presidente traz esta gente como que suspensa, de modo que nada se pode fazer sem que se saiba se o homem morre ou continua a viver", escreveu a Getúlio o mano Protásio, enviado a Porto Alegre como interlocutor da família.[67]

Em vez de se manter também em estado de suspensão, Getúlio Vargas decidiu agir, coadjuvado por Firmino Paim Filho, seu embaixador no palácio do governo. A doença de Borges criava um vácuo político no momento exato em que os rio-grandenses deveriam ir às urnas para eleger um novo senador, em substituição ao republicano Diogo Fortuna, recém-falecido. Pinheiro Machado tirara do bolso do paletó o nome do marechal Hermes da Fonseca, o ex-presidente da República, que concluíra em outubro do ano anterior o mandato à frente do Palácio do Catete. Pinheiro cumpria um trato feito com o próprio Hermes, que deixara a presidência com a popularidade no chão, acusado de ter sido mero fantoche na mão do senador rio-grandense.[68]

Depois de enfrentar convulsões sociais nos estados, sofrer os efeitos de uma crise do café, amargar a concorrência da borracha produzida na Ásia e assistir à deflagração da Primeira Guerra Mundial, Hermes entregara ao sucessor, Wenceslau Brás, um país à beira da insolvência, assolado por uma dívida descomunal junto aos bancos estrangeiros. Era compreensível que seu nome fosse visto com severa restrição pelos chefes republicanos do Rio Grande do Sul, inclusive por Borges de Medeiros. Porém, sem forças físicas e sem condições políticas objetivas para se contrapor às prescrições de Pinheiro, foi obrigado a engolir a indicação do impopular Hermes da Fonseca ao Senado. Borges dera mostras de fraqueza explícita e abrira o flanco para que sua autoridade fosse questionada publicamente.

Prova disso foi a grande repercussão obtida naquele momento por um poema satírico que o retratava como um pássaro típico dos pampas, o chimango, falconídeo comedor de carrapatos, pintos indefesos e carniça. Escritos pelo candidato preterido ao Senado, Ramiro Barcellos, e editados sob o pseudônimo de Amaro Juvenal, os versos corrosivos de "Antônio Chimango" cobriam de ridículo a trajetória política de Borges, caçoavam de sua debilidade física, questionavam-lhe os méritos intelectuais e a forma como subira ao poder por meio do "padrinho" Júlio de Castilhos. O poema acabaria por se tornar um clássico da literatura gauchesca. Os adversários, de pirraça, enviavam todos os dias dezenas de exemplares ao Palácio do Governo.[69]

> *Veio ao mundo tão flaquito*
> *Tão esmirrado e chochinho,*
> *Que, ao finado seu padrinho,*
> *Disse espantada a comadre:*
> *"Virgem do Céu, Santo Padre!*
> *Isso é gente ou passarinho?"*

[...]

> *Ansim foi, como o caruncho,*
> *Que penetra num pau duro,*
> *Abrindo aos poucos o furo*
> *No bem-querer do padrinho.*
> *O Chimango era espertinho*
> *Em preparar o futuro.*

[...]

> *Basta o Chimango querer*
> *E não há mais embaraço;*
> *Quem resmunga vai pro laço*
> *Pois a regra é obedecer.*[70]

A situação de Borges se tornou ainda mais precária quando a guarda pretoriana da Brigada Militar desmanchou a tiros e à pata de cavalo, na noite de 14 de julho de 1915, uma manifestação estudantil em Porto Alegre contrária à candidatura de Hermes. Bem em frente ao requintado Café Colombo, na rua da Praia, os soldados da polícia montada despejaram a carga de seus fuzis Mauser contra os manifestantes. O saldo foi de 24 feridos e nove mortos.[71]

"A quarta-feira trágica", definiu a manchete do jornal porto-alegrense *O Diário*. "O ato desumano da polícia", seguia-se à frase, em letras garrafais. Um guarda-livros levou um tiro na cabeça, enquanto um acadêmico de Medicina recebeu um balaço mortal na barriga e um popular foi alvejado pelas costas. Um chofer de praça e um ex-policial tiveram os respectivos corpos crivados de balas. Um farmacêutico e um comerciário morreram em razão de uma série de ferimentos graves. Do lado da Brigada Militar, também se contaram duas vítimas fatais: um soldado foi atropelado por um carro no meio da confusão e outro alvejado na cabeça por uma bala provavelmente perdida.

"As ruas de Porto Alegre jamais foram teatro de uma tragédia como a de ontem. O sangue correu abundante e a morte imperou sinistra", descreveu a reportagem do *Diário*.[72]

Pressionado, Borges de Medeiros percebeu o cerco se fechar. Foi obrigado a demitir um correligionário fiel, Francisco Thompson Flores, o chefe de polícia responsabilizado pela tragédia da rua da Praia. Para construir uma nova rede de apoios, Borges sentiu necessidade de recompor com antigos aliados que haviam se extraviado por questões locais e episódicas. Era o caso dos Vargas. E de Getúlio, em particular.

De modo simultâneo, a rejeição às maquinações de Pinheiro Machado também se alastrava em progressão geométrica em todo o país. Pinheiro, que passou a personificar todos os males na nação, quase chegou a ser linchado no centro do Rio de Janeiro durante um gigantesco protesto contra Hermes. Para escapar da confusão, teria formulado ao cocheiro a ordem que ficaria eternizada no folclore político nacional:

"Nem tão devagar que pareça afronta, nem tão depressa que pareça medo."[73]

As hostilidades contra Pinheiro chegaram ao ponto de um deputado pernambucano, José Gonçalves Maia, ter sugerido em entrevista o envio de um projeto de lei ao Congresso nos seguintes termos:

Artigo 1º — Fica extinto o senhor Pinheiro Machado;
Artigo 2º — Revogam-se as disposições em contrário.[74]

Vista em perspectiva, a blague soou como sinistra profecia. No dia 8 de setembro daquele tormentoso ano de 1915, Pinheiro Machado foi alvo de um atentado, no luxuoso Hotel dos Estrangeiros, no Rio. Um padeiro aposentado, Manso de Paiva Coimbra, cravou-lhe um punhal nas costas.

"Ah, canalha!", ainda gritou Pinheiro, voltando-se em direção ao agressor, antes de cair morto.[75]

Mais tarde, o coronel João Francisco, a célebre Hiena do Cati, amigo de Pinheiro Machado, inundaria os jornais do país com a acusação de que Manso de Paiva fora apenas um instrumento nas mãos daquele que seria o verdadeiro culpado, Nilo Peçanha, então presidente do estado do Rio de Janeiro, ameaçado de intervenção federal por meio das maquinações de praxe do senador gaúcho, seu figadal adversário.

"Toda a água da baía de Guanabara ainda é pouca para lavar o sangue das mãos de Nilo Peçanha", denunciou João Francisco.[76]

No entanto, nunca se provou nada contra Peçanha. Preso, Manso de Paiva negou que estivesse a soldo de quem quer que fosse. Alegou ter agido por conta própria e declarou não estar arrependido:

"É preciso acabar com os tiranos. E eu matei o chefão", justificou.[77]

A morte de Pinheiro Machado fez o marechal Hermes desistir da cadeira no Senado e esfriou, temporariamente, o ardor das dissidências no seio do PRR. Mas salientou a fragilidade de Borges de Medeiros em relação ao cenário federal. Sem o anteparo de Pinheiro, o Rio Grande do Sul e sua Constituição autocrática ficaram na alça de mira dos que clamavam por reformas no país. Para Borges, unir forças e estabelecer nova rede de compromissos com os chefes políticos municipais passou a ser uma questão de sobrevivência.[78]

Por outro lado, a ausência do senador possibilitava a Borges a retomada do controle da bancada gaúcha na Câmara Federal, antes subordinada diretamente a Pinheiro, além de deixá-lo livre para arbitrar sobre as dissidências municipais do modo que julgasse mais conveniente a seus propósitos.[79] Getúlio parecia ter total conhecimento da nova e dúbia situação do líder republicano. Em uma sessão cívica no conselho municipal de São Borja, fez um discurso que embutia uma crítica pesada a Borges e à política oficial de semear desavenças entre correligionários para manter o controle da máquina partidária:

Pinheiro Machado não era como certos políticos pusilânimes, arremedos caricaturais de volubilidade, que por uma falsa auréola de puritanismo, jogam a sorte dos amigos como repasto feroz à voracidade dos fariseus. A rude franqueza e a lealdade sem jaça que sempre acompanharam Pinheiro Machado nunca permitiram, num partido por ele chefiado, que a gangrena da bajulação sórdida se apoderasse da sua pessoa para afastá-lo dos amigos que haviam com ele sorvido no mesmo cálice a amargura dos momentos extremos. [...] Não temia competidores, nem invejava prestígios porque era dotado de uma superioridade real que lhe não emprestavam posições oficiais. Por isso não usava, no seio de suas próprias hostes, a divisa dos fracos — dividir para reinar. Não estimulava, nem mantinha discórdias, criando incensadores de sua egolatria, despenhadeiro fatal aos espíritos inflados de vaidade."[80]

Ao ler a íntegra do discurso de Getúlio no *Uruguay*, o amigo Armando Porto Coelho exultou:

"Causou funda impressão o teu discurso a respeito do senador Pinheiro, o *Uruguay* anda de mão em mão", escreveu a Getúlio. "Há no teu trabalho alusões que ferem, que certamente magoarão o dr. Borges. Mas foste justo e verdadeiro", avaliou Porto Coelho. "Permite, porém, que te diga que não foste político. As verdades que a rigidez de teu caráter te fez pronunciar pertencem ao rol das verdades que o convencionalismo em que vivemos colocam no rol das verdades que não devem ser ditas."[81]

Naquele exato momento de pressão, Borges redesenhava sua estratégia. Mesmo oficialmente afastado da presidência do estado, do mesmo modo como procederia em outros municípios, agiu como um poder moderador e articulou o armistício em São Borja. Propôs um acordo de ocasião, por meio do qual o próximo intendente seria o promotor público Érico Ribeiro da Luz, homem chegado aos Vargas, com o compromisso de que, tão logo este fosse declarado eleito, Aparício Mariense da Silva Filho seria nomeado para o cargo de vice, como compensação imediata aos Escobar. Os demais postos da administração ficariam repartidos entre as duas facções rivais, buscando-se o equilíbrio de forças.[82] Uma operação abafa também foi providenciada junto à imprensa de Porto Alegre, com ambos os lados concordando em baixar o volume das acusações recíprocas.

"Os jornais comprometeram-se a não dizer mais nada", comunicou Protásio Vargas à família, a respeito do processo criminal contra Viriato, que continuava foragido em Santo Tomé.[83]

O processo sofreu desaforamento — foi transferido do foro de São Borja para o de Porto Alegre. Com isso, Viriato passou a ser beneficiado pela atávica morosidade da Justiça. Firmado nesses termos, o contrato de não agressão era visivelmente frágil. Em um acordo no qual as partes continuavam a alimentar sentimentos de desforra, qualquer mínima fagulha poderia resultar em novo incêndio de ódios. Competiu a Rafael Escobar acender a primeira chispa. Às vésperas do pleito municipal, ele recomendou ao eleitorado de São Borja que não comparecesse às urnas para sufragar o nome de Érico Ribeiro da Luz à intendência. Traindo o combinado, pregou a abstenção.

"O fato dos *homens* não terem votado produziu o efeito que nós esperávamos — a indignação geral dos dirigentes", comemorou Érico Ribeiro da Luz em carta a Getúlio.[84]

Como resposta à quebra do acordo, o clã dos Vargas se sentiu no direito de negar a vice-intendência a Mariense Filho, contrariando o acordo prévio. Ao saber do ocorrido, Borges de Medeiros se fez de morto. Não interferiu na decisão.

"Borges está modificado em relação a vocês", festejou mais uma vez Érico da Luz, que viajara à capital para sondar o espírito do líder do PRR.[85]

"Agora que a tormenta passou, e que os *homens* receberam uma lição mestra — pau de criar bicho, dizem vocês aí — estou tranquilo", escreveu também Maurício Cardoso a Getúlio.[86]

Cerca de um mês após as eleições municipais, viria a prova de que Borges de Medeiros voltara a cortejar os Vargas, fortalecidos pelo resultado das urnas. Por telegrama, ofereceu nada menos do que a chefia da polícia estadual a Getúlio.[87] O mesmo cargo que ele próprio, Borges, ocupara tempos atrás, antes de ser escolhido como sucessor de Júlio de Castilhos no governo do Rio Grande do Sul. O arranjo, portanto, colocaria Getúlio Vargas em posição privilegiada dentro da máquina burocrática regional.

"Este ato do governo vem demonstrar que Borges de Medeiros absolutamente não crê nas balelas inventadas por nossos adversários a nosso respeito e que o dr. Borges continua a ter inalterável confiança no general Vargas", celebrou o *Uruguay*.

Rafael Escobar, que chegou a duvidar da veracidade do convite feito a Getúlio, não se conformou com a notícia:

"Ninguém acreditou, ao ponto do *Missioneiro* ter criticado a hipótese desse ato do governo", queixou-se Escobar, em vão, a Borges de Medeiros. O convite foi mantido.[88]

Entretanto, a atitude de Getúlio diante da oferta provocou a decepção de uns e o júbilo de outros. Para surpresa de todos, ele telegrafou de São Borja ao presidente do Rio Grande do Sul para informar:

Dr. Borges de Medeiros

Agradeço profundamente desvanecido honroso convite. Momento atual relevantes motivos impedem-me sair daqui. Fá-lo-ia, com sacrifício, caso não houvesse, como há, quem melhor pudesse desempenhar elevado cargo.

Getúlio Vargas[89]

Para os amigos mais próximos, a recusa era um gesto não só imprevisto, mas também temerário. Getúlio poderia estar atirando pela janela a grande chance de sua vida.

"Os teus sentimentos pessoais não devem influir nas tuas resoluções políticas", aconselhou um desolado Armando Costa Porto.[90]

Na verdade, o sangue que correra pelo meio-fio da rua da Praia ainda estava fresco, o que deve ter pesado na decisão de Getúlio de refutar o convite. Não lhe deve ter parecido bom negócio tomar posse da chefia de polícia tão pouco tempo depois do incidente que escandalizara e comovera a cidade. Mesmo rejeitando o cargo, tomou os cuidados necessários para que seu gesto não fosse interpretado por Borges de Medeiros como um acinte. Não tencionava partir para novo confronto com o líder supremo dos republicanos rio-grandenses. Como sempre, a tática seria a de dar tempo ao tempo.

"Na luta, vencer é adaptar-se, isto é, condicionando-se ao meio, apreender as forças ambientes, para dominá-lo", esclareceria ao amigo Telmo Monteiro.[91]

Para Getúlio, aquela frase, de clara inspiração darwinista, passara a funcionar como uma espécie de mantra. Faria questão de repassá-la aos filhos, como uma fórmula explicativa da vida e do mundo.

"Vencer não é esmagar ou abater pela força todos os obstáculos que encontramos — vencer é adaptar-se", repetiria certo dia Getúlio ao filho mais velho, Lutero. Como o garoto ficasse em dúvida a respeito do verdadeiro significado da sentença, o pai detalharia:

"Adaptar-se não é o conformismo, o servilismo ou a humilhação; adaptar-se quer dizer tomar a coloração do ambiente para melhor lutar."[92]

Era a forma getulista de se impor. Mas, em breve, quem teria de se adaptar diante das circunstâncias seria Borges de Medeiros.

7. Índia é estuprada e cacique, morto a tiro. O culpado é Getúlio Dornelles Vargas (1917-21)

Na choupana a poucos metros da estrada, a índia foi atirada ao chão e, uma vez pega de surpresa, não teve como se defender do ataque. Se reagisse, os dois agressores — mais tarde identificados pela polícia como Getúlio Dornelles Vargas e Leriano Rodrigues de Almeida — prometiam degolar-lhe a filha de apenas um ano de idade, que dormia bem ali ao lado. Após fazerem a ameaça, ambos caíram com as calças abaixadas sobre a mulher e a estupraram seguidamente, um após o outro.[1]

Quando mal haviam acabado de praticar a violência e já se preparavam para sumir dali, perceberam que as demais pessoas do aldeamento haviam sido alertadas do ocorrido. Os índios estavam chegando para vingar a vítima, Brandina da Silva, companheira de João Tibúrcio, filho do cacique Tibúrcio Fongue, chefe do aldeamento de Inhacorá, região serrana a menos de 300 quilômetros de São Borja. Foram recebidos à bala. Um tiro acertou em cheio um dos índios, conhecido por João Mineiro — irmão de Brandina —, que morreu na hora. Outro balaço derrubou o cacique Fongue, que também já caiu sem vida no solo.

Getúlio e Leriano montaram nos cavalos que haviam deixado ali perto e trataram de desaparecer do local. Contudo, seriam pegos alguns quilômetros adiante por uma patrulha policial que, comunicada do crime, saíra no encalço deles. Depois de rendidos em uma venda, ambos foram amarrados e conduzidos até o município de Palmeira das Missões, onde ficava a delegacia mais próxima. No meio do caminho até lá, os prisioneiros trocaram acusações. Um atribuía ao outro a responsabilidade pelos disparos que haviam fulminado os índios.

"Tenha hombridade, fale a verdade e diga que quem matou os bugres foi você", teria dito Leriano, em volume alto o suficiente para ser ouvido pelos homens da escolta.

Como Getúlio permanecesse impassível, negando ter puxado o gatilho, o rapaz voltou à carga:

"Estamos perdidos, portanto vamos repartir a responsabilidade. Tu mataste um; eu matei o outro."

Getúlio Dornelles Vargas continuou negando tudo.[2]

Como já era fim de tarde e a sede de Palmeira das Missões ainda ficava alguns quilômetros ao norte, a patrulha decidiu pedir pousada em uma estância para passar a noite. Na manhã seguinte, 7 de janeiro de 1920, retomariam a viagem. Entretanto, quando o dia amanheceu, só havia um dos prisioneiros, Leriano, no local onde os dois haviam sido deixados. Getúlio Vargas fugira.

Ao chegar à delegacia, o chefe da escolta alegou que não sabia explicar exatamente como, mas Getúlio conseguira durante a madrugada cortar as cordas que o amarravam, passar incólume pela sentinela encarregada de vigiar os presos e desaparecido no breu da estrada. Talvez houvesse se embrenhado no mato, pois as buscas iniciadas logo após a chegada dos primeiros raios da manhã resultaram infrutíferas. Leriano Rodrigues de Almeida, vulgo Leriano Serra, de apenas dezesseis anos, responderia sozinho pelo crime.

Ele contou à polícia que morava em Palmeira das Missões e estava indo à localidade de Povinho do Boqueirão (mais tarde o município de Santiago, a 140 quilômetros de São Borja), a convite de Getúlio, para trabalhar como peão em uma estância local. No meio do caminho, decidiram parar no aldeamento. Em seus depoimentos, Leriano caiu várias vezes em contradição, ora afirmando que não matara nenhum dos dois índios, ora admitindo ser responsável pela morte de pelo menos um deles. Acabou julgado e condenado a seis anos de prisão.

"No foro de Palmeira, talvez ainda não se tenha proferido uma sentença tão injusta", escreveu o advogado do réu, Affonso Honório dos Santos, ao final do texto do recurso que encaminhou ao Tribunal do Estado a favor de seu cliente. "Um inocente se vê encerrado no cárcere no alvorecer de sua vida, e o culpado passeia impune, arrogante e altaneiro no meio da sociedade", protestou o causídico, que lançava suspeitas sobre a cumplicidade da polícia na fuga de Getúlio. "[Os dois prisioneiros] foram conservados sempre amarrados e com sentinelas à vida, e, entretanto, Getúlio Vargas fugiu por obra e graça do Espírito Santo", ironizou Honório dos Santos.³

O estupro seguido de duplo assassinato em Inhacorá constou em um texto oficial do governo do Rio Grande do Sul datado de 1923, assinado pelo secretário estadual dos Negócios das Obras Públicas, o engenheiro militar Ildefonso Soares Pinto. No documento, Soares Pinto enaltecia o fato de Leriano Serra — a quem por equívoco se referiu como Soriano Serra — ter sido apanhado pela justiça, mas lamentava que o outro implicado, Getúlio Dornelles Vargas, continuasse foragido.⁴

O relatório do secretário das Obras Públicas seria utilizado décadas mais tarde como prova irretorquível de que o futuro presidente da República, Getúlio Vargas, seria um assassino frio. O jornalista Carlos Lacerda foi o primeiro a ressuscitar o texto, em 1954, nas páginas da *Tribuna da Imprensa*.⁵ A acusação de Lacerda viria a ser citada por vários autores a partir de então, incluindo historiadores e biógrafos de Getúlio, que fizeram referências ao caso tendo por base unicamente aquele relatório oficial. Conhecido como repórter combativo e tendencioso, faltou a Lacerda pôr em prática um procedimento elementar do jornalismo, mas ao qual não dava maior importância: checar a informação antes de publicá-la.

Nas prateleiras do Arquivo Público de Porto Alegre dormem os autos do processo referentes ao estupro de Brandina e às mortes dos índios João Mineiro e Tibúrcio Fongue. Nas 110 páginas amareladas pelo tempo, estão todas as informações sobre o episódio, incluindo o relatório policial, o depoimento das testemunhas e a ata do julgamento de Leriano Rodrigues de Almeida.

Como somente Leriano chegou a ser interrogado na delegacia, não ficaram registradas na documentação oficial informações mais detalhadas — filiação, estado civil, naturalidade e data de nascimento — sobre seu companheiro de viagem, Getúlio Dornelles Vargas, que fugiu antes de prestar depoimento legal. Mas em outro processo do foro de Palmeira, no qual o advogado Affonso Honório dos Santos atuou na promotoria, o mesmo Getúlio Dornelles Vargas aparece como acusado do assassinato de um velho desafeto, Pompílio Florêncio de Quevedo, após uma briga de rua à saída de um casamento na igrejinha da cidade.[6]

Ali, nesse outro processo-crime, fica claro que se está diante de um caso de homonímia: o Getúlio em questão — na verdade Getúlio Dornelles *de* Vargas —, que vivia em complicações com a polícia e a justiça de Palmeira das Missões (hoje o município de Palmeira), era um jovem natural e morador do próprio local, e não o deputado homônimo Getúlio Dornelles Vargas, natural e morador de São Borja.

No cartório do registro civil do atual município de Campo Novo, antigo distrito de Palmeira das Missões, foi lavrada a certidão de nascimento de Getúlio Dornelles de Vargas, nascido em 10 de maio de 1899, filho dos agricultores Albano Borges de Vargas e Zifirina Dornelles.[7] Apesar dos sobrenomes em comum, os dois Getúlios não eram sequer parentes indiretos.

Os membros das famílias Vargas e Dornelles sempre foram bastante numerosos no Rio Grande do Sul. Não foi difícil aos dois troncos se cruzarem em diferentes momentos ao longo da história de ambos os clãs, em ramos distintos. Apesar de o prenome Getúlio ainda não ser tão comum àquele tempo, existiu em Palmeira das Missões o tal Getúlio Dornelles de Vargas, processado pelo assassinato dos dois índios e pelo de Pompílio Florêncio de Quevedo. Dessa segunda incriminação, aliás, terminou absolvido, tendo os jurados aceitado a tese da legítima defesa, pois o finado Pompílio Florêncio já ministrara antes três boas surras no acusado e, na ocasião do crime, o ameaçava com uma quarta sova, armado de relho, à porta da igreja. Para não levar nova tunda, o palmeirense Getúlio puxou o revólver e atirou no agressor, que veio a falecer.[8]

Se restasse alguma dúvida a respeito desse singular caso de homonímia, haveria ainda um álibi irrespondível a esclarecer a questão e a contrariar muito do que já se escreveu sobre o assunto. Exatamente no dia da morte de Pompílio, 20 de novembro, o outro Getúlio Dornelles Vargas, o são-borjense, estava a quilômetros de Palmeira das Missões, em Porto Alegre, discursando no plenário da Assembleia dos Representantes do Rio Grande do Sul, saudando o fim da Primeira Guerra Mundial.

"O resultado dessa guerra veio, mais uma vez, confirmar que toda violência é inútil, toda a opressão passageira, toda a tirania produtora de ódios", discursou, a propósito, naquela data, Getúlio Vargas. Na eleição realizada em 26 de fevereiro de 1917, ele fora reeleito deputado estadual pelo PRR com 79 724 votos. Fora o décimo quinto colocado, entre os 32 candidatos que obtiveram uma vaga na Assembleia dos Representantes.[9]

"Não me cansarei de proclamar que isto que existe no Brasil não é uma República e, especialmente no Rio Grande do Sul, não passa de uma ditadura."

Do alto da tribuna, quem esbravejava era o deputado Gaspar Saldanha, advogado em Alegrete e líder da oposição na Assembleia dos Representantes em Porto Alegre.[10] Os óculos de armação metálica oval, combinados aos cabelos penteados para trás formando um topete, conferiam um ar intelectual e ao mesmo tempo atrevido ao inflamado orador:

"Não estará longe o dia da justiça para o povo desta terra, pois o vejo, em minha ardente fantasia de revoltado, como leão cativo que dormita sonhando com a floresta perdida, que um dia se ergue, juba revolta, e se lança na tumultuária reconquista da plaga longínqua", ilustrou Saldanha.[11]

Descontado o habitual empolamento da casa, aquilo era uma novidade. Depois de anos impelidos ao silêncio, os oposicionistas afinal logravam se fazer representar em plenário. Nas eleições de 1917, o Partido Federalista conquistara três das trinta cadeiras e, apesar da flagrante minoria, começara a fazer razoável barulho na outrora pacata Assembleia gaúcha:

"Somos republicanos, mas queremos uma República parlamentar, a que faz a felicidade na França", exemplificava Saldanha para, em seguida, detalhar: "[Queremos] a forma de governo elástica, de fiscalização efetiva, maleável, tradutora da opinião pública".[12]

Na bancada governista, alguém pediu a palavra para contestar o colega da oposição. Era Getúlio. Para os que não o viam desde sua última legislatura, a testa parecia ainda mais alta e larga, devido à calvície progressiva. O bigode, antes retorcido para cima como os de um espadachim de romance de aventuras, estava mais espesso, com as pontas voltadas para baixo, formando um circunflexo sobre os lábios.

"A guerra europeia demonstra a inépcia dos parlamentos para solucionar os conflitos", argumentou Getúlio, com seu peculiar sotaque da fronteira. "Na época de grandes crises, os homens superiores conseguem imprimir a sua direção, dominando a anarquia dos parlamentos, e não sendo dirigidos por eles", reforçou.[13]

De acordo com as notas taquigráficas daquela sessão, ao articular tais palavras, Getúlio foi "vivamente felicitado" pelos companheiros de partido. Não fazia apenas uma defesa pontual de Borges de Medeiros, que depois de restabelecer a saúde fora reeleito para mais um quinquênio e iniciara o quarto mandato como presidente do estado, após receber 81 mil votos contra os apenas 6 mil obtidos pela chapa da oposição.[14] Para o deputado Getúlio Dornelles Vargas, cuja trajetória vinha sendo plasmada na mais autêntica tradição caudilhista do Rio Grande do Sul, os parlamentos eram "anárquicos" por natureza e, por isso mesmo, incapazes de responder pelos rumos de um país ou mesmo por funções genuinamente legislativas. A condução do governo e a elaboração das leis, conforme ele mesmo propunha, deviam ser "produto de um só cérebro":

"Panela que muitos mexem não pode ser bem temperada", resumiria de forma prosaica o deputado Getúlio, a propósito do mesmo tema, em outra sessão da casa.[15]

Com as relações com Borges de Medeiros reatadas estrategicamente, Getúlio Vargas retornava à Assembleia dos Representantes do Rio Grande quatro anos após ter renunciado ao mandato. Não obstante o PRR pregar a inutilidade de uma liderança formal na Assembleia — afinal, seguindo o preceito da chefia unipessoal, a voz de comando autorizada dentro do partido era apenas a do próprio Borges —, Getúlio foi pouco a pouco ocupando o papel de líder natural entre os colegas de bancada republicana, o que denunciava um progressivo esgotamento do centralismo borgista e a oportunidade para o surgimento de novas lideranças partidárias. A capacidade de replicar com vivacidade os petardos da minúscula — mas estridente — oposição o cacifou ao posto.

Para Getúlio, não fazia sentido falar em despotismo no Rio Grande do Sul. Ele entendia que a divisão do Estado em três poderes — Executivo, Legislativo e Judiciário — atuando de modo soberano e independente entre si, não passava de um "velho princípio metafísico" que precisava ser superado, conforme chegou a defender em plenário.[16] Ademais, a palavra "ditadura", pelo viés do castilhismo-borgismo, não tinha valor negativo, pois era interpretada como sinônimo de uma necessária hierarquia e de uma férrea disciplina partidária.[17]

"A tão batida tecla de intolerância ou tirania do governo rio-grandense é desmentida pela própria representação da minoria nesta casa", argumentava Getúlio.[18]

Gaspar Saldanha, o oposicionista mais frequente na tribuna, discordava. A pequena representação dos federalistas não seria compatível com a expressividade histórica do partido. Culpa das retaliações e expurgos patrocinados pela situação, acusava Saldanha:

"Sob a pressão tirânica do governo rio-grandense, grande tem sido o êxodo de perseguidos."[19]

Era verdade. Muitos adversários de Borges de Medeiros se viram obrigados a emigrar para o Uruguai e a Argentina — ou mesmo para o Mato Grosso — para fugir de represálias durante aquelas duas décadas de hegemonia castilhista-borgista.

"Outros se mantêm afastados das urnas por não acreditarem na efetividade do voto, que sempre é fraudado, quer por funcionários do estado, quer pelo próprio governo", denunciava Saldanha, para justificar a inexistência de uma bancada de oposição mais numerosa e proporcional à real influência dos federalistas.[20] Do outro lado da tribuna, Getúlio desdenhava dos argumentos do adversário:

"Se a representação da minoria nesta casa é desproporcional às forças do Partido Federalista, não cabe culpa ao governo, mas à falta de entusiasmo, ao não comparecimento de eleitores à urna, desiludidos, quiçá, de suas ideias", depreciava.[21]

O orador Getúlio, logo se via, voltara ainda mais afiado. Escolhido pelos colegas para compor a Comissão de Orçamento (a mais relevante de todas as comissões numa assembleia que tinha por função exclusiva a discussão de receitas e despesas públicas), ele se afirmava como a expressão partidária mais promissora da então nova geração de políticos rio-grandenses. À proporção que o borgismo enfrentava contestações cada vez mais eloquentes, Getúlio foi sabendo ocupar, de forma sutil, o vácuo que se abria na seara partidária. Eram costumeiras e sempre animadas as rodinhas que gravitavam em torno dele, fossem após as discussões acaloradas em plenário, fossem nas confortáveis poltronas do Grande Hotel, onde Getúlio passara a se hospedar em Porto Alegre nos períodos de convocação da Assembleia.[22] Nas conversações com os correligionários, costumava olhar o interlocutor com as pálpebras quase semicerradas, o que lhe conferia um olhar misterioso, que podia ser interpretado tanto como um ar de malícia ou de silenciosa aprovação. Diante de uma pilhéria qualquer, jogava de modo repentino a cabeça para trás e fechava os olhos de vez, transformando o sorriso característico em aberta gargalhada.[23]

Parecia à vontade naquele novo hábitat. Reduto de homens de negócios, políticos locais e artistas nacionais e estrangeiros de passagem pela cidade, o Grande Hotel, com seus seis andares e o saguão de portas envidraçadas dando para a rua da Praia, era a vitrine preferencial para todos os que desfrutavam — ou queriam desfrutar — de alguma notoriedade entre os gaúchos. Um lugar para ver e ser visto, como já se dizia à época. "A porta giratória não parava nunca. E, às vezes, atrapalhava especialmente aqueles vindos do interior", anotaria um atento cronista local, Nilo Ruschel.[24]

A cada novo período parlamentar, o interiorano Getúlio criava maior intimidade com a porta giratória do Grande Hotel e, em simultâneo, galgava novos degraus no cenário político da capital gaúcha. Enquanto isso, na distante São Borja, a esposa Darcy se via às voltas com dois novos bebês para acalentar: Manuel Antônio, o Maneco, nascido em 1916, e Getúlio Filho, no ano seguinte. Ao todo, passavam a ser cinco crianças na casa, compondo uma perfeita escadinha familiar, com menos de seis anos de diferença entre o primeiro e o quinto rebentos. O caçula, apelidado de Getulinho, seria, de modo inconteste, o filho preferido de Darcy.

"Eu sentia que ela gostava mais dele que de mim, e sofria com isso", confessaria mais tarde o irmão Maneco.[25]

Já a menina Alzira era, para o pai, a predileta de todos os "pinguins", o apelido carinhoso com que se referia à ninhada.[26] Os filhos relembrariam Getúlio como um pai afável e sorridente, mas que sabia impor respeito com um simples cenho fechado:

"Bastava um olhar dele. Para nós já era um castigo. Ele dava a entender, no seu olhar, que estava reprovando aquilo. Então nós parávamos imediatamente", recordaria Lutero.[27]

"Quando ele mandava fazer uma coisa, era para fazer mesmo: ordem era para ser cumprida. Não admitia esse negócio de ficar para amanhã", revelaria por sua vez Maneco.[28]

À hora do almoço, era para Getúlio que se reservava o chamado "jogador", o osso em forma de forquilha do peito da galinha. Os filhos não ousavam tocar no pedaço, pois sabiam que saborear a carne branca que envolvia o ossinho era um dos rituais e um dos prazeres prediletos do pai à mesa.[29]

Devido às obrigações de Getúlio com a política e a advocacia, cabia à mãe, Darcy, acompanhar mais de perto a educação das crianças. Com apenas 21 anos, ela já se transformara numa jovem senhora, inteiramente dedicada às responsabilidades do lar e à tarefa quase insana de manter aqueles cinco diabinhos na linha. Rígida, dada a zangas sempre que contrariada, quase nunca tinha um minuto de sossego. No dia em que pegasse pela primeira vez o filho Maneco com um cigarro na boca, sairia correndo atrás dele pela casa, no gesto rotineiro de ameaçar os filhos com o chinelo à mão.[30]

"Nós a atormentávamos, considerando-a uma velha matrona e rabugenta, porque exigia que sempre estivéssemos limpos, que fôssemos educados e comportados", relataria a filha Alzira, em suas recordações de infância.[31]

"Ela era muito severa", confirmaria Lutero, que guardaria na memória o maior de todos os suplícios de seus tempos de meninice: ter de ouvir ópera obrigado pela mãe, já que ela fazia questão de repassar aos filhos rebeldes, em cujas veias corria o sangue alvorotado dos Vargas, a mesma educação recebida no solar dos Sarmanho.[32]

"Era meio agitada, prepotente, mandona", atestaria Maneco.[33]

Mas, de todas as frases ditas pela mãe, a mais temida pelos cinco filhos era mesmo uma só:

"Eu conto a seu pai."[34]

De modo idêntico, quando os meninos aventavam fazer algo que a mãe julgava uma impertinência, havia outra sentença-padrão:

"Perguntem a seu pai, se ele deixar..."[35]

Pronto. Bastava aquilo. Ninguém falava mais no assunto.

"Mamãe sabia que não nos atrevíamos a perturbá-lo. Ele estava sempre lendo, estudando processos, recebendo constituintes e eleitores", escreveria Alzira.[36]

Se Darcy queria incutir nas crianças o gosto pela ópera, o mesmo fazia Getúlio em relação à leitura.

"Ele gostava muito de ler para nós, os mais velhos, eu, Jandira e Alzira", rememoraria Lutero.[37]

Lia para os filhos trechos escolhidos de *Os sertões*, de *Dom Quixote*, de *O Ateneu* e até mesmo da *História do Brasil*, de autoria do barão do Rio Branco. Apesar disso, proibia a entrada das crianças no escritório de trabalho e estudos, onde guardava, nas estantes apinhadas, os livros adquiridos desde os tempos de acadêmico de Direito.

"Seu gabinete era tabu para nós", diria Alzira.[38]

Outro tabu familiar, de que todos tinham conhecimento, mas do qual ninguém ousava falar, eram as escapadas noturnas de Getúlio quando em viagem a Porto Alegre.

Sabia-se que, como tantos outros, ele era frequentador assíduo do célebre Clube dos Caçadores (também conhecido como Centro dos Caçadores) — casa de diversões masculinas que, de clube, tinha apenas o nome; e de caçadores, apenas a metáfora. Na verdade, era um cabaré e cassino luxuoso situado na rua Andrade Neves, paralela à rua da Praia, e que marcou época na capital rio-grandense. Jogar, propriamente, Getúlio nunca jogou. O local, reduto de intelectuais e políticos, oferecia mesas de carteado e roleta e concorridos espetáculos musicais, além da atração adicional proporcionada pelas beldades que costumavam borboletear pelos salões do lugar e, a despeito da verdadeira nacionalidade, fossem paraguaias, argentinas ou uruguaias, eram chamadas de "francesas".[39]

"O homem tinha direito de ir aos cabarés e ter suas aventuras", relevaria mais tarde Maneco, o quarto filho de Getúlio. "Era clube dos homens, não era considerado um erro, era consenso geral, e as mulheres fingiam que não viam."[40]

Mas Darcy nem sempre conseguia manter esse tipo de cegueira voluntária. Certa vez, armou uma cena doméstica de ciúmes ao encontrar, em meio aos papéis do marido, a fotografia de uma mulher linda, olhos lânguidos, boca sensualmente entreaberta, numa pose de explícita lascívia. De nada adiantou Getúlio explicar à esposa que aquilo era apenas um cartão-postal e que a bela moça da foto era a atriz Pina Menichelli, diva do cinema mudo italiano, estrela de filmes como *Una sventatella* (*A pequena estouvada*, no Brasil) e *La storia di una donna* (que nos cinemas nacionais foi rebatizado como *Lágrimas de sangue*). Darcy não se convenceu. Por muito tempo, continuou alimentando a desconfiança de que a donzela da foto fosse mais um dos tantos casos amorosos de Getúlio.[41]

Naquele dia, 22 de novembro de 1919, Gaspar Saldanha daria trabalho ainda maior a Getúlio:

"A moderna orientação econômica condena a intervenção do poder público em serviços que possam ser feitos por particulares", pregou o deputado oposicionista, em mais uma estrepitosa sessão da Assembleia dos Representantes. "O serviço público será sempre um serviço mau e caríssimo, além de redundar na criação de um viveiro de empregados sem os requisitos necessários para o bom desempenho de suas funções, pelo menos em vésperas de eleições", disse. "Aí serão colocados todos os companheiros, todos os eleitores que, não podendo vencer na vida e se equilibrar em determinada profissão, recorrerão a esse meio", completou Saldanha, para então denunciar que o estado rio-grandense fora engolfado por "um verdadeiro polvo", os apadrinhados do PRR, cujos tentáculos estavam sufocando a administração pública.[42]

Segundo raciocinava Gaspar Saldanha, não competia ao Estado intervir em obras que caberia à iniciativa privada conduzir, com maior eficácia e a menor custo. Em defesa de sua tese, valia-se do pensador inglês Herbert Spencer, autor de *The man versus the State* [O indivíduo contra o Estado], clássico do liberalismo. No papel de líder informal da bancada borgista, competiria a Getúlio Vargas confrontar o colega, o que fez de modo ferino:

"O ilustre representante da oposição foi recorrer a um livro de Spencer, escrito quando o genial filósofo britânico, no dizer dos críticos, já descambava para o declínio mental", zombou Getúlio.[43]

O spenceriano Gaspar Saldanha se insurgia contra uma medida específica: a encampação pelo governo estadual das obras da barra e do porto da cidade de Rio Grande, considerada a terceira maior obra de engenharia naval do planeta, só comparável aos canais do Panamá e Suez.

Em um ponto Saldanha e Getúlio estavam de acordo: o empreendimento, em si, era inadiável. Sem ele, as embarcações de grande calado continuariam impossibilitadas de adentrar a lagoa dos Patos para alcançar Porto Alegre, pois a habitual agitação das águas e a pequena profundidade da barra, com seus bancos de areia móveis e traiçoeiros, convertiam o lugar em um cemitério de navios. Em 1887, um naufrágio de grandes proporções traumatizara o estado. Às nove horas da noite do dia 11 de julho daquele ano, o vapor *Rio Apa* foi surpreendido por uma tempestade que o lançou em direção à barra. Morreram todos os quarenta tripulantes. Nenhum dos 67 passageiros sobreviveu.[44]

Fatos como aquele fechavam as portas do estado ao comércio marítimo, o que gerava a inevitável elevação dos fretes e incentivava o contrabando pela fronteira terrestre com o Uruguai e a Argentina. Burlada a vigilância aduaneira, as mercadorias contrabandeadas por terra seguiam tranquilamente em direção ao porto de Montevidéu, produzindo uma hemorragia de recursos ao Rio Grande do Sul. Por isso mesmo, a colossal obra marítima era uma antiga aspiração das classes financeiras e mercantis do litoral rio-grandense, inimigas naturais da ilegalidade no comércio fronteiriço, que continuava a medrar com a conivência dos poderosos locais. Numa charge histórica, publicada pelo *Bisturi*, jornal satírico porto-alegrense, a "barra diabólica" era retratada como um horrendo monstro marinho, devorador implacável de gente e de dinheiro.

"Pobre Rio Grande! Todos os seus poucos elementos de vida vão por água abaixo", dizia a legenda.[45]

As diferenças de opinião entre Getúlio e Saldanha começavam na hora de discutir quem deveria tocar a obra, se a iniciativa privada, como queria Saldanha, ou se o estado, como defendia Getúlio. Para tornar o debate ainda mais apimentado, havia acusações de xenofobismo, de um lado, e de entreguismo, do outro. Em 1908, a Compagnie Française du Port du Rio Grande do Sul, de capital majoritariamente francês, mas administrada pelo magnata norte-americano Percival Farquhar, assinara um contrato arquimilionário com o governo gaúcho, motivo de frequentes protestos por parte de intelectuais, empresários e políticos nacionalistas.

A multinacional levantou no mercado internacional 100 milhões de francos-ouro, o equivalente então a 19 milhões de dólares, e se comprometeu a providenciar o aprofundamento da barra do Rio Grande e a construção de dois enormes quebra-mares em forma de funil, com mais de 2 milhas (cerca de 3,2 quilômetros) de extensão cada um, erguidos com grandes blocos de granito lançados ao oceano. Em troca daquela obra, a Compagnie Française obtinha o direito de explorar o novo porto, em regime de monopólio, por um período de sessenta anos. Isso significava que Farquhar, que estava com 44 anos de idade quando da assinatura do contrato, mesmo que conseguisse viver até os 104 anos ainda continuaria dono absoluto do negócio.[46]

Getúlio ainda ouviria falar muito de Percival Farquhar — ou "Sir Percival", como queriam os sócios —, senhor de uma fortuna estimada em 50 bilhões de dólares. O multimilionário pusera seus reluzentes olhos azuis pela primeira vez na tropical paisagem brasileira em 1905, após fazer uma montanha de dinheiro com a construção de ferrovias em Cuba e na Guatemala. Aqui, esse inveterado jogador de pôquer, apreciador de bons vinhos e galanteador pertinaz, multiplicou em milhares de vezes o capital inicial ao fundar um conglomerado de empresas que compreenderiam inúmeros setores econômicos. Farquhar viria a ser o proprietário da Light no Rio de Janeiro, da Companhia Telefônica do Brasil, da Companhia de Navegação da Amazônia e, entre muitas outras, da concessão da ferrovia Madeira-Mamoré. Não era à toa que muitos o consideravam o verdadeiro "dono do Brasil".[47]

Mas os negócios de Farquhar começaram a fazer água com as oscilações econômicas trazidas pela crise que desembocou na Primeira Guerra Mundial. Depois de especular com os títulos das próprias empresas na Bolsa de Nova York, ele se descobriu arruinado.[48] Foi exatamente quando Borges de Medeiros, em um gesto de oportunidade política, decidiu pela encampação das obras da barra e do porto do Rio Grande, medida definida em mensagem oficial como uma urgente e necessária "socialização" desses equipamentos.[49] Numa época em que socialistas, anarquistas e comunistas eram agrupados sob a qualificação comum de "indesejáveis", o termo causou arrepios a muita gente.

Em assunto tão explosivo, sujeito a extremismos de ambos os lados, Borges precisava dispor de bons articuladores para a batalha de convencimento da opinião pública, fosse na imprensa ou na Assembleia de Representantes. Pois justamente aí entrava Getúlio, o melhor de seus oradores na bancada governista. Para ajudar a transformar a decisão em ato efetivo, era preciso construir um discurso de forte apelo nacionalista, convincente o bastante para justificar a medida perante a população gaúcha.

Para complicar o quadro, em 1906, na mensagem anual à Assembleia, o próprio Borges de Medeiros comemorara, sem nenhum questionamento, a assinatura do primeiro contrato de concessão da obra a uma multinacional, a Port of Rio Grande do Sul, posteriormente incorporada ao balaio de empresas pertencentes a Percival Farquhar.[50] O governo de Borges mudara de opinião e se convertera a um nacionalismo tardio ao perceber que os interesses financeiros das concessionárias estrangeiras nem sempre eram coincidentes com os desígnios palacianos. Ao contrário, alguns dos executivos da companhia ferroviária que servia ao estado — a Compagnie Auxiliaire de Chemins de Fer au Brésil, também arrendada ao onipresente Farquhar — haviam tido a suprema audácia de apoiar ostensivamente a candidatura de Fernando Abbot na eleição de 1907. Isso, para Borges, equivalera a uma declaração de guerra.[51]

Como ponto máximo da discrepância, a política de monopólio e a estratégia de maximização dos lucros levada a cabo pela Compagnie Française pretendiam centralizar todas as principais operações navais do estado no porto da cidade de Rio Grande, o que entrava em choque com as necessidades da classe mercantil regional, partidária do fortalecimento de outros portos auxiliares, como o de

Pelotas e, especialmente, o da capital, Porto Alegre. O contrato com Farquhar, que antes parecera literalmente a redenção da lavoura (e de toda a economia gaúcha), se revelara na verdade um estorvo aos propósitos da base política que sustentava o borgismo. O sintoma mais nítido disso era que o jornal oficial, *A Federação*, antes pródigo em louvações ao contrato com a Compagnie, passara a disparar artilharia pesada contra a concessionária, classificada a partir de então como "gananciosa" e "predatória". No front que se convertera a Assembleia durante as discussões em torno do assunto, o aplicado Getúlio se esmerava em fazer sua parte no script:

"A iniciativa do governo rio-grandense resultou da imperiosa necessidade de salvaguardar o interesse do comércio, sacrificado pela ganância da companhia concessionária", avaliava o deputado Getúlio Vargas.[52]

O trabalho persuasório de Getúlio junto aos colegas de parlamento foi facilitado por uma questão objetiva. A crise financeira da multinacional comandada por Farquhar provocou atrasos sistemáticos das obras, o que contribuiu sobremaneira para desgastar a imagem da empresa junto à sociedade rio-grandense. Justificativas ideológicas também não faltaram. O programa do PRR, segundo a orientação positivista, admitia a legitimidade da ingerência estatal na economia, desde que circunscrita aos serviços públicos e aplicada "em prol dos interesses coletivos".[53] Com base nessa ressalva, defendida com vigor por Getúlio em plenário, fez-se a anulação do contrato com a Compagnie Française. Na bancada oposicionista, o liberal Gaspar Saldanha previu uma catástrofe. Advertiu a Getúlio que o estado não teria condições de bancar os custos elevadíssimos de uma obra cuja grandiosidade e esforço de construção viriam a ser comparados, mais tarde, à edificação de uma pirâmide egípcia dentro do mar.[54]

"O pessimismo do ilustre representante da oposição cairá quando, dentro em breve espaço de tempo, ele apreciar o surto que terá tomado o progresso do Rio Grande com a encampação", replicou Getúlio em plenário.[55]

Mas não foi exatamente isso o que se viu. Como decorrência imediata da medida, um abalo sísmico ameaçou o Tesouro rio-grandense, até então gerido sob o dogma positivista de evitar déficits nas contas públicas. "O déficit é o abuso, é a anarquia administrativa, é mistificação, é o descrédito do Estado", proclamara Júlio de Castilhos.[56]

Gaspar Saldanha, dirigindo-se a Getúlio, continuou a fazer a crônica da tragédia anunciada:

"O governo do Rio Grande mudou de orientação administrativa. Anteriormente se limitava a arrecadar a renda, fazer aplicações burocráticas e amealhar para exibições de saldos. Agora, passou para o extremo oposto, atirando-se em aventuras para as quais não estamos preparados", condenou.[57]

Getúlio continuava ali, a postos, para esboçar o devido contra-ataque:

"Este ato, digno de todos os louvores, de todos os aplausos, não importa num desvio de orientação filosófica", opôs. "Serve, pelo contrário, para testemunhar que o governo rio-grandense não é esse governo intolerante, fechado nas quatro paredes de um sectarismo asfixiante."[58]

O debate situava com precisão os campos opostos. Gaspar Saldanha, liberal convicto, voltaria a criticar o governo de Borges de Medeiros sempre que este decidisse por novas encampações — ou "socializações" —, como as das jazidas de carvão mineral de Gravataí e a da própria rede ferroviária do Rio Grande do Sul. O deputado Getúlio, ao contrário, assumia na Assembleia a função de principal defensor da intervenção estatal nos serviços públicos. As diferenças entre essas duas concepções — liberalismo versus intervencionismo — polarizariam as discussões entre Saldanha e Getúlio naquela legislatura.

De um lado, ferroava Getúlio:

"Sua Excelência está filiado à velha teoria econômica do *laissez-faire*, que pretende atribuir unicamente à iniciativa particular o desenvolvimento econômico ou industrial de qualquer país, deixando de lado a teoria da nacionalização desses serviços por parte da administração pública."

Do outro, protestava Saldanha:

"Não citei conselhos de velhas escolas, mas de economistas moderníssimos."[59]

Em tais termos, era impossível construir alguma espécie de consenso:

"Ficaram de pé todos os meus argumentos", insistia Saldanha, após mais um desses frequentes bate-bocas.

"Os argumentos expelidos pelo nobre representante da oposição não ficaram de pé. Estão todos deitados e eu venho rezar sobre eles o *parce sepultis*", tripudiava Getúlio.[60]

Aquela luta de convicções ainda iria longe. Bem mais tarde, um Estado intervencionista e politicamente forte, lastreado pelo nacionalismo e pelo populismo, viria a ser o principal legado da chamada Era Vargas. E contra esse espólio é que se insurgiriam seus principais oponentes.

* * *

Em São Borja, tudo estaria a favor dos Vargas, não fossem os problemas decorrentes das violentas estripulias do irmão caçula de Getúlio. O jovem Benjamin, o Bejo, dezoito anos, estava se revelando um criador de casos. Numa noite de festa no Clube São-borjense, frequentado preferencialmente pelos inimigos maragatos, ele se desentendera com outro rapaz da cidade, Naor Lopes Pereira, de apenas dezesseis anos. Ao passar por Naor, segundo contou depois na delegacia, Bejo o viu escarrando e cuspindo no chão, o que entendeu como uma provocação:

"Você está me provocando, seu sem-vergonha?", quis pôr à prova Bejo, levando a mão por baixo da blusa, como quem busca uma arma.

"Não seja besta, seu animal", devolveu Naor, armado com um porrete de madeira feito do caule nodoso de uma laranjeira.[61]

Os amigos de Bejo o retiraram dali, para evitar que ele e Naor se engalfinhassem por tão pouco. Contudo, minutos depois, os que estavam dançando no baile foram surpreendidos pelos estampidos de dois tiros lá fora.

Bejo retornara para acertar as contas. Disparara contra Naor, acertando-lhe um balaço na coxa. Errara o outro disparo, cujo projétil foi se encravar nas nádegas de um terceiro rapaz, alheio ao episódio. Após o incidente, Bejo correu para se esconder na casa do pai, o general Manuel Vargas. Com o objetivo de fugir ao flagrante, foi enviado no dia seguinte bem cedo, às escondidas, para Porto Alegre. Mesmo assim foi indiciado e passou a responder a um processo no qual Getúlio atuaria como advogado de defesa.

O caso caiu no vazio. Getúlio conseguiu convencer o juiz de que o irmão agira em legítima defesa. Pela versão apresentada por Bejo à justiça, Naor partira para cima dele primeiro, brandindo o porrete em movimentos circulares no ar. Para se defender de um dos golpes, Bejo protegera o rosto com a mão, o que lhe teria provocado uma lesão no polegar direito. Recuara então uns dois passos, sacara o revólver que trazia consigo e só então efetuara os disparos. Jurou que não tinha intenção de provocar nenhum ferimento grave ao desafeto, tanto que mirara apenas nas pernas de Naor. Além do mais, o revólver, segundo alegava, seria quase inofensivo. Tratava-se de uma arma de pequeno calibre, que era utilizada, de acordo com o que declarou Bejo à polícia, apenas para "afugentar os cachorros" que corriam atrás de sua bicicleta. Era arma para matar passarinho, não para eliminar inimigos, dizia a tese da defesa, conduzida por Getúlio.

Naor, que carregaria a bala plantada na coxa para o resto da vida,[62] contaria à polícia uma versão completamente diferente. Um projétil de baixo calibre, ao penetrar em uma região letal do corpo, podia derrubar até mesmo um homem corpulento, quanto mais um rapazote como aquele, acusou a promotoria. A acusação estava certa de que Bejo teria voltado com o propósito declarado de matar Naor. Se não obtivera sucesso, era porque encontrara reação à altura e levara uma porretada na mão.

Ao final, Benjamin foi inocentado. O juiz considerou a denúncia improcedente e mandou arquivar o processo, a despeito dos protestos da família do moço baleado.[63] Prevaleceu menos a habilidade jurídica de Getúlio que a força política dos Vargas, que estavam de novo no comando do município, depois de Protásio ser eleito o novo intendente de São Borja, sucedendo a Érico Ribeiro da Luz, com o obrigatório beneplácito de Borges de Medeiros.

"Felicito-vos vivamente pelo brilhante resultado eleição desse município, cuja valiosa consideração vitoriosa reação republicana atesta eficácia vossos incessantes esforços pelo engrandecimento nosso partido", telegrafou Borges a Protásio.[64]

Como prova de que os Vargas haviam recuperado todo o antigo prestígio junto à máquina estadual, o processo contra Viriato continuava estacionado na justiça rio-grandense. Não era segredo para ninguém que Viriato, sem jamais ter sido importunado, morava confortavelmente em Paso de los Libres, cidade argentina distante de São Borja, em linha reta, pouco mais de 150 quilômetros.[65] Também sem demonstrar nenhuma espécie de assombro, chegara a cruzar a fronteira para participar da festa pelas bodas de prata dos pais, comemoração que se transformou em um acontecimento na cidade. Na fotografia que ficou como recordação da data, um sobranceiro Viriato apareceu no álbum de retratos da família ao lado dos irmãos, cunhados e sobrinhos, em posição de destaque, sentado logo ao lado do pai, Manuel Vargas.

Nos bastidores da justiça, Getúlio trabalhava para o reaforamento do processo contra o irmão, ou seja, para que o caso retornasse ao foro de São Borja, onde a situação política do momento prometia um tranquilo ganho de causa. Vencidas as efervescências locais, não havia mais o que temer. O que restara da oposição municipal tentava evitar, a todo custo, a mudança da sede do processo.

"Eles continuam a dizer que tal reaforamento não se dará, porque têm aí [em Porto Alegre] gente que se oporá à concessão do mesmo", escreveu Getúlio, em caráter confidencial, a Borges de Medeiros. "Eu permaneço quieto, porque entendo ser de meu dever nada revelar do que ouvi de Vossa Excelência sobre esse assunto", deixou escapar Getúlio na carta ao presidente do estado.[66]

Contudo, as precauções de Getúlio Vargas não eram compartilhadas pelo mano caçula. Como o jornal ligado aos adversários persistia em fazer denúncias contra a família, Bejo resolveu tomar as dores de casa. Foi até o prédio onde funcionava *O Missioneiro* e, em um acesso de fúria, quebrou sete vidraças da fachada, provocando um prejuízo calculado pela polícia em 35 mil-réis. Mais uma vez chegou a ser aberto inquérito para apurar a ocorrência, mas novamente Bejo se safou de responder a processo. Getúlio, atuando como advogado de defesa, argumentou que só o proprietário do prédio — e não os diretores do jornal, que apenas alugavam o imóvel — podiam entrar com recurso contra o jovem infrator. O caso foi arquivado.

"Qualquer dia empastelamos isso", ainda prometeu Bejo.[67]

O deputado Getúlio Vargas, líder da maioria borgista, tinha mais uma missão ingrata pela frente. A Comissão de Orçamento, da qual fazia parte, fora obrigada a aprovar um empréstimo milionário para que o governo rio-grandense pudesse arcar com os custos decorrentes das encampações em série. Na tribuna da Assembleia, Getúlio seria chamado às falas pela oposição. Gaspar Saldanha, sempre o deputado mais febril na bancada federalista, queria saber quem, afinal de contas, iria pagar a fatura.

Em um país que vivia sob o signo do eterno déficit orçamentário, o Rio Grande do Sul era até então o único estado da federação que podia se gabar de nunca ter recorrido a empréstimos externos, desde a época do governo de Júlio de Castilhos. Mas quando naquele instante se viu obrigado a fazê-lo para bancar o pacote de obras infraestruturais, abusou na dose. Ao gaúcho Banco Pelotense, Borges de Medeiros tomou emprestada a fortuna de 25 mil contos de réis — equivalente a toda a receita anual do estado[68] —, enquanto obteve outros 10 milhões de dólares junto a instituições financeiras em Nova York.[69]

"Antes, o governo do Rio Grande do Sul era tachado de usurário, espécie de papai grande dos fundos públicos", rebateu Getúlio. "Quando põe em prática o seu plano progressista, acusam-no de desperdiçador e perdulário."[70]

A oposição, óbvio, não se deu por satisfeita. Queria mais explicações. Para cobrir o buraco nos cofres do estado, o governo borgista também apelara para o aumento dos impostos, sobretudo os que incidiam sobre grandes heranças e sobre os proprietários de terra, inclusive os pequenos colonos da área de imigração germânica e italiana. A grita foi ainda mais intensa quando as tarifas ferroviárias, após a encampação da Compagnie Auxiliaire de Chemins de Fer au Brésil, foram reajustadas em nada menos que 360% para fazer frente às volumosas despesas de operação das linhas. A majoração, que contrariava promessa feita por Borges de não alterar um mísero ceitil nas tarifas, acarretou a alta dos fretes, o que deixou os produtores rurais em polvorosa.

"Se o governo aumenta as tarifas, é acusado de esfolar o povo; se não aumenta, é acusado por apresentar déficits. Preso por ter cão e preso por não ter", tentou ilustrar Getúlio.[71]

Gaspar Saldanha não achou nenhuma graça na tirada do líder da maioria. Em aparte, afirmou que a taxação sobre a terra já atingira limites insuportáveis. Getúlio seguiu adiante:

"Onde queria Vossa Excelência que o governo fosse buscar o aumento de suas fontes de renda? Teria de recorrer ao aumento de impostos que incidissem sobre as fontes mais tributáveis."[72]

A nova política fiscal abriu um fosso na relação do governo com os produtores rurais. Enquanto isso, Borges erguia pontes de entendimento com o setor financeiro do litoral, concedendo-lhe incentivos e isenções. Do mesmo modo, cortejava o operariado urbano, com iniciativas paternalistas de proteção aos trabalhadores, que eram aplaudidas de modo irrestrito — e entusiasmado — por Getúlio Vargas na Assembleia. Em carta ao amigo Telmo Monteiro, que acabara de subir ao altar puxando uma bela noiva pelo braço, Getúlio comparou:

"Abandonaste em boa hora a vida dispersa da boemia, levado pela mão carinhosa de tua esposa que te reconduziu à vida séria, assim como o dr. Borges trouxe o operariado rebelde e carbonário, incorporando-o à sociedade moderna."[73]

Uma coisa era inegável: a Constituição republicana rio-grandense de 1891, de forma pioneira no continente americano, estendia aos chamados "jornaleiros" (operários diaristas que, em geral, prestavam serviços braçais ao estado) as mesmas vantagens gozadas pelo funcionalismo público da máquina burocrática.[74] Borges de Medeiros, em legislação complementar, estendera a esses mesmos trabalhadores alguns direitos fundamentais, como as férias de trinta dias, a licença remunerada para tratamento de saúde e o auxílio funeral — algo de inegável significado social em um país que, poucos anos antes, ainda vivia sob a chaga da escravidão.[75]

Era um avanço, sem dúvida, mas que seguia estritamente o receituário positivista: o bem-estar do trabalhador devia ser provido a todo custo pelo próprio Estado, sob pena de, caso contrário, deixar-se as massas expostas ao apelo revolucionário e à subversão da *ordem*, esta entendida como a única fonte garantidora do *progresso*.[76] No extremo, Borges antecipava o fenômeno político e social que, algumas décadas depois, viria a ser conhecido como trabalhismo — e que teria em Getúlio sua mais legítima e destacada expressão.

Getúlio, na carta a Telmo, se referia de modo particular à atitude inusitada de Borges de Medeiros, que surpreendeu a muitos quando sentou à mesa de negociação e apoiou as reivindicações de um movimento grevista que paralisou toda a Porto Alegre naquele conturbado ano de 1917 — não por coincidência, no mesmo momento em que outras ações similares sacudiam o país. Estimulados pelo exemplo da Revolução Bolchevique na Rússia, os operários brasileiros enfrentavam a polícia e a intransigência patronal para reivindicar melhores salários, condições dignas de trabalho, congelamento de preços e o direito de associação. Em São Paulo, as greves haviam assumido o contorno de guerra civil. Bondes e automóveis eram incendiados. Quebra-quebras explodiam a cada esquina. Mortos e feridos, vítimas dos confrontos entre manifestantes e soldados, se contavam às dezenas.

Na capital gaúcha, motorneiros e condutores de bondes foram os primeiros a cruzar os braços. Tipógrafos, estivadores, chapeleiros, marceneiros, padeiros, marmoristas, ferroviários, pedreiros, tecelões e alfaiates acompanharam o movimento paredista. Recebida em audiência por Borges de Medeiros, uma comissão da Federação Operária ouviu do presidente do estado três promessas, que seriam cumpridas. Getúlio, naquele dia, receberia a aula inaugural de como um governante poderia ser capaz de atrair as simpatias e o fascínio dos trabalhadores.

Em primeiro lugar, Borges garantiu que a temida Brigada Militar não iria intervir contra a paralisação, desde que os grevistas gaúchos mantivessem a ordem. Em segundo, afirmou que, embora não pudesse obrigar os empresários a aumentar o salário dos seus empregados, o governo baixaria um decreto elevando o vencimento dos operários a serviço do estado, a fim de que a medida servisse de exemplo pedagógico aos demais patrões. Por último, Borges disse que interviria no mercado e proibiria a exportação de bens de primeira necessidade, como arroz, feijão, batata, banhas e farinhas, até que os preços voltassem a um patamar aceitável.[77]

Fora do palácio, uma multidão de 5 mil pessoas que aguardava o fim da audiência aplaudiu freneticamente o resultado tão logo foram tornadas públicas as disposições de Borges de Medeiros. A Federação Operária decidiu pôr fim à paralisação e recomendou que todos voltassem de imediato ao trabalho.

De lua de mel com os operários, prestigiado pelas classes mercantis e financeiras, o governo rio-grandense parecia inabalável, apesar dos protestos cada vez mais renhidos das elites agrárias. Mas, na verdade, o contexto econômico faria Borges de Medeiros caminhar célere para um abismo sem volta. Não demorou muito para a inflação desenfreada e o aumento crescente nas tarifas públicas corroerem, gradativamente, a popularidade que o líder republicano havia construído junto às classes médias urbanas e o operariado.

Quando, em 1919, Porto Alegre assistiu a novo surto de greves, a história se deu de modo inverso. Dessa vez, o discurso e as ações dos manifestantes fizeram eco ao movimento anarcossindicalista europeu, transplantado para o Rio Grande do Sul pela presença maciça de imigrantes no meio operário local. "Que cada homem saia à rua e cada covarde fique em casa!", dizia um dos panfletos dos grevistas. "A burguesia não quer ceder? Ela que fique responsável pelo que acontecer."[78]

E aconteceu. No dia 6 de setembro de 1919, Getúlio acordou com a notícia de que houvera na madrugada um atentado à bomba contra a Usina de Força e Luz de Porto Alegre. Nos dias seguintes, ele pôde ler nas páginas de *A Federação* os informes sobre ataques análogos a estabelecimentos comerciais da capital rio-grandense. O discurso governista conheceu uma total reviravolta. O jornal governista, *A Federação*, acusou:

> Tais são os desatinos a que se entregam os desordeiros, e tão desabusada e virulenta é a linguagem dos seus cabecilhas, quase todos estrangeiros [...] que esse movimento, percebe-se desde logo, perdeu por inteiro as características de uma tentativa pacífica visando a consecução de fins legítimos.[79]

Quando o paternalismo não conseguiu mais dar conta das reivindicações dos operários, Borges recorreu à repressão. Em desforra contra os atentados à bomba, ordenou que fosse dissolvido à pata de cavalo um grande comício organizado pela Federação Operária. Como saldo do confronto, registraram-se dezenas de feridos e pelo menos uma morte.

"Foi uma verdadeira emboscada policial, para a prática premeditada da chacina", classificou o *Correio do Povo*.[80]

Como preço a ser pago pela repressão ao movimento operário, Borges assistiu à ruptura do apoio estratégico que os trabalhadores até então lhe prestavam e, em paralelo, ao recrudescimento das críticas públicas contra a usual ferocidade da Brigada Militar. O que significava que, na Assembleia dos Representantes, haveria trabalho redobrado para Getúlio. Gaspar Saldanha aproveitou o episódio para denunciar que a maior fatia do orçamento rio-grandense estava sendo comprometida na manutenção do equipamento repressivo:

"A Brigada Militar é um verdadeiro exército, dispondo de todo aparelhamento bélico, inclusive metralhadoras", criticava Saldanha, que fazia as contas para demonstrar, aritmeticamente, que o governo rio-grandense investia, por ano, quase oitocentos contos de réis a mais na força policial que na educação.[81] Getúlio não desmentiu os cálculos do adversário. Preferiu, apenas, sair em defesa da existência de uma Brigada bem equipada e em permanente estado de alerta:

"Pelo próprio lema do nosso pavilhão, a ordem é uma garantia de progresso e a Brigada Militar é uma garantidora da ordem", rebateria Getúlio. "O simples conhecimento de que a Brigada está apta para intervir, no caso de perturbação, é suficiente para conter qualquer veleidade revolucionária", sustentou.[82]

Gaspar Saldanha logo aprofundaria a denúncia: as altas somas de recursos públicos despendidos com a força policial se mostravam incompatíveis com a saúde financeira do Rio Grande. O sistema bancário gaúcho, antes um dos mais sólidos do país, estaria em situação calamitosa, pois o governo raspara os saldos do Tesouro depositados no mercado financeiro para ajudar a tapar o poço sem fundo aberto pelas encampações de obras públicas. Criara-se, no entender do deputado da oposição, um alarmante círculo vicioso: os bancos, descapitalizados, negavam novos créditos e pressionavam os ruralistas a saldar suas dívidas e hipotecas. Os ruralistas, sem conseguir honrar seus compromissos, agravavam a crise bancária ao mergulhar na inadimplência.

Estabeleceu-se o pânico geral quando o Banco Pelotense, uma das mais tradicionais instituições financeiras do estado, anunciou que estava às portas da bancarrota. Diante do anunciado colapso bancário, assistiu-se a uma corrida desenfreada dos clientes, que fizeram filas nos guichês para sacar dinheiro antes da apregoada quebradeira geral.[83] A fuga dos depósitos precipitou o flagelo, com repercussões nefastas, logo se veria, no núcleo familiar de Getúlio.

Com o agravamento da crise, a diretoria do Pelotense decidiu pôr em prática uma medida radical: em novembro de 1920, determinou que todas as contas correntes com saldo negativo fossem bloqueadas e convertidas em promissórias com vencimento para apenas trinta dias.[84] Um prazo tão curto pegou de surpresa os correntistas, que se viram em apuros para saldar as elevadas quantias. Muitos tiveram que entregar ao banco tudo que possuíam — estâncias, gado, casa, móveis, as joias da família.

"Quando da encampação, o governo do estado lançou um empréstimo interno que teve ruidosas consequências", historiou Gaspar Saldanha no plenário da Assembleia.[85]

Dessa vez, Getúlio Dornelles Vargas não subiu à tribuna para contestar a afirmação do colega oposicionista, ao contrário do que sempre fazia. Tinha motivos pessoais para tanto. O drama bancário do Pelotense produzira uma tragédia bem próxima a ele. O sogro, Antônio Sarmanho, gerente da agência em São Borja, foi um dos correntistas a receber o ultimato da diretoria na forma de uma promissória milionária, a ser paga no prazo de inadiáveis trinta dias.

Sarmanho devia nada menos que 104 contos de réis ao Pelotense.[86] O débito era equivalente ao dobro dos emolumentos totais arrecadados pela Junta Comercial do Rio Grande do Sul, naquele ano, em todo o estado.[87] Além da centena de contos de réis devidos ao banco, Sarmanho ainda estava afogado em uma série de dívidas contraídas em maus negócios que atingiam a dramática soma de outros 110 contos de réis.[88] A ostentação com que sempre viveram os Sarmanho não tinha lastro real que a sustentasse. Era tudo fumaça.

"A justiça começa por casa. Sarmanho que cumpra as ordens", disse o presidente do banco, coronel Alberto Rosa, ao inspetor encarregado de ir a São Borja para avaliar a situação geral da agência no município.[89] O inspetor Alcebíades de Oliveira tomou um trem para Uruguaiana e de lá, antes de seguir para uma série de auditorias prévias em outras cidades da fronteira, recebeu um telegrama urgente da diretoria do banco, remetido da matriz em Porto Alegre:

Estamos informados falecimento Sarmanho. Queira seguir imediatamente São Borja. Tomar providências que forem necessárias.⁹⁰

Humilhado pelas dívidas, o arruinado Antônio Sarmanho recorrera a uma solução extrema. O sogro de Getúlio decidira abreviar o sentimento de desonra enfiando uma bala no próprio peito, à altura do coração.⁹¹

8. Nova guerra civil derrama sangue no Rio Grande. O parecer de Getúlio é o estopim do conflito (1922-3)

A notícia que Getúlio tinha para dar a Borges de Medeiros, naquela manhã de janeiro de 1923, não era nada boa. O borgismo estava com os dias contados no poder. Depois de consultar todos os boletins fornecidos pelas mesas eleitorais de cada um dos então 75 municípios do Rio Grande do Sul, a Comissão de Constituição e Poderes da Assembleia dos Representantes — da qual Getúlio era presidente — chegara a uma conclusão desastrosa para o PRR: nas eleições realizadas menos de dois meses antes, em novembro de 1922, Borges, que se candidatara ao quinto mandato de presidente estadual, não alcançara o número suficiente de votos para garantir mais uma reeleição. Obtivera a maioria do eleitorado, mas não os três quartos previstos pela Constituição castilhista para assegurar-lhe a recondução ao cargo.

Cabia a Getúlio, acompanhado dos outros dois membros da comissão encarregada de proceder ao exame das votações, o constrangimento de ir ao palácio para dar conhecimento da situação ao ilustre derrotado. Por isso, lá estavam eles, Getúlio e os deputados Ariosto Pinto e José Vasconcelos Pinto — "dois pintos e um garnizé", ironizavam os oposicionistas.[1]

Segundo consta, tão logo adentraram o gabinete presidencial, antes mesmo que pudessem ter chance de pronunciar qualquer palavra, foram surpreendidos por uma saudação festiva da parte de Borges:

"Já sei, vieram me dar os parabéns pela nossa retumbante vitória."[2]

Ao ouvirem aquilo, Getúlio, Ariosto e José Vasconcelos — todos governistas — não ousaram dizer que estavam ali pelo motivo exatamente oposto. Não iriam contrariar o presidente do estado, líder supremo do partido. Segundo consta, teriam se calado e retornado à Assembleia, resignados, para refazerem — e maquiarem — as contas.

No dia seguinte, apresentaram um parecer que expunha uma votação de 106 319 sufrágios a favor de Borges, contra 32 217 do candidato oposicionista, Joaquim Francisco de Assis Brasil.[3] Isso significava que, por uma estreita margem de pouco mais de 2 mil votos, os três quartos regulamentares estavam artificialmente garantidos. Desse modo, Borges de Medeiros foi declarado reeleito para mais um quinquênio à frente do governo do Rio Grande do Sul, por artes da cabala orquestrada por Getúlio, que produzira uma multiplicação instantânea dos votos a favor do candidato oficial.

O episódio passaria ao anedotário eleitoral brasileiro, imortalizado, sobretudo, pelo escritor Erico Verissimo, que o incluiu no já clássico *O tempo e o vento*:

> Os deputados se entreolharam, se acovardaram e viram que não havia outro remédio senão representar também a farsa. Voltaram para a Assembleia com o rabo entre as pernas, fecharam-se a sete chaves e trataram de fazer a alquimia de costume para não decepcionar o sátrapa.
>
> [...]
>
> — Eu não esperava que o doutor Getúlio se prestasse a essa indignidade.
>
> [...]
>
> — Ora o doutor Getúlio! O que ele quer é fazer a sua carreira política na maciota. Vai ser agora deputado federal.[4]

Os murmúrios em torno da suposta fraude tomaram conta de Porto Alegre. A oposição, derrotada, acusou a comissão de cometer um "inominável latrocínio político". Por meio de procuradores legalmente constituídos, o candidato vencido contestou o resultado oficial das urnas e levantou desconfiança sobre a idoneidade dos responsáveis pela contagem dos votos.

"Escolheu-se uma comissão de políticos evidentemente suspeitos, excluindo-se desta, por uma desonestidade clamorosa, os membros da minoria", dizia o documento. O texto acusava:

O presidente da comissão é o dr. Getúlio Vargas, diretor da política de São Borja e recentemente eleito deputado federal, por obra e graça do sr. Borges de Medeiros, que é, no conceito dos seus próprios correligionários, quem tudo faz na vida política do Rio Grande do Sul, desde os representantes no Congresso ao varredor das repartições públicas.[5]

Uma visão retrospectiva dos fatos ajudaria a mostrar que, de fato, Getúlio se encontrava em considerável dívida política com Borges de Medeiros. Em 20 de fevereiro de 1921, fora reeleito para a Assembleia dos Representantes, com 78 381 votos (sexto colocado) e a necessária chancela do chefe do PRR.[6] No ano seguinte, em outubro de 1922, tivera seu nome apontado, por decisão do mesmo Borges, para a Câmara Federal. Com a ajuda da máquina estadual republicana, foi confirmado nas urnas, por uma eleição extraordinária, para cumprir um mandato-tampão. Iria completar o período de pouco mais de um ano que restava do mandato pertencente originalmente ao deputado federal rio-grandense Rafael Cabeda, falecido em 12 de setembro de 1922. Portanto, Getúlio estava perto de trocar o Rio Grande do Sul pelo Rio de Janeiro.

"A esta hora estás eleito deputado federal, e tuas virtudes, *lato sensu*, reconhecidas e proclamadas", escreveu-lhe Érico Ribeiro da Luz, ex-intendente de São Borja. "Bem se diz — e uma vez me repetiste — que para vencer, às vezes, basta esperar", alegrava-se o amigo na carta a Getúlio.[7]

É inegável que a escolha do nome de Getúlio Dornelles Vargas para a Câmara obedecia a uma série de conveniências do borgismo. A rigor, pela letra exata da lei, Getúlio — ou qualquer outro filiado ao PRR — não poderia sequer ter concorrido ao cargo de deputado federal naquele momento. Isso porque o partido comandado por Borges já dispunha de quatro das cinco cadeiras relativas ao terceiro distrito eleitoral do Rio Grande. Como a quinta cadeira pertencera ao oposicionista Cabeda e a Constituição Federal assegurava o direito de representação das minorias, a vaga teria que obrigatoriamente ser preenchida por outro representante dos federalistas.

"O candidato apresentado pelo Partido Republicano Rio-grandense é um verdadeiro intruso, um pretendente à usurpação dos direitos da minoria", protestou a oposição, em ofício às mesas eleitorais.[8]

A reclamação foi ignorada e Getúlio, declarado eleito. Havia poucos meses, ainda no fim de 1921, ele seguira a orientação ditada por Borges de Medeiros,

Getúlio, em 1894, aos doze anos de idade.

Cândida Dornelles e Manuel do Nascimento Vargas, os pais de Getúlio.

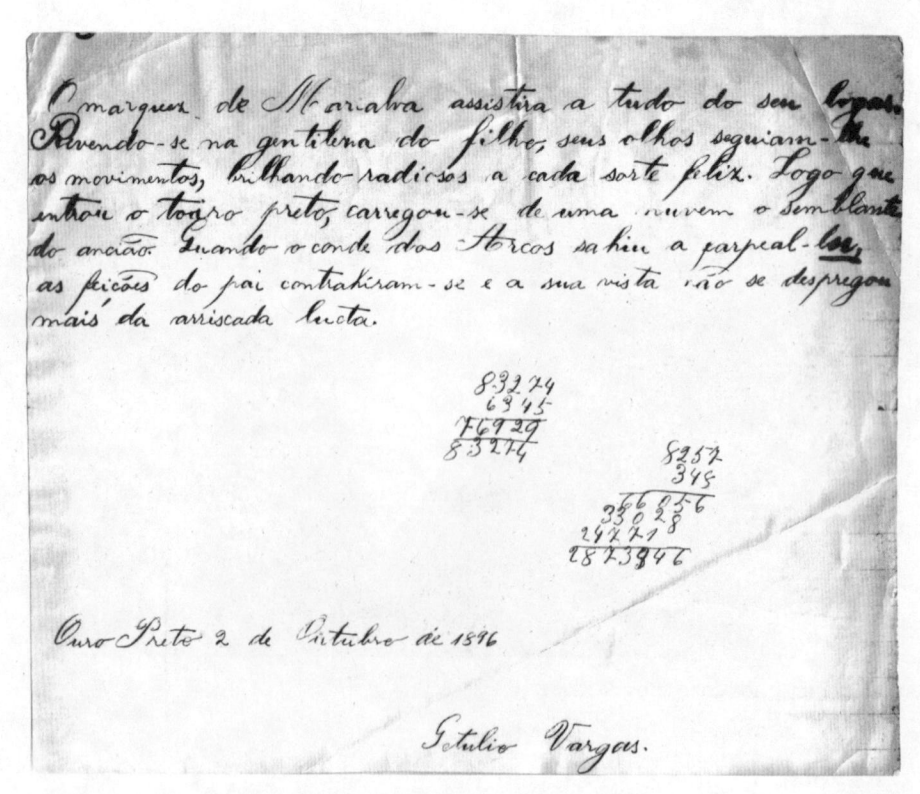

O exame que Getúlio prestou para ingressar no Ginásio Mineiro, aos catorze anos.

Carlos de Almeida Prado (terceiro à esquerda) com a família: o jovem assassinado por Viriato Vargas em 1897.

Estudantes gaúchos em Ouro Preto: Getúlio é o último à direita, em pé; Protásio, o segundo à esquerda, também em pé; Viriato está sentado, ao centro.

A rua da Praia, então a mais elegante de Porto Alegre, em fotografia do início do século XX.

Júlio de Castilhos com mulher e filhos.

Borges de Medeiros (indicado com a seta) passeia com comitiva pela capital gaúcha.

Getúlio em dois momentos: aluno da Escola Militar, aos dezenove anos, e acadêmico de direito, aos 22.

Reunião dos jovens estudantes do Bloco Acadêmico Castilhista (Getúlio está indicado com a seta) com Borges de Medeiros, em 1907.

Ao lado,
o advogado Getúlio Vargas, aos 28 anos.

Com o traje de formatura, em 1907.

O deputado estadual Getúlio Vargas, em 1910.

Os recém-casados Getúlio Vargas e Darcy Sarmanho: ele, com 29 anos; ela, com quinze.

Acima, Getúlio e Darcy; no alto, os filhos do casal (Lutero, Jandira, Alzira, Manuel Antônio e Getulinho), que também aparecem na outra foto, já um pouco maiores, com a mãe, no Rio de Janeiro, na varanda da casa da ladeira do Ascurra, em 1926.

Getúlio Vargas, deputado estadual (ao lado), e com os filhos Lutero e Manuel Antônio.

Acampamento federalista durante a Revolução de 1923 no Rio Grande do Sul.

Assis Brasil, líder dos "libertadores".

Honorio Lemes, o "Leão de Caverá".

Getúlio Vargas, deputado federal.

Na foto, Washington Luís e seu ministro da Fazenda, Getúlio Vargas, em 1927. No alto, charge da *Folha da Noite* denuncia a incompatibilidade dos titulares com as respectivas pastas. Ao lado, em página de *O Malho*, as caricaturas do presidente e seus auxiliares diretos (Getúlio está no canto superior direito da ilustração).

O MALHO

Redactor-Chefe: OSWALDO DE SOUZA E SILVA
Director-Gerente: A. A. DE SOUZA E SILVA

ANNO XXVI
NUM. 1.319
Rio de Janeiro, 24 de Dezembro de 1927.

PASSOS PERDIDOS

JECA — Por isto é que eu passo a vida de cocoras assumptando. Ahi "tá" tanta gente que perdeu seu tempo. Quem "trabaia" não tem fé em Deus.

— 21 —

Entre os muitos pretendentes ao cargo de ministro da Fazenda, Washington Luís decide por um não especialista: Getúlio.

PARA PRESIDENTE DO ESTADO:

Doutor Getulio Dornelles Vargas,

advogado, residente em São Borja.

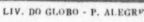

No alto e à esquerda, dois panfletos da campanha de Getúlio Vargas ao governo do Rio Grande do Sul, em 1927; acima, capa da revista gaúcha *Máscara*, de janeiro de 1928, em homenagem aos eleitos Getúlio e João Neves (vice).

O presidente (cargo equivalente ao de governador à época) do Rio Grande do Sul, Getúlio Vargas, em sua mesa de trabalho; no alto, no Congresso das Municipalidades, em 1929, evento que consolidou a pacificação do estado.

Getúlio Vargas, com seu traje predileto, sapato bicolor e terno de linho branco, às vésperas de se candidatar à presidência da República.

quando da campanha pela sucessão do então presidente da República, Epitácio Pessoa. O candidato oficial do Catete para as eleições presidenciais de 1922, apoiado por Minas Gerais e São Paulo, fora o mineiro Artur Bernardes, conforme o figurino de alternância do poder entre os dois estados mais poderosos na nação. Pessoa, a despeito de ser paraibano e apelidado pela imprensa de "Patativa do Norte", recebera apoio dos cafeicultores paulistas, ao defender medidas de valorização permanente do produto no mercado internacional. Era, portanto, a vez de Minas dar as cartas, mantendo os termos do pacto inalterados. O gaúcho Borges de Medeiros, contudo, resolveu insurgir-se contra a hegemonia da conhecida "República do café com leite".[9]

Borges aderiu à Reação Republicana, aliança que tentava construir um eixo alternativo de poder, composto pelo Rio de Janeiro e pelas oligarquias de Bahia e Pernambuco, estados que, um dia poderosos no Império, haviam aos poucos perdido relevância econômica e se tornado forças políticas periféricas após o advento da República, com a ascensão do baronato paulista do café.[10] Ao somar-se a esse bloco, o emergente Rio Grande do Sul, por meio da resolução de Borges de Medeiros, declarou apoio oficial ao candidato oposicionista, o fluminense Nilo Peçanha, que durante a campanha pregou ardorosamente contra o "imperialismo dos grandes estados" e acenou com a promessa de "arrancar a República das mãos de alguns para as mãos de todos".[11]

João Francisco, a Hiena do Cati, voltou à cena para recriminar a opção eleitoral de Borges: "Parece mentira mas é verdade! Borges de Medeiros está agora abraçado com o algoz de Pinheiro Machado", escreveu, alardeando de novo a teoria conspiratória de que Nilo Peçanha estava por trás do assassinato do senador gaúcho. "Eu conhecia bem a hipocrisia do sr. Medeiros e sabia que ele e seus íntimos se sentiram melhor e até se regozijaram com o desaparecimento de Pinheiro Machado", denunciou a Hiena. "Quando Pinheiro Machado caiu atravessado pelo punhal de um miserável sicário ao serviço de miseráveis políticos, Medeiros chorou lágrimas de crocodilo", acusou João Francisco.[12]

Getúlio, ainda líder do governo estadual na Assembleia dos Representantes, evitou uma resposta direta às acusações de João Francisco contra Nilo Peçanha, mas na sessão de 30 de novembro de 1921 partiu em defesa da candidatura presidencial abraçada por Borges de Medeiros, opção duramente criticada pela oposição interna dos federalistas rio-grandenses.

"Quando queremos a eleição de um nome nacional, escolhido em uma convenção livre, sem compromissos prévios, os federalistas se rebelam, opinando por um desconhecido", condenou Getúlio, que julgava Artur Bernardes, governador de Minas Gerais, uma insondável e perigosa incógnita.[13]

Contra Bernardes havia um episódio rumoroso, no qual cartas atribuídas a ele desacatavam um ícone da caserna, o marechal Hermes da Fonseca, referido nas tais mensagens como um "sargentão sem compostura", paparicado por oficiais que não passariam de uma "canalha" que precisava "de uma reprimenda para entrar na disciplina".[14] As cartas, soube-se logo depois, eram escandalosamente falsas. Mas o estrago em relação à imagem de Bernardes junto aos militares já estava feito.

Não era isso, entretanto, que sustinha o discurso de Getúlio Vargas contra o candidato oficial ao Catete. Getúlio alegava que Bernardes não teria a expressão política e o conhecimento da questão nacional de Nilo Peçanha, já testado na presidência da República, mesmo brevemente, entre junho de 1909 e novembro de 1910, ao assumir, como vice, após a morte do então titular Afonso Pena.

"Vossas Excelências assinaram um cheque em branco para descontar no banco do Catete, em troca de favores oficiais", acusou Getúlio em discurso na Assembleia dos Representantes, levantando desconfianças em torno dos reais motivos da preferência dos adversários federalistas pela candidatura de Artur Bernardes.[15]

Veio a eleição em 1º de março de 1922. Como era previsível, o apoio de Borges de Medeiros e da máquina do PRR foram determinantes para a votação maciça obtida por Nilo Peçanha nas urnas do Rio Grande do Sul. Entre os gaúchos, Nilo alcançou 96 mil votos contra apenas 11 mil de Bernardes.[16] Mas, como também era de esperar, os mesmos números não se repetiram em escala nacional. O situacionista Artur Bernardes, com o peso eleitoral de Minas e São Paulo, foi eleito presidente da República após receber os votos de 466 mil brasileiros contra os pouco mais de 317 mil que votaram em Peçanha.[17]

Borges obtivera uma vitória relativa, se considerados os sufrágios concedidos pelo eleitorado do estado ao candidato que apoiara. Contudo, podia se considerar derrotado no plano federal, pois desconfiava-se que o presidente eleito iria promover retaliações contra os estados que haviam composto a Reação Republicana. Com efeito, os chefes políticos de Bahia, de Pernambuco e do Rio de Janeiro seriam derrubados após as eleições, substituídos por governantes bernardistas. Assim, todos apenas se perguntavam quando chegaria a hora de o Rio Grande do Sul ser alvo da mesma desforra.[18]

"Borges pagará o preço de seu atrevimento", previam os federalistas.[19]

À sucessão nacional seguiu-se a sucessão estadual rio-grandense, separadas uma da outra por um intervalo de nove meses. Um período em que o país, naquele ano de 1922, conviveu com a permanente efervescência nos quartéis. Em 5 de julho, rebentou a célebre revolta do Forte de Copacabana: um grupo de jovens militares liderados pelo capitão Euclides Hermes da Fonseca rebelou a unidade em protesto contra o fechamento do Clube Militar, a prisão do marechal Hermes (pai do capitão Euclides) e a eleição de Bernardes. O que era para ser uma ação articulada com outras guarnições do Rio de Janeiro se revelou uma ação suicida, após o governo sufocar sem maiores dificuldades levantes similares na Vila Militar e na Escola Militar de Realengo. No dia seguinte, debaixo da artilharia pesada disparada pela Fortaleza de Santa Cruz sobre o forte insurgente, o capitão Euclides decidiu abrir os portões e permitir a saída dos que quisessem se render. Dos trezentos amotinados, apenas trinta resolveram ficar para continuar a luta.

Sem condições numéricas para resistir, Euclides foi chamado ao Catete para conferenciar com o ministro da Guerra, Pandiá Calógeras, o primeiro civil a ocupar o cargo no país. Euclides acabou preso. Os 28 homens que haviam permanecido no Forte de Copacabana picaram a canivete a bandeira brasileira e, depois de distribuir os retalhos do pavilhão nacional entre si, resolveram sair para enfrentar de peito aberto, de mosquetão, os cerca de 3 mil soldados das tropas legalistas que cercavam o local. Uns foram presos, outros se dispersaram. Os demais, aqueles que insistiram em seguir combatendo, foram mortos. Apenas quatro entre eles escaparam vivos ao tiroteio: dois soldados — Manoel Ananias dos Santos e José Rodrigues Marmeleiro — e dois tenentes — Eduardo Gomes e Siqueira Campos (este último foi quem teve a ideia de picotar a bandeira nacional, depois de mandar arriá-la do mastro da unidade militar).[20]

Começava ali a mística do movimento que mais tarde viria a ser conhecido como "tenentismo" — pelo fato de ter se disseminado entre a jovem oficialidade dos quartéis —, sacralizado pela imagem heroica dos "Dezoito do Forte", o número hipotético de rebeldes que haviam lutado até o fim.[21] Na Assembleia dos Representantes do Rio Grande do Sul, os federalistas, que faziam oposição interna a Borges de Medeiros mas no plano nacional estavam alinhados ao Catete, tentaram expedir um telegrama de congratulações ao presidente Epitácio Pessoa pela pronta vitória da legalidade. Getúlio, usando da prerrogativa de líder da maioria, sugeriu à presidência da casa a retirada de assunto tão incômodo da pauta e o encerramento imediato da sessão.

"Ainda havemos de implantar a democracia dentro do Rio Grande", protestou o deputado federalista Alves Valença,[22] o mesmo que certa feita, durante uma das sessões da casa, desafivelara o cinturão carregado de balas e o colocara, ao lado do revólver, sobre a bancada, como clara advertência de que, se necessário, não recorreria apenas às palavras como armas de combate parlamentar.[23]

"A democracia já está implantada no Rio Grande", devolveu Getúlio. "Tanto que Vossa Excelência, sempre cercado das mais amplas garantias e sem sofrer restrição alguma na manifestação do seu pensamento, grita no recinto desta assembleia e nos comícios da praça pública que aqui não há liberdade."

"É só porque ainda não me tiraram a garganta!", contrapôs Valença, fazendo uma alusão nada sutil às degolas dos tempos da Revolução Federalista, aquela que havia colocado em lados contrários as famílias Vargas e Dornelles.[24]

Apesar de Getúlio ter conseguido barrar a sessão, o próprio Borges de Medeiros tornaria pública sua discordância em relação ao levante do Forte de Copacabana. Borges apoiara o candidato derrotado Nilo Peçanha nas eleições, mas deixou claro que ninguém contaria com ele para ações armadas contra Bernardes. Tornou isso evidente por meio de um editorial histórico, publicado por *A Federação*, cujo título valia pelo desfraldar simbólico de uma providencial bandeira branca em direção ao Catete: "Pela ordem", lia-se no alto do editorial, publicado no dia 7 de julho de 1922, 48 horas depois do levante. Era, nitidamente, uma tentativa de antídoto contra a presumível intervenção federal no Rio Grande do Sul.

"Nada mais absurdo nem mais condenável do que corrigir uma violência com outra violência", dizia o editorial, revisado pessoalmente por Borges e redigido na verdade pelo deputado Lindolfo Collor, que viria a ser o avô de Fernando Collor de Mello, futuro presidente da República. "Para a desordem civil não contribuirá o Rio Grande do Sul", alertava o editorial. "Dentro da ordem sempre; nunca pela desordem, parta de onde partir, tenda para onde tender — é este o nosso lema, supremo e irretocável", escreveu Lindolfo Collor, reportando-se à profissão de fé positivista que sustentava ideologicamente o borgismo.[25]

Para muitos, a atitude de Borges contrariava a imagem briosa que os gaúchos sempre fizeram questão de sustentar. A cautela, naquele instante crítico, foi confundida com covardia. Houve quem dissesse que as ossadas dos fundadores do

Rio Grande do Sul estavam a tremer nos sepulcros por um gesto tão destoante do espírito altivo que prezava a tradição gauchesca.[26]

"Borges de Medeiros, miseravelmente, abandonou os seus companheiros", reprovou o sempre cáustico João Francisco. "Borges, sentindo-se mal, correu para junto do presidente Bernardes, ajoelhou-se, pediu perdão e beijou com grande humildade as plantas dos pés do homem que, pouco antes, considerava indigno de ocupar a presidência da República."[27]

Mesmo João Neves da Fontoura, eleito deputado estadual em 1921 e também integrante da base governista, lamentou o recuo de Borges em carta a Getúlio datada de 18 de julho de 1922:

"O epílogo da dissidência não te pareceu um horror? Fiquei desolado. Um verdadeiro balde gelado em cima do calor de minha simpatia pela causa."[28]

Não se conhece a resposta àquela carta de João Neves, mas pode-se afirmar que, pelo menos publicamente, Getúlio Vargas discordava dela. Caberia a Getúlio, aliás, um papel estratégico no apaziguamento geral dos ânimos. Como futuro representante do Rio Grande do Sul na Câmara Federal, ele atuaria na liderança da bancada gaúcha como uma espécie de embaixador do borgismo junto ao governo central. Porém, antes de assumir de fato o novo cargo no Rio de Janeiro, Getúlio recebeu a incumbência de colaborar com o chefe na sucessão estadual a partir da trincheira da Assembleia dos Representantes. A oposição interna, entusiasmada com a derrota imposta a Borges de Medeiros pela eleição de Artur Bernardes à presidência da República, estava mais arisca do que nunca. Os federalistas sabiam que era impossível derrotar a candidatura oficial na base do voto, mas a hipótese da intervenção parecia cada vez mais palpável. Se Borges não alcançasse os três quartos dos sufrágios exigidos pela Constituição, estava criado um impasse institucional. Após isso, uma simples canetada de Bernardes daria conta do resto.[29]

A exemplo de 1907, quando da campanha de Fernando Abbott contra o mesmo Borges, os federalistas de novo se coligaram a uma leva de dissidentes republicanos — entre os quais se incluíam dessa vez até mesmo familiares do falecido senador Pinheiro Machado, contrariados em seus interesses particulares pela condução unipessoal de Borges na política rio-grandense. Organizou-se então um consórcio político em que até nostálgicos monarquistas encontraram guarida. Em pronunciamentos na Assembleia dos Representantes, Getúlio procurava desclassificar a nova coalizão de forças oposicionistas:

"Na luta que se trava, os nossos adversários formam uma turba multicor de camaleões políticos, tomando apenas uma coloração de aparência que lhes empresta a união sob a base comum do ódio e do desejo de destruição, sem programas, sem ideias, sem mesmo saber para onde vão", acusou Getúlio na sessão de 1º de dezembro de 1922.[30]

Contudo, a oposição sabia muito bem para onde queria ir. O colapso econômico vivido pelo Rio Grande, reflexo da crise mundial do pós-guerra e dos empréstimos tomados pelo governo estadual, provocara uma atmosfera de insatisfação coletiva. Estudantes, operários, comerciantes, empresários, produtores rurais, todos clamavam por mudanças urgentes. Os ruralistas, em especial, se mostravam indignados com Borges de Medeiros. Endividados, sem crédito, alarmados pela concorrência do gado platino, viam-se às voltas também com um surto de febre aftosa que dizimava seus rebanhos já maltratados por um inverno rigoroso, seguido de longo período de seca e de uma praga de gafanhotos.

Reunidos em uma comissão de emergência, os criadores rurais passaram a exigir de Borges de Medeiros uma medida de "salvação pública", que consistiria na concessão de um crédito especial à categoria. O dinheiro, propuseram, podia vir de uma fatia dos gordos empréstimos internacionais destinados originalmente às obras de infraestrutura. Os donos da ideia, porém, ouviram do governo a recusa que selaria a ruptura definitiva com o governo. Borges evocou o princípio positivista de que o Estado jamais deveria intervir na economia, a não ser em casos relacionados aos serviços públicos. Negou assim qualquer amparo aos pecuaristas, o que, no seu entender, significaria patrocinar um privilégio de classe.[31] Enquanto se alargava o abismo entre as pretensões dos ruralistas e o governo de Borges de Medeiros, um nome de impacto se impôs na batalha sucessória que se aproximava. Quando faltavam menos de dois meses para a data marcada da eleição, o embaixador Joaquim Francisco de Assis Brasil, depois de estudada relutância inicial, aceitou disputar o governo rio-grandense.

"Vamos à ação. Contai comigo", respondeu Assis Brasil aos estudantes que haviam escrito um manifesto, em forma de apelo, para que concordasse em ser o candidato de consenso das oposições. "Quando pego a rabiça do arado, vou até ao fim do rego", prometeu.[32]

A reação de governistas como Getúlio, inicialmente, foi de desdém:

"Estávamos convencidos de que iríamos pôr o adversário em nocaute, no primeiro *round*", escreveria João Neves da Fontoura em suas memórias. "Ou, como se dizia na gíria de carreiras, o cavalo contrário não daria para a saída", comparou. "Não foi, porém, o que se verificou durante a campanha. O sr. Assis Brasil teve por toda parte acolhidas entusiásticas", reconheceu João Neves.[33]

A divisa de "candidato popular" pregou em Assis Brasil, apesar da estampa pessoal tão aristocrática. Gaúcho do município de São Gabriel, cunhado de Júlio de Castilhos — com quem rompera desde 1891, quando se recusara a endossar a Constituição de inspiração positivista —, Assis Brasil permanecera longo período afastado da política rio-grandense. Dedicado prioritariamente à carreira diplomática, com serviços prestados à representação brasileira em Buenos Aires, Lisboa e Washington, tivera participação decisiva, ao lado do barão do Rio Branco, na questão do Acre, quando da contenda com a Bolívia. Teórico de renome, autor de *Democracia representativa* e *Do governo presidencial na República brasileira*, acabou reunindo em torno de si as aspirações dos diferentes grupos sociais indispostos com Borges. Ele próprio criador de gado, defendeu o programa de ajuda aos pecuaristas, tornando-se um líder entre os produtores rurais. Mas seu nome também excitou os estudantes, instigou as classes médias urbanas, atiçou os praças do Exército e conquistou o operariado, este indisposto com Borges desde a repressão às greves de 1919. O arrebatamento por sua candidatura foi tão ostensivo que Getúlio, por mais de uma vez, saltou da cadeira de deputado para desaprovar a agitação que tomava conta do Rio Grande do Sul, desde a urbaníssima rua da Praia até a mais distante das coxilhas.

"O que existe, de fato, é o intuito de destruir a organização constitucional e política do Rio Grande do Sul", recriminava Getúlio.

"Ora, é isso mesmo o que queremos", aparteava o deputado oposicionista Alves Valença.

"Registre-se o aparte, e que ele sirva de advertência aos republicanos transviados. Isso é a anarquia disfarçada com o nome de democracia", censurava Getúlio.[34]

O deputado Getúlio Vargas cobrava coerência ao candidato adversário. Assis Brasil, em seus escritos teóricos, defendia que os chefes de estado deveriam ser eleitos não pelo voto popular, mas pelas assembleias e câmaras, sob a justificativa de que a eleição direta produzia distorções inevitáveis "em um país tão enorme como o nosso e onde os meios de contato são tão primitivos".[35] Textualmente, Assis Brasil comparava:

"Não se confia ao arbítrio popular a nomeação dos juízes, nem dos especialistas do serviço público; menos se lhe deve reconhecer competência para eleger o magistrado dos magistrados, o administrador supremo da coisa pública."[36]

Getúlio, sagaz, apontava o dedo para o aparente contrassenso:

"O candidato chamado democrata, o eminente sr. Assis Brasil, tem como ponto de seu programa a eleição do presidente pelas câmaras, afirmando, implicitamente, a incapacidade do povo para a escolha do seu primeiro magistrado. Nega-lhe essa capacidade, mas disputa uma eleição em nome do povo e como candidato deste."

"Mas esse é o meio de que ele dispõe, pela organização atual", procurava esclarecer o deputado Alves Valença.

"Mas então ele é um mandatário infiel, que se apresenta em nome do povo como reivindicador de direitos, para, após a eleição, sendo vencedor, tirar a esse mesmo povo o direito de eleger o seu primeiro magistrado", contrapunha Getúlio.[37]

De modo idêntico, a oposição punha a nu as incongruências que cercavam a candidatura oficial. Durante as discussões sobre a eleição que levou Artur Bernardes à presidência da República, Borges de Medeiros apoiara a composição de um Tribunal de Honra, formado por representantes dos dois candidatos e por juízes apartidários, que fizessem nova apuração, voto a voto, e eliminassem as tradicionais suspeitas de fraude. À falta de uma Justiça Eleitoral à época, tal tarefa cabia constitucionalmente ao Congresso Nacional, considerado suspeito pelos adeptos da então candidatura de Nilo Peçanha. Quando os correligionários de Assis Brasil propuseram que o mesmo mecanismo fosse aplicado nas suspeitíssimas eleições rio-grandenses — a constituição de um Tribunal de Honra para apurar os votos e proclamar o presidente estadual —, Borges de Medeiros rechaçou tal possibilidade, classificando-a de "rematada tolice". Na verdade, ainda chegou a aceitar o arbitramento, desde que fosse feito pelo próprio presidente da República, Artur Bernardes, que por sua vez recusou a incumbência, alegando que as contingências e atribuições do cargo o impediam de interferir numa questão local. Depois disso, Borges não aceitou mais discutir o assunto:

"Somente a absoluta ignorância do que aqui ocorre ou a má-fé poderá levar alguém a contestar a insuspeição da Assembleia para exercer a sua função constitucional", escreveu Borges, em telegrama a um senador que insistiu em lhe cobrar a medida.[38]

À proporção que a data da eleição estadual se aproximava, os adversários se eriçavam:

"Não é um pleito eleitoral que se aproxima: é uma revolução que começa; não é um escrutínio entre dois nomes, é um duelo entre a ditadura e a liberdade", bradou, em plenário, o deputado federalista Artur Caetano.[39]

Revolução. A palavra tão conhecida e tão cara aos gaúchos fora, enfim, pronunciada. O tempo mostrou que ela não ficaria assim, atirada ao vento. O Rio Grande do Sul iria enfrentar uma nova guerra civil, após a comissão de verificação eleitoral, chefiada por Getúlio Dornelles Vargas, declarar Borges de Medeiros vitorioso e decretar a derrota de Assis Brasil. Getúlio talvez jamais tenha imaginado que, àquela altura da vida, aos quarenta anos de idade, isso significaria trocar de novo o terno e a gravata pelo uniforme de soldado.

"Naquele entardecer do ano de 1923, estremeci ao olhar aquele homem diferente que nos esperava para se despedir. Trajava farda de mescla azul, com talim e botas pretas; galões de coronel", contaria Alzira Vargas, ao recordar o pai, Getúlio, pronto para se engajar na repressão ao movimento deflagrado pelos partidários de Assis Brasil que, inconformados com o resultado oficial das eleições estaduais, decidiram reclamar o poder pela força das armas. "Um revólver negro à cintura, um chapéu de abas largas e uma capa enorme sobre os ombros ainda o tornavam mais estranho", relataria Alzira. "Curioso, nunca havia notado que meu pai era bonito: uma cabeleira negra ligeiramente ondulada, um olhar bondoso, nada parecido com aquele que tanto temíamos quando ousávamos perturbar suas meditações, e um sorriso claro e alegre como para nos tranquilizar e evitar lágrimas." Um pensamento teria passado àquela hora pela cabeça da menina, segundo ela diria mais tarde:"Será que nunca mais vou ver meu pai, logo agora que descobri que gosto dele?".[40]

Getúlio deu um último abraço no filho Maneco, pondo-o debaixo da capa do uniforme, e partiu.[41] Nomeado por decreto para o posto de tenente-coronel, recebera a missão de comandar, em São Borja, um corpo auxiliar provisório, como foram chamados os grupos de civis alistados às pressas para dar combate aos revoltosos.[42] Mesmo deputado federal eleito, teria que dar sua cota de colaboração às forças legalistas. "A atmosfera da cidade era tensa. Em quase todos os lares havia angústia. Todos os homens válidos estavam combatendo", relembraria Alzira.[43]

Pouco antes, Getúlio recebera um telegrama de Borges de Medeiros. A mensagem determinava que organizasse com urgência uma tropa de são-borjenses aptos e partisse imediatamente em direção a Uruguaiana, onde o chefe de outro corpo provisório, José Antônio Flores da Cunha, ex-deputado estadual e intendente daquela cidade, estava cercado por cerca de 1200 homens da Divisão Libertadora do Oeste, o nome pomposo das tropas revolucionárias comandadas pelo maragato Honório Lemes.[44] Honório, o "Leão de Caverá", era um antigo tropeiro analfabeto, de traços de índio e pele branca queimada de sol, que lutara feito uma fera na revolução federalista e acabara de ser aclamado general pelos sediciosos. Ao concentrar suas tropas na região fronteiriça da serra de Caverá, passara a ser conhecido pelo apelido que o notabilizou.[45]

O intuito de Honório era invadir Uruguaiana e, segundo os boatos que então corriam até no Rio de Janeiro, abrir terreno para que Assis Brasil instalasse ali um governo revolucionário paralelo. Com isso, intencionava-se provocar a intervenção federal no Rio Grande do Sul, já que o artigo sexto da Constituição brasileira previa tal medida no caso de duplicidade de poderes em qualquer um dos estados da federação.[46] A missão de Getúlio era auxiliar a resistência e dissipar o cerco, forçando os maragatos a retroceder em direção à fronteira argentina.

"Vais te meter na revolução?", indagou o pai Manuel Vargas.

"Que remédio?", respondeu Getúlio, com outra pergunta.

"A guerra, a não ser para os profissionais, não traz vantagem a ninguém", comentou então o velho general Vargas.[47]

A despeito daquelas palavras, o general aposentado sabia que a família devia a Borges de Medeiros algo bem mais valioso do que o simples apoio político. Por causa de Borges, Viriato Vargas estava livre de vez da Justiça. Em 1º de fevereiro de 1923, três meses antes do decreto que nomeou Getúlio comandante do 7º Corpo Provisório, ocorreu o julgamento de Viriato em São Borja. Getúlio afinal conseguira, junto ao governo do estado, o reaforamento do processo. O tribunal do júri não passou de uma grande encenação. Nenhuma das vinte testemunhas, devidamente intimadas por escrito pelo juiz da comarca, compareceu à sessão. Nem as da defesa, nem as da acusação. O promotor público também não deu as caras. Precisou ser substituído de afogadilho por um colega, Armando Porto Coelho, aliado político e amigo íntimo de Getúlio. O resultado, é óbvio, não poderia ser outro. Viriato foi absolvido de toda e qualquer incriminação.

João Gago, o acompanhante do pistoleiro que arrebentou os miolos de Benjamin Torres, pagou sozinho pelo crime, sendo condenado a quatro anos de prisão, como cúmplice de assassinato. Porque já estava preso por um tempo maior do que a pena aplicada, Gago foi posto imediatamente em liberdade.[48] Viriato, em vez de ir para a cadeia, alistou-se no corpo provisório comandado pelo irmão Getúlio. O mesmo fizeram os manos Protásio, Pataco e Bejo. A família inteira, agradecida, pegou em armas para defender o borgismo.[49]

Uma linha reta de pouco mais de duzentos quilômetros separava São Borja de Uruguaiana. Havia um jeito rápido e seguro para o 7º Corpo Provisório chegar até lá: seguir em comboio ferroviário até a cidade de Itaqui e depois disso, para despistar os homens do lendário Honório Lemes que mantinham as estradas e vias férreas bloqueadas a partir daquele ponto, descer o rio Uruguai em lanchões na direção do local onde estavam sitiadas as forças do aliado Flores da Cunha.[50] Uma vez unidos, os dois corpos de provisórios tinham maiores chances de romper o cerco.

Dito dessa forma, parecia fácil. Mas não havia sequer notícias confiáveis a respeito do que Getúlio iria encontrar na chegada ao teatro de operações. Algumas fontes diziam que Uruguaiana já fora subjugada pelos homens do Leão de Caverá e que Flores da Cunha havia sido barbaramente degolado. Outras garantiam que os rebeldes, sem armas e munição para fazer frente à aguerrida resistência da cidade, estavam batendo em retirada.[51]

A única coisa que se sabia com certeza era que Getúlio comandava uma tropa improvisada e mal equipada. Ele chegara a arregimentar seiscentos homens em São Borja, mas não conseguira armamento suficiente para todos. Obtivera apenas duzentos fuzis Mauser, contrabandeados da Argentina, através do rio Uruguai. Os demais voluntários — denominados oficialmente "patriotas" — tiveram que seguir armados apenas de paus, facões, revólveres e lanças.[52]

A palavra "voluntário" não servia para definir com precisão todos aqueles homens que marchavam em fileiras contíguas atrás do pequeno comandante Getúlio Dornelles Vargas. O adjetivo "patriota", menos ainda. Os dois termos não passavam de figura de retórica militar. Havia, era evidente, quem se apresentasse espontaneamente, pois de acordo com o código de conduta gauchesco ficar em casa em tempos de revolução era coisa apenas para crianças, mulheres e homens frouxos.

"Não vou perder o baile", diziam, entre si, com orgulho.[53]

Mas, em grande parte dos casos, o recrutamento se dera mesmo no laço. Getúlio, por meio de um capataz em São Borja, expedira mensagens a todos os chefes políticos republicanos da região, solicitando que enviassem peões para compor o regimento.[54] A esse respeito, correu à época uma historieta que, verdadeira ou não, ilustrava bem a forma como se dava a arregimentação das tropas legalistas. Dizia-se que o coronel Francelísio Meireles, chefe republicano do município de Encruzilhada, fora certa noite procurado por um sargento com a informação:

"Coronel, os voluntários estão aí fora."

"Mande-os para o pátio da prefeitura que amanhã providenciamos o engajamento", orientou Francelísio.

"Mas desamarro os homens ou deixo amarrados mesmo?", quis saber o sargento.[55]

Conforme o padrão dos corpos auxiliares da Brigada Militar, a corporação comandada por Getúlio contava oficialmente com 320 homens, incluindo dezenove oficiais comissionados, um médico contratado para socorrer os inevitáveis feridos, 26 sargentos, 36 cabos, treze clarins e 225 "patriotas".[56] Sob um enorme caramanchão improvisado na principal praça de São Borja, Getúlio lhes forneceu fardamento e os municiou como foi possível.[57] Se faltavam armas, havia também escassez de montarias. Getúlio conseguira a expropriação de 527 cavalos junto a estancieiros locais, mas o número era considerado insuficiente em se tratando de uma guerra de movimento como a que se anunciava. Os manuais militares recomendavam o mínimo de três animais por combatente.[58]

Ao desembarcar no dia 5 de abril de 1923 em Itaqui, sem ter recebido treinamento militar à altura do confronto que estavam prestes a travar, os homens liderados por Getúlio nem sequer tinham conhecimento exato da missão que os aguardava. Como garantia governamental, obtiveram apenas a promessa de indenização aos mutilados e de pensão vitalícia à viúva e aos filhos dos que tombassem em combate.[59]

"Estou com pena desta gente que não sabe que vai morrer", comentou com Getúlio um velho oficial, sentado na amurada de uma das lanchas à beira do rio.

O homem apontava para os peões acampados ali em frente, todos saboreando churrasco e tomando chimarrão, festivamente, como se nem desconfiassem que estavam sendo enviados para uma guerra. Getúlio, metido em um poncho para se proteger do frio, indagou, em tom de gracejo:

"E você, homem, não vai morrer também?"

O oficial continuou a enrolar um cigarrinho de palha e apenas respondeu, sem alterar o tom de voz:

"Vou, sim. Mas eu sei."

Anos mais tarde, Getúlio narraria o caso à filha Alzira, que ao recontá-lo por escrito deixaria registrado o comentário:

"Em muitas ocasiões, quando ia advertir papai de algum perigo ou ameaça, eu o via tirar com displicência uma baforada de seu inseparável charuto e me olhar com o mesmo fatalismo do velho gaúcho, como se apenas repetisse: *Mas eu sei*."[60]

A guerra civil começara já no dia da posse de Borges de Medeiros, conduzido em 25 de janeiro de 1923 ao quinto mandato, programado para se estender até 1928. Isso significava que Borges ficaria no poder do Rio Grande do Sul tempo suficiente para testemunhar a ascensão de nada menos que onze presidentes da República: Prudente de Morais, Campos Sales, Rodrigues Alves, Afonso Pena, Nilo Peçanha, Hermes da Fonseca, Wenceslau Brás, Delfim Moreira, Epitácio Pessoa, Artur Bernardes e Washington Luís.[61]

Antes de pegar em armas, os partidários de Assis Brasil ainda haviam tentado a solução legal. No plenário da Assembleia, contestaram o parecer da Comissão de Constituição e Poderes que, presidida por Getúlio, recontara os votos e proclamara a vitória dos republicanos. O documento foi exaustivamente discutido durante duas semanas. Quando o texto afinal conseguiu ser aprovado, com a abstenção sob protesto dos oposicionistas, já se estava nas primeiras horas da madrugada do dia 25 de janeiro. Quando a sessão terminou, era quase manhã. A posse de Borges se daria à tarde, às catorze horas.

"Essa apuração, que está sendo apontada por Sua Excelência o presidente do estado como um modelo de rigor e insuspeição, está se assemelhando à orgia do governo nas urnas", reclamava o deputado Alves Valença.[62]

"Nós, membros da comissão, não iríamos enxovalhar o nosso nome fraudando o resultado da eleição", repelia Getúlio.[63]

"As urnas repudiaram o ditador de uma maneira eloquentíssima", gritava Valença. "Os dignos membros da comissão estão a braços com a tarefa, muito ingrata, de destruir essa inderrogável verdade. Estão, enfim, na contingência de defender o indefensável."[64]

O texto final do parecer, assinado por Getúlio Dornelles Vargas, Ariosto Pinto e José de Vasconcelos Pinto, até reconhecia que a eleição fora marcada por fraudes, coação de eleitores, falsificação de listas e adulteração das atas eleitorais. Mas atribuía tudo isso não ao governo, mas à própria oposição. "A fraude proteiforme alastrava-se, serpeava, precisando apanhá-la na variedade de suas manifestações, a fim de expurgar o pleito desses germes de corrupção, para que surgisse a verdade, na plenitude de sua luz meridiana", dizia. E, adiante, especificava: "Havia títulos falsos, títulos nulos, títulos verdadeiros apresentados por falsos eleitores e eleitores verdadeiros que votavam em duplicata na mesma ou em diversas mesas e até em municípios diferentes".[65]

Houvera casos de defuntos que, não se sabe como, levantaram de suas tumbas e compareceram às urnas para votar. Pelo menos é o que queriam fazer acreditar as atas que incluíam os nomes de pessoas que já estavam mortas e enterradas havia muitos anos. Segundas vias de títulos eleitorais, expedidas a rodo, foram utilizadas por terceiros. No município de Cachoeira, um cidadão pego votando com a segunda via de um título que não lhe pertencia foi indagado à queima-roupa:

"Como você se chama?"

Atarantado, o sujeito virou-se para trás e indagou a quem o havia conduzido à seção eleitoral:

"Como é mesmo o meu nome?"[66]

Segundo alegava o parecer de Getúlio, a comissão havia expurgado todos os votos suspeitos, a maioria concedidos à oposição, o que na prática ampliava ainda mais a vitória de Borges. "Era preciso joeirar com minúcia, com paciência beneditina, fazendo que tudo isso passasse pelo crivo da análise perscrutadora", dizia o documento, que denunciava o plano oposicionista de levantar as denúncias contra Borges para incitar o Catete a intervir no Rio Grande: "[Os derrotados tinham] a esperança de intervenções extralegais, pela impugnação que a situação rio-grandense fizera à candidatura do atual presidente da República".[67]

Aquele torpedo oficial, escrito em tom protocolar, acusava os partidários de Assis Brasil de falsários, cínicos e golpistas. Eles rejeitavam as duas primeiras acusações, porém em pouco tempo não mais desmentiriam a última. Não se dariam mais ao trabalho de negar que haviam mesmo passado a conspirar pela queda de Borges. Mas, em vez de golpistas, referiam-se a si próprios como revolucionários. Assis Brasil viajara ao Rio de Janeiro com o propósito assumido de conseguir a simpatia de Bernardes à conflagração. Antes de partir, anunciara em Porto Alegre, de forma explícita, que iria recorrer "às instâncias superiores da Nação".[68]

"O Rio Grande hoje é um vulcão. E pela força imanente das coisas, dos acontecimentos sociais, a explosão virá, terá de vir...", disse Assis Brasil, em audiência no Catete, ao presidente Bernardes.

Uma testemunha ocular da conversa, o deputado mineiro Afrânio de Melo Franco, amigo de Assis Brasil, revelaria que Artur Bernardes não pareceu muito seguro do que lhe anunciava o interlocutor.

"Esse homem está no mundo da lua. Não entra em detalhes, não menciona elementos com que poderia contar, não me acena com dado positivo algum e vem me falar em 'força imanente'. Ora, vá...", comentaria depois Bernardes a Melo Franco.[69]

Mas, no Rio Grande do Sul, todos sabiam que a revolução estava mesmo prestes a estourar. Todos, menos Borges de Medeiros.

"Revolução? Com quê?", teria indagado Borges a João Neves da Fontoura, quando este lhe advertiu que era melhor preparar a reação, pois a insurreição se tornara inevitável.[70]

Borges subestimava o poder de fogo e a capacidade de organização dos adversários. Mas, por via das dúvidas, mandou a Brigada Militar proteger o palácio do governo e o prédio da Assembleia. Naquele começo de manhã em que um insone Getúlio saiu à rua após a aprovação do polêmico parecer, pôde constatar que a praça defronte ao edifício estava guarnecida, nos quatro cantos, por grandes sacos de areia. Por trás dos sacos, Getúlio podia avistar dezenas de soldados da Brigada Militar entrincheirados, com metralhadoras na mão.[71]

À tarde, enquanto Borges de Medeiros tomava posse, suando dentro da casaca preta naquele dia de calor infernal, típico do verão porto-alegrense, os rebeldes já haviam lançado o grito de guerra no interior do estado. Sabedores disso, tão logo terminou a cerimônia, os deputados tiraram a roupa de gala, vestiram suas bombachas e correram em massa para os municípios de origem, a fim de sondar a situação local. Em Passo Fundo, a mobilização foi imediata. Em Palmeira, se daria o combate inaugural e se derramaria sangue pela primeira vez no confronto. De Carazinho, o parlamentar Artur Caetano telegrafou ao presidente da República para informar que dispunha de 4 mil homens rebelados, dispostos a só largar as armas quando Borges de Medeiros deixasse o poder.

"A não ser que o chefe da Nação resolva intervir", ressalvou Caetano, deixando claro que os revolucionários haviam mesmo deflagrado o movimento na esperança de provocar a intervenção federal no estado.[72]

Em Uruguaiana, as informações davam conta de que Honório Lemes continuava mantendo Flores da Cunha cercado por todos os lados, à exceção da margem do rio Uruguai, ainda em poder dos legalistas. Era por lá que Getúlio Vargas, atendendo às ordens de Borges de Medeiros, estava juntando esforços para tentar surpreender o terrível Leão de Caverá. Mas em Itaqui, onde pretendia incorporar novos homens e dispor de armamento compatível com a envergadura da missão, Getúlio encontrara um cenário nada alvissareiro. De pronto, o intendente da cidade, aflito, telegrafou a Borges para informá-lo das dificuldades:

Pessoal reunido.

Não temos armas. Precisamos dinheiro.

Getúlio aguarda.

Estou atendendo cidade armado poucos revólveres.[73]

À última hora, antes do prenunciado confronto, chegou às mãos de Borges de Medeiros outro telegrama, assinado por Flores da Cunha e com data de 6 de abril de 1923. A mensagem levava uma boa-nova ao chefe de governo do Rio Grande do Sul. O cerco à cidade fora dissolvido sem necessidade de Getúlio desfechar um único cartucho. Depois de trocar tiros por três dias com o corpo provisório de Flores da Cunha nos arrabaldes de Uruguaiana, Honório Lemes levantara acampamento durante a noite anterior, após se desentender com o deputado Gaspar Saldanha, com quem disputava o comando da ofensiva revolucionária na região.[74]

"Ao escurecer do terceiro dia de cerco, pus-me a observar as grandes fogueiras que iluminavam os acampamentos e linhas inimigas, e vi que sobre elas não se projetavam as sombras dos homens usualmente encarregados de assar o churrasco e aquentar a água para o mate-chimarrão", anotou Flores da Cunha em suas memórias do episódio.[75]

Numa completa inversão de posições, o antes sitiado Flores da Cunha partiu no encalço do Leão de Caverá, com o devido auxílio do 7º Corpo Provisório. Mas o comandante do destacamento de São Borja não continuaria a perseguir o inimigo. O presidente do estado ordenava que o tenente-coronel Getúlio Dornelles Vargas tirasse imediatamente a farda e rumasse para Porto Alegre. De lá, depois de receber as devidas instruções, deveria seguir para o Rio de Janeiro, para tomar posse de sua cadeira de deputado federal. A repressão aos revolucionários nos campos de combate prosseguiria sem ele. Borges lhe reservara outra missão, menos marcial, porém muito mais estratégica do ponto de vista político. Em vez de um fuzil, sua arma seria a oratória. E, sobretudo, a já decantada habilidade política.

Em pouco tempo, caberia a Getúlio substituir o então líder da bancada gaúcha na Câmara Federal, deputado Nabuco de Araújo. Com a sutileza que lhe era característica, tanto no plenário quanto nas reuniões semanais com as lideranças, ele deveria costurar uma aproximação gradual com a *entourage* do presidente da República, Artur Bernardes, tido por todos como homem de amores fáceis, mas de ódios difíceis de apagar.[76]

"Para corroborar a submissão vergonhosa, degradante e miserável, Medeiros mandou o coitadinho do valente líder [anterior] plantar batatas e mandou outro mais jeitosinho chorar pitangas e pegar no bico da chaleira do presidente da República", ironizou João Francisco.[77]

"Pegar no bico da chaleira" era uma gíria da época, de origem regional, para definir os bajuladores, que não podiam ver a cuia de chimarrão dos poderosos vazia sem se apressar a enchê-la de água quente. Getúlio, com ou sem chaleira, estava prestes a estrear no cenário político nacional. Pela primeira vez, o resto do país iria ouvir falar de um deputado gaúcho chamado Getúlio Dornelles Vargas.

Sua ascensão até o topo seria vertiginosa.

9. "Só é possível reprimir violência com violência", lê Getúlio em seu primeiro discurso no Rio (1923)

Dado o inconfundível sotaque, o chofer de praça deve ter percebido de imediato que o homem pequenino que acabara de se acomodar no banco traseiro do carro era um rio-grandense. Mas quando Getúlio anunciou para onde queria ir — o prédio no qual funcionava a Câmara dos Deputados — ficou claro para o motorista que aquele gaúcho ali atrás era alguém pouco afeito à paisagem urbana carioca. Pelo preço de uma hora inteira de corrida, foi preciso rodar apenas um único quarteirão pelo calçamento da avenida Rio Branco, antiga avenida Central, percorrendo em poucos segundos a pequena distância que separava a porta do hotelzinho onde estava hospedado Getúlio e as escadarias monumentais da Biblioteca Nacional, sede provisória da Câmara (o suntuoso Palácio Tiradentes, construído para ser a sede do parlamento, ainda se encontrava em obras). Ali, no centro nervoso das altas finanças, do mundo elegante, da imprensa diária e da vida inteligente da capital federal, Getúlio parecia atordoado em meio ao gigantismo de tudo.[1]

Nem podia ser diferente. Era a primeira vez que visitava cidade tão grande. Porto Alegre, com pouco mais de 205 mil habitantes, não se comparava com o Rio de Janeiro, com 1 milhão de moradores.[2] Em vista do burburinho das avenidas do Rio, a capital gaúcha ainda não passava de uma bucólica província. As obras de remodelação e higienização da capital federal, levadas a cabo no início daquele século, haviam demolido cortiços, erradicado quiosques, rasgado alamedas, expulsado a arraia-miúda para os morros. Um amigo de passagem pouco antes pela capital da República enviara a Getúlio, por carta, impressões da cidade, definindo-a como uma "terra de barulhos", um "desgraçado feudo da raça nova e bizarra dos almofadinhas e das melindrosas".

Causara espécie ao autor da carta a Getúlio a moda então em voga entre as cariocas: "Baseadas no princípio muito discutível de que uma mulher honesta não tem nada a esconder, as mulheres aqui mostram realmente tudo o que têm — braços, seios, pernas... *y algo más*", escrevera o amigo. "Imaginas tu um corpo esgalgo, envolto simplesmente em tecido vaporoso, quase sem talho, apenas rigorosamente justo para modelar o corpo e atado à cintura por um cordão tipo franciscano", expusera a carta, descrevendo os audaciosos modelos femininos com comprimento quase à linha do joelho, livres de tantos tecidos e babados como os de outrora, sem espartilhos e saias de arrastar no chão. "Então a gente se põe a contemplar essas formas contra o sol; é uma delícia", admitira o amigo, que deixou uma assinatura garranchosa e ilegível ao final da missiva.[3]

Em frente ao prédio da Biblioteca Nacional, Getúlio podia avistar o monumento a Floriano Peixoto, erguido na praça que leva o nome do ex-presidente da República, considerado herói nacional pelos castilhistas. Com 17 metros de altura e nítida inspiração positivista, o monumento a Floriano pareceu familiar a Getúlio. Nele, leria as mesmas divisas inscritas no monumento a Júlio de Castilhos em Porto Alegre: "A sã política é filha da moral e da razão" e *Libertas quae sera tamen*". A primeira, uma citação a José Bonifácio, um dos heróis cívicos do positivismo. A outra, referência a Tiradentes, que os positivistas entendiam ser a personificação sagrada da República brasileira — por isso mesmo, o retratavam como uma espécie de duplo de Jesus Cristo, com barbas e cabelos longos, o que não correspondia à face verdadeira do alferes Joaquim José da Silva Xavier.

No monumento gaúcho a Castilhos, Getúlio havia lido a máxima comtiana em sua variante resumida: "Ordem e progresso". No de Floriano, no Rio de Janeiro, estava a versão mais elástica: "O amor por princípio, a ordem por base e o progresso por fim". Afora isso, ao recém-chegado, tudo cheirava a novidade. O ambiente que encontraria no parlamento seria marcadamente hostil. Reinava ali uma atmosfera de confronto permanente, em que nada se aprovava sem negociações e acordos de cúpula, algo diverso do que a condição de maioria folgada de seu partido, o PRR, oferecia na assembleia gaúcha, apesar dos debates provocados pela diminuta oposição. Os jornais fluminenses não cansavam de farpear a situação rio-grandense, denunciando a perpetuação da autocracia de Borges de Medeiros:

"Há 25 anos o ditador tripudia sobre a população inteira do estado", apregoava a *Gazeta de Notícias*, a respeito da conjuntura do Rio Grande do Sul.[4] "O sr. Borges de Medeiros ocupa um lugar que não lhe pertence. Não será obedecido, porque o Rio Grande não quer obedecê-lo", dissera o deputado federalista Artur Caetano em entrevista ao *Correio da Manhã*, dando notícias da guerra civil que transcorria no solo gaúcho, a respeito da qual começavam a surgir as primeiras denúncias do ressurgimento da velha prática da degola de adversários.[5]

Nas revistas ilustradas, como a semanal *O Malho*, uma das mais populares do Rio, eram frequentes as sensacionais fotografias que arrancavam expressões escandalizadas do leitor carioca ao exibir cenas do movimento revolucionário nos pampas. Os rebeldes apareciam sempre em poses dramáticas, com poncho sobre os ombros, chapéu de abas largas e copa alta, botas sanfonadas, desafiadoras espadas em punho. Até mesmo um gaúcho como Getúlio chegaria a tripudiar da indumentária guerreira, por vezes excessivamente teatral, ostentada pelos adversários maragatos. Sobre Honório Lemes, por exemplo, comentaria:

"Um amigo meu que o encontrou em Cacequi narrou-me que ele vinha cheio de lenços, fitas e miçangas, parecendo mais uma esvoaçante bandeira do Divino em peditório de roça."[6]

Após descer do táxi e subir a bela escadaria do prédio da Biblioteca Nacional, Getúlio se identificou na portaria e, à direita do imponente hall de entrada, caminhou até a sala de leitura, então adaptada para servir de plenário à Câmara. Lá dentro, o correligionário João Simplício tomou a iniciativa de anunciá-lo oficialmente ao presidente da casa, o deputado paulista Arnolfo de Azevedo:

"Senhor presidente, acha-se na antessala o senhor Getúlio Vargas, reconhecido e proclamado deputado pelo estado do Rio Grande do Sul. Peço a Vossa Excelência se digne a nomear uma comissão que o introduza no recinto, a fim de prestar o compromisso regimental."

"Convido os senhores terceiro e quarto secretários para, em comissão, introduzirem no recinto o senhor Getúlio Vargas", preceituou Azevedo, cumprindo as formalidades de praxe.[7]

Naquele 26 de maio de 1923, depois de jurar cumprir a Constituição brasileira como exigia o regimento, Getúlio finalmente pôde experimentar a sensação de sentar na cadeira de deputado federal, junto aos demais colegas da bancada gaúcha. Se observasse em torno, lançando o olhar pelos quatro cantos da sala, veria em meio a tantas fisionomias graves alguns vultos ilustres. Entre eles, o engenheiro e professor baiano Otávio Mangabeira, escritor, diplomata, engenheiro e astrônomo (ou, na verdade, "gastrônomo", como dizia dele o satírico Pinheiro Vegas, em referência à fama de glutão do deputado). Também estava ali presente o general Dantas Barreto, veterano do ataque militar a Canudos e ex-ministro da Guerra no governo de Hermes da Fonseca, época em que a pasta teve de enfrentar a traumática Revolta da Chibata, a insurreição dos marinheiros contra a prática de castigos físicos na Marinha. Um deputado de quem Getúlio se dizia leitor dileto era Gilberto Amado, o escritor de *A chave de Salomão*, mas também autor de um crime trágico, ocorrido em 1915: o assassinato, a tiros, do poeta Aníbal Teófilo, com quem Amado se desentendera durante uma conferência literária. Levado a julgamento, foi absolvido, sob a argumentação de que havia sido provocado primeiro. Na bancada mineira, despontavam o cavanhaque e o pincenê do poeta, professor e juiz Augusto de Lima, o mesmo que, anos antes, em Ouro Preto, julgara o caso do assassinato do estudante paulista Carlos de Almeida Prado. Ao longo das sessões subsequentes, em meio àquela galeria de calejados tribunos, Getúlio mostraria uma assiduidade impecável. Entretanto, começaria tímido, quase reverente:

"Guardo artigos seus recortados de *O Paiz*", disse, ao cruzar no caminho, pela primeira vez, com Gilberto Amado.[8]

De princípio, o reservado Getúlio também evitou a tribuna. Preferiu ser testemunha silenciosa dos duelos verbais em torno do assunto que monopolizaria a pauta daquela legislatura: a intervenção federal no estado do Rio de Janeiro infligida por Artur Bernardes aos adversários que haviam ousado apoiar Nilo Peçanha na eleição presidencial. Calado chegou, calado Getúlio permaneceu por 36 sessões seguidas. Durante o primeiro mês e meio de mandato, não pediu a palavra uma só vez, não fez um único aparte. Ninguém lhe ouviu a voz em plenário. "Seu passo na Câmara não era o de quem acudia a um chamado decisivo, a um apelo imperioso", consideraria Gilberto Amado.[9]

Getúlio dizia ter motivos para semelhante discrição:

"Neste recinto, onde se reúne a elite intelectual do país, consagrado pelo verbo de tantos oradores ilustres, acostumado à ressonância do argumento sutil, da palavra elegante e da frase escorreita, eu desejaria ficar silencioso, observando e aprendendo", explicaria depois aos colegas.[10]

Como sempre, situado ao meio do caminho entre a ponderação e a matreirice, Getúlio calculava a hora exata para se manifestar. Quando decidiu quebrar o jejum oratório que se impusera, terminou por produzir, em 10 de julho de 1923, terça-feira, um discurso de estreia que a muitos pareceu bem pouco promissor. Subira à tribuna para rebater o deputado Francisco Antunes Maciel Júnior, eleito pelo Partido Federalista do Rio Grande do Sul. No sábado anterior, Antunes Maciel causara incômodo entre os membros do Partido Republicano gaúcho ao ler e pedir a inclusão, nos anais da casa, da íntegra de uma carta escrita a ele por Teixeira Mendes, diretor da Igreja Positivista do Brasil — mais conhecido por ter sido um dos autores do projeto da bandeira nacional. "Não é lícito aos que ocupam os cargos de governo manterem-se neles pela violência", dizia Mendes em certo trecho da carta, ao se referir a Borges de Medeiros e à luta armada que se desenrolava no Rio Grande do Sul.[11]

Ao invocar a autoridade intelectual de Teixeira Mendes, Antunes Maciel deixara os adversários regionais em situação, no mínimo, constrangedora. Qual deles se atreveria a discordar da palavra de Mendes, tido pelos positivistas como "o principal pensador vivo do país", como hiperbolicamente a ele se referira o deputado que lera sua carta na Câmara? Logo no dia seguinte à intervenção de Maciel, o deputado João Simplício, representante veterano da bancada republicana gaúcha, ainda tentara responder à provocação. Mas, cheio de melindres, se atrapalhara com as palavras, fizera seguidos circunlóquios e não conseguira contrapor nenhuma argumentação mais sólida ao repto de Teixeira Mendes.

"Nunca suspeitei no Simplício essa habilidade, a de falar tanto tempo sem dizer coisa nenhuma", comentou-se pelos salões da Câmara.[12]

Foi quando Getúlio tomou para si a tarefa de tentar dissipar o constrangimento instalado no núcleo da bancada. Talvez não esperasse a artilharia com que seria recebido.

"Senhor presidente, não desejaria trazer para o recinto desta Câmara assuntos de natureza puramente regional, como os que estão se desenrolando no Rio Grande do Sul...", iniciou Getúlio.

O deputado Antunes Maciel cortou, de modo abrupto, a palavra do novato:

"Não apoiado. O caso do Rio Grande do Sul é um caso nacional. Está-se derramando sangue brasileiro."

Getúlio procurou retomar o fio do discurso. Condenou a estratégia de se banalizar a inserção, nos anais da Câmara, de textos alheios à produção parlamentar, como era o caso da carta de Teixeira Mendes.

"Essas publicações são como brotoejas, fazendo cócegas na epiderme oposicionista", comparou Getúlio.

Em seguida, avisou que, de todo modo, se um colega utilizara a tribuna para tal, ele também se sentia à vontade para lançar mão do mesmíssimo expediente. Ato contínuo, puxou do bolso do paletó um recorte de jornal. Era a resposta à carta de Teixeira Mendes que um general positivista, Agostinho Raimundo Gomes de Castro, fizera publicar nas páginas de O Paiz. Getúlio imaginou ter calculado bem o contra-ataque. O autor do artigo apoiara Artur Bernardes na campanha presidencial e se retirara da comissão encarregada de averiguar a autenticidade das famosas cartas falsas que detratavam o marechal Hermes da Fonseca. Seria, portanto, no entender de Getúlio, uma voz insuspeita, porque momentaneamente situado no mesmo campo político do presidente da República, a quem muitos acusavam de ser simpático à causa dos revolucionários gaúchos. Segurando nas mãos o recorte de O Paiz, Getúlio fez uma breve pausa e anunciou que daria início à leitura.

"Lembre-se que o tempo opõe embargos a Vossa Excelência", interrompeu o deputado pernambucano Manuel Francisco de Souza Filho, na clara tentativa de intimidar o estreante.[13]

Souza Filho nem precisava ter se preocupado com tanto. O artigo assinado pelo general Gomes de Castro não produziu o resultado esperado por Getúlio. O texto, cuja leitura tomou todo o tempo reservado ao orador na tribuna, era vazado em um português empolado, recheado de digressões filosóficas em torno da doutrina positivista. Em um único momento, o artigo assumia um tom mais límpido, de veemente polêmica, ao fazer o elogio da força em caso de "necessidade da manutenção da ordem":

"Está claro que só é possível reprimir a violência com a violência, e não com flores, de jardim ou de retórica, adaptando sensatamente a natureza do remédio à do mal", leu Getúlio.[14]

Presente à sessão, o deputado João Batista Azevedo Lima, da bancada do Distrito Federal, deixaria registrada em suas memórias, *Reminiscências de um carcomido*, a impressão que guardou daquele primeiro discurso de Getúlio na Câmara dos Deputados: "Atarracado e mau declamador, leu uma arenga fastidiosa".[15]

Em Porto Alegre, na falta de material mais eletrizante por parte de Getúlio em sua estreia como orador no Rio de Janeiro, o jornal oficial do governo gaúcho, *A Federação*, preferiu salientar a "elevação" e a "competência" demonstradas pelo mais novo representante do estado na Câmara: "À suntuosidade da forma, ele preferiu a análise demorada e precisa, a argumentação documentada", abonou o periódico.[16]

Todavia, a maior comprovação de que Getúlio havia sido recebido com pouco-caso pelos novos colegas ocorreu quando ele decidiu retornar à tribuna, dois dias depois. Getúlio, assim como a bancada republicana gaúcha em peso, devidamente orientado por Borges de Medeiros, votara a favor da intervenção federal no estado do Rio, pondo em evidência a estratégia borgista de aproximação com a presidência da República. Getúlio procurou justificar-se em plenário. Conforme alegou, o presidente Artur Bernardes, ao intervir no Rio de Janeiro, agira sob o respaldo na lei. Estabelecera-se naquele estado uma dualidade de poderes, pois os derrotados nas eleições locais haviam questionado o resultado das urnas e instituído uma assembleia legislativa paralela, que, por sua vez, nomeara um presidente estadual alternativo, Feliciano Sodré, bernardista de quatro costados. Getúlio alegava a duplicidade institucional e a balbúrdia de poderes, condições previstas no sexto artigo da Constituição, que autorizava o governo federal a intervir no âmbito dos estados. Mal Getúlio terminou de explicar-se, o deputado baiano Raul Alves pulou-lhe na jugular. Alves trouxe à baila a possibilidade de uma intervenção federal, em tudo idêntica àquela, no Rio Grande do Sul:

"Com esta lógica, Vossa Excelência admite a hipótese de que se o senhor Assis Brasil quisesse haveria uma duplicidade também no Rio Grande", provocou Raul Alves.

"Não haveria, porque o governo do Rio Grande do Sul tem a força material para esmagar os revoltosos", contestou Getúlio.

"E esmagou até agora? Os revolucionários estão em armas", redarguiu Alves.

"Estão fazendo correrias pela campanha, mas não ocupam nenhuma comarca do Rio Grande do Sul", insistiu Getúlio.

"É assim que se discute direito constitucional?", debochou Alves. "Ora, tenha paciência..."[17]

Depois daquele dia, Getúlio passaria outras exatas 36 sessões em silêncio, recuperando-se do ataque, sem tomar a iniciativa de voltar à tribuna. Um espectro, talvez, lhe rondasse os passos: o receio de não corresponder, na capital da

República, à expectativa que haviam depositado nele em Porto Alegre. "Esse é um risco a que não raro sucumbem as celebridades municipais e até estaduais", avaliaria João Neves da Fontoura a respeito do assunto. "O recém-vindo é julgado por uma espécie de junta, formada por advogados do diabo, dispostos a tudo para desmontar a fama tão laboriosamente conquistada no meio pequeno", observaria Neves.[18]

À noite, após as tumultuadas sessões na Câmara, o "transplantado" Getúlio passou a cultivar o hábito de caminhar sozinho, a pé, pela praia do Flamengo, logradouro então situado bem próximo ao mar, em um tempo no qual ainda não existia o aterro nem o parque de mesmo nome. Charuto à boca, Getúlio gostava de ouvir o barulho das ondas e, em tais momentos, segundo consta, deixava-se mergulhar em solilóquios.[19]

"Nascido e criado na região fronteiriça do Rio Grande, na região da savana verde, sou como um pedaço arrancado do seu organismo, sangrando ainda da separação recente, e sentindo em cada célula um estremecimento de amor e saudade", diria ele, à época.[20]

A Câmara Federal, no Rio de Janeiro, estava sendo para Getúlio uma espécie de Rubicão, o rio que ele deveria necessariamente atravessar, numa viagem sem retorno, caso não quisesse ficar preso às conveniências da província e às circunstâncias do passado.

Era preciso, de algum modo, arriscar-se à travessia.

A primeira providência de Getúlio para se adaptar mais rapidamente ao Rio de Janeiro foi deixar o hotel e mandar buscar a família em São Borja. Darcy levou consigo a filharada, menos o primogênito Lutero, que ficou na capital gaúcha como aluno interno do tradicional Colégio Anchieta e, posteriormente, do Colégio Militar de Porto Alegre. O casal e os quatro filhos menores passaram a morar na modesta Pensão Wilson, localizada no número 2 da praia do Flamengo. Alojaram-se todos em um apartamentinho de dois quartos, dotado de um pequeno gabinete que servia de escritório a Getúlio, uma diminuta varanda ensolarada e um banheiro de uso comum aos demais hóspedes do prédio. Uma escada lateral de mármore permitia entrada independente à família, mas era evidente o desconforto e o desapontamento dos filhos, que haviam perdido a liberdade proporcionada pelos ares interioranos da pequena São Borja.[21]

"Não gostei do Rio de Janeiro. Chegamos em uma tarde sombria e chuvosa", recordaria a filha Alzira. "Também não gostei do local que papai escolhera para nossa morada", escreveria ela. "Uma ladeira misteriosa, à esquerda do prédio, era nosso esconderijo e o único lugar em que podíamos brincar. Adeus pés descalços — é proibido pisar na grama do jardim. Adeus correrias descuidadas — o bonde passa em frente, a menos de um metro da calçada."[22]

O deputado Gilberto Amado, morador do bairro do Leme, todos os dias passava a caminho da Câmara em seu automóvel particular pela praia do Flamengo, onde morava Getúlio: "Vi, mais de uma vez, à porta da Pensão Wilson, o deputado do Rio Grande com uma pasta na mão, rodeado de uma petizada, esperando o bonde", contaria Amado.[23] Circundado pelos filhos, Getúlio gostava de atrair o vendedor ambulante que sempre andava ali por perto. Comprava então frutas tropicais de que a meninada jamais ouvira falar em São Borja, terra de famosos e monótonos laranjais. Apresentava-lhes a manga, o cajá, o sapoti, o caju. "Divertia-se quando fazíamos cara de nojo sob o impacto de um sabor estranho", relembraria Alzira. Aos domingos, único dia que tinha para desfrutar inteiro com a família, Getúlio providenciava a camiseta, o calção bufante até os joelhos e levava todos ao banho de mar, programa que deixara de ser apenas uma recomendação médica para debilitados físicos e se tornara um novo hábito de lazer para os moradores do Rio.[24]

Mas a vida na capital da República tinha seus sobressaltos. Alzira e os demais irmãos não entenderam coisa alguma no dia em que a mãe, assustada, os mandou entrar imediatamente em casa ao ouvi-los cantar, subindo em algazarra a escadaria de mármore da pensão, a marchinha "Ai, seu Mé", sucesso absoluto no carnaval do ano anterior, composta por Freire Júnior e assinada com o pseudônimo de "Canalha das Ruas":

Ai, seu Mé! Ai, Mé, Mé!
Lá no Palácio das Águias, olé,
Não hás de pôr o pé.[25]

Os filhos de Getúlio não sabiam, mas por trás dos versinhos aparentemente inofensivos havia um explosivo conteúdo político. "Seu Mé" era o apelido do presidente da República, Artur Bernardes, numa referência galhofeira que o comparava a um cabrito. E o "Palácio das Águias" era, na verdade, o Palácio do Catete, sede do governo federal, assim chamado por causa das cinco águias que lhe adornam a fachada. A música, que tomara conta das ruas antes da eleição presidencial, previra — e errara — que Bernardes não chegaria à presidência. A marchinha virou hino político, acabou proibida pela polícia e o compositor, Freire Júnior, foi mandado para a cadeia. Darcy, temerosa de que alguém flagrasse os filhos do deputado Getúlio Vargas entoando versos tão subversivos, os pôs de castigo.[26]

Não era exagero. Todo cuidado era pouco. Artur Bernardes governaria os quatro anos de mandato com o país sucessivamente jugulado pelo estado de sítio. A imprensa estava sob censura e qualquer denúncia podia levar os adversários do governo para uma temporada forçada na desabitada ilha de Trindade, situada a mais de mil quilômetros da costa do Espírito Santo, cercada por um mar agitado e rochedos pontiagudos, transformada em presídio político por Bernardes. A própria Darcy sabia bem o que isso significava. Seu tio-avô, o coronel Waldomiro Castilho de Lima, estava desterrado na tal "Ilha Maldita", acusado de simpatizar com a causa dos jovens oficiais do movimento tenentista, cuja agitação continuava a se alastrar, subterraneamente, pelos quartéis do país. A esposa do coronel Castilho de Lima já impetrara vários *habeas corpus* a favor da liberdade do marido, mas todos tiveram o mesmo e certeiro destino: a cesta de lixo do governo.[27] O coronel continuava preso e incomunicável, junto aos demais companheiros de infortúnio, que eram abrigados em toscas barracas de lona e madeira, onde proliferavam piolhos, pulgas, ratos, percevejos e baratas, causa de frequentes infecções coletivas.

As cadeias convencionais estavam igualmente lotadas, com inimigos declarados ou hipotéticos do governo. Os escutas do truculento chefe de polícia do Distrito Federal, o marechal Carneiro da Fontoura — apelidado pejorativamente de "General Escuridão", pelo autoritarismo que lhe era característico e pelo fato de ser mulato —, viviam a postos.

A precavida Darcy estava bem informada de tudo o que se passava em volta. Era ela quem ajudava a decodificar os telegramas cifrados que o marido não parava de receber de Porto Alegre. Borges de Medeiros mantinha Getúlio a par de todos os detalhes do combate à revolução no Rio Grande, bem como lhe passava instruções detalhadas, também em código, sobre qual deveria ser o comportamento da bancada gaúcha a cada nova votação.[28] Os parentes, em São Borja, mandavam notícias amiudadas a Getúlio, em cartas que ora narravam sucessos da repressão aos rebeldes na região, ora expressavam a angústia geral pelo alongamento do conflito.

"Não posso dormir descansado. Com a maldita revolução, anda-se no ar, não se sabendo o que será o dia de amanhã. E agora estou mais triste com tua ausência, a da Darcy e a dos netos", escrevera-lhe o pai, general Manuel Vargas.[29] O irmão Protásio, ao contrário, dava informações excitadas sobre o campo de batalha: "Iniciamos um combate que durou de quatro a cinco horas, onde gastamos mais de 40 mil tiros, terminando por uma brilhante carga comandada pelo Pataco", comunicou. "Os inimigos tiveram mais de vinte mortos e provavelmente setenta ou oitenta baixas", contabilizou Protásio.[30] "As linhas [inimigas] continuam ativas e ameaçadoras", ponderava entretanto uma carta remetida pelo primo Deoclécio Mota, o ex-delegado de São Borja, responsável pelo comando do 7º Corpo Provisório desde a partida de Getúlio para o Rio de Janeiro. "Eu não creio [que os rebeldes vençam], mas gosto de dormir com um olho aberto", acautelou Mota.[31]

Depois de levantar o cerco a Uruguaiana, Honório Lemes seguia em zigue-zagues pela campanha, levando sempre Flores da Cunha nos calcanhares. A perseguição era alucinada, mas era difícil encurralar em definitivo o Leão de Caverá. Nenhuma surpresa nisso. Ao longo do conflito, os revolucionários souberam se utilizar com habilidade da técnica de guerrilha, disparando ataques fulminantes às zonas urbanas para depois retroagir em direção às coxilhas. Mesmo quando conseguiam tomar alguma cidade de modo efetivo, em pouco tempo a desocupavam. A tática, contudo, não se repetiria em São Borja, invadida pelos insurrectos a 17 de junho de 1923 e mantida sob domínio da revolução por cerca de quarenta dias — o que levou a família de Getúlio a se acantonar do outro lado da fronteira, em terras argentinas.[32] Antes de partir para não morrer lanceado, o intendente Protásio Vargas despachou telegrama lacônico a Borges de Medeiros:

"Revolucionários entraram na cidade hoje. Atenciosas saudações."[33]

Durante o período em que São Borja permaneceu subjugada, os rebeldes tomaram o prédio da intendência, queimaram arquivos e desfilaram diariamente pelas ruas do lugar com armas na mão, dispostos a coibir qualquer sombra de resistência.[34] Segundo informavam os telegramas publicados na imprensa de Porto Alegre, as agências bancárias são-borjenses tiveram tempo de transferir parte do dinheiro existente em suas caixas-fortes para instituições financeiras da Argentina, mas o comércio local estava à mercê dos insurgentes.[35]

Os revolucionários permaneceriam donos da cidade por um bom tempo ainda não fosse um fulminante ataque legalista, comandado por Deoclécio Mota — que na ocasião contou com a assistência de dezenas de prisioneiros removidos das cadeias públicas da região e engajados em troca da liberdade definitiva. Ao final do sangrento combate no capão do Mandiju, próximo à divisa de São Borja com o município de Santiago, Deoclécio mandou carroceiros recolherem os mortos espalhados pelo terreno. A topografia, caracterizada por coxilhões espaçados, declives abruptos e matos fechados, dificultou o serviço. Nas linhas adversárias, foi descoberto o cadáver do coronel Aníbal Padão, um dos mais corajosos rebeldes de que até então se tinha notícia na crônica da revolução.

Padão fora visto horas antes, desafiando a pontaria do inimigo, lançando-se em galopes endiabrados contra as trincheiras governistas. Morrera com um tiro que lhe varara o peito e tingira de sangue o característico poncho branco, que sempre considerara uma espécie de talismã. O corpo ensanguentado de Padão e o estandarte revolucionário tisnado de pólvora foram exibidos em triunfo na praça central de São Borja, mas a guerra seguiria adiante. Mesmo caçados de perto, os revoltosos voltavam a se organizar em novas colunas e partiam em investidas-relâmpago pelo interior gaúcho.[36]

"Por que o sr. Borges de Medeiros ainda não os venceu, não os esmagou de vez?", indagava-se Getúlio, para em seguida responder à própria pergunta: "Porque, paradoxalmente, a sua força está na sua fraqueza. Eles não são vencidos porque não combatem, porque vivem fugindo, porque fazem da fuga a sua norma de ação, sua regra de conduta".[37]

Além dos informes sobre a guerra civil, também chegavam a Getúlio notícias inquietantes a respeito de uma guerra intestina, surgida no seio da família Vargas. Viriato de um lado, Protásio de outro, o clã rachara ao meio por motivos políticos. A cisão doméstica se dera em torno de nova sucessão intendencial em São Borja. Viriato, que não podia apresentar a própria candidatura ao cargo sem levantar más lembranças de um processo criminal ainda recente, apressou-se a lançar o nome de um assumido vassalo, Raimundo Gomes Neto. Um grupo de republicanos locais considerou tal hipótese temerária e propôs a reeleição de Protásio como alternativa mais razoável para o caso.

"Com Neto no poder, Viriato saciaria, até a última gota, a sede de vingança que devora a sua alma de eterno e feroz egoísta", considerou Armando Porto Coelho, velho amigo de Getúlio e um dos principais apoiadores de Protásio Vargas.[38]

Por meio das notícias enviadas da distante São Borja, Getúlio tomou conhecimento de que o caso era tão grave que até o cônsul brasileiro na cidade argentina de Santo Tomé cruzara a fronteira com uma notícia urgente: dois bandidos contratados por Viriato Vargas estariam se preparando, do outro lado da linha divisória entre os dois países, para assassinar Armando Porto Coelho. "Viriato se armou a planejar mais uma dessas tragédias, que já maculou uma vez seu nome", alarmou-se Coelho em correspondência a Getúlio. Ciente dos boatos, acautelado por Getúlio, Protásio Vargas deu garantias de vida ao ameaçado e prometeu ficar de olho em cada passo do irmão violento.[39]

Fosse verdadeira ou não a denúncia, o plano macabro não se concretizou. Armando Porto Coelho preferiu acreditar que Viriato recuara em seu propósito, dissuadido pelos irmãos mais novos. Isso não significava, de modo algum, a consequente pacificação na família. Na eleição municipal, Protásio conseguiu a reeleição ao posto de intendente, mas não contou com os votos de Viriato e Pataco, que publicamente se recusaram a apoiá-lo. Ao remeter uma carta ressentida a Getúlio, Viriato lamentou que o irmão deputado não houvesse saído em sua defesa:

"Se tu tivesses sido mais meu amigo e mais clarividente, terias deixado os meus interesses e os teus em perfeitas condições de prosperidade", lastimou, para justificar que, naquele mês, não poderia remeter ao Rio de Janeiro nenhum níquel para Getúlio, ao contrário do que sempre fazia, porque os negócios da família, administrados por ele, estariam embaraçados pelo desfecho da sucessão municipal.

"Com todos os meus amigos fora das posições e com todos os meus inimigos nelas entronizados, nada poderei dizer-te a não ser que sempre irei fazendo o que puder por nós, com toda a lealdade e altruísmo de que sou capaz", afirmou Viriato. "A política vive aqui completamente anarquizada. [...] Faz-me durante seis meses intendente provisório disso aqui e eu te devolvo o município pacificado, o partido unificado e disciplinado, como um regimento de elite", propôs.[40]

Getúlio deu de ombros à sugestão do irmão mais velho.

"Eles matam, saqueiam, violentam, depredam e vêm depois, quando sofrem a reação natural a seus atos, bradar aos céus contra a tirania", exclamou do alto da tribuna o deputado federal Getúlio Dornelles Vargas, referindo-se aos revolucionários do Rio Grande. Quem o ouvisse naquele dia, não reconheceria nele o mesmo orador vacilante de um mês antes.

"Essa cantiga não mais impressiona", tentou ironizar o deputado Antunes Maciel, que parecia querer repetir a estratégia anterior — desconcertar Getúlio com interrupções zombeteiras.

"Uma vez que a cantiga não impressiona, citarei os fatos, para que Vossa Excelência faça a cantiga e a glosa", devolveu Getúlio, sem perder o tom.

"Farei a glosa e revidarei tudo quanto Vossa Excelência disser, e de improviso, porque não preciso estudar documentos nem discursos", agulhou Maciel.

"O que dirá então Vossa Excelência a respeito das extorsões, das exigências de dinheiro feitas pelos revolucionários a correligionários nossos, com graves ameaças, se não entrarem com determinadas quantias, de dez, vinte e cinquenta contos para auxiliar a revolução?", indagou Getúlio.

A denúncia procedia. *O Malho* já publicara a foto de um recibo de cinquenta contos de réis, emitido pelos rebeldes a título de "contribuição", aplicado contra uma empresa de Quaraí, interior gaúcho.

"É cobrança de imposto de guerra", justificou Maciel.

"Que autoridade têm Vossas Excelências para cobrarem este imposto?"

"A mesma que têm Vossas Excelências."

"Somos representantes de um governo legal, reconhecido pelos poderes competentes, e, entre eles, pelo próprio presidente da República."

"Mas nós não o reconhecemos, e é por isso que estamos fazendo a revolução."

A discussão incendiou o plenário. Pelo que se deduz das palavras transcritas nos anais da Câmara relativas à sessão, Getúlio estava mais confiante em si mesmo. Não dava mostras de que se dobraria tão facilmente.

"Não nego que nos elementos revolucionários do Rio Grande do Sul existam homens honrados, honestos, que pautem sua conduta por uma norma de viver acima de qualquer censura, mas estes homens estão praticando profundo erro, condenável erro de lesa-patriotismo", ressalvou Getúlio. "Os atos de vandalismo praticados são a prova do que venho afirmar: nas forças revolucionárias existe incorporada uma escumalha, arrecadada a rigor e a capricho, no elemento do Contestado", afirmou, em menção aos caboclos e jagunços remanescentes da "guerra santa" que sacudira a região entre o Paraná e Santa Catarina na década anterior, quando o governo federal ordenara o ataque à "Monarquia Celeste" fundada por um líder messiânico — José Maria de Santo Agostinho, autointitulado "monge" e considerado santo pelos seguidores. Segundo Getúlio, sobreviventes da Guerra do Contestado haviam se incorporado aos rebeldes gaúchos.

"Havíamos de fazer revolução com arcanjos e com anjos...", tripudiou Maciel.

"Haviam de fazer com a opinião pública", objetou Getúlio, que passou a citar uma série de ações escabrosas cometidas pelos rebeldes no interior do Rio Grande.

Uma menina de oito anos de idade, em Sarandi, por exemplo, fora cercada por um grupo de revolucionários que a golpearam de facão no rosto para que confessasse onde estava o pai, a quem procuravam. Em Erechim, a invasão de uma estância terminara com o fuzilamento da esposa do proprietário. Os demais parlamentares permaneciam em nervoso silêncio, atentos à contenda. O novato Getúlio Vargas parecia ter encontrado o tom certo para responder às provocações de Maciel.

"Estamos apenas defendendo os foros de altivez do Rio Grande do Sul contra um despotismo de vinte e tantos anos", retrucou a certa altura Antunes Maciel.

"Despotismo que tem amparado o desenvolvimento do Rio Grande", contrapôs Getúlio.

"Queremos o progresso do Rio Grande, mas não a esse preço", persistiu Maciel.

"Borges de Medeiros ali está porque o quer o povo rio-grandense, que o reelegeu por 106 mil votos", declarou Getúlio.

"De onde os tirou?"

"Das urnas."

"Vossa Excelência ajudou a retirar do candidato adversário esses 106 mil votos."

Houve rebuliço em plenário. Maciel trazia à Câmara Federal a velha suspeita de que Getúlio, como presidente da Comissão de Constituição e Poderes da assembleia gaúcha, forjara o resultado das urnas para dar a vitória eleitoral a Borges de Medeiros.

"Só retirei votos que eram ilegais", repeliu Getúlio. "E se foram retirados votos ao sr. Assis Brasil, o mesmo aconteceu quanto ao sr. Borges de Medeiros."

"Em que proporção?", inquiriu Maciel.

"Foram depurados ao sr. Borges de Medeiros 3 600 votos", estimou Getúlio.

"E ao sr. Assis Brasil?"

"Cerca de 6 mil..."

"Portanto..."

"Portanto chega-se à conclusão de que a fraude estava na maior parte do lado dos companheiros de Vossa Excelência", fulminou Getúlio.

Por várias vezes, o presidente da sessão precisou recorrer ao toque de campainha para impor silêncio aos demais parlamentares. O deputado pernambucano Souza Filho partiu em auxílio a Antunes Maciel. Recordou a todos que, no Rio Grande do Sul, não havia liberdade eleitoral, pois não existia a possibilidade do voto secreto (como na legislação federal, que a despeito disso "facultava" o voto a descoberto, o que transformava o sigilo do voto em segredo de polichinelo).[41]

"Então Vossa Excelência quer a liberdade sem a responsabilidade?", questionou Getúlio. "Ah, já sei. Vossa Excelência quer essa liberdade que se conquista pela mancebia, como as amantes em quarto escuro."[42]

O argumento era discutível. Mas a imagem era forte demais, a ponto de fazer o discurso do novo deputado não ser esquecido tão cedo.

Os amigos de Getúlio festejaram. A bancada republicana gaúcha respirou aliviada. "O que o partido quer, o que precisa, é de gestos desta grandeza, pois ele se sentia sem defesa, atacado, humilhado, parecendo que um deputado adversário, medíocre, achincalhava impunemente a bancada", comemorou, em Porto Alegre, Manuel Duarte, camarada de Getúlio desde os bancos escolares. "Queria que visse a impressão que há na fisionomia dos amigos depois que te leram o resumo do discurso, elegante e enérgico; era um rejuvenescimento coletivo", descreveu Duarte em carta a Getúlio. "Velhos descrentes, afeitos a lerem lugares-comuns que pululam pela bancada, diziam: agora temos homem ao leme."[43]

O jornal *O Paiz*, do Rio de Janeiro, depois de ressalvar que a estreia do gaúcho Getúlio na tribuna um mês antes deixara a desejar, comentou: "Só ontem é que o deputado Getúlio Vargas teve o ensejo de ressalvar as suas qualidades oratórias". Em seguida, o periódico informava: "Por vezes, a sua oração agitou a Câmara, em virtude dos protestos que provocou por parte dos contendores. [...] Mas o sr. Getúlio Vargas jamais perdeu a calma, tendo uma réplica feliz para cada aparte, como se fosse velho frequentador da tribuna, habituado às refregas mais ameaçadoras". Ao final do texto, o redator de *O Paiz* anotaria: "Após o seu discurso, agradecendo os cumprimentos, ao se referir aos apartistas, disse sorridentemente, na pura linguagem dos pampas convulsionados: 'Eles quiseram me charquear...'".⁴⁴

A pugna com Antunes Maciel e Souza Filho marcou uma nova fase no desempenho parlamentar do deputado federal Getúlio Vargas. A cada subida dele à tribuna, o raciocínio rápido e a fluência verbal que lhe eram próprios granjeavam a admiração dos correligionários e, na mesma medida, o respeito dos oponentes. A velha tática de ter permanecido em silêncio, estudando os interlocutores — "ouvindo e aprendendo", como dissera — surtira efeito. "Chora o Maciel, na Câmara, ao ver que o caruncho começa a carcomer-lhe a linda cadeirinha, e chora alto, quase num berreiro, ao ser convenientemente charqueado pelo dr. Getúlio", ridicularizava *A Federação*. "É que chegou a hora da onça beber água", avaliava o jornal gaúcho.⁴⁵

Toda a competência argumentativa de Getúlio seria posta à prova em setembro daquele ano de 1923, quando o senador gaúcho Soares dos Santos apresentou ao Congresso Nacional um projeto de lei que pedia a intervenção federal no Rio Grande do Sul, sob a alegação de que a capacidade administrativa do governo local estava abalada diante da dificuldade de Borges em conter o avanço dos revolucionários.⁴⁶ Getúlio foi à tribuna para acusar o projeto de ser um "monstrengo político", uma "indignidade jurídica".

"Os elementos sediciosos precisavam de um Judas", comparou Getúlio. "Esse Judas, essa figura de palha, era o projeto do senador Soares dos Santos", disse, fazendo menção ao fato de Soares dos Santos ter sido eleito pelo PRR e posteriormente se convertido à causa revolucionária.⁴⁷ Para tentar desconstruir a fundamentação do projeto que pedia a intervenção federal no Rio Grande, Getúlio evocou o sexto artigo da Constituição para advertir que não havia duplicidade de poderes no estado, ao contrário do que ocorrera no Rio de Janeiro. Na revolução gaúcha, os rebeldes não tinham fixado nenhum poder paralelo no estado:

"Eles vivem fugindo pela campanha; invadem povoados, fazem extorsão de dinheiro e fogem novamente", destacou Getúlio.⁴⁸

Do Rio Grande, o velho amigo João Neves da Fontoura, eleito para a Assembleia dos Representantes gaúcha, aplaudiu. "Em caminho para Porto Alegre, li o teu último discurso na íntegra. Foi o melhor da série. Estou certo de que agora firmastes a reputação na Câmara", escreveu-lhe.⁴⁹ "Nota-se perfeitamente que as opiniões estão se modificando a nosso respeito, principalmente depois que respondestes aos ataques brutais feitos ao nosso partido", regozijou-se também Inácio Silva, outro amigo de Porto Alegre.⁵⁰

Enquanto isso, no Catete, Artur Bernardes não demoraria a perceber que o prolongamento das tensões no Rio Grande do Sul não interessava a mais ninguém. Os revolucionários estavam exauridos em seus recursos, e todas as tentativas dos oposicionistas locais de provocar a intervenção federal haviam gorado. O governo de Borges de Medeiros, por seu turno, estava asfixiado pelos altos custos da operação militar.⁵¹

Para abrir caminho a um possível armistício, Bernardes deliberou enviar ao Rio Grande do Sul, como mediador, o ministro da Guerra, general Setembrino de Carvalho. Gaúcho de Uruguaiana, o empertigado Setembrino conhecia bem a realidade regional. No alvorecer da República, elegera-se deputado estadual pelo PRR e fora um dos signatários da polêmica Constituição castilhista. Além disso, combatera a Revolução Federalista e comandara o batalhão de engenharia em Rio Pardo. Mas, afastado havia mais de vinte anos dos embates partidários no Rio Grande, era considerado um elemento equidistante na querela entre rebeldes e borgistas. Além da procuração expressa do presidente da República, a caderneta de oficial de Setembrino exibia credenciais nada desprezíveis. Ele exercera o cargo de interventor do Ceará, quando impôs a ordem pública no estado após a sedição dos jagunços, beatos e devotos do célebre padre Cícero. Em seguida, na Guerra do Contestado, comandara a solução final contra os membros da "Monarquia Celeste", arrasando as "vilas santas" dos seguidores do "monge" José Maria.⁵² Ninguém se deixasse enganar pelo porte esquálido e aparentemente pouco belicoso do general que se especializara em reprimir movimentos sociais na República. Numa definição gauchesca, ele tinha pinta de boi tambeiro, mas era touro cupinudo.

Getúlio Vargas previu que, após quase um ano de combates sangrentos, a mediação do vigoroso general Setembrino traria a paz ao Rio Grande. Da capital federal, Getúlio telegrafou aos amigos mais próximos para informar que, até onde a vista alcançava, o armistício podia ser dado como certo. "Teus informes coincidem perfeitamente com o que já havia colhido aqui e ali, de pessoas igualmente autorizadas", escreveu-lhe Érico Ribeiro da Luz, ex-intendente de São Borja. "Oxalá a paz se faça", desejou. "O Setembrino, à hora presente, já penetrou em terras do Rio Grande. A expectativa é boa", avaliou Ribeiro da Luz.⁵³

Apesar do otimismo de Getúlio, ninguém desconhecia que certas circunstâncias representavam um entrave ao acordo. Antes de partir para o Rio Grande, Setembrino conferenciara com representantes dos dois lados em disputa. Procurara inicialmente Assis Brasil, que se encontrava no Rio de Janeiro, e ouvira dele que os revolucionários, para sentar à mesa de negociações, exigiam a renúncia imediata de Borges de Medeiros. Isso seria imperativo para deporem as armas. Ou o Chimango batia asas e arredava do palácio, ou não embainhariam a espada.

"Se assim acontecesse, não seria pacificação, mas mudança apenas na ordem dos fatores. Nós seríamos os revolucionários e eles os defensores da ordem", comentou, a respeito da hipótese de renúncia, Érico Ribeiro da Luz em carta a Getúlio. "Até eu, pacifista por índole, abandonaria o meu bastão de caudilho aposentado e tornaria rumo à coxilha", garantiu.[54]

Em conferência posterior com os deputados João Simplício e Nabuco de Gouveia — representantes oficiais da bancada republicana gaúcha —, Setembrino soube que Borges de Medeiros, premido pelas dificuldades de continuar investindo arrobas de dinheiro na perseguição aos revoltosos, admitia negociar os termos do acordo, desde que houvesse transigências de ambas as partes, ou seja, desde que o conflito armado se convertesse em debate político.[55]

"Virá a paz? Não sei. Mas que não seja paz podre", escreveu um cauteloso João Neves a Getúlio.[56]

Depois de marchas e contramarchas, com seguidos ultimatos e concessões de ambas as partes, a paz foi finalmente selada em 14 de dezembro de 1923.

"Seria uma obra de louco continuar esta guerra de extermínio do Rio Grande do Sul", dizia uma proclamação do general Setembrino ao povo gaúcho.[57]

O acordo foi assinado no chamado Palácio das Pedras Altas, uma réplica de castelo medieval, de arquitetura surpreendente mas de estética duvidosa, erguida por Assis Brasil em pleno interior do Rio Grande. Era lá onde o líder dos oposicionistas gaúchos criava suas vacas das raças Devon e Jersey importadas da Inglaterra, seus legítimos cavalos árabes comprados em libras esterlinas no mercado internacional e suas galinhas White Wyandotte mandadas buscar diretamente nos Estados Unidos.[58]

O pacto era proveitoso para ambos os lados. Borges de Medeiros foi obrigado a ceder e aceitar modificações substanciais na até então inviolável Constituição castilhista. Com a reforma da carta gaúcha, o nome do vice-presidente do estado sairia das urnas, e não mais seria nomeado ao bel-prazer do titular. As oposições também teriam ampliadas as garantias de representação na Assembleia e na Câmara Federal. Todos os revolucionários seriam prontamente anistiados, declarando-se extinta qualquer ação policial ou jurídica contra eles.

Em contrapartida, os rebeldes abriram mão de sua principal bandeira de luta: a renúncia de Borges de Medeiros. Pelo acordo de Pedras Altas, Borges cumpriria todo o resto dos quatro anos que ainda restavam de seu mandato quinquenal. Com a ressalva de que não poderia mais pleitear nenhuma reeleição no fim do período. Ficou acertado que, em 1928, os rio-grandenses teriam necessariamente um novo governante, escolhido em eleição fiscalizada por observadores do Exército e do governo federal.[59] No simulacro de castelo medieval de Assis Brasil, o castilhismo-borgismo acabara de ver lavrado o seu atestado de óbito.[60]

Nem todos os revolucionários ficaram satisfeitos com a barganha. Sabia-se que Zeca Neto, líder revolucionário responsável pelas forças insurgentes no sul do estado, deixara crescer a barba e as unhas, e assim como ele outros rebeldes haviam feito o mesmo juramento de não mais se barbear enquanto Borges não renunciasse ao governo. Com o pacto, tiveram que rever a promessa.

"Os novos anacoretas voltavam para suas terras, de barba feita e unhas cortadas", ironizou Getúlio na Câmara Federal.[61]

As assinaturas a nanquim assentadas no fim do protocolo de paz mal haviam secado e já começavam as especulações sobre quem seria o próximo presidente do Rio Grande do Sul. Por coincidência, isso se dava exatamente no momento em que Getúlio era reeleito à Câmara Federal para um período parlamentar de quatro anos. Seu desempenho à frente do novo mandato iria colocá-lo no topo da lista dos aspirantes ao cargo.

10. A Coluna Prestes começa a inflamar o Brasil. Getúlio a compara a uma "correria de cangaceiros" (1924-6)

Apesar de um pouco mais ampla, a nova casa alugada por Getúlio no Rio de Janeiro — à rua Buarque de Macedo, quase esquina com a rua do Catete — logo ficou pequena em vista do grande número de visitantes que não paravam de lhe bater à porta. "Algo de novo estava acontecendo em nossa vida", recordaria a filha, Alzira Vargas. "Papai ficava até tarde, auxiliado por mamãe, cifrando e decifrando telegramas. Durante o dia, ele pouco parava em casa. Convites e visitas começaram a aparecer com mais assiduidade", escreveria Alzira. "Papai fora feito líder da bancada rio-grandense. Estávamos começando a nos tornar importantes na capital federal".[1]

A reestreia de Getúlio Vargas na Câmara dos Deputados seria marcada por um gesto simbólico — e imprevisível — de sua parte. No salão da Biblioteca Nacional que dava acesso ao plenário, ele se pôs à frente de um sujeito de rosto carnudo, lábios grossos e cabeleira negra, que vinha no sentido contrário. O homem tomou um susto e quase não acreditou quando Getúlio o abraçou efusivamente, entre sorrisos, dando-lhe as boas-vindas. Os que assistiram à cena também ficaram estupefatos.

O deputado Getúlio Vargas, lugar-tenente do borgismo na Câmara, abraçava Batista Lusardo, médico e advogado, ex-chefe do estado-maior das forças rebeldes que, poucos meses antes, lenço vermelho ao pescoço, andava trocando tiros em escaramuças contra as tropas legalistas de Borges de Medeiros. Feito deputado federal graças à popularidade e à aura de bravura que conquistara nos campos de batalha, Lusardo era quase um símbolo da Revolução de 1923, um maragato por excelência, incorporado desde a primeira hora às tropas do Leão de Caverá.

"É um homem brigão, mas uma figura que merece o nosso respeito", comentou ao abraçá-lo um bem-humorado Getúlio, para maior perplexidade dos que estavam em volta.[2]

Teria início ali uma longa e acidentada amizade. A despeito das diferenças que os separavam, os dois se tornariam próximos a partir daquele momento. Na Câmara, Lusardo e Getúlio passaram a ser vistos juntos com extrema constância, em animadas confabulações. Às vezes, conversavam aos cochichos. Em outras situações, os diálogos eram entrecortados por facécias do primeiro e gargalhadas do segundo. "Getúlio gostava de ouvir piadas picantes", revelaria mais tarde Lusardo, que depressa aprendeu a conviver com a personalidade arisca e ambígua do novo amigo. Ora expansivo, ora retraído, nunca se sabia ao certo qual o comportamento que adotaria Getúlio, ainda que em meio a uma palestra amistosa. "Era um homem muito afável ou se fechava", resumiria Batista Lusardo.[3]

A desconcertante cordialidade com a qual Lusardo foi recepcionado naquele 1º de junho de 1924 era prenúncio de que o novo mandato de Getúlio seria marcado pelo signo da negociação e pelo aplainamento de arestas. O acordo de Pedras Altas pregara a conciliação geral, e Getúlio, depois das contendas verbais travadas na legislatura precedente, parecia disposto a retomar a imagem de moderado que havia construído com tamanha habilidade no Rio Grande do Sul. No Rio de Janeiro, aperfeiçoaria, sobretudo, a aptidão para atuar pelas sombras, em articulações de bastidores, movendo as peças do tabuleiro político com dissimulada destreza. "Sábado, fui apresentado ao presidente da República, como líder", festejou Getúlio em correspondência a Borges de Medeiros, em dezembro de 1924.[4]

Em uma das muitas audiências no Palácio do Catete, Getúlio Vargas ouviu do presidente Artur Bernardes uma torrente de queixas contra um dos ministros do Supremo Tribunal Federal, o gaúcho Pedro Afonso Mibielli, que vinha se notabilizando por emitir pareceres contrários às vontades do governo, especialmente no caso de concessão de *habeas corpus* a oposicionistas perseguidos pela polícia. Durante minutos, Getúlio escutou os queixumes de Bernardes sem deixar escapar nenhuma espécie de comentário. "Nada contestei, nem sugeri", registrou ele, em outra de suas muitas cartas sigilosas a Borges de Medeiros. Protegido pelo silêncio, Getúlio arquitetou um plano ardiloso. No dia seguinte à audiência com Bernardes, foi à casa do magistrado e, entre um café e outro, arrancou uma preciosa inconfidência de Mibielli: o ministro cogitava requerer aposentadoria e abandonar para sempre a toga, desde que lhe fossem oferecidas, segundo as palavras de Getúlio, algumas "contrapartidas".

"Resolvi informar confidencialmente a Vossa Excelência, que talvez julgasse conveniente tirar partido dessas circunstâncias", apressou-se Getúlio em escrever a Borges. "E se Vossa Excelência oferecesse uma compensação para obter a aposentadoria do ministro Mibielli, mediante o prévio compromisso do presidente da República de nomear o substituto que Vossa Excelência indicasse?", insinuou. "Haveria para nós duas vantagens", calculou Getúlio: "1) Tornar o governo federal mais grato à Vossa Excelência, por afastar-lhe uma dificuldade; 2) Colocar no Supremo, como representante da mentalidade jurídica e política do Rio Grande, um homem mais moço e com mais saúde que o ministro Mibielli." Sobre a tal compensação ao membro do Supremo, informava: "Ele deseja muito ser deputado federal".[5]

Compromissos prévios de Borges de Medeiros com aliados no Rio Grande do Sul impediram a materialização do estratagema de Getúlio. Pedro Afonso Mibielli não ganharia uma cadeira de deputado, como almejava. Continuaria no Supremo, dando trabalho ao governo por mais alguns anos, pelo menos até o momento em que, pouco mais tarde, o mesmo Getúlio Vargas chegasse à presidência da República e, como uma de suas primeiras medidas, assinasse a aposentadoria compulsória do ministro.

A tradicional discrição do deputado Getúlio só era abandonada quando ele comparecia ao plenário da Câmara dos Deputados para criticar, com acidez, qualquer episódio que lhe cheirasse a sublevação da ordem instituída. Nesses casos, engrossava a voz, subia o tom do discurso e não poupava os adversários. O homem que dali a pouco mais de cinco anos seria lançado ao poder máximo do país por meio de uma revolução se dizia então contra insurreições armadas:

"O Brasil compreende perfeitamente que já passou a época dos motins de quartéis e das empreitadas caudilhescas, venham de onde vierem", proferiu Getúlio, já na primeira ocasião em que retornou à tribuna no novo mandato.[6]

A contrariar as palavras de Getúlio, a era de espasmos no interior da caserna estava apenas começando. No rastilho da revolta dos Dezoito do Forte de 1922, o Brasil submergia em um extenso ciclo revolucionário que se prolongaria ainda por longo período e, com a participação decisiva de Getúlio em seu devido tempo, mudaria para sempre a face da República. Naquele momento, era a capital paulista que estava sob fogo cerrado, embora o estado de sítio e a censura à imprensa impedissem a população do Rio de Janeiro de saber a real extensão do problema. "Um pequeno levante em São Paulo", minimizou, em uma acabrunhada nota de primeira página, o *Jornal do Commercio*, em sua edição de 6 de julho de 1924.[7]

Para todos os efeitos, tudo não passara de uma quartelada sem maiores consequências, rapidamente estrangulada pelas forças legais. A realidade, porém, era outra. Parte considerável do mais promissor parque industrial brasileiro ardia em chamas. Pelas ruas de São Paulo, pilhas de paralelepípedos, sacos de areia, caixotes de verdura, colchões queimados e automóveis com rodas reviradas para o ar serviam de trincheira a uma estrondosa sublevação militar. A fuzilaria pesada havia reduzido a fachada do Palácio dos Campos Elísios, sede do governo estadual, a uma imensa peneira de tijolo e areia. O majestoso portão do palácio, acostumado a receber autoridades políticas e encasacados barões do café, se resumira a um emaranhado de ferros retorcidos. As janelas estilhaçadas deixavam antever que lá dentro o estrago também fora grande. As paredes exibiam manchas de sangue.[8]

Por meio de uma ação de surpresa, um grupo de jovens militares havia tomado as principais guarnições de São Paulo e, após os três primeiros dias de combate, obrigado o presidente estadual Carlos de Campos a fugir da área central e improvisar o gabinete de trabalho em um vagão ferroviário, junto à plataforma da estação de Guiaúna, nas proximidades do bairro da Penha, na zona leste da cidade. A data escolhida para o estopim do levante foi a frienta madrugada do 5 de julho de 1924, dia que marcava o segundo aniversário da já quase mitológica revolta do Forte de Copacabana.

Os paulistanos acordaram naquele sábado debaixo de densa neblina e com o chão da cidade tremendo sob o fragor de granadas, metralhadoras e canhões. Uma das primeiras cargas de obus disparadas pelos rebeldes atingiu uma das torres do Mosteiro de São Bento, justamente na hora em que os fiéis, com o pescoço envolto em grossos cachecóis de lã por causa do frio, assistiam à missa matinal em homenagem às vítimas do levante de 1922.[9]

O ataque fora tramado, na surdina, por oficiais caídos na clandestinidade desde a conflagração anterior. Declarados desertores, haviam assumido identidades falsas e elegido São Paulo como epicentro de uma segunda conspiração. Era o caso, entre outros, dos tenentes Juarez Távora e Eduardo Gomes, dois dos mais destacados membros do movimento — e que ainda viriam a ter seus destinos entrelaçados aos de Getúlio. O primeiro, Távora, um dos líderes da fracassada revolta da Escola Militar de Realengo em 1922, fora condenado a três anos de prisão e à perda da patente. Foragido, passara a atender pelo nome falso de Otávio Fernandes e a viver sob o disfarce de pacato eletricista. O segundo, Gomes, um dos sobreviventes do massacre em Copacabana, mudara o nome para Eugênio Guimarães e se dizia advogado e professor primário.

Ambos estavam naquele instante de novo com armas na mão. Contavam com o apoio decisivo do comandante do regimento de cavalaria da Força Pública paulista, o major Miguel Crispim da Costa Rodrigues. Sempre bem apanhado em seu uniforme militar, cavaleiro diversas vezes premiado pela esnobe Sociedade Hípica da cidade, Miguel Costa fugia do estereótipo consolidado em torno da figura do revolucionário. Ao contrário dos companheiros, fazia questão de andar com o rosto sempre escanhoado, recendendo a loção pós-barba, com a aparência impecável de quem havia acabado de sair do banho. A adesão de seus comandados da Força Pública à revolta era a garantia de que, dessa vez, não se repetiria o isolamento responsável pelo insucesso de dois anos antes, em Copacabana. Na Câmara dos Deputados, inconformado com as notícias que chegavam pelos colegas da bancada de São Paulo, Getúlio protestava contra a ação dos revolucionários:

"Esses homens iludiram a Nação, conspirando para assaltar os poderes públicos, ludibriando a confiança que neles se depositara como encarregados da manutenção da ordem pública, de guardas vigilantes das instituições constitucionais", bradou Getúlio. "Eles violaram seu pacto de honra, ao voltarem as armas contra essas próprias instituições, amatulados em uma revolta de quartéis, unidos apenas sob a base comum do instinto de destruição."[10] O que consolava Getúlio era que, no seu entender, os sediciosos estavam fadados ao fracasso: "Eles não têm a seu lado nenhum nome representativo do Exército, nenhuma alta patente na efetividade de seu cargo".[11]

Getúlio, até ali, parecia não querer compreender que era esse o espírito que movia a revolta. O tenentismo, gestado na base da oficialidade, nutria-se do ímpeto de uma mocidade fardada que pregava a modernização e a moralização dos costumes políticos — e que portanto se arvorava como a guardiã da "pureza republicana" e como a defensora intransigente das instituições, contrapondo-se aos chamados "soldados profissionais", aqueles que não aceitavam a interferência das forças armadas em assuntos de política. Os rebeldes acreditavam que, diante da corrupção atávica das elites civis e da presumida passividade das classes populares — ou do "populacho", como dizia o líder tenentista Juarez Távora[12] —, caberia aos militares a condição de árbitros supremos da sociedade. Fundamentalmente autoritários, rejeitavam a ação política dos partidos e apoiavam a revolução como única forma possível de promover uma mudança efetiva.[13]

"Este movimento revolucionário é um gesto de patriotismo", afirmara, de modo sintomático, o primeiro comunicado distribuído pelos rebeldes à população paulista.

Ao ler coisas como aquela, Getúlio sentia náuseas.

"Verbalismo romântico", definia. "Não é revolução, é uma mazorca."[14]

Os moços insurgentes sabiam que muita gente pensava tal como Getúlio. Tanto que, para conferir maior autoridade moral à rebelião, a chefia das operações fora confiada a um militar reformado, dono de cabeleira solenemente prateada — o sexagenário general Isidoro Dias Lopes, gaúcho de Dom Pedrito, veterano da Revolução Federalista no Rio Grande do Sul e então morador de São Paulo. Como reforço à velha guarda do movimento, juntou-se a Isidoro outro gaúcho grisalho, que cultivava um bigodão branco tão vasto que os pelos lhe tomavam a maior parte do rosto, à guisa de distinção e galhardia. De princípio, mesmo alguns oficiais do núcleo de comando da revolta não sabiam dizer, ao certo, quem era aquele velho alto e gordo, de olhos castanhos miúdos e voz bruta, que de repente se reunira a eles.

Durante o almoço no quartel-general sublevado, o sujeito de imenso bigode não hesitava: tirava da cava do colete um facão de gume reluzente e, como se isso fosse a coisa mais natural do mundo, cortava o bife com ele. A arma tinha as iniciais A. S. gravadas no cabo de prata. Um dia, pertencera a Aparício Saraiva, um dos líderes da Revolução Federalista. O novo proprietário do facão não era outro senão João Francisco Pereira de Souza, a Hiena de Cati, que, depois de escorraçado de São Borja por Viriato Vargas, passara a residir em São Paulo. Ao ouvir o matraquear das metralhadoras nas ruas, João Francisco sentiu o sangue maragato ferver. Fez questão de prestar seus serviços a mais uma revolução.[15]

Coube a João Francisco uma das ações bélicas mais ousadas do levante. Ele mandou blindar a carroceria de um vagão ferroviário, recheou-o de metralhadoras pesadas e o transformou em uma mortífera arma de guerra. O objetivo era disparar o vagão a toda a velocidade contra a estação de Guiaúna, onde passara a funcionar o escritório improvisado do presidente do estado, Carlos de Campos. e também onde estavam concentradas as forças legalistas. João Francisco engatou a geringonça blindada em uma velha locomotiva e atrelou atrás dela seis vagões de passageiros lotados de rebeldes armados. Após ele próprio embarcar no trem, ordenou que a caldeira fosse posta a trabalhar a pleno vapor. A poucos metros do alvo, porém, a composição descarrilou e foi recebida pelos legalistas com tiros de metralha e estouros de granada. João Francisco sairia daquela aventura com 51 estilhaços encravados no corpo. Levado de volta pelos companheiros à enfermaria revolucionária, ficou prostrado em uma maca, imóvel, envolto em bandagens dos pés à cabeça, como se fosse uma múmia egípcia.[16]

Mesmo sem o concurso do veterano João Francisco, a revolução não podia retroagir. No dia 9 de julho, com a autoridade do presidente estadual Carlos de Campos ainda restringida a um vagão de trem em Guiaúna, Isidoro declarou a instalação de um governo revolucionário e exigiu a consequente renúncia do presidente da República, Artur Bernardes, que segundo o manifesto lançado pelos rebeldes à população não estaria "à altura dos destinos do país", pois seu mandato era apenas "a continuação dos governos eivados de vícios que têm dirigido o Brasil".

"Verbalismo romântico", diria mais uma vez Getúlio na Câmara dos Deputados.[17]

A reação do governo ao manifesto de Isidoro não se fez tardar.

"A granada será a resposta", declarou Carlos de Campos.[18]

Em nome da legalidade, ordenou-se um alucinado bombardeio sobre São Paulo. Canhões de 155 milímetros, que os tratados internacionais previam ser de uso exclusivo em ataques a fortificações inexpugnáveis, dispararam a esmo sobre bairros populosos da cidade, sem qualquer alvo militar definido. O intento era provocar o pânico coletivo, pois muitas famílias haviam se solidarizado com os amotinados, chegando a lhes fornecer água e comida. Quarteirões inteiros foram reduzidos a nuvens de pó e escombros. Para completar o serviço, aviões do Exército lançaram morteiros de 60 quilos, abrindo crateras gigantescas em áreas residenciais, densamente povoadas.

Era impossível estimar o número de vítimas civis. Pela contagem oficial, seriam quase 5 mil feridos e cerca de quinhentos mortos. Os hospitais estavam lotados. Havia centenas de desaparecidos. Sob os destroços da tragédia, ouviam-se os gritos de desespero e os gemidos de dor dos soterrados. Dezenas de cadáveres, inclusive de mulheres e crianças, jaziam espalhados pela rua, ao lado dos corpos de cavalos e mulas, atingidos indistintamente por fragmentos de granadas.

"Faço à nobre e laboriosa população de São Paulo o apelo para que abandone a cidade, deixando os rebeldes entregues à própria sorte", exortou o ministro da Guerra, Setembrino de Carvalho, em boletins também lançados por aviões sobre a capital paulista.[19]

"Estou certo de que São Paulo prefere ver destruída sua formosa capital antes que destruída a legalidade no Brasil", telegrafara o presidente do estado, Carlos de Campos, ao Congresso Nacional.[20]

À distância, no Rio de Janeiro, Getúlio continuava a acompanhar a escalada de tensões. Apesar da contraofensiva governista, ele temia que os revoltosos conseguissem o apoio de novas guarnições e rumassem para o Rio, para tentar tomar de assalto a capital do país, como constava dos planos do movimento. Por precaução, Getúlio providenciou que a família ficasse a salvo de um possível ataque rebelde às áreas adjacentes ao Catete, onde estava localizada a casa em que passara a morar. Tirou os filhos do colégio e mandou-os com a esposa Darcy para a residência de um tio, irmão de dona Candoca Dornelles, morador da Tijuca. Indiferente ao perigo, a criançada adorou a mudança provisória:

"Que desterro bom! Férias e um enorme quintal para explorar. Era novamente o chão sob meus pés", rememoraria Alzira.[21]

Depois de levar os familiares para local seguro, Getúlio se manteve informado por meio das audiências no Palácio do Catete. Soube que os quartéis do Rio de Janeiro estavam todos de prontidão, por determinação de Artur Bernardes. O mesmo acontecia com as forças navais, que puseram a frota inteira de torpedeiros e submarinos em estado de alerta. A capital federal fervilhava. Na Cinelândia, bem defronte ao prédio da Biblioteca Nacional, a polícia recebia ordens de dissolver quaisquer agrupamentos públicos e de prender os suspeitos de semear boatos a favor da subversão. Jornalistas foram mandados a rodo para a cadeia, após tentativas de burlar a censura à imprensa, silenciada pela lei 4743, de autoria do senador bernardista Adolfo Gordo, por isso mesmo alcunhada de lei "gordalhuda".[22]

De Porto Alegre, Borges de Medeiros telegrafou a Getúlio Vargas para informar que enviara corpos da Brigada Militar gaúcha ao Rio de Janeiro, a fim de coadjuvar a repressão. Getúlio congratulou-se com a notícia e fez questão de registrá-la em discurso, para que constasse dos anais da Câmara.[23] Mas exatamente na madrugada do dia anterior ao telegrama de Borges, 28 de julho de 1924, pressionado pelo reforço das tropas legalistas que formavam um círculo de ferro em torno da cidade, o general Isidoro decidira pela evacuação dos rebeldes da capital paulista. Por via férrea, Isidoro bateu em retirada, ao que parecia derrotado, mas com vagões entupidos de rebeldes e de material bélico rumo ao interior do estado, prosseguindo em direção à fronteira com o Mato Grosso. Posteriormente, adentraria o território paranaense, à altura da região do Iguaçu. Quando os legalistas afinal apertassem de vez o cerco sobre São Paulo, encontrariam atrás das trincheiras apenas manequins, retirados das vitrines das lojas de moda pelos rebeldes e, com a intenção de ludibriar o avanço inimigo, vestidos com uniformes militares.

Enquanto na capital paulista o governo indiciava e prendia centenas de acusados de ter apoiado o movimento — na nova leva de prisioneiros estava Júlio de Mesquita, proprietário do jornal *O Estado de S. Paulo* —, o deputado Getúlio Vargas, no Rio de Janeiro, subia mais uma vez à tribuna da Câmara para saudar o que julgava ser o epílogo da insurreição:

"Esta sedição não tinha um intuito de nobreza, nem a flama justificativa de um ideal. Nada disso. Era, por sua natureza, pelos seus fins, puramente negativa."[24]

Getúlio mal teve tempo de celebrar a vitória do governo federal sobre os insurgentes de São Paulo. Rebeliões similares haviam explodido no Amazonas e em Sergipe, prontamente debeladas. Porém, apenas três meses depois da retirada de Isidoro da capital paulista, notícias chegadas do Rio Grande do Sul informavam que várias unidades do Exército naquele estado também se declararam em estado de sublevação. Nas cidades de Alegrete, Cachoeira, Uruguaiana, São Luís e Santo Ângelo — além de São Borja —, a bandeira revolucionária estava tremulando nos mastros dos quartéis. Getúlio, mais uma vez, indignou-se:

"Acaso poder-se-iam considerar como ideais coletivos esses motins surgindo em pontos isolados do território nacional como cogumelos no enxurdeiro das ambições pessoais e dos apetites desenfreados?", indagou ele em plenário. "A empreitada sinistra dessas verdadeiras arrancadas de caudilhismo que sobrevivem de quando em quando precisam ser aniquiladas de vez, porque são focos contínuos de erupção", sugeriu.[25]

Getúlio foi informado de que em São Borja, particularmente, a sublevação contara com um lance espetaculoso. A tomada do 2º Regimento de Cavalaria do Exército, ali sediado, se deu quando um grupo de sargentos anunciou aos colegas que a cidade seria atacada naquela mesma noite por uma coluna rebelde. Por esse motivo, diziam-se autorizados pelo oficial do dia a arrombar o paiol de munições, para depois se pôr em formação armada à espera do dito oficial, que viria assumir o comando da resistência. Tudo não passara de um blefe. Momentos depois, dois tenentes que serviam na guarnição, Aníbal Benévolo e Sandoval Cavalcanti de Albuquerque, chegaram acompanhados de um terceiro homem, de estatura mediana, os ombros largos envoltos em uma capa que descia até o chão, o chapéu de abas longas ocultando-lhe as faces.

"Soldados! Eis o vosso comandante!", disse o tenente Benévolo, apontando para o sujeito misterioso.[26]

O anúncio provocou exclamações de incredulidade e, em seguida, brados de emoção, tão logo o visitante deixou cair a capa ao solo e retirou o chapéu, de modo dramático, para se revelar à vista de todos. Era espantoso, mas era verdade. Ninguém deixaria de reconhecer aquele rosto marcante, de fulgentes olhos azuis, boca enérgica e cabelos longos e crespos, cuja fotografia estampara as páginas dos principais jornais do país em um passado então recente. Quem estava ali em São Borja, diante deles, em carne e osso, era o comandante dos Dezoito do Forte, o capitão Antônio de Siqueira Campos, sobrevivente do massacre de Copacabana em 1922. Ainda dispostos em formação, os soldados levantaram os fuzis para saudar o homem que era considerado uma lenda viva em todo o país, a própria encarnação do espírito tenentista:

"Viva Siqueira Campos! Estamos a seu lado!"[27]

A presença de um gigante da causa revolucionária como Siqueira Campos ali na pequenina São Borja convenceu o regimento a aderir em peso à revolução. Desde 1922 até ali, ninguém tivera notícias suas. Processado por atentado contra o regime constitucional, vivera exilado a partir de 1923 no Uruguai e na Argentina, onde arriscara sem muito sucesso a vida como comerciante, em Montevidéu e Buenos Aires. A surpreendente aparição dele no Rio Grande do Sul tinha uma motivação estratégica: cabia a Siqueira o encargo de ser o principal elemento de ligação entre os revoltosos que debandaram da capital paulista em direção ao Paraná e os líderes militares que articularam a série de sublevações nos quartéis gaúchos. O intuito era dividir as atenções dos legalistas e, com dois focos distintos de luta, diminuir o poder de fogo das forças repressivas. Siqueira recebera a incumbência adicional de levantar pessoalmente a guarnição da fronteiriça São Borja, enquanto outros chefes providenciavam motins simultâneos nas diferentes cidades da zona missioneira.[28]

Por meio de cartas enviadas pelos parentes, Getúlio ficou sabendo que na madrugada de 28 de outubro de 1924 o capitão Siqueira Campos despachou patrulhas para a ocupação das repartições públicas, da estação ferroviária e das principais vias de acesso a São Borja. Não encontrou nenhuma resistência pelo caminho. Os oficiais governistas foram surpreendidos em casa, ainda de pijamas, e receberam voz de prisão. De manhã, ao pular da cama, o intendente municipal Protásio Vargas, irmão de Getúlio, encontrou pregada na porta de casa a cópia do boletim que anunciava, em tom grandiloquente, a insurreição ao povo são-borjense:

> Na vasta esteira ondulada das coxilhas, onde tantas páginas memoráveis se têm travado pelos ideais superiores da democracia, armaram-se hoje os primeiros cavaleiros andantes da cruzada patriótica cuja bandeira se desfraldou a 5 de julho no coração generoso de São Paulo.[29]

Protásio só teve tempo de reunir a família, pôr o pai, a mãe e os irmãos em uma carroça e fugir rumo à fronteira argentina. Uma vez acéfala a administração municipal, instalou-se um governo revolucionário, tendo sido entregue a intendência a Dinarte Dornelles, o tio maragato de Getúlio. Os revolucionários confiscaram centenas de cabeças de gado das estâncias e toneladas de estoques de gêneros alimentícios do comércio, que eram distribuídos gratuitamente aos pobres da cidade, a cada novo dia, entre as cinco e as oito horas da manhã, como demonstração de que a revolução pretendia marchar ao lado do povo.

Bois e vacas eram abatidos no meio da rua. Os nacos de carne ficavam pendurados nos galhos das árvores da praça Quinze de Novembro, bem defronte à casa abandonada do general Manuel Vargas. Reservistas e jovens em idade militar, residentes em São Borja, foram convocados a se somar à tropa rebelde. Quem deixasse de se apresentar seria julgado por uma corte marcial revolucionária. Os moradores que possuíssem qualquer espécie de arma guardada em casa eram intimados a entregá-la, sob a ameaça de terem a residência invadida em buscas e apreensões. Os gerentes das duas agências bancárias locais — a do Banco Pelotense e a do Banco do Comércio — foram forçados a repassar cada níquel depositado nos respectivos cofres.

O boletim dos revolucionários, passado de mão em mão pela cidade, fazia referências elogiosas à revolta comandada por Isidoro Dias Lopes em São Paulo e dizia que, no Paraná, onde os rebeldes haviam erguido uma poderosa linha de defesa após a retirada da capital paulista, estava sendo "selado com sangue o protesto contra a tirania dos governos que infelicitam a pátria". Ao final do texto, lia-se um conjunto aparentemente desconexo de assinaturas. Respondiam pela autoria do panfleto os líderes da revolta em São Paulo — Isidoro Dias Lopes e Miguel Costa —, mas também os gaúchos Honório Lemes, João Francisco, Zeca Neto e Leonel Rocha, todos chefes maragatos da revolução rio-grandense que se encerrara no fim do ano anterior, após a lavratura do Pacto de Pedras Altas.[30]

"Os revolucionários do Rio Grande do Sul são isidoristas como Isidoro é federalista", ironizou Getúlio na Câmara dos Deputados, denunciando o que julgava ser um conluio de duas frentes sediciosas oportunistas que não se identificavam de verdade. "Rasgaram o tratado de Pedras Altas", acusou Getúlio, tão logo soube que Assis Brasil, um dos principais signatários do acordo de paz assinado no fim do ano anterior, havia aceitado o convite para ser o chefe civil do novo movimento.[31]

"Essas revoluções, absolutamente, não representam um ideal, porque não têm por si a maioria da opinião nacional", observava Getúlio. "A opinião pública não é a opinião dos desocupados, não é a opinião dos gritadores de esquina, dos vulgarizadores de boatos, dos eternos descontentes que fazem dos seus desastres pessoais motivos de calamidades públicas."[32]

Em seus sucessivos discursos, Getúlio dizia não desconhecer que a nação brasileira padecia de deficiências estruturais que precisavam ser corrigidas. A tarefa mais urgente de todas, apontava, era o saneamento das finanças públicas. Depois disso, era preciso investir em educação, em saúde, nos transportes.

"Mas para que o Brasil resolva esses problemas não precisa de revoluções, porque todos eles podem e devem ser resolvidos dentro do nosso regime", defendia.[33]

Enquanto Getúlio, no Rio de Janeiro, praguejava contra as convulsões sociais que pipocavam país afora, uma reunião secreta ocorria longe dali, em sua terra natal, São Borja. Os participantes do encontro reservado decidiriam os rumos do movimento e dariam início ao episódio que, pela força de sua natureza épica, apressaria os estertores da chamada Primeira República. De um lado da mesa, estava João Francisco, a Hiena do Cati, o veterano caudilho que escapara da morte em São Paulo e, depois de acompanhar o general Isidoro até o Paraná, viajara clandestinamente ao Rio Grande do Sul através da Argentina, ainda com alguns metros de bandagem e esparadrapo pregados ao corpo para proteger os 51 ferimentos mal cicatrizados. Na cabeceira oposta, via-se um jovem e obscuro capitão do Exército, de apenas 26 anos, baixinho, de corpo meio envergado, a cabeça enorme, desproporcional ao tronco diminuto. Ele fora o responsável pelo levante do 1º Batalhão Ferroviário sediado em Santo Ângelo, cidade localizada a cerca de 200 quilômetros de São Borja. O capitão se revelara um líder natural durante a tomada do quartel de Santo Ângelo e, por isso, João Francisco tinha para ele uma mensagem expressa, remetida por Isidoro.

A mensagem dizia que o capitão passava a ser, para todos os efeitos, o chefe das ações sediciosas então em curso no território gaúcho. Sua missão era reunir todos os homens sob seu comando, abandonar o Rio Grande e subir na direção norte, para unir forças com as tropas que haviam saído de São Paulo rumo ao sul e se embrenhado no Paraná. João Francisco tinha plena confiança de que o jovem oficial — o "novo Napoleão dos pampas", como o definiria mais tarde — cumpriria a incumbência com denodo e eficiência. Para evidenciar sua certeza, João Francisco redigiu e assinou, em nome de Isidoro, um diploma que promovia o jovem capitão a coronel das forças revolucionárias. A partir daquela data, o moço poderia se assinar coronel Luís Carlos Prestes.

Ali, em São Borja, com a intermediação da Hiena de Cati, a famosa Coluna Prestes acabava de nascer.[34]

"A luta revolucionária está reduzida a simples correrias de cangaceiros", ridicularizou Getúlio, quando o repórter do jornal gaúcho *Correio do Povo* quis saber sua opinião sobre a marcha da Coluna Prestes, que àquela altura rumava pelos sertões, já tendo cruzado o Centro-Oeste, prosseguindo em direção ao Nordeste do Brasil. "Eles têm apenas dois recursos a seu favor: ou fugir para o estrangeiro, onde sofrerão privações, ou apresentar-se às autoridades brasileiras, a fim de serem recolhidos às prisões", avaliou Getúlio.[35]

Quem viu a foto que ilustrou a entrevista publicada na edição do *Correio* do dia 24 de janeiro de 1926 pôde constatar: mesmo tendo chegado aos 43 anos,

Getúlio aparentava mais jovialidade do que nunca. Livrara-se do espesso bigode que o acompanhava havia mais de duas décadas. Decidira raspá-lo, pela primeira vez, desde os tempos de faculdade. A mulher Darcy não pusera muito gosto na nova estampa do marido. Muito menos a filha Alzira, que também não aprovou a decisão do pai de extirpar aquele símbolo de virilidade gaúcha das faces rosadas.[36] Mas, a partir de então, esta seria a imagem que Getúlio cultivaria para o resto da vida: o rosto meio bochechudo livre de qualquer presença de pelos, o que lhe destacava ainda mais o peculiar sorriso.

"O dr. Getúlio Vargas recebeu-nos com aquela proverbial gentileza, que tanto o caracteriza", anotou, a propósito, o repórter do *Correio*. A entrevista, que receberia amplo destaque nas páginas do jornal, teve como cenário a requintada suíte do quarto andar do Grande Hotel, onde Getúlio, líder da bancada gaúcha na Câmara Federal, ainda costumava se hospedar em Porto Alegre. Da janela do apartamento, enquanto soltava baforadas de seu charuto, ele podia avistar o burburinho do cruzamento da rua da Praia com a travessa Paissandu (mais tarde rua Caldas Júnior), no qual ficavam situados o prédio de *A Federação* e, um pouco adiante, as oficinas do *Correio do Povo*, vértice que depois viria a ser oficializado como a "esquina da comunicação" na capital gaúcha. Era por ali que circulavam todos os boatos da cidade antes de serem devidamente oferecidos aos leitores em letra de fôrma. E sobre Getúlio Vargas, de modo específico, corriam muitos rumores na esquina lá embaixo.

Getúlio chegara do Rio de Janeiro havia apenas dois dias, a 21 de janeiro de 1926, aproveitando o recesso parlamentar do início do ano. Planejava passar algum tempo na capital sul-rio-grandense para contatos políticos e, depois, rumar para São Borja, onde o irmão Protásio fora reempossado na intendência, após a retirada dos rebeldes. O repórter insistiu no tema. Quis saber se Getúlio era favorável à concessão da anistia aos militantes da Coluna Prestes, uma das condições que os insurgentes impunham para depor as armas (além da revogação da censura à imprensa e do fim do estado de sítio no país). A tese de anistia era defendida calorosamente por alguns colegas de Getúlio na Câmara dos Deputados, entre os quais pontificava Batista Lusardo que, devido à aproximação pessoal com os líderes civis maragatos que então marchavam ao lado de Prestes, se tornara uma espécie de porta-voz da Coluna no Congresso Nacional.

"A maioria da política dominante no país não é favorável à anistia, principalmente enquanto os rebeldes estiverem de armas na mão", rechaçou Getúlio.

"Além disso, os recursos militares de que dispõem os revolucionários são muito escassos. Eles estão esgotados de munições, internados no sertão e sem fonte de reabastecimento do material de guerra", analisou.

Getúlio não concordava que a chamada "coluna invicta" pudesse, de alguma forma, desestabilizar o governo federal. Já expressara idêntico ponto de vista na tribuna da Câmara ao conjecturar que a revolta iniciada em São Paulo — depois reforçada pela junção no Paraná com os militares amotinados na zona missioneira gaúcha — já podia ser dada como derrotada:

"Sabem Vossas Excelências a que fica reduzida uma revolução que precisa fugir para escapar, colocada na simples posição defensiva, acossada de perto pelas forças legais, sem a vantagem de manobrar e ter a iniciativa dos combates", discursara Getúlio aos colegas, desdenhando da capacidade de resistência da guerrilha comandada por Prestes.[37]

Mas o que o repórter do *Correio do Povo* queria mesmo era saber se havia algum fundo de verdade nas conjecturas de que Getúlio estaria em Porto Alegre para maquinar uma possível candidatura sua à sucessão de Borges de Medeiros. Afinal, era isso o que garantira, textualmente, uma nota publicada dez dias antes pelo jornal carioca *A Noite*.

Getúlio, escorregadio, desconversou:

"As notícias dadas pelos jornais do Rio de Janeiro a este respeito não têm o menor fundamento."

O jornalista, porém, não se convenceu.

"Então o senhor veio para..."

Getúlio, mesmo simpático, não deu chances ao repórter de terminar a pergunta:

"Eu vim simplesmente no gozo de férias parlamentares e daqui seguirei para a minha terra natal, São Borja."[38]

Apesar do desmentido, o nome de Getúlio estava em alta na bolsa de apostas políticas de Porto Alegre. Fato que qualquer um podia aferir com um simples passeio pelas esquinas e pelas mesas dos cafés na rua da Praia.

Outros nomes, é verdade, também vinham à baila quando o assunto era a sucessão estadual. Os que arriscavam um palpite mais conservador prefeririam acreditar que Borges de Medeiros, impossibilitado de pleitear mais uma reeleição por força do acordo de Pedras Altas, iria optar pela indicação de um político mais maduro, alguém que lhe inspirasse confiança e, ao mesmo tempo, impusesse respeito ao eleitorado à custa de uma reconhecida experiência administrativa. Nesse caso, as expectativas se voltavam para o possível anúncio da candidatura do médico Protásio Alves, que vinha acumulando as funções de vice-presidente estadual e de secretário do Interior, a pasta de maior expressão e relevância no organograma do governo gaúcho. Contudo, os principais ativos políticos de Protásio Alves — a experiência administrativa e a proximidade pessoal com Borges de Medeiros — eram também responsáveis pela alta rejeição de sua candidatura junto à opinião pública. Alves estava perto de completar 78 anos e, borgista histórico, não preenchia os requisitos de renovação aspirados pela sociedade local. "Parece afastada a possibilidade de Borges de Medeiros indicar um candidato tão velho", analisavam os editoriais do *Correio do Povo*.[39]

Se renovação era a palavra mais ouvida na rua da Praia, outro nome viria despontar naturalmente entre os favoritos à sucessão estadual: o do intendente de Porto Alegre, o engenheiro militar Otávio Rocha. Aos cinquenta anos, Rocha tinha a oferecer como atestado de experiência administrativa as obras de modernização e aformoseamento da capital rio-grandense. Cognominado pelos correligionários "o reformador", ele vinha modificando de forma sensível a paisagem da cidade, rasgando bulevares e largas avenidas onde antes só havia cortiços e velhos casarões em ruínas. Mas existia um grave senão a seu respeito. Para levar a efeito a ação modernizadora, Rocha esvaziou os cofres municipais e empurrou a cidade para um endividamento progressivo.[40] Se Protásio Alves era considerado muito velho, Otávio Rocha era tido como administrador perdulário demais para herdar a máquina de um estado à beira da insolvência. "O sr. Borges de Medeiros estuda cautelosamente a solução do intrincado problema, havendo quem já pense no nome do sr. Getúlio Vargas", especularia, em nota concisa, o sempre bem informado *Correio do Povo*.[41]

Mas entre a nova geração de políticos rio-grandenses surgiam outras duas lideranças partidárias expressivas. A primeira, José Antônio Flores da Cunha; a outra, Firmino Paim Filho — nomes que haviam se destacado tanto na luta a favor da legalidade durante a Revolução de 1923 quanto na repressão aos motins que deram origem à Coluna Prestes. Flores da Cunha e Paim Filho eram deputados federais como Getúlio. Mas, ao contrário deste, haviam trocado provisoriamente a tribuna pelo campo de batalha, nomeados generais honorários por decreto presidencial. Uma distinção que sem dúvida ampliava seu capital político, mas que também, no caso de uma provável candidatura de um deles, tenderia a acirrar ainda mais as rixas com os maragatos. Transferir para a disputa eleitoral os ódios acumulados nos campos de combate talvez não fosse a melhor estratégia a ser adotada em um estado tão dividido.

Por isso mesmo, correndo por fora, mas também com condições reais de ser o escolhido de Borges de Medeiros, era lembrado ainda o nome do experiente advogado e deputado estadual Sergio Ulrich de Oliveira, exatos dez anos mais velho que Getúlio e recém-nomeado para a poderosa secretaria estadual da Viação e Obras Públicas. A nomeação, assinada em fins de 1925, para muitos fora um indício de que Borges preparava terreno para apresentar Ulrich de Oliveira ao eleitor gaúcho, no tempo adequado, como seu virtual sucessor. Orador de nomeada, considerado um *gentleman* pelos colegas de partido, Oliveira oferecia a Borges de Medeiros a oportunidade de introduzir no debate eleitoral uma candidatura menos belicosa que as dos generais honorários Flores da Cunha e Paim Filho.[42] Contra Oliveira, havia a maledicência dos que diziam ser ele um frequentador do célebre Clube dos Caçadores, onde se enamorara de uma jovem e *caliente* dançarina espanhola, rumor que provocava urticárias no moralista e austero Borges de Medeiros.[43]

"Doutor Borges, para ser sincero, eu acho que somente existem dois homens em Porto Alegre que não frequentam aquele cabaré: o senhor e eu. Assim mesmo, só posso garantir por mim", ponderava-lhe o secretário Protásio Alves.[44]

A despeito de qual fosse o escolhido, uma questão se impunha ao observador mais indiscreto. Se o deputado Getúlio Vargas, líder da bancada gaúcha na Câmara, jurava por todas as forças que não era pretendente ao governo do estado, então por qual daqueles nomes já ventilados pela imprensa porto-alegrense ele sentiria maior inclinação? Foi exatamente isso o que quis saber, por dever de ofício, um repórter do *Correio do Povo*. A resposta seria um primor de dissimulação:

"A sucessão estadual será resolvida no tempo oportuno pelo chefe do Partido Republicano, o dr. Borges de Medeiros, ouvindo as direções políticas de mais prestígio na política do Rio Grande. Ora, eu sou um simples mandatário do meu partido na representação federal. Não sou chefe político", esquivou-se Getúlio.

O jornalista não desistiu de tentar arrancar do entrevistado uma boa declaração para estampar na edição do dia seguinte:

"Mas sobre os falados candidatos, o que nos diz Vossa Excelência?", insistiu, pondo a mesma questão em outros termos.

Getúlio não demonstrou nenhuma espécie de exasperação diante da renitência do repórter. Sem ser ríspido, mas também sem querer deixar escapar alguma pista dos pensamentos que porventura lhe passassem pela cabeça, resumiu-se a dizer:

"Repito que não tenho que intervir nesse assunto. E nem mesmo tenho que ser ouvido a respeito dele", sorriu.[45]

Ficou a sensação de que Getúlio silenciara por motivos menos confessáveis do que a alegada obediência à hierarquia partidária. Afinal, era janeiro de 1926 e a eleição estadual estava marcada apenas para novembro do ano seguinte. Era natural que, iniciada a contagem regressiva para o fim do castilhismo-borgismo, todos se indagassem sobre o futuro político do Rio Grande do Sul. Porém, muito antes disso, dali a dois meses, em março daquele mesmo ano de 1926, haveria uma eleição nacional. Talvez fosse para ela que as atenções de Getúlio estivessem de fato voltadas.

Os eleitores de todo o Brasil iriam sagrar nas urnas o próximo presidente da República, que substituiria Artur Bernardes no Palácio do Catete. A vitória do então senador Washington Luís — fluminense de Macaé, mas com toda a carreira política construída em São Paulo — já podia ser dada como certa. Nenhum outro candidato efetivo quis se aventurar a uma disputa contra a eterna coligação São Paulo-Minas Gerais. De fato, Washington, membro do Partido Republicano Paulista (PRP), escolhido com o beneplácito de Artur Bernardes, seria eleito com 98% dos votos, acomodando o mineiro Fernando de Mello Viana como vice na chapa. As reservas de Getúlio talvez camuflassem alguma informação privilegiada que pudesse ter obtido, nos bastidores do Catete, a respeito da montagem do futuro governo federal.

Todos queriam saber com quais contorcionismos políticos o novo presidente da República — o "Paulista de Macaé", como se dizia — comporia o futuro ministério, já que necessariamente teria de contemplar, na costumeira repartição dos cargos, as mais diferentes correntes estaduais que haviam endossado a candidatura única. No caso do Rio Grande do Sul, especulava-se qual deveria ser a pasta mais adequada às pretensões do estado. Outra questão era saber quem, entre os candidatos ao governo estadual, também podia ser incluído no rol dos "ministeriáveis" no plano federal. Getúlio Vargas, é lógico, não escapou de ser submetido a tal pergunta pela imprensa. Mesmo pressionado, continuava tergiversando:

"O dr. Washington Luís ainda é um simples candidato. Acredito que só depois de oficialmente eleito ele tratará desse assunto", fugia Getúlio Vargas.

Em conversa com Getúlio, um repórter mais ladino arriscou um prognóstico, como se desejasse ouvir uma afirmação mais categórica a respeito do tema:

"Mas o Rio Grande do Sul, provavelmente, fornecerá alguns elementos para o novo ministério..."

Nem assim o reticente Getúlio se deixou enveredar pelo caminho que os jornalistas sempre pretendiam conduzi-lo:

"O Rio Grande do Sul nada pede, nem solicita nenhum lugar no futuro governo, mesmo porque, dentro do regime que adotamos, a iniciativa cabe exclusivamente ao presidente eleito na escolha de seus auxiliares", declarou.[46]

Maior cautela, impossível. Aquele era mesmo Getúlio Dornelles Vargas. Três dias depois, ele seria homenageado em um banquete no salão de festas da Confeitaria Rocco, então um dos estabelecimentos mais luxuosos de Porto Alegre. Segundo noticiou a imprensa, pelo menos dois outros possíveis aspirantes ao governo estadual — Protásio Alves e Sergio Ulrich de Oliveira — se fizeram presentes à solenidade. Entretanto, durante o evento, as atenções estiveram todas voltadas para Getúlio, que discursou por vários minutos, como era de seu estilo. Em nenhum momento da longa fala, admitiu a candidatura ao governo do estado. Nem falou da montagem do ministério, como muitos especulavam. Apenas discorreu sobre a participação dos soldados republicanos gaúchos no combate aos revolucionários da Coluna Prestes e reiterou ser contrário, por "princípios de patriotismo", às manifestações subversivas. Ao final, ao erguer um brinde ao Rio Grande do Sul, arrancou aplausos entusiasmados dos convidados.[47]

Não era à toa que Pedro da Costa Rego, governador de Alagoas e ex-colega de Congresso Nacional, já havia cunhado uma máxima que acompanharia Getúlio pelo resto da vida:

"Este gaúcho é mineiro."[48]

No Rio de Janeiro, o deputado Getúlio Dornelles Vargas fazia idas cada vez mais frequentes ao Catete. O próprio Artur Bernardes costumava mandar-lhe recados, solicitando que fosse ao palácio para trocarem impressões sobre o momento político.

"Estava eu na Câmara, já terminando a sessão, quando recebi, pelo telefone, um chamado do Catete. Fui em seguida. O presidente da República desejava falar-me", comunicou, certa vez, com indisfarçada vaidade, em carta a Borges de Medeiros.⁴⁹

Além das palestras ocasionais, Getúlio corria todos os dias ao palácio em caráter oficial, com a pasta recheada de papéis debaixo do braço. Ele se tornara presença obrigatória nas reuniões das lideranças aliadas ao governo federal. Discutia-se então o projeto de revisão constitucional que Bernardes pretendia impingir ao país antes de passar a cadeira ao sucessor, Washington Luís. A matéria era polêmica.

"Para que serve rever um papel sujo e rasgado por todo mundo? O lugar da nossa Constituição é no lixo", criticava o jornalista Mario Pinto Serva, em artigos publicados na primeira página do jornal paulista *Folha da Manhã*. "Não adianta coisa nenhuma reformar a Constituição se não reformarmos o caráter", objetava Serva.⁵⁰

Artur Bernardes não dava ouvidos aos protestos. Os sucessivos levantes militares convenceram o presidente da República a endurecer ainda mais o regime por meio de alterações no texto da Constituição Federal. Entre outros pontos, Bernardes pretendia atribuir maior poder ao Executivo e, por consequência, levar a efeito uma radical centralização política do país, abolindo algumas prerrogativas históricas dos estados. Também desejava impor freios ao consagrado mecanismo do *habeas corpus* para impedir que os opositores do regime se beneficiassem de decisões judiciais que os retiravam da cadeia contra a vontade do governo.⁵¹

Os maiores críticos da reforma argumentavam ser uma calamidade mexer na Constituição no momento em que a sociedade estava sem voz, reprimida pelo estado de sítio. Com o Congresso manietado pelas medidas de exceção, previa-se que os deputados e senadores se vergariam, de modo servil, às pressões da presidência da República. "A revisão constitucional é, efetivamente, uma grande medida: a medida para aferir o grau de sensatez de certos cavalheiros que têm direito a um cheque mensal de três contos de réis", achincalhou a revista *Careta*, numa alusão ao salário dos deputados.⁵²

Para fazer valer sua aspiração, Bernardes encomendou ao deputado paulista Herculano de Freitas, catedrático da Faculdade de Direito de São Paulo, um anteprojeto a ser debatido entre os parlamentares de estrita confiança do governo, para assim manter uma mínima aparência de processo democrático. Como líder da bancada gaúcha, Getúlio tinha assento reservado nas discussões em torno do assunto, mas, na verdade, não falava por si. Aceitara, sem nenhum constrangimento, a função de ser o fiel mensageiro de Borges de Medeiros junto ao Catete.

"O meu papel era de simples intermediário", reconheceria Getúlio, que tão logo levantava das reuniões corria ao telégrafo para manter o chefe gaúcho informado do curso dos debates. "Eu lhe transmitia, diariamente, os resultados das reuniões no Catete, as emendas discutidas, as ocorrências, as combinações, os desacordos", admitiria Getúlio.[53]

Em resposta, Borges de Medeiros enviava-lhe telegramas também diários em que discutia cada vírgula, cada parágrafo, cada artigo inserido no anteprojeto de Herculano. A preocupação de Borges era não permitir que a reforma da Constituição se voltasse contra os interesses do governo rio-grandense, especialmente no que dizia respeito às modificações desejadas por Bernardes no nevrálgico artigo sexto da carta magna. O anteprojeto pretendia ampliar a competência do governo federal para decretar a intervenção automática nos estados em casos de guerra civil e de insolvência financeira. Isso, se aprovado, calculava Borges, deixaria o Rio Grande do Sul na permanente alça de mira do Palácio do Catete.

"O espírito reformista foi demasiado longe, não podemos acompanhá-lo em todas as suas incursões", telegrafou um apreensivo Borges de Medeiros a Getúlio, que interpretou o comentário como uma ordem para abandonar a mesa de negociações.[54] "Consulto Vossa Excelência sobre conduta a seguir, isto é, se devo continuar acompanhando as reuniões no Catete", quis certificar-se de volta Getúlio.[55] "Penso que nada justificaria nossa ausência. Julgo indispensável acompanhardes esses trabalhos preliminares, expondo nossos pontos de vista", esclareceu Borges, tratado com mordacidade pela imprensa como o "Papa Verde", chefe supremo de uma suposta "Ordem dos Beneditinos Verdes", devido à imagem de virtuoso que fazia questão de manter.[56]

A tentativa de ingerência de Borges de Medeiros sobre os trabalhos da comissão encarregada da reforma constitucional, sempre representado por Getúlio, viria a ser tão explícita que o jornal *Folha da Manhã* publicaria uma charge demolidora a respeito. Nela, via-se Artur Bernardes folheando de olhos ressabiados a Constituição Federal, enquanto por trás de seus ombros um sujeito de charuto à boca mantinha o dedo apontado para o grosso volume, como se determinando o que deveria ou não estar escrito ali. Ao fundo, surgindo em meio a uma nuvem diáfana, aparecia a figura ameaçadora de Borges de Medeiros, com chicote em punho. "O Papa Verde continua a ver de longe, e a deixar os revisores amarelos.

Ainda acabam todos azulando", dizia a sarcástica legenda, que conseguiu passar incólume pelo crivo da censura.⁵⁷

As modificações que Borges de Medeiros conseguiu estabelecer ao texto final do anteprojeto expuseram toda a capacidade de articulação de seu intermediário no Congresso, Getúlio Vargas. Competiu a Getúlio a tarefa de transformar os imperativos do chefe gaúcho em demandas palatáveis ao relator Herculano de Freitas e, em especial, ao presidente Artur Bernardes. Nas entrelinhas da intensa troca de telegramas com Borges, infere-se que foi necessário a Getúlio, naquele instante, pôr em ação toda a sua destreza de semeador de consensos.

Entre outros pontos, Borges de Medeiros, por meio de Getúlio, conseguiu extirpar do texto da reforma a obrigatoriedade de regulamentação de toda e qualquer atividade profissional, o que era desejo de Bernardes, mas que se punha em posição frontalmente contrária ao que rezava a Constituição estadual gaúcha. Com base no princípio positivista de liberdade profissional, educacional e religiosa, a carta escrita por Júlio de Castilhos determinara a mais absoluta liberdade no exercício de um ofício, a despeito de diplomas e certificados. No Rio Grande do Sul, qualquer pessoa podia exercer a ocupação que bem entendesse, inclusive a medicina, sem para isso necessitar de formação específica. Bastava demonstrar alguma "habilidade" para o serviço, registrar-se na Diretoria de Higiene e recolher as respectivas taxas aos cofres do governo.⁵⁸ Daí o grande número de "práticos" no desempenho de funções clínicas no estado, o que provocava constantes queixas por parte dos profissionais diplomados pela Faculdade de Medicina de Porto Alegre. No anteprojeto de Herculano, a proposta de regulamentação profissional foi suprimida.

Com o mesmo argumento, Getúlio também liderou um movimento na Câmara para derrubar duas controvertidas emendas à Constituição, ambas de autoria do deputado paranaense Plínio Marques. Uma propunha a inclusão do ensino religioso nas escolas de todo o país e outra tornava o catolicismo a religião oficial do Brasil. O assunto, como se podia presumir, mexia com muitas suscetibilidades. Vários deputados evitaram envolver-se no vespeiro e se recusaram a assinar um abaixo-assinado — redigido por Getúlio — que protestava contra a pressão que padres, bispos e arcebispos faziam a favor da aprovação das "emendas católicas", como vieram a ficar conhecidas. Os que defendiam a aprovação afirmavam que tais medidas representariam a "aspiração da maioria" e a "legítima vontade da alma nacional". Getúlio discordava:

"É apenas uma parte do povo tangido pelos frades", dizia, a respeito da parcela da opinião pública que, pelos jornais, se revelava favorável às duas emendas.[59]

Mesmo debaixo da pressão do clero, cerca de cinquenta parlamentares decidiram assinar o documento elaborado por Getúlio. Comprometeram-se a votar contra as propostas do deputado Plínio Marques e a não faltar à sessão no dia em que o tema fosse posto em discussão. Por isso mesmo, receberam a pecha de "acatólicos" e de "inimigos da Igreja".[60]

"Há apenas uma pequena parte da população brasileira que se pode dizer verdadeiramente católica, ou seja, que conhece a doutrina e aceita os dogmas desse credo. A grande massa ainda está na fase fetichista da adoração de santos milagreiros", argumentou Getúlio, em entrevista ao jornal *O Paiz*.[61]

A atitude de Getúlio Vargas e dos colegas que subscreveram o abaixo-assinado fomentou a criação espontânea de Comitês Pró-Liberdade de Consciência, entidades que obtiveram a proeza de reunir maçons, espíritas, evangélicos, positivistas e ateus do país em torno de um mesmo objetivo: inundar o Congresso Nacional de telegramas e cartas contra as emendas católicas que, ao final, foram derrubadas. Nenhuma delas alcançou o quórum necessário de dois terços dos votos na Câmara para se efetivarem em lei. O Brasil continuou um país oficialmente laico, como determinara a Constituição republicana.

Ainda durante a revisão constitucional, Getúlio obteve outra vitória significativa, seguindo à risca a orientação de Borges, ao ficar ao lado dos colegas que trabalharam para limitar a suspensão do *habeas corpus* aos casos de presos políticos. Isso, de fato, representava um atenuante à proposta original do anteprojeto de reforma, que abria o flanco para que a mesma regra se estendesse aos presos comuns, como queria Artur Bernardes.[62]

Getúlio ainda se esforçou para amenizar o texto que alterava o artigo sexto da Constituição. Nesse ponto, entretanto, foi necessário comunicar a Borges que, em parte, todos teriam que ceder. Bernardes só se dobrou parcialmente aos argumentos. Em primeiro lugar, permitiu que constasse no anteprojeto a ressalva de que, em caso de guerra civil, a intervenção federal respeitaria a existência e a manutenção do governo local, pois Getúlio chamara a atenção para um detalhe nada desprezível: a alteração constitucional, nos termos do anteprojeto, acabaria atiçando sublevações nos estados, uma vez que os descontentes com as respectivas situações regionais utilizariam o recurso de se lançar às armas a todo instante para promover a derrubada automática dos adversários. Bernardes reconheceu que a alegação fazia sentido.

Por fim, ainda com a intercessão de Getúlio, o presidente da República consentiu que Herculano especificasse no texto do anteprojeto que a insolvência financeira de determinado estado da federação, para implicar a automática intervenção federal, teria que ser caracterizada pela interrupção dos pagamentos da dívida fundada regional por mais de dois anos seguidos.[63] Na soma de tudo, a atuação do deputado Getúlio Dornelles Vargas em defesa da manutenção relativa da autonomia dos estados — e em detrimento da centralização absoluta proposta por Bernardes — o trouxe para o foco das atenções públicas. A costumeira afabilidade, aliada ao repertório intelectual que exibia nas intervenções em plenário, ajudou a livrá-lo de uma vez por todas do estigma de tribuno de província.

"Seus antecedentes mais rudes no cenário estadual e, principalmente, nas lutas nem sempre cordiais de São Borja, haviam sido pouco a pouco eclipsados pela bondade de seu sorriso, a que não faltaria, entretanto um *rictus* indecifrável", argumentava o advogado, político, jornalista e escritor Barbosa Lima Sobrinho, que em 1926 assumiria a presidência da Associação Brasileira de Imprensa.[64]

Em meio aos trabalhos parlamentares, Getúlio não descuidava de suas leituras. Bastaria analisar os discursos desse período para constatar que, no Rio de Janeiro, incorporara aos muitos volumes de sua biblioteca particular um punhado de novos autores, citados por ele com relativa assiduidade a partir de então. Entre estes, destacava-se o sociólogo fluminense Francisco José de Oliveira Viana — que viria a se tornar um clássico do pensamento social conservador brasileiro, mas que então apenas acabara de publicar o volume inaugural de *Populações meridionais do Brasil*, um esforço pioneiro de se pensar e entender o país, em que pesem as limitações e anacronismos posteriormente apontados pelos críticos. O antiliberal Oliveira Viana seria uma espécie de novo guru para Getúlio.[65]

"Ninguém melhor do que Oliveira Viana apreendeu a evolução do povo brasileiro", discursaria o deputado Getúlio Vargas, na Câmara, durante os debates da reforma constitucional.[66]

Na ocasião, Getúlio pinçou trechos de *Populações meridionais do Brasil* para sustentar a tese de que era imprescindível manter a descentralização política do país — o que, em última análise, manhosamente, contrariava o próprio sentido do livro. Na obra, Viana discorria sobre o processo de formação histórica do Brasil para mostrar que a vastidão do nosso território, as dificuldades de comunicação interna e as enormes diferenças regionais haviam sido responsáveis por uma fragmentação do poder ao longo do período colonial. Com o advento do Império, especialmente sob o reinado de d. Pedro II, instituíra-se uma centralização política que, por força do Poder Moderador, evitara a divisão do país em pequenas nações autônomas. Getúlio argumentava que o artificialismo dessa centralização monárquica fora corrigido pela proclamação da República, que, se por um lado preservara a unidade brasileira, por outro respeitara as diversidades regionais por meio do pacto federativo, no qual os estados detinham relativa autonomia diante do poder central.

"Não é possível nenhuma organização central forte em um país de base física vasta, de baixa densidade demográfica e de circulação rudimentar", discursou o deputado Getúlio Vargas no Congresso, utilizando-se dos conceitos de Oliveira Viana para se contrapor à centralização política proposta por Bernardes.[67]

Getúlio, nesse instante específico de sua trajetória política, fazia uma leitura incompleta, ou pelo menos seletiva, da obra inaugural de Oliveira Viana. Concordava com a análise histórica do autor a respeito da atomização política que vigorou no país durante a Colônia, mas desprezava os capítulos finais de *Populações meridionais do Brasil*, nos quais Viana defendia exatamente a necessidade de um Estado centralizado, um "governo poderoso, dominador, unitário, incontrastável", capaz de consolidar entre nós o conceito de nacionalidade e de bombardear o poderio dos caudilhos regionais. Na obra, Viana pregava ainda que a construção desse Estado forte dependeria de estadistas de temperamento frio e calculista, "reacionários audazes", com coragem o bastante para se contrapor, de modo ostensivo, às ideias liberais.

O mais curioso de tudo é que, poucos anos mais tarde, Getúlio recorrerá ao centralismo sugerido em *Populações meridionais* para justificar a força avassaladora do Estado Novo, quando Oliveira Viana será alçado ao posto de principal ideólogo do futuro regime.

Mas, por ora, era inegável: se aceitara o encargo inicial de ser um simples emissário de Borges de Medeiros, em pouco tempo, com seu verniz sociológico, Getúlio também passara a ser embaixador de si próprio. Frequentava jantares, recepções e, em especial, as livrarias e redações de jornais no Rio de Janeiro. Com isso, abriu portas, estabeleceu relações, conquistou interlocutores. Por meio do colega Lindolfo Collor, que se tornara redator-chefe de *O Paiz* — órgão subvencionado por Borges de Medeiros para ser a "sucursal" do governo gaúcho na capital da República —, Getúlio conheceu e ficou próximo do então diretor de *O Jornal*, publicação que mantinha em seu plantel de colaboradores nomes notórios como Alceu Amoroso Lima, Capistrano de Abreu, Carlos de Laet, Humberto de Campos, Miguel Couto e Monteiro Lobato. O diretor de *O Jornal*, o paraibano Assis Chateaubriand, o Chatô, se dizia impressionado com a fineza, o trato pessoal e a inteligência daquele deputado gaúcho que visitava a redação, às vezes altas horas da noite, sempre após as sessões do Congresso Nacional:

"Ele até seria uma pessoa agradável, não fosse o cheiro do charuto fedorento que mantém o tempo todo na boca, como uma chupeta de bebê", escreveria Chatô a respeito da primeira impressão que guardou de Getúlio.[68]

Já era madrugada quando o líder da bancada governista na Câmara Federal, Júlio Prestes, saiu de uma longa reunião a portas fechadas com o presidente eleito Washington Luís. Na sala ao lado, aguardando o resultado da confabulação, estava o deputado Gilberto Amado. Por esse motivo, Amado foi um dos primeiros a receber a notícia: Washington Luís começara a fechar a lista oficial dos convidados para o futuro ministério. A posse estava marcada para dali a pouco mais de um mês, na data nacional de 15 de novembro. Pelo decidido na reunião, Júlio Prestes e o presidente da Câmara Federal, Arnolfo de Azevedo, ficariam encarregados de sondar a predisposição dos escolhidos, estabelecer as combinações necessárias e fazer, pessoalmente, os convites prévios. Havia uma enorme expectativa em torno da divulgação da lista. Durante meses, a imprensa vinha fazendo as especulações mais diversas, com os analistas procurando antecipar os indicados a cada pasta. Os políticos que constavam no rol dos favoritos esperavam ansiosamente a publicação oficial para encomendar o terno da posse aos alfaiates de sua predileção.

Ao deixar a sala, Júlio Prestes comunicou a Gilberto Amado que, na partilha dos cargos para o primeiro escalão do novo governo, ficara estabelecido que o Ministério da Fazenda caberia a um representante do Partido Republicano do Rio Grande do Sul. Podia parecer irônico que um estado imerso em grave crise financeira pudesse oferecer, exatamente, o timoneiro da economia do país. Porém, a despeito dos problemas internos de caixa que vinha enfrentando o Rio Grande, a imagem de austeridade que o castilhismo-borgismo havia cultivado anos a fio — controlando até mesmo a quantidade de lápis na prestação de contas de cada secretaria de estado — obtivera ressonância para além das fronteiras regionais. Ademais, uma pasta de tamanha relevância para os gaúchos poria um fim definitivo nos antigos estranhamentos entre o Rio Grande e governo federal, decorrentes da adesão de Borges à velha Reação Republicana.

Ao receber a informação de que um gaúcho iria comandar as finanças nacionais, Gilberto Amado não demonstrou surpresa. E, de imediato, também não teve nenhuma dúvida sobre quem deveria assumir o cargo. O escolhido para o Ministério da Fazenda, imaginou, só poderia ser um: o deputado Lindolfo Collor, gaúcho e integrante da Comissão de Finanças da Câmara, autor de uma série de artigos publicados na imprensa detalhando a plataforma econômica do futuro governo — programa que incluía uma ampla reforma financeira, com estabilização do câmbio e mudança da unidade monetária, extinguindo o antigo mil-réis e abrindo caminho para a implantação de uma nova moeda, o cruzeiro. No entanto, Amado recusou a solicitação de Júlio Prestes para acompanhá-lo à residência do indicado para, juntos, formalizarem o convite.

"À casa do Collor, não posso, não me dou com o homem", desculpou-se Gilberto Amado.

Júlio Prestes, que tinha uma vermelhidão característica nas faces e, sobretudo, no nariz — o que lhe rendera o apelido jocoso de "bico-de-lacre", pela semelhança com o passarinho de mesmo nome —, o interrompeu. Não iam para a casa de Lindolfo Collor. O escolhido para comandar o Ministério da Fazenda fora outro. Iam à casa do deputado Getúlio Vargas.

Amado não acreditou no que ouviu.

"Não pode ser! Não pode ser o Getúlio!", exclamou.

"Mas é. Vamos levar-lhe a notícia", confirmou Júlio.

"Oh, Senhor!", suspirou Gilberto Amado, desconsolado.[69]

Três anos antes, quando dos acordos para a escolha dos membros das comissões internas da Câmara dos Deputados, Gilberto Amado escutara o mesmo Getúlio Vargas recusar, de viva voz, um assento na Comissão de Finanças. Getúlio então se justificara dizendo-se totalmente ignorante em matéria financeira. Por isso preferira compor a Comissão de Justiça, na qual, como advogado e estudioso do Direito, estaria mais à vontade.

"Nem Nostradamus apostaria em Getúlio para a pasta da Fazenda", comentaria Gilberto Amado.[70]

Igual estranhamento foi expresso pelo também deputado Arnolfo de Azevedo ao próprio presidente eleito. Segundo contaria Azevedo, desde o início a pasta da Fazenda estava de fato reservada para o Rio Grande do Sul e, de modo específico, para Lindolfo Collor. Mas os assessores de Washington Luís haviam advertido o presidente eleito de que Collor mantinha uma relação espinhosa também com o presidente de São Paulo, Carlos de Campos, um dos principais avalistas da candidatura presidencial.

"Quem é o líder da bancada gaúcha?", indagou Washington, em busca de um plano B.

"O Getúlio Vargas", informou Arnolfo.

"Então ele será o ministro da Fazenda."

"Mas o Getúlio não é especialista em finanças, e você pretende fazer uma reforma financeira", espantou-se Azevedo.

"Isto não tem a menor importância. Basta que *eu* entenda do assunto", retrucou Washington Luís.[71]

Quando a imprensa nacional informou que o deputado Getúlio Vargas seria o novo titular da pasta das finanças, o bombardeio foi inevitável:

"O ministro da Fazenda deve ser o homem no país que maiores conhecimentos tem sobre o assunto, sob pena dos mais graves desastres na matéria", recriminou a *Folha da Manhã* em editorial publicado no dia exato da posse de Washington Luís. "Erigir o princípio da incompetência é ameaçar o país das mais graves calamidades, é falta de noção de responsabilidade", criticou o texto.[72]

O futuro ministro Getúlio Vargas, previa-se, iria arrastar o Brasil para um buraco sem fundo.

11. O ministro da Fazenda não entende de finanças. Mas sabe tudo de política (1926-7)

Uma multidão se acotovelou nos salões do Palácio do Tesouro — um velho casarão em estilo neoclássico no centro do Rio, à avenida Passos, antiga rua do Sacramento. A fila gigantesca se estendia a partir da calçada, adentrava a porta principal e serpenteava ruidosa pelos corredores até alcançar a antessala do gabinete do ministro. Aquela infinidade de gente vinha movida por um único propósito: todos queriam expor o rol particular de solicitações ao novo titular da pasta. "O sr. Getúlio Vargas não sabe mais o que fazer com os pedidos em favor das pessoas mais estranhas", dissera uma nota publicada em *O Globo* cerca de um mês antes.[1]

A prática era tão antiga quanto o próprio edifício. O prédio acolhera o Tesouro Régio e, no Império, passara a ser a sede do Ministério da Fazenda. A romaria para lá era sempre a mesma. Um por um, os presentes aguardavam a vez de estar diante do novo ministro para lhe recitar as solicitações de praxe. Negociantes queriam o indulto da dívida com o fisco ou o empréstimo salvador para soerguer a firma arruinada. Funcionários aspiravam à promoção na repartição pública ou pleiteavam a sonhada aposentadoria. Senhores engravatados, de todas as procedências e matizes, se autocandidatavam a gordas sinecuras.

Ao contrário do que aludia a nota de *O Globo*, Getúlio parecia à vontade em face dos assédios. Tanto que decidiu fazer das audiências públicas um compromisso semanal na agenda de trabalho. Durante as sessões de peditórios, que chegavam a tomar manhãs inteiras do expediente da casa, ele ficava de pé, com o jeitão afável de sempre, encostado de leve no birô. Escutava os pedidos com inexplicável paciência. Não esboçava o mais leve sintoma de enfado. Postados ao lado dele, os auxiliares de gabinete tomavam nota de tudo, em um grosso volume de capa preta. Nem todas as demandas, estava óbvio, seriam atendidas. Os assessores diretos do ministro examinariam e discutiriam depois com ele, caso a caso, as conveniências políticas e as razões técnicas para acolhê-las ou não.[2]

"Eu escuto atentamente, demonstrando interesse. Mas o que mais me interessa realmente é conhecê-los melhor para saber como tratá-los", diria Getúlio a propósito da arte — e da artimanha — de dar ouvidos aos interlocutores.[3]

Na audiência que marcou sua chegada ao ministério, ele foi alvo de uma desconcertante surpresa. Conhecedor das praxes palacianas, espantou-se quando um indivíduo, que aguardara horas na fila, aproximou-se e, com um gesto de mesura, apenas falou:

"Senhor ministro, eu nada tenho a pedir. Vim aqui para saudar Vossa Excelência e fazer votos pelo seu êxito nesta difícil pasta."

Depois de recebido o último popular e fechada a porta de acesso ao gabinete, Getúlio comentou aos auxiliares:

"Vejam os senhores, entre tantas pessoas, cada qual com o seu caso, só uma apareceu para me saudar, sem nada pedir."

Um dos funcionários, antigo servidor do ministério, considerou que convinha explicar o ocorrido ao chefe recém-chegado:

"Senhor ministro, aquele cavalheiro é muito conhecido por aqui. Ele sempre faz o mesmo com todos os novos titulares da pasta. O homem sofre das faculdades mentais."[4]

Só mesmo um louco varrido ousaria ignorar a lógica do clientelismo na qual estavam assentados os alicerces da administração pública no país. Desde o primeiro mandato de deputado estadual, Getúlio se acostumara às cartas de recomendação dos aliados, aos bilhetinhos em papel timbrado enviados em favor de apadrinhados políticos. De tão habitual, o chamado "pistolão" passara a ser considerado algo inerente à vida pública.

"Vem disto a nossa esterilidade mental, a nossa falta de originalidade intelectual, a pobreza da nossa paisagem moral", denunciaria à época, em uma de suas corrosivas crônicas de imprensa, o escritor Lima Barreto. "Ninguém quer discutir; ninguém quer agitar ideias. Todos querem *comer*", indignava-se o autor de *Triste fim de Policarpo Quaresma*. "*Comem* os juristas, *comem* os filósofos, *comem* os médicos, *comem* os advogados, *comem* os poetas, *comem* os romancistas, *comem* os engenheiros, *comem* os jornalistas: o Brasil é uma vasta comilança."[5]

Não seria o ministro Getúlio quem poria fim ao apetite pantagruélico por cargos. O arquivo pessoal do ex-presidente Artur Bernardes já ficara recheado de cartas e telegramas assinados pelo então deputado federal Getúlio Dornelles Vargas com pedidos a favor de "afilhados" do Rio Grande do Sul. Entre tantos outros, os documentos do arquivo de Bernardes registraram o caso do artista Antônio Caringi Filho, enviado como adido consular à Alemanha após Getúlio ter intercedido por ele em um bilhete endereçado ao Catete.[6] Na Europa, Caringi aprimoraria sua técnica artística na Escola de Belas-Artes de Munique e, mais tarde, quando retornasse ao Brasil, seria uma espécie de escultor oficial do Rio Grande do Sul, autor de uma série de monumentos espalhados pela paisagem urbana da capital gaúcha — a exemplo da Estátua do Laçador, um dos símbolos de Porto Alegre.

Na hora de compor a equipe direta de trabalho, Getúlio nomeou o cunhado, o engenheiro Walder Sarmanho, irmão de Darcy, como oficial de gabinete. Porque tinha direito a indicar dois nomes para a função, mandou chamar em Porto Alegre o escritor e crítico João Pinto da Silva, autor da *História literária do Rio Grande do Sul*, ex-secretário de Borges de Medeiros e sócio fundador do Instituto Histórico e Geográfico do estado. Baixinho como Getúlio, grossas sobrancelhas servindo de moldura ao olhar irônico, Pinto da Silva causava sensação nas rodas literárias gaúchas e, particularmente, entre os literatos que frequentavam as reuniões de todos os sábados à porta da Livraria do Globo, na rua da Praia. Era um bom contador de anedotas, algumas literárias, outras mais apimentadas e impublicáveis, bem ao gosto de Getúlio.[7]

Tinha início desde ali uma das características mais marcantes do modo getulista de administrar: ele adorava se cercar de intelectuais e artistas e, por esse motivo, partidários ainda o iriam aclamar como "um mecenas comparável a Cosme de Médici", hiperbólica referência ao governante florentino do século xv, um dos mais destacados patronos da arte e da cultura renascentista.[8]

A correspondência pessoal de Getúlio Vargas à época atesta que os laços com a terra natal se mantinham estreitos. Vários conterrâneos se valiam de seu prestígio político para lhe requerer empenho em nomeações no âmbito estadual. Mesmo quando julgava os pedidos inteiramente descabidos, Getúlio tratava de não desagradar a ninguém. Era seu estilo. Certa vez, ao ser procurado no Rio de Janeiro por dois senhores que cobiçavam um único cargo — o de inspetor-geral de ensino do Rio Grande do Sul —, recorreu a uma solução salomônica.

"O sr. Paranhos deseja o lugar de inspetor-geral do ensino. É funcionário da saúde pública. O Moreirinha, jornalista aqui, também me veio pedir para telegrafar a Vossa Excelência", adiantou Getúlio, por carta, a Borges de Medeiros. "Se, por força das circunstâncias, eu telegrafar solicitando a indicação de Paranhos ou Moreira, Vossa Excelência me responda dizendo que não pode atender nenhum dos dois, porque já tem compromissos", combinou. "Como vê, este meu pedido é fácil de atender: pois exatamente eu não desejo ser atendido", brincou.[9]

Boa parte do expediente do ministério era tomado pela miuçalha de solicitações que lhe aterrissavam na mesa de trabalho. Getúlio administrava tais pedidos e ia tocando a burocracia — pondo sua assinatura em portarias, requerimentos e autorizações de despesas —, ao passo que o próprio Washington Luís cuidava da política macroeconômica do governo. "Quem lhe fosse falar a propósito de assuntos de sua pasta ouviria uma palavra distraída e displicente, de que não guardaria rancor ou ressentimento, pelo sorriso amável e o ar acolhedor daquele ministro despreocupado", escreveria o jornalista Barbosa Lima Sobrinho a respeito do desempenho de Getúlio à frente da Fazenda.[10]

Enquanto isso, o projeto de reforma financeira se tornara uma obsessão para o novo presidente da República. O líder oposicionista gaúcho Assis Brasil, em entrevista ao *Correio da Manhã*, criticou o fato de a questão monetária ter se tornado a preocupação quase monopolista do governo federal, enquanto graves questões de ordem política permaneciam em suspenso, a exemplo da prometida anistia aos revoltosos da Coluna Prestes e dos movimentos tenentistas de 1922 e 1924. Naquele começo de 1927, os membros da Coluna se preparavam para adentrar a Bolívia, após percorrer cerca de 25 mil quilômetros pelo território brasileiro, ao longo de quase dois anos e meio de marcha revolucionária. "O nosso ilustre compatriota Washington Luís não pode se comparar ao cego que, tendo apalpado a tromba de um elefante, declarou que todo o paquiderme se assemelhava a uma cobra", afirmou Assis Brasil. "Agarrar-se a uma parte da verdade e desprezar a verdade inteira não é própria de um alto espírito."[11]

O presidente Washington Luís estava determinado a convencer os brasileiros da pertinência de seu plano de estabilização financeira. Contudo, sempre que vinha a público para explicar o intrincado pacote de medidas, o presidente só conseguia produzir mal-entendidos. Para a população, quanto mais se esmerava em ser didático a respeito do assunto, mais Washington Luís parecia estar falando aramaico. Em termos gerais, o pacote de medidas — que em tese caberia ao ministro Getúlio Vargas implementar — compreendia três fases distintas, uma dependente do êxito da outra para ser posta em execução. A primeira tarefa seria estabilizar o câmbio, pois o mil-réis vivia aos solavancos, alternando altas e baixas em relação à libra esterlina, a moeda inglesa que então servia de barômetro ao mercado internacional. Isso provocava incertezas e gritas históricas, especialmente entre os produtores de café, o principal item da pauta de exportações do país.[12]

Uma vez equilibrada a gangorra cambial, viria a segunda etapa, a adoção do chamado "padrão-ouro", estabelecendo-se a quantidade de ouro em reserva disponível no país como lastro para a emissão de papel-moeda. Na prática, para o cidadão comum, isso significaria que cada mil-réis que ele possuísse no bolso poderia vir a ser trocado, no Banco do Brasil, por 200 miligramas de ouro fino, valor fixo de conversibilidade que ajudava a garantir a confiança no valor do dinheiro. Como o país não tinha ouro suficiente para abonar o total das notas em circulação, foi preciso tomar emprestado cerca de 40 milhões de dólares aos Estados Unidos e mais 8 milhões de libras esterlinas à Inglaterra, com o objetivo de nutrir a chamada Caixa de Estabilização, órgão responsável pela emissão gradativa das novas notas conversíveis.[13] Caso tudo corresse a contento, a terceira e última fase da reforma consistiria na extinção definitiva do mil-réis e na criação do cruzeiro que, segundo o previsto, valeria o equivalente a quatro mil-réis.[14]

"O plano, com o perdão da palavra, é o mesmo que contar com os ovos no pescoço da galinha", criticava o hilário Juca Pato, personagem do caricaturista Belmonte na sua coluna diária da Folha da Manhã.[15] "Este fantástico mastodonte que é o tal projeto de reforma monetária, com todo o peso de sua inoportunidade, ainda vai levar muita gente ao Juqueri", previa em alusão a uma das maiores colônias psiquiátricas do Brasil, o hospital do Juqueri, em São Paulo.[16] "Qual é o plano gigantesco do novo governo? Não sabem? Muito simples. Fazer um grande empréstimo. Ora, pipocas. Isso qualquer um faz, nem precisa ser estadista."[17]

Os jornais e revistas exploraram o tema à exaustão. A quebra do padrão monetário era entendida pelo senso comum como indício de uma estrondosa "quebradeira" nacional. "Vai quebrar!" — virou bordão popular nas ruas do Rio de Janeiro. Em charges, Washington Luís ora aparecia de marreta na mão, prestes a estraçalhar uma moeda gigantesca colocada sobre as costas de um homem do povo, ora com a foice em punho, pronto para degolar o "coitado" do mil-réis, personificado como um anãozinho indefeso. Em tais cartuns, quando calhava de ser retratado, Getúlio aparecia em posição secundária, mero espectador da cena, exibindo uma fisionomia de espanto ou de dúvida, como se não estivesse compreendendo muito bem o que se passava em volta.

Com base no que acompanhava pela imprensa nacional, o embaixador norte-americano no Brasil, Edwin V. Morgan, comunicou ao Departamento de Estado dos Estados Unidos que, em vista do empréstimo internacional e do plano de estabilização econômica do novo governo brasileiro, o desempenho do ministro da Fazenda, Getúlio Dornelles Vargas, merecia ser acompanhado com "particular interesse" pela Casa Branca. "Ele desfruta de bom prestígio nos círculos políticos, porém sua experiência em matéria financeira parece inadequada", advertiu Morgan em despacho oficial aos superiores.[18]

O embaixador britânico, Beilby Francis Alston, pensava do mesmo modo: "A complicada política financeira do governo brasileiro parece ser dirigida quase inteiramente pelo dr. Washington Luís. Em todo caso, o dr. Vargas não parece qualificado para lidar com as enormes dificuldades que estão diante dele", escreveu B. Alston ao ministro britânico do Exterior, Austen Chamberlain.[19] O embaixador estendia o julgamento a todo o ministério de Washington Luís. "O novo gabinete é composto de mediocridades regionais, que serão meramente secretários subservientes do dr. Washington Luís", informou Alston a Londres. "A única personalidade interessante no gabinete é a do ministro das Relações Exteriores, dr. Otávio Mangabeira, um mulato pertencente a uma antiga mas pobre família da Bahia. [...] Muitos anos de política, ouvi dizer, aumentaram consideravelmente a fortuna da família."[20]

Maledicências à parte, o julgamento do embaixador inglês a respeito do novo ministério coincidia com a impressão interna no país. Com exceção das pastas militares, nenhum dos ministros era especialista na área da qual iria tomar conta. "O ministro da Agricultura, oculista de profissão, seria inepto para semear couve no quintal de casa", criticava, a propósito, o deputado Azevedo Lima, referindo-se a Geminiano Lira Castro.[21]

O jornalista Rubens do Amaral, do diário paulistano *Folha da Manhã*, analisaria: "O sr. Washington Luís, quando governa, não se limita a ser o onipotente. Fica sendo, ademais, o onisciente. Presidente da República, é também o ministro de todas as pastas, o diretor de todas as repartições, o chefe de todas as seções, o feitor de todas as turmas". E completava: "Por isso, não lhe interessa a capacidade pessoal dos cavalheiros a que dá a honra de convidar para seus auxiliares. Antes, se pudesse, escolhê-los-ia pelo critério da incompetência, para que não discutissem nem analisassem as ordens de seu superior hierárquico, limitando-se a obedecer, como máquinas".[22]

Na edição de novembro de 1926, a revista *O Malho* traria uma página gráfica antológica, de autoria do jornalista e ilustrador J. Carlos, na qual se viam dois círculos que deveriam ser recortados pelo leitor e pregados em uma cartolina. No primeiro círculo, aparecia Washington Luís bem ao centro e, nas bordas, em círculos menores contornados com linhas tracejadas, o nome dos sete ministérios que então compunham o governo federal: Agricultura, Exterior, Fazenda, Guerra, Justiça, Marinha e Viação. No segundo disco, estavam as caricaturas dos respectivos novos titulares: Lira Castro, Otávio Mangabeira, Getúlio Vargas, Nestor Sezefredo dos Passos, Augusto Viana do Castelo, Arnaldo de Siqueira Pinto da Luz e Vitor Konder. As linhas tracejadas do primeiro disco, explicava J. Carlos, deveriam ser recortadas, abrindo-se nele sete janelinhas redondas. Este disco deveria então ser sobreposto ao outro e atravessados, ambos, por um alfinete. "Depois o leitor, com simples movimento de rotação, fará, à sua vontade, as modificações no ministério. Não cometerá nenhum absurdo. Passará o tempo calmamente e o poder constituído não correrá perigo", diziam as instruções de montagem.[23]

A desconfiança com que o ministro Getúlio Vargas foi recebido pelos observadores contrastava com o franco entusiasmo do órgão oficial do Partido Republicano do Rio Grande do Sul, *A Federação*, que considerava "o admirável espírito de equilíbrio" de Getúlio — e a "imperturbável serenidade com que controla o seu temperamento combativo" — como predicados mais que suficientes para um bom desempenho na função.[24] No Rio de Janeiro, *O Paiz* (cuja redação continuava a ser a sucursal carioca da assessoria política do governo de Borges de Medeiros) fazia coro: "São familiares de longa data, ao sr. Getúlio Vargas, as questões ligadas às finanças", chegou a publicar aquele diário, recorrendo a um flagrante exercício de ficção.[25]

Ainda mais surpreendentes eram as louvações feitas ao ministro Getúlio

Vargas nas páginas de *O Jornal*, por meio de artigos assinados pelo próprio dono da publicação, Assis Chateaubriand. O controvertido Chatô não perdia a oportunidade de incensar o novo titular da Fazenda, chegando a se referir a Getúlio como "um desses temperamentos de que tanto o Brasil precisa para restabelecer a harmonia da República".[26] Elogio tão desbragado tinha uma explicação que escapava à razão dos leitores: Getúlio Vargas se tornara uma fonte privilegiada de Chateaubriand no Palácio do Catete.

Sempre que podia, tão logo encerrava os despachos no ministério e antes de ir para casa, Getúlio continuava a visitar a redação de *O Jornal*. Também ligava para Chatô, a qualquer hora do dia ou da noite, quando pretendia vazar informações reservadas e de interesse do governo, antecipando notícias a que os outros jornalistas só teriam acesso mais tarde. Ao dar furos na concorrência por meio de Getúlio, Chateaubriand creditava as informações a "um certo repórter secreto que nosso diário mantém no governo federal".[27]

Mas o tal "repórter secreto" caiu mesmo nas graças de Chatô ao intermediar uma reunião entre ele e o capitalista gaúcho Antônio Mostardeiro, proprietário do Banco da Província do Rio Grande do Sul, recém-nomeado por Getúlio para o cargo de presidente do Banco do Brasil. Chatô planejava lançar a primeira grande revista brasileira de circulação nacional. O projeto era grandioso. Impressa em papel de primeira qualidade, com imagens, artigos e reportagens assinados pelos maiores fotógrafos, escritores e jornalistas do país, a nova publicação, moderníssima, teria circulação semanal e uma tiragem inacreditável, para a época, de 50 mil exemplares. Assim como a futura moeda, iria se chamar *Cruzeiro* — assim mesmo, ainda sem o artigo "o", que só depois viria a ser incorporado ao título.[28]

Chatô confidenciara a Getúlio que, tão logo conseguisse pôr a mão em cerca de 250 contos de réis, poria o primeiro número da revista nas ruas. O ineditismo de uma publicação desse nível atrairia contratos milionários de publicidade e arrebataria leitores de norte a sul do país, triplicando o capital inicial da empresa em questão de dias, calculava Chateaubriand.[29] Getúlio tomou nota daquela cifra e, por conta própria, duplicou o valor do negócio, sem avisar a Chatô. Recomendou a Antônio Mostardeiro que o Banco da Província emprestasse quinhentos contos de réis para viabilizar a fundação da revista. Ao se imaginar assinando um cheque com tantos zeros (500:000$000, na grafia então corrente), o banqueiro refugou. Um apreensivo Chatô procurou Getúlio no ministério. Estava temeroso de que o negócio gorasse.

"Ministro, eu só havia solicitado 250 contos", lembrou Assis Chateaubriand. A resposta de Getúlio veio acompanhada de uma gargalhada:

"Mas como tu és ingênuo! A um banqueiro tu pedes sempre o dobro do que precisas, para ele ficar na medida do necessário."[30]

A estratégia se revelou milimetricamente precisa. Conforme Getúlio previra, Mostardeiro não deixou de acatar um pedido do ministro da Fazenda que, além de conterrâneo, o havia nomeado para a presidência do Banco do Brasil. Porém, como bom regateador que era, o banqueiro propôs desembolsar apenas metade da quantia, exatamente os 250 contos que Chatô tinha em vista desde o princípio. A partir daquele dia, Chateaubriand ficou convencido de que o sr. Getúlio Vargas, podiam dizer dele o que bem quisessem, era sim, na verdade, um grande gênio em matéria de "finanças".[31]

O episódio, que anos depois seria tornado público pelo próprio Assis Chateaubriand quando de seu discurso de posse na Academia Brasileira de Letras, solidificou a amizade do jornalista com Getúlio e tornou possível, dali a pouco tempo, o eletrizante lançamento de *Cruzeiro*, cujo número de estreia chegaria às mãos dos leitores em novembro de 1928. Com o gesto, Getúlio Vargas ganhou a simpatia e a gratidão daquele que, muito em breve, viria a ser o homem de imprensa mais rico e mais poderoso do país. Um trunfo que ajudaria Getúlio na efetiva construção de sua imagem pública, a despeito dos que insistiam em afirmar que ele, naquele instante, como ministro da Fazenda, andava mais atarantado do que o gaúcho que perdeu a cuia de chimarrão.

Getúlio ordenou que o filho Lutero, de quinze anos, pegasse o primeiro vapor em Porto Alegre e seguisse em direção ao Rio de Janeiro. O rapaz não ficaria mais um dia sequer morando longe da família na capital gaúcha, como aluno interno do Colégio Militar local. A decisão de Getúlio era decorrente de dois motivos simultâneos. Lutero fora um dos muitos estudantes a contrair tifo — doença epidêmica transmitida por piolhos — e, além disso, continuava a ser um garoto problemático, sempre às turras com os colegas de classe, o que lhe valera diversas repreensões e até mesmo algumas noites na cadeia da escola.

"Se deixares de ser indisciplinado e de brigar, eu permitirei que fiques como aluno externo, aqui, no Colégio Militar do Rio de Janeiro", propôs Getúlio.[32]

Lutero achou a oferta razoável. O externato já seria um primeiro passo para a liberdade plena. O rapaz estava decidido a não seguir carreira na caserna, embora o pai se dissesse convencido de que só o Exército seria capaz de proporcionar o devido corretivo ao garoto.

"Mas eu não quero ser militar, meu pai", reclamava Lutero. "Eu não posso estar prestando obediência para qualquer um aí. Eu queria ser um militar como o vovô: um militar para brigar, um militar que não desse cadeia pra soldado, que não se preocupasse com promoção, que fosse promovido por atos de bravura, como ele sempre foi..."[33]

Getúlio não se comoveu. O filho teria que necessariamente usar farda. Por bem ou por mal, aprenderia a dar o indispensável valor à disciplina e à hierarquia.

"Se é para ser militar, então vou ser aviador", retrucou Lutero. A vida de piloto prometia muito mais aventuras que a de um soldado com os coturnos plantados no chão do quartel. Dessa vez, foi a mãe quem estrilou. Filho saído de seu ventre não iria se lançar nos ares a bordo de uma geringonça mecânica. Voar era coisa para os passarinhos. Darcy ficou tão transtornada com a ideia que não sossegou enquanto o rebento não lhe prometesse jamais pilotar um avião na vida.

"Então vou ser médico", cogitou Lutero, depois de breve meditação.

"Ora, tu não podes ser médico", reprovou novamente a mãe. "Como é que tu vais ser médico? Tu és um brigão. Vive brigando com todo mundo. Um médico é um sujeito sério, circunspecto", ralhou Darcy.[34]

Getúlio, a quem competia dar a última palavra, providenciou a imediata transferência do rapaz para o externato do Colégio Militar do Rio de Janeiro. Estava resolvido. Como sempre, não se falava mais nisso. Lutero, opinioso, esperaria o momento certo para tornar ao assunto.

Quanto aos demais filhos, ainda estavam na idade em que as preocupações eram de outra natureza. A família se mudara mais uma vez para uma nova casa, pertencente ao ministério, localizada na ladeira do Ascurra, próximo à estação da linha férrea do Corcovado. O endereço oferecia à meninada a oportunidade de desfrutar de um quintal quase infinito, pois se confundia com o matagal que subia morro acima. Um cenário tentador para expedições secretas de alpinismo infantil no terreno íngreme e acidentado, a caminho do riacho de águas límpidas que então corria por entre as pedras. A filha Alzira, a propósito dessas campanhas exploratórias no meio do mato virgem, recordaria: "Mamãe não conseguia pôr um paradeiro aos contínuos resfriados, às equimoses e aos ferimentos que apresentávamos, sem nenhuma explicação plausível".[35]

Todos os dias, bem cedo, a gurizada acompanhava o pai que descia a pé a ladeira do Ascurra até a chamada "Curva da Mangueira", onde um automóvel oficial o esperava para conduzi-lo ao ministério. Getúlio beijava os filhos e embarcava sozinho no carro. Não permitia que os meninos fossem transportados em um veículo mantido às expensas do contribuinte. Alzira, Jandira, Lutero, Manuel Antônio e Getulinho seguiam conformados em direção ao ponto do bonde, para embarcar a caminho da escola.[36]

A rigidez de Getúlio no desempenho do cargo logo chamou a atenção dos jornalistas que cobriam o ministério. Apesar de não ter escapado das inevitáveis nomeações dos apadrinhados de sempre, ele impôs certas regras moralizadoras ao expediente da pasta. Logo de início, mandou chamar de volta 630 funcionários, oficialmente à disposição de outras repartições mas que na verdade vinham recebendo os salários sem comparecer ao trabalho. A imprensa elogiou. Getúlio pusera termo no que os jornais apelidavam de "regime da mamata".[37] "Mesmo sem qualquer inclinação para os problemas financeiros, sua conduta não oferece nenhum motivo a que se levante dúvidas a respeito de sua austeridade", comentava *O Globo*.[38]

Getúlio buscou seguir o padrão de moralidade administrativa alardeado no Rio Grande do Sul por Borges de Medeiros. Mesmo os adversários mais ferrenhos, aqueles que não cansavam de denunciar as falcatruas eleitorais e o viés autoritário do governo gaúcho, eram forçados a admitir que Borges, pessoalmente, não se locupletara às custas do longo período no poder. A esposa do governante gaúcho, dona Carlinda Gonçalves Borges, chegaria a costurar para fora, com o propósito de garantir melhor renda ao casal e à sobrinha, Dejanira, adotada como filha.[39] Após quase três décadas ocupando a chefia política do estado, Borges continuava indo a pé ao palácio do governo, pois insistia em dizer que o dinheiro público não podia ser "desperdiçado" na aquisição de um carro oficial. A própria casa em que ele e a família residiam, em Porto Alegre, fora comprada por meio de subscrições de correligionários. Borges aceitou morar lá, com a condição de que, quando de sua morte, o imóvel fosse devidamente incorporado ao patrimônio do estado.

Ao contrário do que muitos podiam imaginar, Borges de Medeiros de início não aprovara a escolha do nome de Getúlio Vargas para ministro da Fazenda. Borges sabia que a concessão de um ministério ao Rio Grande do Sul fazia parte do propósito do governo federal de se reconciliar com o estado, pondo um fim definitivo nos velhos estremecimentos ainda dos tempos da Reação Republicana.

Mas, no entender de Borges, a atuação de Getúlio seria mais proveitosa se ele prosseguisse como líder da bancada gaúcha na Câmara Federal, em vez de aceitar o convite para uma pasta com a qual não tinha afinidade. Telegramas trocados à época atestam que Borges preferia que um membro mais experiente do partido, o deputado federal Simões Lopes, de sessenta anos, integrasse o ministério — e no comando de outra pasta, a da Agricultura, Indústria e Comércio. Ainda pela avaliação do comandante do PRR, isso traria dividendos muito mais diretos às forças produtivas do estado.

"Vossa nomeação causaria surpresa e desfavorável impressão, pela circunstância de não seres especialista na matéria", telegrafou Borges de Medeiros a Getúlio, quando este lhe comunicou que acabara de receber o convite para dirigir a Fazenda.[40]

Para qualquer outro membro do PRR, a mensagem de Borges não deixaria margem para tergiversações. O telegrama era uma ordem para o subordinado declinar da oferta. Todavia, 24 horas depois, Getúlio informou, também pelo telégrafo, que não havia mais tempo disponível para um novo acomodamento de forças:

> Ao dr. Borges de Medeiros
> Confidencial
> Dificílimo aproveitamento Simões Lopes, pois já foi convidado Agricultura deputado Lira Castro, do Pará, que é presidente Sociedade Agricultura e segundo vice-presidente da Câmara. Todas as pastas preenchidas. Fui convidado comparecer amanhã, 11 horas, perante Washington Luís. Dadas essas circunstâncias consulto Vossa Excelência se devo deixar o Rio Grande sem representação no ministério.
> Atenciosas saudações,
> Getúlio Vargas.[41]

Getúlio sabia avaliar bem o peso das palavras, sobretudo quando postas no papel. O argumento contido na última frase daquele telegrama era irrespondível. Borges de Medeiros não teve alternativa senão render-se ao fato consumado. Autorizou-o a aceitar o convite imediatamente, diante da ameaça de o Rio Grande do Sul ficar sem nenhuma fatia do bolo ministerial.[42] O detalhe curioso da história é que o mesmo Borges — depois de ter considerado impeditivo o fato de

Getúlio não ser um especialista em finanças — permitiu que *A Federação* defendesse exatamente o contrário em editorial de primeira página.

"A superstição da especialidade, em funções de governo, é um atributo dos medíocres", expunha o texto. "A verdadeira inteligência é poliédrica, generalizadora, capaz de apreender todos os problemas", dizia o editorial, que como todos os artigos de fundo publicados por *A Federação* por certo passara pelo crivo do chefe supremo do PRR.[43]

A partir desse ponto, a dificuldade maior era conter as cenas explícitas de ciúmes dentro do partido. Simões Lopes não fazia nenhuma questão de disfarçar seu desapontamento por ter sido preterido, depois de Borges de Medeiros lhe ter prometido que negociaria com o Catete a nomeação para a Agricultura, pasta que Lopes já ocupara no governo do ex-presidente Epitácio Pessoa — o que era garantia de experiência e de familiaridade com a função, algo que Getúlio, para maior desconsolo do ofendido, não tinha a apresentar em relação à Fazenda.[44]

Outro correligionário que andava desolado era o jornalista e deputado Lindolfo Collor. Antes do anúncio oficial do ministério, ele havia viajado à Argentina para proferir palestra na sede da *La Prensa*, em Buenos Aires. Na ocasião, recebera a incumbência de trazer de lá, para conhecimento de Washington Luís, toda espécie de documentos, bibliografia e matérias jornalísticas sobre a Caja de Conversión, o instrumento de estabilização do peso argentino. De nada adiantara, portanto, a ampla coleção de livros, folhetos, recortes de jornal e relatórios oficiais com que Collor entupira a mala antes de retornar ao Brasil.

Getúlio não desconhecia que era alvo de incômodos alheios. Numa carta reservada a Borges de Medeiros, citou os desapontamentos expressos em público por Simões Lopes e Lindolfo Collor. Na carta, calculava que, embora o primeiro já parecesse um tanto quanto "conformado" com a situação, o segundo ainda remoía supostas mágoas a respeito do caso. No parágrafo seguinte, um sorrateiro Getúlio emendou o assunto com outro que, aparentemente, não tinha nenhuma relação com o tema. Lembrou a Borges que, com a ida para o ministério, o cargo de líder da bancada gaúcha na Câmara Federal ficava temporariamente vago.

"Qual será o meu substituto?", indagava Getúlio a Borges.

Não era necessário muito esforço dedutivo — ou mesmo uma dose elevada de malícia — para se concluir que, de forma sutil, Getúlio Vargas estava sugerindo que Lindolfo Collor ocupasse o lugar de líder, como uma espécie de prêmio de consolação pela desfeita de não ter levado o Ministério da Fazenda. "Aguardo instrução a respeito", escreveu Getúlio, passando a decisão às mãos do chefe. "Vossa Excelência indicará a norma a seguir", completou, simulando não haver a mais vaga sugestão em suas palavras a respeito da resolução para o problema.[45]

Borges de Medeiros compreendeu — e concordou — com aquele jogo em que o não dito determinava as regras. Na sequência, definiu que Lindolfo Collor seria oficializado como novo líder da bancada gaúcha na Câmara Federal. Em tal situação, Collor se obrigava a deixar de ruminar os próprios desgostos. Ele ficava naturalmente investido da tarefa de defender o ministro Getúlio Vargas dos prováveis ataques ao plano econômico do governo.[46]

"O senhor tem inimigos?", perguntaria um dia o biógrafo Emil Ludwig a Getúlio.

"Devo ter; mas não tão fortes que não possa torná-los amigos", responderia.

"E amigos?", insistiria Ludwig.

"Claro que os tenho; mas não tão firmes que não venham a se tornar inimigos", replicaria Getúlio.[47]

"O sr. Washington Luís mandou a reforma financeira para o diabo", sentenciou Juca Pato. O alarde que o governo fizera em torno do pacote econômico vinha provocando a impaciência coletiva, refletida nas cobranças pela implementação imediata das medidas. "Mas afinal de contas, em que ficamos? A quantas andamos? Esta galinha choca ou não choca os pintos?", indagava o popularíssimo Juca.[48]

Apesar da urgência reclamada pelo articulista satírico da *Folha da Manhã*, a fase preliminar do projeto estava em plena execução. O governo, por meio de lei assinada por Washington Luís e referendada pelo ministro Getúlio Vargas, decretara o estabelecimento do câmbio fixo em 18 de dezembro de 1926. Decidira-se que a libra esterlina seria cotada dali por diante, oficialmente, em 40 mil-réis. A resolução significava uma considerável desvalorização da moeda brasileira, já que a média histórica da taxa cambial se situava na casa dos 34 mil-réis por libra esterlina. A desvalorização, como era de esperar, provocou reações desencontradas.[49]

Os cafeicultores festejaram. Com a libra em alta, eles passaram a receber mais dinheiro estrangeiro pela mesma quantidade de café exportado aos mercados da Europa e dos Estados Unidos. Mas, no Congresso Nacional, o deputado Azevedo Lima, eleito com o apoio dos comunistas e socialistas, temeu pelos efeitos inflacionários da medida e cunhou a expressão que se grudaria à política econômica de Washington Luís como um visgo histórico: "câmbio vil":

"O *câmbio vil* arrastará consigo a sobrecarga de sofrimento e agravará a carestia", protestou Azevedo Lima. "Ele só trará benefícios à aristocracia social brasileira", disse o deputado, referindo-se aos cafeicultores.[50]

Nicanor Nascimento, deputado pelo Distrito Federal, rebateria:

"Sem a exportação do café que tivemos no ano passado não teríamos comprado nem uma enxada."[51] A segunda fase do projeto de reforma financeira ainda não tinha prazo para ser posta em prática. A conversibilidade plena do papel-moeda em ouro era mera aspiração, um desafio a ser vencido em longo prazo. A terceira etapa, a criação de uma nova unidade monetária, parecia ainda mais distante no terreno das conjecturas. "Quando é que sai o cruzeiro, sr. Presidente?", indagava o irrequieto Juca Pato,[52] enquanto uma marchinha do compositor Eduardo Souto, intitulada "Seu doutor", interpretada pelo cantor brasileiro mais popular à época, Francisco Alves — o "Rei da Voz" — fazia enorme sucesso no rádio e era cantada pelo povo nas ruas:

O pobre povo brasileiro
Não tem, não tem, não tem dinheiro.
O ouro veio do estrangeiro
Mas ninguém vê o tal cruzeiro.[53]

Em relatório carimbado como "estritamente confidencial", o embaixador dos Estados Unidos fez um alerta ao Departamento de Estado norte-americano: "Não se sabe ainda quais são os planos do governo brasileiro pôr em prática a política de estabilização. Embora os regulamentos que regem a matéria tenham sido emitidos — e de ter sido aberto um crédito para cobrir as despesas da operação —, nada foi feito", escreveu Edwin V. Morgan. "Acredita-se que o presidente voltou atrás e decidiu manter o assunto em suspenso, sem tomar mais nenhuma providência a respeito, para assim não provocar uma provável flutuação do câmbio", registrou. "A ideia de criar uma nova moeda parece ter sido esquecida."[54]

Por seu turno, o segundo-secretário da embaixada britânica, J. D. Greenway, comunicou a Londres que o início do governo de Washington Luís podia ser classificado como "desapontador". Para Greenway, "a loucura de empilhar empréstimo sobre empréstimo, sem qualquer preocupação com o dia do Juízo Final, é reluzentemente óbvia para qualquer um, menos para o presidente". Mais uma vez, sobrariam farpas para Getúlio. "O ministro da Fazenda, um homem sem conhecimento ou experiência, seja de finanças, seja de economia, tem sido apenas uma marionete nas mãos do presidente."

Em Londres, o subsecretário de Estado para Assuntos Estrangeiros, Sir Robert Vansittart, ao ler o relatório de Greenway, deixou comentários escritos à mão na capa do documento. "Desalentador", anotou Vansittart, que depois disso passou a alimentar o que definiu como um "decidido pessimismo em relação ao desenvolvimento econômico e financeiro do Brasil". E ainda comentou, também a nanquim: "Esperávamos algo melhor do que isto".[55]

Não obstante toda celeuma em torno da reforma financeira, o início do governo de Washington Luís transcorria sem maiores sobressaltos políticos. Depois das tensões e dos levantes militares que afligiram o governo de Artur Bernardes, o Brasil passara a viver em aparente calmaria. O estado de sítio fora suspenso, levantara-se a censura à imprensa e inúmeros presos políticos haviam sido libertados, após ser decretada a extinção do presídio da ilha de Trindade.

A popularidade de Washington Luís, até ali, ainda estava nas alturas. Muito contribuía para isso sua personalidade extrovertida, sua boemia sofisticada, a presença constante do presidente da República em saraus, teatros e bailes carnavalescos. O cavanhaque cultivado com esmero, o bigode estruturado com brilhantina, o fraque impecável e a indefectível cartola ajudavam a compor uma imagem elegante e sedutora, sublinhada pelos olhos vivazes, que costumavam arrancar suspiros femininos. Alto e espadaúdo, amante dos esportes e de corridas automobilísticas, Washington Luís ostentava também pretensões atléticas. Ao mesmo tempo, demonstrava pendores artísticos. Não perdia ocasião de exibir sua privilegiada voz de barítono, cantando árias de ópera — especialmente as de Verdi, suas favoritas — ou marchinhas populares, a depender da ocasião, o que lhe valeria o adequado apelido de Rei da Fuzarca.[56]

Além do suposto apaziguamento das questões políticas, outra boa notícia para Washington Luís era que, com o câmbio favorável, se assistia a uma grande entrada de capitais estrangeiros no país, destinados à compra de ativos que haviam se tornado atraentes devido à desvalorização do mil-réis.[57] Ademais, as exportações de café em alta se somaram a um maior rigor fiscal para produzir um inusitado superávit nas contas do governo.[58] Mesmo assim, Getúlio Vargas — que na condição de titular da Fazenda se beneficiava da maré positiva nos índices econômicos internos — passou a ser alvo de insistentes rumores. Notinhas de jornal pipocavam, a todo momento, dando conta de sua saída do ministério.

A notícia não era exatamente nova. Ainda em janeiro de 1927, decorridos apenas dois meses da posse de Washington Luís, o *Jornal do Brasil* dissera, com base em uma "fonte privilegiada", que Getúlio deixaria o governo federal em questão de dias, pois entrara em rota de colisão com o presidente da República. O atrito, especulava-se, era decorrente da má vontade do Catete em cumprir a promessa de indenizar, com base em recursos da União, os fazendeiros gaúchos que haviam fornecido armas, homens e cavalos para combater os revolucionários da Coluna Prestes.[59]

No dia seguinte, o mesmo *JB* negou categoricamente a notícia, informando que outra fonte, também reservada, garantira não haver o menor fundamento na informação. Estaria tudo bem entre o presidente da República e o ministro da Fazenda.[60] Segundo se comentava, Getúlio desfrutaria do privilégio de ser o único auxiliar de Washington Luís a entrar no gabinete presidencial com o charuto pendurado na boca durante os despachos semanais das quartas-feiras, quando todos os demais eram obrigados a apagar os cigarros à porta de entrada.[61]

A boataria, entretanto, estava solta nas ruas. "O ministério vai quebrar?", indagava a *Folha da Manhã*,[62] enquanto *O Globo* cogitava a respeito de uma presumida reforma na equipe de governo, com Getúlio sendo conduzido para a pasta da Justiça.[63] As informações eram mais uma vez atribuídas a fontes seguras, porém sigilosas. Não se pode assegurar quais os autores — ou o autor — daquelas notas obviamente plantadas, nem se afirmar que interesses havia por trás delas. O fato é que os boatos evoluíam em um crescendo, até o momento em que todos os jornais passaram a dar como certa a saída de Getúlio da Fazenda, não porque estivesse incompatibilizado com Washington Luís ou porque fosse trocar de função no governo federal, mas sim porque desejaria disputar a eleição ao governo do Rio Grande do Sul, marcada para 25 de novembro daquele ano de 1927.

O último quinquênio de Borges de Medeiros no poder estava chegando ao fim, como previra o acordo de Pedras Altas. As chances de o velho Chimango fazer o sucessor pareciam promissoras. Em fevereiro, em um teste prévio de forças, houve eleições para a renovação completa da Câmara Federal e para um terço do Senado. O PRR conseguiu fazer a maioria absoluta da bancada gaúcha, deixando à oposição três reles cadeiras à guisa de representação das minorias, conforme acertado em Pedras Altas. Como sempre, existiram fortes indícios de fraude nas urnas. Em carta a Borges de Medeiros, escrita pouco antes das eleições proporcionais, Getúlio explicitou:

> Conversei com o presidente [da República] e com o líder [do governo na Câmara] Júlio Prestes sobre o critério a seguir quanto à representação das minorias. As declarações de ambos foram categóricas: a oposição assisista [referência a Assis Brasil] terá aqui os representantes que Vossa Excelência permitir que eles tenham. A representação das minorias deve ser entendida em termos, isto é, não se pode sacrificar os amigos para reconhecer os da oposição. É onde bater o cacete.[64]

A oposição a Borges elegeu os deputados federais Assis Brasil, Batista Lusardo e Plínio Casado, enquanto a situação conquistou as demais treze cadeiras e deu a vaga do Senado ao veterano Carlos Barbosa Gonçalves. Tão logo foi divulgado o resultado oficial, Getúlio voltou a escrever do Rio de Janeiro ao chefe, em Porto Alegre:

> Se Vossa Excelência quisesse poderia fazer mesmo a representação unânime. Não digo que fizesse, talvez seja mesmo mais acertado deixar essa válvula à oposição. [...] A vinda do Assis [Brasil] para a Câmara, já decaído de sua pretensão a presidente do estado, contribuirá para acabar com sua legenda. Ele perderá o *aplomb* de grande homem incompreendido entre as ironias e chufas da irreverência carioca e a impetuosidade de parte da nossa representação.[65]

Para ser consagrado como o candidato oficial ao governo do Rio Grande do Sul, Getúlio Vargas precisaria antes vencer as resistências de Borges de Medeiros. Embora suas cartas e telegramas aparentassem um tom de cúmplice cordialidade, ele ainda não ganhara a confiança irrestrita do chefe do PRR. A tendência natural de Borges ainda era acompanhar a ala mais tradicional do partido, que cerrava fileiras com o sexagenário Protásio Alves, o secretário de Interior, nome pouco palatável à fração mais moça da agremiação que, não obstante ser egressa de tradicionais famílias rurais, recebera formação acadêmica mais urbana, menos condicionada aos cacoetes da oligarquia pecuarista.[66] Seu representante de maior relevo era, exatamente, o ministro Getúlio Vargas.

Borges de Medeiros insistia em vender a imagem de um PRR coeso em torno de seu eterno comandante, mas as tensões internas estavam evidentes, delineando-se um mal dissimulado conflito de gerações. O candidato do partido à sucessão de Borges, fosse quem fosse, teria que despertar o entusiasmo dos jovens correligionários, sem perder a confiança dos velhos caciques republicanos. A equação era difícil, mas Getúlio teria um bom cabo eleitoral à disposição: Washington Luís. Mesmo sem nunca ter assumido o fato publicamente, o presidente da República seria um dos principais avalistas da candidatura do ministro da Fazenda ao governo rio-grandense. "Se o doutor Washington se interessou pela minha ida para o Rio Grande do Sul é porque desejou se ver livre de mim no ministério, onde verificou que eu não era tão *reiuno* ["ruim", "ordinário", no vocabulário dos pampas] em matéria de finanças", troçaria Getúlio.[67]

A blague era irresistível, mas encobria as verdadeiras motivações para o incentivo do Catete. O apoio do governo federal à candidatura de Getúlio ao governo gaúcho foi habilmente costurado pelo deputado Flores da Cunha — também integrante da jovem guarda do PRR — que procurou o deputado paulista Ataliba Leonel, da bancada cafeeira, para que sondasse o presidente da República a respeito do assunto, pois sabia-se que Washington Luís já começara a armar a rede de apoios com vistas à próxima sucessão nacional.[68]

Como argumento, Flores da Cunha defendeu a tese de que caberia ao Rio Grande do Sul, estado emergente e um dos maiores colégios eleitorais do país, ser um dos fiéis da balança em um prenunciado racha na parceria entre São Paulo e Minas Gerais — pois comentava-se pelos bastidores do Congresso que o presidente da República tinha a intenção de fazer do paulista Júlio Prestes o seu sucessor no Catete, quebrando assim o acordo de alternância no poder com os mineiros. Júlio significaria a manutenção, sem sobressaltos, da política de valorização do café, que incluía a compra pelo governo federal de estoques excedentes para segurar os preços mesmo em períodos de superprodução, nos quais a oferta era infinitamente maior que a procura. Além disso, Júlio era um defensor ardoroso do plano de estabilização financeira de Washington Luís — como líder do governo conseguira a façanha de aprová-lo em apenas duas semanas de tramitação no Congresso —, enquanto a bancada de Minas Gerais vinha expondo reservas à reforma econômica.

"É mais fácil um burro voar do que Washington Luís consentir na candidatura mineira", comentou, a propósito, Ataliba Leonel.[69]

Em tal cenário, seria prudente para o presidente da República, conforme argumentou Flores da Cunha, ter um aliado confiável dando as ordens no Rio

Grande, para servir de contrapeso à força política de Minas. Washington Luís foi obrigado a concordar. Aceitou dispensar o ministro da Fazenda para que ele se candidatasse ao governo gaúcho.

"Eu me oponho, mas não posso impedir", disse, quando Getúlio lhe informou que deixaria o ministério para concorrer ao governo estadual.[70]

O que o "dr. Washington" ainda não desconfiava era que Getúlio já não era tão *reiuno* assim em matéria de política. Conforme um velho adágio das coxilhas, Washington Luís estava na iminência de esquentar a água para outro vir tomar o mate.

Em meados de julho daquele ano de 1927, Getúlio recebeu uma carta histórica, assinada por Borges de Medeiros:

Ministro Getúlio Vargas,
Depois de refletir maduramente, assentei propor à convenção partidária, que provavelmente se reunirá aqui até 25 de setembro, o vosso nome e o de João Neves para candidatos à presidência e vice-presidência do estado, na próxima eleição de 25 de novembro. É a única fórmula binária que vai corresponder inteiramente à expectativa pública e receber a consagração unânime e entusiasmada do nosso partido, além de satisfazer a todas as exigências de ordem administrativa e política.
[...]
Afetuosas saudações,
Borges de Medeiros.
12-7-1927 [71]

Os destinos de Getúlio Vargas e João Neves da Fontoura, velhos amigos da Faculdade de Direito em Porto Alegre, voltavam a se cruzar. João Neves, depois de formado, sucedera Getúlio na promotoria pública de Porto Alegre e fora eleito deputado estadual por duas legislaturas seguidas, assumindo o comando municipal de Cachoeira em 1924. A escolha de seu nome para compor a chapa com Getúlio representava uma dupla e indiscutível vitória da facção mais moça do partido.

Mais uma vez, o deputado Flores da Cunha estava por trás do episódio. Dois dias antes de Borges escrever a carta a Getúlio, Flores deixara escapar, durante um jantar oferecido em sua homenagem no Rio Grande do Sul, que viajara do Rio de Janeiro a Porto Alegre como portador de uma "missão patriótica". Flores não deu detalhes sobre a incumbência de que era mensageiro. Mas os acontecimentos posteriores ajudariam a iluminar o caso.

"Flores da Cunha foi despachado para Porto Alegre a fim de instruir o 'Papa Verde' sobre a maneira como o Catete deseja resolver o problema da sucessão rio-grandense", antecipou o jornal carioca *A Manhã*.[72] Para a tarefa de persuadir Borges de Medeiros, Flores contou com a ajuda daquele que era, entre todos eles, o mais moço dos representantes da nova geração de republicanos gaúchos. Um sujeito magro, alto e louro, de rosto comprido e fronte alta, conhecido pelo vozeirão cristalino, pela fama de fumante inveterado e conversador irresistível: Oswaldo Aranha.

Natural de Alegrete, 34 anos, filho de fazendeiro, bacharel pela Faculdade de Direito do Rio, Oswaldo Aranha se enquadrava com perfeição no perfil das lideranças emergentes que, originárias de famílias estancieiras, trabalhavam pelo rejuvenescimento do Partido Republicano Rio-grandense. Quando criança, uma doença nos olhos quase o deixara cego. Ficara curado após se submeter a uma delicada cirurgia em Buenos Aires e a tratamento posterior no Rio de Janeiro, o que o obrigou a usar óculos escuros durante boa parte da adolescência. Em 1914, viajara à Europa e se matriculara na École des Hautes Études Sociales, em Paris, mas fora forçado a retornar ao Brasil com a eclosão da Primeira Guerra Mundial.

Descrito pelos contemporâneos como um indivíduo de inteligência ágil, Aranha era também um homem de ação. Em 1923, assim como Getúlio, organizara um corpo provisório para se bater contra os revolucionários maragatos. No ano seguinte, nomeado subchefe de polícia da região da fronteira, participara da repressão aos movimentos tenentistas nos quartéis do Rio Grande do Sul. Ferido em combate em 1926 durante um levante na guarnição do Exército de Santa Maria, quase perdera o pé. Uma bala lhe estraçalhara os ossos do calcanhar direito e uma infecção, controlada à última hora, o deixara muito próximo de uma amputação. Durante algum tempo, sujeitou-se ao uso de muletas e, para o resto da vida, precisaria recorrer a sapatos especiais, que lhe atenuavam as sequelas.

A carreira política de Aranha, que décadas mais tarde atingiria o ápice na presidência de duas assembleias gerais da Organização das Nações Unidas (ONU), estava apenas começando, mas já chamava a atenção pela velocidade com que ganhava altitude, em tão pouco tempo: intendente de Alegrete em 1925, eleito deputado estadual em 1926, acabou assumindo em 1927 uma cadeira na Câmara Federal, deixada vaga com a nomeação de Getúlio para o ministério.[73] "Em Aranha, os predicados de liderança saltavam à vista", escreveria João Neves da Fontoura. "Nenhum político brasileiro poderia gabar-se de tamanha quantidade de amigos, alguns vitalícios, outros flutuantes, todos girando em torno dele como satélites."[74]

Flores da Cunha e Oswaldo Aranha buscaram convencer Borges de Medeiros de que seria fundamental, para o Rio Grande do Sul, contar com um futuro governante que gozasse de livre trânsito no Palácio do Catete. Nesse aspecto, nenhum outro correligionário poderia se igualar ao ministro Getúlio Vargas, cujo decantado espírito conciliador se encarregaria de preservar o partido unido, acima das dissensões internas.[75] Borges, depois de alguma relutância, assentiu. O trabalho de Flores da Cunha foi tão bem urdido que o chefe do PRR saiu convicto de que, agindo assim, atendia a um desejo expresso de Washington Luís. Getúlio procurou negar, o quanto pôde, que sua candidatura tivesse sido produzida com a ajuda providencial do Catete, o que poderia soar como ingerência indevida do governo federal em assuntos de ordem estritamente regional:

"Só pessoas estranhas ao meio gaúcho poderiam, de boa-fé, acreditar nessas balelas, tecidas pelos habituais exploradores de intrigas", disse.[76]

Apesar dos desmentidos enfáticos em torno do assunto, pessoas bem próximas a Getúlio jamais esconderam que sua candidatura ao governo do estado não contou com o entusiasmo imediato de Borges, ao contrário do que sempre procurou sustentar a versão oficial. "Getúlio Vargas não era, evidentemente, o escolhido das preferências do chefe do Partido Republicano. Essa escolha foi quase imposição dos acontecimentos", confirmaria anos depois Luiz Vergara, futuro secretário de Getúlio.[77]

Além do trabalho persuasório de Flores da Cunha, outros fatores se mostrariam cruciais para os rumos que tomou a sucessão ao governo do Rio Grande. Tão logo o nome de Getúlio passou a ser ventilado como possível candidato, até mesmo militantes da oposição gaúcha manifestaram aberta simpatia por ele, considerado um "mal menor" diante da possibilidade de continuísmo representada por Protásio Alves.[78] "Getúlio é um dos poucos homens do borgismo que, apesar de adversário, a oposição pode aceitar", confirmou o deputado Batista Lusardo quando o sondaram a respeito.[79]

Houve até mesmo o caso de federalistas que declararam apoio explícito a

Getúlio. Entre estes, uma figura de sobrenome respeitável nos quadros da oposição: José Júlio Silveira Martins, filho de Gaspar Silveira Martins, o ministro que "mandara e fizera chover" no Império. O jornal *O Maragato*, do município de Santana do Livramento, chegou a pedir expressamente votos para o republicano Getúlio, em um gesto de ecumenismo político inédito em toda a história do Rio Grande do Sul.[80]

"Nessa hora, Getúlio já estava vesgo, olhando como um enamorado para a presidência do estado natal", avaliaria Lusardo.[81]

Reunidas sob a designação de Aliança Libertadora, as oposições decidiram não lançar pretendente ao cargo. Assis Brasil recomendou a abstenção nas urnas, e em proclamação pública desejou boa sorte a Getúlio Vargas: "Que os mais nobres sentimentos o iluminem para proceder com nobreza e espírito de justiça em relação a seus adversários, que só desejam o bem e a glória da pátria comum", escreveu.[82]

Do mesmo modo que ocorrera no plano federal com Washington Luís, Getúlio seria o candidato único ao governo do estado. "Agora o Rio Grande do Sul, politicamente, é um seio de Abraão", comentaria o jornal *A Manhã*.[83]

A metáfora bíblica embutia um manifesto exagero. Houve também, é fato, contestações à candidatura de Getúlio. O *Correio do Sul*, de Bagé, dirigido pelo polêmico jornalista João Fanfa Ribas, não aceitou pacificamente o arranjo: "A oposição não pode, sem desonra, sem quebra de dignidade, sem traição à memória do grande Gaspar e de tantos outros que sucumbiram enrolados na bandeira da liberdade, votar em candidato algum que pertença à grei governista". Para Fanfa Ribas, era impossível apoiar Getúlio, ainda que com discrição, já que ele havia pisado, "como amigo do ditador, as alcatifas do paço governamental".[84]

Se no Rio Grande do Sul a campanha sucessória passara a dominar as conversas na rua da Praia e ocupar todo o espaço da imprensa local, o anunciado afastamento de Getúlio Vargas do Ministério da Fazenda também se converteu no assunto favorito dos jornais da capital da República. Previa-se que a saída de Getúlio encetaria uma rearrumação geral no ministério, o que poderia ser proveitoso para Washington Luís na hora de compor novas alianças com vistas às eleições presidenciais, marcadas para dali a cerca de dois anos. No tradicional cafezinho na Câmara Federal, muitos parlamentares já davam como certa a ida do gaúcho Lindolfo Collor para o lugar de Getúlio.[85] Afinal, pela lógica que norteara o loteamento dos cargos do governo federal, tudo levava a crer que ainda caberia ao Rio Grande do Sul o seu quinhão no ministério. Mas, como sempre, os grupos de pressão trabalhavam em surdina.

Houve quem defendesse que chegara a hora de Washington Luís atrair Pernambuco — estado eleitoralmente importante e que estava fora do primeiro escalão do governo — para reforçar o plantel de aliados na futura queda de braço com Minas Gerais.[86] Outros preferiam imaginar que, para robustecer o peso da virtual candidatura de Júlio Prestes ao Catete, São Paulo é que deveria ganhar espaço privilegiado no ministério. Assim, o nome do deputado paulista Manuel Vilaboim vinha sendo citado com insistência cada vez maior nos corredores da Câmara,[87] enquanto outros se batiam pela nomeação do relator do orçamento, o também paulista Cardoso de Almeida, para o lugar de Getúlio, muito embora o *Correio da Manhã* julgasse a hipótese pouco provável: "Washington Luís quer na pasta da Fazenda um submisso, ou melhor, quem saiba cumprir ordens sem fazer objeções", afirmou o *Correio*, em editorial.[88]

O presidente da República mostrou-se impenetrável. Ninguém lhe arrancava uma só palavra em torno do caso. Washington Luís conseguiria cozinhar a decisão em fogo brando, pelo menos até que passassem as eleições rio-grandenses. Nelas, no papel de candidato único, Getúlio Dornelles Vargas nem precisou fazer campanha para se eleger no dia 25 de novembro de 1927 o novo presidente gaúcho, com 121 462 votos. Mesmo sem ter sido inscrito como candidato, Assis Brasil ficou em "segundo lugar". Três eleitores escreveram o nome dele nas cédulas de votação.[89]

Antes de ir a Porto Alegre para assumir o cargo, Getúlio fez o discurso da vitória em um banquete realizado no Jockey Club do Rio de Janeiro, quando prestou reverências aos "mestres" Júlio de Castilhos e Borges de Medeiros. Ao homenageá-los, prometeu manter a continuidade administrativa no Rio Grande do Sul, mas se disse disposto a permitir que se infiltrasse no cerne do partido o que chamou de "espírito renovador", desde que preservado o velho lema da agremiação — "conservar, melhorando". Reforçou, também, sua crença no estado forte e interventor, sempre em nome do "bem-estar social":

"Ao revés da Declaração dos Direitos do Homem, com que a Revolução Francesa consagrou a vitória do individualismo, terá de sobrevir agora a declaração de direitos da sociedade", teorizou Getúlio. "Atravessamos um período de crise de autoridade. As velhas fórmulas já não satisfazem e se vai operando a transformação inevitável', discursou, bombardeando os princípios liberais, para então sugerir: "Como consequência desta marcha, alarga-se o poder de expansão do Estado".

Ao final do discurso, Getúlio definiu-se como um homem de "temperamento avesso aos exageros" e "propenso à serenidade". Por isso mesmo, acrescentou que contava administrar com a ajuda de todos os rio-grandenses e não apenas com o apoio de uma única facção política: "Como candidato de um partido, governarei com este, sem que os compromissos partidários me façam, entretanto, esquecer a dignidade de presidente do Rio Grande do Sul".

Indo ainda mais longe, Getúlio acenou com o acolhimento de uma antiga exigência dos pecuaristas gaúchos: prometeu estudar a criação de um estabelecimento bancário específico, destinado a estabelecer um programa permanente de crédito rural — exatamente o núcleo da antiga discórdia entre os produtores e o governo de Borges de Medeiros, que sempre lhes negara tal benefício.[90]

Getúlio falava de fortalecimento do Estado, manutenção da ordem e, ao mesmo tempo, de serenidade e concórdia, em uma terra cuja história, até ali, fora escrita com o sangue derramado em inúmeras guerras civis e revoluções armadas. Só mesmo o tempo iria dizer se ele conseguiria fazer a efetiva pacificação do Rio Grande do Sul. Seu futuro político, logo ficaria claro, dependeria diretamente disso.

Mais que decepcionados, os gaúchos se sentiram traídos quando Washington Luís anunciou o nome do substituto de Getúlio Vargas à frente da Fazenda. Todos os que haviam cravado alguma espécie de aposta se frustraram, de modo idêntico. A surpresa foi coletiva. Nem o rio-grandense Lindolfo Collor, nem um político pernambucano, nem os deputados paulistas Manuel Vilaboim ou Cardoso de Almeida. O novo ministro das finanças era o deputado fluminense Francisco Chaves de Oliveira Botelho, médico de formação. Outro não especialista iria ocupar o cargo que, durante apenas treze meses, fora de Getúlio.

A escolha, denunciaram os jornais, atendia a uma conveniência ainda menos elogiável do que a costumeira barganha política entre o governo federal e os estados. Era, acusava-se, um caso de escancarado nepotismo. A assunção do deputado Oliveira Botelho ao ministério abriu vaga na bancada federal fluminense, cadeira que automaticamente passou a ser ocupada pelo suplente, Belizário de Souza Júnior — coincidência ou não, primo do presidente da República. "Eis como se faz um ministro. Eis como se elege um representante da soberania popular, com 200 mil-réis por dia e cinco contos de ajuda de custo", recriminou o *Correio do Povo*.[91]

Os ânimos começavam a se inflamar, numa demonstração de que a disputa sucessória ao Catete estava prestes a ser deflagrada. Com ela, a face mais cordial do governo de Washington Luís começaria a desmoronar. A imprensa voltaria a ser cerceada, amordaçada por uma lei que limitaria a liberdade de expressão, restringiria as aglomerações públicas e possibilitaria a intervenção nos sindicatos e em quaisquer outras organizações políticas. A chamada "Lei Celerada" previa penalidades para "delitos ideológicos" com o objetivo de debelar as oposições e sufocar o movimento operário, sob o pretexto de evitar a anarquia e conter novos levantes tenentistas. O Partido Comunista, depois de breve período de legalidade, foi obrigado a se pôr na condição de clandestino. "Ao concluir o seu primeiro ano de governo, o sr. Washington Luís deixou cair a máscara", avaliou a *Folha da Manhã*, antes de ela própria também sofrer os efeitos da censura.[92]

Em meio ao endurecimento progressivo do regime, Getúlio — na condição de presidente eleito do Rio Grande do Sul — foi convidado por Júlio Prestes a fazer uma visita oficial a São Paulo. O líder do governo na Câmara assumira o comando do Executivo paulista poucos meses antes, com a convocação de novas eleições no estado, após a morte do titular Carlos de Campos, vítima de embolia cerebral. Presumia-se que Júlio Prestes encarava a temporada no Palácio dos Campos Elísios — a sede do governo paulista, reconstruída após os combates de 1924 — apenas como um breve estágio antes de uma pretendida mudança para o Catete. O convite a Getúlio, portanto, faria parte da estratégia de manter o Rio Grande do Sul gravitando em torno do arco de alianças do governo federal.

Para afagar os brios dos gaúchos, ultrajados que estavam pelo desfecho da sucessão ministerial, Júlio Prestes tomou o cuidado de estender o tapete vermelho para Getúlio Vargas. Todos os secretários de estado paulistas estiveram presentes à chegada dele à capital bandeirante. Getúlio desembarcou de um trem expresso de luxo na antiga Estação do Norte (futura Estação Roosevelt), no bairro do Brás. Havia uma multidão à sua espera. Autoridades civis e militares foram em comitiva receber o visitante, que teve direito a honras de chefe de Estado, com a característica saudação da banda de música da Força Pública e os típicos ramalhetes e corbelhas de rosas oferecidos por normalistas.⁹³

A agenda em São Paulo seria festiva. Depois da recepção, Getúlio seguiu a bordo de um automóvel oficial em cujo capô tremulavam, em cada canto da parte dianteira, as bandeirinhas de São Paulo e do Rio Grande do Sul. Escoltado por um pelotão da cavalaria em farda de gala, o automóvel rodou alguns quilômetros até estacionar diante da fachada do glamoroso Esplanada Hotel, na praça Ramos de Azevedo, onde o visitante ficaria hospedado. Lá, desfrutando de uma vista privilegiada para o parque do Anhangabaú — uma das zonas mais nobres da capital paulista à época —, Getúlio almoçou e trocou impressões políticas com o secretariado de Júlio Prestes. No cardápio, ao que tudo indicava, esteve presente a sucessão nacional. No meio da tarde, foi recebido em audiência privada, a portas fechadas, nos Campos Elísios.⁹⁴

À noite, depois de muito confabularem a sós, o governante paulista fez questão de levar Getúlio para assistir à comédia *O leão da estrela*, que vinha arrebatando o público da cidade.⁹⁵ Os dois se sentaram lado a lado, no camarote central do Teatro Municipal de São Paulo, e acenaram juntos para a plateia. Pareciam ter se entendido perfeitamente bem. Apesar de nada ter vazado a respeito das conversas reservadas daquele dia, especulou-se que Júlio Prestes teria oferecido a Getúlio a vice-presidência da República na chapa oficial que disputaria as eleições para o Catete.⁹⁶

Mesmo sem confirmar a notícia, a imprensa paulistana tratou o visitante com extrema cortesia, devolvendo a polidez que ele dedicou ao batalhão de jornalistas ávidos por ouvi-lo. Em entrevista exclusiva ao *Diário da Noite*, Getúlio afirmou sua crença na conciliação geral do país e deu como exemplo de convivência possível entre antagonistas a sua própria eleição ao governo gaúcho:

"No Rio Grande não há inimigos políticos, há adversários leais e sobranceiros. O sr. Assis Brasil aperta a minha mão e o sr. Batista Lusardo toma café com o sr. Oswaldo Aranha."⁹⁷

Getúlio, aplicando-se na tarefa de construir e manter a imagem de conciliador, surpreendeu os repórteres paulistanos com o jeito manso, levemente irônico, e com a formidável disponibilidade para arranjar tempo para recebê-los, apesar dos muitos compromissos oficiais na cidade. "O ministro Getúlio Vargas conversou conosco simplesmente como quem dá uma prosa, e não como quem suporta jornalistas", observou o representante de *O Estado de S. Paulo* que o entrevistou no saguão do Esplanada Hotel.

"Sobre o voto secreto, qual a opinião de Vossa Excelência?", indagou-lhe o repórter.

"Só lhe posso dizer que não o considero uma panaceia para todos os males e costumes", respondeu Getúlio.

"E quanto ao voto feminino?", quis saber o entrevistador.[98]

A questão era escorregadia. A charge de capa da revista *O Malho* daquele mês sugeria que, no dia em que as mulheres fossem eleitas para o Congresso, as conversas entre elas em plenário se restringiriam a pontos de bordado, plissês e peças de tecido.[99] Muitos parlamentares e juristas se diziam frontalmente contrários à participação eleitoral feminina. Houve até mesmo quem afirmasse, a exemplo do capixaba José de Melo Carvalho Muniz Freire, ex-presidente do Espírito Santo, que a instituição do voto de moças e senhoras seria algo "imoral e anárquico", capaz de provocar a "dissolução da família brasileira".[100]

Quando, em 1927, o pequeno município de Mossoró, no Rio Grande do Norte, cometera a ousadia de expedir um título de eleitor em nome de uma professora da cidade, dona Celina Guimarães Viana, deu-se grande escarcéu, com repercussões em todo o país.[101] Dali a poucos anos, já ocupando o cargo de chefe do Governo Provisório, Getúlio Vargas baixaria o Decreto nº 21 076, de 24 de fevereiro de 1932, e instituiria o voto feminino no Brasil. Mas, naquele dia, em São Paulo, à vista da pergunta incômoda do repórter, preferiu silenciar. Em vez de articular qualquer resposta, apenas sorriu, suave. "Um sorriso que traduziu a pouca esperança do ministro na interferência da mulher em coisas da política", interpretou o jornalista de *O Estado de S. Paulo*, que destacou também a discrição e a amabilidade de Getúlio como dois de seus mais evidentes traços de personalidade.[102]

Faltou ao repórter destacar, por certo, a astúcia e a ambivalência do entrevistado. De São Paulo, ainda antes de seguir para Porto Alegre e assumir o governo gaúcho, Getúlio espichou o caminho de volta e fez também uma visita oficial a Minas Gerais, onde o presidente estadual, Antônio Carlos Ribeiro de Andrada — neto de Martim Francisco Ribeiro de Andrada, irmão de José Bonifácio, o "Patriarca da Independência" —, não andava nada satisfeito com a desenvoltura demonstrada pelo paulista Júlio Prestes em suas investidas rumo ao Catete. Pelo pacto histórico entre Minas e São Paulo, Antônio Carlos se sentia no pleno direito de ser o candidato natural à sucessão de Washington Luís. Portanto, diante da fratura anunciada, o governante mineiro calculou que, se Júlio Prestes havia cortejado abertamente o presidente eleito do Rio Grande do Sul, ele também não se acanharia em fazer o mesmo.

Segundo consta, a visita de Getúlio a Minas foi arquitetada por Assis Chateaubriand, o Chatô, que telegrafou ao líder da bancada mineira, deputado Afrânio de Melo Franco, para adverti-lo de que seria vital, às pretensões de Antônio Carlos, pajear em Belo Horizonte o novo governante de um estado tão estratégico do ponto de vista eleitoral quanto o Rio Grande.[103] Recebido com toda a pompa em São Paulo, Getúlio deveria saber que, ao pisar em Minas Gerais, atendendo a um convite oficial de Antônio Carlos, estaria dando uma sinalização inconfundível de que ainda não fechara questão com nenhum dos lados em contenda, aumentando assim seu poder de barganha.

"O sr. Getúlio Vargas aperta a mão do sr. Júlio Prestes e logo em seguida corre e vai ter com o sr. Antônio Carlos, acendendo uma vela a Deus e outra ao Diabo", reprovou a *Folha da Manhã*.[104] Nas páginas de *O Jornal*, Chatô faria uma avaliação bem mais generosa do episódio: "É claro que o futuro governo dos pampas não ficou contente com o afastamento do Rio Grande do Sul do ministério. Quem sabe, lá dessa *promenade* às Alterosas, não resultará qualquer reviravolta política?".[105] Como alguém próximo a Getúlio, Chatô deveria saber muito bem as consequências — e, em especial, os fundamentos — do que estava insinuando.

Com efeito, Getúlio terminaria a viagem falando maravilhas de Minas Gerais. Derramou-se em elogios à "administração laboriosa e fecunda" de Antônio Carlos, disse que estava admirado com o "franco desenvolvimento do parque metalúrgico" local e não dispensou exclamações para os modernos fornos da Companhia Belgo-Mineira, onde assistiu ao processo de transformação do minério de ferro em aço, atividade que Getúlio — mais tarde o fundador da Companhia Siderúrgica Nacional — definiu então para a imprensa de Belo Horizonte como a "indústria do futuro".[106]

Ao testemunhar os movimentos pendulares de Getúlio naqueles últimos dias de 1927, o jornal oposicionista *A Esquerda* analisou:

> Dá-se uma significação decisiva ao convite, quase confirmado, de que São Paulo ofereceu a vice-presidência da República ao dr. Getúlio. Mas, no que ninguém pen-

sou ainda, é no que podia ter-lhe prometido o sr. Antônio Carlos. Vendo-se, assim, transformado no árbitro eventual de uma situação, é claro que o sr. Getúlio saberá tirar partido da situação. Ele é moço e tem aspirações altas.[107]

Nem mesmo a mais inspirada de todas as pitonisas poderia ter demonstrado tamanho poder de clarividência.

12. E se a República do café com leite se transformasse na República do café com pão? (1928)

Foi o primeiro grande engarrafamento da história de Porto Alegre. Na ensolarada quarta-feira de 25 de janeiro de 1928, poucos minutos antes das duas da tarde, Getúlio Vargas, vestido em um terno claro, rumou para o palácio do governo a bordo de um luxuoso Kissel, automóvel que passou a servir ao novo presidente do Rio Grande do Sul. Atrás do carro presidencial, dezenas de outros veículos arriscavam avançar, sem muito sucesso, em meio à aglomeração.

"Ge-tú-lio! Ge-tú-lio! Ge-tú-lio!", aclamava a multidão em êxtase, invadindo o espaço dos veículos, o coro de vozes se sobrepondo ao som roufenho das buzinas.

O cortejo partira diante do prédio da Faculdade de Medicina, onde se dera o juramento e a assinatura do termo de posse perante os membros da Assembleia dos Representantes. As fotografias publicadas nos jornais do dia seguinte mostrariam que, do alto da sacada dos prédios, se via apenas o mar de chapéus tomando conta de toda a extensão da avenida da Várzea (futura avenida João Pessoa). Agências bancárias, lojas, escolas, faculdades e repartições públicas decretaram meio expediente, fechando as portas após o meio-dia, o que arrastou ainda mais gente para as ruas.[1]

Os aplausos e os gritos de saudação cresciam ante a aproximação do automóvel no qual Getúlio, mais sorridente do que nunca, acenava da janela, sentado no banco de trás. Chuvas de papel picado e pétalas de rosas caíam sobre o cortejo, do andar superior dos sobrados. Os guardas da Brigada Militar, com uma gentileza fora do habitual, procuravam conferir alguma ordem ao trajeto, mas eles próprios também eram tragados pela incontrolável correnteza humana. O deputado Batista Lusardo se dizia arrebatado:

"Para os de minha geração, este fato tem o sabor das coisas inéditas", afirmou Lusardo ao *Correio do Povo*, referindo-se à circunstância de o Rio Grande do Sul ter sido governado, até aquele dia, ao longo de mais de um quarto de século, por um único homem, Borges de Medeiros.[2] Uma cerimônia de transmissão de poder, mesmo entre políticos do mesmo partido, coisa corriqueira em qualquer outro estado da federação, era algo a que boa parte da população gaúcha jamais assistira.

Os principais hotéis de Porto Alegre estavam lotados. Foram expedidos convites às mais proeminentes figuras do mundo político, intelectual, militar e econômico da República. A maioria dos estados mandou representação. Para garantir visibilidade nacional ao acontecimento, Getúlio convidou ainda meia centena de jornalistas de São Paulo, Rio de Janeiro e Minas Gerais, custeando-lhes as despesas com transporte, hospedagem e alimentação. Um navio especial da Companhia Nacional de Navegação Costeira, o *Itassucé*, foi reservado para conduzir o pessoal da imprensa ao Rio Grande do Sul. Diretores, repórteres e colaboradores dos principais jornais e revistas do país estavam sendo testemunhas da espantosa acolhida que o povo gaúcho dirigia ao novo governante.[3]

A revista *O Malho* abriu cinco páginas, com dezenas de fotografias, para registrar a solenidade.[4] O *Correio da Manhã* festejou o "fim da grande noite ditatorial no Rio Grande do Sul" e o "epílogo do borgismo intolerante e compressor".[5] No mesmo tom, o *Jornal do Brasil* informou que por causa do recesso do início do ano no Congresso a capital federal estava transformada em deserto político: "Dos poucos que por aqui ainda perambulavam, quase todos foram a Porto Alegre render homenagens ao sr. Getúlio Vargas".[6] Ao confirmar que meio mundo da política e da imprensa nacional partira em caravana à capital gaúcha, *O Globo* chegou a comentar: "Pelo que parece, todos querem ver de perto se o sr. Borges de Medeiros deixa mesmo o governo. A notícia é realmente assombrosa e dessas que só vendo para acreditar".[7]

Na avalanche nacional de notícias positivas sobre a posse de Getúlio no Rio Grande do Sul, nada se comparou ao artigo estampado na primeira página de *O Jornal*, assinado por Assis Chateaubriand:

O sr. Getúlio Vargas é um homem deveras simpático e insinuante. Não é um magnético que fulmine pela força da atração pessoal; mas é uma criatura de uma comunicabilidade fora do comum. [...]

O sr. Getúlio Vargas está colocado entre duas grandes forças que prometem entrechocar-se — São Paulo, a corrente reacionária, e Minas, a liberal —, na posição de um manso estuário. Se atingirmos a qualquer impasse, ele servirá de ponte para todos atravessarem. [...]

O sr. Getúlio Vargas é uma novidade que, sem embargo de sair das entranhas do dr. Borges de Medeiros, toda a gente saúda como um novo sol.[8]

Em Porto Alegre, tudo havia sido pensado nos mínimos detalhes para oferecer o devido esplendor à data, a partir da escolha do local para a festa. Semanas antes, técnicos da Secretaria de Obras Públicas haviam condenado o prédio original da Assembleia dos Representantes, por temer que as estruturas do velho edifício não suportassem o afluxo de pessoas aguardado para a cerimônia. Por ocasião da convenção do Partido Republicano Rio-Grandense, no fim do ano anterior, o assoalho de madeira do segundo piso da Assembleia vergara sob o peso dos muitos convidados, formando uma acentuada barriga no teto do pavimento inferior, a ponto de não se conseguir abrir as portas internas.[9]

Por questões de segurança — mas também de fausto —, transferira-se o primeiro ato da cerimônia de posse para a majestosa sede da Faculdade de Medicina, um prédio de arquitetura eclética, inaugurado quatro anos antes e capaz de receber de uma só vez todos os oitocentos convidados especiais do novo governo — ministros, presidentes estaduais, embaixadores, oficiais militares, senadores, deputados federais, desembargadores, juízes e representantes das classes produtoras. O restante do público, o povo, ocuparia as ruas e avenidas contíguas ao prédio da faculdade, todas embandeiradas com as cores da República e do Rio Grande do Sul.[10]

A caneta com que Getúlio assinou o compromisso de posse — forjada em ouro maciço, cravejada de brilhantes, avaliada em cerca de sete contos de réis e adquirida por subscrição popular — ficara exposta na vitrine da tradicional Joalheria Ibañez, na rua da Praia, arrancando exclamações dos transeuntes.[11]

O aparato com que se revestiu a solenidade só contrastou com a informalidade do novo presidente. Apesar dos convites oficiais exigirem o uso do traje a rigor aos convidados, o leve paletó de verão com que Getúlio Vargas compareceu à Assembleia chamou a atenção pela surpreendente sem-cerimônia. Ao dispensar a casaca, Getúlio parecia querer transmitir a impressão de que a simplicidade e a leveza — a despeito do Kissel e da caneta vistosa — seriam as marcas de sua gestão.[12]

Quando o carro presidencial parou em frente ao palácio do governo, nova aclamação popular esperava por Getúlio. Ele desceu do automóvel ainda sorridente e tirou o chapéu para ouvir o Hino Nacional, executado pelos clarins da banda do Exército. Os veículos que conduziam os convidados especiais só foram chegando pouco a pouco, à proporção que conseguiam vencer, depois de quase uma hora, o pequeno percurso que separava o palácio do governo e a Faculdade de Medicina, distantes cerca de um quilômetro. Por causa do engarrafamento colossal, a maioria da plateia que assistira ao juramento perante os deputados perdeu a transmissão oficial de posse. Por isso, não viu um lacônico Borges de Medeiros passar o governo às mãos de Getúlio Vargas, depois de uma fala de não mais de um minuto. Getúlio, igualmente conciso, agradeceu as palavras protocolares de Borges e garantiu que, no poder, manteria solidariedade irrestrita ao antecessor.[13] A cortesia mútua buscava, em vão, encobrir o notório estremecimento entre eles.

Borges de Medeiros ficara aborrecido ao pôr os olhos na lista de nomes do novo secretariado estadual. Todas as suas indicações foram solenemente ignoradas por Getúlio. Os auxiliares diretos do novo governo eram representantes da ala mais moça do partido. Não havia nenhum medalhão entre eles, o que explicitava a relativa autonomia com que Getúlio Vargas pretendia governar o Rio Grande do Sul.[14]

Para a poderosa Secretaria do Interior e Justiça, Getúlio nomeou o jovem Oswaldo Aranha, que com isso passava a ser considerado o homem mais forte do governo, logo abaixo do presidente estadual. Para a Fazenda, Getúlio escolheu o deputado federal Firmino Paim Filho, antigo colega da Faculdade de Direito e da redação de *O Debate*. A chefia de Polícia ficou em família, com a nomeação do desembargador Florêncio de Abreu — concunhado de Getúlio, casado com Wanda Sarmanho, irmã de Darcy. O escritor João Pinto da Silva e Walder Sarmanho, antigos auxiliares no Ministério da Fazenda, foram investidos na função de secretários de gabinete.[15]

Entre os convidados para a posse, notaram-se duas expressivas ausências. Exatamente as dos presidentes estaduais de Minas Gerais e São Paulo, Antônio Carlos e Júlio Prestes. Nenhum dos dois apareceu para retribuir a visita que Getúlio lhes fizera no fim do ano anterior, na condição de presidente eleito do Rio Grande do Sul. Calculou-se que ambos evitavam um possível encontro, pois um simples aperto de mãos entre eles poderia render as interpretações mais variadas, em especial diante das lentes dos fotógrafos. Antônio Carlos e Júlio Prestes preferiram manter prudente distância do evento. Limitaram-se a remeter telegramas cordiais a Getúlio e a enviar representantes. Mesmo assim, um assunto dominaria as conversas dos jornalistas naquele dia em Porto Alegre: o papel que o novo presidente do Rio Grande do Sul desempenharia nas articulações políticas com vistas à sucessão nacional.[16]

O mesmo ocorreu no dia seguinte, quando foi oferecido um banquete aos convidados, nas luxuosas dependências do Grande Hotel. O cardápio escrito em francês e impresso em letras douradas informava que a casa reservara uma sala específica aos que, como o anfitrião, não dispensariam as tradicionais baforadas após o jantar. No ambiente enevoado pela fumaça dos charutos, só se falou da eleição presidencial. Minutos antes, à hora do champanhe, Getúlio levantara da cadeira, erguera a taça e explicara, durante o brinde oficial, por que trouxera todos a Porto Alegre. A intenção, revelara, era mostrar ao restante do Brasil que o Rio Grande do Sul não seria uma terra de bárbaros e selvagens degoladores, como muitos talvez imaginassem.

"O Rio Grande não é mais a terra dos entreveros, das lutas ásperas", disse Getúlio. "O Rio Grande do Sul é hoje uma grande oficina de trabalho, um riquíssimo centro de produção."[17]

O recado estava dado: os gaúchos haviam contornado as dissensões internas e queriam ser ouvidos sobre os destinos do país. Entendeu quem quis. E também quem não quis. Postado em um dos lugares de honra da mesa, o deputado paulista Manuel Vilaboim, representante oficial de Júlio Prestes à cerimônia, propôs um segundo brinde, em nome do povo de São Paulo. Depois de agradecer a hospitalidade dos rio-grandenses, Vilaboim teceu largos elogios a Borges de Medeiros, fazendo votos para que Getúlio, a quem classificou como um "discípulo amado" do velho chefe do PRR, seguisse os passos do "cidadão insigne" que, em cinco mandatos, com "desprendimento exemplar", governara o Rio Grande do Sul. Os aplausos foram apenas educados. Por certo, muitos aguardavam uma saudação mais calorosa, menos oblíqua, da parte do porta-voz do pré-candidato a presidente da República.[18]

Numa época em que reuniões em mesas de banquete serviam para medir a cordialidade e a temperatura das alianças políticas, os dois brindes, o de Getúlio e o de Vilaboim, pareciam ensaiados para surtir efeitos contrários. De um lado, Getúlio vendia a imagem de um novo Rio Grande, progressista, influente e democrático, capaz de ombrear-se politicamente com Minas Gerais e São Paulo no comando da Federação. De outro, Vilaboim cuidara de não inflar as pretensões daquele gaúcho matreiro, que cada vez mais exibia um desembaraço nato para as articulações de bastidores. Postados frente a frente, ante porções generosas de frutos do mar, fiambres de peru, perdizes assadas e filé à Montmorency, um orador estudava o outro, como se investigassem se estavam brindando um futuro aliado ou um adversário em potencial.

Os analistas políticos do *Correio do Povo*, que costumavam ser sagazes nas avaliações, diziam que muita água ainda iria passar pelo Guaíba antes da eleição presidencial: "Já se chegou a afirmar que os paulistas, para obter a aliança com o Rio Grande do Sul, lançarão a chapa Júlio Prestes Getúlio Vargas", lembrou o jornal. "Isso seria um péssimo negócio para o Rio Grande, que dada a sua situação especialíssima poderá exigir mais e melhor."[19]

Mais e melhor. Era exatamente o que queria o Rio Grande do Sul. Foi com essa certeza que os convidados se despediram de Porto Alegre naqueles dias em que um filme com as cenas da posse de Getúlio — "em três partes longas e nítidas", como diziam os anúncios nos jornais — entrava em cartaz nos principais cinemas de Porto Alegre. Foi um recorde instantâneo de bilheteria, desbancando *Pecadora sem malícia*, produção da Universal com o galã Huntley Gordon e a encantadora Billie Dove no elenco.[20]

Getúlio, estava claro, era um sucesso.

Seis meses após o início do mandato, no fim da tarde de 22 de junho de 1928, João Neves da Fontoura, o vice-presidente do Rio Grande do Sul, procurou Getúlio no palácio do governo para uma conversa reservada. A audiência se prolongaria até altas horas da noite.

"Tu não acreditas que na próxima sucessão presidencial seja a vez do Rio Grande do Sul?", indagou João Neves.

Getúlio, que costumava passar alguns segundos em silêncio antes de responder a perguntas embaraçosas, não demonstrou nenhuma hesitação:

"Não, não creio. O candidato do Washington Luís é o Júlio Prestes."

João Neves insistiu. A candidatura de Prestes, argumentou, quebraria a tradicional alternância entre mineiros e paulistas, atropelando as pretensões de Antônio Carlos de Andrada. Estabelecida a ruptura, tudo passava a ser possível.

"O Antônio Carlos é osso duro de roer", disse Neves.

"Isso é teoricamente certo", observou Getúlio. "Mas o Antônio Carlos não está em condições de enfrentar o Júlio numa campanha eleitoral comandada pelo presidente da República. Seu ponto de apoio pessoal nos estados é bastante vago."

A conversa chegara aonde João Neves pretendia.

"E qual será a postura do Rio Grande, uma vez que o Catete apresente a candidatura de Júlio Prestes?", interrogou.

"Acho cedo para firmarmos uma diretriz. Tudo vai depender dos acontecimentos", respondeu Getúlio, evasivo.

João Neves decidiu mudar de tática e ser mais direto:

"E se o choque abrir margem para a possibilidade de tua escolha como companheiro de chapa de Júlio Prestes, tu aceitarias?"

Getúlio, dessa vez, ficou em silêncio.

Depois da pausa calculada, afirmou:

"Eu fui eleito para governar o Rio Grande do Sul. Isso é muito mais do que ser vice-presidente da República. Em qualquer caso, penso que o Rio Grande não pode e nem deve, de acordo com a nossa tradição, colocar-se à frente de um movimento para levar um dos nossos ao Catete."[21]

Getúlio estava sendo coerente com o velho manifesto do PRR, lavrado ainda em 1898, que dizia: "O Rio Grande nunca propôs nem proporá, por iniciativa própria, candidato seu à presidência da República, porque não nutre preocupações de vaidade local e prefere manter-se na constante convivência da comunhão nacional".[22] Na verdade, antes disso, Júlio de Castilhos alimentara veleidades de ser o sucessor de Floriano Peixoto. Preterido, dissimulou as decepções com a justificativa expressa no manifesto. O isolacionismo, levado a cabo como princípio doutrinário e respaldado pelo modelo federativo da então Constituição nacional, passou a ser então essencialmente estratégico. Na prática, o verdadeiro sentido que essa sentença acabou por incorporar ao longo da história rio-grandense dos primeiros anos de República era o seguinte: o Rio Grande não se intrometia com o resto do Brasil, para que o resto do Brasil não se intrometesse em assuntos internos do Rio Grande. Ou, dito de outro modo, como queria o jargão dos pampas:

"Eu governo a minha casa, cada qual governa a sua."

Ao deixar o palácio naquela noite, João Neves tomou nota dos principais pontos da conversa de poucos minutos antes, buscando reproduzir o diálogo com a maior fidelidade possível. Neves desconfiava que estivesse vivendo um momento histórico e pretendia, mais tarde, contar em detalhes, por escrito, tudo que vinha testemunhando à época. Em suas anotações, deu uma interpretação pessoal às palavras de Getúlio. O Rio Grande jamais deveria tomar a iniciativa de lançar um candidato, estava certo; mas nada impediria o estado de aceitar a candidatura de um gaúcho ao Catete, desde que tal possibilidade fosse endossada publicamente por outras forças estaduais. Do Rio Grande do Sul poderia nascer o possível *tertius*, o curinga, a alternativa redentora entre as rusgas de São Paulo com Minas Gerais.

Mas Getúlio Vargas, bem sabia João Neves, não apressaria o rumo dos acontecimentos. "A técnica de Getúlio consistia em jogar com as cartas e a impaciência do adversário. Não com as próprias", escreveria Neves em seu futuro livro de memórias.[23]

A cautela, nesse caso, tinha motivos óbvios. Desde o discurso de despedida do Ministério da Fazenda, em dezembro do ano anterior, Getúlio deixara claro que desejava preservar um tom amistoso na relação com Washington Luís. Ao entregar a pasta das finanças, chegou a afirmar que deixava no Catete não um ex-chefe, mas "um mestre e amigo". Na ocasião, jurara subserviência canina ao presidente da República:

"O Rio Grande do Sul apoiará com firmeza e prestigiará com lealdade e entusiasmo o governo de Vossa Excelência", dissera Getúlio, na fala de agradecimento ao presidente da República, que lhe retribuíra com idêntica cordialidade.[24]

Nas cartas trocadas em seguida entre os palácios do Catete e do governo gaúcho, conservou-se o mesmo clima de amabilidade recíproca: "Pode contar, com toda segurança, com o meu apoio e com o meu auxílio à sua ação no Rio Grande do Sul", escrevera Washington Luís a Getúlio.[25]

João Neves tinha razão. Getúlio Vargas não arriscaria um movimento em falso, indispondo-se com o governo federal à toa — ou, pelo menos, antes da hora adequada, já que ainda faltava mais de um ano para as eleições nacionais. O êxito da nova administração no Rio Grande do Sul dependeria, em grande parte, da boa vontade do presidente da República. Confrontá-lo com uma candidatura intempestiva, à revelia do Catete, seria suicídio político, um desatino administrativo.

Ao mesmo tempo, era evidente a oportunidade histórica que a corrida sucessória abria para o estado, depois de os gaúchos terem sido relegados por tanto tempo a um papel secundário na vida eleitoral brasileira. Desde a morte de Pinheiro Machado, em 1915, o Rio Grande do Sul não contava mais com um representante político de expressão nacional. O nome de Getúlio, tudo indicava, estava pronto para ocupar esse vácuo. Todavia, em um cenário que poderia envolver tanto ganhos polpudos quanto perdas irreparáveis, tudo deveria ser encaminhado com discrição e tato. Qualquer risco teria que ser medido antes.

"Fundamentalmente discípulo de são Tomé, Getúlio não dava um passo sem prévia segurança do terreno. Doutrinas, fantasias ou hipóteses não o enfeitiçavam", bem sabia João Neves da Fontoura.[26]

Ciente da complexidade do caso, João Neves viajou ao Rio de Janeiro para assumir uma cadeira de deputado federal, acumulando o cargo com o de vice-presidente do Rio Grande do Sul, conforme facultava a legislação em vigor. Eleito para uma das duas vagas deixadas abertas pelos novos secretários de estado Oswaldo Aranha e Paim Filho, e nomeado por Getúlio líder da bancada gaúcha na Câmara, Neves cumpriria um duplo papel na capital da República. De um lado, agenciaria os interesses administrativos do Rio Grande junto ao Catete. De outro, conduziria as articulações políticas relativas à sucessão de Washington Luís, com a devida cautela que a circunstância exigia.

Mas ele mesmo, João Neves, não tinha mais nenhuma dúvida a respeito. De um modo ou de outro, no tempo certo, o Rio Grande do Sul seria a peça-chave na disputa pela presidência da República. Restava saber do lado de quem — e contra quem. Minas? São Paulo? Até ali, tudo era incógnita. Das duas, uma: ou o Rio Grande conseguia a proeza de ter um gaúcho indicado por um daqueles dois estados, ou, nas palavras de João Neves, "a temível lei da inércia" acabaria arrastando-os para o colo de Júlio Prestes.[27]

"Filha minha não dança!"

Getúlio estava indignado com a insistência de Alzira e Jandira, que haviam chegado à idade dos namoricos e dos bailes de fim de semana.

"Mulher foi feita para tomar conta de casa. Precisa é saber costurar e cozinhar", ralhou o pai.[28]

Nesse ponto, Darcy interveio. Ela não só apoiava as saídas juvenis das filhas como, ao contrário do que queria Getúlio, sustentava a tese de que as meninas deveriam prosseguir nos estudos, para obter uma formação intelectual mais sólida, coisa que ela própria, Darcy, não tivera oportunidade de receber, dado o conservadorismo reinante no antigo solar dos Sarmanho, em São Borja. Pela vontade paterna, Alzira e Jandira só sairiam de casa em passeios pela cidade se fosse na companhia da mãe.

Aos domingos, depois do jantar, Getúlio gostava de levar os filhos ao Cinema Central, onde o governo do estado mantinha um camarote reservado. Era a única regalia oficial que Getúlio se permitia compartilhar com a família. O trajeto até o cinema era feito a pé, pois fora do horário normal de expediente o Kissel presidencial permanecia estacionado na garagem, a não ser em ocasiões especiais, como recepções e solenidades públicas, sempre no estrito exercício do cargo.[29]

Para Getúlio Vargas, já bastava a mordomia de morar em um impressionante palácio de arquitetura francesa, decorado com lustres, vasos, estatuária e mármores finos, no melhor estilo Luís XVI. A nova sede do governo gaúcho, inaugurada havia apenas sete anos por Borges de Medeiros, havia sido até então local exclusivo de despachos. No início do novo governo, o edifício — que anos depois, em 1955, seria oficializado como Palácio Piratini — fora completamente reformado, para incluir funções residenciais e receber a família de Getúlio.[30]

Após a reforma, o cômodo em que funcionara a secretaria do Interior foi adaptado para instalar um salão de banhos, item não previsto no projeto arquitetônico original. A sala antes ocupada pela chefatura de polícia se transformou em ampla cozinha, onde Darcy passou a comandar o serviço doméstico, entre panelas e baixelas importadas. Aos móveis franceses originais, foram somados outros, desenhados no mesmo estilo pela firma Arturo Jamardo & Irmãos, uma das mais elegantes da capital gaúcha.[31] Na fachada, duas estátuas representavam a Agricultura e a Indústria. A primeira remetia a Ceres, divindade romana da vegetação e da terra. A indústria se fazia representar por outra figura feminina, uma vez que o coxo Vulcano, o mais feio dos deuses, foi considerado de mau gosto pelos construtores.[32]

O novo padrão de vida não alterou os costumes prosaicos de Getúlio. Aos sábados, ele pegava o chapéu, acendia um Soberano e saía sozinho em longas caminhadas pela rua da Praia, parando diante das vitrines das livrarias, como fizera nos tempos de estudante. Demorava-se, em particular, à porta da Livraria do Globo, onde seu secretário de governo, João Pinto da Silva, voltara a animar as rodas de conversas, ora declamando poemas do simbolista francês Samain com voz aveludada, ora contando outra de suas impublicáveis anedotas.³³

Apadrinhada por Getúlio, a Livraria do Globo passaria a editar, a partir de 1929, uma publicação quinzenal que marcaria época na imprensa brasileira: a *Revista do Globo*, nascida da constatação de que uma cidade como Porto Alegre, de 400 mil habitantes, dispondo de boas livrarias e de uma vida cultural relativamente agitada, não poderia deixar de ter seu próprio semanário ilustrado de informações, mundanismo e literatura.³⁴ A cosmopolita *Revista do Globo*, que em sua edição de estreia traria uma foto autografada de Darcy Vargas em uma das páginas de abertura, era caracterizada pelo arrojo gráfico e editorial. Ao longo de quatro décadas de existência, abrigaria textos com as assinaturas dos mais destacados escritores gaúchos de seu tempo, de Raul Bopp a Mário Quintana, de Viana Moog a Erico Verissimo. Incentivador da cultura e eterno *flâneur* do centro de Porto Alegre, a figura acessível do novo presidente estadual acabou seduzindo os formadores de opinião locais, que haviam se habituado, durante anos, ao comportamento recluso e carrancudo de Borges de Medeiros. A propósito, o jornal gaúcho *Diário de Notícias* publicou uma crônica que ilustrava bem a simpatia da imprensa regional por Getúlio. Dizia o texto, assinado apenas pela inicial "C":

A população de Porto Alegre anda de cara espantada, assistindo coisas que nunca, jamais imaginara assistir. O sr. Getúlio Vargas, atual presidente do estado, é que veio provocar este espanto entre os habitantes pacatos da cidade. [...]

Sua Excelência anda na rua sozinho, despido de todas as complicadas insígnias presidenciais, de todos os solenes e antipáticos revestimentos protocolares; vai a pé ao barbeiro, para nas esquinas; conversa com os amigos; foge das rodas dos engrossadores [puxa-sacos]; fuma o seu charuto; sorri; e não se esquece das velhas amizades de outros tempos; e assim ao topar com um amigo — mesmo que este amigo seja um adversário político — ele tem na sinceridade do seu abraço um movimento de comovido interesse pelo obscuro sujeito que ficou marcando passo à margem do caminho.

[...]

Ainda ontem inquirimos um camarada sobre a impressão de tal fato completamente estranho aos anais da nossa alta política governamental. E esse amigo nos respondeu:

— Minha Nossa Senhora, nunca vi isso! Na certa que o mundo está por se acabar... Desde que me conheço por gente, não tive jamais o topete de topar sozinho, na rua, com o presidente.

— Então acha o fato extraordinário?

— Simplesmente extraordinário. Pois você não vê? O homem até dá adeus para a gente, aperta a mão e conversa. Onde já se viu isso?[35]

A mesma impressão era compartilhada por Paulo Hasslocher, jornalista rio-grandense radicado no Rio de Janeiro, um dos dândis mais notórios da capital federal e que, em contraste com a desafetação de Getúlio, só saía à rua devidamente paramentado de polainas, monóculo e cartola. "O sr. Getúlio Vargas é o ídolo do Rio Grande do Sul. Entre os seus mais ardentes admiradores se contam os próprios oposicionistas", admirava-se Hasslocher. "Não se encontram descontentes, não há um só indivíduo queixoso da vida e do governo no Rio Grande", afiançara ele em entrevista à imprensa carioca, após retornar de uma viagem à terra natal, de onde estivera ausente por dez anos.[36]

As palavras de Hasslocher podiam ser tão exageradas quanto seu excêntrico modo de trajar, mas não eram desprovidas de verdade, pelo menos no que dizia respeito à popularidade de Getúlio Vargas. Ele não só passara a receber em palácio os líderes da oposição para lhes ouvir as queixas políticas, como também determinava que os resultados das eleições municipais fossem respeitados, contrariando a lógica das atas falsas e da eterna coerção de adversários. Isso não significava que os antigos tumultos entre pica-paus e maragatos houvessem desaparecido por encanto do solo gaúcho. Continuavam a se registrar, é verdade, os inevitáveis entreveros políticos, principalmente depois do fato de catorze eleições municipais terem sido vencidas pelos oposicionistas.[37] A diferença estava na forma como Getúlio administrava esses conflitos.

Quando a oposição triunfou na cidade de Dom Pedrito, situada na região da fronteira com o Uruguai, os republicanos locais ameaçaram promover a tradicional virada de mesa: o Conselho Municipal anulou arbitrariamente o resultado das urnas, com a conivência da polícia, que praticou violências de toda ordem contra os eleitores rivais à situação. Getúlio não demorou a agir.

"O que está em jogo em Dom Pedrito é a honra do meu governo", afirmou aos oposicionistas que foram procurá-lo a respeito do caso.[38]

Getúlio mandou instaurar inquérito contra os agressores, demitiu os envolvidos no episódio e enviou para o município o subchefe estadual de polícia, acompanhado de um destacamento da Brigada Militar, para impor a ordem.[39] A estratégia era dar com uma mão para tirar com a outra: protegido pelo justo argumento de que o Executivo não podia intervir numa pendenga cuja decisão caberia ao Judiciário, Getúlio recomendou, manhosamente, que o candidato republicano derrotado apelasse ao Tribunal de Justiça, ao passo que ofereceu as garantias para que o oposicionista vencedor, o libertador Oscar Carneiro da Fontoura, assumisse o comando municipal durante a tramitação do caso.[40] A tática de protelar a solução final e anestesiar as desavenças enquanto possível surtia efeito. O deputado Batista Lusardo, em entrevista ao jornal *O Globo*, elogiou:

"Já se respira nos pampas uma atmosfera de desafogo."[41]

Outro exemplo claro de como se dava a prática do toma lá dá cá se registrou na cidade de Camaquã, onde libertadores e republicanos não chegaram a um acordo e prometiam promover uma disputa acirrada pela intendência municipal. Getúlio sugeriu que, dadas as desavenças, deveria ser apresentada nova chapa, encabeçada por um político republicano, mas alheio à política local, reservando-se o lugar de vice aos libertadores.

"Como já contamos com maioria do Conselho Municipal, cuja eleição não foi anulada, ficariam os adversários, apenas, com a vice-intendência", explicou Getúlio a Borges de Medeiros. "Em compensação, eu daria um cargo público ao nosso atual candidato à intendência", detalhou.[42]

O novo estilo de governar imposto por Getúlio, como era de imaginar, provocou indisposições nas alas mais conservadoras do PRR, que o acusavam de ser condescendente demais com a "maragatada".[43]

"Várias vezes fui interpelado por correligionários que queriam saber por quais razões eu permitia a posse de inimigos", relembraria Getúlio, em entrevista, anos mais tarde. "Costumava responder que nada podia fazer. Se haviam perdido as eleições, apesar do apoio do governo estadual, dos recursos do município e da interferência dos delegados de polícia, era porque simplesmente o povo não estava com eles."[44]

Para aplacar a contrariedade dos companheiros de partido, Getúlio recorreu a um expediente simbólico, por saber que o gesto calaria fundo na alma dos republicanos históricos: manteve cercada de rapapés oficiais a romaria ao túmulo de Júlio de Castilhos, repetida todo ano, sempre na data de aniversário de morte do "Patriarca", 24 de outubro.[45] Com o mesmo propósito, fez seguidas visitas de cortesia a Borges de Medeiros, para estabelecer um canal de comunicação respeitoso e suavizar as animosidades das primeiras semanas de governo.[46] De comum acordo, decidiu-se que Getúlio cuidaria estritamente da administração do estado, enquanto Borges continuaria dando as ordens no PRR.[47]

"Para governar sem embaraços, não tratarei de política, que ficará inteiramente a cargo do diretor do partido", prometeu Getúlio, como se fosse possível separar uma coisa da outra.[48]

Conforme reza a tradição familiar, o discurso conciliatório de Getúlio teria contagiado até mesmo o velho Modesto Dornelles, arqui-inimigo dos Vargas em São Borja. Segundo consta, durante uma enfermidade que o deixou prostrado na cama e imaginando-se no leito de morte, Dornelles teria mandado chamar os filhos à cabeceira para lhes expressar o último desejo:

"Os Dornelles não brigam mais com os Vargas. Sigam o Getúlio."[49]

Reunidas sob uma nova legenda — Partido Libertador — e lideradas por Assis Brasil, as oposições gaúchas decidiram oficializar a trégua em relação ao governo estadual, o que abriu caminho para uma gradativa reconciliação entre as oligarquias regionais no Rio Grande. Na Assembleia dos Representantes, os libertadores passaram a apoiar ações administrativas do governo, o que decretou o esfriamento da oposição no estado. Nas páginas do *Correio do Sul*, o sarcástico Fanfa Ribas ironizava a onda de popularidade de Getúlio:

> O sr. Getúlio Vargas, com os seus primores de educação, a sua fidalguia de maneiras e a sua impecável dialética de príncipe feliz da República, a todos trata com urbanidade e com afeto, distribuindo sorrisos à multidão, aos amigos, aos frequentadores do palácio, aos soldados que lhe fazem guarda, às mucamas que lhe cevam a erva de chimarrão, aos pajens que lhe vão levar às mãos os jornais, a todo mundo, enfim. Esse "todo mundo" tem admiração pelo sorriso de Sua Excelência, como "todo mundo" nos domínios da arte admira o sorriso de Gioconda, que o pincel de Da Vinci divinizou.[50]

Com a oposição amainada, Getúlio não teve dificuldades para aprovar na Assembleia o maior empréstimo de toda a história do Rio Grande do Sul: 42 milhões de dólares, tomados ao banco norte-americano de investimento White Weld & Company, sediado em Boston, ao juro de 6% anuais e com prazo de amortização de quarenta anos. Pela primeira vez, os deputados oposicionistas não condenaram um pedido de empréstimo externo feito pelo governo estadual. Getúlio os convencera da oportunidade do negócio. Empregou parte da montanha de dinheiro na antecipação do resgate de títulos da dívida estadual, oriundos dos empréstimos anteriores feitos por Borges de Medeiros — e sobre os quais incidiam taxas mais elevadas, de 8% a 10%, o que vinha sufocando a economia regional.[51]

Além de reequilibrar as finanças estaduais, a operação também possibilitou a contratação de uma série de obras estruturantes no interior do estado, idealizadas para facilitar o escoamento da produção agropecuária. Mas, em essência, o novo numerário tornou possível a criação de uma instituição oficial de crédito rural e hipotecário, o Banco do Estado do Rio Grande do Sul (BERGS). Com isso, Getúlio Vargas cumpria a promessa feita aos produtores ainda no discurso da vitória, no fim do ano anterior. Um dos primeiros favorecidos com uma linha de crédito do novo banco foi exatamente o líder do Partido Libertador, Assis Brasil, que obteve um financiamento de 1,5 mil contos de réis, fato que foi entendido como prova categórica de que o Rio Grande do Sul inaugurava uma nova fase histórica, em que os atos do governo não mais eram ditados ao sabor dos ventos partidários.[52]

"Vargas namorava os adversários com uma ternura dom-juanesca", dizia o amigo João Neves. "Ele tinha a volúpia de atrair os mais insolentes contendores."[53]

Ao lado dos pecuaristas, os cultivadores de arroz e de trigo foram os grandes beneficiados pelos largos financiamentos do BERGS. Numa charge da época, Getúlio aparecia com chapéu e avental de padeiro, retratado como o patrono da triticultura no estado, setor que passou a experimentar grande impulso: "Ele está convencido de que o próximo quadriênio será o do café com pão", brincava a legenda, em referência a uma possível alteração de protagonistas na República do café com leite.[54]

De fato, com a política de conciliação, Getúlio construía as bases para uma grande aliança estadual, algo decisivo para as pretensões de uma candidatura rio-grandense ao Catete. Somente com o estado marchando unido em torno de um mesmo nome haveria alguma mínima chance de êxito. Para seguir na estratégia de contemplar sem distinção maragatos e pica-paus, estancieiros e classes médias urbanas, fazendeiros e comerciantes do litoral, Getúlio precisou adaptar seu discurso e amoldar algumas de suas mais caras convicções pessoais.[55]

Ao discursar no II Congresso Estadual dos Criadores, em abril de 1928, o mesmo Getúlio que um dia, quando deputado estadual, trocara farpas com a representação ruralista na Assembleia, fez uma verdadeira apologia aos criadores de gado, retratando-os como o símbolo máximo da "epopeia gauchesca". A bandeira nacionalista que o então deputado Getúlio Vargas empunhara — a pretexto da encampação das obras do porto e das linhas férreas no governo de Borges de Medeiros — também foi substituída por um discurso francamente favorável ao capital externo, numa evidente consequência do empréstimo norte-americano que acabara de tirar o Rio Grande do atoleiro.[56]

Até mesmo o conhecido anticlericalismo de Getúlio sofreu notável inflexão. Em visitas a escolas religiosas de Porto Alegre, ele reservaria os elogios mais entusiasmados à pedagogia católica. Quando esteve no tradicional Ginásio Estadual Bom Conselho, dirigido por freiras franciscanas da Congregação da Penitência e Caridade Cristã, Getúlio deixou no livro de honra da escola a seguinte anotação, de próprio punho: "A ordem, o asseio e o aproveitamento que observei no Ginásio Bom Conselho constituem bem o reflexo dos ensinamentos morais com que a religião disciplina o espírito". Entre as alunas que o saudaram com declamações de poemas patrióticos e religiosos naquele dia, estavam as filhas Alzira e Jandira, matriculadas no Bom Conselho desde o início do ano.[57]

Ainda no terreno da "moralidade e dos bons costumes", Getúlio decretou guerra à jogatina no estado. Durante todo o seu governo, seriam constantes as notícias de batidas policiais em agências clandestinas de loteria e de jogo do bicho, além da interdição de casas que promoviam noitadas em volta da roleta e mesas de baralho. O cerco não poupou nem mesmo as barracas de jogos de azar da tradicional festa de Nossa Senhora dos Navegantes e — o que era mais insólito — o elegante Clube dos Caçadores. A ação contra as "casas de tavolagem" foi desencadeada e coordenada pessoalmente pelo titular da Chefia de Polícia, Florêncio de Abreu, o concunhado de Getúlio.[58]

Onde quer que existisse uma mesa coberta de pano verde, a Brigada Militar estendeu a sua "campanha de saneamento moral", como classificou a imprensa porto-alegrense. Os proprietários recebiam a ordem de lacrar as portas e a intimação para comparecer à chefatura de polícia. Nos mercadinhos e armazéns, os cartazes e quadros negros com o resultado do jogo eram apreendidos e, após arrolados como provas nos inquéritos policiais, sumariamente destruídos.[59]

A cruzada contra o jogo atendia a um clamor público. A direção do Clube dos Caçadores provocara a indignação dos moradores mais conservadores de

Porto Alegre ao anunciar que iria abrir uma filial em plena rua da Praia, bem diante das casas de modas e das confeitarias frequentadas pelas senhoras mais distintas de Porto Alegre. A nova sede funcionaria em um prédio recém-construído, luxuosíssimo, de seis andares, com vitrais coloridos, escadarias suntuosas, colunas enormes e salões atapetados. A imponência do prédio, planejado pelo arquiteto Adolph Stern, professor da escola de Engenharia de Porto Alegre, chocou a tradicional família porto-alegrense pela forma ostensiva como exibia, na rua mais importante da cidade, e à luz do dia, todo o poderio econômico do mais concorrido cassino e bordel de luxo da cidade.[60]

Antes que a nova casa pudesse abrir as portas — após o local receber a visita ameaçadora de policiais e fiscais do governo estadual —, os proprietários sucumbiram à grita moralista. Desistiram do projeto de abrir a filial e trataram de repassar o imóvel para a Companhia de Força & Luz, que providenciou a instalação de escritórios no local, proporcionando uma destinação bem menos suspeita aos aposentos localizados nos fundos do prédio, cuja planta previa acessos discretos e, em alguns casos, secretos.[61]

A readequação arquitetônica promovida pelos novos inquilinos incluiu uma vitrine feericamente iluminada na fachada, onde podiam ser contempladas algumas maravilhas tecnológicas para o lar moderno — refrigeradores, ferros de passar roupa, eletrolas, rádios, enceradeiras, aspiradores de pó e ventiladores —, todos importados e, suprema maravilha, alimentados por energia elétrica, o que logo os converteria em objeto de desejo para as donas de casa porto-alegrenses.

Transformar uma libertina casa noturna em um verdadeiro monumento à eletricidade — símbolo por excelência daqueles esperançosos anos 20 — se coadunava perfeitamente com o espírito de modernização conservadora que Getúlio vinha imprimindo no Rio Grande. Nos textos oficiais produzidos pelo governo estadual, a palavra "progresso" — que fizera par ao termo "ordem" na velha divisa positivista — foi aos poucos sendo substituída por outra, de sonoridade mais contemporânea: "desenvolvimento".[62]

Não era apenas uma simples questão semântica. Uma reforma tributária alargou as alíquotas dos impostos sobre a circulação de mercadorias industrializadas e sobre os serviços, o que por si só refletia o novo perfil da economia regional. Para além da política de alianças partidárias, a gestão de Getúlio Vargas à frente do Rio Grande do Sul proporcionava uma nova correlação de forças na esfera produtiva do estado. O refortalecimento dos pecuaristas, beneficiados pelo crédito oficial abundante, ofuscou a hegemonia dos setores ligados ao ramo financeiro e mercantil, antiga base de apoio do castilhismo-borgismo e que também perderia terreno ante a ascensão das novas elites industriais. Amparado na ideologia desenvolvimentista e no discurso da modernização tecnológica da produção rural, Getúlio começava a sedimentar a mística de um Estado forte e empreendedor.[63]

O incentivo à formação de sindicatos viria a ser outra tônica da administração getulista no Rio Grande. Não se tratava de associações de trabalhadores — ainda vistas com severa desconfiança pelas autoridades da época —, mas sim entidades classistas, de natureza patronal. Congregados nessas instituições, produtores rurais tinham assento reservado nas mesas de negociações com o governo, na hora de estabelecer políticas de preços e de valorização dos estoques dos produtos regionais, como o charque, a banha, o trigo e o arroz, do mesmo modo que o Catete vinha fazendo, há anos, com o café paulista. "Ao estado cabe estimular o surgimento dessa mentalidade associativa, valorizá-la com a sua autoridade, corrigindo-lhe as insuficiências, exercendo sobre ela um certo controle, para lhe evitar os excessos", explicava Getúlio, reforçando o caráter intervencionista de sua administração.[64]

Enquanto a imprensa gaúcha saudava a era de paz e prosperidade no Rio Grande, nem todos podiam comemorar os novos cenários. A euforia inicial pela criação do Banco Estadual do Rio Grande do Sul deu lugar a uma nova ameaça de quebradeira geral no sistema bancário privado do estado, quando o BERGS abriu agências comerciais que passaram a disputar correntistas e abocanhar fatias expressivas do mercado. Getúlio, como era natural, centralizou os recursos do orçamento e da folha de pagamento do funcionalismo na nova instituição, o que contribuiu para o enfraquecimento ainda maior do já claudicante Banco Pelotense, que assim caminharia para a definitiva bancarrota. Houve quem enxergasse, no caso específico, uma marca da personalidade de Getúlio até então insuspeitada: o rancor.

Para muitos, ao não prestar um providencial socorro financeiro ao Pelotense, Getúlio Vargas fora movido pela mais solerte vingança. Afinal, o sogro havia se matado após ser posto contra a parede pela diretoria do banco. Teria chegado a hora de eles próprios, diretores do Pelotense, amargarem o sabor humilhante da falência.[65]

O envelope chegou ao Rio Grande do Sul por via aérea, em um voo da companhia Condor, que fazia a ligação comercial entre a capital gaúcha e o Rio de Janeiro. O remetente era João Neves da Fontoura. Anexada à carta, vinha a íntegra de um discurso histórico que João Neves faria dali a alguns dias em banquete no Jockey Club carioca, oferecido em sua homenagem por colegas da Câmara dos Deputados. O texto havia sido escrito e reescrito durante vários dias, em busca do tom exato. Antes de pronunciá-lo, Neves queria a opinião — e a autorização — de Getúlio Vargas.

Getúlio gostou do que leu. Mandou dizer a João Neves, por telegrama, que não mudaria uma única vírgula no texto. Ambos sabiam o que estava em jogo. Iriam correr um risco. Mas um risco calculado.[66] Estaria presente ao Jockey Club o chamado *grand monde* da política nacional. Os sete ministros de Washington Luís haviam confirmado presença. O líder do governo federal na Câmara, Manuel Vilaboim, representando o presidente da República, também. O vice-presidente do Brasil, o mineiro Mello Viana, idem. Seria um evento concorrido, marcado para 6 de novembro de 1928. Todos pressupunham que João Neves aproveitaria a ocasião para finalmente dar a entender, ainda que de modo sutil, de que lado estaria Getúlio e o Rio Grande do Sul nas eleições ao Catete.

Nos últimos tempos, Neves vinha sendo abordado por todos os lados, com sondagens furtivas a respeito do assunto. Primeiro, estivera com Júlio Prestes, que resistira à tentação de lhe indagar, de modo direto, se podia contar com o apoio irrestrito do Rio Grande a uma candidatura paulista à presidência da República. Ainda era muito cedo para falar sobre isso, conforme determinara Washington Luís aos aliados. Somente em setembro do ano seguinte, quando faltassem menos de seis meses para as eleições, eles estariam autorizados a iniciar as consultas. Antes, qualquer movimento nesse sentido apenas serviria para precipitar o epílogo da administração em andamento.

Júlio Prestes, com sutileza, se restringira a interrogar João Neves, com seu forte sotaque interiorano, a respeito da posição da bancada gaúcha quanto a dois temas que andavam na ordem do dia, provocando polêmicas de parte a parte entre governo e oposição. O primeiro era a hipótese de anistia aos tenentistas da Coluna Prestes e dos movimentos rebeldes de 1922 e 1924. O segundo, a possível instituição do voto secreto no país (pela legislação então em vigor, não havia cabine eleitoral e o eleitor recebia duas cédulas iguais, devendo depositar uma delas na urna e ficar com a outra em seu poder — datada e rubricada pelos mesários —, como "comprovante" de votação, o que facilitava o controle sobre o conteúdo do voto). A dupla questão lançada por Júlio, na verdade, embutia uma intenção oculta. O indulto revolucionário contava com a simpatia estratégica do mineiro Antônio Carlos, que permitira a um dos principais nomes da ocupação paulista de 1924, o tenente João Cabanas, realizar conferências em Juiz de Fora, após ter sido proibido de fazê-las no Rio de Janeiro.[67] O governante mineiro também esposava a tese do sufrágio secreto, já oficialmente adotado em Minas Gerais. João Neves, é óbvio, percebeu o artifício por trás da pergunta. Washington Luís, sabia-se, era contra as duas medidas.

Neves, cauteloso, disse a Júlio Prestes que respondia apenas por si. Inclinava-se a favor das duas propostas. O momento era de conciliação, de cicatrização de velhas feridas. A anistia seria um bálsamo para evitar novos surtos de vingança e arroubos revolucionários. E o voto secreto, naqueles novos tempos, podia ser entendido como garantia de lisura nas urnas, um antídoto contra as costumeiras alquimias eleitorais, argumentou.

Júlio Prestes estranhou tais palavras saídas da boca de um herdeiro político do castilhismo. Em vida, o próprio Castilhos sempre pregara o voto a descoberto, como extensão do preceito positivista de "viver às claras". O que estariam tramando os gaúchos? Júlio não se tranquilizou nem mesmo quando Neves lhe garantiu que os membros do governo federal podiam dormir sossegados, pois a bancada gaúcha não iria se bater por aquelas duas teses no Congresso. Elas deveriam amadurecer por si próprias, vindo a ser adotadas no tempo apropriado, observou. Apesar da ressalva, o pré-candidato ao Catete ficou em alerta. Decidiu enviar um telegrama para advertir o presidente da República a respeito do caso. O Rio Grande do Sul — e Getúlio, em particular — poderia estar lhes preparando uma rasteira.[68]

Ciente do ocorrido, Washington Luís quis tirar o assunto a limpo. Recebeu João Neves em audiência e comentou com ele, em tom de inconfidência, sobre o telegrama que recebera de Júlio Prestes. O presidente da República adiantou-se a dizer que considerava a anistia contraproducente à tranquilidade nacional e que era contrário a uma reforma eleitoral feita às vésperas de uma sucessão. Discreto, Neves apenas ouviu os argumentos do presidente, sem impor-lhes nenhum comentário. Mudou estrategicamente de assunto e despediu-se da audiência, deixando como lembrança um firme aperto de mão e o sorriso mais cordial que conseguiu esboçar.⁶⁹ Soou o toque de emergência no Palácio do Catete. Era preciso atrair sem demora o apoio de Getúlio à candidatura oficial.

"O presidente e a política paulista sentiram o perigo da situação", analisou João Neves, em carta a Getúlio.⁷⁰

Dias depois do encontro com Washington Luís, foi a vez de Afrânio de Melo Franco, líder da bancada mineira, abordar Neves, convidando-o para um jantar em sua residência — o número 1126 da avenida Nossa Senhora de Copacabana, no Rio de Janeiro —, um velho solar com ares senhoriais de casa-grande, ponto de encontro obrigatório de congressistas de todo o país. Desde os tempos do ex-presidente Wenceslau Brás, políticos convergiam àquelas paredes sisudas para longas conversações de bastidores.⁷¹ Ao contrário de Júlio Prestes, Melo Franco não fez rodeios. Mal pôs os talheres no centro do prato após o jantar, à hora do café, perguntou a João Neves como o Rio Grande, diante da anunciada preterição da candidatura de Antônio Carlos, receberia um eventual apoio mineiro ao nome de um gaúcho para concorrer ao Catete. Era o tipo de questão que, se feita a Getúlio, provocaria uma longa pausa antes da resposta.

O Rio Grande, argumentou Neves sem demonstrar nenhum açodamento, fazia parte da base aliada do governo federal. Após tantas revoluções internas, o estado precisava de paz para trabalhar e prosperar. Por isso, garantiu, os gaúchos jamais desfechariam uma campanha para alçar um dos seus ao Catete. Contudo, sinalizou Neves, caso "forças responsáveis e poderosas" — ele não especificou exatamente quais — levantassem a candidatura de Getúlio, ele não teria por que recusá-la.⁷²

A resposta enviesada envolvia uma evidente dose de desconfiança. A aproximação repentina dos mineiros podia ser um blefe, receavam os gaúchos. "Este é mais um truque dos mineiros para separar o Rio Grande de São Paulo", calculou o jornalista Paulo Hasslocher em correspondência a Getúlio. "Eles, que viviam de cama e mesa com os paulistas e se revezavam na presidência da República, estão alarmados e tudo farão para nos afastar e, em seguida, caírem nos braços de São Paulo."⁷³

A estratégia de Getúlio, a de não se comprometer com ninguém — e ao mesmo tempo não se fechar a nenhuma possibilidade —, atraiu as atenções políticas para o banquete do Jockey Club, no Rio de Janeiro, onde João Neves seria homenageado. Getúlio passara a manter uma atitude de misterioso silêncio em torno da sucessão nacional, como se dedicasse todas as energias pessoais à administração regional e, assim, a questão sucessória ao Catete não lhe dissesse o menor respeito. Daí todos quererem ouvir atentamente o discurso de Neves, o líder da bancada rio-grandense na Câmara. Durante a fala, nas entrelinhas, esperava-se captar algum novo indício da posição oficial dos gaúchos. Os curiosos não sabiam que o texto, aprovado por Getúlio, fora escrito com o propósito deliberado de mais sugerir do que afirmar.[74]

No Jockey, João Neves da Fontoura passou em revista as lutas históricas entre os gaúchos e os vizinhos de origem hispânica, para lembrar que os rio-grandenses sempre estiveram "com a carabina à bandoleira", prontos para acudir ao primeiro alarme, como era próprio das almas aventureiras. Mas haviam passado a defender que a solução para os problemas nacionais era na verdade a "simpatia recíproca" e o "sentimento de renúncia". O Rio Grande, afirmou Neves, membro de uma nação de vinte estados, entendia que a federação brasileira não podia ser vista como simples "espelho de vinte faces", que apenas refletisse, com "precisão matemática", as "linhas da mesma figura". Os gaúchos, portanto, uma falange forjada em "ouro e ferro", defendiam o direito às especificidades regionais. Mas não contribuiriam para "envenenar" o ambiente da política nacional com "rivalidades subalternas", pela condenável "ambição de vantagens ou postos". Ao final, brindou:

"É necessário acatar a deliberação que emana das urnas", disse João Neves. "Ergo a minha taça pela grandeza da República e pela maior glória do Brasil", concluiu.[75]

As palmas foram calorosas. Mas, mesmo entre os que aplaudiam — mineiros e paulistas, indistintamente —, muitos ficaram se perguntando, afinal de contas, qual seria o verdadeiro significado daquelas palavras, quando postas em conjunto. As interpretações ao discurso de João Neves ficaram por conta de cada um. Ao encerrar, o orador foi saudado em particular pelo presidente da Câmara, o deputado pernambucano Sebastião do Rego Barros, que afirmou poder traduzir tudo o que Neves quisera dizer em uma única sentença latina: *Nos quoque gens sumus*. Em bom português, "nós também somos gente".[76] Ou seja: chegara a vez do Rio Grande do Sul.

O deputado gaúcho Flores da Cunha, presente à solenidade, puxou discretamente o colega sergipano Gilberto Amado pela manga do paletó e indagou, de olhos bem arregalados, conforme descreveu o próprio Amado em suas memórias:

"O que você pensa disso?", interrogou Flores, que tinha excelentes relações com a bancada paulista e, por isso, considerava que os rio-grandenses deveriam apoiar a candidatura oficial ao Catete.

"É claríssimo. O Rio Grande não aceita o Júlio Prestes", lamentou Gilberto Amado.[77]

Houve controvérsias. Os jornais governistas do Rio de Janeiro analisaram, ao contrário, que João Neves fizera uma declaração de apoio absoluto à legalidade e, por extensão, de solidariedade ao governo federal. Mas, a exemplo de Rego Barros, os diários da oposição entenderam mensagem oposta: os rio-grandenses teriam acabado de proclamar, por meio de seu líder de bancada, a independência de compromissos com o Catete e um grito de guerra contra os cambalachos e barganhas eleitorais. No Congresso Nacional, houve idêntica discussão. Em pronunciamentos na tribuna, deputados da oposição destacaram as frases nas quais João Neves havia criticado os vícios do oficialismo nas eleições brasileiras, enquanto os situacionistas puseram em relevo trechos em que falara de desprendimento e renúncia.

Getúlio se deliciou com a ambiguidade. Telegrafou a João Neves cumprimentando-o pelo "brilhante discurso" e informou que o texto seria publicado, na íntegra, na edição do dia seguinte de *A Federação*, acompanhado da cópia daquela mensagem telegráfica — o que deixava implícito que a fala no Jockey Club correspondia fielmente à linha de pensamento do presidente estadual gaúcho. Ou seja: cultivar o mistério. Depois disso, sempre em combinação com Getúlio, João Neves mergulhou em silêncio tático, deixando que a dubiedade das repercussões falasse por si.[78]

"Não te poderia resumir o que tenho ouvido. A todos vou respondendo com blague, que é aqui, como sabes, a melhor arma", escreveu Neves a Getúlio. "Ontem, abordou-me o Vilaboim, comentando a opinião dos jornais. Ele não deu nenhum apreço à exploração e disse-me que o presidente apreciou muito [o discurso]. Está cada vez mais contente conosco e confiante na nossa lealdade." Algumas linhas depois, informou: "Antônio Carlos mandou o Afrânio avisar-me que aqui estará a 24 e deseja conversar comigo. Os mineiros já não fazem segredo da sua oposição à candidatura paulista. Daí a necessidade de não nos comprometermos".[79]

Um exame atento na correspondência pessoal de Getúlio não deixava margens para dúvidas. Ele considerava necessário encaminhar uma série de demandas regionais ao Catete, antes de anunciar qualquer compromisso relativo às eleições. Entre as pendências que queria ver resolvidas estavam duas matérias que diziam respeito diretamente ao êxito de seu governo no Rio Grande: a repressão ao contrabando de charque e a expansão da rede portuária e ferroviária local. Getúlio, previdente, não moveria suas peças enquanto as respectivas soluções não estivessem asseguradas.[80]

No primeiro caso, tratava-se de combater um escândalo histórico. Para chegar aos mercados consumidores nacionais, o charque rio-grandense percorria um caminho tortuoso. Seguia pela fronteira terrestre até o Uruguai, onde só a partir de então era embarcado no porto de Montevidéu, para depois retornar ao Rio de Janeiro e outras cidades brasileiras. Ao reentrar no país, por meio de guias falsas, a mercadoria vinha acrescida de várias toneladas de charque platino, que assim ingressavam no Brasil pela porta dos fundos, sem o devido recolhimento de impostos.[81]

Naquele fim de 1928, Getúlio conseguiu convencer Washington Luís a elaborar uma lei — aprovada no Congresso com a ajuda da liderança parlamentar gaúcha de João Neves — que desnacionalizava todo e qualquer quilo de charque tão logo deixasse o território brasileiro. Isso incentivava o trânsito interno de mercadorias e, por consequência, resultava em maior arrecadação para os cofres estaduais. Do mesmo modo, o Rio Grande obteve do Catete o requerido apoio para a expansão do sistema ferroviário e portuário local. Dessa forma, com a casa posta em ordem, Getúlio já podia acender mais um de seus charutos para comemorar a fatura e preparar o tabuleiro para as articulações nacionais.[82]

"Agora estamos com os nossos casos liquidados. O resto, como dizia um conterrâneo meu, é simples piolheira, diante do que já liquidamos", celebrou João Neves.[83]

Havia quem apostasse que, à última hora, dado o veto de Antônio Carlos a Júlio Prestes, Washington Luís se decidiria por um terceiro nome, que nesse caso, tudo indicava, poderia muito bem ser o de Getúlio. O deputado paulista Ataliba Leonel buscou seduzir o gaúcho Flores da Cunha com semelhante perspectiva. Ataliba foi ao Hotel Riachuelo, onde se hospedava Flores no Rio de Janeiro, e garantiu que, em longa conversa mantida com Washington Luís, este lhe segredara estar encontrando dificuldades para tornar o nome de Júlio Prestes palatável aos mineiros e, por isso, o Catete cogitava lançar a candidatura de Getúlio.

O próprio filho de Washington, Rafael Luís, confirmou a história a Flores da Cunha. Mas acrescentou que só havia um problema em tudo isso: o presidente da República teria ficado sabendo por vias travessas — e não gostara nem um pouco — de certas conversas secretas que João Neves andava tendo com o mineiro Afrânio de Melo Franco. Aqueles encontros furtivos, aconselhara Rafael Luís, podiam ser "prejudiciais" às "boas relações de Getúlio com o Catete".

Flores da Cunha ficou tão aflito com a advertência que correu ao encontro de João Neves para avisá-lo do "perigo" que poderia haver em continuar mantendo reuniões com Melo Franco. Em carta a Getúlio, Flores detalhou: "A situação para mim está clara. O dr. Washington Luís, vetada por Minas a candidatura Júlio Prestes, adotará e lançará a tua", escreveu. "A nossa situação não pode ser mais lisonjeira. Com discrição, lealdade e prudência, atingiremos a nossa meta."[84]

João Neves considerava que Flores da Cunha estava sendo precipitado e, talvez, ingênuo. Por isso mesmo, ficou pasmado ao abrir os jornais cariocas e ler, certa manhã, os trechos de um discurso que o colega havia feito na véspera, 26 de novembro de 1928, no Esplanada Hotel, em São Paulo, durante almoço promovido pelo diretório do Partido Republicano Paulista — o partido de Washington Luís e Júlio Prestes. Na ocasião, Flores dissera, textualmente, referindo-se aos gaúchos:

"Somos dos que marcham unidos, ombro a ombro."[85]

A frase, alarmou-se João Neves, soava como uma declaração indireta de apoio a Júlio Prestes. Era como se Flores houvesse dado a entender que os republicanos gaúchos marchariam "ombro a ombro com os paulistas".[86] Esta também foi a interpretação geral da imprensa, tão logo o discurso foi estampado nas manchetes dos principais jornais de São Paulo. Todo o esforço despendido por Getúlio para manter o Rio Grande do Sul em posição de provisória neutralidade ameaçava ruir. O boquirroto Flores, censurava João Neves, atropelara os acontecimentos, embora não tivesse nenhuma autoridade para falar em nome do partido. Cometera um ato de indisciplina, um abuso de função. Ele nem sequer deveria ter comparecido a um evento do qual participariam apenas parlamentares paulistas. Neves estranhou o fato de ter encontrado Flores na antevéspera e este nada lhe dizer sobre a viagem à capital paulista. De forma insidiosa, ou no mínimo desastrada, o colega de partido contrariara uma estratégia arquitetada cuidadosamente por ele, Neves, líder da bancada, com apoio do próprio Getúlio Vargas, presidente do estado.

"Tínhamos chegado a um ponto de onde se podia entrever o futuro", lamentou João Neves em correspondência a Getúlio. "Em todas as rodas políticas já o nome do presidente do Rio Grande do Sul se firmava como o candidato natural ao Catete", observou. "A candidatura rio-grandense estava virtualmente vitoriosa, com a única condição de Minas não aceitar o nome de Júlio Prestes. Isso é seguro, sobretudo depois que os mineiros sentiram a nossa reserva", escreveu Neves. "O que faltava para nos conduzir ao triunfo? Apenas isso — lealdade ao presidente e discrição de atitudes. Na ocasião de tratar das candidaturas, trataríamos de assentar a nossa, que seria a de todos."[87]

Mas a situação havia chegado a uma encruzilhada perigosa, avaliava Neves. Washington Luís, após as palavras inconvenientes de Flores da Cunha no Esplanada Hotel e da ampla repercussão que obtiveram na imprensa, voltaria a se sentir o dono da situação, com direito a determinar os rumos das eleições presidenciais. Como reprimenda, Neves pensou em mandar Flores de volta a Porto Alegre, onde deveria permanecer calado até que a poeira baixasse.

"O sr. Flores da Cunha tomou o compromisso de não abrir mais o bico, retirando-se para o Rio Grande, em retiro espiritual, por longo tempo", zombou o editorial de *O Globo*, sob o título "Nos camarins da politicalha".[88] Nas páginas de *A Manhã*, uma manchete condenou o que chamava de "incoerências gaúchas": o líder rio-grandense no Congresso, João Neves, aparentemente falava uma coisa e um membro da bancada, Flores da Cunha, outra.[89] Já *O Imparcial* avaliou que os paulistas haviam armado uma arapuca e os inadvertidos gaúchos se deixado enroscar nela: "O sr. Flores caiu na armadilha, colocando o seu partido em situação crítica".[90]

Como o encerramento do ano legislativo já estava próximo, permitiu-se que Flores continuasse no Rio, para evitar piores comentários. Mas foi orientado a submergir. Não deveria fazer mais pronunciamentos públicos, esquivando-se dos jornalistas, a fim de se prevenir de novos desgastes. O bombardeio, entretanto, continuou cerrado. Tudo era pretexto para as mais inesperadas especulações. *O Jornal*, de Chatô, em meio à barafunda, resolveu publicar uma edição especial em homenagem ao Rio Grande do Sul, trazendo uma ilustração a bico de pena em que se via um gaúcho em trajes típicos, montado a cavalo e de laço na mão. Um aspecto não passou despercebido aos mais detalhistas. Na imagem, o gaúcho segurava o laço com a mão canhota, quando de acordo com a tradição dos pampas deveria estar utilizando a mão direita.[91]

Até ali os maledicentes puderam ver uma mensagem cifrada. Chatô estaria querendo dar a entender que, apesar do discurso de Flores da Cunha, os gaúchos haviam mesmo se bandeado para a "esquerda"?

A confusão estava feita.

"Não oculto minhas apreensões", confessou Neves a Getúlio. "Que atitude devemos tomar? Eis a minha pergunta."[92]

A resposta de Getúlio não demoraria a vir.

Ele iria mostrar que sabia manejar o laço com as duas mãos.

13. Getúlio inaugura a arte de tirar as meias sem descalçar os sapatos (1929)

Papel, caneta e tinteiro postos sobre a mesa de trabalho, era preciso escolher as palavras exatas, as mais inequívocas. Ao se sentar para redigir uma carta a Washington Luís naquele 10 de maio de 1929, Getúlio buscava sepultar todas as desconfianças que o Palácio do Catete viesse a nutrir a seu respeito: "Pode Vossa Excelência ficar tranquilo que o Partido Republicano do Rio Grande do Sul não lhe faltará com seu apoio no momento preciso", garantiu Getúlio, referindo-se à questão sucessória nacional.[1]

Por trás do compromisso, a intenção era autoevidente. Não convinha irritar o "Barbado" — apelido pelo qual o presidente da República vinha sendo chamado nas revistas humorísticas da época. A despeito da propalada elegância, Washington Luís era um homem temperamental, dado a explosões de espírito quando contrariado. Numa charge histórica publicada pela revista *O Malho*, ele era visto de porrete na mão, ameaçando os adversários. Na legenda, lia-se a frase historicamente atribuída ao presidente, a mesma que, dizia-se, ele não cansava de repetir sempre que enfrentava circunstância adversa:

"Comigo é na madeira!"[2]

Washington Luís sempre negou ter cunhado semelhante máxima. Imputava sua propagação à capacidade que os inimigos tinham de torcer suas palavras, de tisnar sua imagem, pondo-lhe na boca termos e expressões que seria incapaz de pronunciar. Jurava que o mesmo valia para outro axioma, igualmente creditado a ele, e que ficaria marcado na sua biografia como uma cicatriz:

"A questão social é um caso de polícia."

Também nunca falara aquilo, garantia Washington Luís. Tanto em um caso quanto no outro, tudo não passaria de uma "deformação violenta da verdade", mentiras maldosas, fabricadas pela deslealdade dos oponentes. Era um indivíduo enérgico, sempre cobrava posições firmes dos subordinados e dos aliados, assumia. Quando pressionado por uma opinião contrária, era acometido de um tique nervoso, um balançar involuntário de cabeça, como se estivesse a espantar mosquitos invisíveis da ponta do nariz.[3] Tinha dificuldade em suportar o contraditório quando convencido de que estava com a razão. Mas não era um troglodita, um celerado que distribuía bordoadas aos opositores com porrete, assegurava.[4]

Seja como for, o melhor era não se arriscar a entrar na madeira, calculou o sempre previdente Getúlio Vargas. Desde o ruído provocado pelos discursos desencontrados de João Neves e Flores da Cunha no fim do ano anterior, Getúlio se derramava em mesuras ao presidente da República. Antes do recesso parlamentar de 1928, orientara a bancada gaúcha a ir em bloco cumprimentar Washington Luís no Catete, em visita oficial de cortesia. Na ocasião desse verdadeiro beija-mão majestático em plena República, um constrangido João Neves serviu de porta-voz à mensagem enviada por Getúlio em nome do povo rio-grandense: Sua Excelência ficasse certo de que as ações do governo federal em benefício do estado haviam "ligado indissoluvelmente" o nome do presidente da República "ao progresso do Rio Grande do Sul".[5] Dias depois, como demonstração renovada de amizade e gratidão pessoal, Getúlio remeteu a Washington Luís um caixote recheado de linguiças, salsichas e enlatados da marca gaúcha Olderich, à guisa de presente de Ano-Novo.[6]

Getúlio, na verdade, refazia as contas. Faltavam-lhe ainda quase três anos de mandato à frente do governo do Rio Grande. Pelo sim, pelo não, era mais prudente continuar mantendo relações cordiais com o Catete. Persistia o temor de que as especulações sobre um rompimento com o governo federal — a partir de uma ainda hipotética candidatura alternativa à de Júlio Prestes — avinagrassem a parceria administrativa entre estado e governo central. Era tudo o que Getúlio não desejava. Havia requerido ao presidente da República a intermediação para um empréstimo de 20 mil contos de réis, contratados junto ao Banco do Brasil, para reforçar o caixa do recém-fundado BERGS. Com os recursos, pretendia atender a novos pedidos de financiamentos dos produtores regionais de charque.⁷

"Tenho permanecido fechado a qualquer manifestação sobre a sucessão presidencial, pelo desejo de não contribuir para perturbar o ambiente, e para deixar à livre iniciativa de Vossa Excelência as *démarches* sobre o assunto", escreveu Getúlio na amável carta enviada ao presidente da República. Com o objetivo de desautorizar os boatos que davam conta de reuniões secretas do líder da bancada gaúcha, João Neves, com representantes de Minas Gerais, a mensagem foi ainda mais enfática: "Para evitar precipitações ou imprudências, nenhum representante do Rio Grande tem autorização para tratar do caso". O assunto sucessão só deveria entrar em pauta, prometia Getúlio, "quando Vossa Excelência entender". "Por mim, não julgo que se deva apressar."⁸

Washington Luís, satisfeito, manteve a carta de Getúlio arquivada em uma pasta específica, que deixava sempre à mão, na antessala do gabinete presidencial. Quando algum aliado o abordava com suspeições em torno da sinceridade do apoio político do Rio Grande do Sul, Washington acionava o ajudante de ordens:

"Capitão Rocha, dê-me o dossiê do Rio Grande."⁹

O auxiliar trazia a pasta e, dentro dela, o primeiro documento da pilha de papéis sobre a situação gaúcha era a carta escrita por Getúlio. Washington Luís a lia em voz alta para o interlocutor e, depois, exibia a expressão triunfante. Ali estava a prova da lealdade de Getúlio Vargas. Não poderia haver maior garantia do que aquelas palavras escritas pelo governante do Rio Grande do Sul em papel timbrado, encimadas pelo brasão do estado gaúcho. A notícia a respeito de encontros cavilosos de emissários rio-grandenses com velhas raposas mineiras, portanto, deveria ser outra das muitas maledicências da imprensa, mera intriga de jornalistas venais, possivelmente a soldo do governo de Minas, conjecturava o presidente. O Rio Grande do Sul era um aliado seguro, celebrava Washington Luís. No tempo certo, conforme aquelas linhas firmes escritas por Getúlio faziam questão de assegurar, os gaúchos apoiariam a solução que o Catete julgasse mais conveniente para os rumos do país.¹⁰

E ninguém tinha mais dúvidas de que solução seria essa. Todo mundo já a assobiava pelas ruas. Um dos maiores sucessos musicais daquele ano de 1929 foi a marchinha "Seu Julinho vem", de Freire Júnior, gravada por Francisco Alves. "Seu Julinho", estava claro, era o paulista Júlio Prestes, o pré-candidato de Washington Luís:

Seu Julinho vem, seu Julinho vem,
Se o mineiro lá de cima descuidar.
Seu Julinho vem, seu Julinho vem,
Vem mas, puxa, muita gente há de chorar.[11]

Fenômeno no rádio, "Seu Julinho vem" se converteu em uma espécie de jingle da campanha de Júlio Prestes ao Catete. A marchinha transmitida em ondas curtas ajudava a tornar simpático ao eleitorado do resto do Brasil o nome do político paulista, cuja reputação até então estava restrita à esfera regional. Não era por menos que Washington Luís não perdia a oportunidade de cantarolar a música de Freire Júnior, entre sorrisos e a toda voz, nos jantares mais informais do palácio.[12]

Naqueles dias, João Neves da Fontoura escrevera a Getúlio para advertir que todas as orquestras de baile do Rio de Janeiro haviam incluído a canção no repertório. Mal soavam os primeiros acordes, todos saíam saltitando pelo salão, com os dedos indicadores levantados, esmerando-se em entoar o refrão messiânico: "Seu Julinho vem".

"Washington Luís gosta muito desse samba e manda colocar sempre o disco na vitrola", avisou Neves a Getúlio.[13]

Para todos os efeitos, estava decidido. Júlio Prestes seria o próximo presidente da República. Porém, caso tivesse ciência do conteúdo dos despachos secretos enviados por João Neves a Porto Alegre naqueles primeiros meses de 1929, Washington Luís não ficaria tão confiante assim na fidelidade do grupo político comandado por seu ex-ministro da Fazenda, Getúlio Vargas.

Seu Julinho vinha. Mas Getúlio também estava por vir.

Com o conhecimento — e a anuência — de Getúlio Vargas, João Neves prosseguia costurando a aproximação com Minas Gerais. Apesar de a carta de Getúlio ao presidente Washington assegurar que ninguém tinha autoridade para tratar da sucessão nacional em nome do Rio Grande, João Neves fora nomeado articulador oficial do governo gaúcho para o caso. Recebera dupla carta branca, conforme *A Federação* deixou implícito aos leitores após noticiar, sem motivo aparente, que Neves prosseguia "prestigiado pela solidariedade integral do dr. Borges de Medeiros, eminente chefe do partido, e do dr. Getúlio Vargas, preclaro presidente do estado".[14] Para os que ainda alimentavam alguma dúvida sobre quem falava em nome do Rio Grande no plano nacional, se João Neves da Fontoura ou Flores da Cunha, meia palavra de *A Federação* bastava.

Enquanto Getúlio redigia juras de fidelidade eterna a Washington Luís, Neves caminhava na direção exatamente oposta. O flerte com Minas já estava dando na vista. Quando o jornal carioca *A Manhã* insinuou que Getúlio andava sendo observado pelos mineiros com "olhos cismarentos", Neves não fez força no desmentido: "Estes olhares, estes suspiros, não são de todo insensatos. No choque bravo entre Minas Gerais e São Paulo, o senhor Getúlio Vargas poderá encarnar o instinto de conservação, isto é, a conciliação", disse em entrevista. O Rio Grande, insinuou, tinha olhos para todos os lados, à direita e à esquerda. "Olhos de jacaré", definiu Neves.[15]

Mais do que um simples namorico, o romance entre mineiros e gaúchos já ocorria por baixo dos lençóis. Ainda em janeiro, Getúlio recebera duas cartas de um velho amigo rio-grandense radicado no Rio de Janeiro, o advogado João Daudt de Oliveira, seu contemporâneo na Faculdade de Direito de Porto Alegre. Daudt estivera em janeiro com o jornalista Assis Chateaubriand, que por sua vez passara o mês de dezembro em Belo Horizonte e trinchara o peru de Natal com o presidente mineiro, Antônio Carlos. Os dois não estavam propriamente interessados em celebrar o chamado espírito natalino. Durante a ceia tradicional, só trataram de política.[16]

Antônio Carlos confirmou a Chateaubriand que não aceitaria, de nenhum modo, a candidatura do paulista Júlio Prestes ao Catete. Para não dar a entender à nação que estava agindo por orgulho ferido ou atuando em causa própria, o governante de Minas Gerais decidira não se lançar à disputa. Deliberara apoiar o nome de um líder gaúcho, em contraposição ao pré-candidato oficial. Esse líder rio-grandense, informou Antônio Carlos a Chatô, podia ser Borges de Medeiros ou Getúlio Vargas — dependendo do que os dois, Borges e Getúlio, decidissem lá entre si. Por força das circunstâncias, caberia ao Rio Grande do Sul, terceira força eleitoral do país, oferecer a solução para o impasse. Chatô ouviu o recado com evidente interesse e, em vez de publicar mais um de seus habituais furos de reportagem, pediu a João Daudt que o retransmitisse de imediato ao principal interessado, em correspondência confiada a portador seguro.[17]

Quando duas cartas sucessivas de Daudt sobre o tema chegaram às mãos de Getúlio, ele se encontrava de partida para o interior do Rio Grande. Ia passar algumas semanas de folga ao lado da mulher e dos cinco filhos em São Borja — onde Pataco Vargas sucedera o irmão Protásio na intendência são-borjense, mantendo a hegemonia familiar no município. Como o assunto exigia urgência, Getúlio encarregou o oficial de gabinete João Pinto da Silva de providenciar uma resposta imediata. Deixou duas orientações: era preciso mostrar-se receptivo à ideia de um acordo com Minas, para não denotar desprezo pelo caso, mas também seria temerário demonstrar entusiasmo excessivo, a fim de não transparecer avidez pessoal. Como linha básica de conduta, Getúlio instituíra, em torno de matéria tão melindrosa, o que definia como uma política de "expectativa muda". Isso implicava manter o procedimento-padrão:

"Falar, sem nada dizer."[18]

João Pinto da Silva teve de recorrer a todo o repertório de elipses do qual seu reconhecido talento literário era capaz. A resposta endereçada a João Daudt pisava em chão escorregadio: "O presidente [do Rio Grande do Sul] recebeu tuas duas últimas cartas pouco antes de tomar o trem para São Borja", comunicou. "Sua Excelência achou muito interessantes as notícias que lhe transmitiste." Em seguida, vinha a ressalva: "Tu não ignoras as relações do Rio Grande com o presidente Washington Luís, relações que têm se mantido inalteravelmente. Conheces bem, igualmente, o apoio que ele nos tem dado, em todas as iniciativas e projetos de caráter administrativo, dependentes do governo central". Depois do circunlóquio, abria-se a fresta por onde passaria o fio de uma possível solução negociada: "O Rio Grande ainda não foi abordado, nem direta, nem indiretamente, sobre a sucessão presidencial. Não temos, portanto, compromissos de nenhuma espécie", dizia a carta soprada por Getúlio ao assistente de gabinete. "Caso venha a surgir, de fato, a oportunidade a que te referes, o Rio Grande, é claro, sob pena de falhar aos seus próprios destinos, não poderá recusar."[19] Ou seja: sublinhava-se a ligação estreita do estado gaúcho com o governo federal e, ao mesmo tempo, não se descartava a possibilidade de um conchavo com Minas. A carta dizia e desdizia. Avançava e recuava. Mordia e assoprava.

A sinuosidade era, mais uma vez, proposital. Getúlio andava mesmo cabreiro a respeito das intenções do mineiro Antônio Carlos. Revelou isso tão logo voltou de São Borja e retomou o assunto em nova carta a João Daudt, dessa vez escrita e assinada sem intermediários: "A nossa atitude em face do problema político deve ser de discrição e silêncio", recomendou. "A atitude dos políticos mineiros é no sentido dos seus interesses pessoais. Não nos iludamos. Todo seu esforço será embalar-nos com promessas falazes, com o verdadeiro intuito de nos afastar da política paulista. Conseguido isto, eles manobrarão para tirar proveito", avaliou. "A regra deve ser ouvir e transmitir, sem prometer."[20]

O fato de Antônio Carlos ter dito a Chatô que daria total apoio à candidatura de um "líder gaúcho" ao Catete — sem especificar qual, se Borges de Medeiros, se Getúlio Vargas — parecia ainda mais capcioso. Getúlio expressou a Daudt suas preocupações a respeito da possível mineirice que podia estar por trás da oferta. Uma candidatura de Borges à presidência da República, todos sabiam, representaria uma hipótese natimorta. O nome do velho chefe do PRR era associado a uma prática política autocrática, aliás em tudo incompatível com o liberalismo apregoado por Minas Gerais. Antônio Carlos talvez estivesse blefando. A tese de uma candidatura gaúcha poderia estar apenas encobrindo um traiçoeiro artifício. Daudt analisou o caso e concordou com Getúlio:

"Não estranharia se tentassem um golpe para queimar a candidatura rio-grandense, situando na pessoa de Borges o direito do Rio Grande à presidência, com o intuito oculto de desunir o estado."[21]

No entender de Daudt, Borges de Medeiros representava muito mais a "mentalidade reacionária" do que o próprio Júlio Prestes. Impossível negociar, por exemplo, a adesão dos libertadores de lenço vermelho no pescoço a uma campanha em torno do líder histórico do PRR. Com o Rio Grande dividido, a candidatura ficaria inviabilizada. À última hora, os republicanos gaúchos ficariam sozinhos, utilizados como massa de manobra, enquanto Minas recomporia com São Paulo a tradicional aliança.

Todo cuidado era pouco. A essa altura, Getúlio desconfiava do próprio reflexo no espelho. João Neves gostava de dizer que, de tão ladino, o amigo era capaz de tirar as meias sem sequer descalçar os sapatos. Entre os auxiliares mais próximos, já havia quem apelidasse Getúlio de "Geitúlio".[22] E, pelo visto, o "geitulismo" começara a fazer escola. Numa das cartas que lhe endereçou, João Daudt confessava andar "plagiando-lhe o sorriso" sempre que se via em situação difícil. Daudt aprendera que sorrir e calar, na maioria das vezes, era muito mais eficiente do que excitar polêmicas gratuitas.[23]

Datam desse período as primeiras das muitas anedotas que mais tarde comporiam um vastíssimo acervo de historietas, alguma reais, outras inventadas, em torno da controvertida figura pública de Getúlio. De acordo com uma dessas pilhérias — que viria a ser reproduzida tanto por admiradores quanto por desafetos ao longo das décadas seguintes, sempre em diferentes contextos e com distintas intenções —, um colaborador entrara determinada manhã no gabinete do presidente do Rio Grande do Sul e encontrara um serelepe Getúlio Vargas sapateando diante do birô. Quando o funcionário, espantado, indagou por que o chefe estava bailando sozinho e sem música, Getúlio respondeu que não se tratava de dança:

"Estou tentando dar uma rasteira em mim mesmo, mas não consigo..."[24]

A cautela de Getúlio começou a ser interpretada por João Neves como sinal de hesitação. Neves temia que por excesso de prudência na condução do caso os gaúchos pudessem desperdiçar uma oportunidade histórica:

"Esperamos que este seja o último ano do teu governo [como presidente do Rio Grande do Sul], pelo acesso ao último posto [a presidência da República]", escreveu-lhe.[25]

"Chegou a nossa hora", prognosticou também um eufórico Oswaldo Aranha.[26]

Getúlio preferia conter o otimismo dos auxiliares. Se Júlio Prestes fosse sacralizado candidato com o apoio de Washington Luís, ninguém jamais conseguiria derrotá-lo. Mesmo que por milagre as urnas dessem a vitória a um oposicionista, as atas falsas se encarregariam de inverter os números. A única probabilidade de êxito para uma candidatura gaúcha ao Catete seria se ela nascesse crismada pelo governo federal.

João Neves tentava convencer o reticente Getúlio de que era exatamente esse o objetivo do ajuste com os mineiros. O plano, detalhava Neves, continuava simples e infalível. Minas, como combinado, vetaria a candidatura do paulista Júlio Prestes. Assim, Washington Luís teria que negociar um novo nome, para não rachar o país ao meio e evitar um cisma entre as duas maiores potências econômicas da nação. Como candidato substituto, ninguém melhor do que um homem que desfrutava da mais absoluta confiança do presidente da República, o governante de um estado amigo, defensor intransigente da continuidade do plano de estabilização financeira. Alguém a quem caberia encaminhar, sem quebra de continuidade, os fundamentos econômicos para a criação da nova unidade monetária, o cruzeiro, aspiração suprema do presidente. Esse candidato não poderia ser outro senão o ex-ministro da Fazenda de Washington Luís, Getúlio Dornelles Vargas.[27]

Pelos planos de João Neves, o presidente da República não teria por que fugir desse roteiro previamente traçado. Os dois, Washington e Getúlio, eram amigos. Se conduzida de forma adequada, a alternativa não soaria como imposição, ofensa, deslealdade política ao Catete, mas sim como solução providencial, uma saída elegante para o governo selar o fim da desarmonia entre Minas e São Paulo. No final das contas, o presidente da República ainda poderia posar como o grande artífice da pacificação nacional. Vaidoso como era, o figurino lhe cairia bem.

Getúlio não se convenceu. Tudo lhe parecia perfeito não fosse um detalhe: Washington Luís era um pavão, mas por isso mesmo um sujeito irredutível. Como titular da Fazenda, Getúlio convivera com ele o suficiente para lhe adivinhar as reações. O presidente da República jamais admitiria recuos. Fincaria pé na candidatura do pupilo Júlio Prestes. Entre tantas outras facécias que correm a respeito da inflexibilidade do dr. Washington, uma era bem ilustrativa: quando ainda presidente eleito, recém-chegado de São Paulo, os amigos lhe sugeriram que o clima escaldante do verão carioca o forçaria a mudar de hábitos, expondo-se menos ao sol durante as sessões de exercícios físicos ao ar livre que tanto prezava. Como resposta, Washington Luís soltara um muxoxo:

"Pois então o clima é que terá de mudar, não eu!"[28]

Não importava se aquela frase fosse mais uma das atribuídas injustamente a Washington Luís. Conhecedor das idiossincrasias do presidente da República, Getúlio seguia prevenido, procurando manter sob sigilo as incursões de João Neves na seara mineira. Ao mesmo tempo, não era inteligente esnobar o cavalo selado que lhe passava assim pela frente, para utilizar uma imagem bem cara aos gaúchos. Em suma, Getúlio se via às voltas com um dilema:

"Não devo e não quero jogar o Rio Grande do Sul numa aventura, visando à minha pessoa; mas receio, por excesso de solidariedade com o presidente da República, sacrificar a oportunidade do Rio Grande", admitiu a João Neves. Por isso, a recomendação continuava a mesma. Adiar a decisão ao limite. Postergar uma luta incerta é sempre uma vitória, costumava dizer. "Mantenhamos nossa atitude discreta e deixemos que os acontecimentos sigam seu curso natural", orientou Getúlio.[29]

Neves, que até ali se mantivera em rigoroso compasso de espera, perdeu a paciência: "Temos que encaminhar os fatos com prudência, tato e calma, mas não podemos muçulmanamente deixar que passe a nossa hora, como um índio preguiçoso que vê apodrecer a fruta madura na árvore, por indolência de colhê-la a tempo", queixou-se a Getúlio. "Da atitude de 'expectativa muda' [...], temos de passar à de expectativa vigilante e ativa, embora dissimulada e cautelosa."[30]

Pelos cálculos de Neves, mesmo que o projeto original de uma candidatura de conciliação naufragasse e fosse necessário lançar uma chapa de oposição ao Catete, a vitória sobre Júlio Prestes seria matematicamente viável. Minas Gerais tinha um colégio eleitoral estimado em 570 mil votos. Destes, Antônio Carlos garantia que conseguiria arrastar para o candidato gaúcho, quando menos, um contingente de 500 mil sufrágios, número que por si representava mais de um quarto do eleitorado do país (à época, com uma população total estimada de 36,8 milhões de habitantes, havia menos de 2 milhões de brasileiros aptos a votar, ou seja, homens, maiores de idade, com renda comprovada e alfabetizados).[31] Se, dos 250 mil eleitores do Rio Grande do Sul, cerca de 200 mil fossem convencidos a acompanhá-los, a soma da votação nos dois estados, sozinha, chegaria a 700 mil votos. Era um índice considerável. Ainda que São Paulo (com cerca de 280 mil eleitores) reunisse em torno de Júlio Prestes o apoio dos governos das demais unidades da federação, o número de abstenções e a ajuda das dissidências estaduais poderiam impor ao Catete uma derrota apertada, mas plausível. As cifras, que traduziam uma estimativa por demais otimista, animaram João Neves a apressar a deliberação de Getúlio:

"Estamos na hora da decisão. Ou aceitamos a nossa candidatura, apoiada por Minas, num pacto de honra indissolúvel, ou devemos, pura e simplesmente, aderir ao [Júlio] Prestes", sugeriu. "Não há meio-termo. Nem é possível ou conveniente situação intermediária. Tenho aguentado até aqui, mas os meus nervos estão um pouco gastos destes choques e contrachoques", desabafou João Neves.[32]

Em vez de soltar rojões pela hiperbólica aritmética de Neves, Getúlio o repreendeu pelo fato de estar remetendo informes confidenciais por meios pouco seguros. Chamou-o à prudência. Nos últimos dias, Neves ficara de plantão ao telégrafo, enviando mensagens sistemáticas ao Rio Grande, fiando-se em um código secreto para impedir a ação de bisbilhoteiros ocasionais e de espiões pagos pelo Catete.

"Fiquei apreensivo com teus telegramas cifrados", criticou Getúlio. "Não lance mão desses recursos para comunicações de tal natureza. Tais despachos podem, facilmente, ser traduzidos no telégrafo. Há mesmo especialistas destacados para esse serviço nas épocas de crise."[33]

Getúlio só confiava em portadores especiais, que levavam envelopes lacrados no bolso do colete. Afora isso, remetia cartas reservadas apenas por meio do malote confidencial do governo do estado, que seguia todos os dias de Porto Alegre ao Rio de Janeiro na cabine de comando dos aviões da Condor. Além de temer pela quebra do sigilo epistolar, Getúlio tinha outras preocupações em relação a João Neves. Receava que o voluntarismo do amigo estivesse lhe escapando ao controle. Decidido a reenquadrá-lo, preveniu:

"Confio em ti, mas tu podes estar iludido. [...] Levantarmos um nome do Rio Grande como candidato de luta não é aconselhável. Nem eu aceitaria, porque não sou candidato, quer dizer, não pleiteio esta condição, não a desejo." Getúlio expôs a questão em termos objetivos: "Só aceitaria se obtivesse o concurso das correntes políticas dominantes", esclareceu, deixando explícito que só o apoio ostensivo de Washington Luís o faria mudar de ideia. "O Rio Grande espera ser ouvido oficialmente pelo presidente da República, na ocasião oportuna. Antes disso, não se manifestará. Por um acordo secreto com Minas, não, nem é viável", concluiu.[34]

Getúlio mal havia despachado a mensagem quando foi surpreendido por um novo e inesperado telegrama cifrado, datado de 17 de junho. Para seu espanto, Neves comunicava justamente que assinara, naquela mesma tarde, na condição de líder da representação gaúcha no Congresso Nacional, os termos de um acordo entre o Rio Grande do Sul e Minas Gerais. O pacto sigiloso fora firmado no apartamento no qual João Neves estava hospedado no Rio de Janeiro — o quarto 809 do luxuoso Hotel Glória. Ali, com a vista paradisíaca da enseada de Botafogo enquadrada na janela, subscrevera o documento, além de Neves, o deputado José Bonifácio de Andrada e Silva — irmão de Antônio Carlos —, que apresentara uma procuração que lhe conferia poderes absolutos para firmar contratos políticos em nome do governo mineiro. Pelo que ficou disposto no documento que passaria à história como o "Pacto do Hotel Glória", a situação rio-grandense estava obrigada a se aliar à mineira, "ficando inteiramente presos os dois estados" à candidatura gaúcha, da qual não poderiam se afastar a não ser por mútuo acordo. Por dever de hierarquia partidária, Neves fez incluir uma cláusula em que se exigia a aprovação prévia de Borges de Medeiros, chefe do PRR, para que o acordo entrasse em vigor.[35]

Como justificativa para não consultar Getúlio ou Borges antes de assinar um documento daquele quilate, Neves alegou a exiguidade de tempo. Não poderia ter deixado José Bonifácio voltar a Belo Horizonte de mãos vazias. Neves lançou mão de uma gíria corrente à época e explicou que qualquer adiamento poderia dar a sensação de que os gaúchos estariam tentando "vender um bonde" aos mineiros[36] — naquele mesmo ano de 1929 fora lançado o primeiro filme falado do cinema brasileiro, o musical *Acabaram-se os otários*, de Luís de Barros, no qual uma dupla de caipiras — Tom Bill e Genésio Arruda — caía em um conto do vigário ao "comprar" um bonde de um vigarista.[37]

"É agora ou nunca", teria avaliado João Neves, ao decidir assinar o papel, por sua conta e risco, atando a sorte do Rio Grande à de Minas Gerais.[38] Com isso, Neves forçava Getúlio Vargas a sair da condição de espectador, empurrando-o para o centro do ringue. Se Getúlio simplesmente ignorasse o pacto, deixaria os mineiros em situação constrangedora, o que azedaria para sempre a relação entre os dois estados e, por consequência, eliminaria qualquer possibilidade de o Rio Grande contar com o apoio de Antônio Carlos em uma eventual solução negociada com os paulistas. Se, ao contrário, Getúlio referendasse o documento, ficaria numa posição a partir da qual seria impossível recuar, caminho que tanto poderia levá-lo à presidência da República como deixá-lo exposto às possíveis represálias de Washington Luís. O ato de João Neves não lhe franqueava uma terceira escolha. Getúlio fora atropelado pela marcha dos acontecimentos.

Para contrariar a lição que aprendera na infância ao lado do pretinho Gonzaga, pela primeira na vez da vida Getúlio seria obrigado a descer do umbuzeiro antes da hora.

"Mas você ainda acredita um pingo que seja no doutor Getúlio Vargas?", indagou um irritado Assis Chateaubriand a João Neves.[39]

Chatô estava inconformado com a relutância de Getúlio. Pusera todos os seus jornais a serviço da candidatura gaúcha ao Catete, mas só recebera em troca evasivas e tergiversações. Enquanto o nome de Júlio Prestes se consolidava como o grande favorito ao páreo, Getúlio permanecia sentado à sombra, esperando o vento minuano dos pampas passar, preso às conveniências de uma parceria administrativa com o governo central. Por mais de uma vez, Chatô tentara atraí-lo para a arena, para a briga aberta com Washington Luís. Redigira artigos viperinos, nos quais se desdobrava em louvores a Getúlio na mesma medida em que destilava veneno contra o presidente da República, na clara tentativa de indispor um contra o outro.

"O presidente do Rio Grande do Sul é, dentro das malocas partidárias do Brasil, um modelo de homem civilizado", escrevera Chatô, no início do ano, para marcar o primeiro aniversário do amigo à frente do governo gaúcho.[40] "O sr. Getúlio Vargas logrou, em doze meses, fazer na sua terra uma presidência nacional, em que todo o povo brasileiro tem os olhos em fito, como se dali viesse uma das nossas raras estrelas guiadoras." E contrapunha: "Do sr. Washington Luís se pode afirmar apenas que faz no Catete uma ríspida presidência municipal". Pior ainda seria Júlio Prestes que, segundo Chatô, não passaria de "um moço enérgico", alguém "que daria um robusto e eficientíssimo inspetor de quarteirão".[41]

Quando percebeu que nem assim Getúlio se movia da cadeira, Chateaubriand decidiu mudar de tática. Tentou arrancar o amigo do mutismo e da atitude de ponderação calculada atiçando-lhe os brios gauchescos:

"Ao Rio Grande não convêm as atitudes de cálculos. O homem que luta a cavalo foi feito para desafiar o combate em campo raso, o flanco aberto aos golpes do inimigo", provocou.

Getúlio, ainda assim, permaneceu em silêncio.[42]

Ao saber do compromisso selado por João Neves da Fontoura com os mineiros no Hotel Glória, Chatô esquentou-se de vez. Não conseguia compreender por que Getúlio, ao contrário de João Neves, demorava tanto para tomar decisões. O próprio Neves andava desconsolado. Quatro dias depois de ter dado comunicação a Porto Alegre do acordo com Minas, ainda não obtivera de Getúlio nenhum retorno sobre o assunto. José Bonifácio, impaciente, cobrava-lhe definições.

"Estou profundamente impressionado com tua vacilação", telegrafou Neves a Getúlio.[43] "Apesar do meu insistente apelo para que não tardasse a dar-nos como ultimado o pacto, permitindo a ação decisiva, nada disseste até agora. Nem sim, nem não. Do teu silêncio, concluo com grande pesar que estás indeciso." Diante do quadro, Neves fazia prognósticos nada animadores: "Não te iludas com a nossa situação atual. Terá o Rio Grande que aderir ao Júlio Prestes, formando na rabadilha, como qualquer Sergipe. O teu nome descerá a zero na simpatia política, que tão alto o colocara. A imprensa vazará contra ti o amargor da tua derrota e o Rio Grande verá o teu nome e o dele jogado às feras". Para Getúlio, particularmente, a conta a pagar pela subserviência ao Catete seria alta, previa Neves. "Dentro do estado, perderás a unanimidade e não poderás governar, como até agora, com a serenidade de um ídolo cercado do aplauso público", pressagiou.

"Inúteis são quaisquer outras palavras, mesmo porque serão as últimas que te escrevo sobre este assunto."[44]

Já que Getúlio parecia não lhe dar ouvidos, João Neves resolveu chorar as amarguras para João Daudt, a quem se disse "surpreso e magoado" com o desfecho de toda aquela história: "Começo a achar que há um eclipse na proverbial lucidez do nosso presidente [do Rio Grande do Sul]". Pelo julgamento de Neves, a hesitação de Getúlio os metia numa enrascada histórica. "Desfeito o pacto, Minas recua e adere ao Júlio Prestes. Eles compram bondes, mas não são loucos para lutar contra toda a federação. Farão uma chapa Júlio Prestes-Minas e o pobre do Rio Grande ficará por mais quarenta anos à espera de sua vez", avaliou. "O Getúlio teria o direito de enganar a expectativa pública com as suas atitudes. [...] O que ele não poderia era fazer desprendimento pessoal à custa do Rio Grande. Pode ele não querer o governo. Mas o Rio Grande o quer", resumiu. "Se Getúlio faltar a esse imperativo categórico, terá faltado ao mais alto e mais premente dever."[45]

Para um brioso gaúcho como João Neves, nenhum defeito de caráter podia ser pior do que a covardia. E era exatamente esta a má qualidade que Neves passara a identificar no amigo Getúlio Vargas.

Em Porto Alegre, sempre fiel a seu estilo, o discreto Getúlio trabalhava para reaver o domínio da situação. A primeira providência que tomou foi despachar um homem de confiança, Oswaldo Aranha, para um colóquio reservado com Borges de Medeiros. Desde o fim do último mandato como presidente do Rio Grande do Sul, Borges se recolhera à sua fazenda, em Irapuazinho, distante duas horas em estradinha de terra batida até a zona urbana de Cachoeira. Borges recebeu o jovem Aranha na casa austera — à qual se referia como uma "humilde cabana" — e ficou inteirado das últimas notícias.

Getúlio orientara Aranha a repassar ao chefe do PRR cópias de todas as cartas de João Neves. No meio da papelada, entre outras correspondências sobre o assunto, ia também a transcrição de um telegrama que chegara do Rio de Janeiro a Porto Alegre no dia anterior, assinado pelo deputado Flores da Cunha, endereçado ao secretário da Fazenda do Rio Grande, Firmino Paim Filho. A mensagem de Flores, que estivera no Catete em audiência recente com Washington Luís, era lacônica:

Acabo conferenciar com presidente.
Seguirei amanhã levando informações.
Avise amigos Getúlio e Osvaldo.⁴⁶

Dada a proximidade pessoal de Flores com os paulistas, Getúlio deduziu que as "informações" aludidas no telegrama não deveriam trazer boas notícias para ele. E não trariam mesmo. Washington Luís dissera a Flores que jamais deixaria Minas enfraquecer sua autoridade, antecipando o debate sucessório. Como já havia explicado diversas vezes, abriria a discussão quando julgasse oportuno, em setembro, ocasião em que todos os governantes estaduais seriam consultados. Getúlio Vargas, por deferência de amizade, seria um dos primeiros que ouviria. Ao final da audiência, em tom de ameaça, Washington mandou um recado por meio de Flores da Cunha. Não queria barulho. Mas não fugiria com medo de cara feia:

"Se quiserem brigar, estou velho demais para correr."⁴⁷

O telegrama de Flores e os acontecimentos do Hotel Glória impunham a Getúlio uma imediata tomada de posição. Contudo, para se manter estritamente dentro da disciplina partidária e não ser acusado de personalista — e até para cumprir a cláusula disposta no pacto assinado por João Neves e José Bonifácio —, Getúlio precisava ouvir a opinião do chefe do PRR sobre a atitude a tomar.

A resposta não demorou a vir. De Cachoeira mesmo, Aranha escreveu a Getúlio para informar que Borges de Medeiros concordava com o lançamento de uma candidatura gaúcha. Borges sugeria apenas que Minas e Rio Grande, em ação conjunta, apresentassem a Washington Luís a proposta de uma convenção nacional, que legitimasse o candidato com o selo da unidade e da conciliação.⁴⁸

"Em política, como no culto religioso, não é possível prescindir das solenidades externas", defendeu Borges.⁴⁹ Dizendo-se "avelhantado e cansado", ele abria mão do próprio nome. Recomendava que o candidato fosse Getúlio, pelo fato de ser ele quem melhor corresponderia "às simpatias e aos desejos da nação". Como última recomendação, aconselhou que o caso deveria continuar sendo tratado sob completo sigilo, até que o presidente Washington fosse oficialmente comunicado.⁵⁰

Era a deixa que Getúlio esperava para começar a agir. Ele tinha consciência de que as palavras do velho líder, quando pudessem ser divulgadas, funcionariam como uma espécie de toque de reunir no partido gaúcho. Os correligionários mais antigos, e mesmo aqueles mais jovens ligados aos paulistas, como Flores da Cunha e Lindolfo Collor, não ousariam discordar da orientação ditada pelo supremo chefe da legenda. Quanto à hipótese de uma convenção nacional, esta foi prontamente abortada, por ser considerada uma ação imprevidente. Temeu-se que Washington Luís, com a ajuda da máquina federal, manipulasse a assembleia — em especial a representação dos pequenos estados —, fazendo que o evento apenas servisse para convalidar o nome de Júlio Prestes.

"Seria nos suicidarmos com as próprias mãos", comentou um pleonástico João Neves a respeito da proposta de convenção.[51]

Antes de liberar Neves para o "sim" definitivo aos mineiros, Getúlio queria certificar-se da solidez dos apoios necessários à candidatura. Em primeiro lugar, era imperativo sondar os membros do Partido Libertador do Rio Grande do Sul, para antever se eles marchariam unidos aos republicanos, enterrando de vez as históricas diferenças regionais, em nome de uma causa maior, a conquista do Catete. Nas palavras do próprio João Neves, era imprescindível operar um verdadeiro milagre:

"Aliar as falanges celestiais do arcanjo Gabriel às de Lúcifer."[52]

Para os libertadores, decorridos apenas seis anos do trauma, a Revolução de 1923 ainda era um episódio recente. Uma coisa havia sido pregar a abstenção na eleição gaúcha e estabelecer uma trégua com o governo estadual; outra bem diferente seria ajudar a levar Getúlio, bem ou mal um herdeiro político de Borges de Medeiros, à presidência da República. Como atenuante, havia o fato de o deputado federal Batista Lusardo, sempre que se encontrava em Porto Alegre, fazer questão de visitar o palácio do governo — e nunca esquecer de levar bons charutos para Getúlio.

"Lusardo e Plínio [Casado] vivem a me repetir que irão contigo. Penso em conferenciar pessoalmente com o Assis Brasil, assim que a coisa estourar", prometeu Neves a Getúlio, na função de articulador político.[53]

Em segundo lugar, era preciso ter certeza de que Minas viria de fato coesa, sem defecções, em frente única, já que existiam notórias dissidências no Partido Republicano Mineiro (PRM), em que Antônio Carlos trocava cotoveladas com outros cardeais da agremiação: em especial, os ex-presidentes da República Artur Bernardes e Wenceslau Brás, além do então vice-presidente do país, Mello Viana.

"A chamada frente única da política mineira não passa de um blefe", advertia o jornalista Paulo Hasslocher a Getúlio. Segundo Hasslocher, o PRM não era um partido sério, pois transformara as discussões sobre a sucessão nacional em um "carnaval político": "O Hotel Glória é o estado-maior dos mineiros. Está cheio dessa gente exótica que se banqueteia regiamente, convida amigos e jornalistas, e faz correr a champanha por conta dos cofres de Minas".[54]

O temor de Getúlio era que o PRM implodisse antes das eleições. Wenceslau não se dava bem com Bernardes, que por sua vez não morria de amores por Antônio Carlos. Mello Viana, pela própria natureza da posição que ocupava no governo federal, era outra incógnita. Além do mais, Viana contava ser o sucessor de Antônio Carlos no governo estadual, embora não desfrutasse da boa vontade da cúpula do partido e muito menos das preferências do então ocupante do cargo.[55] Com tantos choques de interesses, o leite mineiro ameaçava virar coalhada, como bem sugeria o trecho inicial da marchinha "Seu Julinho vem", que se referia a Antônio Carlos como "Seu Toninho":

> Ó Seu Toninho
> Da terra do leite grosso
> Bota cerca no caminho
> Que o paulista é um colosso
> Puxa a garrucha
> Finca o pé firme na estrada
> Se começa o puxa-puxa
> Faz do seu leite coalhada.[56]

O secretário de Interior de Minas Gerais, Francisco Campos, escreveu para tranquilizar Getúlio a respeito da unidade nas Alterosas. Apelidado de Chico Ciência por causa de sua alardeada inteligência e cultura jurídica, Campos garantiu que o PRM não iria se esfacelar. Mais do que isso, previu que a candidatura nascida do consórcio entre gaúchos e mineiros logo contagiaria o resto do país como uma febre — "cuja temperatura será alta", enfatizou. "A hora é de deliberações prontas e de movimentos rápidos", sugeriu Campos, que mais tarde seria o futuro ministro da Justiça de Getúlio Vargas. "Estou certo, meu caro Getúlio, que a vitória depende apenas de uma palavra sua. Que ela não demore."[57]

No entender do jornalista Rubens do Amaral, da *Folha da Manhã*, aquele foi o momento exato em que "o demônio da ambição, na pele do sr. Antônio Carlos, soprou no sangue do sr. Getúlio Vargas a febre da esperança".[58] Diante das garantias de Minas, Getúlio finalmente comunicou a João Neves que estava propenso a se lançar candidato. Neves podia repassar a notícia aos mineiros, mas em caráter reservado, pois faltava ainda a parte mais difícil do plano: informar Washington Luís e ganhar o devido apoio do Catete. O presidente da República não poderia receber a notícia por meio de terceiros. Teria que ser o primeiro a ter conhecimento do assunto. Foi Neves quem sugeriu a Getúlio a melhor forma de fazê-lo: "Tu enviarias ao presidente, com o teu modo inconfundível, com o seu *savoir faire*, um telegrama em grande estilo, explicando e justificando a atitude do Rio Grande".[59]

Getúlio considerou que, pela gravidade do assunto, um telegrama seria insuficiente. Redigiria, em vez disso, uma carta pessoal ao presidente da República. Exatos dois meses e um dia depois da última vez que escrevera a Washington Luís, Getúlio se sentou ao birô de trabalho para escrever uma nova mensagem ao Catete. O problema é que, na carta anterior, afirmara que só ousaria tocar no assunto da sucessão quando fosse liberado. E havia jurado apoiar, fielmente, qualquer decisão do presidente a esse respeito. Como iria explicar, dessa vez, que decidira fazer o contrário do que prometera?

Aquele 11 de julho de 1929 era uma quinta-feira. Não se sabe se no domingo, três dias depois de escrever a segunda carta a Washington Luís, Getúlio foi ao cinema com a família, como gostava de fazer todos os fins de semana. Em caso positivo, seria bem possível que houvesse assistido à principal atração em cartaz na capital gaúcha, "uma superprodução da Paramount", segundo anunciava a *Revista do Globo*. Dirigida por Ernst Lubitsch, um gênio do cinema mudo, a fita ganhara o Oscar de melhor roteiro no ano anterior. Contava a história de um conde, interpretado por Lewis Stone, amigo de confiança do tsar russo, um tirano vivido pelo ator suíço Emil Jannings. O conde, que sempre fora um seguidor fiel do tsar, passava a conspirar pelas sombras para afastá-lo do poder.

O nome do filme era *Alta traição*.[60]

No Grande Hotel, o telefone do quarto tocou. Flores da Cunha atendeu. Do outro lado da linha, ouviu a voz de Getúlio Vargas, que o convocava para ir ao palácio. Tinha algo muito importante a revelar, antecipou Getúlio. Pedia que Flores deixasse para ir à noite, quando a sede do governo estadual estaria quase vazia e a maioria dos funcionários já houvesse ido para casa. De fato, passava das

22 horas quando Flores chegou. E, realmente, o prédio estava deserto. Getúlio o conduziu pelo braço através dos vastos salões até chegarem a um aposento reservado, na área residencial do imóvel. O visitante foi convidado a sentar.

"Flores, chegou a vez de lhe falar com a máxima franqueza. E de confiar na sua lealdade."[61]

Getúlio falou com voz pausada, medindo as reações que cada palavra produzia no interlocutor. Sem pressa, confidenciou a Flores tudo que acontecera nas semanas anteriores. O encontro de João Neves com José Bonifácio no Rio de Janeiro, no Hotel Glória. O pacto assinado em sigilo por Neves e Bonifácio, em nome dos estados do Rio Grande do Sul e Minas Gerais. A consulta oficial que Oswaldo Aranha, a pedido de Getúlio, fizera a Borges de Medeiros, na fazenda em Irapuazinho. A opinião positiva de Borges à aliança com os mineiros e as considerações do chefe do PRR em torno do tema. A decisão final de que ele, Getúlio Vargas, sairia candidato à presidência da República. Ao recordar os episódios daquela noite, Flores da Cunha depois contaria:

"Outro que não eu, habituado ao aspecto mágico das combinações políticas, teria experimentado diante da revelação o traumatismo de um homem que se desprendesse do terraço de um arranha-céu."[62]

Flores ouviu tudo em silêncio. Esperou Getúlio terminar. Por fim, se disse surpreso e fez questão de ponderar que tudo aquilo não passava de uma tresloucada aventura. Argumentou que o caminho mais prudente a seguir seria continuar prestigiando Washington Luís e aceitar, sem contestações, a candidatura do paulista Júlio Prestes ao Catete. As relações do Rio Grande com o governo federal continuariam excelentes e ninguém sairia chamuscado do episódio.

Getúlio elogiou-lhe a lisura. Disse que sabia das sólidas ligações de amizade que Flores mantinha com São Paulo desde os tempos de estudante do largo de São Francisco. Mas exatamente por isso é que o escolhera para uma missão crucial:

"Vou exigir-lhe um grande sacrifício: levar ao presidente Washington Luís a carta em que lhe comunicarei a minha candidatura."

Ainda desapontado com tudo o que acabara de ouvir, Flores da Cunha condicionou:

"Depende da carta."[63]

Getúlio enfiou a mão no bolso e puxou de lá algumas folhas de papel dobradas.

"Tenho aqui o rascunho", mostrou.[64]

A nova carta escrita a Washington Luís era comedida e, de certo modo, respeitosa. Mas também escorregadia. Getúlio explicava que a proposta de uma candidatura do Rio Grande do Sul à presidência da República partira de Minas. Tão logo soubera do ocorrido, expunha Getúlio, submetera a apreciação do caso ao líder do PRR, Borges de Medeiros. Este, por sua vez, considerara que o presidente da República, na ausência de partidos nacionais, tinha todo o direito de encaminhar a própria sucessão. Como Washington Luís ainda não havia apresentado nenhum nome em caráter oficial, Borges ponderara que a candidatura de Getúlio, surgida de forma espontânea e amistosa, era uma aspiração legítima do povo do Rio Grande do Sul. Contudo, o julgamento final em torno da pertinência ou não dessa pretensão gaúcha, conforme definira Borges, caberia ao próprio presidente da República.

"Meu intuito é apenas, por um dever de franqueza e lealdade, levar ao conhecimento de Vossa Excelência essas ocorrências e preveni-lo do que se passa", escreveu Getúlio a Washington. "Nunca pretendi nem me insinuei a tão alta investidura", jurou. "Em cartas anteriores havia, de modo positivo, expressado meu pensamento no sentido de aguardar a iniciativa de Vossa Excelência, mas como homem de partido tive de submeter-me à decisão deste, pela voz do seu chefe", justificou. "Quanto ao juízo que Vossa Excelência possa fazer sobre a minha pessoa ou à confiança que em mim depositaria para continuador do seu programa, é uma questão toda íntima que ninguém pode impor ou solicitar". Getúlio, portanto, deixava o destino da sua candidatura nas mãos de Washington Luís: "Sei que Vossa Excelência é um homem de caráter firme e resoluto, mas que estima discutir e pesar bem os assuntos, antes de resolvê-los". E concluía: "Venho ainda, por meio desta, reafirmar meu propósito de continuar amigo de Vossa Excelência e dizer-lhe que o meu nome não será obstáculo para que Vossa Excelência possa dar uma solução pacífica ao problema da sucessão presidencial".[65]

A leitura daquele trecho final, no qual Getúlio dissera que não constituiria um obstáculo à vontade de Washington Luís, fez com que Flores da Cunha aceitasse o papel de mensageiro. Logo no dia seguinte, 12 de julho, ele tomou o primeiro vapor, o *Itaimbé*, que saiu do Rio Grande do Sul em direção ao Rio de Janeiro. Levava a mensagem no bolso do paletó, em envelope aberto.

"É para que o presidente saiba que você tem conhecimento do conteúdo", explicou Getúlio.[66]

* * *

No meio da viagem marítima para o Rio de Janeiro, à altura de Paranaguá, no Paraná, Flores foi avisado de que o serviço de rádio do navio recebera uma mensagem destinada a ele, enviada pelo Palácio do Governo do Rio Grande do Sul. O recado era simples:

"Não entregue encomenda. Aguarde instruções."[67]

Como um exímio enxadrista, Getúlio tentava adiantar-se às jogadas dos oponentes. Ele sabia que o *Itaimbé* faria uma escala em Santos, portanto já em terras paulistas. Pela amizade devida ao presidente de São Paulo, talvez Flores pudesse estabelecer contato com Júlio Prestes e acabasse revelando a natureza da missão para a qual fora escalado. Se Júlio soubesse do teor da mensagem, com certeza telefonaria para Washington Luís, antecipando-lhe a notícia. A carta perderia em impacto e eficiência. O radiograma urgente a Flores, recomendando-lhe não "entregar a encomenda", insinuava uma possibilidade de recuo nos planos originais. Isso, calculou Getúlio, bastaria para comprar o silêncio de Flores. Para evitar maiores dissabores ao Rio Grande do Sul, o emissário optaria pela discrição, caso tivesse em mente que a operação ainda podia ser cancelada.[68]

O gesto de Getúlio foi providencial. Na escala do *Itaimbé* em Santos, algum correligionário deve ter avisado ao Campos Elísios da presença do deputado gaúcho em território paulista, pois logo um telefonema de Júlio Prestes o localizou na cidade portuária:

"Então, Flores, como vai? Por que não vens até aqui?", indagou Júlio.

"Não posso. Preciso chegar amanhã ao Rio, impreterivelmente", explicou Flores.

"Mas tudo vai bem, não?", perguntou de novo Júlio, pressentindo o terreno.

"Não me parece", limitou-se a dizer Flores, sem entrar em detalhes.[69]

Júlio Prestes ficou intrigado. As reticências do amigo lhe pareceram ocultar algo grave.

No dia seguinte, quando o *Itaimbé* já estava próximo a atracar no Rio de Janeiro, Flores olhou para cima e viu um hidroavião prateado da Condor riscar o céu azul da baía da Guanabara. Flores não sabia, mas a bordo da aeronave estava o oficial de gabinete de Getúlio, João Pinto da Silva, que embarcara horas antes em Porto Alegre. Por isso Flores ficou surpreso quando Pinto da Silva lhe bateu à porta do quarto no Hotel Riachuelo, no qual sempre se hospedava no Rio. O auxiliar da presidência do Rio Grande trazia-lhe um cartão de Getúlio.

"Pode entregar a encomenda", dizia o texto escrito à mão.[70]

Flores compreendeu que fora alvo de um ardil. Mas não havia mais o que fazer a respeito. No mesmo dia, às sete da noite, foi ao Catete solicitar à secretaria do palácio uma audiência com o presidente da República, se possível para a manhã seguinte. Trazia uma carta urgente do presidente do Rio Grande do Sul, explicou. O funcionário que o recebeu pediu que esperasse. O presidente seria imediatamente avisado de sua presença. Washington Luís parecia já aguardá-lo, com ansiedade, pois interrompeu tudo o que estava fazendo para autorizar sua entrada no gabinete.

"Que notícias me traz do seu Rio Grande?", interrogou Washington.

"As notícias não são boas, Excelência", respondeu Flores, retirando a carta de Getúlio do bolso do paletó e passando-lhe às mãos.

Washington Luís sacou as folhas do envelope e leu a carta. Enquanto lia, balançava a cabeça de um lado para outro.

"Não pode ser... Não pode ser", balbuciava, incrédulo.[71]

Onze dias depois, sem ter recebido ainda nenhuma resposta da carta que enviara ao Catete, Getúlio leu nos jornais de Porto Alegre que os presidentes da Bahia e de Pernambuco, Vital Soares e Estácio Coimbra, haviam se comprometido a apoiar a pré-candidatura de Júlio Prestes.[72] A imprensa especulava que Soares fora convidado para compor a chapa oficial como o vice de Júlio, e que Coimbra se dizia eternamente grato a Washington Luís pelo fato de um pernambucano, Rego Barros, ocupar a presidência da Câmara dos Deputados.[73]

"E as tuas esperanças sobre o Estácio [Coimbra]?", cobrou Getúlio em carta ao articulador João Neves, que até aquele instante alimentara a possibilidade de atrair Pernambuco para a coligação. "Esta gente do Norte, se tivesse mais solidariedade, seria uma força respeitável, no entanto parece que eles se subordinarão a São Paulo", lastimou Getúlio. No restante do país, as expectativas não eram muito melhores. "O Rio parece que falhou", comentou Getúlio, por saber também pela imprensa que o presidente do estado do Rio de Janeiro, Manuel Duarte, fora outro a proclamar apoio a Júlio Prestes.[74]

As más notícias chegavam de todos os lados. Um observador enviado pelo secretário Paim Filho estava naquele momento em Florianópolis, aonde fora sondar as simpatias do presidente de Santa Catarina, Adolfo Konder. Escrevera de lá para dizer que a viagem havia sido em vão. "Deste mato não sai coelho", informou.[75] No Pará, o caso também já podia ser dado como perdido. "O atual presidente daquele estado, Eurico Vale, é meu amigo. No entanto, ele é organicamente governista e conservador. Por este motivo e por ter um ministro no atual governo, duvido muito que venha para nós", anteviu Getúlio.[76]

Exatamente quando escrevia aquela carta a João Neves para traçar o mapa das perdas estaduais, Getúlio recebeu um telegrama do presidente da República. A mensagem dizia apenas o seguinte:

"Estou ouvindo representantes das correntes políticas do país. Não estranhe pois demora na resposta. Cordiais saudações. Washington Luís."[77]

Ficou explicado por que os jornais andavam noticiando tantos apoios estaduais a favor de Júlio Prestes: era o efeito das consultas iniciadas pelo presidente da República. A matéria entrara na pauta do dia, despertando as atenções da imprensa. A própria candidatura de Getúlio não era mais mistério, embora ele mesmo ainda procurasse negá-la a todo custo. Em Porto Alegre, o *Correio do Povo* abrira em manchete de primeira página: "Confirmada a apresentação da candidatura Getúlio Vargas à presidência da República".[78] O jornal gaúcho informava que ninguém do PRR ainda admitia falar abertamente sobre o assunto: "Neste momento todas as bocas têm ordem de se conservarem fechadas". O assunto extrapolou as fronteiras gaúchas. Do Rio de Janeiro, o *Jornal do Brasil* chegou a telegrafar a Getúlio, indagando se ele confirmava os rumores. A resposta ao jornal carioca, sucinta, foi enviada pela secretaria de gabinete da presidência do Rio Grande do Sul: "Da ordem do presidente do estado, comunicamos não ter fundamento a notícia".[79]

Getúlio escondia o jogo por precaução, mas também porque não nutria nenhuma simpatia pelo proprietário do *JB*, o conde Pereira Carneiro, cujo título de nobreza fora concedido pelo Vaticano em 1919. "Este conde papalino é muito chegado a São Paulo e Pernambuco. Estará naturalmente com a expectativa de inclinar-se conforme o vento", precavia-se Getúlio, enquanto esperava a resposta definitiva de Washington Luís, para só então fazer pronunciamento público.[80]

Algo em particular incomodava Getúlio. Os presidentes estaduais que já haviam se manifestado pela imprensa a favor de Júlio Prestes nem sequer citavam a possibilidade de uma candidatura gaúcha, ainda que de forma oblíqua. A dúvida que ficava era sobre o modo como Washington Luís vinha conduzindo as consultas. Estaria ele apresentando de forma indistinta os dois nomes, o de Getúlio e o de Júlio Prestes, para que os consultados manifestassem livremente a preferência por um ou por outro? Ou estaria Washington demonstrando de modo sub-reptício as próprias preferências, a julgar pelo que vinham antecipando os jornais? Ou, quem sabe, o presidente nem ao menos estaria apresentando o nome de Getúlio, mas apenas o de Júlio? "As consultas estão sendo feitas, ignoro em que termos e quais outros trabalhos estão sendo tentados, combinações, promessas etc.", escreveu Getúlio a Neves. "Enfim, a sorte está lançada, mas receio muito que estejamos sendo bloqueados."[81]

Os receios de Getúlio tinham fundamento. Washington Luís não quis tornar públicos os telegramas que enviou aos dezoito governantes estaduais (eram vinte estados à época, mas o presidente achou desnecessário consultar o Rio Grande do Sul e Minas Gerais, por motivos óbvios). Em 25 de julho, Washington comunicou finalmente a Getúlio que todos os consultados — com exceção da Paraíba, que ainda se mantinha em silêncio — haviam declarado apoio ao nome de Júlio Prestes. Ao informar-lhe o resultado da consulta, Washington sugeria a Getúlio que renunciasse à ideia de ser candidato:

> Reafirmando também o meu sincero propósito de continuar seu amigo, acredito e espero que, conhecedor da situação exata do país, ainda convalescendo das profundas perturbações criadas pela sucessão presidencial anterior à minha, a sua alma de republicano e de brasileiro indicará a solução patriótica que pede o assunto.[82]

Entretanto, Getúlio não mais conseguiria simplesmente enrolar debaixo do braço a bandeira da candidatura gaúcha, como se nada houvesse ocorrido. O pacto com Minas previa que a aliança só poderia ser desfeita de comum acordo entre os dois estados. Além do mais, no plano estadual, o quadro tomara dimensão complexa. Dias antes, no encerramento do Congresso das Municipalidades, evento coordenado por Oswaldo Aranha e que reuniu representantes políticos de todas as cidades gaúchas, o nome de Getúlio fora aclamado, por republicanos e libertadores, sem distinção, como o candidato da conciliação regional e, por extensão, o construtor da união nacional. A palavra de ordem que mais se ouviu naqueles dias em Porto Alegre foi uma só:

"É preciso 'rio-grandesizar' o Brasil."[83]

É bem verdade que os libertadores ainda imporiam condições para formar a chamada Frente Única Rio-grandense. Os termos do acordo não estavam de todo fechados. O deputado Batista Lusardo estivera no castelo de Pedras Altas para discutir o assunto com o chefe Assis Brasil.

"Estamos muito em cima de 23. Os ossos dos nossos companheiros mortos ainda estão aí, branqueando nas coxilhas", lembrou Assis. "Vamos ver o que o Partido Republicano vai nos oferecer. Na vida pública todo homem se vende, depende do que é oferecido como moeda", admitiu. "Vamos apoiar, mas isso tem um preço. Vamos conversar com o dr. Getúlio, com os borgistas, para saber por quanto vão nos comprar."[84]

Assis não falava em dinheiro. Em breve ele iria impor, como pagamento pelo apoio, uma tripla exigência programática: que Getúlio, como candidato a presidente da República, passasse a defender o voto secreto, o fim das leis repressivas no país — a exemplo da Lei Celerada — e a anistia aos revolucionários dos movimentos de 1922, 1924 e Coluna Prestes. Era um valor bem alto a ser pago por alguém que historicamente, quando deputado federal, sempre se posicionara na tribuna da Câmara a favor do voto a descoberto e da punição exemplar aos rebeldes. Mas Assis tinha quase certeza de que Getúlio iria topar:

"Ele namora a presidência. Sempre deu um olharzinho para essa moça. O Washington é que nunca quis entender."[85]

Getúlio estava ansioso por notícias de Oswaldo Aranha. Enviara ao Rio de Janeiro o seu jovem secretário do Interior e Justiça para que ele tomasse a temperatura do ambiente político na capital da República. Ficara impressionado com o desempenho de Aranha à frente do Congresso das Municipalidades. Admirou a competência com que aquele moço de apenas 35 anos — doze a menos que ele — conseguira conduzir os debates em um auditório potencialmente hostil, no qual republicanos e libertadores dividiam cadeiras lado a lado, sem que fossem registradas quaisquer trocas de ofensas ou sopapos entre inimigos históricos. Ao contrário, o clima fora de alegre confraternização.

Aranha se revelara um articulador sensato, menos impetuoso que João Neves, mais ousado que Flores da Cunha. Por esse motivo é que Getúlio pediu que viajasse ao Rio, conversasse com os representantes da bancada mineira e, ao mesmo tempo, marcasse uma audiência com presidente da República. Com certeza, saberia o tom adequado para se dirigir a cada interlocutor em particular. Buscasse uma solução razoável para todos. Fosse os olhos e ouvidos do próprio Getúlio Vargas na capital federal.

"Ainda é tempo de desistir. Para mim será um grande alívio", cogitava Getúlio.[86]

Oswaldo Aranha foi, viu, ouviu. Chegou a ser recebido em nada menos de quatro oportunidades por Washington Luís, com a diferença de poucos dias entre uma e outra sessão de conversa. Em todas as ocasiões, conforme descreveram os relatórios detalhados de Aranha a Getúlio, o humor do presidente oscilou como um pêndulo. Na primeira audiência, Washington mostrou-se de início simpático e receptivo, para minutos depois revelar todo o seu amargor e descontentamento. Disse que sempre tivera Getúlio Vargas na conta de um bom amigo, ainda que pessoas próximas e alguns correligionários já o houvessem advertido do contrário. Fez questão de ler para Aranha as duas cartas que Getúlio lhe remetera, para sublinhar a contrariedade.

"A última carta de Getúlio foi para mim uma surpresa brutal", queixou-se.[87]

Mas Washington Luís nem precisaria ter se preocupado em dar, ele próprio, conhecimento a Aranha do conteúdo das cartas assinadas por Getúlio Vargas. Ambas estavam publicadas na íntegra em todos os jornais governistas do Rio de Janeiro, depois de repassadas à imprensa por assessores do Catete. No Congresso, naturalmente, a repercussão estava sendo ruidosa.

"Ou esta carta foi escrita por um homem absolutamente bronco, com uma falta de raciocínio que raia pela imbecilidade, ou foi escrita por um desses espertos irrivalizáveis", acusava o deputado paulista Manuel Vilaboim, brandindo a primeira carta de Getúlio, para depois compará-la à segunda. "O senhor Getúlio Vargas é um homem inteligente, mas é um calculista astuto, é um indivíduo solerte, que pretendeu hipnotizar o presidente da República com a confiança de amizade fiel e sincera, enquanto preparava, do outro lado, a sua própria candidatura."[88]

Os jornais e revistas estavam atulhados de charges e textos satíricos que glosavam o episódio. *O Malho* passou a chamar o presidente do Rio Grande do Sul de "Getúlio Cartas". Para a revista, uma "carta da marca Getúlio" passou a ser sinônimo de papel falso, no qual não se podia confiar. Reproduziam-se parágrafos inteiros da famosa correspondência, acompanhados de imagens arrasadoras a nanquim. Em uma delas, um maquiavélico Getúlio estendia a mão direita para cumprimentar Washington Luís e, na mão esquerda, escondida atrás das costas, segurava uma bomba com pavio aceso. A legenda: "Vossa Excelência pode ficar tranquilo que o PRR não lhe faltará com o seu apoio no momento preciso". Na mesma página, via-se a imagem de Getúlio encarnado na figura de um urso de garras afiadas. "Do atento amigo e admirador, Getúlio Vargas", dizia o texto, citando o trecho final da primeira carta dele ao presidente da República.[89]

Enquanto isso, no Palácio do Catete, em nova audiência concedida a Oswaldo Aranha, Washington Luís ensaiou a tática de dividir o Rio Grande e Minas Gerais. O presidente da República disse concordar com uma solução pacífica, um acordo que preservasse os laços do governo federal com Getúlio, mas não admitia fazer nenhuma concessão aos mineiros:

"O mal vem de Minas, que nunca foi sincera. Vocês foram vítimas", analisou Washington, para deixar claro que qualquer nova combinação teria que excluir, de saída, a candidatura gaúcha, por ter sido gerada de forma artificiosa em Belo Horizonte. Getúlio não escrevera na segunda carta que jamais seria obstáculo para uma solução pacífica? Pois então deveria se retirar do páreo e aderir ao candidato oficial, recomendou.

Aranha aproveitou a oportunidade para propor que ambas as candidaturas — a de Júlio Prestes e a de Getúlio Vargas — fossem retiradas em benefício de um terceiro nome, escolhido por consenso entre as partes. Alguém que não fosse mineiro, paulista ou rio-grandense, conforme sugestão do próprio Getúlio. Washington Luís, porém, desconsiderou a hipótese. Argumentou que os chefes políticos estaduais já haviam tomado suas decisões:

"É tarde, é impossível agora."[90]

Por fim, nos dois últimos encontros que manteve com Washington Luís, Oswaldo Aranha suspeitou que o presidente da República estivesse assustado com a perspectiva de Júlio Prestes ter que enfrentar Getúlio nas urnas. Isso talvez porque o Catete andasse informado do progresso das aproximações mantidas por João Neves e do próprio Aranha com lideranças do Partido Democrático (PD), fundado três anos antes por dissidentes da elite agrária e financeira do Partido Republicano Paulista (PRP), mas que recebeu a adesão de camadas sociais mais amplas, incluindo a classe média urbana e até mesmo fração do operariado.[91] As conversas com os democráticos paulistanos evoluíam aceleradamente, prometendo roubar votos preciosos à candidatura oficial dentro do próprio estado de São Paulo. Aranha considerou o presidente meio ansioso e confuso, sobretudo por ter recorrido, na falta de argumentos mais sólidos, a metáforas vagas para justificar a necessidade da manutenção da candidatura de Júlio:

"Não se pode tirar uma pérola de um colar sem que as demais se percam ou espalhem", comparou Washington.⁹²

Oswaldo Aranha comunicou a Getúlio que saiu daquela série de encontros no Catete convencido de que o presidente da República ultrapassara o limite que separava a firmeza da intransigência. À última hora, em uma atitude que parecera inspirada pelo desespero, Washington Luís chegara ao extremo de oferecer a Aranha a vice-presidência da República na chapa encabeçada por Júlio Prestes.

"Respondi com ar de ingênuo ambicioso, lamentando não ter a idade necessária para aceitar", relatou Aranha a Getúlio. "Eu já havia esgotado todos os meus recursos e esforços. Já não falava com um homem, mas com um deserto de carne e osso, vazio de senso e razão", narrou. "Foi tudo, meu caro Getúlio, uma grande comédia em casa de comércio ou em fazenda de café. Uma mistificação preparada de longa data para uma candidatura doméstica de pai para filho."⁹³

Em síntese, a única alternativa que Washington Luís deixava a Getúlio era a da retirada pura e simples da candidatura, com a consequente aceitação do nome de Júlio Prestes. Isso, para os gaúchos, representaria uma rendição desonrosa:

"Equivaleria a riscar-nos do mapa político. Se capitularmos agora, em 1934 [data da eleição presidencial subsequente], o Júlio Prestes irá eleger o cozinheiro ou o chofer do palácio, e até o Rio Grande baterá palmas", revoltou-se João Neves.⁹⁴

Oswaldo Aranha também pesava as possibilidades: ceder a Washington Luís ou partir para uma batalha eleitoral, de resultados imprevisíveis. Apesar de todos os riscos, Aranha se inclinava para a segunda opção:

"Teremos luta e bravia. A vitória ou a derrota virão. Serão iguais para nós, porque nem uma nem outra aumentam ou diminuem nossa dignidade. A capitulação é que será a nossa vergonha e a eliminação definitiva do Rio Grande da vida política do Brasil. És o árbitro. Aguardo tua palavra", informou a Getúlio. "Chegamos a uma situação em que a tua pessoa é o nosso presente e o nosso futuro. Decide, resolve e ordena."⁹⁵

Aqueles, por certo, foram dias tensos para Getúlio, embora ele próprio não deixasse transparecer nenhum traço de ansiedade. Ao contrário, mostrava-se dono de uma inalterável e aparente serenidade. No trato com os auxiliares, continuava a pilheriar e fazer observações bem-humoradas sobre qualquer coisa.⁹⁶

Em silêncio, contudo, conforme lhe solicitara Aranha, ele já se preparava para decidir, resolver, ordenar.

14. A "renovação criadora do fascismo" é citada como exemplo pelo candidato Getúlio Vargas (1929)

Naquela tarde de 25 de julho de 1929, uma quinta-feira, Getúlio pôs a folha de papel em branco à frente do deputado federal Antunes Maciel Júnior e pediu que ele escrevesse ali, sem quaisquer reservas, todas as exigências que os libertadores julgassem necessárias para apoiar sua candidatura à presidência da República. Sem a efetiva adesão dos antigos desafetos, não sairia candidato, afirmou Getúlio. Algum tempo antes, ninguém poderia imaginar cena parecida.

Quando da estreia de um ainda bigodudo Getúlio Vargas na Câmara Federal, em 1923, Antunes Maciel fora o mais colérico dos seus oponentes. Havia sido Maciel quem divulgara no Congresso Nacional, aos gritos, as acusações de que Getúlio, na antiga condição de presidente da Comissão de Constituição e Poderes da Assembleia gaúcha, fraudara escandalosamente os números das atas eleitorais para dar a vitória a Borges de Medeiros na disputa contra Assis Brasil pelo governo do estado. Por causa da alegada burla, todos recordavam bem, fizera-se uma revolução. Muita gente morrera, de lado a lado. Maciel pegara em armas. Tornara-se um dos principais líderes do estado-maior revolucionário e trocara tiros, na zona das serras gaúchas, com as tropas legalistas então comandadas por Firmino Paim Filho naquela região.[1]

As velhas rixas entre republicanos e libertadores, por mais sanguinolentas que tivessem sido no passado, precisavam ser superadas de uma vez por todas, argumentou Getúlio. O mundo dera suas voltas. Ele mesmo, Getúlio Dornelles Vargas, aos 47 anos, já não era mais o mesmo. Livrara-se do bigode, ganhara alguns quilos mal disfarçados à linha da cintura e perdera tufos inteiros de cabelos sobre a fronte alta. Segundo o amigo Telmo Monteiro, Getúlio estava "mais velho, mais gordo e mais feio"; mas, em compensação, ainda "mais simpático".[2]

Sobretudo, Getúlio começara a construir uma carreira política autônoma, livre da sombra onipresente de Borges, embora cuidasse de preservar um relacionamento respeitoso e ameno com o velho líder Chimango. No governo do estado, trabalhara pelo desarmamento geral dos espíritos. Chamara Maciel ao palácio justamente para lhe dizer que só aceitaria concorrer ao Catete se conseguisse fazer de sua candidatura a base da grande e definitiva confraternização rio-grandense. A trégua que a oposição regional lhe dera até aquele instante precisava ser convertida em paz permanente. A união suprapartidária proclamada no Congresso das Municipalidades precisava ser referendada pela cúpula do Partido Libertador. A folha de papel estava ali. Antunes Maciel ficasse à vontade para preenchê-la com as reivindicações que bem entendesse. Com base no que viesse a enumerar, Getúlio analisaria a viabilidade de uma frente única gaúcha e, por conseguinte, a exequibilidade de sua candidatura.[3]

O tempo também deixara suas marcas em Maciel. Ele ainda se orgulhava de ter empunhado o fuzil contra o governo de Borges de Medeiros, mas também se ufanava por ter sido um dos principais mediadores do Pacto de Pedras Altas, o acordo que pusera fim à Revolução de 1923. Na ocasião, fora um dos que aceitaram, em nome dos rebeldes, a permanência de Borges no poder até a conclusão do mandato legal, em troca da alteração na Constituição gaúcha que aboliu o mecanismo da reeleição ilimitada no Rio Grande do Sul.

Convocado por Getúlio, embora tenha se mostrado receptivo à proposta de listar as reivindicações dos libertadores para uma possível aliança com os republicanos rumo ao Catete, Maciel ponderou que não tinha autoridade suficiente para assumir tamanha responsabilidade sozinho. Porém, conversaria com alguns correligionários e retornaria no dia seguinte para apresentar, com mais vagar e precisão, os pontos que considerava essenciais a um acordo programático. Não iria redigir um documento oficial, mas apenas algumas notas prévias, que servissem para um início de conversa, antes de Getúlio Vargas decidir se prosseguiria ou não as negociações com o alto clero dos libertadores.[4] A última palavra caberia a Assis Brasil, que em seu livro *A democracia representativa* sentenciara: "Politicamente, é imoralidade reunirem-se indivíduos de credos diferentes, com o fim de conquistar o poder, repartindo depois, como causa vil, o objeto da cobiçada vitória".[5]

Getúlio não poderia ter escolhido melhor intermediário. Vinte e quatro horas depois, na sexta-feira, um aplicado Antunes Maciel voltou ao palácio com cinco folhas datilografadas com capricho em papel timbrado do Grande Hotel. Registrara uma espécie de ata detalhada da conversa anterior e, ao final, fizera o inventário de exigências. No topo da lista, colocou a anistia ampla aos revolucionários tenentistas e a adoção do voto secreto em todo o país como requisitos indispensáveis. No plano regional, arrolou a independência do Judiciário em relação ao Executivo gaúcho e o fim das disputas entre os dois partidos estaduais pelas cadeiras da Assembleia dos Representantes, que deveriam ser divididas de modo equânime a partir de então. Ao final do texto, Maciel ainda condicionava: o futuro substituto de Getúlio no governo rio-grandense também teria que surgir de comum acordo entre republicanos e libertadores.

Getúlio Vargas, o político que pregara contra o voto secreto, o ex-deputado que comparara a Coluna Prestes a uma horda de cangaceiros, leu o que Maciel havia escrito e, talvez para surpresa do interlocutor, não fez nenhuma objeção. Achou tudo muito razoável. Se aqueles eram os termos para um pacto, disse Getúlio, não havia por que rejeitá-los. Apenas cobrou pressa nos entendimentos. Afirmou que precisava informar ao presidente Washington Luís, logo no início da semana seguinte, qual atitude iria tomar após a confirmação do nome de Júlio Prestes como candidato oficial. A resposta que pretendia dar ao Catete dependeria do que os libertadores deliberassem, oficialmente, em convenção partidária, de preferência realizada com a maior urgência possível. Mas, antes disso, Getúlio queria outra sinalização prévia, dessa feita vinda do próprio Assis Brasil:

"Preciso de um pronunciamento dos libertadores dentro de dois ou três dias, no máximo."

Se tal não ocorresse, Getúlio antecipou a Maciel o que iria fazer:

"Responderei ao presidente da República desistindo da minha candidatura e procurando encaminhar a solução em outro rumo."[6]

Para facilitar as providências, Getúlio franqueou a Maciel a estação radiotelegráfica instalada no palácio. O funcionário ficaria à inteira disposição, o tempo necessário para que Assis Brasil fosse localizado e cientificado do assunto. De imediato, Maciel pôs-se à tarefa de encontrar o chefe libertador. Depois de várias tentativas frustradas, finalmente identificou um portador confiável para levar um recado a Pedras Altas. Já passava de meia-noite quando Maciel se despediu de Getúlio e comunicou que, depois da dificuldade natural de fazer as mensagens chegarem aos destinatários certos, estava tudo arranjado. Na tarde seguinte, Assis Brasil iria ao serviço telegráfico mais próximo de Pedras Altas e lá esperaria por um contato de Getúlio. Ambos poderiam fazer então uma conferência à distância, em comunicação instantânea, por obra e graça daquela maravilha da tecnologia moderna que era o telégrafo.

Assim foi feito. No dia 27, sábado, às 14h40, pontualmente no horário acertado, Getúlio ditou ao telegrafista a saudação inicial a Assis Brasil. Depois dos cumprimentos de praxe, foi direto ao ponto:

"Queria ouvir sua opinião sobre a questão da sucessão presidencial", inquiriu, para em seguida fazer um breve resumo da situação: Minas lançara-o candidato ao Catete e, a despeito disso, o presidente Washington Luís insistia na candidatura de Júlio Prestes. "Desejaria saber se pode adiantar alguma coisa com referência à atitude do Partido Libertador", seguiu ditando Getúlio ao telegrafista.[7]

O operador batucou uma sequência de toques curtos e longos na alavanca metálica para representar as letras no código Morse. Os sinais eletromagnéticos percorreram mais de quatrocentos quilômetros de fios até chegar ao encarregado do posto telegráfico que ficava a cerca de seis léguas de Pedras Altas. Lá, Assis Brasil esperou que a mensagem recebida em Morse, na forma de pontos e traços, fosse decodificada em frases completas, transcritas em uma tira de papel. Depois de lê-la, ditou a devida resposta. Alegou que residia em um lugar isolado, onde os jornais demoravam a chegar, e portanto não andava atualizado sobre os últimos episódios referentes à sucessão. De todo modo, precisaria consultar o diretório do partido antes de anunciar qualquer disposição oficial. Mas já podia adiantar a Getúlio, sob a condição de absoluta reserva, a sua posição pessoal em torno da matéria:

"Minhas simpatias acompanham a candidatura rio-grandense iniciada em Minas."

Para Getúlio Vargas, era o que bastava. Assis Brasil, com sua autoridade e liderança incontestáveis, traria o restante dos libertadores consigo.

"De minha parte acho-me suficientemente esclarecido", agradeceu Getúlio, radiante.[8]

Assis Brasil estava sendo sincero, embora premido pelas circunstâncias. Era o que revelaria uma carta sua ao jornalista Júlio de Mesquita Filho — proprietário do jornal *O Estado de S. Paulo* e um dos fundadores do Partido Democrático paulista. A correspondência foi interceptada pelas autoridades policiais de Bagé e uma cópia repassada sorrateiramente ao palácio do governo gaúcho.

"Que fazer? Ir com o Catete? Nunca! Ficar abstinente? Um suicídio!", dizia a mensagem de Assis Brasil, explicando a Mesquita as razões do apoio a um adversário de véspera. "Como se fosse feita de encomenda, esta candidatura defende a anistia, o voto secreto, a independência da magistratura, tudo enfim que de mais substancial e urgente pedem os democratas."[9]

Estava consumado. Nada mais impediria a formação da Frente Única Rio-grandense, muito embora Getúlio tenha duvidado de tal possibilidade até o último instante. Um dia antes, escrevera para João Neves cogitando mais uma vez dar a meia-volta e, enquanto houvesse tempo, esquecer toda aquela história de se atirar numa disputa pelo Catete:

"Não confio na nossa frente única, diante do choque provável. Há velhas prevenções e rivalidades difíceis de apagar entre os dois partidos", avaliara Getúlio. "É tempo de fazer alto e considerar as circunstâncias, procurando um meio para sairmos airosamente, antes da cartada definitiva."[10]

Com o aceno de Assis Brasil e a consequente composição com os libertadores, o ambiente voltava a clarear. Entretanto, ao contrário de João Neves, Getúlio continuava a achar que apenas os votos de Minas e Rio Grande, mesmo em bloco, por mais numerosos que fossem, não seriam suficientes para derrotar Júlio Prestes em uma disputa nas urnas. Portanto, era preciso negociar novos apoios à candidatura, antes de desfraldá-la publicamente. Como moeda de troca, havia um lugar vago na chapa. Os emissários estavam liberados para declarar aberta a temporada de caça a um vice. Mas a tarefa de identificá-lo não foi nada fácil.

Um dos primeiros a serem assediados foi o engenheiro e professor Paulo de Frontin, um veterano parlamentar de 69 anos, senador pelo Distrito Federal e ex-prefeito do Rio de Janeiro — notório por ter comandado em março de 1889 a famosa operação "Água em seis dias", que solucionou o problema de abastecimento da então capital do Império com a construção de um aqueduto de 4 mil metros de extensão em prazo recorde, de menos de uma semana. Quando prefeito do Rio, Frontin prolongou e remodelou a avenida Atlântica, aterrou parte da lagoa Rodrigo de Freitas para ligar Copacabana à Gávea e, ainda, perfurou o morro da Providência, por meio do túnel João Ricardo, estabelecendo a ligação entre a área central da cidade e a zona portuária. Era, portanto, um nome de grande expressão, um símbolo da belle époque carioca, por isso mesmo capaz de provocar abalo considerável nas hostes eleitorais mais próximas ao Catete. Entretanto, uma vez abordado, recusou-se a sequer examinar o assunto, alegando ser amigo dileto de Washington Luís.

"Estamos sós. Frontin aderiu a Júlio Prestes", telegrafou a Porto Alegre um apreensivo Oswaldo Aranha, ainda em confabulações políticas pelo Rio de Janeiro.[11]

Na busca por um companheiro de chapa para Getúlio, mensageiros gaúchos e mineiros passaram a cortejar o deputado federal Ernesto Simões Filho, líder da bancada baiana na Câmara e fundador do jornal *A Tarde*, de Salvador. Contudo, além de também repelir a oferta, Simões chegaria a bater boca com João Neves em plenário, quando acusado de estar barganhando a vice-presidência para a Bahia na chapa oficial do Catete, em troca de vantagens inconfessáveis para o estado.

"Vossa Excelência está mentindo!", espumou Simões Filho, cortando a fala de Neves, que discursava à tribuna.[12]

Neves e Simões partiram de punhos cerrados um para cima do outro. Só não se atracaram por causa dos colegas, que conseguiram contê-los à última hora, quando já trocavam empurrões.

"Se o Vilaboim não me barra a passagem, creio que teria segurado os fiapos da barba do célebre Simões Filho", relatou João Neves a Getúlio, para depois se referir ao oponente como "aquele símio baiano". Neves não se satisfez com uma única metáfora zoológica: "O incidente desmoralizou o barbado da Bahia, que entre apupos das galerias e vaias das tribunas correu como um avestruz".[13]

Verdadeiras ou falsas as acusações de João Neves, o presidente baiano Vital Soares acabou confirmado como o vice na chapa situacionista de Júlio Prestes. Ao comentar o episódio em caráter reservado, Getúlio cumprimentou Neves pela demonstração de arrojo no embate em plenário com Simões Filho, mas disse temer que o caso pudesse desencadear um efeito negativo, qual seja, nas palavras textuais de Getúlio, o de "espantar a caça", dificultando ainda mais as futuras negociações:

"Os políticos do lado de lá, aqueles passíveis de entendimentos, não se arriscarão mais a te ouvir ou a alguém dos nossos, pelo receio de serem publicamente desmascarados."[14]

Getúlio temia que a candidatura sofresse morte precoce, vítima de inanição, pela simples ausência de novos apoios estaduais. Sem um vice de peso, não adiantaria partir para o embate. Depois de Paulo de Frontin e Vital Soares, ainda sobreveio uma terceira recusa. O presidente de Pernambuco, Estácio Coimbra, que prosseguia afagado por representantes de Getúlio, confirmou sua fidelidade ao Catete e refugou qualquer nova tentativa de aproximação. Na verdade, a afinidade de Coimbra com o governo central se tornara patente desde o início do ano, quando ele se largara em direção à cidade serrana de Petrópolis para se entender com Washington Luís, sendo convidado para um fim de semana na residência de verão presidencial. À época, Coimbra até tentara negar qualquer motivação política para a longa viagem, mas a desculpa que apresentou à imprensa não convenceu ninguém:

"Vou fugindo do calor. Isso aqui está insuportável", disse a um repórter em Recife quando interrogado a respeito da ida a Petrópolis.[15]

Naquele jogo de dissimulações recíprocas, sem poder contar com a ajuda de baianos e pernambucanos, Getúlio tratou de procurar outro parceiro viável no Nordeste. A intenção passara a ser armar um tripé equilibrado, no qual a primeira perna estivesse bem fincada no Sul, em terras do Rio Grande; a segunda cravada no "centro", em Minas; e por fim a terceira plantada no "Norte" — então geograficamente entendido como o conjunto de todos os estados brasileiros localizados da Bahia para cima.[16] Getúlio voltou os olhos naturalmente para a Paraíba, terra do oligarca Epitácio Pessoa, ex-presidente da República e então representante brasileiro na Corte Permanente de Justiça Internacional, sediada em Haia, na Holanda, onde permaneceria até agosto de 1930. O então governante paraibano, João Pessoa Cavalcanti de Albuquerque, 51 anos, sobrinho favorito de Epitácio, era ministro licenciado do Supremo Tribunal Militar (nomeado sob os auspícios do tio) e gozava de uma imagem pública positiva, sendo referido pela imprensa como um administrador eficiente, austero no trato das finanças estaduais. Bem a propósito, sua metáfora política favorita era a da vassoura:

"Só uma vassourada em regra pode purificar a vida pública, rebaixada por figuras sem significação e aproveitadores gulosos", dizia João Pessoa, utilizando uma figura de linguagem populista, que viria a ser recorrente na história republicana brasileira.[17]

A reputação de moralizador vinha acompanhada pela aura de homem intrépido e centralizador. Pessoa enfrentou chefes municipais que homiziavam cangaceiros e ordenou o desarmamento do sertão paraibano por meio de circulares expedidas aos chefes de polícia locais, antes acostumados a fazer vistas grossas ao banditismo de aluguel. Quando organizou uma reforma tributária e instituiu o chamado Imposto de Incorporação, para incidir sobre a circulação de mercadorias entre localidades sertanejas da Paraíba e os estados vizinhos, houve uma grita geral dos coronéis do interior. João Pessoa, que com a medida desejava reforçar o fluxo comercial pelo porto de Cabedelo, para fortalecer o litoral em detrimento dos oligarcas sertanejos, não se intimidou. Mandou publicar a seguinte nota na folha oficial do estado:

"Os descontentes que se mudem para o Ceará ou Pernambuco, vivam por lá, mas não se lembrem de voltar, porque voltando, terão de pagar a incorporação, talvez acrescida."[18]

Naquele fim de julho de 1929, dezenas de telegramas cruzaram o Atlântico pelo cabo submarino intercontinental que então servia às comunicações entre Brasil e Europa. Apesar do temperamento aguerrido e autoritário de João Pessoa, havia um ritual hierárquico a ser cumprido. Somente após o necessário consentimento de Epitácio — o "tio Pita" —, é que o sobrinho passou a ser abordado de modo direto pelos mensageiros de Getúlio. O mineiro José Bonifácio e o gaúcho João Neves foram os intermediários da negociação telegráfica, que caminhou com surpreendente celeridade. Na segunda-feira, 29 de julho, Epitácio escreveu mensagem ao sobrinho para avisá-lo que autorizara o presidente mineiro Antônio Carlos a oficializar o convite.

"Isto significa que aceitarás", definiu Epitácio.[19]

Já no dia seguinte, terça-feira, 30 de julho, o palácio do governo rio-grandense recebeu o comunicado de que João Pessoa, conforme prometera o tio Pita, acolhera o chamamento. Topava ser o vice de Getúlio Vargas na disputa pelo Catete. João Neves, antes amofinado com as indefinições de Getúlio, ficou eufórico com a materialização da chapa:

"Neiirezhmjtpeu ezwontzstro", dizia o trecho final do efusivo telegrama que enviou a Porto Alegre.

Em código secreto, significava:

"Vitória certa."[20]

João Pessoa parecia um nome talhado sob medida para compor com Getúlio Vargas a Aliança Liberal — como ficaria batizada a união entre as forças políticas do Rio Grande do Sul, Minas Gerais e Paraíba. A despeito de representar um pequeno estado e de ter entrado na política paraibana pela janela das contingências oligárquicas, Pessoa vinha causando perplexidade nas lideranças estaduais mais conservadoras ao mandar cortar despesas supérfluas, demitir pessoal excedente, extinguir secretarias que funcionavam como meros cabides de empregos e impedir a reeleição indefinida dos intendentes municipais.

"Sei bem que as medidas que estás tomando são todas de moralidade e justiça. Não estão acostumados a isto. A grita está sendo e há de ser enorme. Não se extirpam num instante hábitos enraizados desde muitos anos", aconselhara, em vão, o tio Pita.[21]

Como Getúlio, João Pessoa também ordenara a repressão à jogatina no seu estado e garantira a posse de oposicionistas em cidades interioranas. A recusa em apoiar Júlio Prestes ficaria eternizada com a inserção da palavra "Nego" — a conjugação do verbo "negar" na primeira pessoa do presente do indicativo — na bandeira estadual da Paraíba.[22]

Getúlio Vargas e João Pessoa, em que pesem as contradições que ambos encarnavam — falavam de transformação política e modernização do Estado, embora fossem crias de antigas oligarquias regionais —, eram saudados como promissoras novidades no seio da então jovem, mas já carcomida, República brasileira.

"A petulância das oligarquias estúpidas, que querem prolongar a sua existência por mais um quadriênio, está morta", sentenciava Assis Chateaubriand, que por coincidência nascera na mesma cidade paraibana de Umbuzeiro, como João Pessoa. "O açoite paraibano ao rosto da candidatura oficial tem o vigor de um castigo divino", exultava Chatô.[23]

Para Getúlio, bastava passar os olhos por outros jornais do Rio de Janeiro para perceber que o estilo apologético de Chateaubriand não encontrava eco na maioria da grande imprensa, historicamente alinhada ao governo federal. Os números consolidados eram ainda mais eloquentes do que toda a prosopopeia de Chatô: dezessete dos vinte estados da federação haviam oficializado a adesão ao Catete. Situação tão desequilibrada inspirou jornalistas e compositores populares a comparar o embate eleitoral que se aproximava a uma partida de futebol travada entre duas equipes de forças desiguais. Eduardo Souto, conhecido autor de sambas, valsas e tangos, compôs para Francisco Alves gravar a marchinha "É sopa", que previa uma "bruta lavagem" nas eleições:

> *Pra vencer o combinado brasileiro.*
> *Diz Getulinho: "É sopa, é sopa, é sopa".*
> *Paraibano com gaúcho e com mineiro.*
> *Diz o Julinho: "É sopa, é sopa, é sopa".*[24]

A dupla Hekel Tavares e Luiz Peixoto, em outra marchinha, gravada por Jaime Redondo, também não perdoou:

> *Getúlio, você está comendo bola,*
> *Não se mete com Seu Júlio,*
> *Não se mete com seu Júlio,*
> *Que seu Júlio tem escola.*[25]

Hekel e Peixoto foram além, ao pôr em letra e música a recorrente acusação de traidor infligida a Getúlio, ainda produto das célebres cartas que remetera a Washington Luís:

> *Enquanto isso seu Getúlio já escrevia*
> *Tudo às avessas, virgens marias,*
> *Escrita em turco aquela carta parecia,*
> *E nas entrelinhas, é que se lia:*
> *Harmonia, harmonia,*
> *Quero o Catete mas fingi que não queria.*
> *[...]*
> *Harmonia, harmonia*
> *Dezessete contra três é covardia.*[26]

Getúlio estava magoado com Washington Luís pelo fato de suas cartas terem se tornado públicas e, com isso, motivo de chacota:

"O modo como o presidente se conduziu no assunto das cartas é inqualificável; foi um gesto de arrieiro, sem a mais leve sombra de elegância moral", queixou-se a João Neves. "A quebra dessas relações marcou em mim uma verdadeira crise moral. A carta de 10 de maio era uma prova de minha despreocupação e, sobretudo, da amizade que lhe tributava. Fui demasiadamente sincero; reconheço que ele não estava à altura de minha veneração", lamentou. "O primeiro magistrado da nação está agindo de forma francamente facciosa, como chefe de malta."[27]

O que mais apoquentava Getúlio era que, se quisesse, ele também poderia mandar publicar cartas comprometedoras assinadas por Washington Luís. No penúltimo dia de 1927, o presidente da República lhe escrevera para pedir que o governo do Rio Grande do Sul continuasse a ajudar a pagar a tradicional propina à direção de *O Paiz*, sob a rubrica "subsídio à imprensa", a fim de que o jornal prosseguisse politicamente alinhado ao Catete.[28] O acordo tripartite com a publicação datava da gestão de Borges de Medeiros e previa uma operação cruzada, na qual o órgão oficial do PRR, *A Federação*, repassava à folha fluminense gordas parcelas mensais de dez contos de réis, totalizando a pequena fortuna de 120 contos de réis anuais.[29]

"Eu possuo cartas do presidente, solicitando subvenção ao jornal que defende o governo. No entanto, quando João Neves quis tratar deste assunto na Câmara, neguei-lhe autorização", revelou Getúlio em telegrama ao senador gaúcho Vespúcio de Abreu, que também pretendia levar o caso ao plenário do Congresso Nacional.[30]

Subsídios oficiais a redações, apesar de constituir um ato condenável do ponto de vista da ética jornalística, eram prática comum na imprensa brasileira. Financeiramente deficitários, dependentes do poder político para satisfazer os elevados custos de produção, impressão e circulação, os jornais quase sempre eram mantidos às expensas dos governos. Para sustentar as aparências de licitude, o dinheiro público entrava na contabilidade como pagamento pela compra de espaço para publicação de editais e mensagens do Executivo. O detalhe era que, além de eleger jornais amigos para veicular tais publicações com exclusividade, os governos permitiam que as tabelas dos preços de publicidade oficial fossem inflacionadas à luz das conveniências mútuas. Desse modo, as convicções ideológicas dos proprietários de jornais navegavam ao sabor dos ventos políticos do momento.

Em Porto Alegre, o próprio Getúlio vinha enfrentando sérios problemas com o dono da revista *Terra Gaúcha*, o jornalista Júlio Azambuja, que ameaçava denunciar a prática viciada de subvenções pelo fato de o governo rio-grandense ter decidido não renovar um velho contrato de gaveta com a publicação. A revista, que havia acabado de lançar uma edição especial em homenagem à candidatura de Getúlio Vargas ao Catete, quis cobrar trinta contos de réis pelos "serviços prestados". Getúlio recusou-se a pagar e foi alvo de chantagem. Azambuja fez um alvoroço no hall do Grande Hotel, alardeando que a revista iria fechar as portas porque o governo estadual se negava a honrar um compromisso previamente firmado. Como prova, Azambuja disse que faria publicar, em jornais de grande circulação no Rio de Janeiro, uma carta de João Neves endereçada a ele, em que constava a promessa de pagamento.

Getúlio, que não queria mais saber de escândalos por causa de cartas reservadas que se tornavam públicas, abafou o caso. Decidiu desembolsar os trinta contos de réis exigidos por Azambuja, com a condição de que este passasse um recibo considerando a dívida paga e, para todos os efeitos, afirmando que a conta era referente a publicações legais do estado do Rio Grande do Sul na revista. O dinheiro só seria entregue, ressalvou Getúlio, mediante a devolução da carta de João Neves que o dono da *Terra Gaúcha* dizia possuir em mãos. Para garantir que Azambuja permaneceria quieto, o jornalista recebeu um agrado extra do governo gaúcho:

"Será o Azambuja nomeado delegado da Estatística", instruiu Getúlio a João Neves. "A pessoa a quem incumbires da tarefa deve procurá-lo e liquidar o caso."[31]

Pressionado, Getúlio seguia fazendo cálculos. Valeria mesmo a pena se lançar candidato em cenário tão adverso? Em seu arquivo pessoal, ficaria arquivado um revelador documento datilografado, de seis páginas, intitulado "Notas informativas para uso particular" e bem pouco explorado pelos pesquisadores do período. Tratava-se de uma análise de conjuntura sobre o momento político, com previsões sobre o embate eleitoral que ora se desenhava. O tom não era otimista:

"A luta suscitada pelo dissídio aberto com a sucessão presidencial vai, pela geral incultura política e exacerbação dos espíritos, tomando um rumo cujas consequências são difíceis de prever", dizia o texto. "Cabe aos espíritos verdadeiramente patrióticos adotar medidas conciliatórias, no interesse do país."[32]

João Neves discordava. O panorama não seria tão nebuloso assim. Naquela mesma terça-feira, 30 de julho, data do telegrama em que João Pessoa confirmou o ingresso na chapa de Getúlio, os membros do Partido Republicano Mineiro (PRM) se reuniram em convenção no Palácio da Liberdade, sede do governo de Minas Gerais, e ratificaram o apoio à Aliança Liberal. Após reunião de duas horas, os caciques Antônio Carlos, Artur Bernardes, Mello Viana e Wenceslau Brás deixaram de ranger dentes entre si e assinaram nota em comum, na qual declaravam que marchariam unidos em torno de Getúlio Vargas.

Nas colunas do jornal fluminense *A Crítica*, o diretor Mário Rodrigues — pai do futuro dramaturgo e também jornalista Nelson Rodrigues — ridicularizou semelhante convergência de lideranças sabidamente antagônicas e evocou um personagem histórico, o delator da Inconfidência Mineira, Joaquim Silvério dos Reis, para comentar o resultado da convenção do PRM:

"Joaquim Silvério, o saco de gatos da política mineira, que sempre traduziu a tua miséria ingênita e legendária, proclama agora uma frente unida."

Rodrigues cobrava coerência a uma aliança política que se autoproclamava "liberal", mas tinha entre seus principais apoiadores o ex-presidente Artur Bernardes, o "Seu Mé", o mesmo que governara o país sob estado de sítio e era chamado por *A Crítica* de um "flagelo sinistro que abrolha das esterqueiras e das podridões mais infectas".[33]

A mesma condenação fazia o paulista *Correio Paulistano*, órgão oficial do Partido Republicano Paulista (PRP), ao afirmar que tanto Getúlio quanto Antônio Carlos "deitaram-se conservadores e amanheceram liberais, apenas porque na sua corrida desenfreada para o Catete necessitavam de uma bandeira, embora esfarrapada".[34]

No mesmo dia em que ocorreu a convenção mineira e chegou o telegrama de João Pessoa, Getúlio recebeu uma terceira boa notícia: um radiograma enviado do Rio de Janeiro por Oswaldo Aranha informava que os membros do Partido Democrático, de São Paulo, também haviam decidido engrossar oficialmente as fileiras da Aliança. O entusiasmo de Aranha era tamanho que, em tom de bazófia, chegou a sugerir a Getúlio que dispensasse João Pessoa da chapa e oferecesse o lugar de vice ao próprio Júlio Prestes:

"Será uma vingança amiga", brincou Aranha.[35]

O otimismo cresceu quando, um dia depois, na quarta-feira, 31 de julho, o diretório estadual do Partido Libertador se reuniu na cidade de Bagé sob a liderança de Assis Brasil e, por unanimidade, declarou apoio oficial à candidatura de Getúlio. Ao saber do resultado do evento, o jornalista gaúcho Fanfas Ribas, que jamais concordara com a aproximação dos libertadores com o governo do estado, ameaçou rasgar o título de eleitor.[36] Mas mesmo um radical como Ribas acabou recuando e optou por uma atitude mais comedida, de discreta neutralidade.

À última hora, correra o boato de que Washington Luís, em troca de uma possível recomposição gaúcha com o Catete, recomendara que Getúlio reprimisse à espada a convenção libertadora em Bagé, pois sabia-se que o evento contaria com a presença maciça de ex-revolucionários e, por esse motivo, traria consigo o germe da subversão e de uma nova guerra civil nos pampas.[37] Em vez de proibi-la, Getúlio ofereceu à convenção amplas garantias de funcionamento, o que serviu para dilatar o prestígio de sua candidatura junto aos rivais de outrora. O velho Honório Lemes, o "Leão de Caverá", mandou avisar que, embora já estivesse recolhido à vida privada e alheio a questões políticas, igualmente se solidarizava com o nome de Getúlio Vargas.[38] Depois foi a vez de se assistir à adesão do ex-deputado Artur Caetano, o primeiro a deflagrar a bandeira revolucionária em 1923.

"O Artur Caetano é cunhado do Cassiano Ricardo, oficial de gabinete do Júlio Prestes. Não sei até que ponto ele é sincero no entusiasmo que manifesta a nosso favor", minimizava Getúlio, que prosseguia com um pé atrás, desconfiando de tudo e de todos.[39]

No caso específico, as prevenções de Getúlio faziam algum sentido. Anos antes, Artur Caetano mudara do Rio Grande do Sul para São Paulo com o objetivo de tentar fortuna no comércio do café e, sem obter sucesso, estava praticamente arruinado. A súbita mudança de coloração partidária era fruto do aperto financeiro:

"É gravíssimo, para mim, o momento que atravesso, acuado comercialmente e já sem ponto de apoio", escreveu Caetano a Getúlio, em busca de auxílio monetário.[40]

Os interesses em jogo variavam de natureza e tamanho. Os rebeldes tenentistas Siqueira Campos e João Alberto, declarados foragidos pelo governo federal e então exilados em Buenos Aires, vinham mantendo entendimentos secretos com representantes da Aliança Liberal, sob o pretexto de que ela defendia a anistia e o voto a descoberto, estandartes históricos do movimento revolucionário. Todavia, os "tenentes" mal dissimulavam os verdadeiros motivos por trás da aproximação com Getúlio, que no passado, quando deputado, os havia chamado de traidores da pátria e os acusado de fazerem mazorcas, e não revoluções. Descrentes na democracia representativa e na via eleitoral como via de acesso ao poder, os eternos insurgentes sondavam o terreno para desencadear uma espécie de "terceiro Cinco de Julho", em versão revista e ampliada, após os levantes fracassados de 1922 e 1924. Siqueira Campos, em especial, considerava que o movimento deveria se aproveitar dos recursos dos políticos tradicionais, fazer a revolução com a ajuda deles e, uma vez vitoriosos, descartá-los como peso morto.[41]

Bastava dizer que João Pessoa, o vice da chapa, quando membro do Supremo

Tribunal Militar, trabalhara justamente para sentenciar os "tenentes" rebeldes, que agora passavam a apoiar sua candidatura.⁴² Uma coalizão de forças tão díspares em torno de Getúlio provocou a exultação de uns, mas também a estranheza de outros. A Aliança Liberal passou a ser comparada a uma espécie de "Arca de Noé", onde cabiam "animais políticos" de todas as espécies, de velhos oligarcas, como Artur Bernardes, Epitácio Pessoa e Wenceslau Brás, a empedernidos insurgentes, como João Alberto e Siqueira Campos, incluindo ainda notórios liberais, como o jornalista Júlio de Mesquita e, em especial, Assis Brasil, que defendia em seus escritos teóricos a pureza do voto e da representação popular.⁴³

"Liberalismo é a palavra da moda. À sua sombra acolhem-se os mais variados elementos da fauna política", criticava *O Malho*.⁴⁴

O caráter multifacetado da Aliança Liberal — que lhe rendeu o epíteto de "Lambança Liberal", conferido por Juca Pato⁴⁵ — foi alvo de um relatório do adido militar norte-americano no Brasil, major Lester Baker, que em correspondência ao Departamento de Estado em Washington disse, textualmente, que o liberalismo do candidato da oposição "não era algo para ser levado a sério". Baker recordava que, durante a eleição estadual gaúcha de 1923, Getúlio Vargas, como presidente da comissão de reconhecimento eleitoral, agindo de forma "deliberada e cínica", jogara fora milhares de votos dados a Assis Brasil para assegurar a vitória de Borges de Medeiros. Ainda de acordo com as informações do adido, a presença de Epitácio Pessoa e Artur Bernardes entre os apoiadores de Getúlio era um sinal inconfundível de que o rótulo "liberal" era uma insustentável contrafação. "Esses dois políticos governaram o país com métodos ditatoriais e em flagrante desacordo com as restrições constitucionais do Poder Executivo."⁴⁶

O *Correio Paulistano*, cuja linha editorial era ditada pelo Partido Republicano Paulista, cunhou o neologismo "getulice", definido como "sinônimo confortável e lauto de falta de lógica, de tipo instável, de todas as coisas contraditórias, sem bases sólidas, sem limites fixos, sem pé nem cabeça, misturas que não se misturam".⁴⁷

Era de esperar que, no Rio Grande do Sul, fossem muitos os contrariados pelo acomodamento entre as facções historicamente rivais. Contudo, entre os republicanos gaúchos, as baixas decorrentes da união com os libertadores foram irrelevantes. Apenas um deputado federal, Joaquim Luís Osório, discrepou em público dos colegas e, após 25 anos de ininterrupta militância no PRR, renunciou ao mandato, em protesto contra a coligação que chamou de "nefasta", "ilegítima" e "insincera". Segundo mensagem ao comando da agremiação, Osório disse que jamais se ligaria "aos advogados da panaceia do voto secreto, sempre combatido por nosso partido".[48]

Foi uma voz isolada. Mesmo Lindolfo Collor e Flores da Cunha, que antes demonstravam tendências favoráveis a Júlio Prestes, obedeceram a voz de comando de Borges de Medeiros e reforçaram a leva de cristãos-novos do liberalismo. Collor tomou a iniciativa de escrever a Getúlio, para expressar sua posição ante à questão sucessória:

"Estou contigo nesta luta", resumiu.[49]

Lindolfo Collor tinha uma única preocupação, que aliás coincidia com a maior das apreensões de Getúlio. Como evitar rejeições naturais em um organismo que era um verdadeiro Frankenstein político, um amontoado de braços, pernas e cabeças que agiam e pensavam de forma tão diferente entre si? Collor propunha que o amálgama ideológico no qual se convertera a Aliança fosse acomodado sob a disciplina de um novo partido, de amplitude nacional e matriz programática minimamente definida. Mas ele próprio, Collor, reconhecia dificuldades para até mesmo se batizar, com alguma precisão semântica, uma nova agremiação porventura nascida da Aliança Liberal:

"Somos conservadores e não liberais. Mas, como conservadores, pelo fato de querermos melhorar o que aí está, somos progressistas", teorizou, ao sugerir então a organização de um Partido Republicano Progressista.[50]

Getúlio deixou que tais elucubrações corressem por conta de Collor. Como candidato, estava bem mais interessado em cerzir os pontos dessa inusitada e circunstancial malha de interesses — com o objetivo declarado de impedir que ela se esgarçasse antes das eleições — que propriamente lhe garantir alguma espécie de coerência programática. Muito mais premente, entendia Getúlio, era viabilizar o caixa de campanha, antes de decidir lançar a candidatura em praça pública. Afinal, alguém precisaria arcar com as contas de uma eleição presidencial que tinha a pretensão de incendiar o eleitorado do país contra o poderio quase imperial do Catete. E isso, por certo, custaria muito dinheiro.

"As coisas políticas no Brasil decidem-se por combinações transitórias. Para custear uma campanha dessa ordem, são necessários sólidos recursos financeiros", escreveu Getúlio a João Neves, que por sua vez tinha planos de abrir uma subscrição popular a fim de angariar recursos para a Aliança. "Não me parece que esse apelo ao público, noticiado pelos jornais, dê resultado", calculou Getúlio, mais pragmático. "É necessário que uma pessoa do *métier*, relacionada no comércio, nos meios bancários, vá pessoalmente às firmas simpáticas obter o concurso monetário, mas com garantia de absoluto sigilo, porque tais elementos, fundamentalmente conservadores, não querem complicações com o governo."[51]

Oswaldo Aranha pensava de modo semelhante. Havia questões práticas, imediatas, a serem tratadas. Além de gozar de razoável saúde financeira, uma candidatura de oposição precisava de uma plataforma eleitoral sedutora aos ouvidos do eleitorado brasileiro, ainda pouco afeito a grandes mobilizações de massa. Como primeiro item de propaganda, em pé de igualdade com a anistia e o voto secreto, Aranha propôs o compromisso público de criação de um ministério de Instrução e Saúde, desmembrado da tradicional pasta do Interior. Isso, defendeu, demonstraria interesse em se atacar os dois mais flagrantes problemas nacionais, explicitados a partir do próprio nome da pasta a ser criada.

Havia outro aspecto a ser considerado, conjecturou Aranha. Depois da adesão incondicional da Paraíba, o Nordeste também teria que merecer atenção específica, para se obter o maior número de votos possíveis na região, vítima do abandono atávico por parte das autoridades federais. Por fim, sendo o Brasil um país essencialmente católico, Aranha chamava a atenção de Getúlio para a necessidade de não se ferir os pruridos dos eleitores mais religiosos, uma questão delicada, dado o histórico positivista do Rio Grande do Sul:

"Devemos ficar bem com o clero. Basta uma frase em latim e uma subvenção à catedral", ironizou Aranha.[52]

A eclética Aliança Liberal, fruto da polifonia de interesses que a caracterizava, obviamente não surgia com a intenção de provocar mudanças estruturais na sociedade. Até mesmo aspectos pontuais como a anistia e o voto secreto significavam meros chamarizes para a composição de apoios mais largos. O documento "Notas informativas para uso particular", no arquivo de Getúlio, deixava isso claro, além de insistir na tese de reconciliação com o Catete:

"Procuramos uma solução que prestigie a autoridade do presidente da República e que, ao mesmo tempo, nos abra uma porta para sairmos sem humilhação, salvando pelo menos as aparências, pois, realmente, não deixam de ser apenas aparências as solicitações que fazemos."[53]

Firmino Paim Filho, secretário da Fazenda no governo gaúcho, apresentaria as coisas em termos claros:

"Não se tratava de princípios", assumiria mais tarde. "Eu era contrário ao voto secreto, à anistia e à revogação das leis repressoras. Estava com o candidato não pelos ideais que ele encampara, mas por julgar haver chegado a hora do Rio Grande influir mais intimamente nos destinos da República."[54]

Oswaldo Aranha também tornou isso evidente ao recomendar a Getúlio que concedesse longas entrevistas a grandes jornais do Rio de Janeiro e de São Paulo, para largar na corrida sucessória antes do concorrente e, desse modo, demarcar território. Aranha, assim como Paim Filho, não concordava com a hipótese de recuo. Mas também admitia que o discurso progressista da Aliança Liberal tinha muito mais fachada que conteúdo:

"Precisas falar imediatamente, para evitarmos que a tua palavra venha depois da do Júlio Prestes. Ele que repita teus ideais. Neste páreo não há duas estradas para a presidência e as plataformas são gêmeas umas das outras."[55]

Pelas contas de Aranha, a Aliança Liberal já contava com o apoio inicial de noventa parlamentares na capital da República — sendo, no Senado, dezesseis aliancistas contra 52 governistas; e na Câmara, 74 contra 138 deputados. Os números pareciam esquálidos, mas a campanha ainda não saíra às ruas, depois do que se esperava um aumento exponencial, decorrente dos costumeiros aliados de ocasião. Uma coisa, de todo modo, era consenso entre os articuladores da campanha:

"Já não pensamos mais em abrir mão do teu nome", informou Aranha a Getúlio.[56]

No entender do secretário de Interior, não fazia mais nenhum sentido o Rio Grande do Sul retroagir, unilateralmente, à revelia do consórcio já formado com Minas, Paraíba e os democratas paulistas. Quanto à situação doméstica, Batista Lusardo já os advertira: tendo os acontecimentos evoluído àquele ponto, qualquer tentativa de retrocesso seria interpretada como injúria. Nas palavras desabusadas de Lusardo, os libertadores passariam a atuar como uma "baioneta nos rins dos republicanos".[57] A imagem de uma arma pontuda espetada nos flancos era bem persuasiva.

"Se isto acontecesse, eu teria de abrir a minha sepultura política, porque ficaria isolado do Rio Grande", concluiu Getúlio. "Calçamos uma formidável bota e temos de marchar até o fim. É tarde para recuar. Estou resignado e disposto."[58]

Resignação e disposição não são palavras que costumam andar juntas no dicionário. Getúlio Vargas apostava na ambivalência, como de hábito. Naqueles dias, Washington Luís receberia uma nova carta assinada por ele, datada de 29 de julho. Era ainda um ensaio tardio de reconciliação:

"Não aceitei a indicação de meu nome pelo estado de Minas como candidatura de combate, que não desejo, que nenhum brasileiro poderá desejar", dizia a mensagem, na qual Getúlio argumentava que o rumo dos acontecimentos não dependia mais apenas dele. Já que Minas Gerais, por meio de Antônio Carlos, fora quem tomara a iniciativa de lançá-lo candidato, seria também com o PRM que Washington Luís deveria se entender para resolver o conflito. Ele, Getúlio, acataria de bom grado o que fosse decidido entre o Catete e os mineiros.[59]

Em 1º de agosto, Antônio Carlos poupou Washington Luís do trabalho de ter que responder àquela carta do presidente do Rio Grande do Sul.

"Tenho o pesar de comunicar que diante da atitude intransigente que Vossa Excelência assume [...] tenho de considerar como definitivamente postas, perante a Nação, as candidaturas de Getúlio Vargas à presidência da República e a do dr. João Pessoa à vice-presidência", oficializou o governante mineiro em correspondência ao Catete.[60]

Na Câmara Federal, seriam queimadas as últimas pontes que ainda poderiam permitir a Getúlio o retrocesso tático. A 5 de agosto, um discurso histórico de João Neves decretou o rompimento definitivo da Aliança com o governo federal. Neves, em tom inflamado, acusou Washington Luís de não ter realizado uma consulta sincera aos estados antes de homologar a candidatura de Júlio Prestes, mas apenas um simulacro de consulta, fazendo valer uma imposição dinástica, na qual o nome de Getúlio nem sequer fora apresentado como alternativa.

"Pedimos ao sr. Washington Luís que consultasse a Nação acerca do nome do sr. Getúlio Vargas. Sua Excelência não o fez. Nós o faremos", anunciou Neves.[61]

Estava decidido. O país iria assistir à eleição presidencial mais eletrizante — e violenta — de toda a história republicana.

"Getúlio Vargas é um fascista!", acusou o vereador Otávio Brandão, em discurso no Conselho Municipal da cidade do Rio de Janeiro.[62]

Eleito pelo Bloco Operário Camponês, braço legal do clandestino Partido Comunista, Brandão fazia a denúncia com base em declarações dadas pelo próprio candidato da Aliança Liberal à imprensa gaúcha. No dia 9 de agosto, Getúlio chamara ao palácio do governo estadual redatores do *Correio do Povo* e do *Diário de Notícias* para ensaiar, em terreno caseiro, a estratégia de abrir espaço à candidatura na grande imprensa, conforme sugestão de Oswaldo Aranha. Entretanto, partir na frente e estabelecer contato com jornalistas antes de Júlio Prestes também significava expor-se mais cedo ao tiroteio dos adversários. Nessa primeira entrevista coletiva como candidato ao Catete, Getúlio deu margem para que se abrisse fogo cerrado contra ele. E, de fato, referiu-se ao fascismo italiano de forma positiva.

Indagado sobre o modo como pretendia encaminhar a política de valorização do café, Getúlio disse aos repórteres que dedicaria óbvia atenção a um produto que respondia sozinho por cerca de 70% das exportações nacionais. Com a experiência de ex-ministro da Fazenda, defendia o princípio de que o Estado deveria trabalhar pela valorização de produtos estratégicos à economia. Citou o exemplo do governo gaúcho, sob seu comando, que vinha incentivando a formação de entidades classistas, no âmbito dos produtores de charque, arroz e trigo, para incentivar o fortalecimento dos respectivos setores. No Catete, agiria do mesmo modo, não só em relação ao café, mas também quanto ao açúcar, à borracha, ao algodão, à erva-mate. Logo em seguida, pronunciou a sentença que provocaria toda a celeuma:

"Outra não tem sido a minha diretriz no governo do Rio Grande, onde o que se tem feito se assemelha ao direito corporativo promovido pelo regime fascista no período de renovação criadora que a Itália atravessa", declarou. "Não será diferente, é claro, na administração da República, se até lá me elevar o voto dos meus concidadãos."[63]

Getúlio acabara de dar a entender que se chegasse ao Catete faria um governo inspirado nos pressupostos do corporativismo de Benito Mussolini. Àquela altura, 1929, Mussolini estava no poder havia sete anos. Ex-integrante do Partido Socialista Italiano (PSI), fora expulso da agremiação em 1914 e, em 1922, com o apoio de seus temidos paramilitares "camisas-negras", se impusera como primeiro-ministro após a espetaculosa Marcha sobre Roma. Desde 1924 Mussolini implantara a ditadura fascista, regime de extrema direita que fechou jornais, perseguiu opositores com violência e controlou os sindicatos e entidades patronais, por meio do chamado corporativismo, ou seja, a institucionalização da tutela do Estado sobre as relações entre capital e trabalho. Era disso que se tratava a "renovação criadora" a que se referira Getúlio na coletiva? — indagava Otávio Brandão.

Reproduzida pelo *Estado de S. Paulo*, a entrevista de Getúlio aos jornais gaúchos ganhou relevo nacional. Na Aliança Liberal, os membros situados mais à esquerda no espectro político procuraram atribuir as declarações de Getúlio a um erro de imprensa:

"Mas, como? Não acompanhava eu, estarrecido, as 'proezas' do fascismo mussolínico? O candidato liberal-democrático podia pensar em corporativismo? Não, só poderia ser um equívoco, mancada de jornalista", recordaria em suas memórias um dos líderes do Partido Democrático, o paulista Paulo Nogueira Filho.[64]

Entretanto, a hipótese de erro — ou mesmo de má-fé jornalística — não se sustentava. Getúlio exigira que, "dada a importância do assunto", a entrevista, antes de ser publicada, fosse taquigrafada e depois transcrita, palavra por palavra, para sua revisão e aprovação prévia.[65] Não havia, portanto, o que contestar. A afirmação saíra mesmo de sua boca. Mas isso não deveria ter constituído motivo para maiores surpresas a um observador mais atento. Uma análise dos discursos de Getúlio à frente do governo do Rio Grande do Sul, por si só, serviria para elucidar os traços então definidores de seu pensamento político. Desde a posse como presidente estadual, ele vinha falando de pacificação e harmonia, mas também de "crise de autoridade", "primazia dos direitos da sociedade sobre o direito dos indivíduos", "alargamento do poder de Estado" e "intervenção no domínio da liberdade industrial". A referência a jargões e conceitos típicos da ideologia fascista era nítida e sugestiva demais para ser desprezada.

Como se não bastasse, uma semana depois da entrevista coletiva de Getúlio aos jornais gaúchos, a *Revista do Globo*, que cultivava uma linha editorial de apoio integral ao governo do estado, publicou um longo texto sob o título "A democracia organizada e funcional do fascismo". O artigo procurava demonstrar que a prática de Mussolini de controlar sindicatos patronais e de trabalhadores era um exemplo a ser seguido e representavam a "glória da pátria italiana".[66]

A revelação de que Getúlio Vargas era um admirador do corporativismo fascista se juntou às notícias de que membros da Aliança Liberal andavam mantendo conversações com líderes tenentistas. A conclusão imediata a que se chegou foi que a candidatura de Getúlio seria apenas uma fachada legalista para se ocultar a gênese de um movimento de tomada do poder pela força.

"Eles não querem eleição, e sim revolução", condenou *A Notícia*, do Rio de Janeiro. "Eles confiam muito mais na subversão", reforçou o jornal, que denunciava estar em preparo em Porto Alegre uma grande demonstração de força, similar à Marcha sobre Roma. "O grande Mussolini dos Pampas será carregado em triunfo até o Palácio do Catete", comparou a publicação.[67]

Getúlio jamais desmentiu o que dissera naquela entrevista. Mas negava peremptoriamente que estivesse preparando um movimento revolucionário para tomar o Catete:

"Os reacionários, através de certa imprensa, em grande parte remunerada para agredir, procuram no calão de uma terminologia desprezível, típica das épocas de decadência, cobrir de baldões os seus adversários", declarou Getúlio em Porto Alegre, discursando do balcão do palácio do governo para uma multidão calculada em cerca de 30 mil gaúchos. "Vibram as armas da intriga, da mentira, do embuste, contra as quais devemos nos precaver", advertiu. "Não cogitamos revoluções. Acataremos o resultado das urnas e o veredicto do poder competente", prometeu.[68]

O bombardeio contra Getúlio prosseguiu nas semanas seguintes, quando veio à tona a questão do seu declarado agnosticismo. Boletins apócrifos começaram a ser distribuídos, à hora das missas, em igrejas de São Paulo:

"Votai em Júlio Prestes, que é católico militante. Getúlio Vargas, que é rio-grandense, não pode deixar de ser anticatólico", diziam os panfletos, em alusão à tradição positivista dos gaúchos.[69]

A Federação partiu em defesa do presidente do Rio Grande do Sul e, sem ter como desmentir o fato de Getúlio ser de fato agnóstico, procurou pelo menos desmontar a lógica enviesada dos panfletos. Ser rio-grandense não fazia de ninguém, necessariamente, um anticlerical. E, também estava óbvio, nada impediria qualquer candidato, mesmo não sendo um homem religioso, de aspirar aos votos do eleitorado em um país no qual Estado e Igreja, pelo texto da Constituição, eram independentes.

Os panfletos trouxeram à lembrança o momento em que, quando deputado, durante a reforma constitucional, Getúlio encabeçou um movimento para derrubar as chamadas "emendas católicas", que previam a instituição do ensino religioso obrigatório no país. *A Federação* rebateu:

"O dr. Getúlio Vargas, na presidência, não se transformará em mestre-escola. Deixará à grande família brasileira o direito de educar os filhos de acordo com as crenças de cada um."[70]

A união política de Minas (estado tradicionalmente católico) com o Rio Grande do Sul (reduto histórico do positivismo) também rendeu trovinhas mordazes, em que a religião era o tema central:

É pilhéria e das mais finas:
Nossa Senhora de Minas
toda vestida de azul
desceu do alto do monte
pra casar com Auguste Comte
no Rio Grande do Sul.[71]

No exercício do cargo, Getúlio sempre tomara o cuidado de criar antídotos contra explorações do gênero. A primeira-dama rio-grandense, Darcy Vargas, estava habituada a prestigiar campanhas beneficentes de instituições católicas. Naquele exato momento, Darcy participava da comissão organizadora da "Festa da Flor", evento protagonizado por senhoras e senhoritas voluntárias de Porto Alegre, que abordavam cavalheiros na rua e os presenteavam com flores na lapela, em troca de donativos para as obras de construção de um templo em honra de santa Teresinha.[72]

Mas, preocupados com a repercussão dos panfletos, os aliancistas propuseram ações de maior visibilidade junto ao eleitorado católico:

"Seria de grande efeito uma troca de cortesias entre o arcebispo de Porto Alegre e o presidente do Rio Grande do Sul", opinou Artur Caetano, em mensagem a Getúlio.[73]

Algumas semanas depois, a *Revista do Globo* publicaria uma foto de meia página na qual se via um sacerdote católico discursando febrilmente, de batina preta, em um comício do recém-fundado Comitê Nacionalista Pró-Getúlio Vargas.[74] Menos de um mês depois, um compenetrado Getúlio posaria para fotografias no Theatro São Pedro, sentado ao lado do arcebispo gaúcho d. João Becker, em homenagem oficial ao jubileu do papa Pio XI.[75]

"Falta-nos, na suprema direção da pátria, um Moisés brasileiro, que tenha a audácia cívica de escolher o Nosso Senhor Jesus Cristo para guia da Nação, que tenha a coragem de restabelecer os direitos, os ensinamentos e as leis de Deus em todos os departamentos da sociedade brasileira", dizia d. Becker. "Quem o será?

Como todos os estados do Brasil, o Rio Grande tem o direito inconcusso de apresentar seu candidato, como o fez."[76]

Nesse aspecto, Getúlio se saía bem melhor do que alguns colegas do Rio Grande do Sul. Entrevistado pouco antes pela mesma *Revista do Globo*, Flores da Cunha ficara visivelmente embaraçado quando a conversa enveredou por temas ligados à religião. Flores assumiu sem problemas sua admiração por Auguste Comte, e em seguida confessou, meio encabulado, que não sabia fazer o sinal da cruz:

"Mas sou deísta", ressalvou. "Creio mesmo que em breve serei católico", arriscou-se a dizer, em um rasgo de humor involuntário.[77]

Dali para começarem as inevitáveis ferroadas nas páginas dos jornais e revistas que apoiavam Júlio Prestes foi um salto. *O Malho*, que se transformara na publicação mais cáustica contra o candidato da Aliança Liberal, usou e abusou do mote. Ora publicava a imagem clássica do demônio, de rabo e chifres pontudos, declarando voto a Getúlio Vargas; ora retratava o próprio Getúlio vestido de diabo, todo pintado de vermelho, sendo apresentado por Antônio Carlos a uma figura feminina de túnica azul estrelada e crucifixo na mão, representando a "Nação Brasileira".

"Como?! Você que se dizia tão religioso, quer que eu, católica, aceite um candidato anticatólico?", indagava a figura da Nação a Antônio Carlos, que então respondia:

"Não faça caso. O positivismo do Getúlio é igual às cartas que ele escreveu ao Washington, só fingimento."[78]

Apesar das negativas, o termo "revolução" continuou a ser enunciado com nervosa recorrência naquele segundo semestre de 1929.

"Não sei aonde iremos parar, se esta luta sair das urnas para as trincheiras", dizia Flores da Cunha, com sua larga experiência de líder militar.[79] Desde julho, as revistas e jornais do Rio de Janeiro acusavam Flores de ter feito a célebre profecia de que os gaúchos, uma vez deflagrada a luta armada, só parariam quando amarrassem seus cavalos no grande obelisco da avenida Rio Branco, um dos principais monumentos da então capital federal. Mas Flores tratou de desmentir a autoria da tal "gauchada":

"Só desejo trazer ao Rio de Janeiro o meu cavalo, que bebeu em todas as vertentes do Rio Grande do Sul, se for para uma grande parada de concórdia e de confraternização."[80]

Em 21 de setembro, no mirante do Hotel das Paineiras, localizado no caminho de acesso ao Corcovado, João Neves almoçou com o secretário mineiro do Interior, Francisco Campos, e com o presidente de Minas Gerais, Antônio Carlos. Naquele ambiente sofisticado, entre talheres de prata e taças de cristal, pela primeira vez os três admitiram a hipótese de recorrer a uma solução armada. Ainda diziam ter plena confiança no sucesso eleitoral, mas não descartavam a alternativa de defender a vitória pela força, caso o resultado das urnas fosse fraudado ou simplesmente desconsiderado, já que o governo federal detinha a maioria absoluta do Congresso e as atas das eleições nacionais precisavam ser homologadas pela Câmara e pelo Senado.[81] No caso de o Catete vir a pressionar o Legislativo para o não reconhecimento dos eleitos, a situação poderia tomar contornos imprevisíveis.

"Façamos a revolução antes que o povo a faça" — a frase, historicamente atribuída a Antônio Carlos, sintetizava bem a singularidade da situação. As oligarquias abrigadas na Aliança Liberal precisariam tomar a dianteira das ações em caso de levante armado, para não serem surpreendidas por mudanças radicais no regime. Embora existam dúvidas a respeito da verdadeira paternidade da frase premonitória — há quem sustente que Antônio Carlos jamais a pronunciou e, poucos anos mais tarde, o jornalista mineiro Djalma Andrade assumiria a sentença como sua[82] —, ela obteve imensa repercussão à época, tendo sido objeto de contundente editorial da *Revista do Globo*, intitulado "Evolução e revolução", assinado pelo escritor, poeta e jornalista Augusto Meyer. O texto de Meyer se referia a um movimento ideológico em gestação, protagonizado pelas lideranças da Aliança Liberal:

"Não podemos prever aonde ele nos leva. Nem definir exatamente os seus contornos porque estamos vivendo a sua agitação e nos falta a distância necessária para medir todo o seu alcance", escreveu Meyer, para então afirmar que o sentido histórico de tal movimento visava equilibrar uma suposta "marcha para a esquerda" ora em curso no mundo, sintoma perigoso da "crise das democracias".[83]

A possibilidade de agitadores profissionais, financiados por Moscou, aproveitarem a ocasional cisão das elites brasileiras para arrastar o país ao comunismo era uma hipótese inculcada à população de modo insistente por vários setores da imprensa, que se utilizava do tema para semear um clima de verdadeiro pavor coletivo. *A Federação*, em resposta aos ataques que vinham sendo feitos ao "fascismo do dr. Getúlio" por meio de artigos assinados pelo deputado Azevedo Lima, do Bloco Operário Camponês, preferiu a via do escárnio, abrindo espaço para um texto publicado sob o pseudônimo de Petit Bleau:

> Vem de longe o meu apreço por você, meu caro Azevedo Lima. As suas substanciosas dissertações sobre Karl Marx, Kroptkin, o comunismo, o socialismo, o anarquismo, o niilismo, o sindicalismo, o marxismo, o cooperativismo e outros esterquilínios em "ismo" constituíram sempre a minha leitura de cabeceira: em caso de insônia, era uma terapêutica infalível.[84]

O anticomunismo de Getúlio, por sinal, era explícito. Em uma das cartas a ele endereçadas nessa época, João Neves precisou recorrer a uma máquina de escrever que dispunha apenas de fita de tinta vermelha.

"A cor que escrevo esta não é precisamente a ortodoxa do nosso velho credo partidário", desculpou-se Neves, com uma nota peculiar de ironia.[85]

O filho Lutero Vargas também nunca esqueceu do sábado em que, do alto de seus dezessete anos, numa das rodas de conversa da Livraria do Globo, ousou expressar ao pai sua simpatia de então pelas teses marxistas que pregavam "o fim das injustiças sociais" e "a igualdade entre os homens".

Como resposta, ganhou uma reprimenda:

"Este teu comunismo é puro cristianismo", censurou Getúlio.[86]

Todavia, Getúlio Vargas jamais desprezaria aliados em potencial, quaisquer que fossem seus matizes ideológicos. Como candidato à presidência da República contra Júlio Prestes, pretendeu alargar o leque de apoios para alcançar o movimento operário, cujos sindicatos, ligas e associações eram controlados majoritariamente por comunistas e anarquistas. Quando lhe caiu em mãos um exemplar do periódico *Causa Operária*, Getúlio recomendou a João Neves:

"Parece-me indispensável fazer algo para atrair esse jornal e, por intermédio dele, o proletariado. Examina o caso, com a tua habitual perspicácia."[87]

Se uns denunciavam Getúlio como fascista, outros começaram a ver nele uma ameaça vermelha, capaz de se aliar aos comunistas para tomar o poder.

Enquanto muitos em volta já falavam abertamente em revolução, fosse de direita ou de esquerda, Getúlio continuava a exibir toda a fleuma possível. Naquele mês de setembro de 1929, repetiu o rito semanal de ir a pé do palácio do governo até a Livraria do Globo, para encontrar os amigos de sempre, fumar os charutos preferidos e prosear durante horas sobre livros e literatura. Mas, chegando lá, foi surpreendido pela informação de que todos os jornais cariocas pró-Júlio Prestes expostos à venda na cidade haviam sido adquiridos, minutos antes, por um bando de estudantes em passeata. Os integrantes do movimento acadêmico se concentraram depois em frente ao Cinema Central e improvisaram uma enorme fogueira, alimentada pela pilha de jornais. Era um ato de protesto contra as "mentiras, baboseiras e cretinices" publicadas na imprensa do Rio de Janeiro, declararam os manifestantes.[88]

Minutos depois, na Livraria do Globo, Getúlio teve a atenção despertada para uma barulheira vinda da rua. Eram os estudantes que chegavam, em massa compacta. Informados de que o candidato da Aliança Liberal se encontrava ali, todos marcharam para saudá-lo, com aplausos, discursos e palavras de ordem.[89] Assim como vinha ocorrendo no país inteiro, o movimento estudantil gaúcho aderiu a Getúlio. Um dia antes, em São Paulo, os acadêmicos de Direito do largo de São Francisco também haviam divulgado um manifesto de apoio à Aliança Liberal. "Devem vir para nosso lado aqueles que combatem as oligarquias, a incompetência, a corrupção e a irresponsabilidade", dizia o texto.[90]

Nos jornais cariocas incinerados pela estudantada de Porto Alegre, denúncias davam conta de que o Rio Grande do Sul preparava um levante armado, com cerca de 40 mil homens, divididos em dez grandes colunas, para subir em direção a Santa Catarina e dali estabelecer um bloqueio ao longo da fronteira entre os dois estados, com o objetivo de declarar, depois disso, a independência do Rio Grande do Sul em relação ao resto do país. As informações eram atribuídas a espiões do governo federal infiltrados na administração estadual. O que deixara os manifestantes particularmente indignados fora a resposta dada por Washington Luís aos rumores sobre o movimento separatista gaúcho:

"Nem por isso o Brasil ficará tão diminuído assim. Serão apenas duzentos e tantos mil quilômetros e 3 milhões de habitantes a menos."[91]

O separatismo, um velho fantasma gaúcho evocado desde a Revolução Farroupilha, voltava a ganhar corpo e feição. Nas ruas de Porto Alegre, cidadãos começaram a ostentar na lapela fitinhas tricolores, em verde, amarelo e vermelho, como insígnia separatista.[92] A teoria de Auguste Comte, que advogava a falência das grandes nações e a constituição de "pequenas pátrias" — em tese, mais orgânicas socialmente e mais propícias ao controle político —, ajudava a conferir um certo verniz filosófico à causa da autonomia.

Uma frase de João Neves na Câmara em defesa da lisura eleitoral — "A Nação escolherá o candidato do seu agrado e o Rio Grande a acompanhará" — só serviu para alargar ainda mais a controvérsia.

"O Rio Grande do Sul não é parte da Nação brasileira? Como assim, ele 'acompanhará' a Nação?", questionou em editorial o fluminense *Jornal do Commercio*.[93]

De imediato, para serenar os ímpetos dos mais radicais, o gaúcho *Correio do Povo* assumiu posição contrária à dos separatistas: "O nosso amado torrão, uma vez independente, passaria a ser uma das tantas republiquetas apagadas que vivem das migalhas da política das nações mais fortes".[94]

Getúlio não poderia ignorar a controvérsia. Ao discursar para os integrantes de um grande corso de automóveis que atravessou as principais ruas de Porto Alegre para estacionar festivamente defronte do palácio do governo gaúcho, buscou desmantelar a usina de boatos:

"Não é necessário que nos mandem beleguins a fim de nos espionar, porque não teremos revolução, porque estamos num terreno de ordem, num terreno de lei, preparando a batalha eleitoral", disse, dirigindo-se à multidão, onde aqui e ali se viam indivíduos portando as tais fitinhas do movimento separatista. "Podeis ficar tranquilos, podeis contar que nunca a Aliança Liberal ensanguentará o Rio Grande do Sul. E se essa infelicidade ocorrer, o que não desejo, não será por culpa nossa."[95]

Aquelas palavras não haviam sido ditas à toa. Getúlio negava estar preparando uma ação armada contra a ordem constitucional, mas dava a entender que o Rio Grande do Sul se transformara em um potencial alvo de investidas militares federais. Em caráter reservado, comunicou aos auxiliares mais próximos ter informações seguras de que o Ministério do Exército estava retirando material bélico das guarnições gaúchas, para diminuir o poder de fogo em caso de uma eventual reação. Carabinas e munições estariam sendo recolhidas, sob o pretexto de reposição de material. Em carta a João Neves, detalhou suas preocupações:

"Sei que o estado de São Paulo está se armando poderosamente. Não só fez vultosas encomendas de metralhadoras, na França, como instalou três parques de aviação na fronteira com o Paraná. Por seu turno, o governo federal está organizando outro parque do mesmo gênero em Florianópolis", escreveu. "O objetivo do plano concertado entre o Catete e São Paulo é esmagar Minas e isolar o Rio Grande."[96]

As informações a respeito da formação de uma "Linha da Legalidade", segundo Getúlio, eram provenientes de fontes fidedignas, com acesso direto à agenda de deliberações do alto-comando das Forças Armadas. Iria se estabelecer um grande cordão de isolamento militar em torno do Rio Grande.

"São coisas que se conversam nos domínios do Estado-Maior", contou Getúlio a João Neves.

Segundo seus informantes, o plano governista previa o insulamento do Rio Grande pelas tropas paulistas e, em simultâneo, o cerco ao território mineiro a partir do vale do São Francisco. A operação em Minas contaria com a ajuda de cangaceiros baianos, os mesmos que no tempo do governo de Artur Bernardes foram incorporados aos chamados Batalhões Patrióticos, eufemismo utilizado para então denominar as milícias de delinquentes contratadas para combater a Coluna Prestes.[97] Getúlio reafirmava não ter dúvidas da veracidade de tais notícias, pois estabelecera completo controle sobre as comunicações oficiais travadas entre o Rio de Janeiro a as guarnições militares instaladas no Rio Grande do Sul. Todas as linhas de telégrafo estavam devidamente monitoradas:

"O que vem para cá, eu descubro", dizia o onisciente Getúlio Vargas.[98]

Enquanto isso, no Catete, Washington Luís desdenhava dos informes que davam conta de uma revolução em processo no Rio Grande do Sul. Quando o deputado paulista Ataliba Leonel tentou adverti-lo do assunto, o presidente da República soltara uma gargalhada:

"Você, depois de velho, deu para ter medo?", perguntou a Leonel.[99]

Era meia-noite quando Getúlio foi informado de que o táxi havia estacionado nos fundos do palácio do governo gaúcho. Do automóvel, desceu um grupo de passageiros. Recepcionados por Oswaldo Aranha, os visitantes foram levados sem demora para dentro do prédio e, em seguida, conduzidos até a biblioteca, onde estavam sendo aguardados pelo presidente do Rio Grande do Sul. O mais baixo dos recém-chegados, cuja estatura não era muito maior que a de Getúlio, adiantou-se e apertou-lhe a mão, formalmente. Era um foragido, procurado em todo o país. Entrara no Brasil, proveniente da Argentina, pela cidade gaúcha de Jaguarão. Seu nome era Luís Carlos Prestes.

João Neves depositava grandes esperanças nos resultados daquele encontro. Em telegrama a Getúlio, expusera:

> Acho urgente conveniência entendimento Luís Carlos Prestes. Palavra Prestes poderá repercutir conquista definitiva Rio.[100]

Neves utilizara como principal argumento a favor do seu plano a grande popularidade desfrutada pelo ex-líder da Coluna na capital federal. No primeiro semestre daquele ano, o *Correio da Manhã* promovera uma enquete para indagar aos leitores sobre quem eles gostariam de ver à frente da presidência da República. Prestes vencera com folga, deixando para trás, por vários corpos de vantagem, os nomes de Getúlio Vargas e Júlio Prestes (que apesar do sobrenome, não tinha nenhum parentesco com o ex-líder da Coluna).[101] E, no caso de a batalha eleitoral desaguar em luta armada, Prestes seria um trunfo e tanto.

O intermediário entre Getúlio e Prestes foi o ex-ajudante de ordens do quartel-general da Coluna, Sady Valle Machado, que em carta a Oswaldo Aranha se ofereceu para fazer a ligação entre as partes:

"Não pretendo fazer previsões, mas, se como disse o general Flores da Cunha — 'não sei aonde iremos parar, se esta luta sair das urnas para as trincheiras' —, seria de muito bom aviso termos conosco estes valorosos e denodados companheiros, experimentados como estão para estes casos", sugeriu Valle Machado, referindo-se aos antigos camaradas de Coluna.[102]

Valle propôs pegar um automóvel e guiar sozinho até Jaguarão, onde deixaria o veículo e de lá rumaria para Buenos Aires, onde Luís Carlos Prestes, Siqueira Campos e João Alberto, entre outros líderes tenentistas, estavam exilados:

"Voltaremos por Jaguarão, tomaremos o auto e iremos até essa capital no mesmo automóvel, o que será fácil de fazer sem que seja percebido por ninguém, visto a viagem precisar ser feita no maior sigilo possível, para interesse de ambas as partes."[103]

Poucos dias antes da reunião histórica, Getúlio Vargas escrevera a Neves, em 9 de setembro de 1929, para informar que finalmente iria se encontrar com o chefe da "Coluna Invicta". Segundo consta, Getúlio destacou um oficial da brigada militar, o tenente Gilberto Oscar Virgílio de Carvalho, para escoltar Prestes e assim fazê-lo chegar a Porto Alegre — com toda a tranquilidade e segurança, livre de qualquer represália federal — em companhia de Emídio de Miranda, outro ex-integrante da Coluna.[104]

"Não te apresses, ele virá para nós, solicitado por seus companheiros de luta", tranquilizou Getúlio a João Neves, com base nas informações que os intermediários dos "tenentes" lhe haviam repassado.[105]

Mas, de acordo com o que contou uma testemunha ocular da reunião — o veterinário Aristides Leal, que desempenhara o papel de "médico" da Coluna Prestes —, travou-se um diálogo difícil madrugada adentro.[106] Segundo a versão corrente, depois de uma relutância inicial, Prestes teria se convencido de que os líderes da Aliança Liberal ofereceriam a eles as condições materiais para detonar a revolução com que tanto sonhavam, desde 1922. Entretanto, de acordo com a variante estabelecida pelo próprio Prestes ao relembrar a história cinquenta anos depois, ele teria ido ao encontro de Getúlio apenas para tentar "desmascará-lo", ou seja, para mostrar aos colegas rebeldes que o presidente do Rio Grande do Sul era um reacionário, um político essencialmente conservador, alguém que jamais faria uma revolução. O verdadeiro intento de Prestes, portanto, seria afastar os "tenentes" de Getúlio o mais rápido possível.[107] Por isso, não fez nenhum esforço para lhe parecer agradável:

"Jamais apoiarei a sua candidatura", disse Prestes, logo ao chegar. "Se o senhor for eleito, continuando o atual regime, irá fazer a mesma coisa que os outros. Não acredito que o senhor, um político do Partido Republicano Rio-Grandense, reacionário, latifundiário, queira fazer um movimento em benefício do povo."

Para aliviar a tensão, Getúlio perguntou, de forma amistosa:

"Qual a prova que o senhor quer de nossa sinceridade?"

Contudo, Prestes não estava mesmo disposto a fazer daquela uma ocasião amena:

"O senhor não pode dar uma prova como essa. O senhor quer a nossa liderança para vencer. Para nós, uma vitória como essa não interessa."[108]

Luís Carlos Prestes, que nos últimos tempos, no exílio, andara se iniciando em uma bibliografia marxista básica e já se encontrava em processo de conversão ao comunismo, prosseguiu no raciocínio, sempre de forma ríspida. Disse que preferia esperar, vinte anos que fossem, desde que uma revolução popular e anti-imperialista resolvesse de modo efetivo os graves problemas nacionais. Não acreditava mais em paliativos, em meras reformas superficiais, explicou. Queria ir à raiz das coisas, mudar o regime, transformar as estruturas da sociedade.[109]

Getúlio voltou a indagar qual garantia o lendário comandante da Coluna queria para aceitar um entendimento com a Aliança Liberal. Prestes impôs suas condições. Desejava voltar a comandar uma força própria, forte e bem armada, para exigir de Getúlio, caso este chegasse mesmo à presidência, o cumprimento de um programa de governo que beneficiasse, de verdade, o povo brasileiro — o que incluía, entre outros itens, a reforma agrária.[110]

"Fique tranquilo, você não vai se decepcionar comigo", prometeu Getúlio Vargas. Como demonstração prévia de confiança, Oswaldo Aranha entregou ao revolucionário um documento de identidade falso, com o nome de Manuel de Sousa, expedido pelo governo do Rio Grande do Sul.[111]

Mas, ao final do encontro, Luís Carlos Prestes teria ficado muito mal impressionado quando constatou que Aranha mantinha ao lado da cadeira de trabalho um caixote, originalmente utilizado como embalagem para munição pesada, coberto por um pano. Dentro dele, em vez de cartuchos, havia muitos maços de dinheiro. Prestes testemunhara quando um oficial entrara na sala e dissera que iria cumprir uma missão reservada em São Gabriel. Aranha então metera a mão na caixa e de lá tirara, com naturalidade, sem demonstrar nenhum constrangimento, um punhado de notas.[112]

"Deve chegar...", observara Aranha ao militar.[113]

Após as despedidas, já de volta ao táxi, Prestes comentou ao amigo Emídio de Miranda:

"Temos de andar depressa. Vamos perder nossos companheiros..."

Poucos dias depois do áspero encontro, Getúlio voltou a escrever a João Neves:

"O Carlos Prestes declarou que, sendo para regenerar os costumes políticos do Brasil, está pronto a nos acompanhar... para a revolução. Quer apenas que lhe forneçam os meios materiais", informou. "Penso que não é lícito lançarmos o país numa revolução, sacrificarmos milhares de vidas, arruinar e empobrecer o estado, só para combater um homem que atualmente nos desafia e que é o presidente da República", ponderou Getúlio. "Não é possível ensanguentar o Brasil por causa desse homem."[114]

Quando vazou a informação de que tentara negociar o apoio do comandante revolucionário, Getúlio negou, de forma taxativa:

"Afirmo que não enviei emissário algum a Luís Carlos Prestes", declarou em telegrama ao senador fluminense Irineu Machado, que lhe cobrara explicações por escrito e ameaçava levar a questão ao Congresso.[115]

Do mesmo modo, desmentiu que o Rio Grande do Sul estivesse planejando uma revolução, embora tribunos como Maurício de Lacerda — vereador pelo Distrito Federal, um dos principais interlocutores civis do movimento rebelde e pai do futuro político e jornalista Carlos Lacerda — já manifestassem aberta simpatia pela Aliança Liberal:

"Votar em Getúlio Vargas é um voto de protesto contra as truculências do Catete", dissera Maurício de Lacerda em entrevista ao jornal gaúcho *Diário de Notícias*.

Na ocasião, Lacerda tornara públicas as suspeitas de que o Catete preparava uma intervenção militar simultânea contra Minas Gerais e Rio Grande do Sul:

"Vai se cometer uma monstruosidade política, uma aberração moral, uma profanação histórica, uma crueldade sem nome", denunciou.[116]

Ao mesmo tempo que mantinha encontros secretos na calada da noite com revolucionários em pleno palácio do governo estadual, Getúlio ainda tentava costurar acordos de paz com Washington Luís. Em nova carta a João Neves, detalhou: caso se confirmassem as informações de um ataque próximo, só restariam três opções ao Rio Grande: 1) aceitar o aniquilamento de forma passiva; 2) deflagrar uma revolução antes da suposta agressão federal ou 3) retornar às tentativas de reconciliação com Washington Luís. A primeira opção, é óbvio, estava fora de cogitação. Quanto à segunda, Getúlio continuava reticente:

"Não podemos assumir perante o país a responsabilidade moral de deflagrar a guerra civil, baseados em meras suposições, pois não temos ainda como demonstrar, concretamente, a existência do plano reacionário."[117]

Restava, portanto, a última opção: reconciliar-se com o Catete. Getúlio expôs o quadro para Afrânio de Melo Franco. Segundo os informantes que dizia possuir, tudo indicava que Minas seria varrida do mapa, assim como o Rio Grande. Diante da perspectiva, tentou convencer Afrânio a escrever a Epitácio Pessoa, para que este, com a autoridade de ex-presidente da República e de representante brasileiro em Haia — portanto um observador hipoteticamente distanciado dos acontecimentos que ora dividiam o país —, atuasse como mediador entre a cúpula da Aliança Liberal e o governo da República. O parentesco de Epitácio com João

Pessoa não era garantia de distanciamento, mas Getúlio indicou uma proposta de solução negociada que imaginou ser a prova mais clara de desprendimento pessoal: renunciaria à própria candidatura, e convenceria João Pessoa também a fazê-lo, em favor de dois novos nomes, os presidentes estaduais de Pernambuco e do Ceará, Estácio Coimbra e Matos Peixoto. Como Estácio Coimbra era ligado a Washington Luís, Getúlio supôs que o presidente da República ficaria constrangido em recusar a oferta.

"Com isso nós tranquilizamos a vida do país e saímos vitoriosos, inutilizando a candidatura do Catete", previu.

O caso, portanto, passara a ser inviabilizar a todo custo a ascensão de Júlio Prestes ao Catete, mesmo pagando um preço elevado por isso.

"Paris bem vale uma missa", ironizou Getúlio, lançando mão da frase histórica, atribuída ao protestante Henrique IV, que no século XVI se convertera ao catolicismo para assumir o trono da França.[118]

A sugestão embutia uma jogada de implicações arriscadas. Se Washington Luís não aceitasse as condições do acordo, dada a já reconhecida obstinação em fazer de Júlio Prestes seu sucessor, o presidente da República passaria mais um atestado de intransigência, o que poderia dificultar sua situação junto à opinião pública. Mas havia um risco fatal: acenar com uma hipótese de renúncia poderia passar a ideia de estar fugindo da disputa por medo antecipado da derrota.

"É um golpe de efeito, que pode todavia ser interpretado como manifestação de fraqueza. Que achas?", indagou Getúlio a João Neves.[119]

Para Neves, considerando-se o cenário que o próprio Getúlio havia esboçado, a questão chegara a um ponto-limite, a partir do qual só haveria dois desfechos possíveis: "rendição ou revolução". E Neves não tinha mais dúvidas sobre qual caminho eles deveriam seguir:

"Sempre que Vargas insistia comigo por uma terceira solução, eu lhe impunha um invariável argumento: iríamos bater a uma porta fechada a sete chaves. Resultado: perderíamos a autoridade perante o povo e seríamos liminarmente rechaçados." Estava na hora, por conseguinte, de optar pela ousadia.

"O mundo nunca pertenceu aos tímidos", sintetizaria Neves.[120]

Por timidez, medo ou mesmo prudência, Afrânio de Melo Franco acatou a sugestão de Getúlio e escreveu para Epitácio Pessoa, solicitando a mediação do ex-presidente junto ao Catete. Pediu também o indispensável sigilo em torno da delicada missão:

"Se ela fosse divulgada, poderia parecer a alguns como sendo prova de vacilação de espírito, ou de temor", explicou Afrânio.[121]

Antes que a mensagem pudesse sequer chegar ao destinatário, os piores receios de Getúlio se materializaram. Na Câmara dos Deputados, cópias mimeografadas da carta de Afrânio a Epitácio eram repassadas de mão em mão, alvo de ataques e piadas da bancada governista. O datilógrafo, inadvertidamente, jogara no cesto de lixo o papel-carbono utilizado para providenciar as duas únicas cópias autorizadas do documento, enviadas uma para Antônio Carlos, outra para Getúlio. Um servente mais ardiloso reconheceu o valor daquele carbono amassado e o repassou ao deputado Azevedo Lima, que por sua vez o entregou a um redator do jornal *A Vanguarda*, em cujas páginas a carta foi publicada na íntegra.[122]

O Malho, como sempre, tripudiou. Na capa de 5 de outubro, uma charge em cores mostrava uma senhora decrépita, em coma, deitada no leito de enferma. No cobertor remendado por retalhos velhos, lia-se a inscrição: "Aliança Liberal". Ao redor da cama, apareciam Antônio Carlos, vestido de enfermeiro; Borges de Medeiros, segurando uma vela; e Getúlio Vargas, cabisbaixo. O título: "À beira do túmulo". A legenda: "Cuidado! Se aparecer outra carta por aí, ela estica a canela".[123]

15. Guerra à vista: Rio Grande encomenda ao Canadá 5 milhões de "cartuchos pontiagudos" (1929)

"Vocês são uns loucos!", exclamou, levantando do sofá e dando três ou quatro passos pelo gabinete.¹

Quando preocupado ou em meditação, Getúlio costumava andar assim, de um lado para o outro, em passadas largas e lentas, as mãos entrelaçadas atrás das costas.²

"Eu realmente não acredito na vitória em 1º de março", prosseguiu, referindo-se à data das eleições presidenciais, marcadas para dali a cinco meses.³

O alto escalão gaúcho na campanha — Oswaldo Aranha, Flores da Cunha, João Neves e Paim Filho — insistia em afirmar o contrário. Os quatro, reunidos com Getúlio para uma avaliação do cenário eleitoral, disseram acreditar na possibilidade de triunfo, dado o arrebatamento que tomava conta das ruas. Afinal de contas, a Aliança Liberal inaugurara uma nova maneira de fazer propaganda política no Brasil. Para atrair o voto popular e ganhar a atenção das classes médias urbanas, em vez da velha oratória empolada de fraque e cartola, a campanha de Getúlio Vargas adotara uma linguagem ardente, moderna, mais adequada àqueles tempos de vertiginosas transformações nos usos e costumes no país. A criatividade, temperada por um forte acento de crítica social, surtira efeito. Em Porto Alegre, particularmente, não se falava em outra coisa. Nos cinemas, antes da projeção dos filmes em cartaz, a tela intercalava frases em letras brancas, maiúsculas, faiscando sobre o fundo preto:

QUEREIS A ANISTIA?
O VOTO SECRETO?
O SANEAMENTO FINANCEIRO?
A MORALIDADE ADMINISTRATIVA?
VOTAI EM GETÚLIO VARGAS,
O CANDIDATO DA OPINIÃO NACIONAL.[4]

Espalhados pela cidade, os alto-falantes da Rádio Sociedade Gaúcha — a primeira emissora instalada em Porto Alegre — transmitiam gravações de discursos de Getúlio de hora em hora.[5] Nas páginas dos jornais rio-grandenses, jogos de palavras cruzadas eram ilustrados com a fotografia do candidato e com os brasões dos três estados que oficialmente compunham a Aliança.[6] Até os anúncios comerciais tiravam partido da popularidade de Getúlio, associando a marca de seus produtos às eleições:
"Beba o vinho Continental. E vote na Aliança Liberal."[7]
O Photo Popular, na rua Bragança, 142, comercializava broches para a lapela e alfinetes para gravata, em metal dourado, com a efígie de Getúlio e a seguinte inscrição:
"Getúlio Vargas — Presidente dos Estados Unidos do Brasil" (era esta a denominação oficial da República, de acordo com a Constituição federal então em vigor).[8]
As mulheres ainda não votavam, mas a propaganda da Aliança não esquecera de sensibilizá-las para a causa:

Mãe, esposa, irmã, noiva!
Fazei com que aqueles que gozam das delícias dos vossos afetos e carinhos votem em Getúlio Vargas, para que haja paz na Pátria amada![9]

O Comitê Central Pró-Getúlio Vargas, instalado nos altos da Livraria Americana, na rua da Praia, ficava aberto até a meia-noite e prometia arregimentar, a cada dia, uma centena de novos eleitores. Para tanto, providenciava aos interessados toda a documentação exigida para o alistamento eleitoral.[10] Por sua vez, o

Comitê de Moços Pró-Getúlio idealizara as "Brigadas de Alfabetização" e também trabalhava diuturnamente para que não houvesse mais "um único adulto analfabeto entre os gaúchos" até o dia da eleição. Caravanas partiam toda semana para o interior, com idêntico propósito.[11] As lâmpadas Aladim, uma das principais marcas à época, ofereciam um prêmio especial — "três luminárias, de diferentes tipos" — aos professores da zona rural que conseguissem alfabetizar o maior número de pessoas, no menor período de tempo.[12]

Pelo caráter emergencial da ação, não se imaginava que os iletrados passassem a ler e escrever de repente, com verdadeira proficiência. Os anúncios mal ocultavam que o real objetivo era apenas torná-los capazes de desenhar o próprio nome nas listas de votação:

PARA SER ELEITOR É PRECISO SABER LER E ESCREVER.
APRENDE E REIVINDICA O TEU DIREITO!

Os drs. João Costa e Othmar Krausneck ensinam GRATUITAMENTE a ler e escrever a todo e qualquer cidadão que queira alistar-se eleitor para reintegrar o brio, a honra e a altivez do povo brasileiro, sagrando no próximo pleito presidencial os nomes dos intemeratos liberais Getúlio Vargas e João Pessoa.

As aulas funcionarão diariamente das 7 às 8 ½ horas da noite, à rua João Alfredo, 110 (andar superior), e rua Livramento, 540.

A escola dispõe do auxílio do cidadão Silvio Guimarães para o preparo dos papéis de eleitor.[13]

No Rio de Janeiro, os coordenadores da Aliança Liberal também trabalhavam sem descanso, após a instalação de um grande comitê nacional em plena avenida Rio Branco, no cruzamento com a elegante rua do Ouvidor. Lá, *buttons* de metal esmaltado, bandeirolas verde-amarelas e selos coloridos, com os retratos de Getúlio e João Pessoa, podiam ser adquiridos em troca de donativos de campanha.

"Aliança Liberal: Tudo pelo Brasil", dizia um dos slogans.

"Alistai-vos e votai em Getúlio Vargas", conclamava outro.

Em um dos muitos cartazes da propaganda aliancista, Getúlio aparece sentado, com expressão serena e a mão direita sobre o mapa do Brasil. Ao fundo, os seguintes dizeres:

> A Aliança Liberal promete concretamente ao povo brasileiro:
> a pacificação dos espíritos pela anistia;
> a verdade eleitoral pelo voto consciente e livre;
> a reforma efetiva dos processos políticos.[14]

Concentrações públicas magnetizavam milhares de pessoas na capital da República, desde a realização da Convenção Liberal, ocorrida em 20 de setembro daquele ano de 1929, quando o Palácio Tiradentes, sede da Câmara, fora cercado por uma multidão festiva. Getúlio não estivera presente, mas fora lido no evento o manifesto da Aliança, redigido por Lindolfo Collor. O documento falava de "regeneração dos costumes cívicos", condenava a "prepotência do mando" e criticava o "acintoso desrespeito à vontade do povo". No programa de reformas, prometia voto secreto, anistia ampla, fim das leis de exceção, prioridade para o trinômio educação-saneamento-saúde, obras de combate às secas no Nordeste e direitos aos trabalhadores (férias, jornada de oito horas diárias, implantação do salário mínimo, proteção às mulheres e aos menores).

"O princípio central da nossa campanha é a restituição ao povo do que só ao povo pertence", anunciava o manifesto.[15]

O fato de Getúlio ter composto a equipe de governo federal até bem pouco tempo era minimizado pelos partidários de sua candidatura:

"O rápido contato do ex-ministro da Fazenda com o sr. Washington Luís não chegou a contaminá-lo do vírus absolutista, o treponema pálido que envenenou o PRP", argumentava o jornal *A Esquerda*, fazendo correlação entre o Partido Republicano Paulista e a bactéria transmissora da sífilis.[16]

A cada edição, os jornais oposicionistas traziam fotos de novos *meetings* realizados pela Aliança Liberal na capital do país. Comícios específicos, a favor da anistia e do voto secreto, atraíam massas compactas. A campanha, ao que tudo indicava, já contagiara o Rio de Janeiro. O passo seguinte seria organizar excursões cívicas em direção ao "Norte", para levar a mesma mensagem ao maior número possível de eleitores, até mesmo nos rincões mais afastados dos grandes centros de decisão política do país.

Apesar dos sucessos, Getúlio hesitava:

"O desfecho dessa luta me preocupa, imensamente", disse ele, na reunião com o comando gaúcho da campanha, realizada em 6 de outubro.[17]

Fazia um frio renitente, de inverno tardio, naquele dia em Porto Alegre.

Getúlio apareceu para a reunião envolto em trajes pesados, o que sempre parecia deixá-lo mais baixinho e rechonchudo. Sobre os ombros, não lhe pesava apenas o grosso casaco de lã: o Catete dera início a um regime de retaliações e derrubadas no funcionalismo federal no Rio Grande do Sul. As demissões e transferências de servidores vinham sendo quase diárias. O bota-abaixo alcançava de preferência dirigentes de repartições públicas e empregados de serviços estratégicos: juízes federais, diretores de estradas de ferro, fiscais de rendas, servidores alfandegários, chefes de telégrafo. Em Minas e na Paraíba, o quadro era semelhante. No lugar dos dispensados — invariavelmente simpatizantes da Aliança Liberal —, empregavam-se indivíduos de confiança do Catete.

"E pensar que um único homem seja capaz de arrastar o país à ruína, movido pela vontade de aniquilar os que discordam de seu candidato", queixava-se Getúlio.[18]

Havia mais motivos para Getúlio Vargas estar intranquilo. Como ele sempre temera, Minas Gerais rachara ao meio. O vice-presidente da República, o mineiro Mello Viana, discordara dos rumos da sucessão regional e rompera com o partido. Não aceitara a indicação do nome do senador Olegário Maciel, 74 anos, para substituir Antônio Carlos no comando do estado. Ao estabelecer a dissidência no seio do PRM, Mello Viana arrastou consigo o vice-presidente de Minas, Alfredo Sá, além de parte considerável da bancada regional no Congresso. A desavença doméstica não ficou circunscrita aos vales e montanhas de Minas. Mello Viana e seu grupo abandonaram a Aliança Liberal e, na maré contrária, aliaram-se à Concentração Conservadora, grupo de apoio a Júlio Prestes em Belo Horizonte e organizado por Carvalho de Brito, diretor nacional do Banco do Brasil.

"Eles poderiam ter evitado isso", avaliou Getúlio, queixando-se dos cardeais do PRM. "Nós temos feito todas as concessões para contentar os libertadores, com desgosto às vezes de companheiros nossos, tudo para manter a frente única gaúcha", comparou. "Não digo que escolhessem o Mello Viana para presidente de Minas, mas poderiam ter impedido o seu rompimento, com a escolha de um nome que fosse aceito por ele."[19]

Com o cisma mineiro, as chances de vitória da Aliança Liberal, que já eram complicadas, se tornariam ainda mais difíceis, concluiu Getúlio, que convocara a reunião de emergência para dividir suas aflições com Aranha, Flores, Neves e Paim. Além do mais, a dupla função de Carvalho de Brito, como diretor do Banco do Brasil e da Concentração Conservadora, oferecia a Júlio Prestes a possibilidade de angariar novos apoios pelo argumento do bolso. Pipocavam denúncias de que o Banco do Brasil instituíra uma espécie de "carteira eleitoral", em que os aliados do Catete eram beneficiados com rechonchudos empréstimos sem qualquer espécie de garantia, enquanto os adversários eram punidos com bruscas intimações para quitações de antigas dívidas e para o resgate imediato de promissórias. O governo da Paraíba teve sua conta-corrente na instituição liquidada e Minas Gerais recebeu resposta negativa a um pedido de empréstimo oficial.[20] Em vista da situação, a única coisa que lhes restava era a saída honrosa, argumentou Getúlio. Para evitar a "baioneta nos rins" com a qual os libertadores já os haviam ameaçado, teria chegado a hora de negociar com Washington Luís os termos de um armistício final, desde que isso não os desmoralizasse diante dos aliados regionais:

"Se o meu contendor assumir, em manifesto público, o compromisso de uma vez eleito realizar o nosso programa de governo, por que não retiramos minha candidatura?", arriscou-se a sugerir Getúlio.[21]

Paim foi o primeiro a protestar:

"Eu não concordo", disse o secretário da Fazenda gaúcho, para depois lembrar a todos ali presentes que não se engajara na campanha por defender o programa da Aliança Liberal. Continuava, por doutrina, contra o voto secreto e a anistia:

"Não entrei nessa campanha por causa desses ou de outros princípios, mas para levarmos um dos nossos à chefia do governo da República", admitiu Paim, sendo apoiado, ato contínuo, por todos.[22]

Por todos, menos por Getúlio.

"No Rio Grande do Sul só há um antigetulista — é o próprio sr. Getúlio Vargas", lastimava Oswaldo Aranha.[23]

João Neves não via motivos para a desesperança tantas vezes reiterada por Getúlio. Ao contrário, mesmo com a dissensão mineira e a pressão bancária, o quadro ainda lhe parecia favorável. A constituição de uma série de novos Partidos Democráticos espalhados pelo país — no Distrito Federal e no Ceará, Maranhão, Pernambuco, Rio de Janeiro e Santa Catarina — desaguara na formação do Partido Democrático Nacional, que engrossou as fileiras da Aliança e se tornou um dos principais tributários da campanha de Getúlio nos estados. Embora fundados nos mesmos moldes do PD paulista — desmembrados da costela das oligarquias locais —, as novas agremiações desfraldavam a bandeira da moralização do regime:

"Para acabar com esta vergonha, votai nos candidatos democráticos", diziam os cartazes do PDN, exibindo a figura clássica do burguês encasacado, montado nas costas de um trabalhador submetido ao arreio e ao cabresto.[24]

Um estudo presumidamente feito pelo Catete e vazado com exclusividade pelo *Correio do Povo* previa que, dos cerca de 2 milhões de eleitores aptos a votar em todo o território nacional, apenas cerca de 1,4 milhão deveriam comparecer às urnas, apesar de o voto ser obrigatório. Os cálculos eram feitos com base na média histórica de abstenções das eleições anteriores. O mesmo levantamento fazia uma análise da situação estado por estado. Consideradas as novas correlações das forças regionais, previa-se que Júlio Prestes alcançaria 700 mil votos, em números redondos, contra possíveis 695 mil sufrágios para Getúlio. Uma diferença estimada de apenas 5 mil votos — e estabelecida por uma análise atribuída ao próprio governo federal — era indício de que nada estava decidido de véspera.[25]

Entre os documentos reservados produzidos pela assessoria de campanha da Aliança, um era particularmente otimista. O texto dizia que, a despeito do poder de pressão exercido ao longo da história pelo governo federal nas eleições presidenciais, o fato de o chefe da República ser um homem como Washington Luís facilitava o trabalho da oposição:

"Felizmente, para nós da Aliança, a notória falta de elementos intelectuais não lhe permite tirar da situação todas as vantagens que poderia conseguir outro chefe mais astuto e sagaz, e menos vaidoso".[26]

Somado a isso, um fato inesperado começava a expor fissuras na até então sólida candidatura oficial. Naquele fatídico outubro de 1929, uma crise econômica sem precedentes abalava o cenário internacional após a quebra da Bolsa de Nova York. A bolha especulativa que mantivera na estratosfera os índices das ações de repente explodiu, confirmando os prognósticos dos especialistas que haviam advertido para o artificialismo da euforia coletiva que se apossara pouco antes do mercado norte-americano. O chamado *Crash* transformou a ebulição financeira em incerteza e agonia. Os Estados Unidos ficaram à beira do colapso e uma reação em cadeia ameaçou se espalhar pelo planeta. No Brasil, o setor cafeeiro, base de sustentação de Júlio Prestes, inevitavelmente pagaria o maior preço pela tragédia.

Com a *débâcle* de Wall Street, os mercados encolheram, bem no momento

Getúlio Vargas cavalga na estância Santos Reis, em São Borja, Rio Grande do Sul.

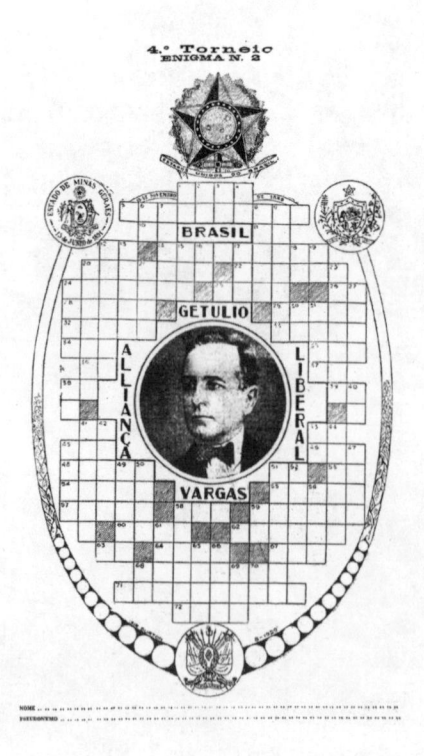

A Aliança Liberal faz propaganda política para as massas: cartazes, palavras cruzadas em jornal, medalhas e pregadores para lapelas.

Getúlio em visita política ao interior do Rio Grande (abaixo), à porta do palácio do governo gaúcho (ao lado) e no Rio de Janeiro, durante solenidade de leitura da plataforma de campanha, na esplanada do Castelo, em janeiro de 1930 (acima).

Nas caricaturas da época, Getúlio aparece como azarão na disputa pela presidência da República e como um traidor de Washington Luís.

MISS BRASIL

JECA. — Sr. presidente, eu, como membro «honorario» do jury, que criterio devo seguir? O das dimensões da Venus de Milo?
W. L. — Só ha um criterio a seguir: O do *braço forte!*

Os candidatos a "miss Brasil": Getúlio, Antônio Carlos e Júlio Prestes; o juiz é Washington Luís, que fala ao Jeca, ou seja, ao povo.

METAMORPHOSE

Getúlio Vargas

AMBIÇÕES

Getúlio Vargas

MEU EMINENTE AMIGO
DR. WASHINGTON LUIS
CONTE SEMPRE
COMIGO.
DO SEMPRE FIEL
E DEDICADO
GETÚLIO

O MALHO

ANNO XXIX   RIO DE JANEIRO, 11 DE JANEIRO DE 1930   NUM. 1.426

O Dr. Getúlio Vargas entrando na capital da República pela volta do seu introductor diplomático
— 17 —

O GAUCHO. — Se a carreira for limpa, ganharemos de boqueirão, mas se nos atravessarem cachorro na cancha...

A imprensa governista explorou a ambiguidade das cartas que Getúlio escreveu a Washington Luís e destacou a violência eleitoral; a revista *Careta* foi uma das poucas publicações a tratar o candidato oposicionista de forma positiva: na charge acima, Getúlio conduz a democracia na garupa de seu alazão.

A partida do comboio revolucionário de Porto Alegre, em 11 de outubro de 1930.

BREVE no COLISEU
Pela Companhia RESTIER-HORTENCIA-JUVENAL — a revista local
em 2 actos e 30 quadros
A CAMINHO DO OBELISCO...

Anúncio do jornal gaúcho *Correio do Povo* e flagrantes da passagem de Getúlio pelo Paraná.

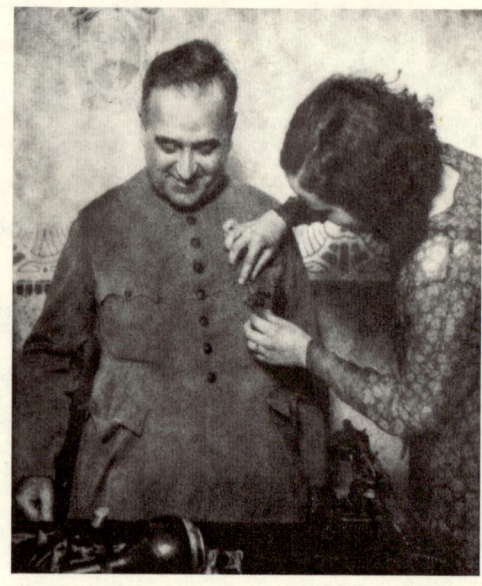

Acima, moça paranaense amarra lenço vermelho no pescoço de Getúlio; abaixo, em Ponta Grossa, bandeiras rubras saúdam o comboio revolucionário.

Movimentação de tropas partidárias da revolução no Rio de Janeiro (no alto e ao lado) e no Recife (ao centro).

Manifestações populares nas ruas do Rio de Janeiro a favor da revolução.

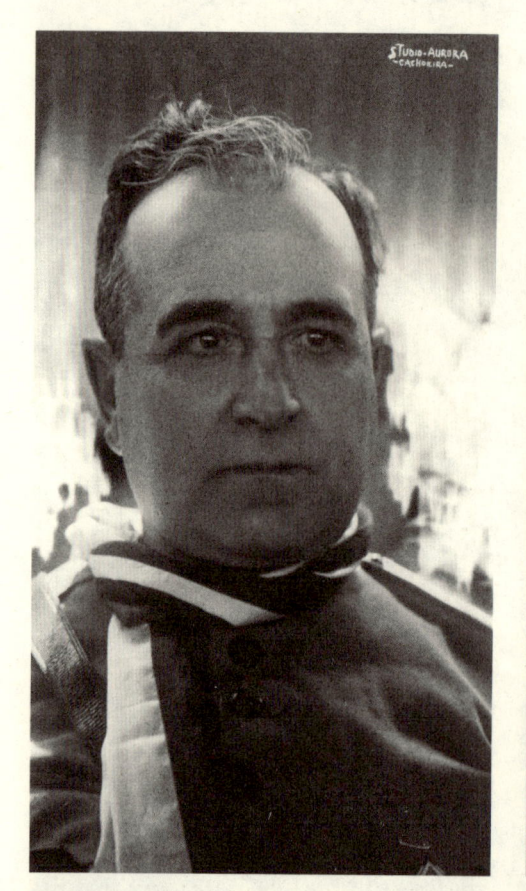

Cenas do comboio revolucionário: Getúlio com lenços amarrados no pescoço e ladeado por Flores da Cunha e João Neves da Fontoura.

Getúlio na sacada do palácio do governo paranaense (acima); em uma das escalas do comboio (no destaque); e fumando um charuto ao chegar a Itararé (no alto), a caminho de São Paulo e, depois, do Rio de Janeiro.

Na sacada do Palácio do Catete, ao lado de Oswaldo Aranha, Getúlio é saudado pela multidão (abaixo).

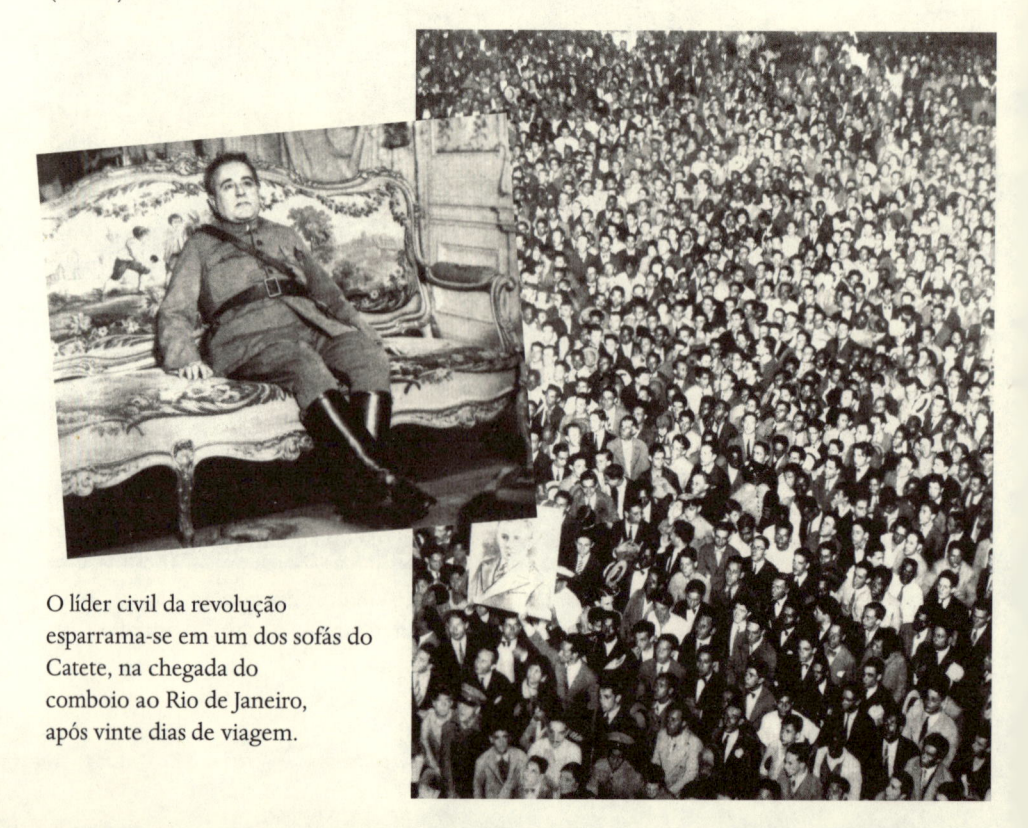

O líder civil da revolução esparrama-se em um dos sofás do Catete, na chegada do comboio ao Rio de Janeiro, após vinte dias de viagem.

Suvenires da revolução: cartões-postais, selos, medalhas e alegorias ufanistas, objetos vendidos como bônus para compensar os custos de guerra e em prol das famílias dos mortos em combate.

Página de *O Cruzeiro* em homenagem ao chefe do Governo Provisório, Getúlio Vargas.

Getúlio com o embaixador italiano Vittorio Cerrutti e na recepção ao ministro da Aviação de Mussolini, Italo Balbo, em 1931 (abaixo).

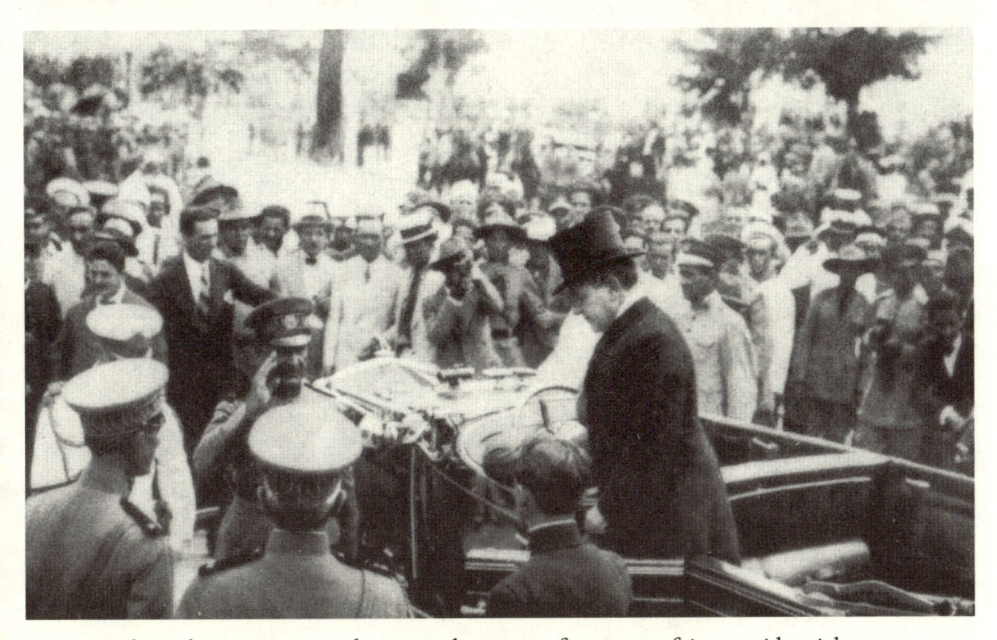

Os rituais do poder: a assinatura do termo de posse, a foto com a faixa presidencial, o retrato a óleo publicado pelo *O Cruzeiro* (no alto, à esquerda) e, de fraque e cartola, na solenidade do primeiro 15 de novembro à frente do Catete.

Getúlio, descontraído, já no exercício do poder máximo da República.

em que os cafeicultores brasileiros, às voltas com surtos sucessivos de superprodução, já vinham encontrando dificuldades em negociar o produto por um preço atrativo. O governo paulista, que sempre socorrera o setor apelando a empréstimos internacionais a fim de comprar os excedentes — para estocá-los em armazéns reguladores e assim garantir a estabilidade do valor das sacas —, não poderia manter o velho estratagema, pois as fontes de capital externo haviam secado. Por consequência, diante da grande oferta e da quase nenhuma procura, as cotações do produto despencaram. Os armazéns reguladores e o porto de Santos, abarrotados, passaram a ser apelidados de "cemitérios de café".

Calculava-se que havia cerca de 14 milhões de sacas estocadas e sem comprador, que logo seriam acrescidas de outros 25 milhões de novas sacas invendáveis, conforme a previsão para a safra daquele ano. O governo paulista precisaria dispor, no mínimo, de 1,5 milhão de contos de réis para adquiri-las. Não havia dinheiro disponível no mercado para tanto.[27]

"Deu a broca na candidatura Júlio Prestes", caçoou o jornalista Assis Chateaubriand, que aproveitou a chance para ridicularizar também os rumores de que Flores da Cunha continuava firme na promessa de amarrar seu cavalo no obelisco da avenida Rio Branco:

"Não é o general Flores quem comandará as tropas de assalto que deverão derrubar a prepotência do candidato oficial. É o *general café*."[28]

João Neves, em particular, procurou convencer Getúlio de que o governo federal, por causa do estrago provocado pelo tal "general café", estava em graves apuros. Sem recursos externos disponíveis, a única forma de o Catete vir a acudir os cafeicultores paulistas seria mandar imprimir mais dinheiro, isto é, recorrer à emissão de papel-moeda sem lastro, o que faria desabar toda a arquitetura do plano financeiro em curso. Mas, para o governo, seria isso ou correr o risco de perder o apoio de sua base eleitoral. De um modo ou de outro, anteviu Neves, Washington Luís sairia chamuscado da crise. Por consequência, a candidatura de Júlio Prestes também.

"A situação econômica completará a obra de desatino político do Washington", vaticinou Neves a Getúlio, em 28 de outubro — exatamente o dia que passou à história mundial como a "segunda-feira negra", antecedendo a ainda mais terrível "terça-feira negra", quando a bolsa de Nova York atingiu os piores índices em volume de vendas e amargou a derrubada radical nos preços das ações.

"Hoje, na Câmara, era de desânimo o aspecto dos líderes prestistas. Vilaboim, muito irritado, aparteou um dos nossos, que se referiu à crise do café, dizendo que nos estamos regozijando com ela", escreveu Neves a Getúlio, em plena "segunda-feira negra".²⁹

O secretário da Fazenda de São Paulo, Mário Rolim Teles, defensor intransigente do plano de valorização e presidente do Instituto do Café, pediu auxílio ao governo federal, mas não encontrou guarida. Washington Luís se recusou a arriscar um fio do cavanhaque que fosse, a fim de não comprometer o plano financeiro: rejeitou o pedido de moratória feito pelos cafeicultores e, pior, não autorizou a emissão de mais nenhuma nota de mil-réis além do previsto, o que provocou a revolta dos produtores paulistas:

"Hoje a lavoura está com o governo. Se não for atendida, amanhã será a lavoura sem o governo. E, depois, a lavoura contra o governo", ameaçaram os cafeicultores, reunidos em congresso da categoria.³⁰

João Neves, de fato, não escondia o contentamento pelo infortúnio dos adversários:

"O fracasso se verifica em plena batalha eleitoral, e eu, como todos, imagino que a candidatura oficial ficará sob o entulho do formidável desmoronamento."³¹

Getúlio não se mostrava tão convicto assim dos prognósticos do amigo. Não lhe parecia que a crise do café fosse capaz de sepultar, por si só, a candidatura de Júlio Prestes. O terremoto financeiro poderia subtrair alguns votos preciosos dos situacionistas em São Paulo. Mas isso, calculava Getúlio Vargas, não resultaria necessariamente em um grande desastre eleitoral para o Catete:

"O alarme dos cafeeiros é uma crise passageira de gente rica, que vê seus lucros diminuídos hoje, mas que os terá, talvez, aumentados amanhã. Não nos iludamos com aparências", recomendou.³²

Para Getúlio, muito mais terrível do que a hecatombe paulista era o cataclismo mineiro:

"Minas é que impingiu o bonde ao Rio Grande", lamentava, invertendo o enredo da anedota que atribuía aos mineiros o costume de serem os incautos compradores do que nunca esteve à venda.³³

Mais uma vez, o documento "Notas informativas para uso particular" revelava com precisão o pensamento de Getúlio naquele momento crítico e, de novo, servia para elucidar muitas das controvertidas atitudes que viria a adotar em seguida. O texto admitia que Minas Gerais, pela sua massa eleitoral, era o grande patrimônio da Aliança, mas esse manancial de votos estava "moral e materialmente combalido" depois das deserções no PRM:

"Não tanto pelos contingentes eleitorais que levarão os dissidentes, mas pela severa fiscalização que eles irão exercer, as possibilidades eleitorais daquele estado reduzirão talvez em mais de um terço."[34]

Em bom português, isso significava assumir que, com a vigilância imposta pelos fiscais da dissidência, a eleição em Minas teria menos condições de manipulação dos resultados a favor da Aliança Liberal.

Com uma visão prospectiva dos fatos, as "Notas informativas para uso particular" traçavam um quadro desalentador para um então futuro próximo: inexoravelmente, a Aliança seria derrotada. Sob a batuta de Júlio Prestes, o Catete desencadearia uma política implacável de represálias contra os estados que haviam estabelecido a coalizão. No caso do Rio Grande do Sul, a situação era grave:

"O Partido Libertador, forte e organizado como está, nosso aliado até 1º de março, resistiria às ofertas e vantagens que o governo federal lhe fizesse para combater a nossa oposição?"

Por tudo isso, a conclusão expressa no documento era de que um acordo com o governo federal se tornara mesmo imprescindível — e inadiável.[35]

Tão ou mais reveladoras eram as considerações das "Notas informativas para uso particular" sobre os pontos programáticos de que a Aliança Liberal poderia perfeitamente abrir mão, em troca de uma combinação de bastidores com o governo federal. A anistia, o voto secreto e o fim das leis repressoras — os três itens que haviam garantido a gênese da coalizão — deveriam entrar na barganha. Quanto ao primeiro ponto, o texto no arquivo de Getúlio sugeria que em vez da anistia ampla, defendida em público e com ardor em campanha, seria "razoável" cercar a medida de algumas "restrições", como a não reintegração dos militares anistiados aos quadros regulares do Exército e o não pagamento dos soldos relativos ao tempo em que haviam permanecido afastados.[36]

Quanto à reforma eleitoral, o documento dizia que, em caso de acordo com o Catete, também não se exigiria do candidato oficial uma posição muito rígida em torno do assunto:

"Não se pede o compromisso de adotar o voto secreto, mas apenas a promessa de não se opor a ele, se a maioria da opinião política, através de seus representantes no Congresso, se manifestar favorável."

Em relação ao terceiro e último item, a extinção das leis repressivas, o documento não fazia sequer uma espécie de relativização:

"Não é ponto fundamental do programa da Aliança e pode-se abrir mão dele em caso de objeção."[37]

João Neves ficou escandalizado ao saber dos propósitos de Getúlio. Após a reunião do comando de campanha, os dois voltariam a se encontrar alguns dias depois, a sós e de forma ligeira, novamente no palácio do governo estadual. Neves, que definiu esse segundo encontro como "glacial", nem chegou a sentar, para não prolongar o constrangimento. A conversa, além de rápida, foi pontuada por sintomáticos silêncios de parte a parte. Ao fim de alguns instantes, João Neves resolveu se retirar. Antes, disse que tinha um último favor a pedir.

"Qual?", indagou Getúlio.

"O de não efetivares a retirada de sua candidatura sem me dares um prévio aviso, com uns dias de antecedência."

"E por quê?"

"Para eu ter tempo de preparar o discurso que pronunciarei, a propósito, na tribuna da Câmara", ameaçou Neves, um dos mais inflamados propagandistas da Aliança Liberal no Congresso.[38]

Poucos dias depois, por meio de carta pessoal, Getúlio retornou ao assunto. Disse a Neves que conduziria a situação de modo a chegar a um desenlace digno:

"Se eu der marcha a ré, farei isso sob minha inteira responsabilidade, aguentando com as consequências, pois será ato meu", afirmou. "Teu dever é continuar na luta com o mesmo ardor. Não te impeço. Mas me reservo ao direito de agir quando entender." E completou: "Não me decidirei, em qualquer hipótese, estouvadamente. Não humilharei o Rio Grande. Desejo apenas evitar-lhe os sacrifícios maiores que prevejo".[39]

Anos mais tarde, ao relembrar o episódio, João Neves comentaria, ainda em tom ressentido:

"O então presidente do Rio Grande do Sul apareceu-me em toda a nitidez de seus contornos, como um comodista incorrigível, um calculista frio, sem a chama de um só ideal", escreveria. "A cada momento, ameaçava abandonar-nos na arena, bandeando-se garbosamente para os arraiais inimigos, a troco de duas ou três concessões inscritas na plataforma de seu contendor e que ele mesmo propunha como declarações inócuas."[40]

Naquele fim de outubro de 1929, a amizade de Neves e Getúlio, iniciada ainda nos bancos de Faculdade de Direito de Porto Alegre, estava suspensa por um fio.

A candidatura de Getúlio Dornelles Vargas, tudo indicava, também.

Os escritórios da Canadian Industries Limited (CIL), uma das principais fornecedoras de armas e munições ao Exército canadense, recebeu naquele mesmo mês o pedido de uma encomenda extraordinária, proveniente do Brasil. Mais especificamente, do governo do estado do Rio Grande do Sul. O secretário gaúcho do Interior, Oswaldo Aranha, havia solicitado por escrito o fornecimento de 5 milhões de "cartuchos pontiagudos", de 7 milímetros de calibre, destinados a municiar fuzis e metralhadoras semiautomáticas. Para evitar suspeitas e vazamentos de informação, a entrega da mercadoria não deveria ser feita em território brasileiro, mas no porto de Montevidéu, mediante o crédito de 240 mil dólares depositados no Bank of Montreal a favor da companhia. A empresa canadense se responsabilizava pelo transporte marítimo e pelo seguro da carga até o Uruguai. Dali até Porto Alegre, os riscos de logística correriam por conta do governo gaúcho. Pelos termos do contrato, a CIL também se comprometia a enviar futuras remessas, de 2,5 milhões de cartuchos mensais, à proporção que fossem efetivados novos créditos, e de acordo com as necessidades do governo do Rio Grande.[41]

"Desejamos a paz, mas não fugiremos da luta", justificou Aranha em carta a um tio, o senador estadual (à época, o sistema era bicameral também nos estados) e mecenas paulista José de Freitas Valle, proprietário da célebre Vila Kyrial, a luxuosa residência que servia de palco às reuniões boêmio-intelectuais de Oswald de Andrade, Mário de Andrade, Victor Brecheret, Heitor Villa-Lobos e Lasar Segall, entre outros expoentes do modernismo brasileiro.

"É preferível a morte à vergonha. Estou tranquilo com a minha consciência", garantiu Aranha ao tio, que tentava convencer o sobrinho a evitar a guerra civil e continuar buscando um acordo pacífico com Washington Luís, outro *habitué* dos saraus da Vila Kyrial. Mas Aranha alegava que não havia mais o que negociar, pois possuiria informações de que o Catete ultimava os preparativos para desencadear, mais cedo do que se imaginava, a ofensiva militar contra o Rio Grande:

"Tudo está a indicar o crime premeditado contra nós", informou Aranha a Freitas Valle.[42]

Por isso, o Rio Grande do Sul estava providenciando a consequente defesa. O Catete não iria pegá-los desprevenidos:

"Querer a paz com o povo ajoelhado é um crime contra o qual haveremos de nos levantar", dizia Aranha.[43]

Mas Aranha sabia que o Rio Grande do Sul, sozinho, não poderia enfrentar o restante do país inteiro, sob pena de ser trucidado logo nos primeiros movimentos do anunciado conflito. Daí ser necessário planejar uma contraofensiva coordenada e de maior amplitude, capaz de responder, com alguma mínima chance de vitória, ao poderio militar do governo federal. Nesse aspecto, ganhava relevância a união com os líderes tenentistas. Caberia a eles, "tenentes", desdobrar o teatro de operações para outros pontos do território nacional. Isso não seria difícil, dada a capacidade de mobilização que a mística rebelde representava junto à jovem oficialidade das guarnições federais de Norte a Sul do país.

Mesmo após a resistência de Luís Carlos Prestes, Aranha seguia mantendo contatos com os chefes revolucionários, sobretudo Siqueira Campos e João Alberto, que permaneciam escondidos em Porto Alegre, abrigados sob o manto do governo local. Foram eles que comunicaram a Aranha que acabara de chegar ao Brasil outro dos símbolos máximos do movimento tenentista, Juarez Távora, também fugitivo da justiça e até então exilado em Buenos Aires. Távora se encontrava exatamente ali, em Porto Alegre, depois de entrar no Brasil via Uruguai, viajando por via férrea de Montevidéu até Rivera, abancado em um caixote de madeira, no interior de um vagão de carga. Da cidade uruguaia de Rivera, Távora não encontrou dificuldades para cruzar a fronteira e adentrar a gaúcha Livramento, em plena luz do dia. De Livramento, acomodou-se no primeiro trem de passageiros com destino a Santa Maria, de onde na manhã seguinte, sem ser reconhecido, tomou nova composição que o conduziu até a capital gaúcha. No caminho, não foi incomodado por ninguém.[44]

Do mesmo modo que fizera com Prestes, Aranha providenciou um encontro secreto entre Távora e Getúlio, nas dependências do palácio do governo estadual. Em suas memórias, Juarez Távora citaria de passagem a reunião histórica, em um único e breve parágrafo, sem fornecer mais detalhes, embora seja extremamente significativa a informação de que, na ocasião, ele não ocultara de Getúlio a natureza e o alcance de seus planos no retorno ao Brasil:

"Expus-lhe então que, de acordo com meus companheiros militares, eu devia viajar para o Nordeste a fim de ali preparar, em ligação com os elementos situacionistas da Paraíba e oposicionistas de Pernambuco, o movimento revolucionário no Norte do país."⁴⁵

A narrativa de Juarez Távora dá a entender que Getúlio tinha pleno conhecimento da manobra tenentista: os rebeldes iriam se unir aos aliancistas, mas com o objetivo expresso de preparar o terreno para um novo levante armado. Ainda de acordo com Távora, Getúlio consentiu que lhe fosse arranjado um passaporte falso — com o nome fictício de Umberto Gomes do Nascimento —, expedido pela própria chefatura de polícia do Rio Grande do Sul, exatamente como se procedera em relação a Luís Carlos Prestes. Com o documento forjado, Távora recebeu uma primeira incumbência: antes de seguir para o Nordeste, deveria ir a Minas Gerais e negociar com Antônio Carlos, em nome do governo gaúcho, a parcela em dinheiro que deveria caber aos mineiros para a compra de armamento no estrangeiro.

"Encontrei o presidente [de Minas] excessivamente otimista quanto à vitória eleitoral da Aliança", telegrafou Umberto Gomes, isto é, Juarez Távora, a Oswaldo Aranha. "Esse otimismo de um lado e, de outro, velhos preconceitos de uma educação política influem ao meu ver no seu espírito para que não encare, com a necessária decisão, o seguimento extranormal (chamemo-lo assim) que poderão ter as coisas daqui por diante."⁴⁶

Isso significava que, apesar do otimismo excessivo de Antônio Carlos, a solução "extranormal", ou seja a revolução, passara a ser assunto de governo, tratado sem cerimônia nos próprios palácios de Minas Gerais e do Rio Grande do Sul. E significava também que Getúlio Vargas continuava a investir na dubiedade, ora tentando convencer os auxiliares a aceitar a hipótese de acordo com Washington Luís, ora facilitando o planejamento de um movimento sedicioso, sempre sob o pretexto de defender o Rio Grande das conjecturadas ameaças de agressão federal. Alternando movimentos de sístole e diástole, Getúlio buscava assegurar o controle da situação, a despeito do rumo que os fatos viessem a tomar.

Em correspondência ao magoado João Neves, pôs a situação nos seguintes termos:

> Sou um homem honrado e prudente, mas não um pusilânime. Se vivemos numa República em que disputar uma eleição contra a vontade dos dominadores constitui crime, o Rio Grande vai armar-se para a sua defesa. E, nesta, o sacrifício de minha vida, além duma saída honrosa, seria menor do que os sofrimentos morais

pelos quais estou passando, com o acúmulo de responsabilidades, que neste momento pesa sobre meus ombros.[47]

O mesmo Getúlio que escreveu aquelas trágicas linhas passou a amiudar a correspondência com o jornalista e dândi Paulo Hasslocher, que se oferecera para intermediar a reconciliação do Rio Grande do Sul com o Catete. Dessa vez, para se prevenir da eventualidade de as cartas trocadas com Hasslocher caírem em mãos estranhas, Getúlio as assinava com o nome de seu secretário estadual da Fazenda, Firmino Paim Filho, sem que este tivesse conhecimento do caso. Na verdade, os contatos de Getúlio com o jornalista almofadinha vinham se dando sem que ninguém do alto-comando de campanha tivesse notícia.[48]

Getúlio Vargas propôs um encontro a três, entre ele, Washington Luís e Júlio Prestes, para juntos deliberarem os termos de um acordo. A sugestão era que ele, Getúlio, sairia discretamente de Porto Alegre a bordo de um hidroavião até a praia de Guarujá, em São Paulo. Em simultâneo, no Rio de Janeiro, Washington Luís faria igual movimento. Os dois desembarcariam concomitantemente no litoral paulista, onde Júlio Prestes já os aguardaria na mesa de negociações.

Ao saber da proposta, o presidente da República considerou aquele "encontro aviatório" um "tanto quanto excêntrico" e recusou-se a sair do Catete para se encontrar, à sorrelfa, com o candidato oposicionista.

"As confabulações podem prosseguir como até agora", mandou dizer Washington Luís a Getúlio, por meio de Hasslocher.[49]

Talvez os escassos recursos do caixa de campanha — e do movimento armado em planejamento — também ajudassem a explicar a política de apaziguamento acenada por Getúlio ao governo federal. Já nos dois últimos meses de 1929, os gastos da Aliança Liberal com material de propaganda haviam excedido todas as previsões. Em tempos de crise, a inadimplência com fornecedores já era quase inadministrável. Os corriqueiros subsídios pagos à imprensa sugavam a maior parte do dinheiro. O deputado gaúcho Simões Lopes, tesoureiro da campanha e vice-presidente da Comissão Executiva da Aliança Liberal, alertou Oswaldo Aranha para a dificuldade de honrar os compromissos apalavrados com os jornais que apoiavam a candidatura de Getúlio:

"Nunca passei por estes transes em minha vida; a tranquilidade de nosso lar, que bem conhecias, desapareceu", queixou-se Simões Lopes, ao revelar a Aranha que os cobradores não saíam mais da frente de sua porta.[50]

Em apelo direto a Getúlio, Simões reforçou:

"Fico em posição vexatória, estendendo a mão a Minas para pedir dinheiro."[51]

Lindolfo Collor, que havia se fixado no Rio de Janeiro para dirigir um novo periódico, *A Pátria*, órgão de propaganda oficial da Aliança, escreveu também a Getúlio para adverti-lo sobre a insolvência das contas de campanha:

"Minas prometeu ao Simões Lopes mil contos, para fazer frente aos encargos mais prementes", informou, ressalvando que o recebimento daquela quantia — suficiente para pagar as contas de apenas mais duas ou três semanas de propaganda —, dependia de um empréstimo que tentavam levantar com o banqueiro e conde João Leopoldo Modesto Leal, considerado então o homem mais rico do Brasil, dono de uma fortuna construída com a compra e venda de sucatas de navios.[52]

Na última semana de novembro, João Neves telegrafou a Getúlio para inteirá-lo dos avanços nas negociações do empréstimo redentor:

"Há possibilidade obter imediatamente dois a três milhões de dólares, condição a combinar, prazo seis meses. Minas interessada conseguir qualquer operação, associando-se, caso nos convenha."[53]

Duas semanas depois, sem que os dois lados houvessem chegado a um consenso em relação à taxa de juros a ser cobrada, a operação foi abortada, por decisão de Getúlio, que telegrafou de volta a João Neves:

"Não convém empréstimo condições propostas."[54]

É igualmente significativo que, exatamente naquele momento de emergência financeira da campanha, Getúlio tenha encaminhado à direção do Banco Estadual do Rio Grande do Sul um memorando em que solicitava informações sobre os saldos efetivos nos cofres da instituição. Um rascunho avulso, datilografado, existente no arquivo de Getúlio, estabelecia algumas indagações a serem encaminhadas aos diretores do BERGS:

"Quanto tem o Tesouro do estado no Banco do Rio Grande do Sul e em depósito noutros bancos? Quais as disponibilidades do Banco do Rio Grande do Sul e quanto este tem em caixa?"[55]

O déficit nas contas de campanha serviu de pretexto para Getúlio decidir cancelar a grande excursão prevista a cada um dos vinte estados do país. A Aliança Liberal estabelecera uma agenda de visitas a todas as capitais brasileiras, muitas das quais nunca haviam posto os olhos em um candidato à presidência da República. Previra-se, desse modo, produzir um impacto eleitoral histórico. Mas, alegando falta de recursos para bancar a turnê eleitoral, a ideia foi abandonada. De São Borja, o pai de Getúlio, Manuel Vargas, chegara a remeter dez contos de réis para contribuir no custeio das despesas pessoais do filho durante a viagem:

"É um presente que te faço com toda justiça, pois de meus filhos és o único que não trabalha por si, sendo o que trabalha mais, porém trabalha para o município, para o estado e para o Brasil, e com as mãos limpas, o que não é comum", escreveu o velho general.[56]

Ainda se cogitou um plano alternativo, o de se fretar um navio e se visitar pelo menos as cidades portuárias mais importantes do país, a começar pelo extremo Norte, em Belém. O valor do frete da embarcação seria bancado por industriais e comerciantes gaúchos, que aproveitariam a ocasião para embarcar mostruários de seus produtos e assim identificar potenciais clientes Brasil afora.

"Os fretadores do buque farão negócios; e eu, política", arquitetara Getúlio.[57]

Entretanto, pressionados pelo governo federal, o Lloyd Brasileiro e a Companhia de Navegação Costeira se recusaram a ceder suas embarcações para a caravana política da oposição. Impedido de viajar em campanha pelo país, Getúlio concebeu um último plano mirabolante que, se surtisse efeito, converteria a adversidade em oportunidade. O problema era que tal plano, quando descoberto, seria interpretado como verdadeira traição — só que dessa vez perpetrada por Getúlio contra os próprios companheiros de Aliança Liberal.

Chegar à fazenda Irapuazinho, de Borges de Medeiros, exigia algum sacrifício. Do centro de Cachoeira, rodava-se por 76 quilômetros de estrada ruim até se avistar o portal retangular, feito de pedras brutas. De longe, já se distinguia a casa de estilo barroco e paredes brancas, situada convenientemente no alto de uma verde coxilha, como era comum às estâncias, que assim desfrutavam de uma visão privilegiada em caso de ataques inimigos. Mas naquele 29 de novembro de 1929, o visitante que apontava na curva do caminho vinha em missão de paz. Getúlio deixara a comodidade do palácio do governo e enfrentara o pó da rodovia para uma conferência reservada, que poderia decidir a sorte do Rio Grande e, no limite, o futuro do país.[58]

Ele expôs a Borges a gravidade do momento. Repisou, de viva voz, o que já lhe afirmara por carta. A Aliança Liberal estava alquebrada em termos financeiros. O barulho que a campanha provocara nas ruas era inversamente proporcional ao dinheiro existente em caixa naquele momento. A partir de então, a tendência era reduzir o ímpeto inicial da propaganda. O projeto da grande excursão pelo país fora descartado. O Norte e o Nordeste permaneceriam, portanto, à mercê do Catete. Como agravante, as discussões na Câmara Federal haviam atingido níveis alarmantes de incivilidade. O governo federal recomendara que os deputados da base aliada deixassem de comparecer ao plenário nas sessões ordinárias, para esfriar os debates sobre sucessão presidencial. Os oposicionistas, por seu turno, vinham obstruindo todas as votações relativas às leis orçamentárias para o ano seguinte, com o objetivo de pressionar o governo.

"Aquilo já não é Câmara, é um acampamento de loucos que perderam a dignidade de si mesmos", bem definira Lindolfo Collor.[59]

O quadro tenebroso exposto por Getúlio a Borges ia além. Minas Gerais estava em pé de guerra interna, desde a cisão no PRM. Boatos davam conta de que o Catete planejava decretar a intervenção federal naquele estado, sob o pretexto de evitar uma carnificina local. Os próprios aliancistas mineiros não se entendiam mais. Artur Bernardes se referia textualmente ao presidente estadual como "o cachorro Antônio Carlos".[60] A imprensa do Rio de Janeiro acusava o governo de Minas de perseguir jornalistas e demitir funcionários suspeitos de ser solidários à dissidência inaugurada por Mello Viana. Em suma, os mineiros estariam bem mais preocupados com as próprias desarmonias do que com os rumos da eleição nacional.

Acima de tudo, seguiam fortes os rumores a respeito de um ataque federal ao Rio Grande do Sul, reflexo direto dos discursos de João Neves, que vinha se excedendo no Congresso em agressões verbais a Washington Luís e falando abertamente em revolução. Assis Brasil, em entrevista à imprensa, tensionara ainda mais o fio. Quando indagado sobre o que aconteceria se os deputados e senadores não homologassem uma vitória da Aliança Liberal nas urnas, respondera, com inflexão gauchescamente belicosa:

"Acontecerá a coisa mais natural do mundo. Serão arredados, como o boi na linha."[61]

Getúlio sabia que o conservador Borges de Medeiros, por questões doutrinárias, não partilharia da hipótese revolucionária. Declarações então recentes do chefe do PRR a um repórter do jornal *A Noite*, que o procurara em Irapuazinho, provocara sério desconforto entre os membros mais radicais da Aliança. Borges dissera ao jornalista que os rio-grandenses iriam aceitar pacificamente o resultado das eleições, qualquer que fosse ele, e que os defensores de uma postura sediciosa constituíam uma minoria, insignificante no aspecto numérico e inexpressiva do ponto de vista partidário: seriam apenas "vozes jovens, sem grande expressão", conforme definiu.

Borges afirmara ainda ao repórter que, no Rio Grande do Sul, a aliança dos republicanos com os libertadores tinha prazo de validade curto, já previsto: o casamento com os partidários de Assis Brasil só valeria até a data da eleição presidencial. Depois disso, voltaria a ser cada um por si. Indignados com tais considerações de Borges de Medeiros, os libertadores ameaçavam romper a frente única gaúcha.[62]

Tudo somado, Getúlio estava ali para obter de Borges o aval para o plano que pretendia pôr em execução nos próximos dias. Enviaria um emissário a São Paulo e ao Rio de Janeiro como portador de uma última proposta secreta a Júlio Prestes e Washington Luís, um *modus vivendi* cujos termos significariam a execução sumária da Aliança Liberal, mas garantiriam ao PRR a sobrevivência política: Getúlio se comprometia a não sair de Porto Alegre para fazer campanha em nenhuma cidade brasileira. Ficaria no Rio Grande do Sul, de onde não viajaria nem mesmo ao Rio de Janeiro para a clássica leitura da plataforma eleitoral na capital da República. Se fosse vencido nas urnas, se conformaria com a derrota e passaria a apoiar o futuro governo de Júlio Prestes. Em troca, pedia que o Catete não fizesse mais transferências de funcionários federais lotados no Rio Grande, reconhecesse sem contestações o diploma dos representantes republicanos gaúchos na eleição vindoura para a renovação do Congresso e, por fim, restabelecesse relações cordiais com o estado, nos moldes anteriores à divergência desencadeada pela sucessão presidencial. Em resumo, era a capitulação definitiva, à revelia da vontade e de qualquer vantagem concedida a Minas, à Paraíba e aos libertadores comandados por Assis Brasil.[63]

Getúlio convenceu Borges de que o mensageiro da proposta deveria ser o secretário da Fazenda rio-grandense, Firmino Paim Filho, um soldado do partido que abraçara a candidatura gaúcha contra as próprias convicções, apenas para poder se manter fiel às decisões do comando do PRR. Além do mais, Paim era homem de confiança de Borges de Medeiros: fora seu chefe de gabinete e seu chefe de polícia. Como se não bastasse, era casado com dona Cândida, filha de Protásio Alves, o ex-secretário borgista do Interior e, durante anos, o segundo homem forte na hierarquia do Executivo gaúcho.

Borges concordou. Rendeu-se aos argumentos de Getúlio que, de volta a Porto Alegre, instruiu Paim Filho sobre os detalhes da operação. Ninguém, além dele, deveria saber de absolutamente nada a respeito do caso. Sobretudo João Neves e Oswaldo Aranha, os dois aliancistas mais ardorosos no Rio Grande. Para tentar vender a desistência da candidatura por um preço mais justo, Paim deveria tentar fazer incluir, no acerto, a adoção pelo concorrente das promessas de decretação da anistia, reforma eleitoral e revogação das leis repressivas, mas conforme o descrito nos termos do documento "Notas para uso particular", cuja cópia Getúlio repassou ao emissário: a anistia não precisava ser ampla, a reforma eleitoral poderia ser relativa e a exigência pelo fim das leis de exceção era mero adorno retórico.[64]

Paim Filho, encarregado de servir de pombo-correio, não sentiu nenhuma espécie de contrariedade em cumprir a missão:

"A questão da sucessão presidencial não girava em torno de princípios, antes fora resultante de um pacto assinado pelo deputado João Neves e pelo deputado José Bonifácio", explicaria Paim mais tarde. "Nenhum outro motivo nos havendo separado da política federal e de São Paulo, a não ser a divergência sobre nomes para candidato à presidência da República, não poderíamos nos sentir mal em procurar encontrar um meio pelo qual se pudesse fazer cessar os efeitos de uma luta puramente eleitoral."[65]

O primeiro a ser procurado por Paim Filho foi Júlio Prestes, que o recebeu em São Paulo, na casa do deputado paulista Ataliba Leonel.[66] Júlio, segundo Paim, demonstrou "boa vontade" em encerrar a questão com o Rio Grande do Sul. Revelou-se propenso a aceitar o acordo. Mas, no Rio de Janeiro, Washington Luís, que abriu um horário especial na agenda do Catete para atender Paim, avaliou o caso de modo diferente. Aceitou, de bom grado, o *modus vivendi* proposto por Getúlio Vargas. Mas rechaçou a proposição de incorporar a anistia e a reforma eleitoral na plataforma da candidatura situacionista, ainda que de modo oblíquo. Isso, nos cálculos de Washington, passaria o atestado de que quem estava capitulando era o governo federal — e não Getúlio.[67]

Impossível guardar sigilo em torno de um assunto tão explosivo. Os comentários a respeito da viagem de Paim Filho, primeiro a São Paulo, depois ao Rio de Janeiro, levantaram suspeitas de que Getúlio estivesse de fato abandonando a campanha. Nas páginas de *O Jornal*, de Assis Chateaubriand, a informação era desmentida de forma agressiva, sendo atribuída a "um trabalho insidioso e desprezível de derrotismo", organizado nos "porões" do próprio Catete.[68]

"Será preciso alguém fazer de si mesmo um juízo deplorável acerca das firmezas das suas convicções para pensar que homens como os senhores Antônio Carlos, Getúlio Vargas e João Pessoa capitulem no meio de uma campanha", recusava-se a acreditar Chatô.[69]

Entre os aliancistas, internamente, pairava uma desconfiança nervosa. Getúlio seria mesmo capaz de traí-los? Mas, para o público externo, a bancada gaúcha repudiava os boatos de que o candidato estivesse dobrando os joelhos ante Washington Luís.

"Nunca nos passou pela cabeça qualquer tipo de acordo", negava Flores da Cunha a *O Globo*.[70]

"Quem deseja acordo é o Júlio Prestes, não os gaúchos", reforçava Batista Lusardo ao *Correio do Povo*.[71]

"Não creiam em qualquer espécie de acerto que nos faça engolir o nome do senhor Júlio Prestes", garantia João Neves aos repórteres.[72]

A firmeza de Neves em torno do assunto era só aparente. Ele próprio começou a achar que os rumores, dado o precedente de relutância e os zigue-zagues de Getúlio, podiam ter algum resquício de verdade. Ressabiado, foi à agência carioca da Companhia Telefônica Rio-Grandense, na avenida Rio Branco, instalada a poucos passos do comitê nacional da Aliança, e abordou com indiretas o funcionário responsável pelo setor:

"Com a vinda do general Paim, a quantidade de radiogramas daqui para o palácio de Porto Alegre deve ter aumentado muito", sondou.

O telegrafista disse que sim, era verdade. A chegada do secretário Paim ao Rio de Janeiro representara um grande aumento de serviço. Paulo Godoi, secretário de João Neves, prosseguiu na investigação:

"Você é partidário da Aliança Liberal?", indagou Godoi, para medir o grau de confiança que podia depositar no jovem funcionário.

Ao ouvir a pergunta, o moço retirou do bolso um retrato de Luís Carlos Prestes e segredou, com orgulho:

"Sou revolucionário!"[73]

Foi o suficiente para que João Neves expusesse ao rapaz o que estava em jogo. Pediu cópias de todos os telegramas trocados entre Paim e Getúlio, no que logo foi atendido. As mensagens eram cifradas, mas não era difícil encontrar a palavra que servia de chave ao código secreto: "brasões". Bastou, então, substituir as letras criptografadas pelas da palavra-chave, seguindo um diagrama de decodificação já por demais conhecido de Neves, e o segredo foi facilmente quebrado.[74]

Os telegramas, reveladores, deixaram João Neves aturdido. A "Missão Paim" era mesmo real. Getúlio enviara Firmino Paim Filho para se prostrar aos pés de Washington Luís. Imediatamente, Neves deu conhecimento do fato a Flores da Cunha.

"Vocês perderam a noção da realidade?", telegrafou Flores, furioso, a Oswaldo Aranha. "O Rio Grande tem compromissos assumidos com o país, com seus aliados, consigo mesmo", cobrou. "Sou, sempre fui, partidário de um acordo digno, mas desde que ele não infringisse esses compromissos assumidos, nem desmerecesse o respeito que devemos a nós mesmos." Flores, que preparava a recepção a Getúlio para a tradicional leitura pública da plataforma no Rio de Janeiro, pediu satisfações: "É preciso acabar com esta comédia, dizendo se Getúlio vem ou não vem, e quando".[75]

Aranha, que estava completamente alheio à matéria até aquele instante, também ficou abalado.

"Precisamos dar um tiro nisso", sugeriu.[76]

Era, estava claro, só uma figura de linguagem.

Mas tiro, de fato, era o que não faltaria ao desfecho daquela história.

Na manhã do dia de Natal, 25 de dezembro de 1929, os jornais do Rio de Janeiro trouxeram em manchete a informação de que Getúlio Vargas marcara para dali a três dias, 28, sua ida ao Rio de Janeiro. Todas as notícias reproduziam o texto do seguinte telegrama, assinado pelo candidato oposicionista:

Deputado João Neves da Fontoura,
   Sigo sábado, 28, para aí, por via aérea, para ler a plataforma.
   Abraços,
   Getúlio Vargas[77]

O telegrama era verdadeiro. Mas o que ninguém sabia era que João Neves suprimira parte do conteúdo da mensagem. No trecho eliminado, Getúlio deixara implícito que a viagem era apenas uma formalidade de campanha, a qual se via obrigado a cumprir, mas sem demonstrar o menor entusiasmo no desempenho da tarefa:

> Permanecerei três dias, regressando mesmo transporte. Situação estado, natureza serviços não me permitem maior demora nem visita a outras localidades. Espero combinarás tudo habilmente dentro do prazo e itinerário marcados.[78]

Com a supressão, João Neves omitia da opinião pública o caráter de improviso e a natureza protocolar da mensagem. O objetivo de Neves, a despeito da exiguidade de tempo e das ambiguidades do candidato, era cercar a chegada de Getúlio Vargas do maior aparato possível, promovendo uma recepção pública avassaladora, que deixasse patente a todos — inclusive ao próprio Getúlio Vargas — o extraordinário apoio popular às causas defendidas em campanha pela Aliança Liberal.

Em São Borja, a família escondeu de dona Candoca as notícias a respeito da viagem do filho ao Rio de Janeiro. Atormentada pelo reumatismo e pela catarata, a mãe de Getúlio vinha sendo poupada de toda emoção mais forte. Quando soube do assunto por intermédio de terceiros, ficou abalada. Passou dias inteiros sem dormir direito, temendo que o filho fosse alvo de algum atentado na capital federal.[79]

Os alarmes de dona Candoca não eram de todo infundados. Estabelecera-se um clima de permanente conflito no Rio de Janeiro. O governo continuava recomendando aos aliados a tática da debandada geral, para negar quórum às sessões. Para manter aceso o fervor parlamentar, os deputados da Aliança Liberal passaram a fazer os discursos do lado de fora, nas escadarias do Palácio Tiradentes, o que vinha atraindo centenas de pessoas todos os dias ao lugar. Se o Catete intentara esvaziar as discussões em plenário, os aliancistas haviam levado a tribuna para o meio da rua, dando ainda mais visibilidade aos protestos contra o governo federal.

No turbilhão diário defronte à Câmara, as provocações de parte a parte eram sistemáticas. Manifestantes a favor da candidatura de Getúlio trocavam constantes sopapos com partidários de Júlio Prestes. Os oradores arrancavam aplausos entusiasmados do público, mas os perturbadores e oportunistas de sempre promoviam hostilidades mútuas. Os deputados de espírito sanguíneo não conseguiam controlar o ímpeto e revidavam os apupos e vaias com palavras ainda mais agressivas. Flores da Cunha, cuja valentia fora testada e aprovada nos campos de batalha dos pampas, reagiu a um desses desacatos, de revólver na mão, disparando para o alto e avançando em direção aos que lhe gritavam impropérios.[80]

Por pouco não se dera uma primeira tragédia. Mas todos anteviam que o sangue gaúcho, mais cedo ou mais tarde, iria ferver sem controle.

No dia 26 de dezembro, quando Getúlio já havia escolhido o terno com que discursaria no Rio de Janeiro, fez-se o drama. Durante o *meeting* da Aliança Liberal junto às monumentais colunas do Palácio Tiradentes, um grupo de desordeiros efetuou disparos com arma de fogo em meio à aglomeração. Duas pessoas ficaram gravemente feridas. Indignado com a cena, o deputado gaúcho Simões Lopes, tesoureiro da campanha e vice-presidente da Comissão Executiva da Aliança Liberal, entrou no prédio para repercutir o caso com os colegas de bancada. Mas lá dentro deparou com um debochado Souza Filho, deputado governista, eleito por Pernambuco, e que poucos minutos antes assistira a todo o incidente do segundo pavimento do Palácio.

"O que é isso, velho Simões, está zangado?", caçoou Souza Filho.

"Estou. E você devia enfrentar seus colegas de frente, na tribuna, e não se aliar a gente como o Bexiguinha da Lapa", respondeu Simões, fazendo referência a um conhecido malfeitor que fora identificado no grupo de desordeiros lá fora.

"Apenas tomei uma frisa para assistir o espetáculo", replicou o governista, ainda zombeteiro.[81]

Na cavaqueira que se seguiu, Souza Filho disse que Simões Lopes era quem pertencia à estirpe de indivíduos ordinários como um certo Bambu, outro malandro arruaceiro que sempre fora visto fazendo provocações por ali. O gaúcho não engoliu o desaforo. Agarrou a gola do casaco do pernambucano com a mão direita e, com a esquerda, golpeou-lhe com um soco no meio do peito.

Atingido, Souza Filho agachou-se, recuou alguns passos e, com um gesto rápido, sacou um punhal de dentro do bolso do colete. Antes que pudesse atacar o adversário com a arma, foi atingido por uma bengalada na cabeça, desfechada pelo filho de Simões, Luiz Simões Lopes, presente ao local. Atordoado com a nova pancada, mas disposto à vingança, o pernambucano partiu com o punhal para cima do rapaz, que na correria para escapar da contraofensiva tropeçou e foi ao chão, indefeso. Quando se preparava para desferir uma certeira punhalada, Souza Filho recebeu três tiros à queima-roupa e desabou pesadamente, já ferido de morte, tingindo de sangue o assoalho do saguão do Palácio Tiradentes. Ao lado dele, em pé, um trêmulo Simões Lopes segurava o revólver ainda quente.

Ao analisar as consequências políticas do ocorrido, o deputado estadual mineiro Virgílio Alvim de Melo Franco, o Virgilinho, filho do líder da bancada federal de Minas, Afrânio de Melo Franco, previu que o sangrento episódio, em vez de pôr a Aliança Liberal em má situação, iria repercutir a favor da candidatura de Getúlio:

"Até agora o povo tinha simpatias por nós, mas supunha que estivesse apenas assistindo às clássicas brigas de políticos. Separam-se hoje, reconciliam-se amanhã. Agora não. Agora os homens da Aliança lutam até a tiro de revólver."[82]

Em relatório confidencial ao Departamento de Estado norte-americano, o embaixador Edwin Morgan expressou suas preocupações em relação ao tema:

"A viagem do dr. Getúlio Vargas à capital do país proporcionará uma oportunidade para a Aliança Liberal excitar e estimular seus partidários. A menos que o governo tome medidas fortes e cautelosas, não é improvável que ocorram outros crimes decorrentes da exaltação política", previu Morgan. "Como a maioria dos brasileiros está acostumada a portar revólveres ou facas como parte de seus acessórios diários, é comum ocorrerem assassinatos por qualquer instante maior de raiva ou de paixão."[83]

João Neves ficou receoso com a possível repercussão negativa do fato. Em telegrama a Porto Alegre, sugeriu a Getúlio que adiasse a partida ao Rio. Mas, para sua surpresa, Neves recebeu uma resposta imediata, tão sucinta quanto decidida. Getúlio, exibindo surpreendente convicção para quem até então se mostrara vacilante com a viagem, só aceitou prorrogar o voo em dois dias. Chegaria, portanto, quando o cadáver de Souza Filho ainda nem teria esfriado.

"Seguirei dia 30", avisou Getúlio.[84]

A sessenta dias das eleições, o Rio de Janeiro o receberia com festa. Mas, na charge central da revista *O Malho*, Getúlio apareceria de braços dados com uma figura humanoide, cuja cabeça era o cano de um imenso revólver:

"O dr. Getúlio Vargas entrando na capital da República pela mão de seu introdutor diplomático", explicava a legenda.

Quando o hidroavião Dornier Wal, de tecnologia alemã, fabricado na Itália em 1925 e rebatizado no Brasil de "Atlântico", amerissou nas águas da baía da

Guanabara, o sol já havia se escondido no horizonte. Chovera muito durante a tarde, porém o tempo melhorara no começo da noite e por isso não impedira o pouso tranquilo sobre o mar, nas imediações da ilha das Enxadas, situada a cerca de 1,5 quilômetro da praia.[85] Os dois motores Rolls Royce de 360 cavalos que equipavam o Atlântico, fazendo-o alcançar uma velocidade máxima de cruzeiro de 160 quilômetros por hora, garantiram uma travessia segura. Sentado ao lado de Darcy, na primeira fileira das nove cadeiras de vime destinadas aos passageiros, Getúlio tinha motivos especiais para se orgulhar daquela aeronave — moderna, apesar das limitações de conforto da época: o banheiro de bordo, localizado na parte traseira, se resumia a um prosaico urinol com tampa, e o barulho das duas hélices de quatro pás de madeira era tão ensurdecedor que os viajantes precisavam entupir os ouvidos de algodão para suportar o incômodo.[86]

O Atlântico era o primeiro avião de passageiros de uma empresa brasileira de transporte, a Viação Aérea Rio-Grandense, ou simplesmente Varig, fundada dois anos antes em Porto Alegre pelo imigrante alemão Otto Ernst Meyer com a devida ajuda do governo estadual, que aprovara um pedido de isenção de impostos à empresa por um período de quinze anos. Para Getúlio, o pioneirismo da Varig, que começara as operações comerciais em voos diários interligando cidades gaúchas, era mais uma demonstração de que o Rio Grande do Sul vivia uma nova era de prosperidade e desenvolvimento. Por isso, fizera questão de viajar ao Rio em um avião da Varig. Antes da amerissagem, a aeronave fizera evoluções sobre a cidade, sendo aplaudida febrilmente, saudada por chapéus lançados ao ar e pelas buzinas dos automóveis.

O próprio Ernst Meyer — que anos mais tarde, durante a Segunda Guerra Mundial, teria que se afastar do comando da companhia por suspeitas de ligações com o nazismo — acompanhou Getúlio naquela viagem histórica ao Rio de Janeiro. O chefe de gabinete, Walder Sarmanho, e o ajudante de ordens do governo estadual, major Aristides Krauser do Canto, também compunham a comitiva, que da ilha das Enxadas precisou pegar uma lancha até o cais do porto do Rio de Janeiro, onde uma multidão esperava por Getúlio, apesar da escuridão que tomava conta do lugar.[87]

Um grupo de rapazes iniciou o grito de guerra que se alastrou rapidamente. Como se estivessem em um estádio de futebol gritando pelo time preferido, entoaram o nome do candidato, sílaba por sílaba:

"Ge-tú-lio Var-gas! Ge-tú-lio Var-gas! Ge-tú-lio Var-gas!"[88]

A recepção foi impressionante. Dezenas de populares haviam improvisado archotes com jornais e, encarapitados no alto dos guindastes que serviam ao porto, iluminaram o caminho dos recém-chegados, ao longo do trajeto que ia do armazém de desembarque ao portão de saída, defronte à praça Mauá. Mas nada se compararia ao que viria a seguir. Dois automóveis abertos tinham sido reservados para um desfile que percorreria de ponta a ponta uma avenida Rio Branco apinhada de gente. Segundo cálculos da imprensa da época, cerca de 100 mil pessoas aguardavam a passagem do cortejo, todas ávidas para saudar o candidato da Aliança Liberal. A maior parte do público se aglomerou nas cercanias do comitê central da coalizão, próximo à rua do Ouvidor. Ali, de instante em instante, panfletos de campanha eram atirados das janelas dos prédios, para delírio dos manifestantes.

"Por um Brasil melhor", lia-se nos impressos.[89]

Getúlio acomodou-se no banco de trás do primeiro automóvel de capota arriada, sentado ao lado de João Pessoa, que havia chegado à cidade pela manhã, em um vapor procedente da Paraíba. No segundo carro foi João Neves da Fontoura, ladeado por Darcy Vargas e pela esposa do presidente paraibano, Maria Luiza.

Desde o começo da tarde, o trânsito da avenida Rio Branco fora interrompido, com o fluxo sendo desviado para as ruas transversais, a fim de deixar o caminho livre ao séquito liberal. Por medida de segurança, um forte contingente da cavalaria se estendeu pelos cerca de 3 quilômetros do percurso que Getúlio cumpriria, da praça Mauá até o Hotel Glória, onde ficaria hospedado. Durante todo o caminho, não foi necessário ligar o motor dos dois automóveis. Eles foram empurrados lentamente pelos manifestantes ao longo das ruas.

Um popular, saído do meio da multidão, subiu no estribo do carro principal e, entusiasmado, deu um viva ao candidato. O homem estava tão comovido pelo fato de ter podido se aproximar de Getúlio Vargas que não resistiu e caiu ao solo, desmaiado, sendo levado para o pronto-socorro mais próximo.[90]

A primeira parada do cortejo, conforme previsto, se deu diante da sede da Aliança Liberal. Ante a vagarosa aproximação dos veículos, o correspondente do *Correio do Povo* enviava radiogramas frenéticos para a redação em Porto Alegre, que na mesma hora os mandava transcrever a giz em placares de madeira na fachada do prédio do jornal, para serem lidos pelos gaúchos, que assim acompanhavam eletrizados, quase em tempo real, o desenrolar dos acontecimentos no

Rio de Janeiro. A cada novo telegrama, soava uma sirene, anunciando a chegada das notícias atualizadas.

"O cortejo está agora em frente à Aliança. O povo empurra o automóvel que conduz os candidatos liberais. Não há palavras que descrevam o espetáculo de civismo que presenciamos neste momento, com edificante assombro", dizia um dos radiogramas ao *Correio*.

"Neste momento dá-se a fusão entre a colossal multidão presente na avenida e os que acompanhavam o cortejo desde o cais. É formidável a aglomeração. As aclamações irrompem num clamor indescritível", informava a mensagem imediatamente seguinte.[91]

Defronte do comitê central, os carros pararam.

Pediu-se silêncio. Batista Lusardo iria falar.

"Quem vem lá!?", iniciou Lusardo. "Quem vem lá!?", repetiu.

"É Getúlio Vargas!", ele próprio respondeu.

À menção do nome do candidato, os vivas dobraram de volume.

"É o Rio Grande do Sul unido e heroico!", prosseguiu Lusardo.

"Quem vem lá!?", voltou a perguntar.

"É João Pessoa! É a Paraíba pequenina e indomável!"

"Quem está aqui!?", indagou ainda Lusardo, apontando com gestos largos para a multidão.

"É o invencível povo carioca! Que vem, em delírio, para vos dizer, presidente Getúlio Vargas, que queremos uma política de paz, de honestidade e ideal. Que vem aqui para vos dizer, como lê-se ali — e Lusardo apontou para o dístico na fachada do comitê da Aliança Liberal —, que queremos, e teremos, um Brasil melhor!"[92]

Outros oradores se seguiram, mas ninguém conseguiu ouvir mais nada depois daquela exortação antológica. O préstito seguiu adiante, fazendo nova parada apoteótica diante da Galeria Cruzeiro, para mais uma rodada de discursos. Deputados e senadores revezaram-se nas alocuções. Mas, no dia seguinte, todos os jornais aliancistas dariam mesmo destaque às palavras de Batista Lusardo. O bordão estava nas principais manchetes e nas rodas de conversa do Rio de Janeiro:

Quem vem lá!?
Quem vem lá!?
É Getúlio Vargas!

Recostado em um dos confortáveis sofás do salão principal do Hotel Glória, Getúlio Vargas acendia um de seus inseparáveis charutos. Os gaúchos João Neves, Flores da Cunha, Lindolfo Collor e Sérgio Daudt de Oliveira, sentados em torno dele, trocavam impressões sobre o evento. Getúlio estava visivelmente cansado. Já se preparava para pegar o elevador e recolher-se à suíte principal quando chegou ali o deputado paranaense Corrêa Defreitas, acompanhado do jornalista Júlio Hauer, de Curitiba. Os dois traziam consigo um cavalheiro magro e moreno, de olhos faiscantes, que foi apresentado ao grupo como Sana Khan, mago e quiromântico armênio residente na capital do Paraná e, segundo ele próprio jurava, um sensitivo capaz de prever o futuro. Meses antes, o tal Khan teria pressagiado a Defreitas e Hauer que uma revolução estava prestes a levar um gaúcho ao poder máximo da República. Viera até ali, levado pela dupla, para ler a mão de Getúlio. Queria confirmar se o presidente do Rio Grande do Sul era o predestinado que vislumbrara em sua profecia.[93]

Não era preciso ser nenhum bruxo ou possuir poderes místicos e extraordinários para saber dos murmúrios a respeito de um suposto movimento revolucionário em preparação no Sul do país. Havia tempo os deputados governistas não falavam de outro assunto, acusando os aliancistas de estarem tramando um golpe contra Washington Luís. O assunto servira de mote para inúmeros artigos, todos indignados e publicados em jornais alinhados à situação federal.

Ademais, Getúlio Vargas, materialista confesso, não era dado a acreditar em coisas do além, nem se deixava impressionar com supostas visões sobrenaturais. Mas os acompanhantes de Sana Khan insistiram. O guru curitibano não seria um charlatão como tantos outros que atuavam na praça, afiançaram. Segundo eles, a "quiropsicoastrologia", matéria da qual Khan seria um grande especialista, era uma "ciência rigorosa", e não uma falcatrua para iludir os incautos. A previsão da queda da Primeira República teria sido relatada muito antes do lançamento da Aliança Liberal, garantiram.

Pelo sim, pelo não, Getúlio pediu ao mago que sentasse ali ao lado e, abrindo um de seus sorrisos mais característicos, estendeu-lhe as pequenas mãos espalmadas. O vidente as examinou durante alguns minutos. A confiar na narrativa de João Neves, que descreveria mais tarde a cena com riqueza de minúcias em seu livro de memórias, Khan teria previsto, com olhar transfigurado:

"Vossa Excelência será presidente do Brasil pela força das armas."

Para justificar o diagnóstico, Khan apontou para a base do dedo indicador de Getúlio e explicou que aquela região da mão, na quiromancia, era conhecida como "Monte de Júpiter". O romano Júpiter, rei dos deuses, representaria liderança, força e poder. As linhas que Khan disse ter visto ali teriam a forma de estrela, o que significaria sinal inequívoco de sucesso e conquista. Segundo ele, Getúlio teria três "estrelas" na mão esquerda e uma na direita, todas na região de Júpiter, o que seria um caso raríssimo de indivíduo nascido para comandar seu povo. Essas quatro estrelas jupiterianas seriam compostas por feixes de seis linhas, representando cada uma delas o período de seis anos, o que somava, ao todo, 24 anos de grande poder.

O mais surpreendente, segundo alegava Khan, era que Getúlio possuiria três linhas em forma de candelabro no "Monte do Sol", ou seja, na base do anelar. Cada um dos três braços desse candelabro corresponderia ao período de um lustro, totalizando portanto quinze anos. Pela interpretação do quiromante, os primeiros 15 dos 24 anos de uma futura liderança de Getúlio seriam os de maior intensidade e esplendor. Mas outras quatro "estrelas maléficas" presentes nos montes de Saturno (base do dedo médio, signo da cautela e solidão), Marte (nos extremos laterais da mão, área da ambição e persistência), Vênus (base do polegar, quadrante da sensualidade e materialismo) e Lua (palma da mão, signo da intuição e psiquismo) anteviam dias nublados e peripécias graves nos anos subsequentes.

"Quando parecer tudo perdido e tudo falhar em torno, as boas estrelas conduzirão os acontecimentos de modo a colocar-lhe o comando e a vitória nas mãos", agourou o bruxo de Curitiba. "Por vezes algumas nuvens irão ocultar as estrelas, dando a impressão de que sua influência terminou. Mais adiante, entretanto, a treva se dissipará."

Todos em volta sorriram, incrédulos. Inclusive Getúlio.

16. O clima no Rio de Janeiro é de "orgia cívica"; mas dessa vez Getúlio é o único a não sorrir (1930)

"Atenção! Vai falar o candidato à presidência da República!"¹

Eram cinco e meia da tarde do dia 2 de janeiro de 1930. O anúncio feito pelo advogado e jornalista Antônio Evaristo de Morais mal foi ouvido nos alto-falantes, por causa do alarido vindo da multidão. No centro de um pequeno estrado de madeira, Getúlio se acotovelava com cerca de outros vinte membros da Aliança Liberal. Para todos os lados que olhasse, só vislumbraria o mar de pessoas inundando a esplanada do Castelo, nome faustoso demais para um imenso terreno baldio e terraplanado, de 431 mil metros quadrados, equivalentes a 61 campos de futebol e resultantes do desmanche do antigo morro do Castelo, posto abaixo em 1921 para eliminar cortiços e fornecer material aos aterros do Rio.

"Deus é liberal! Não fez chover!", gritou alguém, segundo anotou um atento redator de *A Federação* presente ao evento.²

No céu, as nuvens pesadas, cor de chumbo, ainda ameaçavam estragar a festa. Aqui e ali, um relâmpago faiscava no horizonte. Mas ninguém arredava pé do local. O mestre de cerimônias, o criminalista Evaristo de Morais, 58 anos, filiado ao Partido Democrático do Rio de Janeiro, era um orador tarimbado. Conhecido por abraçar causas polêmicas no tribunal do júri — foi dele a defesa do então jovem aspirante Dilermando de Assis, que em 1909 matara a tiros o escritor Euclides da Cunha —, Evaristo tinha o dom de eletrizar plateias. Aproximou-se ainda mais do microfone prateado e, para reforçar o anúncio de que Getúlio iria começar a leitura pública da plataforma da Aliança Liberal, resolveu ser mais enfático:

"Atenção! Atenção! Atenção! Vai falar o futuro presidente do Brasil, o doutor Getúlio Dornelles Vargas!"[3]

Dessa vez, o aviso surtiu o efeito esperado. De acordo com o que descreveu a imprensa, a multidão explodiu em aclamações. Chapéus e bandeirolas verde-amarelas foram freneticamente agitados durante cerca de dois longos minutos. A um aceno de Getúlio, todos se calaram. Aquele dilúvio de gente queria ouvir o político gaúcho que passara a encarnar as mais sinceras esperanças de grande parte do eleitorado brasileiro. Ali mesmo, na esplanada do Castelo, já se podia avaliar o arrebatamento provocado pela Aliança Liberal. Os jornais chegaram a falar em 150 mil pessoas presentes. A audiência era tão enorme quanto eclética. Senhoras de salto alto e cavalheiros elegantes, com roupas finas, dividiam espaço democraticamente com mulheres e homens do povo calçados de tamancos e alpercatas. "Não há memória de um comício que haja reunido uma multidão tão compacta", avaliou o *Correio da Manhã*.[4]

O clima era de "orgia cívica", conforme definiria Chatô, nas páginas de *O Jornal*.[5] Entretanto, muitos devem ter ficado intrigados quando o sujeito baixinho, de cara raspada, aparência frágil e bochechas rosadas como as de um bebê se adiantou, com o calhamaço de páginas datilografadas na mão. Alguns talvez se perguntassem: então aquele era Getúlio Dornelles Vargas, o colosso dos pampas, o grande líder que prometia redimir o país dos males do autoritarismo, da corrupção e da falcatrua política? Aquele, o mais mirradinho do palanque? Um homem, segundo a descrição da *Folha da Manhã*, "tão pequenino, tão rechonchudo"?[6]

Pela primeira vez, muitos puderam constatar que Getúlio, apelidado de "Meia Garrafa" pela mordacidade do deputado Azevedo Lima,[7] não correspondia mesmo ao estereótipo do sujeito audaz, corpulento, de vasta bigodeira, montado na sela de um corcel empinado, o que desmentia a figura típica eternizada em prosa e verso pela literatura regional do Rio Grande do Sul. O gaúcho que puderam conhecer melhor naquele cinzento fim de tarde carioca mais parecia um anãozinho de jardim, um homenzinho um tanto quanto barrigudo, sem maiores atrativos, fisicamente incapaz de fazer frente à altanaria do emplumado Washington Luís e seu cavanhaque de lorde inglês.

Quando Getúlio começou a falar, o estranhamento deve ter redobrado. Sua voz era anasalada, monocórdica, antirretórica. Além do mais, estava resfriado.[8] Uma irritante coriza o acompanhava havia alguns dias, desde que partira do Rio Grande. Habituados a oradores flamejantes como Maurício de Lacerda e o próprio Evaristo de Morais, os eleitores da capital da República estavam sendo apresentados a um candidato que fazia longas pausas durante as frases e não sublinhava as palavras com nenhum gesto expressivo de mãos, nenhum crispar de cenho, nenhuma inflexão mais teatral. Não era à toa que, em vista disso, o *Correio Paulistano*, porta-voz do Partido Republicano Paulista, o apelidou de "chuchu": anódino, insípido e inodoro.[9]

Ao entrevistar Getúlio, um repórter do *Correio da Manhã* já havia estranhado suas pausas características na fala:

"Quem não o conhecer dirá que ele tem dificuldades em esboçar as próprias ideias. Mas será um engano. O sr. Getúlio Vargas tem até muita facilidade de dicção. O que o preocupa, porém, é a medida justa do pensamento", perdoara o jornalista.[10]

Na esplanada do Castelo, ao ler o texto integral da plataforma, Getúlio não fugiu ao estilo. O semblante permaneceu impassível, sem evidenciar nenhuma perda de serenidade. "O candidato liberal, ao contrário da maioria dos políticos brasileiros, é um homem que sabe ler corretamente, pronunciando as palavras sem omissão de letras e nem alteração de sons e fazendo pausas reveladoras da pontuação", valorizou o mesmo *Correio*, para então avaliar:

> A sua voz, embora não seja forte, torna-se à leitura facilmente inteligível ao auditório, e encanta e prende a atenção porque tem um timbre sereno e macio, tocado de ligeiro magnetismo. É uma voz fraca e aveludada que flui naturalmente dos lábios com a mesma homogeneidade em todos os momentos; mas firme e enérgica, ao mesmo tempo que suave e delicada. [...]
>
> Lendo a sua plataforma, documento de 31 páginas datilografadas, o dr. Getúlio Vargas nem uma só vez quebrou o tom natural dessa voz, nem interrompeu por falta de fôlego nenhum período. [...] Sereno ao falar e sereno ao ouvir as mais delirantes aclamações, sóbrio de gestos e de movimentos, não manifestava surpresa, nem emoção, diante dos quadros imprevistos daquele imponente espetáculo da multidão reunida para ouvir suas palavras e suas ideias. [...]
>
> Ele estava diante de um tribunal de 100 mil jurados como se estivesse isolado

num deserto, pois toda a vibração do ambiente que faria estremecer os homens mais impassíveis não o atingiu nem lhe distraiu sequer a atenção."[11]

A cerimônia, que assumiu ares de ineditismo pelo fato de ser feita a céu aberto e perante enorme assistência, quebrava uma tradição republicana. Caso houvesse obedecido ao protocolo, deveria ter sido realizada em caráter reservado, em ambiente particular, durante um bem-comportado banquete que exigisse talheres de prata, porcelana importada, vinho francês e traje a rigor. Não seguiu o figurino comum a eventos do gênero porque o Catete orientara as direções dos teatros e clubes da cidade a não franquear suas respectivas dependências ao cerimonial oposicionista, incluindo o Teatro Municipal do Rio de Janeiro, cuja direção também não aceitou ceder seus espaços para a realização do evento.[12]

"Será melhor assim, falarei ao ar livre, em praça pública, em contato íntimo com o povo", decidiu Getúlio.[13]

E o povo, apesar do desconcerto inicial provocado pela entonação pouco vibrante do orador, o aplaudiu de forma consagradora. Os jornais que publicaram a íntegra da plataforma tiveram suas edições rapidamente esgotadas. O sucesso era fácil de explicar. A maioria dos tópicos relacionados no programa tinha endereço certo. O texto, dividido em 22 capítulos, fora escrito com a finalidade deliberada de seduzir a opinião pública. Destacava, logo de início, a anistia, o fim das leis de exceção e a reforma eleitoral, bandeiras que desfrutavam de inegável apelo popular.

"A anistia constitui uma das mais veementes razões de ser da Aliança Liberal. Queremo-la, por isso mesmo, plena, geral e absoluta", leu Getúlio, contrariando, aliás, as suas "Notas para uso particular", que aceitava a hipótese de uma anistia relativa, parcial e restritiva.[14] Por isso mesmo, logo nas primeiras linhas, o texto era obrigado a reconhecer:

"O programa é mais do povo que do candidato."[15]

Mas a grande novidade da plataforma seria mesmo a referência explícita à "questão social", tema que a oposição acusava Washington Luís de tratar como mero "caso de polícia":

"Corre-nos o dever de acudir o proletário com medidas que lhe assegurem relativo conforto e estabilidade e o amparem nas doenças e na velhice", recitou Getúlio, em um dos momentos mais festejados da leitura.[16]

Entretanto, se de fato a plataforma inovava ao reconhecer a existência da classe operária e a necessidade de serem concedidos direitos sociais aos trabalhadores, ela ao mesmo tempo propunha o controle e a vigilância estatal sobre as entidades sindicais, ao advertir que tanto o proletário urbano quanto o trabalhador rural necessitariam de "dispositivos tutelares, aplicáveis a ambos, ressalvadas as diversas peculiaridades".[17]

Do mesmo modo, ao sinalizar com o fim das leis repressoras, o programa de governo lido por Getúlio tomava o cuidado de anunciar que a Aliança Liberal não contestava "a conveniência e a oportunidade das leis de defesa social".[18] O intuito de revogar o entulho autoritário herdado das administrações anteriores era, na verdade, um assumido antídoto contra a "intranquilidade e o fermento revolucionário". No conjunto da obra, ao mesclar liberalismo e autoritarismo em um só corpo programático, a plataforma da Aliança encarnava as contradições inerentes à sua própria composição política.[19]

Para afagar os militares, Getúlio mandava um recado positivo aos quartéis: prometeu o reaparelhamento e a modernização das Forças Armadas, com vistas ao "enrijecimento da consciência cívica e do espírito de nacionalidade".[20] Para ficar bem com o funcionalismo público, garantiu o aumento paulatino nos salários dos servidores federais, ao mesmo tempo que levou em consideração as eternas críticas ao inchaço paquidérmico da máquina pública: previu a redução dos quadros do estamento burocrático e a criação de mecanismos de controle para aferir a qualidade dos serviços oferecidos à população.[21] No plano econômico, defendeu o combate rigoroso à inflação, acenou com uma reforma fiscal para desafogar os setores produtivos, sugeriu a remodelação do Banco do Brasil para torná-lo um órgão financiador da produção e assegurou, com o devido destaque, a manutenção do plano financeiro em vigor.[22]

"Por que você não me disse há mais tempo que pensava como eu?", proferia um expansivo Washington Luís ao encabulado Getúlio, numa charge da revista *Careta*,[23] que ironizava o compromisso da plataforma oposicionista em manter inalterado o projeto de reforma econômica do governo federal, prevendo apenas, textualmente, as "modificações e melhorias que a experiência aconselhar".[24]

Durante a leitura, Getúlio pregou ainda a necessidade de colonização da Amazônia, reafirmou a promessa de obras contra as secas nordestinas e criticou a política de valorização do café. Conforme argumentou, em vez de os cafeicultores buscarem maximizar a margem de lucro com a elevação artificial dos preços, o país deveria trabalhar para diminuir os custos da produção cafeeira — o que não destoava das últimas decisões do governo federal em relação ao setor e muito menos do programa eleitoral lido, semanas antes, pelo adversário Júlio Prestes, nos salões do Automóvel Clube do Rio de Janeiro. *O Malho* tripudiou:

"A plataforma do sr. Getúlio Vargas representa, até certo ponto, o melhor dos elogios às doutrinas do sr. Washington Luís, assim como a maior das defesas à sua obra de administrador."[25]

Na sequência, Getúlio condenou os riscos da monocultura e abraçou a tese da diversificação da lavoura, oferecendo como exemplo de amparo ao produtor o corporativismo vigente no Rio Grande do Sul — mas dessa vez não fez sequer a mais leve referência ao fascismo italiano, decerto para evitar novas controvérsias em torno do assunto.

Quanto ao processo de industrialização, Getúlio argumentou que só faria algum sentido discutir tal matéria a fundo quando o país estivesse apto a fabricar o próprio maquinário, quando implementasse um parque siderúrgico próprio, alvitre que tornava óbvio que o tema era muito mais pautado por questões de segurança nacional do que pelo incentivo ao desenvolvimento industrial em si. O Brasil, conforme leu Getúlio, não poderia mais ficar "à mercê de estranhos, na constituição dos seus mais rudimentares elementos de defesa", trecho que expressava uma mensagem simpática aos interesses da caserna.[26]

Se os jornais aliancistas exultaram com o rol de compromissos assumidos durante a leitura, os órgãos de imprensa governistas preferiram denunciar o alegado caráter irrealizável da plataforma liberal, considerada uma colcha de retalhos que buscava contemplar a todos, e a um só tempo:

"O senhor Getúlio Vargas acenou com verdadeiras quimeras. O que prometeu fazer, se for presidente, exige um século", analisou *A Notícia*.[27] "Ele falou como quem sabe que não terá de cumprir o que promete", considerou, por sua vez, o *Jornal do Brasil*.[28] "Na sua plataforma, em um pavoroso abismo de retórica, o candidato liberal se propõe a salvar o Brasil enquanto o Diabo esfrega um olho. De melhores intenções é que o inferno está cheio", sentenciou *O Paiz*.[29]

A aguilhoada mais profunda veio da parte da *Folha da Manhã*: "O sr. Getúlio Vargas, político bisonho e sem tirocínio administrativo, na sua curta e acidental passagem pelo governo e pelo parlamento, só revelou profunda ignorância em todos os assuntos que reclamam a atenção dos verdadeiros estadistas", iniciou o jornal paulista. "Dessa sua atuação lamentavelmente inexpressiva, deixou o candidato ampla documentação, nos anais do Congresso, nas suas mensagens vazadas em estilo infantil e agora na colcha de retalhos que, com o nome de plataforma, leu na esplanada do Castelo", torpedeou a *Folha*. "Neste documento, forneceu o sr. Getúlio Vargas atestado público de sua proverbial incapacidade mental e de sua comprovada pusilanimidade."[30]

Entre as medidas julgadas inexequíveis pela imprensa governista incluía-se um esboço, ainda que tímido, de um projeto de reforma agrária. Nos termos propostos pela plataforma lida por Getúlio, isso equivaleria a "subdividir a terra, a fim de colonizá-la", concedendo-se lotes a agricultores, "a preços módicos" e "mediante o pagamento a prestações". Com isso, os novos proprietários deveriam receber "máquinas agrícolas, mudas e sementes".[31] Quando tivesse conhecimento daquele trecho específico da plataforma da Aliança Liberal, o revolucionário Luís Carlos Prestes, ainda no exílio argentino, identificaria os ecos da conversa secreta que mantivera três meses antes com Getúlio Vargas em Porto Alegre.

"Quando Getúlio divulgou seu programa de governo, verifiquei que ele tinha copiado as minhas ideias sobre reforma agrária", observaria Prestes.[32]

O "plágio" não fora gratuito. Setores influentes da Aliança Liberal — leia-se, em especial, Oswaldo Aranha — ainda não haviam desistido de contar com o concurso de Luís Carlos Prestes. Em breve, voltariam a assediá-lo.

Algo chamou a atenção de João Neves durante o almoço de congraçamento que a bancada gaúcha ofereceu aos candidatos da Aliança Liberal no Rio de Janeiro. Getúlio parecia amuado, como se cumprisse uma incômoda obrigação:

"Todos os convivas estavam alegres, menos Vargas, que nem mesmo dava mostras de seu proverbial bom humor. A fisionomia fechada deixava transparecer um espírito mergulhado em aborrecimentos, preocupações e incertezas", repararia João Neves.[33]

Nas fotos do almoço publicadas pela revista de variedades *Fon-Fon!*, via-se um Getúlio com olhar perdido, na verdade mais indiferente que preocupado, mais passivo que aborrecido.[34] Um de seus biógrafos oficiais, Paul Frischauer, dirá que, em certas ocasiões, particularmente em cerimônias e solenidades formais, o olhar de Getúlio "se voltava para dentro". "Não olhava nem à direita, nem à esquerda", descreveria Frischauer, ao observar que seu biografado, tão à vontade em conversações cotidianas, nessas horas se isolava em uma "esfera de abstração".[35]

Ao vê-lo soterrado na cadeira à mesa do banquete, alguém lhe sugeriria que recorresse discretamente a uma almofada — para usufruir maior conforto e, talvez, para aparentar alguns centímetros de vantagem sobre os demais convidados. Foi o único e breve momento de descontração, quando Getúlio enfim sorriu:

"Vocês querem me levar ainda mais alto?"[36]

À saída, já dentro do automóvel, dirigiu-se a Batista Lusardo, que também participara do almoço:

"Que tal, Lusardo? Que te parece tudo isso?"

"Tudo ótimo, Getúlio..."

Lusardo não pôde prosseguir. Macambúzio, Getúlio cortou-lhe a palavra:

"Em muito piores do que esta, tu tens te metido, Lusardo..."[37]

João Neves, ali ao lado, interpretou a frase como uma comprovação de que Getúlio estava de fato amolado com tudo aquilo. E continuou assim, casmurro, até mesmo quando decidiu, por conta própria, fazer uma visita de solidariedade ao deputado Simões Lopes, que se encontrava preso no quartel da Polícia Militar à espera de um *habeas corpus* que pudesse livrá-lo da cadeia pela morte do colega Souza Filho. Na ocasião, ao abraçar Simões Lopes, Getúlio lamentou a tragédia ocorrida no Palácio Tiradentes e pôs a culpa pelo incidente no nível de acirramento da disputa eleitoral.[38]

Em seguida, ele e seus auxiliares foram à Casa de Saúde do Rio, onde visitaram a senhora Alice Leal, trinta anos, atropelada pelo carro que o conduzira no cortejo pela avenida Rio Branco no dia da chegada. Espremida no meio da multidão, a mulher tivera ferimentos leves ao ser jogada de encontro ao automóvel que, por sorte, seguia em marcha lenta, empurrado pelos manifestantes. Getúlio pagou-lhe a internação e as despesas médicas. A conta ficou barata: além de render algumas linhas positivas nos jornais, a cortesia evitou que o acidente fosse explorado pelos adversários com foros de escândalo.[39]

Para pasmo de muitos, o candidato da Aliança Liberal também incluiu na agenda carioca um breve encontro com Washington Luís, em pleno salão de despachos do palácio do Catete. Aos correligionários, Getúlio assegurou que a visita ao presidente da República fora apenas protocolar, simples retribuição ao fato de Washington Luís ter enviado um representante oficial — o chefe da Casa Militar, general Teixeira de Freitas — para recebê-lo quando do desembarque no cais do porto do Rio. O encontro no Catete, como era fatal, gerou especulações e foi satirizado pela revista *O Malho*, que publicou uma charge na qual Getúlio, antes já retratado como "amigo urso", aparecia dessa feita na pele de um tamanduá-bandeira, com as características garras afiadas.

"Olá, dr. Washington! Que prazer! Venho trazer-lhe o meu abraço!", lia-se ao pé da ilustração.[40]

Resta a desconfiança histórica de que a conversa reservada incluiu a confirmação, por parte de Getúlio, dos termos do *modus vivendi* secreto antes estabelecido com o presidente da República, quando da "missão Paim". Apesar de Getúlio ter viajado ao Rio de Janeiro para ler a plataforma, os termos gerais do acordo sigiloso estariam mantidos, já que ele informou publicamente que retornaria de imediato ao Rio Grande do Sul, sem alongar a viagem a Minas Gerais e São Paulo, ao contrário do que tencionavam os líderes da Aliança.[41] Isso explicaria por que, a 4 de janeiro, dois dias após a solenidade na esplanada do Castelo, Washington Luís ficou tão transtornado quando o general Teixeira de Freitas lhe comunicou que um comboio especial havia sido fretado por membros do Partido Democrático para conduzir a comitiva de Getúlio à capital paulista.

"Não, Vargas não vai a São Paulo", garantiu um convicto presidente da República ao general Teixeira de Freitas.[42]

Entretanto, um novo telefonema trocado entre a Casa Militar e a Central do Brasil ratificou a informação: o comboio estava prestes a deixar a estação.

"Já lhe disse que Vargas não irá a São Paulo", tornou a desmentir, dessa vez um irritado Washington Luís, quando o general lhe retransmitiu a notícia.[43] Minutos depois, veio uma terceira ligação telefônica. Era, de novo, da Central. O informante comunicava que o comboio já havia partido em direção a terras paulistas. E com Getúlio Vargas a bordo.[44]

De acordo com o democrata Paulo Nogueira Filho, um dos organizadores da recepção em São Paulo, Getúlio só tomou a decisão de embarcar para a capital paulista após ser pressionado por Lindolfo Collor, que fora ao Hotel Glória convencê-lo de que ele estaria cometendo uma terrível injustiça contra o PD, agremiação que o havia apoiado desde a primeira hora. Com a desfeita, pareceria que Getúlio estava esnobando os democratas, o que não era politicamente recomendável. No extremo, o desapontamento poderia levar a uma cisão na Aliança. João Neves, em suas memórias, confirmaria a versão. Getúlio teria chegado a ralhar com ele, no quarto do Hotel Glória, por causa da insistência no assunto:

"Tu és o culpado das dificuldades que estou enfrentando. Em vez de ter publicado na íntegra o radiograma que te enviei anunciando minha viagem exclusivamente ao Rio, cortaste a parte que para mim tinha a máxima importância", irritou-se Getúlio.

"Se eu tivesse mandado para os jornais o texto de teu radiograma na íntegra, provavelmente ninguém te receberia", devolveu João Neves.[45]

Lá embaixo, o grande salão de recepções do hotel estava repleto de políticos e jornalistas que queriam conferenciar com Getúlio, embora ele não parecesse nem um pouco disposto a atendê-los. Constrangido, Neves resolveu descer sozinho e, em seguida, contou a Lindolfo Collor o que estava ocorrendo. Collor subiu rápido ao quarto de Getúlio e, alguns minutos depois, os dois teriam voltado juntos, já com a decisão tomada de irem todos a São Paulo, pela estrada de ferro.[46] Para não parecer uma provocação a Júlio Prestes, a estada seria curta, simples escala antes de Getúlio partir para o litoral, em Santos, de onde embarcaria no hidroavião Guanabara, da Condor, de volta a Porto Alegre.[47]

Batista Lusardo, entretanto, daria uma variante mais apimentada à história, atribuindo a si próprio a façanha de ter persuadido o hesitante candidato a embarcar para a capital paulista. Para tanto, fora bem cedo ao Hotel Glória e tirara Getúlio da cama, ainda de pijama, para adverti-lo de que uma comissão de membros do PD lhe impusera um ultimato. Lusardo passou o recado pelo mesmo valor de face que o recebera:

"Ou você vai a São Paulo ou então, vou dizer com a maior clareza, os libertadores e os democráticos se separam hoje mesmo de sua campanha. Vamos declarar isso à imprensa!"

"Mas... Lusardo, que violência é essa?", chocara-se Getúlio.

"Não é violência. É a reação justa de quem está numa luta tremenda, de vida e morte, e que não pode aceitar meias posições nem vacilações", replicara Lusardo. "Medite bem, Getúlio; as cartas estão jogadas e nós não vamos recolhê-las."[48]

Seja pela argumentação de Collor ou pela pressão de Lusardo, o fato é que Getúlio mudou repentinamente de ideia, mas não sem pagar um preço azedo por isso. Com a viagem, o candidato aliancista evitou provocar desgostos aos aliados, mas em contrapartida se expôs à enxurrada de críticas da imprensa governista, que lhe censurou mais uma vez o comportamento dúbio:

"A que veio o pequenino Getúlio à grande terra dos bandeirantes?", indagou, em editorial, *O Malho*. "Getúlio veio apenas porque o trouxeram. Sua Excelência já não é mais dono de si próprio, e se antes já não sabia ao certo o que fazia, agora anda empurrado pela vida, ao sabor dos interesses dos politiqueiros", disse a revista. "O sr. Getúlio não tem feito outra coisa senão ir na onda; mas ultimamente, pelo que se depreende de algumas de suas atitudes grotescas, está compenetrado do papel que lhe reservaram os sabidíssimos autores da comédia liberal, e dá conta do recado com uma naturalidade e um cinismo impressionantes."[49]

Getúlio, de fato, se demoraria muito pouco na capital paulista, apenas uma noite de sábado e uma manhã de domingo, mas tempo suficiente para ser alvo de nova aclamação popular. Ao desembarcar no bairro operário do Brás, após ser saudado pelo Hino Nacional, foi carregado nos ombros pela multidão que o aguardava, apesar da chuva torrencial de verão que caía sobre São Paulo. O cortejo subiu pela rua do Gasômetro em direção ao centro da cidade, atraindo mais gente pelo caminho. A cada esquina, o candidato era parado para receber aplausos, ouvir discursos e testemunhar novas demonstrações de carinho do público.[50]

O destino final, a praça da República, ficava a pouco menos de 3 quilômetros de distância da estação, mas somente após quatro horas de percurso Getúlio conseguiu chegar lá, depois de desfilar em carro fechado, sob forte aguaceiro. Dali partiu para a residência de José Carlos de Macedo Soares, ex-presidente da Associação Comercial de São Paulo, seu anfitrião na cidade. Para minimizar o sucesso do desembarque de Getúlio, a *Folha da Manhã* comentou que os milhares de paulistanos que acompanharam o candidato liberal até o centro foram movidos apenas pela curiosidade de "lobrigar a figurazinha inexpressiva" do "bochechudo inimigo do café".[51]

A verdade é que nem mesmo os democratas paulistas esperavam por semelhante recepção popular. Eles próprios ficaram surpresos com a resposta descomunal do público, e em particular com o entusiasmo demonstrado pelos operários nas ruas do Brás. Em meio aos vivas e aplausos de São Paulo, causou espécie também a conduta de Getúlio, que repetiu o mesmo alheamento já exibido no Rio de Janeiro. Ele manteve, o tempo todo, idêntico hermetismo estampado na face. Dessa vez, sua serenidade foi interpretada como apatia e tibieza. Paulo Nogueira Filho, que o acompanhou durante toda a permanência na cidade, chegou a comparar sua fisionomia com a de um "manequim de museu de cera".

"O presidente do Rio Grande do Sul tinha ares de perplexo, mas insensível, distante, abstrato", recordaria Nogueira Filho. "Era um enigma para os que não podiam vislumbrar o seu drama íntimo. Para os que o conheciam, nenhum mistério; ele tinha que decidir entre a vontade daquele povo e a sua própria vontade: pachorrenta, comodista, preguiçosa."[52]

No dia seguinte, 5 de janeiro, Getúlio voltou a ser ovacionado na capital paulista, em plena praça do Patriarca, por nova massa humana que, pelos cálculos do jornal *O Estado de S. Paulo*, totalizou 120 mil paulistanos — muito embora a *Folha da Manhã* falasse na presença de apenas "quatro gatos pingados" no local,[53] o que podia ser facilmente desmentido pelas fotos publicadas no jornal concorrente.[54] Entre outras palavras de ordem gritadas pela multidão, lançou-se naquele dia o bordão que seria adotado como um novo slogan de campanha:

"Que-re-mos Ge-tú-lio! Que-re-mos Ge-tú-lio! Que-re-mos Ge-tú-lio!"[55]

Anos mais tarde, em 1945, o mesmo lema seria reciclado e posto em evidência pelo chamado movimento "queremista", ao exigir a manutenção de um então acuado Getúlio Dornelles Vargas na presidência da República. Mas ali, no início de 1930, o "Queremos Getúlio!" era apenas mais uma das muitas divisas de propaganda dos simpatizantes da Aliança Liberal.

Aos 86 anos, em São Borja, o velho general Manuel do Nascimento Vargas estava orgulhoso do filho:

"Pelos jornais, que vêm esmiuçando tudo, vi e senti a vibração do povo do Rio e São Paulo; é bem igual às manifestações feitas ao general Osório quando voltava coberto de glórias da Guerra do Paraguai", comparou.[56]

Se diante do público carioca e paulista se mostrara impassível, no retorno ao Rio Grande do Sul, de volta aos pagos, como que por milagre, Getúlio imediatamente perdeu a contenção dos últimos dias. Seu semblante carregado desanuviou-se. Pela primeira vez desde que se lançara candidato, ao se sentir em casa, proclamou a confiança no êxito nas urnas:

"A minha impressão, após as manifestações do Rio e de São Paulo, é de vitória assegurada", comemorou, sorridente, em entrevista ao *Correio do Povo*, tão logo pôs os pés de volta em Porto Alegre.[57]

O que explicaria tão súbita mudança de humores? É bem possível especular que Getúlio estivesse constrangido por ter sido obrigado a desempenhar, na capital da República e em São Paulo, um papel que contrariava frontalmente os acordos feitos na surdina com Washington Luís. Outra explicação, mais aceita pelos adversários, é que ensaiara um ar postiço de desgosto para tentar não afrontar ainda mais o presidente da República com sorrisos ostensivos distribuídos à multidão. Havia ainda os que preferiam acreditar que o ar de enfado era obra do simples cansaço, decorrente da maratona de seis dias ininterruptos de viagem. Em última hipótese, Getúlio talvez estivesse simplesmente atarantado pela repercussão que sua candidatura obtivera nas duas principais cidades do país. Afinal, em confidência a João Neves, dera a entender que só após as manifestações públicas em São Paulo, reduto eleitoral de Júlio Prestes, se convencera da profundidade e do alcance do movimento desencadeado pelo lançamento da Aliança Liberal.[58]

O fato é que, naqueles dias após o retorno, o general Gil Antônio Dias de Almeida, comandante da 3ª Região Militar, foi visitá-lo em palácio, como ordenava a liturgia do cargo. Encontrou-o em estado de êxtase:

"Se São Paulo quiser, eu serei eleito. A manifestação que tive foi assombrosa", comentou Getúlio.[59]

O general Gil de Almeida conhecia Getúlio Vargas desde a adolescência, quando os dois haviam sido cadetes na Escola Militar de Rio Pardo. À época, Almeida salvara Getúlio de um afogamento no rio Pardinho. Um redemoinho traiçoeiro arrastara o então jovem estudante e estivera a ponto de tragá-lo para o fundo das águas. A ação rápida do colega o resgatara dos braços da morte. Trinta anos depois, Gil de Almeida tinha certeza de que um redemoinho ainda mais poderoso engolfava o presidente do Rio Grande do Sul.[60]

Tanto era assim que, enquanto Getúlio estivera ausente de Porto Alegre, o general transmitira boletins a todas as guarnições gaúchas, advertindo-as de que elementos alheios à tropa estariam semeando o convite à desobediência e à subversão. Informes chegados ao comando da 3ª Região Militar davam conta de um movimento revolucionário em gestação, uma conspirata que contava com a participação ativa de membros graduados do próprio governo estadual. A campanha eleitoral desembocara numa mobilização revolucionária. Como medida de alerta, Gil de Almeida recomendara que todos os oficiais superiores redobrassem a vigilância nos quartéis:

"Nunca foram tão intensos, da parte dos interessados na perturbação da ordem pública, os murmúrios de que a luta civil será inevitável e está a ponto de rebentar", avisou.[61]

"O senhor leu minha plataforma?", indagou Getúlio Vargas a Luís Carlos Prestes.[62]

Os dois estavam de novo frente a frente. E como da primeira vez, o encontro era secreto. O cenário é que mudara: no lugar do palácio do governo estadual, a reunião se deu no subúrbio de Porto Alegre, mais precisamente numa chácara localizada no bairro Tristeza, zona sul da capital gaúcha, propriedade de Oswaldo Aranha, o principal articulador entre a Aliança e os "tenentes".[63]

Conquanto Getúlio ainda tencionasse atrair Prestes para o arco de apoios da coligação eleitoral, o líder revolucionário continuava a proclamar sua descrença em "soluções paliativas". E não obstante o texto da plataforma liberal ter incorporado algumas linhas sobre a questão fundiária, a novidade não fora uma isca eficaz o bastante para fisgá-lo. Prestes reafirmou que só aceitaria apoiar um movimento político se fosse para transformar as estruturas da sociedade brasileira. Não sendo assim, sua adesão a uma candidatura à presidência da República estava fora de cogitação.[64]

"Me admiro que tenhamos conversado antes por quase duas horas e eu não me tenha feito entender. A sua candidatura de forma alguma me interessa. Eu já disse isso desde a primeira vez", declarou Prestes a Getúlio.[65]

A exemplo da ocasião anterior, o novo encontro permaneceria cercado de versões nebulosas e contradições entre as fontes. Não poderia ser diferente, dado o sigilo com que ambas as partes fizeram questão de cercá-lo. É difícil até mesmo precisar em que data exata ocorreu.[66] Uma testemunha do episódio, o médico e professor Antônio Saint Pastous de Freitas, amigo e conterrâneo de Aranha, confirmaria apenas que a conversa seguiu tão tensa quanto a primeira.[67]

Getúlio falava de eleição, Prestes, de revolução. De concreto, teria saído apenas uma oferta financeira, segundo a qual Luís Carlos Prestes receberia de Aranha cerca de mil contos de réis — algo em torno de 100 mil dólares à época — para comprar armas no exterior.[68] Getúlio sempre ressalvava que qualquer ação militar teria que se dar em caráter estritamente preventivo, muito embora o comandante rebelde só tenha aceitado participar do encontro porque, dias antes, Aranha lhe escrevera para informar que membros destacados da Aliança Liberal já haviam adotado a solução revolucionária como a única forma de impedir o continuísmo no Catete, dadas as fraudes e compressões de sempre.

"Suponho então entendido que o Rio Grande prepare o exército revolucionário e financie e arme os elementos que precisamos organizar no Norte, Rio, São Paulo, Paraná e Mato Grosso", respondeu Prestes, por escrito, a Aranha. "Já não se trata mais de preparar um movimento revolucionário mais ou menos eventual. Precisamos fria e serenamente organizar as nossas forças com um objetivo certo e determinado", explicitou.[69]

Os recursos destinados à causa deveriam vir após o entendimento com Minas, que precisava entrar com parte da dinheirama. Ao final da reunião em Porto Alegre, Luís Carlos Prestes não garantiu assumir o comando do movimento armado. Mas também não achou conveniente desprezar, a princípio, quantia assim tão razoável. Disse que regressaria a Buenos Aires e, de lá, enquanto avaliava melhor a situação, aguardaria pela disponibilidade ou não do montante prometido. Na verdade, Prestes não cogitava utilizar os mil contos a favor de nenhuma ação que levasse Getúlio e os oligarcas da Aliança Liberal ao poder, mas sim para ajudar a financiar sua própria revolução.

"Comprar a mim, ele não compra!", teria dito Prestes a respeito dos sucessivos flertes de Getúlio.[70]

A quinze dias da eleição, Getúlio Vargas licenciou-se do cargo de presidente do Rio Grande do Sul e rumou para São Borja, onde aguardaria o veredicto das urnas ao lado da família, tomando chimarrão, montando a cavalo e comendo churrasco.[71] Como o vice-presidente gaúcho João Neves da Fontoura perderia a cadeira de deputado caso ocupasse interinamente o posto vago, o governo passou a ser exercido, conforme dispunha a Constituição rio-grandense, pelo terceiro na linha sucessória estadual, o secretário do Interior, Oswaldo Aranha, que assim ficava livre para levar a conspiração, de uma vez por todas, para dentro dos salões do palácio.[72]

Foi uma transmissão natural, sem traumas, uma vez que Aranha já se tornara o principal acólito de Getúlio no governo. Era ele que, além de conduzir a maior parte dos entendimentos com os "tenentes", blindando Getúlio da tarefa de ter que se comprometer pessoalmente com os rebeldes, também passara a administrar as demandas políticas do interior do estado:

"Procure o Oswaldo. O que ele disser sou eu que estou dizendo", costumava indicar Getúlio.[73]

Como pretexto para a saída estratégica de cena, Getúlio dizia-se movido por "escrúpulos de ordem moral" — não queria ser acusado pelos adversários de manipular a máquina pública durante o pleito:

"Os processos condenáveis que por desventura venham a utilizar os nossos adversários encontrarão no repúdio da opinião pública o seu justo castigo", afirmou, em um "Manifesto ao Rio Grande do Sul", publicado com destaque na primeira página de *A Federação*.[74] Ao mesmo tempo, a ausência momentânea favorecia o propósito de não se envolver diretamente no processo de radicalização a que se assistia Brasil afora. Em São Paulo, três ex-integrantes da Coluna Prestes — Djalma Dutra, Emídio Miranda e Aristides Leal —, todos foragidos da Justiça, haviam sido presos em 9 de janeiro pela Delegacia de Ordem Política e Social, a Dops (mais tarde Departamento de Ordem Política e Social — Deops), após uma campana no esconderijo que mantinham em uma casa velha na rua Bueno de Andrade, 101, no bairro da Aclimação. Um quarto rebelde, Siqueira Campos, o mesmo que estivera com Getúlio durante a primeira ida de Luís Carlos Prestes a Porto Alegre, escapara do cerco após trocar tiros e ferir o inspetor que lhe dera ordem de prisão.[75] No dia seguinte, no Rio de Janeiro, a polícia havia posto as mãos em Juarez Távora, com o agravante de ter encontrado em seu poder o passaporte falso expedido pelo governo gaúcho com o nome de Umberto Gomes do Nascimento. Távora retornara de Minas, onde se encontrara com Antônio Carlos, e se preparava para viajar ao Nordeste, para pôr em ação o plano explicitado ao presidente do Rio Grande do Sul.[76]

De São Borja, Getúlio Vargas acompanharia também a conveniente distância a crônica sangrenta que marcou o último mês de campanha. Segundo o *Correio do Povo*, até 15 de fevereiro, data em que Getúlio se licenciou do cargo, já haviam sido registradas quinze mortes em todo o país, além de 48 feridos graves, todos vítimas de conflitos entre partidários das duas candidaturas.[77]

A violência começou no início de fevereiro, quando uma caravana da Aliança Liberal ao Nordeste fora recebida à bala no município pernambucano de Garanhuns, a 235 quilômetros do Recife. Mesmo com a dificuldade de recursos e sem a participação de Getúlio, os líderes aliancistas haviam decidido manter os planos de excursionar em campanha por alguns pontos específicos do território nacional. Coube a João Neves da Fontoura e Batista Lusardo a organização e o comando de duas dessas comitivas. As primeiras paradas da expedição liderada por João Neves haviam sido em Minas Gerais e Paraíba, onde a força política de Antônio Carlos e João Pessoa garantiu públicos avassaladores. Pouco antes da partida da caravana, Getúlio recomendara comedimento a Neves:

"Não pregue a revolução."[78]

No entender de Getúlio, falar de movimento revolucionário às vésperas de uma eleição presidencial significava reconhecer a derrota por antecipação. Afinal, por qual motivo as pessoas se dariam ao trabalho de comparecer às urnas para votar, se expoentes de uma das candidaturas, logo de saída, acenavam com a hipótese de uma reviravolta armada? Neves até reconheceu a lógica da proposta, mas não conteve os arroubos de oratória quando lhe puseram uma tribuna à disposição. No Recife, incitado pelo fervor da plateia, falou abertamente em luta armada:

"Ou nos abrem as urnas para votarmos livremente, sem coação nem suborno, e proscrevem a ata falsa, ou então, brasileiros, de armas na mão!"[79]

A frase provocou arrepios nos partidários de Júlio Prestes. Antes mesmo de entrar em Garanhuns, no meio da estrada, Batista Lusardo fora advertido de que os líderes locais haviam distribuído boletins contra a caravana e, portanto, eles não seriam bem-vindos na cidade. Comentava-se que os políticos pernambucanos estavam preparando uma vindita à morte do conterrâneo Souza Filho.

"Não é do meu feitio temer ameaças e caretas. Toca pra frente!", decidiu Lusardo, devidamente paramentado com o lenço vermelho dos maragatos enrolado no pescoço.[80]

O comício terminou em tiroteio. À última hora, um grupo de senhoras getulistas de Garanhuns correu em bloco para se pôr na frente dos oradores e, fazendo as vezes de escudo, impediram uma chacina.

"Atirem sobre nós, seus covardes!", gritavam as mulheres.[81]

Apesar da confusão, não houve feridos. A mesma sorte não teve o garoto Antônio Bezerra, residente em Natal, um dos dois mortos no conflito ocorrido durante a passagem da caravana liberal pela capital potiguar. O menino fora alvejado após gritar um viva a Getúlio Vargas. Outras 27 pessoas foram atingidas pelos balaços, entre elas um irmão do presidente do Rio Grande do Norte, Juvenal Lamartine.[82] Pior ainda se deu em Vitória, Espírito Santo, quando um comício da Aliança Liberal, no dia 13 de fevereiro, foi reprimido pela cavalaria da polícia estadual e terminou com o saldo funesto de mais de cem vítimas, entre mortos e feridos, após um tiroteio que se estendeu por cerca de duas horas.[83]

Uma semana antes, na cidade mineira de Montes Claros, a 422 quilômetros de Belo Horizonte, outros incidentes quase resultaram na intervenção federal em Minas Gerais, após uma manifestação da Concentração Conservadora, a favor de Júlio Prestes, ter terminado em confronto armado. Cinco pessoas morreram, inclusive Rafael Fleuri, secretário particular do vice-presidente da República, Mello Viana. O próprio Viana, também presente ao evento, constou da lista de feridos, tendo sido inicialmente noticiado que levara três tiros pelas costas, versão depois desmentida pelo exame de corpo de delito.[84]

No Rio Grande do Sul, a atmosfera também era de tensão. Por todo o interior do estado estavam sendo organizadas milícias armadas, que se autoproclamavam "batalhões anti-intervencionistas" e se diziam dispostas a revidar qualquer tentativa de agressão federal. De acordo com boletins emitidos pelo comando da 3ª Região Militar, em um comício realizado na localidade de Santiago do Boqueirão os oradores se utilizaram de linguagem violenta e chegaram a afirmar que "a demora da revolução" estaria "prejudicando os interesses da Nação". Na capital gaúcha, um início de motim no interior da temida Brigada Militar estadual resultou na prisão de dois praças, três cabos e nove sargentos, acusados de terem rasgado o retrato de Getúlio durante um ato de protesto por melhores salários. Para o governo federal, o princípio de levante no Rio Grande seria uma prova incontestável de que a anarquia e o comunismo estavam tomando conta do estado.[85]

Mesmo recolhido à pequenina e rústica São Borja, Getúlio Vargas estabelecera um canal de comunicação permanente com Oswaldo Aranha, por meio do posto telegráfico local. Em mensagens devidamente codificadas, Aranha manteve Getúlio informado dos preparativos finais para o pleito e sobre a totalização dos números do alistamento eleitoral nos estados. Somadas as estatísticas fornecidas pelos vinte governos regionais, chegava-se a 2,7 milhões de eleitores registrados em todo o país, o que significava um aumento de cerca de 1 milhão de votantes em relação ao pleito anterior.[86] A diferença se explicava pelas ostensivas campanhas de alistamento promovidas tanto por aliancistas quanto por partidários do governo federal ao longo dos meses de campanha. Os dados surpreenderam Getúlio, que enviou um preocupado telegrama a Aranha, a três dias das eleições:

> Não supunha fosse tão elevado alistamento geral país. Total dois milhões setecentos mil eleitores. Quer dizer, exceptuados Minas, São Paulo, Rio Grande, sobram um milhão duzentos mil eleitores outros estados. Considero perdida possibilidade nossa vitória.[87]

Oswaldo Aranha, ao contrário, procurava injetar-lhe otimismo. "Não compreendo teus cálculos. Admitindo que compareçam às urnas 70% do eleitorado, teremos um milhão e oitocentos mil votos. Desta votação, a Aliança levará um milhão, mais ou menos", respondeu, em mensagem a Getúlio. "Ainda não te convenceste da verdade. Só um desastre eleitoral em Minas, onde a compressão continua, poderá arrebatar-nos a vitória."⁸⁸

Um dia depois, Aranha precisou refazer as próprias contas. Informes chegados de Minas Gerais traziam novidades alarmantes. A pressão federal decorrente dos incidentes em Montes Claros e as chuvas torrenciais que caíam por todo o estado tendiam a aumentar o número de abstenções e alterar drasticamente o panorama. Tudo indicava que a eleição em Minas seria mais disputada do que de início se supunha. O que significava dizer que a Aliança se arriscava a perder seu principal esteio eleitoral, em termos numéricos. Portanto, chegara a hora de pôr um plano alternativo em ação. Foi o que comunicou Aranha em novo telegrama a Getúlio:

> Ante derrota eleitoral irrecusável, devido falta Minas, Aliança soterrada em sua maior força, penso meu dever preparar terreno, orientando nossos elementos para direita, com calma e tato. Para isso agirei junto a Neves, [Raul] Pilla [deputado pelo Partido Libertador] e demais, procurando com habilidade recolher adesão separada cada um, a fim facilitar solução geral, que deverá ser nossa, nunca tua, pois precisas ficar resguardado em qualquer emergência. Aguardo tua orientação para desbravar terreno até tua chegada.⁸⁹

A primeira providência de Getúlio foi encaminhar mensagem de solidariedade pública ao presidente de Minas Gerais, para procurar demonstrar unidade e firmeza nas hostes da Aliança. A mensagem, publicada em vários jornais do país, condenava o fato de os "reacionários", movidos por um "esforço desesperado" às vésperas do pleito, estarem cerceando a "tradicional altivez e dignidade cívica" do povo mineiro. Por esse motivo, Getúlio enviava a Antônio Carlos, a quem classificava como um "símbolo das tradições liberais de Minas e verdadeiro intérprete das aspirações nacionais", as mais calorosas saudações e os "augúrios de vitória".⁹⁰

No dia imediatamente anterior ao pleito, 28 de fevereiro, uma sexta-feira gorda, os jornais aliados voltaram a publicar um texto assinado por Getúlio, dessa vez se dirigindo ao conjunto da Nação:

"Contra as expectativas de desalento, que a fraude, o suborno, a compressão e a violência possam ter inoculado, como vírus dissolvente na consciência nacional durante quarenta anos de República, eu não hesito em reafirmar nossa certeza de vencer."[91]

No íntimo, Getúlio sabia que a vitória era praticamente impossível, sobretudo depois de o próprio Antônio Carlos reconhecer que a Aliança Liberal conseguiria, no máximo, uma votação líquida de 350 mil votos em Minas Gerais, quando antes prometera pelo menos 500 mil sufrágios.

"Se me dissessem que Minas, com a população que possui [5,8 milhões de habitantes],[92] daria somente 350 mil votos, teria recusado a candidatura e estaria tranquilamente administrando o Rio Grande", reclamou Getúlio.[93]

No dia 1º de março, afinal, os brasileiros foram às urnas. Além do presidente da República, iriam eleger os novos representantes da Câmara Federal e um terço do Senado. Era um sábado de Carnaval. No Rio de Janeiro, os bailes de máscaras e o desfile de carros alegóricos, bem como o tradicional banho de mar à fantasia em Copacabana e defronte do Posto Seis, mobilizaram muito mais gente do que a eleição.

Segundo uma anedota da época, uma velha e decrépita senhora, a fraude eleitoral, foi uma das foliãs mais animadas. Naquele ano, saiu às ruas mascarada, fantasiada de democracia.[94]

"Avisa quando vem. Estou esgotado", telegrafou Oswaldo Aranha a Getúlio, três dias após as eleições.[95]

Até aquele momento, os números prévios da apuração ainda acenavam com alguma chance de vitória para a Aliança. As abstenções nas grandes capitais, alimentadas pela desmobilização política devida ao Carnaval, se somaram à surpreendente votação a favor de Getúlio nas primeiras urnas abertas em vários estados da federação, o que autorizou o otimismo de Aranha:

"Santa Catarina, Paraná, estado do Rio, Espírito Santo, Alagoas, Maranhão, Pernambuco, Ceará [apresentam] resultados muito além, quase o dobro do esperado", comunicou a Getúlio, na mesma mensagem em que se dizia extenuado pelo trabalho das últimas semanas. O maior problema era São Paulo, onde teriam ocorrido "fraudes brutais" e "derrama escandalosa" de votos em prol de Júlio Prestes, informava o telegrama. Minas Gerais, entretanto, o grande curinga da Aliança Liberal, permanecia uma incógnita:

"Minas silencia totais", notificou Oswaldo Aranha.[96]

Enquanto acompanhava a marcha da apuração, ainda em São Borja, Getúlio recomendou a Aranha concentração absoluta na fiscalização eleitoral. As demais obrigações relativas ao exercício do cargo poderiam esperar:

"Se estiver fatigado, diminua velocidade da máquina, atenda só o expediente político, deixando de parte o administrativo", ordenou Getúlio.[97]

Para o candidato aliancista, não havia problemas no fato de a divulgação da soma dos votos de Minas se encontrar atrasada. Muito pelo contrário, tal demora era até conveniente para os planos da coligação:

"Convém Minas oculte resultado votação até se conhecer a dos estados reacionários, evitando façam conta de chegar", explicou Getúlio, levantando suspeições de que o governo federal pudesse majorar os números a favor de Júlio Prestes, caso o Catete soubesse de quantos votos precisaria para suplantar Minas e, assim, garantir a vitória do candidato oficial.[98]

As desconfianças eram recíprocas. Denúncias de fraudes e cambalachos ricochetearam de parte a parte. Os governos de Minas Gerais, Paraíba e Rio Grande do Sul foram acusados de cometer truculências contra os que ousavam votar na chapa apoiada por Washington Luís. Em Minas, a polícia estadual e pistoleiros pagos pelo governo de Antônio Carlos teriam invadido seções eleitorais e ameaçado de morte os eleitores de Júlio Prestes.[99] No Rio Grande do Sul, em correspondência a Getúlio, um candidato a deputado federal, Rego Lins, denunciou que recebera ordens da polícia para se retirar imediatamente do estado. Seus eleitores teriam sido advertidos de que seriam espancados caso não votassem na chapa aliancista. Amedrontados, muitos cruzaram a fronteira e buscaram abrigo em cidades argentinas. Outros se trancaram em casa no dia da eleição.[100]

"No Rio Grande do Sul, onde o liberalismo desfraldou a sua bandeira carnavalesca, os adeptos da candidatura nacional foram escorraçados do território gaúcho", denunciou a *Folha da Manhã*. "E é dessa circunscrição da República, onde a vontade e a liberdade foram violentamente asfixiadas, que parte o protesto contra fraudes, grosseiramente praticadas pelo getulismo."[101]

Do lado contrário, o PD acusou o governo paulista de ter distribuído milhares de litros de chope à população, para manter pierrôs e arlequins na esbórnia, bem longe das mesas eleitorais. Falou-se também que centenas de imigrantes — sem direito a voto, porque não eram brasileiros natos — receberam títulos falsos para despejar sufrágios em Júlio Prestes. Em várias mesas eleitorais, o número de votos computados era maior que o de votantes inscritos. De Sorocaba, as notícias davam conta de que os getulistas teriam sido impedidos de chegar perto das urnas, e que os fiscais enviados pela Aliança àquele município foram barrados à entrada da cidade.[102]

Quando se indagou a Assis Brasil se os aliancistas conseguiriam oferecer provas concretas às muitas denúncias de delitos eleitorais, ele disse que infelizmente muitas vezes as fraudes eram impossíveis de se comprovar:

"Os que as praticam não lavram termo nem deixam os seus bilhetes de visita; mas assim como é fácil matar, porém impossível esconder o cadáver, do mesmo modo a fraude e a violência se denunciam por um cheiro pior que o do morto."[103]

Mesmo assim, os primeiros resultados pareciam promissores. Com base neles, Antônio Carlos telegrafou a Getúlio para parabenizá-lo:

> Congratulo-me com V. Excia. pela brilhante vitória de 1º de março. O povo brasileiro, desprezando as insinuações dos mandões do momento, mostrou que ainda sabe escolher os homens que precisa para governá-lo. Correm entretanto boatos de que V. Excia. não será reconhecido. Espero que V. Excia. saiba defender os seus direitos ainda mesmo que tenha de empregar argumentos convincentes. Pode contar com o apoio incondicional de Minas em qualquer momento.[104]

Entretanto, com o passar dos dias, os números foram contrariando os prognósticos iniciais e configurando a derrota irreversível de Getúlio. Minas Gerais não correspondeu sequer às expectativas mais modestas, anunciadas pouco antes por Antônio Carlos. Em vez dos 350 mil votos líquidos prometidos — cifra que Getúlio já considerara acanhada demais —, apenas 280 mil mineiros confirmaram o apoio ao candidato da Aliança Liberal, ao passo que outros 77 mil preferiram votar em Júlio Prestes (a previsão mais pessimista do PRM era de que os votos puxados pela Concentração Conservadora não ultrapassassem a marca dos 30 mil). Em Porto Alegre, manifestantes getulistas reagiram de modo irado à votação pífia obtida pela Aliança Liberal em Minas. Cartazes de propaganda com o retrato de Antônio Carlos foram queimados em praça pública:

"Morra, embusteiro!"

"Morra, homem sem palavra!", gritavam os manifestantes.[105]

No Rio Grande do Sul, a votação de Getúlio foi tão esmagadora (295 mil votos contra apenas mil dados a Júlio Prestes), que o recrudescimento das acusações de fraude foi inevitável. Na Paraíba, estado de pequeno eleitorado, a vantagem de cerca de 20 mil votos a favor de Getúlio não chegou a fazer cócegas na contagem final. Como era perfeitamente previsível, com exceção dos três estados que compuseram a Aliança, a candidatura oficial venceu em todas as demais unidades da federação, e com enorme vantagem. Na região "Norte", onde os aliancistas esperavam por melhor sorte, registrou-se um verdadeiro baile. Em Pernambuco, foram 61 mil contra 9 mil; na Bahia, 141 mil contra 11 mil votos.

No Distrito Federal, a disputa até chegou a ser equilibrada (30 mil sufrágios para Getúlio, contra 32 mil para Júlio Prestes), mas no maior colégio eleitoral do país, São Paulo, a Aliança levou uma bordoada de 320 mil votos contra 30 mil. No total, em todo o país, foram 1 091 709 sufrágios para Júlio Prestes, contra 742 794 para Getúlio.[106] Um candidato alternativo, o marmorista Minervino de Oliveira, membro do clandestino Partido Comunista e concorrendo pelo Bloco Operário Camponês (BOC), obteve inexpressivos 151 votos.[107] Durante a campanha, Minervino chegara a ser preso sob a acusação de estar semeando a subversão na porta das fábricas onde improvisava seus comícios.[108]

"Calem-se os feiticeiros!", comemorou em editorial de primeira página a *Folha da Manhã*, ao relembrar as previsões feitas pelos aliancistas após as calorosas recepções que Getúlio tivera nas cidades do Rio de Janeiro e São Paulo. "A experiência tem demonstrado que em torno das bandeiras mais disparatadas é sempre possível reunir, sem nenhum esforço, número maior ou menor de descontentes e despeitados", ridicularizou o jornal paulista. "Saia alguém à rua com um pedaço de pano amarrado na ponta de alguma taquara e há de verificar que se ajunta gente à sua passagem."[109]

No dia 11 de março, uma terça-feira, já ciente da derrota, Getúlio telegrafou a Oswaldo Aranha. Estava furioso com Minas Gerais:

> Rio Grande cumpriu galhardamente seu dever até eleição. Não temos mais compromissos, nem devemos assumi-los. Não podemos continuar papel quixotesco, lutando por interesses alheios em prejuízo dos nossos. Fracasso na votação mineira constitui remate final. Várias outras falhas vinham continuadamente desmentindo promessas e afirmações de Antônio Carlos.
> Getúlio Vargas[110]

Na segunda-feira subsequente, 17 de março, com o fracasso eleitoral já consumado, Getúlio reassumiu o governo do Rio Grande do Sul, em uma cerimônia rápida, sem nenhuma publicidade.[111] Quarenta e oito horas depois, o jornal *A Noite*, do Rio de Janeiro, estampou uma entrevista com o chefe do PRR, Borges de Medeiros, na qual ele dava o assunto eleição por encerrado e assegurava que os gaúchos reconheciam a vitória de Júlio Prestes e, sendo assim, não dariam "um só passo para perturbar a ordem no país".

Os boatos de que o resultado seria contestado pela força das armas não procedia, afiançou Borges, questão que ganhava relevância após as notícias de que Juarez Távora, acompanhado de dois outros "tenentes" rebeldes — Newton Estillac Leal e Alcides Teixeira de Araújo —, havia protagonizado uma fuga espetacular da Fortaleza de Santa Cruz, na baía de Guanabara, onde se encontrava prisioneiro. Na véspera das eleições, os três desceram as muralhas da fortaleza por uma corda e tomaram um bote até Niterói, de onde seguiram com destino ignorado pelas autoridades federais.[112]

Na entrevista, concedida na fazenda de Irapuazinho, Borges não só refutou qualquer aproximação com os rebeldes como aventou a hipótese de o partido, se convidado, vir a colaborar com o futuro governo de Júlio Prestes, cuja posse estava marcada para 15 de novembro.

"Nenhum homem de responsabilidades definidas, de inteligência e de patriotismo, pensa em revolução, algo que seria, agora mais do que nunca, um crime monstruoso contra a pátria", declarou Borges ao jornalista.[113]

A entrevista provocou alvoroço nos quadros da Aliança Liberal e rendeu a charge de capa da *O Malho*, na qual Borges aparecia despejando um balde de água fria — no qual se lia a expressão "bom senso" — no caldeirão fervente da política nacional, cujo fogo era alimentado por tocos de lenha arranjados pelo quarteto Oswaldo Aranha, João Neves, Flores da Cunha e Batista Lusardo. Já a *Folha da Manhã* estampou na primeira página, em manchete de cinco colunas: "O golpe de misericórdia: o sr. Borges de Medeiros lavrou solenemente o óbito do liberalismo".[114]

Entre os republicanos rio-grandenses mais tradicionais, a palavra de Borges de Medeiros foi recebida com alívio. Protásio Alves, por exemplo, recorreu ao vocabulário tipicamente gauchesco para demonstrar todo o seu contentamento: "O Medeiros atravessou o cavalo na ponta da tropa que já vinha disparando. Um pequeno número de exaltados, companheiros nossos, estão redemunhando. Presumo que agora pararão. Os que não o fizerem, afastando-se da estrada, descerão as coxilhas e cairão da sanga; enquanto os libertadores já agarraram a trepada e vão cansar os matungos."¹¹⁵

Do lado oposto, Assis Brasil foi o primeiro a se recusar a aceitar o resultado de modo tão resignado:

"Não houve agora, como nunca houve antes, eleições limpas no Brasil. Não há, pois, presidente eleito", sentenciou.¹¹⁶

Batista Lusardo, que só então chegara ao Rio de Janeiro, após comandar as caravanas pelo Nordeste, fez coro:

"A Aliança Liberal não enrolará sua bandeira", advertiu.¹¹⁷

Mas, em correspondência a Getúlio, Borges reafirmou os termos gerais da entrevista e propôs a linha de conduta a ser adotada pelo partido em relação ao Catete, "nem apoio incondicional, nem oposição sistemática", segundo uma fórmula consagrada desde os tempos de Júlio de Castilhos. O chefe do PRR sugeriu que Getúlio convocasse em Porto Alegre uma reunião da bancada gaúcha no Congresso e deixasse clara aos deputados e senadores a linha comum de ação, que deveria ser pautada pelo equilíbrio e pela moderação, jamais pelo enfrentamento.¹¹⁸

Getúlio se disse inteiramente de acordo. Afinal, tal orientação vinha ao encontro do que rezava o pacto estabelecido por ele com Washington Luís, com intermediação de Paim Filho, em dezembro do ano anterior. Por isso mesmo, Getúlio se recusou a referendar um manifesto sugerido por Antônio Carlos, a ser assinado em conjunto pelos presidentes de Minas Gerais, Rio Grande do Sul e Paraíba, no qual se propunha a transferência do ardor da luta eleitoral para o debate parlamentar, mantendo-se unidas as forças que compuseram a Aliança em torno de uma frente oposicionista no Congresso. Para Getúlio, isso não fazia nenhum sentido. Passadas as contendas das eleições e reconhecida a derrota, "desaparece o candidato, cujo nome a Aliança Liberal levou às urnas" e "fica apenas o presidente do Rio Grande". Para não restar dúvidas do que a proposição exprimia, Getúlio traduziu:

"Não temos a articular nenhuma queixa; não temos tampouco ofensas a vingar. O que existe, isso sim, são altos interesses econômicos e administrativos que nos cumpre acautelar e defender, dependentes, em grande parte, da boa vontade do governo federal."¹¹⁹

No Rio de Janeiro, Paim Filho, recém-eleito senador, seria o porta-voz dessa desinibida política de reaproximação com o Catete:

"Nosso partido está animado de uma expectativa simpática quanto ao futuro governo da República, fiado no patriotismo do sr. Júlio Prestes", declarou Paim, sem demonstrar nenhuma espécie de embaraço, à imprensa carioca.[120]

João Neves da Fontoura era o mais inconformado. Considerava um absurdo o Rio Grande do Sul vir a ser conivente com a brutalidade que estava sendo cometida pelo governo federal contra os dois estados parceiros da Aliança Liberal: as juntas apuradoras de Minas Gerais e Paraíba, sob o controle do Catete, rejeitaram o resultado das eleições proporcionais naqueles dois estados e se recusaram a diplomar dezenas de deputados aliancistas. Em Minas, catorze parlamentares alinhados a Antônio Carlos, mesmo tendo recebido expressiva votação que lhes garantia o mandato, foram preteridos a favor de membros da Concentração Conservadora, após os resultados gerais serem computados em um prédio guarnecido por metralhadoras de uma companhia do Exército, por determinação federal.[121] Na Paraíba, a situação era ainda mais escandalosa, pois a junta apuradora simplesmente se negara a conceder os diplomas a todo e qualquer aliado de João Pessoa, declarando eleitos apenas os candidatos à Câmara Federal que apoiaram Júlio Prestes.[122] No dizer do mineiro Virgílio de Melo Franco, o presidente Washington Luís, impulsionado por um sentimento terrível de cólera, encarnara um "Júpiter sedento de vingança".[123]

"Vai consumar-se um dos mais inomináveis atentados à verdade eleitoral de que nos dá notícia a crônica parlamentar de nosso tempo", indignou-se João Neves diante da guilhotina oficial que ceifara a representação aliancista no Congresso. Para Neves, o mais estranho era que, no caso do Rio Grande do Sul, as juntas eleitorais reconheceram, sem impugnações, os diplomas dos afiliados à Aliança Liberal. Mesmo sem saber que isso estava previsto no *modus vivendi* acertado em sigilo antes das eleições entre Getúlio e Washington Luís, Neves farejou algo suspeito no ar:

"Prefiro a paz da vida privada a assistir, acumpliciado com um governo vingativo, à imolação dos companheiros de jornada de ontem", declarou, anunciando a Borges de Medeiros a renúncia ao mandato de deputado e, por conseguinte, à função de líder da bancada gaúcha.[124]

Neves não podia aceitar que, diante de tal circunstância, Getúlio simplesmente afirmasse, como o fez de modo textual em mensagem a Borges, que o Rio Grande do Sul, uma vez derrotado nas eleições, não teria mais nenhum compromisso com a Aliança Liberal.[125]

"Não te parece ser este um desfecho demasiado pequeno para uma campanha tão grande?", vergastou Neves, em carta a Getúlio.[126]

Nada parecia indicar que, apenas cinco meses depois, o mesmo Getúlio estaria sentado na cadeira de presidente da República.

17. Um jornalista entrevista o obelisco: "Os cavalos gaúchos não vêm mais" (1930)

Não seria apenas mais uma das costumeiras visitas de cortesia feitas pelo deputado federal Batista Lusardo ao palácio do governo gaúcho. Naquela manhã de 26 de março de 1930, uma quarta-feira, ele tinha assuntos graves a tratar com Getúlio. A entrevista concedida por Borges de Medeiros ao jornal carioca *A Noite* ofendera a autoproclamada galhardia de Lusardo. Por causa da entrevista, o deputado fora alvo de constrangimentos numa das concorridas mesas do Bar Brahma, na praça Onze, Rio de Janeiro, quando o tabelião Hugo de Oliveira Ramos (irmão do futuro presidente da República, Nereu Ramos) lhe indagara, em tom de mofa:

"Lusardo, você não está envergonhado do Rio Grande? Viu o que o Borges fez?"

Lusardo, acabrunhado, se resumira a balbuciar:

"Ora, Ramos, deixe meu Rio Grande apodrecer devagarinho..."[1]

Por toda a capital federal, os rio-grandenses estavam sendo tratados com escárnio e desconsideração. *O Globo* publicara uma nota hostil, na qual acusava Borges de Medeiros de ter se apequenado ante a pressão do Catete:

"O sr. Borges foi coerente com a sua covardia", criticava o periódico, reprovando o episódio que já vinha sendo batizado pela imprensa como "a rendição de Irapuazinho".[2]

Pelos restaurantes da cidade, os cariocas passaram a solicitar aos cozinheiros, com jocosidade, que introduzissem um novo prato no cardápio do dia: um certo "bife à gaúcha", que consistiria de um minúsculo naco de carne acompanhado de muita farofa.[3] Ou seja, bastante adorno e pouca substância; muita conversa e nenhuma consequência. Com o mesmo espírito zombeteiro, a imprensa da capital da República chegara ao ponto de divulgar uma entrevista, obviamente satírica, com ninguém menos que o famoso obelisco da avenida Rio Branco:

"'Toda gente já sabe. Os cavalos não vêm mais. O Borges não deixa", dissera hipoteticamente o imponente obelisco, quando "entrevistado" pelo jornalista Leão Padilha. "O Flores quebrou o braço e abandonou a equitação. O João Neves só monta em cavalo de cabo de vassoura. O Getulinho tem medo de emagrecer. De modo que readquiri a minha tranquilidade. Imagine, não podia viver sossegado. Todo dia, era aquela eterna e insuportável conversa: 'Amarraremos os cavalos no obelisco!'"[4]

Em contraposição às amarguras de Lusardo, ninguém poderia aparentar maior leveza de espírito do que Getúlio Vargas. De acordo com o testemunho de Luiz Vergara, novo oficial de gabinete do palácio, Getúlio nem parecia ter acabado de passar pela borrasca de uma derrota eleitoral. Sempre muito bem barbeado, fisionomia jovial — e de terno de linho branco, do tipo que gostava de usar quando estava de bom humor —, retomara a agenda do governo como se nada de extraordinário houvesse ocorrido nos últimos meses. Por trás da mesa de trabalho milimetricamente arrumada, despachava com os secretários entre sorrisos e demonstrações de cordialidade:

"Voltou a calma, pelo menos para nós. Vamos em frente", comentava Getúlio aos auxiliares, exortando-os ao serviço.[5]

Durante a conversa com Batista Lusardo, Getúlio mais ouviu do que falou, como lhe era peculiar. Por seu turno, Lusardo — que vinha sendo atormentado por uma azucrinante crise de vesícula — não era homem de circunlóquios. Viera ali para propor uma virada de mesa, adiantou. Ao longo da última semana, abstraíra as dores abdominais para peregrinar por diferentes destinos, sempre na companhia do mineiro Virgílio de Melo Franco, com o objetivo de assegurar a adesão de membros do alto-comando aliancista a um golpe de mão contra a posse de Júlio Prestes. Curiosamente, Lusardo e seu escudeiro, Virgílio, elegeram os baluartes mais conservadores da Aliança Liberal para darem início à romaria em busca de apoio civil à insurreição.

Conforme ele próprio explicou a Getúlio, Batista Lusardo esteve inicialmente com Virgílio de Melo Franco na casa de Artur Bernardes, à rua Valparaíso, 76, no bairro da Tijuca, Rio de Janeiro. Bernardes — antes chamado pelos adversários de "o Calamitoso", "o homem tenebroso do quatriênio sinistro", por causa do saldo de exílios, prisões e mortes de seu governo[6] — não manifestou pudores ao estender a mão ao antigo porta-voz da Coluna Prestes no Congresso Nacional.

"A política nos coloca agora do mesmo lado, senhor deputado", disse, com ar cerimonioso, próprio de quem jamais dispensava a casaca, o colarinho duro e o colete, mesmo em situações domésticas. "A política é assim mesmo; pode ser definida como a arte que une e separa os homens para este ou aquele propósito, às vezes feliz, outras vezes de pouca sorte", prosseguiu Bernardes, mirando Lusardo por trás do pincenê. "De forma que queira sentar-se, por favor, e me diga como vão as coisas. Estou às ordens."[7]

Ao final do encontro, Artur Bernardes empenhou a palavra e prometeu colaborar, no que lhe estivesse ao alcance, para impedir a chegada de Júlio Prestes ao Catete. Dizia-se profundamente enojado com as fraudes eleitorais que macularam as eleições presidenciais de 1º de março — como se quatro anos antes ele próprio, Bernardes, não houvesse chegado ao posto máximo da República acusado do mesmo expediente.

"Estarei aqui à sua disposição, basta tocar o telefone", declarou a Lusardo, após definir aquela tarde como "histórica".[8] De fato, o momento era, no mínimo, singular. Artur Bernardes, o "carrasco dos tenentes", símbolo máximo dos "carcomidos" — termo genérico com o qual os aliancistas rotulavam os políticos tradicionais[9] —, se metamorfoseara em "revolucionário" de última hora.

Lusardo contou também a Getúlio que, do Rio, ele e Virgílio subiram a serra da Estrela e seguiram para Petrópolis, no dia 22, sábado, para confabular com outro ex-titular do Catete, o paraibano Epitácio Pessoa, antecessor de Bernardes no cargo. De modo idêntico, sondaram-no a respeito de um possível apoio ao movimento que pretendia impedir a posse do presidente eleito, Júlio Prestes, ainda que fosse pelo argumento das armas. Epitácio não disse que sim, mas também evitou dizer que não. Pelo potencial de combustão representado pelo tema, alegou preferir saber o que se passaria pela cabeça do mineiro Antônio Carlos, antes de firmar qualquer compromisso. Só depois disso estabeleceria uma posição sobre o plano conspiratório.[10]

Ao ouvir a resposta, Lusardo e Virgílio não perderam tempo. Deram boa-noite a Epitácio, entraram no mesmo automóvel que os levara até Petrópolis e, apesar de já ser tarde, tomaram imediatamente a estrada União e Indústria, inaugurada em 1861 pelo imperador Pedro II. Dirigiram a madrugada inteira, até alcançarem Juiz de Fora, em Minas Gerais, já sob os primeiros raios da manhã do dia seguinte, 23 de março, domingo. Depois de 144 quilômetros de solavancos, antes mesmo de providenciarem hospedagem em algum hotel da cidade, fizeram plantão no alpendre da Fazenda Floresta, propriedade de Antônio Carlos.

Ele não se encontrava em casa. Saíra bem cedo, como sempre fazia, para assistir à missa dominical. Cerca de uma hora depois, quando o governante mineiro enfim retornou, foi informado da situação: Artur Bernardes já havia aderido à ideia de golpe de Estado; os libertadores gaúchos estavam dispostos a ir às últimas consequências, conforme Assis Brasil já deixara patente à imprensa; e a Paraíba, segundo o que puderam colher junto a Epitácio, estava apenas na dependência do que Minas viesse a deliberar.[11]

Como dizia João Neves, "seria ridículo" imaginar o velho e carola governante mineiro "de botas e esporas, com um espadagão à cintura, na frente de tropas".[12] Mas, convertido ao princípio de que era melhor fazer a revolução antes que o povo a fizesse, ele ouviu atentamente a explanação de Lusardo. Depois, por meio do deputado, enviou um recado ao colega Getúlio: aceitaria o recurso extremo, desde que os republicanos do Rio Grande do Sul também o endossassem. Se Getúlio Vargas e Borges de Medeiros aderissem à revolução, Antônio Carlos diria presente. Nesse caso, e só nesse caso, poderiam contar com ele.[13]

Havia, até ali, um evidente jogo de empurra. Epitácio Pessoa condicionara sua decisão à atitude de Antônio Carlos, que por sua vez repassara a responsabilidade aos caciques republicanos do Rio Grande. Estava claro que nenhum daqueles senhores experimentados nos meandros do poder iria assumir a dianteira das ações, antecipando-se aos demais, sob pena de arcar com um custo demasiadamente alto, caso a conjuração fosse descoberta pelas autoridades federais. Era preciso que houvesse uma decisão em bloco, compartilhada por todos, e que envolvesse o menor risco possível.

Por isso Lusardo estava ali, em Porto Alegre. Depois da palestra com Antônio Carlos em Juiz de Fora, voltara ao Rio e tomara um avião rumo à capital gaúcha, para afinal se entender com Getúlio. Por coincidência, chegara na mesma data em que *A Federação* trazia outra entrevista com Borges de Medeiros, na qual o caudilho fazia algumas retificações ao texto divulgado dias antes pelo jornal *A Noite*. Aos planos de Lusardo, a nova entrevista vinha bem a calhar.

As declarações de Borges de Medeiros estampadas nas páginas do órgão oficial do PRR não faziam ressalvas profundas ao conteúdo da publicação anterior. Apenas relativizavam alguns tópicos, amparando-se em muletas semânticas. Mas Borges, o oráculo do partido, passara a afirmar que as bandeiras de luta contidas no programa da Aliança Liberal deveriam ser mantidas pela bancada do PRR no Congresso Nacional — pelo menos quando fosse "conveniente e oportuno". Em especial, no novo pronunciamento, Borges cuidara de enaltecer a representação gaúcha no Congresso, reservando elogios particulares a Flores da Cunha, João Neves e Lindolfo Collor — ao lado de Oswaldo Aranha, a vanguarda revolucionária entre os republicanos.[14]

A retificação, ainda que enviesada, tinha o nítido objetivo de pacificar o partido, evitando prováveis defecções. Muitos já haviam dado como certa a desfiliação de Neves, Flores, Collor e Aranha, pelo fato de terem discordado publicamente do teor da primeira entrevista. Para não ser responsabilizado pelo esfacelamento da agremiação da qual se julgava o supremo guardião, o comandante vitalício do PRR foi obrigado a contemporizar. Mandou chamar a Irapuazinho o diretor de *A Federação*, João Carlos Machado, e ditou-lhe, uma a uma, as perguntas e respostas da nova entrevista, com todos os pontos e vírgulas.[15]

"*A Federação* publicou entrevista do dr. Borges que nada altera a concedida à *A Noite*. É apenas um pretexto para possibilitar o regresso ao partido de João Neves e outros transviados", analisou o comandante da 3ª Região Militar, general Gil de Almeida, em telegrama ao ministro da Guerra, Nestor Sezefredo dos Passos, a quem procurava manter informado de tudo o que se passava em Porto Alegre.[16]

Ainda assim, Batista Lusardo vislumbrou ali a oportunidade para atrair o ainda impenetrável Getúlio Vargas ao centro da conspirata. Se Borges avançara alguns passos, calculou, Getúlio também poderia fazê-lo. Como principal argumento a favor do ingresso oficial do Rio Grande na organização revolucionária, Lusardo evocava a solidariedade devida à Paraíba, onde o presidente João Pessoa se via às voltas com um início de sedição, organizado por um antigo aliado regional — o chefe político no município de Princesa, deputado José Pereira Lima, tachado de "cangaceiro" por Pessoa em pleno salão de despachos do palácio paraibano.[17]

"Os cangaceiros que tenho no município são os eleitores do seu tio Epitácio", respondera José Pereira, um dos atingidos pela reforma tributária de João Pessoa que revoltara os coronéis e negociantes do sertão.[18]

Além das querelas de ordem econômica, o barulho entre os dois paraibanos tivera início quando Pessoa, sempre sob a justificativa de promover a moralidade pública, dera ordens para a polícia varejar residências em Princesa na busca de jagunços. Depois, o governo estadual transferira funcionários lotados na cidade suspeitos de irregularidades. No rol de servidores remanejados estava um irmão de Pereira, destituído do cargo de administrador da mesa de rendas municipal. Mas o rompimento definitivo se deu quando João Pessoa, interessado em montar a própria máquina política no estado, suprimiu da relação dos candidatos oficiais à Câmara Federal o nome de João Suassuna, ex-presidente da Paraíba, padrinho político de José Pereira (e pai de um menino de então apenas dois anos, o futuro romancista, dramaturgo e poeta Ariano Suassuna).

Em represália, José Pereira se sublevou. Na certeza de que Washington Luís lhe daria apoio, pegou em armas e se declarou em litígio com o governo estadual. Um dos primeiros tiroteios travados entre os homens de Pereira e as tropas da polícia enviadas por João Pessoa durou 36 horas. Mortos e feridos aumentavam em proporção geométrica, a cada nova tentativa de tomar Princesa das mãos dos amotinados. Para indignação e desespero de Pessoa, as forças estaduais levavam a pior no confronto. O Ministério da Fazenda proibira qualquer desembarque de armas e munição para abastecer a polícia paraibana, dando ordens para que todo material bélico que entrasse no estado sem autorização fosse classificado e apreendido como contrabando, sob o argumento de que o mesmo armamento poderia ser utilizado em um levante contra o governo federal.

Segundo Lusardo, o Rio Grande — e Getúlio Vargas, em particular — tinha a obrigação moral de socorrer a Paraíba, pois estaria evidente que o Catete insuflava a revolta sertaneja, para depois intervir naquele estado, sob o pretexto de manter a lei e a ordem. Como se não bastasse o fato de terem sido alijados de sua representação parlamentar pela arapuca das juntas apuradoras, os paraibanos estavam sendo engolfados em uma guerra interna, incentivada na surdina pelo governo federal, como retaliação à ousadia de terem composto, com Getúlio, a chapa da Aliança Liberal. Não haveria, portanto, mais ensejo para soluções diplomáticas, argumentava Lusardo. Chegara a hora de responder fogo com fogo.

Getúlio, silente até aquele momento, não podia continuar alheio a tais circunstâncias, insistia Lusardo. O caso de Princesa estava repercutindo em todo o país, noticiado diariamente nas primeiras páginas dos principais jornais brasileiros, dividindo opiniões. Sobravam suspeitas — mais tarde comprovadas — de que o governo de São Paulo e empresários paulistas, como o conde Francesco Matarazzo, abasteciam os princesenses de armas, munição e dinheiro.[19]

Os demais aliados do governo central eram partidários do rito sumário. Consideravam que o Catete deveria decretar, o quanto antes, a intervenção federal na Paraíba. Este era o caso do senador Paim Filho, que seguia empenhado na tarefa de reconciliar o Rio Grande com Washington Luís.[20] Em meio ao burburinho, Getúlio precisava tomar uma posição oficial, recomendou Lusardo. A imprensa também lhe cobrava isso.

"O sr. Getúlio resolveu aderir à cultura da cortiça, tendo, em matéria política, adotado o critério de que boca fechada não apanha mosca e bico calado favorece o sono", zombava Juca Pato.[21] "É necessário que falem os gaúchos. Os seus aliados precisam saber se o pelotão vai se deixando ficar para trás ou se, apenas ensarilhadas as armas, voltará para a vanguarda", incitava o *Diário da Noite*, integrante dos Diários Associados, a cadeia de jornais montada por Chatô.[22] Na *Folha da Manhã*, Rubens do Amaral era mais cáustico: "A psicologia dos gaúchos é um enigma. Eles têm um topete quando entram na luta. Mas quando dão de recuar, escapam-se aos compromissos. São uns leões que inesperadamente se transformam em enguias".[23]

Na conversa com Lusardo, a enguia chamada Getúlio Vargas comprometeu-se a estudar o caso com o merecido cuidado. De antemão, concordou com uma primeira providência, sugerida por Oswaldo Aranha: os gaúchos enviariam um emissário ao Rio de Janeiro para entendimentos reservados com mineiros e paraibanos, com vistas a estabelecer os termos pelos quais cada um dos três estados aliancistas contribuiria na articulação de um movimento armado para se contrapor ao Catete — isso na possibilidade de as negociações políticas em defesa da Paraíba esbarrarem na conhecida intransigência de Washington Luís, como já previa Lusardo.

O escolhido para a missão foi um dos irmãos de Oswaldo, Luiz Aranha, mais conhecido como Lulu Aranha, 28 anos, portador de duas prerrogativas intransferíveis. Primeiro, pelo estreito parentesco com o secretário do Interior gaúcho, gozava de confiança irrestrita. Depois, por ser desconhecido nos meios políticos do Rio de Janeiro, chamaria menos atenção e não despertaria as suspeitas de possíveis agentes e informantes a serviço do governo federal. Por via das dúvidas, a viagem seria cercada de cuidados e estratagemas que remeteriam a certas cenas de romance de espionagem: as cartas de apresentação de Lulu Aranha aos interlocutores no Rio foram arranjadas em papéis de seda finíssimos, depois introduzidos nos cigarros que levaria no bolso do paletó.[24]

Com base na deliberação acertada em pleno palácio do governo rio-grandense, Batista Lusardo passou a cultivar a certeza de que retirara Getúlio Vargas do mutismo no qual ele até então se encontrava:

"Getúlio marchará conosco, apoiado pela ala moça do seu partido", celebrou Lusardo, em conversa posterior com Virgílio de Melo Franco.[25]

Entretanto, mal se despediu de Batista Lusardo e o viu sair pela porta da frente do gabinete, Getúlio correu ao telefone e ligou para o general Gil de Almeida. Queria saber se o comandante da 3ª Região Militar podia lhe adiantar quais as verdadeiras intenções do governo federal em relação ao episódio da Paraíba. Caso fosse solicitado por João Pessoa, o Catete aceitaria agir militarmente para pôr termo à revolta de Princesa? — indagou, explicando que desejava conhecer o ponto de vista oficial do governo central para poder traçar uma orientação própria em relação à matéria. O general, ressabiado, esforçou-se para parecer solícito. Prometeu averiguar a questão junto ao Ministério da Guerra.

"Getúlio, com quem falei pelo telefone hoje de manhã sobre assuntos do momento atual, acaba de pedir-me para saber se o governo federal prestaria auxílio à Paraíba, caso seu presidente [João Pessoa] solicitasse", comunicou Gil de Almeida ao ministro Nestor Sezefredo dos Passos. "Quero crer que sua pergunta liga-se a sugestões feitas por Lusardo", mencionou o general, por ter recebido comunicações acerca do encontro entre Getúlio e o deputado.[26]

Tratava-se de uma guerra de informações — e, portanto, de contrainformações. A mensagem do general ao ministro foi interceptada pelo palácio do governo estadual. Talvez por isso, no dia seguinte, antes mesmo de obter qualquer resposta de Gil de Almeida, Getúlio voltou a lhe telefonar, dessa vez para revelar espontaneamente que a pergunta da véspera se baseara na notícia, passada a ele em caráter reservado pelo deputado Batista Lusardo, de que João Pessoa solicitara assistência federal, mas que a ajuda fora negada de forma categórica pelo Catete.[27] A revelação da fonte, possivelmente, tinha o objetivo de mitigar as desconfianças do comandante da 3ª Região Militar. Era como se Getúlio desse a entender que agia como quem não tinha nada a ocultar e, assim sendo, nada a temer.

Do outro lado da linha, Gil de Almeida assegurou que a informação atribuída por Getúlio a Lusardo era descabida. Ele, Almeida, já recebera o retorno radiotelegráfico assinado pelo ministro Nestor Sezefredo dos Passos, dando conta de que a Paraíba não expedira nenhum requerimento ao governo federal pedindo auxílio bélico. O governo paraibano apenas teria sondado extraoficialmente o comando da 7ª Região Militar — sediada no Recife, com jurisdição sobre os estados de Alagoas, Paraíba, Pernambuco e Rio Grande do Norte —, a respeito de um possível fornecimento de 50 mil cartuchos do Exército para municiar as forças estaduais na repressão aos revoltosos de Princesa. Em comunicado a João Pessoa, o comando da 7ª Região informara que só poderia aprovisionar material bélico sob ordens diretas, e por escrito, do governo federal.[28]

Os dois telefonemas de Getúlio embatucaram Gil de Almeida, que estava em estado de alerta desde a chegada de Lusardo à capital rio-grandense. O deputado, com seu estilo loquaz de sempre, vinha trombeteando à imprensa que as chances de uma revolução no país eram cada vez mais elevadas. Getúlio, contudo, procurava aplacar as perturbações do general. O governo gaúcho e o PRR, por questões de princípio e doutrina, sempre estariam a favor da ordem e da lei, afiançou. Se indivíduos como Batista Lusardo pensavam de modo diferente, isso era problema exclusivo deles. Conforme Getúlio já garantira ao general em diversas ocasiões anteriores, o Rio Grande não iria se lançar a uma aventura armada, justamente quando havia tantas providências administrativas a serem tomadas, a maioria em indispensável parceria com a União. Naqueles dias, por meio do senador Paim Filho, o estado negociava um empréstimo de 1500 contos de réis com o governo federal, para socorrer os bancos gaúchos, abalados pela crise econômica que assolava o mundo inteiro. O general pareceu convencido da sinceridade do argumento.

"Getúlio acaba de telefonar-me", informou novamente Gil de Almeida ao ministro Sezefredo dos Passos. "Disse-me que Lusardo veio exigindo muito e regressa resignado, mantendo ele, Getúlio, os termos da primeira entrevista de Borges e as declarações a mim feitas."[29]

Entretanto, o general ficou com suas certezas abaladas tão logo pôde ler nos jornais, apenas dois dias depois, que o deputado Batista Lusardo, já de volta ao Rio de Janeiro, dera declarações que contrariavam por completo tudo o que Getúlio lhe expusera ao telefone. Segundo as notícias remetidas da capital federal, Lusardo afirmara aos jornalistas cariocas que o Rio Grande do Sul, segundo compromisso que ouvira de viva voz de Getúlio Vargas, não abandonaria a Paraíba à própria sorte:

"O Rio Grande bater-se-á a todo o transe pela causa que abraçou, principalmente no momento difícil que atravessa um de seus aliados", declarou Lusardo à imprensa. "Custe o que custar", ameaçou.[30]

Em vez de ligar para o palácio do governo gaúcho e exigir novas satisfações pelo telefone, Gil de Almeida resolveu deixar o prédio do quartel-general pisando duro, subir a rua da Praia, seguir depois em direção à praça da Matriz, adentrar o palácio do governo estadual e, uma vez anunciado pelo ajudante de ordens, marchar em passo acelerado rumo ao gabinete de Getúlio Vargas. Foi cobrar em pessoa esclarecimentos para a incoerência entre o que dizia Getúlio e o que garantia Lusardo.

"O Lusardo fala por conta própria, sem autorização de ninguém, general", desculpou-se Getúlio.

Com fala macia, completou: o governo do estado estaria trabalhando sem descanso para enquadrar a ala mais radical do PRR, evitando que correligionários republicanos fossem contaminados pela retórica incendiária dos libertadores. O general haveria de reconhecer, contudo, que era simplesmente impossível pôr freios à língua de um boquirroto como Batista Lusardo.

Quando Gil de Almeida, mais calmo, lhe indagou por qual motivo não lançava um desmentido público às palavras do deputado, Getúlio explicou que isso lhe causaria graves problemas de governabilidade. Não poderia se arriscar a ver rompida a aliança estadual com o Partido Libertador, pois isso comprometeria a unidade política do Rio Grande, inviabilizando a administração estadual:[31]

"Não posso desprezar bruscamente os que se bateram por minha causa", justificava Getúlio, para em seguida assegurar que todos os boatos sobre golpe logo seriam esquecidos em definitivo quando dali a poucos meses, no início de setembro, Antônio Carlos encerrasse o mandato à frente do governo de Minas e, por conseguinte, passasse o governo para o substituto já eleito, Olegário Maciel, que até pela idade provecta, 74 anos, estaria muito mais preocupado em tomar posse de modo tranquilo do que em dar ouvidos a carbonários.[32]

"Acredite. Tudo se normalizará com o tempo, general", tranquilizava Getúlio.[33]

A velha máxima, sempre tão ao gosto de Getúlio Dornelles Vargas: dar tempo ao tempo. Esperar pela decantação natural dos fatos. Afinal, segundo o adagiário gaúcho, "a maior pressa é a que se faz devagar".[34]

Era a mesma orientação que Getúlio vinha repassando, todos os dias, aos auxiliares diretos.

O chefe de gabinete João Pinto da Silva por mais de uma vez já o procurara para expressar suas preocupações a respeito das atitudes exaltadas do secretário do Interior, Oswaldo Aranha, que vivia a pregar a revolução pelos corredores do palácio e a receber em sua sala de trabalho, no prédio da secretaria do Interior, tenentistas foragidos da justiça, junto aos quais passava horas em conversas misteriosas, sempre a portas fechadas.

"Isso do Oswaldo querer revolução é por conta dele", comentava Getúlio a Pinto da Silva. "Eu vou é cuidar do meu governo."[35]

Oswaldo Aranha encontrou um modo sorrateiro de abastecer João Pessoa de munição na guerra contra os sublevados de Princesa, cidade que a 9 de junho de 1930 se declarou independente da Paraíba e proclamou o "Território Livre de Princesa", com direito a hino e jornal próprios.

Cerca de 5 mil cartuchos seguiram de Porto Alegre escondidos dentro das alegres e coloridas latas de doce em compota da fábrica gaúcha Leal, Santos & Cia, em um lote especial exportado pelo Rio Grande do Sul à Paraíba. Mais 83 mil cartuchos foram remetidos em barris de sebo e outros 8 mil envoltos em fardos de charque, que chegaram todos incólumes ao destino, ludibriando a vigilância imposta pelo governo federal.[36]

Se fechava os olhos à astúcia do secretário do Interior, Getúlio procurava manter rigoroso controle sobre os movimentos de João Neves da Fontoura. Por isso, demonstrou profundo desagrado quando soube das condições que ele impunha à cúpula do partido para permanecer no posto de líder da bancada gaúcha na Câmara. Neves redigira um memorando em forma de heptálogo, em que enumerava os itens sob os quais deveria se dar necessariamente a orientação do PRR no plano nacional dali por diante. Se tal não ocorresse, largaria a liderança, o partido e, talvez, a política. Mas sairia atirando. Ameaçava mandar para os jornais um manifesto em que revelaria verdades incômodas, explicitando as hesitações e os movimentos pendulares de Getúlio desde os primórdios da organização da Aliança Liberal.[37]

As prescrições de Neves para seguir no PRR e retornar ao protagonismo do partido na Câmara eram, em resumo, as seguintes:

1) O governo do Rio Grande do Sul deveria manter relações apenas oficiais — e não políticas — com o Catete; 2) a bancada rio-grandense se manteria firme na oposição ao governo federal; 3) os republicanos gaúchos com assento no Congresso deveriam articular com os demais elementos liberais no parlamento uma frente oposicionista firme e coesa; 4) o Rio Grande do Sul reclamaria oficialmente a diplomação dos paraibanos e mineiros defenestrados pelas juntas apuradoras; 5) quaisquer tentativas de intervenção federal na Paraíba e Minas Gerais seriam denunciadas e rechaçadas pelo governo do Rio Grande; 6) a chefia suprema do PRR deveria comunicar por escrito, a todos os membros do partido, a reinvestidura de Neves no comando da bancada, munido de totais poderes de representação; 7) os gaúchos na Câmara e Senado se obrigavam a seguir à risca as determinações do heptálogo.[38]

Ao receber o inventário de exigências, Getúlio Vargas o levou na conta de um desaforo. A lista de requisições o desautorizava de alto a baixo, até porque contrariava frontalmente o que dissera um mês antes, em 5 de abril, durante reunião com a bancada no palácio do governo estadual. Na ocasião, evocara o mantra castilhista — "nem oposição sistemática, nem apoio incondicional" — e confirmara que a linha de conduta a ser adotada pelos gaúchos no Congresso seria a do equilíbrio e da moderação. Além do mais, entendia Getúlio, o heptálogo constituía uma inversão da praxe partidária, em que as decisões sempre eram tomadas na instância superior e satisfeitas pela base, de acordo com a rígida hierarquia fixada por Júlio de Castilhos. O que João Neves estava querendo, na percepção de Getúlio Vargas, era subverter a lógica do funcionamento do PRR, contrariar uma norma estabelecida desde a fundação da legenda.

"Trata-se de inovação perigosa, contra a qual me declaro", escreveu Getúlio a Neves, ao mesmo tempo que remetia a Borges de Medeiros o seu protesto: "Ao chefe do partido e ao presidente do estado ficaria reservado apenas o papel subalterno de responsáveis, em derradeira instância, por atos dos mandatários convertidos em mandantes".[39]

Para surpresa geral, Borges de Medeiros manifestou reação inteiramente diferente. Sem discutir uma única vírgula do heptálogo, o líder dos republicanos concordou com a íntegra dos termos arbitrados por Neves. O efeito imediato foi o de um curto-circuito nas fileiras do partido. Ninguém compreendeu muito bem o que estava se passando nos bastidores do PRR. O republicano Fernando de Abreu

Pereira, em carta ao tio, senador Vespúcio de Abreu, chegou a aventar a hipótese de que Borges estivesse caducando:

"O velho, a meu ver, está completamente desequilibrado, pois está com orientação diametralmente oposta às suas manifestações anteriores e à norma de toda a sua vida. Quer agora oposição ao governo federal. Está ou não maluco?"[40]

O próprio senador Vespúcio, perplexo, escreveu a Getúlio, em busca de compreender o disparate:

"Não posso crer que a chefia do partido tenha em tão poucos dias mudado inteiramente a orientação que nos transmitiu por escrito, na reunião da representação do dia 5", desconcertou-se o senador.[41]

O embaraço ganhou corpo quando Getúlio Vargas mandou dizer a João Neves, por intermédio de Oswaldo Aranha, que se sujeitava à orientação da chefia e, assim sendo, também aceitava os termos do heptálogo. Portanto, Neves podia retornar à cadeira na Câmara. Esquecesse a ideia de renúncia. Getúlio, ainda segundo o relato de Oswaldo, até teria ficado bastante amargurado com a possibilidade de assistir ao amigo se afastar do mandato e da liderança. Jurou que jamais tivera o intuito de criar semelhante situação. Confiava que a velha amizade entre os dois — e o tempo — repusesse as coisas em seu devido lugar.[42]

Um espião do governo federal infiltrado na agência radiotelegráfica de Porto Alegre procurava destrinchar o mistério daquela reviravolta. Durante semanas, o telegrafista Edgar Saboia Ribeiro interceptou mensagens trocadas entre autoridades gaúchas e remeteu relatórios detalhados ao chefe da repartição dos Correios e Telégrafos do Rio de Janeiro, Aristides Mendes de Oliveira, responsável por repassar ao Palácio do Catete as informações que chegavam de Porto Alegre. A pilha de telegramas diários de Edgar a Aristides, preservada no arquivo oficial de Washington Luís, tentava esquadrinhar os movimentos de Borges e Getúlio, em busca da solução para o enigma.

Pelo que apurou Edgar, haveria indícios de que João Neves cogitava articular com Flores da Cunha e Oswaldo Aranha um golpe interno, atropelando Borges de Medeiros no comando da legenda e rompendo politicamente com Getúlio. Na avaliação do dublê de telegrafista e espião, Borges agira de modo preventivo, para reafirmar a liderança sobre os rebeldes do PRR e, uma vez serenados os ânimos e recuperada a supremacia da agremiação, preparar aos poucos o terreno para uma ruptura com os libertadores. Por esse raciocínio, Borges cedera às injunções do momento e apenas fornecera linha para que Neves se enredasse por conta própria.

"No Rio, ele [João Neves] vai se esborrachar", pressagiou o espião.[43]

Edgar acreditava que ninguém mais levaria Neves a sério, já que, decorridos dois meses das eleições, os murmúrios de revolução continuavam a ser exatamente isto: meros murmúrios. Malgrado as denúncias de que insurgentes estivessem articulando levantes pelo interior do Rio Grande, o telegrafista informava ao Catete, com a mais solene das convicções:

"Nada consta sobre isso, a não ser por informação de algum desclassificado. Gente séria não quer nem ouvir falar em desordem, principalmente entre os republicanos."[44]

Quanto às notícias de que líderes tenentistas eram vistos transitando livremente em terras gaúchas, Edgar também não encontrava nisso motivo para maiores apreensões:

"O PRR é a verdadeira força orgânica do Rio Grande do Sul e na serra tem à frente o dr. Paim Filho. Com este, a cousa se resolve com pau na cabeça, se o pessoal contrário levantar a grimpa."[45]

O consulado na cidade argentina de Paso de Los Libres, situada próxima ao município gaúcho de Uruguaiana, notificara as autoridades federais brasileiras a respeito de incursões dos revolucionários Miguel Costa e Isidoro Dias Lopes na divisa entre os dois países. O Catete quis saber se as notícias procediam.

"Nosso cônsul em Libres é um velho espanhol que se alarma com qualquer ajuntamento dos chefes revolucionários", caçoou o telegrafista. "Mas é sabido que constantemente eles [Miguel Costa e Isidoro] vão mesmo a Libres. Ficam de lá olhando o belo trecho que é a nossa terra fronteiriça", explicou. "Ficam na esperança de voltar por um movimento que não está em perspectiva, porque se for civil o Partido Republicano está firme para batê-lo. E militar não será, porque o Exército está desinteressado por isso. Eis a verdade verdadeira."[46]

No papel de espião improvisado, o telegrafista imaginava ter desvendado as intenções ocultas de Borges de Medeiros, mas reconhecia não compreender por qual motivo Getúlio continuava a "tolerar as maluqueiras do dr. Oswaldo, que está sendo classificado de intrigante, leviano, desleal e invejoso, a alma danada do dissídio".[47]

Enquanto isso, o general Gil de Almeida continuava a inquirir Getúlio Vargas em busca de respostas mais convincentes. O comandante da 3ª Região Militar tivera conhecimento de movimentações de milícias revolucionárias na fronteira do Rio Grande com Santa Catarina e já dera notícia disso ao Ministério do Exército. Exigia de Getúlio, portanto, uma tomada imediata de posição. O general também não podia admitir que agitadores notórios, a exemplo de João Alberto e Siqueira Campos, perambulassem sossegadamente pelo território gaúcho, portando documentos falsos, expedidos pela polícia estadual:

"Os oficiais rebeldes passeiam por Porto Alegre, escoltados por funcionários e policiais pagos pelo governo do estado", indignou-se o general. "Isto não é uma suposição minha. Tenho certeza do que acabo de expor", afirmou Gil de Almeida a Getúlio Vargas.[48]

Ao ouvir a denúncia, Getúlio fez ar de espanto. Disse que estava realmente surpreso com toda aquela história — e que iria tomar providências imediatas. Gil de Almeida quis saber então quem seria o responsável pela investigação dos graves fatos que acabara de relatar.

Getúlio não pensou duas vezes para responder:

"O Oswaldo Aranha."[49]

Gil de Almeida ficou decepcionado. Ou o dr. Getúlio Vargas o tomava por um completo idiota ou, então, estaria incrivelmente alheio ao que estava ocorrendo em seu próprio governo. Afinal, era Oswaldo Aranha o principal articulador da conspiração.

"O Aranha é meu amigo, general. Na ocasião certa, ele ficará ao meu lado", amaciou Getúlio.[50]

Em 12 de abril, 24 horas após a chegada de Lulu Aranha ao Rio de Janeiro, Getúlio enviou-lhe um telegrama lacônico:

"Cumpra instruções Oswaldo."[51]

Naquele mesmo dia, Lulu reuniu-se com Epitácio Pessoa, na companhia de Batista Lusardo e Virgílio de Melo Franco. Na oportunidade, após exibir suas credenciais, comunicou ao ex-presidente da República que o irmão, Oswaldo Aranha, encomendara uma partida de material bélico à Tchecoslováquia, ao custo de 16 mil contos de réis — cerca de 1,6 milhão de dólares à época. A proposta era que o pagamento da mercadoria fosse rateado na seguinte proporção: o Rio Grande bancaria a parcela mais substanciosa, de 8 mil contos de réis, Minas entraria com 6 mil contos e a Paraíba, estado financeiramente mais frágil, participaria com os 2 mil restantes.[52]

De acordo com os planos, o movimento deveria rebentar simultaneamente em vários focos no país, numa data próxima, a ser estabelecida. Falava-se na possibilidade cada vez mais concreta de um "terceiro Cinco de Julho". Aliás, caberia aos "tenentes" o comando operacional da luta armada. Pelo previsto, Luís Carlos Prestes e João Alberto coordenariam as ações no Sul do país. Juarez Távora, refugiado na Paraíba desde a fuga cinematográfica da Fortaleza de Santa Cruz, desencadearia o movimento no Norte. E Siqueira Campos, ao mesmo tempo, deflagraria a insurreição em São Paulo, a partir de ações coordenadas com revolucionários que se encontravam na clandestinidade no Distrito Federal.[53]

Após os entendimentos com Epitácio Pessoa, Lulu Aranha, sempre coadjuvado por Batista Lusardo e Virgílio de Melo Franco, manteve reuniões com Artur Bernardes, em Petrópolis, e Antônio Carlos, em Belo Horizonte. Assim como Epitácio, ambos concordaram com os termos propostos, incluindo o rateio dos custos de guerra entre os três estados que comporiam a vanguarda da operação.[54]

"Missão Lulu quase terminada e com magnífico resultado", telegrafou Lusardo a Oswaldo Aranha.[55]

Entretanto, apesar dos cuidados com os quais a viagem foi conduzida, os passos de Lulu começaram a despertar o interesse da imprensa. Todo aquele incessante vaivém de Lusardo e Virgílio, em escolta a um moço que se descobriu ser irmão de Oswaldo Aranha, logo daria o que falar. Como pretexto a tantos deslocamentos, o trio afirmou aos jornalistas que apenas vinha estabelecendo contatos políticos para combinar os termos do manifesto que a Aliança Liberal deveria lançar nos próximos dias, em protesto aos expurgos nas bancadas de Minas e Paraíba.[56] Foi com esse mesmo álibi que Francisco Campos, secretário mineiro do Interior, desembarcou uma semana depois em Porto Alegre — a 18 de abril, véspera do 48º aniversário de Getúlio —, para os acertos finais da transação financeira que garantiria o despacho das armas tchecas.

"Francisco Campos partiu para aí de avião hoje. Vai tentar envolver o Rio Grande em interesses partidários da política interna de Minas, procurando vender-nos um segundo bonde. Convém prevenir Getúlio e Borges", telegrafou o jornalista Paulo Hasslocher ao senador Paim Filho, que ultimava as providências para o tão esperado empréstimo federal aos bancos do Rio Grande.[57]

A confiar em um memorando expedido pelo general Gil de Almeida ao ministro Sezefredo dos Passos, Getúlio Vargas teria evitado receber Francisco Campos e encontrado uma forma de se esquivar de qualquer encontro suspeito durante a curta estada do secretário mineiro na capital gaúcha: exatamente no dia da chegada de Campos, Getúlio sumiu. Segundo os assessores, ele viajara para o interior, sob o pretexto de comemorar o aniversário na fazenda de um amigo.[58]

Gil de Almeida achou a medida ajuizada, pois ela impediria as prováveis investidas e maquinações de Chico Ciência. O general concordava com Paim Filho em um ponto específico: a União só deveria socorrer as instituições bancárias do Rio Grande do Sul quando fossem afastadas todas as suspeitas de conluio entre o governo estadual e os revolucionários.[59] A ausência cautelosa de Getúlio, para Gil de Almeida, era uma demonstração de que ele não estaria envolvido diretamente na organização conspiratória.[60]

No entanto, de acordo com a versão de Virgílio de Melo Franco, houve sim uma conversa de Francisco Campos com Getúlio Vargas — e em torno de assuntos bem candentes. Na reunião, cujos local, data e horário permaneceriam para sempre um mistério, fora estabelecido o papel que Minas Gerais e o Rio Grande assumiriam quando a insurreição arrebentasse. Competiria às tropas mineiras atrair — e depois distrair — as forças federais em seu território, desfalcando por consequência os contingentes do estado vizinho, São Paulo, que nesse ínterim seria invadido por colunas gaúchas fortemente armadas.[61]

Desconfiado da presença de Francisco Campos no Rio Grande do Sul, Gil de Almeida buscou a todo custo saber o que o secretário mineiro fora fazer, verdadeiramente, em Porto Alegre. Ao receber a informação de que Getúlio Vargas havia retornado da alegada viagem ao interior do estado, o general foi sondá-lo a respeito. Getúlio, mais uma vez, procurou convencê-lo de que não havia quaisquer motivos para desconfianças ou preocupações.

Segundo soubera, afirmou Getúlio ao militar, a vinda de Francisco Campos se resumira à tentativa frustrada de arrancar o apoio oficial do Rio Grande ao reconhecimento dos diplomas dos deputados mineiros excluídos pela junta apuradora.[62] Gil de Almeida, de novo, acreditou no que ouviu.

"Getúlio Vargas me repetiu que o espírito revolucionário está completamente morto", comunicou ao ministro Sezefredo dos Passos.[63] Em novo despacho, alguns dias depois, o general chegou a transcrever a frase de Getúlio que lhe soara como um atestado de patriotismo e boa-fé:

"Se há alguém ainda que queira brigar, que vá brigar no Rio de Janeiro, porque aqui no Rio Grande do Sul a Brigada Militar, sempre leal, impedirá qualquer tentativa de desordem."[64]

Em um intervalo de exatos vinte dias, o movimento revolucionário sofreu três grandes abalos, dois deles irreversíveis. Primeiro, veio a notícia da morte repentina de Siqueira Campos, em um acidente ocorrido na madrugada de 10 de maio de 1930, quando o monomotor Laté 28 no qual ele retornava ao Rio Grande do Sul após uma reunião na capital argentina com Luís Carlos Prestes caiu sobre o estuário do rio da Prata. Havia cinco pessoas a bordo, a capacidade máxima prevista para a pequena aeronave da empresa francesa Latécoère, que fazia o correio aéreo entre a América do Sul e a Europa, com várias escalas, incluindo Buenos Aires e Montevidéu.[65]

Todos os cinco acidentados sobreviveram ao impacto imediato da queda sobre as águas geladas, a cerca de três quilômetros da costa. Feridos, desorientados pela escuridão e atordoados pelo baque, ainda conseguiram se manter sobre a fuselagem do avião, até que o aparelho lentamente viesse a submergir. Lançados às ondas, apenas um deles alcançaria terra firme: o revolucionário João Alberto, que também participara do encontro com Prestes. O piloto, um telegrafista, um funcionário da Latécoère e o próprio Siqueira Campos não resistiram à travessia a nado. O corpo de Siqueira foi encontrado dias depois, em decomposição, a setenta milhas do local do acidente.

A causa revolucionária viveu outro duro revés em 30 de maio, quando Luís Carlos Prestes surpreendeu todo o país ao lançar um manifesto em que proclamava seu novo credo político. Segundo o documento, apenas uma revolução radical, agrária e anti-imperialista, apoiada pelas massas trabalhadoras das cidades e dos sertões, seria capaz de libertar o Brasil dos coronéis, dos donos de terra, dos "politiqueiros" e dos banqueiros anglo-americanos, promovendo a "verdadeira independência nacional", por meio do confisco de latifúndios e do controle de empresas estrangeiras.

"A revolução brasileira não pode ser feita com o programa anódino da Aliança Liberal", dizia Prestes no célebre manifesto, que selaria sua conversão definitiva ao comunismo e o apartaria para sempre dos companheiros de tenentismo.[66]

O que muitos não sabiam era que cerca de três meses antes, a 5 de março, Luís Carlos Prestes escrevera uma carta a Oswaldo Aranha cobrando as promessas que lhe haviam sido feitas durante a última ida a Porto Alegre, quando estivera com Getúlio. Prestes já recebera cerca de quinhentos contos de réis — em torno de 50 mil dólares, metade do inicialmente combinado com Aranha —, por meio de uma ordem de pagamento expedida pelo Banco do Rio Grande do Sul em favor de Enrique Pais & Cia, firma de fachada, com endereço em Montevidéu.[67]

Na carta a Aranha, Prestes exigia o restante do dinheiro. Sem isso, dizia estar impossibilitado de reunir os "recursos materiais indispensáveis para a ação" e, portanto, ameaçava romper o acordo. A viagem de Siqueira Campos e João Alberto à capital argentina atendera a uma convocação do antigo comandante da Coluna Prestes, que lhes participara a decisão de lançar o manifesto de inspiração marxista, desobrigando-se dos compromissos com o movimento tramado com a participação dos "tenentes" no Brasil e que, a seu ver, só pretendia substituir uma oligarquia arcaica por outra.

"É uma pena", comentaria Getúlio acerca da decisão de Luís Carlos Prestes. "Sempre tive a impressão de que Prestes seria um homem destinado mais a construir do que a destruir."[68]

Com o trágico desaparecimento de Siqueira e a dissidência ideológica de Prestes, os planos da ação armada contra a posse de Júlio Prestes saíram temporariamente do prumo. Entre os dois eventos, deu-se a terceira avaria, menos aguda do ponto de vista estratégico, mas também grave se encarada em uma perspectiva tática. No dia 25 de maio, Batista Lusardo não suportou mais as sistemáticas crises de vesícula e foi internado para ser submetido a uma intervenção cirúrgica. Passaria quase um mês convalescente, fora de circulação.[69]

No momento em que o movimento perdeu os dois principais líderes militares e assistiu ao afastamento provisório de um dos articuladores civis mais ativos, Getúlio Vargas lançou o próprio manifesto à nação, publicado com realce nos jornais de todo o país a 1º de junho. Getúlio esperou que o Congresso Nacional reconhecesse oficialmente a eleição de Júlio Prestes — o que se deu a 22 de maio — para mais uma vez exercitar todo o talento de prestidigitador das palavras. A exemplo de tudo o que vinha saindo de sua lavra nos últimos tempos, o texto esmerava-se na dubiedade.

O manifesto protestava contra as fraudes eleitorais de 1º de março e lançava críticas às "mistificações", "truques" e "ardis" da legislação eleitoral então em vigor. Ao mesmo tempo, Getúlio afirmava que não lhe assistia o direito, como candidato derrotado, de fazer julgamentos em causa própria. Acataria, sem maiores arengas, a decisão do poder competente — o Congresso Nacional —, último responsável pelo reconhecimento dos resultados eleitorais. Mas, poucas linhas adiante, o texto abria uma alameda para possíveis contestações públicas em nome do candidato vencido:

"Tratando-se de uma campanha de feição nitidamente popular, como a que apoiou minha candidatura, cabe ao povo manifestar se está ou não de acordo com o seu encerramento".[70]

Paim Filho, que tivera acesso ao texto antes da publicação, preferia que aquele trecho específico a respeito de uma possível manifestação popular fosse cortado, pois o achara inconveniente e "incendiário" demais. Getúlio, entretanto, fez questão de mantê-lo.[71]

Um exame nas páginas dos jornais do dia seguinte atestaria que, se buscara promover mais dúvidas que certezas, Getúlio podia se dar por satisfeito. O *Jornal do Brasil* considerou o manifesto tímido e comparou as críticas contra a legislação eleitoral à surrada anedota do marido que flagra a esposa com o vizinho, no sofá de casa. "É como apenas mandar tirar o sofá da sala", sugeriu o *JB*, que parecia ter esperado coisa mais contundente.[72] *O Jornal*, de Chatô, foi na direção oposta e interpretou como uma conclamação à revolta popular a frase do manifesto que atribuía ao povo a autoridade de julgar pelo encerramento ou não da campanha.[73] Em contraposição, o *Correio Paulistano* argumentava que, ao aceitar pacificamente o reconhecimento de Júlio Prestes pelo Congresso, Getúlio mandara fechar de uma vez por todas a "tampa do caixão" da Aliança Liberal.[74]

"A língua portuguesa é, sem a menor dúvida, a mais difícil do mundo. Se esta verdade não estivesse na consciência de todos, o recente manifesto do ilustre sr. Getúlio Vargas o evidenciaria. Cada jornal interpreta o texto de uma maneira diferente", sintetizou o *Diário Carioca*.[75] Em Porto Alegre, coube ao *Correio do Povo* divulgar as reações políticas ao documento: "O radicalismo liberal considerou-o perfeitamente dispensável; ao passo que o extremo oposto, isto é, o extremismo conservador, repeliu os seus conceitos".[76]

Desagradando a uns e outros, mas distribuindo de modo igualitário o benefício da dúvida entre as partes envolvidas, Getúlio parecia querer ficar em posição equidistante. Conforme se dessem os desdobramentos, ele ainda teria suficiente margem de manobra para oscilar para este ou aquele lado, de acordo com o que ditassem as circunstâncias.

Foi exatamente o mesmo que lhe propôs Borges de Medeiros, após ler o manifesto de 1º de junho e endereçar a Getúlio uma carta também anfíbia, embora muito mais explícita:

"Creio que o dever supremo é tudo envidar para se evitar a calamidade de uma explosão revolucionária", dizia Borges em um parágrafo. No parágrafo seguinte, declarava: "Se todos os tentames apaziguadores forem em vão e desencadear-se afinal a tempestade [...] ficaremos, diante da revolução, em atitude passiva mas simpática, não a combatendo de nenhum modo e não a tolhendo em sua liberdade de ação".[77]

No fim de junho, início de julho, Antônio Carlos parecia hesitante, relutando em honrar os compromissos assumidos com o movimento. A ausência de uma liderança militar central — depois dos desfalques provocados pela morte de Siqueira Campos e pelo afastamento de Luís Carlos Prestes — deixou o governante mineiro inseguro quanto aos rumos da empreitada. À última hora, Antônio Carlos sugeriu que transformassem a ofensiva revolucionária em uma batalha meramente política, centralizada na atuação parlamentar no Congresso.[78]

Entretanto, para Oswaldo Aranha, era tarde demais para recuar. Com o Legislativo alijado pelo veredicto das juntas apuradoras, qualquer tentativa de ação no parlamento seria inócua. Além disso, a operação bélica já se encontrava em plena execução. Pontes que davam acesso ao estado de Minas Gerais estavam com os pedestais municiados de explosivos, prontas para serem mandadas pelos ares no caso de vir a ser preciso isolar o estado para dificultar a saída das tropas paulistas que porventura fossem atraídas para lá.[79]

Com as hesitações de Antônio Carlos, perdeu-se a oportunidade do "terceiro Cinco de Julho". Mas até o fim daquele mês, previu Aranha, a revolução deveria ser deflagrada.

"Vocês estão envolvendo Minas em uma aventura louca!", desesperou-se Antônio Carlos, que estava a menos de dois meses do fim do mandato e, por esse motivo, parecia propenso a jogar o problema no colo do sucessor, Olegário Maciel.[80]

Francisco Campos ficou encarregado de escrever um telegrama a Aranha no qual anunciava que, feito o balanço geral das forças, Minas Gerais não se julgava bem preparada para o embate. De acordo com a mensagem, Antônio Carlos entendia que a precariedade das articulações com as forças rebeldes em outros estados da federação, a exemplo do Rio de Janeiro e São Paulo, não prometia grandes chances de êxito. Por consequência, a determinação era abortar os planos.[81]

A resposta de Aranha foi imediata:

"Estou farto desta comédia. Impossível continuar sob direção [de] chefe tão fraco, que desanima [os] próprios soldados. Minha disposição inabalável [é] abandonar definitivamente [a] vida pública."[82]

Poucas horas depois de redigir o desabafo, Oswaldo Aranha apresentou a Getúlio sua carta de demissão do governo gaúcho. Segundo noticiou *A Federação*, ele saía da Secretaria de Interior alegando motivos de saúde.[83]

A notícia da exoneração de Aranha foi comemorada pelos aliados do governo federal. Ninguém apostava um único níquel no motivo oficial apresentado para o afastamento. Comentava-se que a verdadeira razão para a remoção do secretário seria uma faxina geral que Getúlio estaria por fazer no primeiro escalão do governo, substituindo a "mocidade" do PRR por nomes mais moderados, vinculados à velha guarda do partido. A concessão do empréstimo federal aos bancos rio-grandenses, afinal autorizada, mas ainda não efetuada, foi entendida por muitos como a chave para explicar o episódio. Numa charge publicada pela *Careta*, sob o título "A estrada das acomodações", os senadores Vespúcio de Abreu e Paim Filho — mediadores da transação financeira com o Catete — apareciam caminhando juntos por uma trilha, espantando uma "aranha" que se punha à frente deles.[84]

Segundo observadores políticos da época, as relações de Oswaldo com os "tenentes" o haviam desgastado de tal modo diante de Getúlio que sua permanência no governo se tornara inviável. A exoneração, desse modo, seria apenas o primeiro passo para a reforma geral no perfil do secretariado, obedecendo ao propósito de deixar o território livre para um entendimento mais célere com o governo federal.[85]

"*A Federação* publica o pedido de demissão Aranha. [...] Que o Neves o acompanhe e o Flores os imite, são os meus augúrios", comunicou o general Gil de Almeida, com incontida satisfação, ao Ministério da Guerra.[86]

O senador Paim Filho também não cabia em si de contentamento. Procurado por Gil de Almeida, Paim confirmou que a demissão de Aranha teria o significado de devolver o Rio Grande do Sul ao caminho da ordem. O senador estivera pessoalmente com Getúlio Vargas e, depois de uma longa conversa reservada, saíra convencido de que Oswaldo Aranha, em vez de pedir exoneração por vontade própria, fora coagido a fazê-lo.[87]

Ao ter conhecimento dessa informação, o comandante da 3ª Região Militar ficou em estado de êxtase. Julgava-se, em grande medida, responsável pelo ocorrido. O general acreditava que as seguidas advertências que fizera a Getúlio quanto às atitudes do secretário do Interior, afinal, haviam sido levadas em consideração.[88] Mas nos despachos telegráficos que enviava ao Rio de Janeiro, o telegrafista e espião Edgar Saboia preferia atribuir a maior parcela de responsabilidade pelo fato a Borges de Medeiros:

"Demissão Oswaldo não causou surpresa, pois era parte do plano do dr. Borges de pôr o PRR em seu lugar. [...] Provavelmente outros afastamentos seguir-se-ão."[89]

No Rio de Janeiro, cercado pelos jornalistas, João Neves procurava manter de pé a versão oficial:

"O Oswaldo é um verdadeiro repositório de todas as moléstias gravíssimas: teve a bubônica, a gripe espanhola, a bronquite, enfim, tudo o que se pode imaginar de grave", explicava Neves.[90] "Ele vinha se entregando a uma atividade estafante, carecia de repouso."[91]

Não importava saber se o desgaste era político ou físico, festejava o editorial de *A Noite*. O importante era que Aranha estava fora de combate: "Constata-se nos círculos comerciais e industriais que a saída do sr. Oswaldo Aranha significa, talvez, o abandono definitivo de todas as atividades revolucionárias que ele, se não dirigia, procurava pelo menos orientar e, com certeza, conhecia em seus menores detalhes", expunha o jornal.[92]

Entretanto, pelo que parece mais provável, a saída de cena de Aranha fora ardilosamente premeditada e fizera parte de uma típica ação de despistamento. Uma manobra diversionista, que poupava Getúlio de dar contínuas explicações pelo fato de manter o principal coordenador da conspiração abrigado em seu governo. Ao mesmo tempo, a encenação de uma renúncia deixava Aranha à vontade para agir fora dos holofotes, com maior discrição. É isso o que se depreende de um breve registro, perdido em meio às memórias de João Alberto, que viajara naquele mesmo instante a Buenos Aires, para passar a impressão de que também renunciara à luta:

"Essa minha retirada tinha a virtude de despistar o governo federal, que via nela mais um fracasso do movimento do que um estímulo para que se abreviassem os preparativos", escreveu João Alberto. "Na verdade, eu agira em ligação com Oswaldo Aranha, que havia abandonado, dentro do plano preestabelecido, seu posto na Secretaria do governo do Rio Grande do Sul."[93]

Alguns meses mais tarde, quando o movimento já estivesse vitorioso, questionado por um repórter gaúcho a respeito do verdadeiro sentido de sua demissão, o próprio Aranha fugiria ao assunto, embora deixasse subentendido que havia nela, de fato, uma motivação inconfessável:

"Trata-se de um capítulo da história da revolução que ainda não deve ser divulgado. É cedo. Deixemos que o tempo, criando a perspectiva exata dos fatos, apague o braseiro de paixões que a imediação do movimento ainda não pôde suscitar", esgueirou-se Aranha.[94]

Portanto, bem ao contrário do que muitos imaginavam, a conspiração estava mais viva do que nunca. Apenas atingira a fase em que os insurrectos entravam em cautelosa espera, aguardando a ocasião propícia para agir. Não demorariam muito no estágio de calmaria aparente. Três tiros disparados na elegante Confeitaria Glória, na rua Nova, no Recife, precipitariam os acontecimentos.

Em Porto Alegre, o filme mal havia começado quando, de súbito, as luzes da sala de projeção do Cine Central se acenderam. Do palco, alguém gritou o aviso:

"João Pessoa foi assassinado!"[95]

Interrompida a sessão, a plateia ficou atarantada, querendo mais detalhes. Getúlio, com toda a família, esquivou-se da confusão e se apressou em retornar ao palácio. Por meio de um telefonema do general Gil de Almeida, veio a confirmação oficial: no fim da tarde daquele 26 de julho de 1930, João Pessoa, o vice na chapa derrotada da Aliança Liberal, fora alvejado mortalmente no peito e nas costas. As informações que chegavam ao Rio Grande ainda eram desencontradas e imprecisas. Sabia-se apenas que o autor dos disparos era um paraibano, adversário político da vítima.[96]

Minutos depois do telefonema do general, um grupo de graves senhores em traje de festa chegou ao palácio do governo gaúcho. Oswaldo Aranha, João Neves e Flores da Cunha despontavam à frente da comitiva. Vinham todos de um banquete no Clube do Comércio de Porto Alegre, realizado naquela noite em solidariedade a Aranha pela despedida do governo estadual. Lá, chegara-lhes a terrível notícia, trazida por um bilhete entregue às mãos do homenageado, pouco antes de ser servido o prato principal.[97]

O jantar em honra de Oswaldo Aranha, imediatamente suspenso, derivou para uma manifestação pública. Os convidados do banquete — Getúlio estivera no topo da lista, mas preferira não comparecer ao evento — saíram às sacadas do clube e se depararam com a multidão que se agitava lá fora, ávida por novos dados sobre o crime. As informações continuavam a chegar às migalhas, esfaceladas, pois as principais agências noticiosas receberam ordens federais para interromper as transmissões do dia.[98] Em meio ao clamor popular, os pedidos por discursos foram inevitáveis. O próprio Aranha foi um dos primeiros a falar. E, ao final, seria um dos mais aplaudidos:

"Há muito que na minha consciência de brasileiro já se havia formado a convicção de que a salvação não está nas leis nem está nas palavras. Está na ação e na decisão do povo brasileiro. Há muito que me convenci de que há só um meio de redimir a República: é a expulsão dos seus vendilhões", iniciou. "Quero afirmar aos que me ouvem neste instante que podem voltar para suas casas, certos de que não vão desonrar seus lares nem suas tradições", prosseguiu. "Está para breve a hora em que povo do Rio Grande há de se redimir dos insultos com que o poder nos tem procurado diminuir e há de transformar o sangue de João Pessoa na ressureição e reintegração da República brasileira". Por fim, Aranha prometeu: "Mais hoje, mais amanhã, será vingada a morte de João Pessoa!".[99]

Incentivados pelo ardor do comício improvisado, os organizadores do banquete rumaram para o palácio do governo gaúcho. Queriam ouvir o que Getúlio Vargas tinha a lhes dizer em hora tão crítica. O sacrifício de João Pessoa, avaliavam, demandava reparação à altura. Chegara a hora do embate final e declarado. Tratava-se de desfraldar a bandeira da revolução ou renunciar ao pouco que ainda lhes restava de dignidade.

De modo quase patético, Aranha, Flores e Neves solicitaram de Getúlio o toque de reunir. Incitaram-no a sair do silêncio, a lhes dar voz de comando, à qual todos corresponderiam sem receios ou reservas. No entanto, segundo João Neves, durante a tensa conversa daquela noite, para contrariedade geral dos interlocutores, "Vargas conservou-se, todo o tempo, hermético como nunca".[100]

Getúlio manteria a mesma postura no dia seguinte, quando voltou a ser procurado por Oswaldo Aranha, que dessa vez levou a tiracolo o mineiro Virgílio de Melo Franco, recém-chegado a Porto Alegre. Da amurada do navio que o trouxera ao Rio Grande do Sul naquela manhã, Virgílio pudera avistar na fachada principal do palácio do governo gaúcho a bandeira nacional ladeada por dois estandartes oficiais rio-grandenses, todos içados a meio-pau, em sinal de luto. Ao desembarcar e entrar na cidade, tivera a sensação de já estar presenciando o desenrolar de uma revolução. Os populares continuavam nas ruas desde a véspera, promovendo comícios e passeatas, ameaçando depredar edifícios de repartições públicas federais.[101]

Ao desvencilhar-se do turbilhão e adentrar o palácio, Virgílio ficou espantado ao se deparar com um Getúlio de expressão plácida. O presidente do Rio Grande do Sul estava inexplicavelmente calmo.

"Poucas vezes, na minha vida, tenho eu visto um homem tão sereno quanto o sr. Getúlio Vargas", registrou Virgílio em suas recordações do episódio. "Contrastando com o aspecto de todos, o do chefe do Executivo gaúcho, naquela hora dramática, não parecia senão o de um homem tranquilo, senhor de um programa previamente traçado."[102]

Durante o encontro, ainda sem denunciar qualquer alteração na voz, Getúlio disse a Virgílio que recebera um telegrama de Antônio Carlos propondo-lhe o lançamento de um manifesto comum à Nação, no qual seria atribuída ao presidente Washington Luís a responsabilidade pela morte de João Pessoa. Segundo Getúlio, o arroubo da mensagem do colega mineiro era tipicamente "romântico".

"Nós seríamos loucos se tal fizéssemos. Um manifesto dessa natureza seria um suicídio e um crime", definiu, com inalterável frieza.[103]

Nos dias subsequentes, as circunstâncias da morte de Pessoa viriam a ser conhecidas em contornos mais nítidos, embora os interesses políticos antagônicos em jogo dificultassem uma análise equidistante dos fatos. O assassino confesso era o advogado João Dantas — aliado de José Pereira, o líder insurgente de Princesa. Tempos antes, sentindo-se perseguido pelo governo estadual, Dantas passara a residir no Recife, de onde veio a saber que as autoridades paraibanas haviam devassado seu antigo escritório e apreendido grande quantidade de documentos, alguns que o associavam a retaliações promovidas pelo Catete contra funcionários federais lotados na Paraíba. No meio do material confiscado pela polícia, foi também uma pequeno livro de bolso, com anotações pessoais de Dantas, denunciadoras de seu caso de amor com a professora e poetisa Anaíde Beiriz, 25 anos, vencedora de um concurso de beleza promovido, algum tempo antes, pelo *Correio da Manhã*.

Os documentos retirados do escritório de João Dantas alimentaram, por vários dias sucessivos, a histeria na primeira página do jornal *A União*, órgão oficial do governo paraibano. As evidências de que Dantas era um informante do governo federal foram publicadas com estardalhaço, enfatizadas com adjetivos nada elogiosos ao acusado, numa gradação que ia de "espião" a "pervertido". As anotações que revelavam o tórrido romance de Dantas com Anaíde foram poupadas da divulgação, segundo o periódico, porque ofenderiam o "decoro público". Mas os leitores eram devidamente avisados de que a íntegra delas estaria à disposição da curiosidade pública, na delegacia de polícia, para onde o livrinho fora enviado como material obsceno.

Quando soube que João Pessoa estava no Recife naquele fatídico 26 de julho — para tentar garantir o envio de um carregamento de armas à Paraíba —, um possesso José Dantas resolveu vingar a honra ultrajada, lavando-a com o sangue do adversário. Depois de uma busca alucinada pelos pontos mais tradicionais da cidade, encontrou Pessoa sentado em uma cadeira de palhinha, tomando chá em uma mesa de tampo redondo de mármore na Confeitaria A Glória, cenário da tragédia. Os tiros disparados à queima-roupa não deram chance a João Pessoa, que teve morte quase instantânea.[104]

De um lado, os partidários de Washington Luís tentaram descredenciar as acusações de crime político, defendendo a tese de que tudo não passara de um delito passional e, portanto, de mero caso de polícia. "O criminoso confessou que matou o presidente da Paraíba por uma questão de honra pessoal", abriu em manchete a *Folha da Manhã*.[105] Do outro lado, a oposição sublinhou os elos entre o incidente e a luta interna na Paraíba, que vinha sendo fomentada à distância pelo Catete. Um discurso de Lindolfo Collor, no plenário da Câmara e no dia seguinte ao crime, passaria à história como o brado mais eloquente dos que procuravam, a qualquer custo, identificar respingos de sangue nas mãos do presidente da República:

"Caim, que fizeste de teu irmão? [...] Presidente da República, que fizeste do presidente da Paraíba?"[106]

Flores da Cunha, que assim como Paim Filho ganhara uma cadeira no Senado nas eleições de março, preferiu aproveitar a ocasião para lançar um ultimato a Getúlio:

"Nem por ser o ilustre dr. Getúlio Vargas um homem calmo, refletido, ponderado e que pesa bem as suas responsabilidades, nem por isso ele deve estar menos abalado do que nós pela infâmia cometida", declarou Flores. "Estou certo de que ele corresponderá ao anseio de todo o povo rio-grandense como estou certo de deixar de o acompanhar se ele assim não agir", ameaçou. "Desde menino sempre fui castilhista e espero morrer na fé de meu partido político, mas já tenho vivido bastante para, no meio das enormes decepções, poder dizer ao povo do Rio Grande que não tenho mais fanatismo por homens nem por partidos", prosseguiu o novo senador gaúcho, debaixo de palmas, registradas pelo estenógrafo da sessão. "Esperamos que os homens que têm a responsabilidade da direção do PRR pesem bem as consequências que podem advir de um ato de fraqueza neste instante. Ou nós reagimos à altura do nosso nome e das nossas tradições ou seremos no conceito da federação brasileira o mais degradado dos estados."[107]

João Francisco, a Hiena do Cati, ressurgiu do recolhimento voluntário a que se impusera. Do exílio, em Montevidéu, mandou para a redação do *Correio do Povo* uma carta aberta à população rio-grandense. "O gaúcho autêntico não sabe recuar", proclamou. "Cumpre-nos, pois, interpelar aos governantes do Rio Grande sobre estes pontos: por que tardam tanto a nos lançar na arena contra os bárbaros que estão devastando nossa querida pátria? Por que já não obedeceram aos apelos imediatos dos impertérritos João Neves e Batista Lusardo, além de outros decididos lutadores gaúchos?"[108]

Em Uruguaiana, o convalescente Batista Lusardo levantou da cama e, diante da catedral da cidade, ainda em construção, também registrou o seu protesto:

"Não vim chorar a morte do grande brasileiro. Vim, sim, ao lado dos meus irmãos uruguaianenses, interpelar ao povo e ao governo do Rio Grande sobre os compromissos que assumiram com a gloriosa Paraíba."[109]

Getúlio, até ali, optara pela indefinição, que para muitos já beirava uma espécie de esquizofrenia política, em nome da governabilidade no Rio Grande. Mas, após o assassinato de João Pessoa, essa mesma governabilidade estaria em perigo caso ele insistisse em não deixar claro de que lado de fato pretendia ficar. Aranha, Flores e Neves já haviam firmado um pacto de honra entre si. De um modo ou de outro, fariam a revolução. Com ou sem Getúlio.[110]

18. Tropas federais chegam a Porto Alegre. Getúlio, tranquilo, passeia a pé pela cidade (1930)

A conversa foi curta, mas decisiva. No dia 24 de agosto, Getúlio Vargas chamou Oswaldo Aranha, João Neves e Flores da Cunha para um entendimento final. Horas antes, Getúlio fora procurado pelo deputado estadual Otelo Rosa — ex-secretário particular de Borges de Medeiros e então líder da maioria na Assembleia dos Representantes do Rio Grande do Sul —, que lhe comunicou a decisão de ir à imprensa para fazer declarações alarmantes e contrárias à revolução. Se isso ocorresse, advertiu Getúlio ao trio, a repercussão prometia ser enorme.[1]

Otelo era homem de boas relações nos meios intelectuais gaúchos. Alguns de seus contemporâneos admiravam sua apregoada capacidade de mimetizar, em crônicas de jornal, o estilo do mestre Eça de Queirós.[2] Biógrafo de Júlio de Castilhos, historiador da Revolução Farroupilha, ele ingressara havia pouco no Instituto Histórico e Geográfico do Rio Grande do Sul, embora ainda fosse mais conhecido pelas senhoritas rio-grandenses por ter lançado em 1927 um livrinho muito comentado entre elas, *O namoro*, espécie de manual de etiqueta sentimental, escrito a partir de uma visão essencialmente moralista e masculina.[3]

Do mesmo modo que teorizava sobre as "graves responsabilidades" do flerte amoroso, Otelo era um tradicionalista em política. Sempre considerara a união entre republicanos e libertadores uma espécie de mancebia eleitoral, um concubinato ideológico que gerara duas filhas bastardas: a Frente Única e a Aliança

Liberal. Apesar de ser relativamente novo — tinha 41 anos, sete a menos que Getúlio —, assumia-se como um castilhista à moda antiga.[4]

Neves, Flores e Aranha ficaram sabendo por meio de Getúlio que Otelo estivera em Irapuazinho e de lá retornara garantindo que Borges de Medeiros estava chocado com os últimos acontecimentos no Recife, mas avesso a qualquer exploração política em torno do assassinato de João Pessoa e, portanto, também de qualquer nova tentativa de ressuscitar o tema revolução. Isso porque, com a morte trágica de Pessoa, o governo federal resolvera pôr fim imediato à revolta de Princesa, ordenando ao general de brigada Alberto Lavanère Wanderley, comandante da 7ª Região Militar, que restabelecesse a ordem no território paraibano. O insurgente José Pereira concordara em depor as armas, após receber garantias de que forças do Exército dariam total cobertura à rendição, evitando retaliações da polícia estadual contra os ex-amotinados.

"Resolvido o caso da Paraíba dentro dos limites constitucionais, desaparece a razão maior que poderia justificar um protesto armado", deliberara Borges.[5]

Era exatamente o que Otelo pretendia expor aos jornais. Por causa de sua proximidade com o chefe do PRR, sua fala deixaria tácito que Borges o elegera como novo porta-voz oficial do partido. Isso, em última análise, poderia reabrir a crise na legenda, pois confrontaria radicalmente o conteúdo dos discursos então recentes de Lindolfo Collor, na Câmara, e Flores da Cunha no Senado.

Getúlio, pressionado por Aranha, Neves e Flores a participar da conspiração de modo menos dúbio, aproveitou para pôr a situação nos seguintes termos:

"Ora, como vocês querem que eu me aventure a esse passo, se o dr. Borges é contrário e acaba de autorizar o Otelo a declará-lo?"[6]

João Neves, cujo silêncio inicial durante a reunião explicitou a intensidade de seu ressentimento contra Getúlio, decidiu tomar a palavra. Ele concordava que, sem a anuência de Borges de Medeiros, a maioria dos republicanos não os acompanharia. Mas Neves chamava a atenção para um fato que lhe parecia crucial, embora jamais levado em consideração, pelo menos até aquele momento: nenhum dos ali presentes já fizera o mesmo que Otelo Rosa. Ninguém entre eles se preocupara em ir até Irapuazinho averiguar as verdadeiras predisposições de Borges de Medeiros, para depois tentar lhe arrancar uma declaração em caráter oficial. O assunto permanecia, nas palavras de Neves, "à mercê dos diz que disse, dos leva e traz, dos informantes sempre tendenciosos".[7]

Getúlio concordou com o argumento. Aceitou despachar um intermediário com poderes expressos para representá-lo em uma audiência com Borges em Irapuazinho. A escolha, de comum acordo, recaiu sobre o nome de Oswaldo Aranha. Ficou acertado que Aranha viajaria no dia seguinte, no trem que saía de Porto Alegre às 16 horas, com destino a Cachoeira. No bolso do paletó, levaria uma carta manuscrita de Getúlio ao chefe do partido:

> Porto Alegre, 24 de agosto de 1930
> Prezado chefe e amigo dr. Borges de Medeiros
> [...]
> O Oswaldo fez-me muitas ponderações a respeito da situação geral do país, do Rio Grande, do nosso partido e das consequências que poderia acarretar um movimento inesperado que julguei necessária sua ida até aí, conversar convosco.
> A dedicação, os seus serviços e a sinceridade com que ele fala são de modo a recomendá-lo à atenção do chefe do Partido Republicano que, aliás, sempre lhe a dispensou, na altura de seu merecimento. E, por saber disso, ele vai, com toda confiança, ouvir o vosso conselho e a palavra de vossa experiência e autoridade, levando a minha.
> Com o apreço e a veneração de sempre,
> Getúlio Vargas[8]

Pelo horário previsto nas tabuletas da companhia ferroviária, o trem deveria chegar a Cachoeira por volta das duas horas da madrugada do dia 25. Aranha esperaria apenas o dia clarear para tomar um automóvel em direção à estância de Borges de Medeiros, a tempo de encontrá-lo ainda sentado à mesa do café da manhã. Em questão de horas, assim sendo, eles conheceriam a posição efetiva de Borges. Era a hora do tudo ou nada.

"Saímos do palácio relativamente satisfeitos. Parecia havermos avançado bastante em direção ao nosso objetivo", comentou João Neves, que nem de longe suspeitava do ardil que Getúlio ainda lhes preparava.[9]

Quando das primeiras notícias sobre a morte de João Pessoa, Getúlio escrevera a Borges para trocar impressões a respeito do momento político. De uma parte, informara, os libertadores ameaçavam romper a Frente Única caso o governo do Rio Grande não aderisse à revolução. De outra, os republicanos mais exaltados também se manifestavam francamente a favor do movimento armado — e apenas esperavam a palavra final do governo do estado e do chefe do PRR para decidir o rumo a tomar. Se os comandantes do partido permanecessem titubeantes, os radicais marchariam sem eles, de armas na mão:

"Posso assegurar-lhe que o rompimento se dará, inevitavelmente, no momento em que os adeptos da revolução percam a esperança de que o governo do estado os acompanhe nos seus intuitos", previra Getúlio.[10]

Na mesma carta a Borges, Getúlio dissera vir tentando delongar o problema, "procurando não desamparar amigos que se comprometeram seriamente no ardor da luta eleitoral". Pelas responsabilidades de governante, afirmara não poder se deixar contagiar pelo ímpeto dos companheiros mais inflamados, embora ao mesmo tempo não pudesse largá-los sozinhos no meio do caminho:

"Este é o drama íntimo que me tem feito sofrer e que, talvez, me faça passar por indeciso, quando não me falta espírito de deliberação."[11]

Getúlio reconhecia que o governo federal havia se excedido na prática de arbítrios ao promover os escandalosos expurgos nas bancadas mineira e paraibana. "Acredito que, no momento, só uma contrarrevolução poderia restabelecer o regime da lei e certas franquias que perdemos. Penso, por isso, que não devemos ser contrários a um movimento dessa natureza, de ordem geral, que tenha o caráter de uma insurreição nacional", argumentara Getúlio, por escrito, a Borges. "Não concordo, porém, com a responsabilidade que pesa sobre mim, neste momento, de lançar o Rio Grande na aventura de uma guerra civil. Essa insurreição de caráter geral só teria êxito se contasse com o apoio das Forças Armadas, o que não ocorre."[12]

Em resposta, Getúlio recebera instruções de Borges de Medeiros, que confirmaram, por antecipação, o que dizia Otelo Rosa: com o fim da revolta de Princesa, o chefe do PRR não via mais nenhum sentido em persistir no caminho revolucionário. Getúlio, conforme determinara Borges, deveria fazer um pronunciamento público, em nome do Rio Grande do Sul, declarando que a questão estava encerrada em definitivo, enquadrando os revolucionários e se posicionando, sem subterfúgios, a favor da manutenção da ordem.[13]

Dividido entre a pressão dos que aspiravam à revolução e as considerações de Borges, Getúlio definia sua situação como a de alguém que chegara a uma "encruzilhada". Usara textualmente esse termo em outra carta, endereçada a Paim Filho. Nela, justificara a necessidade de preservação da Frente Única, ao contrário do que defendia Paim, e afirmara que a opinião pública gaúcha não veria nenhuma vantagem numa reaproximação com o governo federal se o estado não recebesse uma contrapartida expressiva por parte do Catete. Era uma forma sutil de exigir o empréstimo federal, cujos recursos ainda não haviam sido liberados.[14]

"Há uma razão profunda que define a aparente hesitação que, talvez, me atribuam: tudo farei no interesse coletivo do Rio Grande do Sul; entretanto, sem beneficiar o nosso estado, será de efeito negativo qualquer sacrifício individual", expusera Getúlio a Paim. "Esta é a encruzilhada na qual me encontro, aguardando a marcha dos acontecimentos e esperando que sejam satisfeitas as justas aspirações do Rio Grande, única base em que posso me firmar para escolher o caminho do labirinto que se apresenta."[15]

A conclusão era clara. Manter a aliança com os libertadores se tornara mais do que simples conveniência regional. Romper a coalizão provocaria não só o enfraquecimento do governo rio-grandense em face dos conflitos internos, mas também significaria baixar a guarda ante possíveis agressões do Catete:

"Caso se verifique o rompimento [da Frente Única], não se aproveitará da situação o governo federal para exercer atos de vingança, por nos considerar fator desprezível?", indagara Getúlio na correspondência a Paim.[16]

Como demonstração de boa vontade, o governo gaúcho impedira excessos durante as manifestações de rua ocorridas em Porto Alegre logo após a notícia do assassinato de João Pessoa. Getúlio pessoalmente desaconselhara a organização de um enterro simbólico de Washington Luís e mandara o secretário de segurança reforçar a proteção aos prédios públicos federais na capital rio-grandense, que assim foram poupados de atos de vandalismo, sendo registrada apenas uma ocorrência, de menor monta: o apedrejamento de algumas vidraças no edifício da alfândega.[17] Em simultâneo, atendendo ao clamor popular, Getúlio se sentira no dever de expedir um telegrama oficial a Álvaro Pereira de Carvalho, substituto de João Pessoa no governo paraibano, para lhe prestar condolências e lhe enviar um voto de solidariedade:

"Se continuarem os males que atualmente afligem a altiva e heroica Paraíba, não devemos descrer do despertar das energias cívicas da Nação."[18]

"Energia cívica" era um evidente eufemismo. O termo mais corrente em língua portuguesa para definir o fenômeno a que se referira Getúlio era "revolução", a palavra então mais pronunciada de Norte a Sul do país.

Em São Paulo, segundo o *Diário Nacional*, até mesmo os contratos de aluguel haviam passado a incluir uma cláusula extra: "Se vier a revolução, fica rescindido o presente contrato".[19] Na publicidade, o vocábulo também se tornara recorrente. A Fábrica Paulista de Roupas Brancas anunciava um enxoval masculino completo — composto de "uma gravata de pura seda, um lenço inglês, uma camiseta, um colarinho sem forro, uma cueca de morim bom, um par de meias, um par de ligas e um suspensório" — por apenas 12 mil-réis. "Vale 40 mil-réis, sem exagero", dizia o reclame, encimado pelo seguinte título: "A revolução... contra a carestia".[20]

Quanto mais discrição, melhor. Ninguém foi acompanhar Oswaldo Aranha até a estação. Ele embarcou sozinho, levando em segredo a carta de Getúlio a Borges de Medeiros. Em uma página e meia de papel pautado, identificado no alto pelo brasão do governo do Rio Grande, iam todas as esperanças dos conspiradores.

No entanto, um homem popular como Aranha não podia passar despercebido por muito tempo. Com o trem já em movimento, ele foi seguidamente abordado por grupos de passageiros, que faziam questão de cumprimentá-lo, de puxar conversa e trocar impressões sobre os últimos lances políticos no país. Um dos que se aproximaram para saudá-lo se identificou como major Carlos Druck, delegado de polícia de Cachoeira.

O nome — Carlos Druck — soou como um toque de alarme para Oswaldo Aranha. Na véspera, João Neves havia lhe contado ter sido procurado pelo mesmo major, que revelou ter estado no palácio do governo estadual no início da tarde, para receber ordens e determinações relativas a Cachoeira. Isso significava que Druck estivera com Getúlio Vargas logo após eles terem ido ao palácio. O aguçado faro político de Aranha intuiu o perigo. Pelos muitos precedentes no caso, Getúlio talvez pudesse estar armando alguma espécie de jogo duplo. Desconfiado, Aranha puxou Druck para um canto mais isolado do vagão e arriscou:

"Dê-me a carta que o Getúlio lhe entregou para levá-la ao dr. Borges de Medeiros."[21]

Carlos Druck, embaraçado, negou ser portador de qualquer carta. Mas, pela expressão pouco convincente que o homem desenhou no rosto, Oswaldo Aranha percebeu que as suspeitas faziam algum sentido. Insistiu, até dobrar as resistências iniciais do major e receber dele o envelope sobrescrito com a inconfundível letra de Getúlio, endereçada a Borges. Aranha levava uma carta ao chefe do PRR, mas o delegado de Cachoeira levava outra. Ambas com a mesma data e a mesma assinatura, embora com sentidos inteiramente contrários.

Druck admitiu ter recebido a missão de seguir para Irapuazinho sem demora, logo após o trem chegar à estação da cidade, não esperando sequer o dia amanhecer para prosseguir viagem e, de tal modo, fazer a entrega da correspondência nas mãos do destinatário o mais rápido possível. Ou seja: o major chegaria antes de Aranha ao destino comum, com algumas horas de vantagem. Dentro do envelope, a mensagem de Getúlio a Borges, também escrita à mão, simplesmente destituía todos os poderes de Aranha para falar em nome do remetente:

Porto Alegre, 24 de agosto de 1930
Prezado chefe e amigo sr. Borges de Medeiros
Recebi a carta em que me sugeris a oportunidade de um pronunciamento público, de minha parte, pondo termo à campanha política que agita neste momento o país.
Em virtude do abalo e desconcerto que produziria essa atitude, e para que não ficassem mal alguns companheiros, ficou acertado que o Oswaldo iria até aí ouvi-lo diretamente.
Bem ponderando os elevados e patrióticos motivos que ditaram essa exortação que me fazeis, declaro meu formal assentimento e estou pronto a atendê-la.
Penso, porém, que a iniciativa desse movimento deve partir de vós, por motivos que vou expor.
A mais forte razão é que, em virtude dos atos de violência praticados pelo governo federal e que culminaram na morte de João Pessoa, eu me sinto preso aos elementos dirigentes da Aliança por vínculos de ordem moral que me impedem de tomar a iniciativa referida.
Se essa for, porém, tomada pelo chefe do Partido Republicano, surgirá um fator novo e preponderante com que eu me conformarei e ao qual prestarei apoio.
Reafirmo ainda que este gesto deve partir de vós, porque se enquadra logicamente em atitudes anteriores de respeito à ordem, num sentido conservador e orgânico.
Além disso, sois hoje um dos homens de maior projeção no país, como fator de influência moral. Nessas condições o vosso pronunciamento teria mais intensa repercussão, acrescendo também mais prestígio ao Partido Republicano. Se estiver-

des disposto a tomar essa iniciativa, dir-me-eis como deseja fazê-lo, se por uma nova carta destinada à publicidade ou por uma entrevista. *A Federação* seria, naturalmente, o órgão aconselhado para essa publicidade porque a justificaria e aplaudiria depois, em artigos sucessivos.

Da palestra, porém, que o prezado chefe tiver com o Aranha talvez fique combinado um meio de desmobilizar esse movimento e tranquilizar os espíritos, sem maiores abalos, sem a perda de elementos preciosos ao nosso partido. Se esse abalo for inevitável, talvez seja também conveniente contemporizar ainda com este estado de coisas em que nós, isto é, os que fizeram a campanha liberal, não somos os maiores culpados.

Do amigo e venerador de sempre,
Getúlio Vargas[22]

Depois de ler aquelas palavras, percebendo o alcance da emboscada, Oswaldo Aranha interrompeu a viagem. Desceu do trem logo na estação seguinte, alugou um automóvel e retornou de imediato a Porto Alegre. João Neves e Flores da Cunha tomaram um susto quando a porta do apartamento no Grande Hotel se abriu e Aranha, que os dois julgavam já longe na estrada de ferro, entrou de supetão. Neves e Flores quiseram, óbvio, saber o que ocorrera.

Oswaldo Aranha contou-lhes tudo. Eles haviam caído em uma terrível cilada. Getúlio os havia feito de bobos.[23]

Nunca se soube o teor — e a temperatura — da conversa particular que Oswaldo Aranha manteve com Getúlio Vargas naquela mesma noite, quando seguiu ao palácio do governo para discutir o incidente constrangedor pelo qual havia passado no trem a caminho de Cachoeira. Ao que se sabe, Aranha não deixou nenhuma anotação a respeito desse encontro. Getúlio, muito menos. A única informação razoavelmente digna de crédito que se tem é que, segundo João Neves da Fontoura, Aranha voltou da conversa com a decisão de fazer nova viagem a Irapuazinho. Dessa vez, cumpriria seu objetivo até o final, sem interrupções — e autorizado por Getúlio a encaminhar o caso da forma antes prevista.[24]

São igualmente desconhecidos os argumentos que Oswaldo Aranha utilizou para convencer Borges de Medeiros a reavaliar a questão. João Neves acreditava que, com seu proclamado magnetismo pessoal, Aranha encontrou as palavras certas e a forma adequada de persuadir o chefe do PRR a aceitar a ideia de golpe contra a posse de Júlio Prestes. De acordo com Neves, Borges continuou a ser um adversário intransigente da hipótese de uma guerra civil, mas passou a crer que o movimento para depor Washington Luís poderia simplesmente reeditar os contornos da quartelada que, em 15 de novembro de 1889, derrubara a monarquia brasileira — de forma rápida e sem derramamento de sangue, impondo uma mera troca de guarda no comando do país.²⁵

O fato é que, após o encontro com Aranha, naquele final de agosto de 1930, o conservador Borges de Medeiros, aos 66 anos de idade, também ingressou na ala dos conspiradores. Como prova inconteste de sua nova posição, bastaria dizer que, no mesmo dia, o chefe do PRR mandou chamar a Irapuazinho o genro, o advogado Sinval Saldanha, para fazê-lo portador de uma carta ao comandante-geral da Brigada Militar, coronel Claudino Nunes Pereira. A mensagem de Borges conclamava o coronel a ficar em estado de alerta e a apoiar o movimento que deveria ser desencadeado em data iminente.²⁶

Com Borges dando suporte à ação, Getúlio finalmente se decidiu. Mas saiu da sombra devagar. Participaria dos preparativos do levante, embora persistisse em manter uma atitude cautelosa, deixando Aranha no comando das articulações, enquanto ele próprio se encarregava de produzir cortinas de fumaça para ludibriar a vigilância de aliados do governo federal. Sucessivos telegramas de Getúlio endereçados a Paim Filho, contendo mensagens tranquilizadoras, tiveram aquele evidente propósito. Com base nisso, em 29 de agosto, Paim marcou sua estreia na tribuna do Senado com um discurso no qual garantia ao país que a chama da revolução estava extinta:

"A revolução, ou melhor, a guerra civil, não se fará com o Rio Grande do Sul. Não a quer o chefe do PRR. Não a quer o presidente do Rio Grande. Não a quer o Partido Republicano Rio-Grandense", anunciou Paim. "Tranquilize-se pois a República: o Rio Grande continua a ser o mesmo de Castilhos e de Pinheiro Machado, a atalaia vigilante da pátria, o sustentáculo inquebrantável das instituições."²⁷

Paim dizia uma coisa no Senado, mas Lindolfo Collor seguia dizendo outra na Câmara. "Quem está falando em nome do PRR, o sr. Paim Filho ou o sr. Lindolfo Collor?", indagava *O Globo*.²⁸ "O PRR tem duas faces, como a estátua de Jano. Nada será o exemplo mais forte de idolatria e de ingenuidade coletiva do que a confiança numa estátua de duas faces, que na campanha presidencial havia sido ora ameaçadora, ora pacífica, só com o girar sobre a sua base móvel", criticava o *Jornal do Brasil*.[29]

Na dúvida, Washington Luís resolveu telegrafar a Borges de Medeiros para tentar compreender o que estava ocorrendo. De que lado, afinal, ficaria o Rio Grande? — quis saber o presidente da República. Borges esquivou-se da questão. Respondeu que era apenas o chefe de um partido político e, por esse motivo, a pergunta seria mais bem endereçada ao homem que governava o estado, Getúlio Dornelles Vargas.[30]

Em Porto Alegre, o general Gil de Almeida insistia em tirar o assunto a limpo. Os murmúrios de revolução haviam recrudescido e o comandante da 3ª Região Militar estava disposto a tomar medidas extremas. Planejava mobilizar os contingentes federais do Rio Grande e proceder a uma grande demonstração de força, pondo as tropas na rua para intimidar os subversivos. Getúlio, mais uma vez abordado pelo militar, aparentou não estar preocupado com o que chamava de mera "boataria". Até chegou a fazer pilhéria sobre o caso:

"Já sabe, general? Eles propalam que vão nos prender, quando estivermos conversando aqui no palácio."[31]

João Simplício, 62 anos, o novo secretário do Interior do Rio Grande do Sul, nomeado por Getúlio para substituir Oswaldo Aranha no cargo, era um positivista ortodoxo, engenheiro militar, general de brigada e um dos idealizadores da Escola de Engenharia de Porto Alegre. Simplício passara a acumular a Secretaria do Interior com a da Fazenda, lugar para a qual fora conduzido pouco antes, com a ida de Paim Filho para o Senado. Como se não bastasse o duplo encargo, Getúlio ainda o escolhera para uma terceira ocupação: ser o principal informante do governo estadual junto ao comando da 3ª Região Militar. Na verdade, "desinformante" seria o termo mais adequado para definir o papel que se esperava dele. Completamente inocente das relações de Getúlio com o comando da conspiração, Simplício foi utilizado para passar informações falsas ao general Gil de Almeida.[32]

No dia 5 de setembro, o general Almeida comunicou a Simplício que se sentia obrigado a reforçar a guarnição de Porto Alegre, pois recebera informes dando conta de que armas e munições estavam sendo desviadas dos depósitos dos quartéis da capital gaúcha. Do interior do estado chegavam informações que velhos paióis de guerra — para onde havia sido recolhido o material bélico embargado após o fim da Revolução de 1923 — também estavam sendo alvo de desvios misteriosos. Rifles, carabinas e mosquetões sumiam como por encanto, sem deixar pistas. O que mais preocupava Gil de Almeida é que os boatos davam conta de que a revolução explodiria a qualquer momento, pois o novo presidente de Minas Gerais, Olegário Maciel, tomaria posse dali a dois dias, na data nacional de Sete de Setembro. Os conspiradores, segundo constava, pretendiam deflagrar o movimento antes disso.[33]

Simplício, autorizado por Getúlio, esteve três vezes com Gil de Almeida naquele mesmo dia 5. Nas três oportunidades — a última por volta das 23 horas, no Quartel-General das forças federais em Porto Alegre —, ele garantiu que o militar podia ignorar os rumores e desmobilizar a operação de emergência, pois tinha informações seguras, colhidas no próprio palácio do governo do estado, de que nada de anormal estava por ocorrer na cidade. Testemunha ocular da visita de Simplício ao QG, o coronel Firmo Freire do Nascimento, chefe do estado-maior da 3ª Região Militar, ainda procurou testar a sinceridade do novo emissário de Getúlio:

"O senhor não acredita numa mistificação do dr. Getúlio Vargas, diante de sua atitude indefinida e tão contraditória?"

"Não", respondeu Simplício, convicto. "Eu sou amigo do dr. Júlio Prestes e dos dirigentes do governo central, sou o elemento de ligação entre o dr. Getúlio e eles. Posso servir, portanto, para julgamento da sinceridade de cada um. Serei o termômetro, e apenas desconfie da insinceridade do presidente Getúlio, abandonarei o cargo."[34]

Mesmo assim, o general Gil de Almeida disse que manteria a concentração de forças em Porto Alegre, prevista para a manhã do dia seguinte. Ordenaria o deslocamento imediato e simultâneo para a capital gaúcha do 9º Regimento de Infantaria, sediado na cidade do Rio Grande; do 8º e do 9º Batalhões, respectivamente de São Leopoldo e Caxias e, ainda, do 7º Regimento de Infantaria, de Santa Maria. Reunidas, as forças federais esmagariam qualquer tentativa de alteração da ordem.[35]

Simplício achou que era o caso de pôr o general em conversação telefônica direta com Getúlio. Feita a ligação para o palácio do governo gaúcho, já por volta da meia-noite, Gil de Almeida impôs uma única condição para sustar a ordem de reunir as tropas: Getúlio Vargas deveria fazer um comunicado ao povo gaúcho, conclamando todos à paz e à disciplina interna no estado, repudiando os assomos dos que pregavam a revolta e a solução radical. O pronunciamento, em termos límpidos e inequívocos, deveria ser publicado com destaque nas páginas de *A Federação*, conferindo estatuto oficial às declarações.

"Por enquanto, eu não posso fazer notificação alguma", desculpou-se Getúlio ao telefone, explicando que isso poria em risco a integridade da Frente Única.

"Então eu concentrarei a tropa", comunicou Gil de Almeida.

Getúlio, aparentemente, se rendeu aos fatos:

"Pois bem, faça-o. Eles gritam, mas depois acabam se conformando."[36]

Na manhã de 6 de setembro, os porto-alegrenses foram surpreendidos com o ruído do solado das botas de centenas de soldados do Exército que marchavam pelas ruas da cidade. De acordo com as ordens do general Gil de Almeida, as tropas federais das guarnições de Caxias, São Leopoldo e Santa Maria desembarcaram de trens especiais e seguiram em direção aos prédios do 7º Batalhão de Caçadores e do Arsenal de Guerra, onde ficaram aquarteladas.[37] Os homens do regimento sediado na cidade de Rio Grande, que também deveriam integrar a operação, à última hora tiveram sua partida sustada pelo general, que considerou suficiente o efetivo já posto à disposição pelos outros três corpos militares.[38]

Nas praças em torno do quartel-general da 3ª Região, na rua da Praia, onde Gil de Almeida passou o dia inteiro reunido com seu estado-maior, viam-se os caixotes de armas e munição, ainda nas embalagens originais, prontas para serem distribuídas entre os contingentes legalistas postos em estado de prontidão. Alarmadas com aquele cenário de guerra, muitas famílias locais, prevendo uma intervenção violenta na capital rio-grandense, começaram a abandonar Porto Alegre, rumo às cidades vizinhas de Gravataí, São Leopoldo e Viamão.[39]

Advertido da movimentação de soldados do Exército, Getúlio decidiu oferecer aos conterrâneos uma demonstração de desassombro. Saiu do palácio e foi, a pé, descendo as ladeiras e percorrendo com passo tranquilo os cerca de 600 metros que o levaram até o edifício onde funcionava a redação e as oficinas de *A Federação*.[40] Lá, deixou uma nota a ser publicada com destaque pelo vespertino, na primeira página da edição que passaria a circular dali a poucas horas. O texto, redigido por Getúlio, intitulava-se "Concentração de forças". O documento era enérgico:

"Cabendo ao governo do estado, como função precípua, garantir a ordem e manter a tranquilidade pública, e não havendo perturbação ou ameaças de qualquer espécie, são, realmente, estranháveis esses movimentos de forças", dizia a nota.

O presidente do estado, no decurso da campanha presidencial que agitou o país, deu sempre as melhores demonstrações de tolerância, de amor à ordem e de respeito à lei. Está sereno e tranquilo porque conta com o apoio decidido do povo rio-grandense. Nada tem a temer do glorioso Exército Nacional, porque este, fiel à nobreza das suas tradições, nunca foi contra o povo de sua terra.[41]

O trecho final era ainda mais firme: "Não se pretenda dar, com esta repentina e injustificável concentração de forças e material bélico numa cidade aberta, a impressão de que, pela ameaça ou pela violência, se tenta coagir o governo rio-grandense", advertia o texto.

O presidente do estado que, espontaneamente, é capaz de todas as renúncias para evitar o derramamento de sangue e de seus irmãos, pela ameaça ou pela violência não cederá um milímetro sequer na defesa de suas prerrogativas constitucionais, porque isso atingiria a dignidade de seu mandato e a honra do próprio povo que o conferiu.[42]

Getúlio falara grosso. E para reafirmar que estava "tranquilo e sereno", conforme expunha a nota, após sair do prédio de *A Federação* continuou andando a pé, flanando pelas ruas da cidade, só retornando ao palácio no começo da noite, quando os primeiros exemplares do jornal começaram a circular. Um deles, mal saído da tipografia, foi remetido ao Quartel-General do Exército, e dirigido às mãos do general Gil de Almeida. Ao ler a nota estampada na primeira página, o general ficou apoplético. Sentiu-se traído. Ele havia prevenido a Getúlio, na véspera, de que iria fazer a concentração das forças em Porto Alegre. Ouvira em troca, se não um consentimento, uma reação no mínimo conformada. O protesto oficial, publicado por *A Federação*, contrariava o conteúdo da conversa que os dois haviam mantido pelo telefone menos de 24 horas antes.

"Eu não podia mais crer no sr. Getúlio Vargas", escreveu Gil de Almeida em seu livro *Homens e fatos de uma revolução*, no qual deixou registradas as suas impressões sobre o episódio.⁴³ O major João Cavalcanti, médico do Hospital Militar, já havia recomendado cautela ao general e o advertira sobre as altas doses de "bromureto de Palácio" — trocadilho que fazia alusão ao bromureto de potássio, substância então utilizada como sedativo e indicado para o caso de nevroses crônicas — a que Getúlio vinha submetendo o comandante da 3ª Região Militar nos últimos meses.⁴⁴

Outro informante do general, "pessoa ligada aos políticos da velha guarda republicana", também já havia chamado a atenção de Gil de Almeida para as dissimulações de Getúlio. "Tenho medo desse homem", teria dito o informante, cujo nome o general jamais revelou. "Leia bem a carta que ele escreveu em maio [de 1929] ao dr. Washington, eivada de maldade contra os correligionários e amigos; compare-a depois com a sua conduta, aceitando a candidatura", aludira o interlocutor secreto. "Leia ainda a resposta que lhe deu o dr. Borges, quando consultado, para ver como ele torceu em seu próprio benefício o ponto de vista do velho chefe. Se tiver dúvidas, finalmente, observe-o na conversa: o modo de olhar e a maneira de sorrir."⁴⁵

No dia 7 de setembro, por medida de segurança, os soldados do Exército não desfilaram em Porto Alegre na grande parada militar em homenagem à data da Independência, ao contrário do que faziam todos os anos. Com isso, Gil de Almeida evitava a obrigação de passar as tropas em revista ao lado do presidente do estado, como recomendava o cerimonial. Apenas o comandante do 7º Batalhão resolveu se ater ao calendário cívico e organizou um rápido desfile de seus homens pelas ruas da capital gaúcha, para a efeméride não passar completamente em branco. Os porto-alegrenses receberam a parada com frieza. Enquanto isso, a Brigada Militar, que representava as forças estaduais, desfilou em peso, com o uniforme de gala, sendo saudada na rua da Praia pela população, que lhe atirou pétalas de rosa e a acompanhou com aplausos e saudações:

"Viva o Rio Grande e a Brigada Militar, a garantia de sua defesa", diziam as faixas erguidas pelos manifestantes.⁴⁶

Dali por diante, nas cerimônias públicas, em vez do Hino Nacional, a banda da Brigada Militar passaria a tocar o hino do Rio Grande do Sul.

"Onde estava a polícia que não impediu semelhante profanação?", indignava-se o general Gil de Almeida.⁴⁷ A resposta estava bem à vista de todos: a polícia, ou seja, a Brigada Militar, havia aderido à revolução. O movimento armado não ocorreu naquele Sete de Setembro, como temia o general. Mas ninguém mais duvidava de que viria a qualquer momento.

A partir daquela primeira semana de setembro, Getúlio Vargas decidiu que chegara a hora de refrear Paim Filho e suas embaixadas pessoais junto ao Catete. Não fazia mais nenhum sentido insistir naquele ponto. Washington Luís suspendera todos os pleitos gaúchos à União e passara a tratar o Rio Grande do Sul como uma unidade da federação de segunda categoria. Cancelara os empréstimos combinados anteriormente e mandara o Congresso arquivar os pedidos relativos à construção do porto marítimo da cidade gaúcha de Torres, uma antiga aspiração dos rio-grandenses e que, se concretizada, possibilitaria o escoamento mais fácil da produção da região norte do estado.[48]

Ciente das tensões, Paim já escrevera a Getúlio para dizer que, se fosse preciso, largaria a cadeira no Senado, vestiria de novo o uniforme militar, montaria em seu cavalo e lutaria ao lado das forças federais contra os revolucionários de seu próprio estado. Getúlio não gostou do que leu.

"Afirmas que, se houver movimento revolucionário no Rio Grande, virás combatê-lo de armas na mão. Como não fazes restrições, compreende-se que virias mesmo combater contra o governo do estado, o Partido Republicano e o Rio Grande do Sul. Francamente, não esperava esse procedimento de ti, como demonstração de amizade", respondeu-lhe Getúlio. "Estranhas minha atitude de inércia ante os boatos. [...] Mas então, depois de todas as violências e espoliações praticadas pelo governo federal, ainda não é suficiente a minha tolerância, o meu silêncio, minha atitude pacífica, tachada até de fraqueza pelos companheiros de campanha?", prosseguiu.

> O governo federal fechou ao Rio Grande todas as portas à simples cooperação, que é um dever do regime federativo. Todos os problemas, que dependem de solução federal, estão trancados, porque o presidente da República pensa que tudo isso é propriedade sua e que ele distribui como ato de munificência. Que querem de mim? Um ato público de submissão? O que tinha de fazer, já fiz.[49]

A réplica produziu um acesso de ira em Paim Filho. Revoltado com o que considerou uma declaração definitiva do apoio de Getúlio Vargas à revolução,

Paim ameaçou mandar aos jornais um relato minucioso de todos os acontecimentos dos quais fora testemunha. Tornaria público o acordo ultrassecreto que estabelecera em nome de Getúlio com Washington Luís — no qual ficara acertado que o então candidato da Aliança Liberal não sairia do Rio Grande para fazer campanha, em troca de uma série de vantagens para o estado, em especial o reconhecimento dos diplomas dos candidatos gaúchos aliancistas eleitos para o Congresso. Paim prometia revelar que Getúlio firmara um pacto que traía a Aliança, mas que, no fim, acabou traindo Washington Luís.[50]

A tentativa de intimidação só serviu para Getúlio elevar o tom da discussão:

> Fiz-te senador. Teus serviços e o apoio do Partido Republicano proporcionavam-te outras possibilidades na política. [...] Agora, ameaças fazer revelações, "para o julgamento de todos nós", em "legítima defesa", naturalmente exercida a teu modo. Comigo não acontece o mesmo. Preferiria ser acusado e calar, se, para defender-me, tivesse de trair a confiança de um amigo. Cada um, porém, tem sua psicologia e sua moral. Não posso penetrar todo o teu pensamento, nem calculo até que ponto iriam tuas declarações. Entretanto, tenho, também, a consciência tranquila. Não assumi outras atitudes senão as que julgava consultar o interesse geral e nunca pretendi impor pontos de vista. Não obstante, sou um homem que, podendo ter transigências de afeto, não receia ameaças.[51]

No dia seguinte, 9 de setembro, Getúlio esperou que o telégrafo trouxesse uma presumível resposta de Paim. Mas ela não veio. Entre as muitas mensagens recebidas pelo Palácio naquela data, nenhuma era do senador. E em meio aos telegramas, quase todos cifrados, um se destacava pelo fato de não ser codificado e de ser um dos poucos a não conter nenhuma informação de natureza política:

> Dr. Getúlio Vargas
> Tenho o prazer de comunicar a V. Excia. que fui eleita Miss Universo.
> Yolanda[52]

A remetente era Yolanda Pereira, dezenove anos, gaúcha de Pelotas. Um concurso internacional de beleza, realizado no Rio de Janeiro, com candidatas de 26 países, a elegera a mulher mais bonita de todo o planeta.[53]

"Viva o Rio Grande, que andou nos prometendo pancada e acabou nos dando um *pancadão!*", comentou a charge da *Folha da Manhã*, na qual Juca Pato olhava boquiaberto para a bela Yolanda. O termo "pancadão", na gíria da época, servia para definir a mulher corpulenta, vistosa, de formas tentadoras.[54]

Cerca de duas semanas depois, os rio-grandenses foram às ruas para reverenciar o Vinte de Setembro, a data máxima do estado, aniversário da Revolução Farroupilha. Os jornais de Porto Alegre aproveitaram a efeméride para imprimir edições apinhadas de louvores à figura bravia do gaúcho, à alma intrépida do "centauro dos pampas", ao espírito altaneiro do "monarca das coxilhas". Nas mesmas páginas em que se decantavam as virtudes guerreiras do povo do Rio Grande, pipocavam as críticas contra a permanência das tropas federais na cidade.

"Pavilhão tricolor — Lábaro santo", lia-se, por exemplo, na primeira página do *Correio do Povo*, que trazia a íntegra de um discurso do deputado fluminense Maurício de Lacerda, que apresentara na Câmara Municipal do Rio de Janeiro um requerimento de congratulações a Getúlio e a todo o povo gaúcho, em distinção à data em que os "farroupilhas haviam ensinado o país a protestar, com as armas na mão, contra as arbitrariedades dos maus governos e contra o autoritarismo desenfreado dos déspotas".[55]

O dia foi inteiramente marcado por manifestações públicas. Em cada quadrante da cidade se podia ouvir o Hino do Rio Grande do Sul:

Como aurora precursora
Do farol da divindade
Foi o Vinte de setembro
O precursor da liberdade.

À noite, um grupo de populares com faixas e bandeiras marchou para a sede do governo gaúcho. Todos queriam ver e ouvir Getúlio Vargas. Um simples gesto do presidente do estado ou uma única frase de maior altivez da parte dele seriam interpretados como uma convocação à revolta. Avisado pelos assessores de que uma multidão compacta começava a tomar conta das cercanias do palácio, Getúlio, que estava lendo os vespertinos, ponderou:

"Não é possível detê-los?"

"Já tentamos", um auxiliar respondeu.[56]

Getúlio então levantou vagarosamente da poltrona onde estava sentado. Segundo relembraria mais tarde a filha Alzira Vargas, naquele momento ele parecia arrastar uma tonelada sobre si:

"[Papai] aparentava calma, mas toda a tensão contida de seus nervos transparecia no sobrecenho carregado. Com as mãos entrelaçadas às costas, atitude habitual de meditação, passeava pelo gabinete, sem se dar conta de que a casa começava a se encher de gente."[57]

Naquele instante, o gato angorá branco de Alzira passou por entre as pernas de Getúlio, como se pedisse afago. Getúlio se abaixou, fez um carinho no bichano e, segundos depois, ao se erguer, seu semblante já parecia menos tenso.[58]

"Então, vamos", disse ele, dirigindo-se ao salão de honra do palácio, no segundo piso do edifício, cuja sacada dava para a praça pública. Lá de fora vinha o coro de centenas de vozes entoando os versos de Francisco Pinto Feitosa, vulgo "Chiquinho da Vovó", o autor da letra do hino estadual:

Mostremos valor, constância,
Nesta ímpia e injusta guerra,
Sirvam nossas façanhas
De modelo a toda terra.

O segundo piso do palácio ainda se encontrava em obras, conforme Alzira:
"Andaimes, escadas, pedaços de madeira e nenhuma luz. Subimos com o auxílio de velas. Durante o dia [o piso superior] nos servia de esconderijo e local de travessuras. Mas nessa noite a travessura não seria nossa; éramos apenas os espectadores."[59]

Quem esperava que Getúlio inflamasse a massa decepcionou-se. Ladeado por Oswaldo Aranha, Flores da Cunha, Antunes Maciel, João Carlos Machado e Batista Lusardo, Getúlio fez um discurso sereno. Amorteceu os ímpetos. Evitou falar de revolução. Não queria comprometer os planos que, havia meses, vinham sendo tramados de forma tão meticulosa e com tão calculada malícia.[60]

Naquele mesmo Vinte de Setembro, Lindolfo Collor chegara à capital rio-grandense após uma viagem aos estados do Rio de Janeiro e Minas Gerais. Voltara trazendo notícias alvissareiras.[61]

No Rio, a pedido de Getúlio, Collor estivera com militares situados no topo da hierarquia das Forças Armadas e que, de um modo ou de outro, desfrutando de grande prestígio entre os pares na capital da República, também tinham alguma relação afetiva com o Rio Grande do Sul. Getúlio sempre defendera a tese de que o apoio dos "tenentes" era imperioso, mas que sem a adesão de membros do alto-comando do Exército o movimento apenas tenderia a repetir os insucessos de 1922 e 1924.[62] Três generais, em especial, haviam sido consultados por Collor. O primeiro foi o general de brigada Francisco Ramos de Andrade Neves, 56 anos, gaúcho, ex-diretor de Material Bélico do Exército e casado com a sra. Zelda de Carvalho (filha do ex-ministro da Guerra, Setembrino de Carvalho, o mediador do Pacto de Pedras Altas).

O segundo, o general de brigada Alfredo Malan d'Angrogne, primeiro subchefe do Estado-Maior do Exército, 57 anos, já residira em Pelotas, combatera a Revolução Federalista em 1893 e participara dos trabalhos geodésicos para a demarcação das fronteiras entre Brasil e Uruguai. Embora houvesse lutado contra os rebeldes paulistas em 1924 e contra a Coluna Prestes em 1925, Malan d'Angrogne rejeitara o cargo de ministro da Guerra oferecido por Washington Luís em 1926, por defender a anistia aos rebeldes.

O terceiro militar procurado por Collor foi o general de divisão Augusto Tasso Fragoso, 63 anos, o oficial mais antigo do Exército à época, ex-membro da comissão encarregada no Rio Grande do Sul da elaboração da Carta Geral da República e historiador diletante, autor de um cartapácio sobre a Guerra do Paraguai. Germanófilo assumido, bigodes à *Kaiser*, Fragoso estava sem função militar específica desde que pedira exoneração do cargo de chefe do Estado-Maior do Exército, em janeiro de 1929, por discordâncias com o ministro Nestor Sezefredo dos Passos.[63]

Como nenhum dos três generais visitados por Collor estava naquele momento no comando efetivo de uma tropa, a consulta tivera motivação diplomática. A ideia era de que, na hora certa, com seus reluzentes brasões no uniforme e suas longas folhas de serviço prestado aos quartéis, eles conferissem autoridade militar ao golpe. Tasso Fragoso, o mais graduado entre os três, dissera a Collor ser adepto da lealdade aos superiores e, por princípio, avesso a rebeliões contra as autoridades civis constituídas. Mas abriria uma exceção:

"Se, em vez de um mero levante militar como os que já vimos nos últimos tempos, sobrevir uma revolução em todo o país, só lhes posso assegurar que não ficarei neutro, mas tomarei a atitude que o meu patriotismo me indicar."[64]

Do Rio, Collor seguira para Minas, onde se encontrara no Palácio da Liberdade com o novo presidente do estado, Olegário Maciel. Na ocasião, fez um relato geral da situação. No Rio Grande do Sul, havia armas e munições para equipar até cerca de 60 mil homens — e já fora providenciada a compra de material para outros 50 mil combatentes, caso fosse preciso acioná-los. No Paraná, os comandantes das principais guarnições federais, além dos oficiais do Estado-Maior da 5ª Região Militar, sediada em Curitiba, já haviam aderido à causa. No Mato Grosso, as unidades mais significativas, inclusive a de Campo Grande, estariam devidamente articuladas com as do noroeste paulista, sob o controle total do movimento. No Norte do país, com exceção das guarnições do Amazonas, Sergipe e Alagoas, todas as outras, nos demais estados, só aguardavam o momento de agir. Em Minas, contavam-se cerca de 10 mil homens prontos para entrar em combate.[65]

Enquanto estabelecia o balanço das forças, Collor notara que Olegário Maciel parecera um tanto quanto inquieto. A reação fizera o mensageiro de Getúlio recear por um ocasional revertério nos planos. Afinal, após a saída de Antônio Carlos do governo mineiro, a participação do velho Olegário se tornara decisiva para o êxito da conspiração.

"Falta alguma coisa, senhor?", indagara Collor, como se testando o efeito provocado pelo relato que acabara de fazer.

"Falta, sim", retrucou Olegário. "Falta marcar o dia e a hora."[66]

Às três e meia da madrugada do dia 3 de outubro de 1930, Getúlio Vargas, insone, sentado à mesa de trabalho, amparava o queixo sobre as mãos. O olhar parecia perdido, estacionado em algum ponto indefinido à sua frente.[67]

Getúlio estava tão absorto nos próprios pensamentos que não se apercebeu dos passos e, depois, da entrada de Oswaldo Aranha e Virgílio de Melo Franco ao gabinete. Depois de alguns breves instantes, Getúlio se deu conta da presença dos visitantes. Como se houvesse tomado um leve susto, estremeceu ligeiramente. Depois se levantou, com um sorriso nos lábios. Antes de cumprimentar Aranha e Virgílio, puxou o relógio de algibeira e perguntou:

"É para hoje?"

"É para hoje", confirmou Aranha.[68]

Eles já estavam em pleno Dia D.

19. A revolução explode nas ruas.
Os dois lados começam a contar seus mortos (1930)

Segundo informaram os jornais da época, Porto Alegre acordou sob leve garoa.[1] Um entusiasmado cronista da revolução, André Carrazoni, futuro biógrafo oficial de Getúlio, fantasiaria um cenário mais luminoso para a data, ao afirmar nas páginas da *Revista do Globo* que "o dia 3 de outubro raiou claro, com um céu azul e muito alto". De acordo com a idealização literária de Carrazoni, "a cidade amanheceu contente, toda imersa no conforto dourado da luz matinal".[2]

Na verdade, debaixo de um céu sombrio, as calçadas da capital gaúcha ainda estavam umedecidas pelo chuvisco quando os porto-alegrenses saíram de casa naquela sexta-feira, os mais precavidos munidos de guarda-chuva, para outro dia aparentemente normal de trabalho. Malgrado o tempo ruim e os crescentes rumores das últimas semanas, nada parecia antever os episódios daquela sexta-feira, na qual o sangue de insurgentes e legalistas seria derramado de modo indistinto nos quartéis da cidade.

Como faziam todas as manhãs, crianças rumavam barulhentas para a escola, bondes passavam apinhados de trabalhadores a caminho do serviço, operários iniciavam a estafante jornada nas fábricas, comerciantes abriam as portas das lojas e cafés da rua da Praia.[3]

No palácio do governo, logo às primeiras horas do expediente, depois de passar uma madrugada quase toda em claro, Getúlio mandou chamar o secretário Luiz Vergara. Pediu-lhe que apusesse a data de 3 de outubro e tirasse dez cópias do texto cujos rascunhos, cerca de um mês antes, lhe haviam sido confiados pelo chefe de gabinete Walder Sarmanho para serem datilografados. Na ocasião, ainda início de setembro, ao receber as duas folhas de papel almaço do manuscrito com a recomendação de manter sobre elas a mais absoluta reserva, o secretário ficara abismado.[4]

"Entreguei ao povo a decisão da contenda, e este, cansado de sofrer, rebela-se contra os seus opressores. Não poderei deixar de acompanhá-lo, correndo todos os riscos em que a vida será o menor dos bens que lhe posso oferecer", dizia um dos trechos do documento. "Não foi à toa que o nosso estado realizou o milagre da união sagrada. É preciso que cada um de seus filhos seja um soldado da grande causa. Rio Grande, de pé, pelo Brasil!"[5]

Era um evidente manifesto revolucionário, assinado — com antecedência de um mês — por Getúlio Vargas. Conforme solicitado, Vergara havia passado o texto a limpo e o guardara em segredo até aquele dia. Atendendo às novas instruções, tirou as dez cópias em carbono e as entregou nas mãos de Getúlio, a tempo de elas estarem prontas para as audiências da manhã, no mesmo horário em que Alzira, Jandira, Lutero, Manuel Antônio e Getulinho eram mandados à escola. Nenhum dos filhos desconfiava, nem de longe, das graves preocupações nas quais o pai andava imerso.[6]

Naquela data, Getúlio resolvera iniciar a redação de um diário pessoal, tarefa a que se dedicaria durante anos ininterruptos e deixaria à posteridade — em treze cadernos de capa dura — um retrato íntimo do líder político que por mais tempo esteve à frente do poder republicano no Brasil. No primeiro desses cadernos, um pequeno, de 18 por 14 centímetros, com capa de couro marrom, as anotações referentes ao dia 3 de outubro de 1930 explicitavam qual era o estado de espírito de Getúlio a poucas horas de estourar a revolução:

> Se todas as pessoas anotassem diariamente num caderno seus juízos, pensamentos, motivos de ação e as principais ocorrências em que foram parte, muitos, a quem um destino singular impeliu, poderiam igualar as maravilhosas fantasias descritas nos livros de aventuras dos escritores da mais rica fantasia imaginativa. O aparente prosaísmo da vida real é bem mais interessante do que parece. Lembrei-me de que, se anotasse diariamente, com lealdade e sinceridade, os fatos de minha vida como

quem escreve apenas para si mesmo, e não para o público, teria aí um largo repositório de fatos a examinar e uma lição contínua de experiência a consultar.

Não o fiz durante a minha mocidade, cheia de tantos episódios interessantes e dignos de anotar, que se vão apagando pouco a pouco da memória. Depois, o trato contínuo com os homens e as observações feitas sobre os mesmos em fases e circunstâncias diferentes nos habilitam a um juízo mais seguro.

Lembrei-me disso hoje, dia da Revolução. Todas as providências tomadas, todas as ligações feitas. Deve ser para hoje às 5 horas da tarde. Que nos reservará o futuro incerto neste lance aventuroso?[7]

Com base nas anotações de Getúlio, é possível reconstituir-lhe os passos naquela manhã, em que os despachos habituais com os secretários de governo foram sucedidos pela visita do general de brigada Waldomiro Castilho de Lima, tio-avô de Darcy — o mesmo que estivera preso na ilha de Trindade em 1923 durante o governo de Artur Bernardes por ter demonstrado simpatia pelo movimento tenentista. O general Waldomiro, conhecedor dos planos do levante, vinha pedir instruções. Não queria ficar de fora dos combates.[8]

Militar experimentado, 57 anos, Waldomiro era um veterano das batalhas da Revolução Federalista. Teve seu batismo de fogo aos vinte anos, quando ainda simples cadete se apresentou como voluntário às forças legalistas então comandadas por Manuel do Nascimento Vargas, o pai de Getúlio. Depois disso, durante anos, já tendo atingido a patente de capitão, ficou afastado das lides da caserna para se dedicar à política, eleito deputado estadual no Rio Grande do Sul em duas oportunidades, em 1904 e 1908. De volta aos quartéis em 1913, retomou a carreira interrompida, foi sucessivamente promovido e, em 1920, no posto de coronel, chegou a chefiar a 1ª Seção do Estado-Maior do Exército, até ser detido sob a suspeita de ter aderido à causa dos "tenentes". Após deixar Trindade por meio de um *habeas corpus* em 1925, Waldomiro mergulhou em cauteloso silêncio durante quase todo o governo de Washington Luís. Mas, no fim de 1929, teve participação ativa na campanha da Aliança Liberal.[9]

Getúlio chegou a cogitar a hipótese de fazer do tio-avô de Darcy o comandante militar do movimento armado, mas no final decidiu que o general teria uma participação discreta, mais simbólica que belicosa: ficaria encarregado de comandar em Porto Alegre as tropas de ocupação do quartel-general da 3ª Região Militar, após a planejada tomada da unidade e da projetada prisão do general Gil de Almeida. Por isso Getúlio instruiu Waldomiro a retornar mais tarde ao palácio, para acompanhar todas as diligências programadas para o fim do dia.[10]

Por volta das dez horas, tão logo o general Waldomiro Lima saiu do gabinete, foi a vez de Getúlio receber em audiência o coronel Claudino Nunes Pereira, comandante da Brigada Militar. Claudino, que só aderira ao plano por fidelidade a Borges de Medeiros, informava que seus homens já se encontravam em estado de alerta e prontos para entrar em ação. Getúlio agradeceu a informação e anotou, a respeito do coronel, nas páginas de seu diário recém-inaugurado:

"Achei-o mais confiante. Estava antes vacilante e um tanto desanimado. Não acreditava no êxito do movimento. Informou-me das últimas providências tomadas e retirou-se."[11]

Perto do meio-dia, Getúlio fez uma pausa na agenda presidencial. Por alguns instantes, esqueceu a liturgia do cargo e as responsabilidades de líder civil de uma revolução. Para atender ao ritual diário do qual jamais abrira mão, fez a toalete, almoçou com Darcy e, após a sobremesa, foi jogar uma costumeira e prosaica partida de pingue-pongue com a esposa.[12] Só depois disso retornou à sala de despachos, para receber João Simplício, que ainda estava investido da dupla função de secretário da Fazenda e do Interior. Simplício vinha alarmado. A cidade, que amanhecera tranquila, passara a apresentar um movimento incomum no início da tarde. Em todas as esquinas, só se tratava de um único assunto: a revolução deveria ocorrer antes do cair da noite. Pelo menos é o que se dizia, de boca em boca.

Por isso, as linhas telefônicas da cidade estavam congestionadas. Jamais as telefonistas porto-alegrenses haviam trabalhado tanto. De minuto em minuto, alguém pedia uma linha — em geral uma voz feminina — e comunicava ao interlocutor, do outro lado, a mesma e insistente informação. O formato da sentença sofria variações aqui e ali, mas o conteúdo era sempre igual:

"O doente piorou muito. O seu estado é grave e exige operação. A intervenção cirúrgica vai ocorrer agora à tarde."[13]

Era a senha combinada pelos conspiradores para que suas filhas e esposas avisassem aos amigos e parentes que a revolução iria ocorrer em poucas horas. Entretanto, o rumor se espalhou de casa em casa, alertou os vizinhos, saiu às ruas, tomou conta das praças públicas. Estabeleceu-se, assim, um deus nos acuda. Famílias inteiras disputavam carros de aluguel para poder deixar a zona urbana o mais rápido possível. Os condutores se aproveitavam da situação e cobravam preços abusivos. Nos hotéis da cidade, viajantes fechavam as contas e rumavam para a estação ferroviária, em busca do primeiro trem que os levasse para longe de Porto Alegre. As escolas abreviaram as aulas vespertinas e mandaram os alunos para casa mais cedo. Até a Justiça suspendera as atividades do dia. Todos os julgamentos e audiências forenses haviam sido cancelados. A maior parte do comércio fechara as portas, por temer eventuais quebra-quebras. Apenas as lojas de armas e munições permaneciam abertas, pois clientes de última hora não paravam de chegar, para adquirir rifles, espingardas, balas e revólveres.[14]

Ninguém tinha mais dúvida a respeito. O segredo vazara e se espalhara pela cidade inteira. Segundo o *Correio do Povo* noticiaria no dia seguinte, até a cachorrinha Fuzarca, uma cadela de rua que sempre perambulava pelo centro de Porto Alegre, apareceu com uma coleira vermelha, a cor da revolução, abanando o rabo defronte ao prédio da Assembleia dos Representantes.[15]

Simplício, na audiência com Getúlio, não se conformava. Se explodisse mesmo uma insurreição armada, como todos em volta já pareciam acreditar, ele prometia atear fogo em sua alentada biblioteca, pois um movimento desse naipe consistiria numa completa subversão de todas as noções de ordem e progresso que ele havia aprendido nos livros dos mestres positivistas.[16]

Getúlio trocou rápidas palavras com Simplício e o despachou. A essa altura, estava bem mais preocupado em proteger os filhos. Chegados da escola e recepcionados à porta do palácio pela mãe, eles tiveram a ordem de entrar, tirar os uniformes e se trocar o quanto antes. Seriam mandados para a casa de um amigo da família, o sogro do tio Protásio, coronel Agnelo Corrêa. Em resposta aos protestos de Alzira, a mãe explicou que uma revolução iria rebentar pouco depois das cinco da tarde e, até lá, eles deveriam estar recolhidos a local seguro. Não dormiriam em casa naquela noite. No caso de uma reação violenta das forças legais, o palácio do governo seria um alvo óbvio. Ela, Darcy, ficaria ali, ao lado do marido. Mas Alzira, Jandira, Lutero, Manuel Antônio e Getulinho precisavam ser preservados de qualquer perigo.

"Você tem de ir, para tomar conta de seus irmãos", explicava Darcy a Alzira, que insistia em permanecer ao lado dos pais.[17]

Mãe e filha discutiam o assunto quando Lutero as interrompeu. O rapaz ainda estava com a farda do Colégio Militar.

"Uns 'caras' entraram no meu quarto e estão trocando de roupa sem me pedir licença. Não posso entrar lá", reclamou Lutero.[18]

Um dos "caras" a quem se referira o filho mais velho de Getúlio era o tenente-coronel Pedro Aurélio de Góes Monteiro. Ele interditara provisoriamente o quarto de Lutero para trocar o paletó e gravata pelo uniforme militar de campanha. Quando deixou o aposento, com botas e túnica de brim cáqui pontilhada de botões de alto a baixo, Góes Monteiro estava pronto para assumir a chefia militar da revolução.[19]

O palácio do governo gaúcho seria seu posto de comando. Estavam a menos de três horas do início das ações.

Para muitos brasileiros, mesmo os mais bem informados à época, o alagoano Góes Monteiro, 41 anos, era o que se costuma chamar "ilustre desconhecido". Talvez exatamente por esse motivo tenha recaído sobre ele a responsabilidade de conduzir as operações militares da revolta. O governo federal não tinha maiores motivos para desconfiar do caráter legalista do discreto oficial de cavalaria que em julho de 1924, ainda capitão, combatera em São Paulo os rebeldes comandados por Isidoro Dias Lopes e, logo depois, durante o cerco à Coluna Prestes, compusera o Estado-Maior das forças do Exército encarregadas de reprimi-la. À época, partira dele a ideia de criar os chamados "batalhões patrióticos", milícias que recorreram aos serviços de jagunços e cangaceiros para dar combate aos membros da Coluna em sua passagem pelo Norte do país.[20]

A única ressalva que o alto-comando militar poderia fazer à figura de Góes decorria de um acidente de percurso ocorrido em julho de 1929, quando ele inadvertidamente apareceu em uma fotografia, publicada pelos jornais cariocas, ao lado de vários próceres da Aliança Liberal. Na verdade, o tenente-coronel estivera no Hotel Riachuelo, onde se hospedara um cunhado gaúcho, o professor Antônio Saint Pastous, e, sem se dar conta das possíveis segundas leituras do fato, acabou enquadrado pelas lentes dos fotógrafos junto a um grupo de membros da bancada rio-grandense, também ali instalados. Muitos entre os deputados presentes eram seus amigos desde os tempos em que conhecera a esposa, Conceição Saint Pastous, em Alegrete, cidade onde comandara um regimento de cavalaria em 1918. O problema é que o ministro da Guerra, general Sezefredo dos Passos, havia proibido a participação de militares em qualquer evento de natureza política. Colocado no lugar errado, na hora errada, Góes Monteiro tivera dificuldades para se explicar aos superiores.[21]

Em depoimento concedido ao jornalista Lourival Coutinho — editado na forma de livro em 1955 sob o título de *O general Góes depõe* —, o militar sugeriu que a fatídica fotografia lhe teria rendido uma injusta punição, pois, logo após o episódio, ele fora surpreendido com a transferência do Rio de Janeiro para a longínqua guarnição de São Luís das Missões (mais tarde São Luiz Gonzaga), interior gaúcho, a 500 quilômetros de Porto Alegre.[22]

Ao reconstituir para Lourival Coutinho os fatos 25 anos após terem ocorrido, é possível conjecturar que Góes Monteiro atribuiu aos propósitos do Ministério da Guerra um sentido absolutamente contrário às intenções que, de fato, nortearam a decisão de seus superiores. Afinal, entre um lance e outro, o Exército havia confiado ao mesmo Góes Monteiro a missão de inspecionar o projeto de instalação de novos aeroportos militares nos estados do Paraná e Santa Catarina, considerados estratégicos para coibir possíveis ações rebeldes no Rio Grande do Sul. A tarefa compreendia também um estudo sobre a viabilidade de um ataque ao território gaúcho, isolando-o por terra e por mar, com o emprego combinado da força aérea, do bloqueio dos portos e do cerco às fronteiras terrestres.[23]

Pareceria bem pouco previdente, da parte do Ministério da Guerra, enviar justamente para o Rio Grande um comandante militar considerado suspeito de manter ligações perigosas com os organizadores de um movimento revolucionário no estado. A transferência para uma unidade nevrálgica, situada próxima à fronteira gaúcha com a Argentina — país que abrigava vários "tenentes" foragidos —, só podia sugerir duas possibilidades: ou o alto-comando do Exército estava estrábico e fornecia munição gratuita aos adversários ou, ao contrário, seguia convicto da condição legalista de Góes Monteiro e, portanto, escolhera-o exatamente para garantir a efetiva vigilância na região.

Seja como for, o certo é que a transferência lançou o coronel para as margens da revolução. Caberia a Oswaldo Aranha e Antônio Saint Pastous a tarefa de atraí-lo, pouco a pouco, para o centro do levante. No depoimento a Lourival Coutinho, Góes Monteiro chegou a afirmar que o convite para comandar o movimento revolucionário lhe fora feito pela primeira vez em abril de 1930 — o que na realidade também parece bem pouco provável, pois àquela altura Aranha e os "tenentes" ainda contavam fazer de Luís Carlos Prestes o líder militar da operação.[24] Em um registro bem anterior, publicado quase no calor da hora, *A Revolução de 30*, livro de sua autoria editado em 1933 e que se tornaria uma raridade bibliográfica, o próprio Góes Monteiro afirmara ter sido abordado com tal proposta em junho, ou seja, somente após a divulgação do manifesto marxista de Prestes.[25]

Em princípio, o nome de Góes Monteiro não era nem mesmo a segunda opção nos planos dos articuladores civis do golpe. Antes dele, outros oficiais haviam sido abordados com a proposta de chefiar o movimento armado. Com a impossibilidade de contar com Luís Carlos Prestes e após a morte de Siqueira Campos, seria natural que a escolha recaísse sobre outros tenentistas históricos, como Juarez Távora ou João Alberto. Contudo, pela necessidade de conferir autoridade moral ao levante, a preferência se voltou para membros mais graduados do Exército e, preferencialmente, da ativa, com ficha limpa, sem passado revolucionário. O comandante da 2ª Divisão de Cavalaria de Alegrete, o coronel Euclides de Oliveira Figueiredo — pai do futuro presidente da República, João Baptista de Oliveira Figueiredo —, fora mais de uma vez abordado por Oswaldo Aranha, que apelara para o "senso de patriotismo" do militar, na tentativa de aliciá-lo, sem sucesso, para o comando da ação. Até mesmo Borges de Medeiros, por carta, se arriscara a convencer Figueiredo a aceitar a chefia da revolução. O coronel declinara da oferta, argumentando que seus "deveres de soldado" o manteriam fiel às autoridades constituídas.[26]

Outro insistentemente convidado para o posto de chefe militar do movimento foi o comandante do 8º Regimento de Infantaria de Passo Fundo, tenente-coronel Estêvão Leitão de Carvalho, que quase às vésperas do levante, no dia 30 de setembro, ainda chegou a receber uma última carta de Virgílio de Melo Franco nesse sentido. Embora o estado-maior rebelde já contasse com "brilhantes oficiais", conforme ressalvava Virgílio na mensagem, o próprio Getúlio o autorizava a perseverar no chamamento, rogando que Leitão de Carvalho assumisse a chefia do movimento. Como já havia feito de outras vezes, o coronel do 8º Regimento de Infantaria recusou a oferta. Dizendo-se legalista por princípio, negou-se a assumir qualquer papel na revolução, embora firmasse um único compromisso com a causa: por deferência ao pai de Virgílio — o embaixador Afrânio de Melo Franco, de quem fora assistente militar na representação brasileira na Liga das Nações, em Genebra —, não denunciaria o complô aos superiores.[27]

Assim, só mesmo depois das escusas dos coronéis Figueiredo e Leitão de Carvalho as tratativas se concentraram em Góes Monteiro. De início hesitante, este aceitou o encargo após impor uma condição que dizia ser inegociável: exigia poderes absolutos. Não aceitaria quaisquer intervenções de terceiros que viessem a contrariar as determinações emitidas por ele.

"Darei ordens até sobre a maneira como devem conspirar", avisou.[28]

Apesar de rígidos, os termos foram considerados razoáveis naquelas circunstâncias, pela necessidade de se conferir um único centro de comando a uma ação que previa vários desdobramentos simultâneos. Na primeira reunião reservada com Getúlio, Góes Monteiro prometeu dominar a situação em todo o Rio Grande do Sul após três dias de combate. Em paralelo, nesse mesmo prazo, lançaria tropas de vanguarda para romper a fronteira com Santa Catarina, atravessar o Paraná e se aproximar da divisa com São Paulo. Esperava-se que as forças revolucionárias comandadas por Juarez Távora já houvessem dominado concomitantemente as principais guarnições do Norte e que, em Minas, os homens liderados pelo tenente-coronel Aristarco Pessoa — irmão de João Pessoa — houvessem tomado conta dos quartéis de Belo Horizonte. O plano não previa ataques diretos ao Rio de Janeiro. A ideia era fechar um anel de fogo em torno da capital da República, para minar as resistências do Catete.[29]

Pelos cálculos de Góes, mesmo que essa concatenação geral de esforços fracassasse e o Rio Grande do Sul ficasse isolado, lutando sozinho, as chances de vitória ainda assim seriam da ordem de 40%. Nessa hipótese, os gaúchos recuariam e manteriam posição no estado. Bastaria então resistirem por cerca de dois meses para pleitear o reconhecimento como estado beligerante e provocar um impasse político no país. Caso Minas conseguisse combater por pelo menos quinze dias, mantendo as forças federais temporariamente ocupadas, a situação se inverteria: as chances de êxito imediato subiriam para 60%. No cenário mais positivo, se a ação de Juarez Távora fosse bem-sucedida, provocando a imediata confusão no Norte do país e impedindo o deslocamento de tropas legais daquela região para o epicentro da revolta, a probabilidade de vitória, segundo as estimativas de Góes, aumentaria para 80%. Se, por fim, Santa Catarina e Paraná aderissem em peso ao movimento logo no início, facilitando o trânsito das forças rebeldes ao longo de toda a região Sul, a chance de êxito chegaria a nada menos de 95%.

"Isso significa que, no máximo em três meses, na melhor das hipóteses para o governo federal, teremos ganho a partida", garantiu Góes Monteiro a Getúlio.[30]

"Quatro e meia. Aproxima-se a hora", anotou Getúlio Vargas em seu diário. "Examino-me e sinto-me com o espírito tranquilo de quem joga um lance decisivo porque não encontrou outra saída digna para seu estado. A minha sorte não me interessa e sim a responsabilidade de um ato que decide o destino da coletividade", escreveu. "Não terei depois uma grande decepção? E se perdermos? Eu serei depois apontado como o responsável, por despeito, por ambição, quem sabe? Sinto que só o sacrifício da vida poderá resgatar o erro de um fracasso."[31]

Poucos minutos antes de Getúlio Vargas redigir aquelas palavras em tom fatalista, Virgílio de Melo Franco estivera com ele. Conforme a narrativa do próprio Virgílio, ele encontrara Getúlio "inteiramente só, com as mãos trançadas nas costas, passeando de um lado para o outro". Era o inconfundível sinal de que estava preocupado com a situação, embora procurasse aparentar a calma de sempre.[32]

Getúlio nunca fora homem de açodamentos. Mas, contrariando o seu usual sangue-frio, argumentou com Virgílio que dessa vez talvez fosse o caso de precipitar a ação, ou pelo menos um dos pontos dela: o assalto ao Quartel-General da 3ª Região Militar. Isso porque o diretor da Via Férrea, Fernando de Abreu Pereira, recebido em audiência no meio da tarde, havia garantido que o general Gil de Almeida já estava a par de tudo e, portanto, o efeito surpresa perdera sentido. Getúlio mandara dar ciência disso a Góes Monteiro, para que Oswaldo Aranha — responsável por capitanear o ataque ao quartel — fosse advertido e, assim, encetasse a operação o quanto antes. Cada minuto perdido poderia ser fatal à sorte do movimento.[33]

Depois de ouvir as ponderações de Getúlio, Virgílio telefonou para Aranha e este, firme, disse que o plano original seria mantido. O horário do ataque ao QG legalista não sofreria alterações. A precipitação, em um único setor que fosse, provocaria um descompasso no desenrolar dos acontecimentos. Pelo previsto, o assalto às guarnições militares deveria ser simultâneo, para impedir que uma delas pudesse alertar as demais antecipadamente. Os responsáveis pelas operações até haviam acertado os relógios entre si, para que todos entrassem em combate no mesmo minuto.[34]

Quanto a Gil de Almeida, Getúlio poderia ficar tranquilo. O general dera um susto em todos eles pela manhã, quando parecera ter se evaporado no ar, sem que ninguém soubesse do seu paradeiro. Até se desconfiara que o comandante da 3ª Região Militar, alertado do levante, se recolhera para preparar uma reação à altura, na surdina. Porém, tudo não passara de alarme falso. Gil de Almeida, na verdade, não desaparecera. Apenas passara boa parte da manhã no oftalmologista, pois vinha sentindo fortes incômodos na vista e por esse motivo procurara o médico, que lhe receitou um colírio e recomendou, para breve, uma cirurgia no olho direito.[35]

O general parecia ter mesmo dificuldades em enxergar com nitidez o que se passava bem debaixo de seus bigodes grisalhos. Às quinze horas, ele recebera um radiograma de Passo Fundo, assinado pelo coronel Leitão de Carvalho, comandante do 8º Regimento de Infantaria. O coronel avisara que, tendo mandado um soldado levar uma mensagem até os correios, fora informado de que o prédio da agência postal do município estava ocupado por grupos de civis armados, que diziam ter tomado o local em nome da revolução. Logo em seguida, Gil de Almeida recebeu outros dois radiogramas, um proveniente de Bagé, outro de Alegrete. Em ambos, os comandantes das guarnições locais diziam que as respectivas cidades haviam amanhecido em estado de pré-conflagração, e que em Alegrete bandos armados já estavam arrebanhando cavalos e arregimentando voluntários para a luta.[36]

Indignado com as notícias, Gil de Almeida mandou um oficial levar cópias dos radiogramas ao palácio do governo, para serem entregues nas mãos do presidente do estado. Ao receber e passar os olhos nos papéis, Getúlio expediu o emissário de volta, de posse de uma resposta vaga:

"Diga ao general que as providências serão tomadas."[37]

A essa altura, os ponteiros do relógio já sinalizavam o fim da tarde. Getúlio Vargas escrevera em seu diário que a ação deveria começar às dezessete horas. Na verdade, o horário combinado era dezessete e trinta. Poucos minutos antes disso, o ainda inconformado João Simplício retornou ao gabinete de Getúlio para fazer um novo inventário de queixas.[38] Enquanto os dois conversavam, o general Gil de Almeida tentava desesperadamente ligar do Quartel-General para o palácio, pois queria saber que tipo de providência o governo do estado iria tomar.

O auxiliar de gabinete que atendeu o telefonema disse que iria chamar o "doutor Getúlio". Pediu ao general para aguardar um instante. Gil de Almeida esperou alguns minutos com o fone dependurado ao ouvido, até perceber que a linha havia sido cortada. Ainda mais irritado, subiu então ao segundo piso do prédio, onde havia outro aparelho. Quando estava prestes a tirar de novo o fone do gancho, ouviu um estouro. Eram cinco e meia da tarde.[39]

Um rojão fora disparado para o ar — o sinal combinado para o início dos combates. Depois do primeiro estampido, seguiu-se uma série interminável de outros estrondos, zunidos e detonações.

No gabinete de Getúlio, mesmo sendo um tanto quanto surdo, Simplício se assustou com o matraquear de metralhadoras e o pipocar de fuzis. Segundo a versão popular que passou à crônica histórica do movimento, ele teria pulado da cadeira e indagado:

"Mas o que vem a ser isso?"

Getúlio, segundo consta, respondeu sem alterar o tom de voz:

"É a revolução, Simplício. Vamos esperar sentados."[40]

Cerca de vinte minutos depois de deflagrada a ofensiva, chegou ao palácio um estafeta revolucionário, proveniente da sede da 3ª Região Militar. Trazia excelentes notícias. O plano de ataque fora seguido à risca e, após uma ação fulminante, o Quartel-General do Exército estava inteiramente tomado pelas forças insurgentes.[41]

O horário não fora escolhido à toa. Todos os dias, sempre às dezessete horas, oficiais e praças eram dispensados e o prédio ficava quase vazio, guardado apenas por sete homens armados. Meia hora depois, um contingente da Guarda Civil, cuja unidade ficava na rua contígua, saía em marcha, em fila dupla, para fazer o policiamento rotineiro da cidade.[42] Naquele 3 de outubro, não foi diferente. Às cinco em ponto, o QG do Exército abriu os portões para a saída do efetivo após os serviços burocráticos do dia. Decorridos mais trinta minutos, os homens da Guarda Civil entraram em formação. Mas, em vez de simplesmente manobrar em frente ao portão do QG da Região Militar, como era de costume, os guardas civis fizeram alto naquele trecho de rua e apontaram as armas em direção ao quartel. Ao ouvir a ordem de "fogo!", começaram a atirar. Oswaldo Aranha e Flores da Cunha, recolhidos ao prédio da Guarda Civil desde o meio da tarde, comandaram pessoalmente o assalto.[43]

O primeiro homem a cair morto, varado pelas balas, foi a sentinela postada à frente do portão principal do QG. O faxineiro da unidade, tendo apenas o cabo da vassoura como instrumento de defesa, seria o segundo a tombar, após nova saraivada de tiros. Surpreendido, o major Octávio Cardoso, diretor do Centro de Preparação de Oficiais da Reserva (CPOR), ainda tentou se proteger, tirando a pistola do coldre e correndo para o elevador que dava acesso ao piso superior do quartel. Foi alvejado pelas costas, recebendo um tiro na nuca. Morreu na hora. Seu corpo ficou debruçado sobre a poça de sangue.[44]

Do lado contrário, também houve baixas fatais. Disparos emanados das janelas do andar de cima do QG derrubaram vários guardas civis. Dos cinquenta homens que participaram do assalto, pelo menos seis morreram sob a chuva de balas, a maioria atingida na cabeça. Outros cinco, gravemente feridos, faleceriam em seguida.[45]

Sob o pretexto de realizar obras de manutenção da rede de encanamento de água, o governo mandara abrir uma série de valas nos fundos do Quartel-General. Tais valas serviram de trincheira para os guardas civis encarregados de descarregar munição pesada sobre a retaguarda do prédio, ajudando a cercá-lo.[46] A uma quadra de distância, atiradores dispostos nas janelas e telhados dos edifícios circunvizinhos, inclusive do luxuoso Hotel Majestic, também despejavam cargas de fuzil e rajadas de metralhadoras em direção ao QG, cujas paredes ficaram esburacadas pelo tiroteio.[47]

No meio da confusão, o coronel Firmo Freire do Nascimento, chefe do Estado-Maior da 3ª Região Militar, subiu ao torreão do QG para recolher e distribuir entre as sentinelas as metralhadoras que ali ficavam depositadas. No caminho, encontrou uma porta fechada. Arrombou-a, mas o esforço foi em vão. As armas haviam sido previamente sabotadas, com a retirada de todos os percutores, o que as tornava inúteis.[48]

Acuados, Firmo e os demais oficiais em serviço se renderam. O único a resistir foi exatamente o comandante, Gil de Almeida. O general se trancafiara com a família na copa da ala residencial do quartel e, de arma em punho, jurava que não se entregaria assim tão fácil. Um major que o acompanhava aproximou-se da janela para avaliar a situação e logo recebeu uma carga de metralhadora no ombro, sendo posto fora de combate. De imediato, a filha do general apanhou o revólver do oficial ferido e postou-se ao lado do pai, disposta a matar ou morrer em defesa própria.[49]

Enquanto os cadáveres das primeiras vítimas eram transportados para o necrotério, Oswaldo Aranha tentava negociar, por meio do coronel Firmo, a rendição de Gil de Almeida. Mas este, encurralado, parecia determinado a ir às últimas consequências. Flores da Cunha era de opinião que pusessem abaixo a porta do aposento e arrancassem o general lá de dentro, vivo ou morto. Aranha, contando com a mediação de Firmo, contra-argumentava. Não havia motivos para tanto. Naquele momento, todas as demais unidades militares da cidade estavam sob fogo cerrado e, segundo as informações, a maioria já sob o iminente controle dos rebeldes. Para persuadir Gil de Almeida, Aranha blefou. Comunicou ao general que o Rio de Janeiro estava em chamas e que Washington Luís, àquela altura dos acontecimentos, estava deposto. O comandante da 3ª Região Militar não caiu na esparrela. Quando Aranha mudou de tática e mandou dizer ao comandante que o governo do Rio Grande do Sul, na pessoa de Getúlio Vargas, estava comprometido com a revolução, o general de novo se recusou a acreditar. Só confiaria naquela informação se a recebesse oficialmente, por escrito, em papel assinado pelo presidente do estado.[50]

Informado da situação, Getúlio redigiu a mensagem exigida pelo general. O portador escolhido para levá-la foi Waldomiro Lima:

"Tratando-se, como é o caso, de uma situação perfeitamente consolidada, contra a qual, mais do que temeridade, seria um inútil sacrifício oferecer qualquer resistência, ouso apelar para os sentimentos de V. Excia. no sentido de se entregar às forças sob o comando do general Waldomiro Lima", dizia o texto. "Apraz-me reiterar a V. Excia. protestos de minha elevada consideração", concluía a carta.[51]

Gil de Almeida interpretou a mensagem como "um conjunto de mistificações". No entendimento do general, ao definir a situação como "consolidada" e afirmar que qualquer resistência seria apenas "um sacrifício inútil", Getúlio parecia querer dar a entender que ele próprio fora pego de surpresa e que estava se rendendo aos fatos — e não no comando das ações. E ao invocar uma falsa "estima" e uma suposta "elevada consideração", Getúlio estaria simulando uma cordialidade que se provara inexistente, talvez com o intuito de, em caso de reversão dos fatos, não parecer o verdadeiro responsável pela afronta.[52]

De todo modo, Gil de Almeida enfim capitulou. Entregou-se a Waldomiro Lima, embora deixasse claro que não reconhecia nenhuma autoridade no colega de farda para lhe tomar o lugar. Não estava passando o comando do quartel. O posto lhe havia sido usurpado, retirado de suas mãos à força, por meio de um ato de violência.

"A impressão que senti ao verificar, de súbito, que havia sido traído de modo tão ignóbil foi terrível", desabafou Gil de Almeida em suas memórias.[53]

Getúlio veria as coisas de outra perspectiva.

"Foi um lance épico", escreveu, nas páginas de seu diário.[54]

A conquista imediata do QG foi seguida de outras vitórias instantâneas. Já no começo da noite, Góes Monteiro informou a Getúlio que quase todas as unidades de Porto Alegre haviam sucumbido à revolução. Localizado na mesma rua e situado a poucos metros da sede da 3ª Região Militar, separado desta apenas pela Igreja de Nossa Senhora das Dores, o Arsenal de Guerra também fora atacado e rendido por um contingente da Guarda Civil, devidamente reforçado por populares que haviam se apresentado como voluntários.[55]

Um dos objetivos mais críticos da operação, a tomada das guarnições situadas no morro do Menino Deus — cuja topografia oferecia uma posição privilegiada sobre a capital gaúcha e a possibilidade de se desferirem ataques de artilharia pesada contra o próprio palácio do governo —, foi decidido em questão de minutos. O comandante do 8º Batalhão, tenente-coronel Galdino Luiz Esteves, acumpliciado com os líderes revolucionários, licenciara seus subordinados e os autorizara a deixar o quartel antes do escurecer, para que fossem mais facilmente aprisionados pelas forças da Brigada Militar. No 4º Esquadrão, instalado no mesmo morro, o capitão legalista Jaime Argolo Ferrão, intimado a render-se, ainda sacou da arma e reagiu a tiros, mas levou a pior. Foi morto com um balaço, que lhe estourou a cabeça.[56]

No centro de Porto Alegre, os prédios públicos federais estavam todos ocupados pelo movimento. O deputado estadual Maurício Cardoso, velho colega de Getúlio ainda dos tempos da Faculdade de Direito, foi incumbido de dominar o edifício dos Correios e Telégrafos e providenciar a ocupação das sedes da Alfândega e da Delegacia Fiscal. Não encontrou resistência. A agência do Banco do Brasil foi também invadida, lavrando-se uma ata na qual foi registrada a entrega ao comando revolucionário de toda a quantia depositada no cofre-forte da instituição, a soma de 9 263:594$000 (nove mil, duzentos e sessenta e três contos, quinhentos e noventa e quatro mil-réis). Confiou-se a Lindolfo Collor a tomada das dependências da Agência Americana, órgão oficioso do governo, o que interrompeu o fluxo de notícias entre o Rio Grande do Sul e o restante do país. De modo idêntico, a Companhia Telefônica e os Correios e Telégrafos já estavam dominados.[57] Criou-se assim um providencial cordão de isolamento, em que todas as informações que chegavam ou partiam de Porto Alegre eram convenientemente filtradas a favor do movimento.

Os navios fundeados às margens da capital gaúcha receberam igual atenção. O advogado Alberto Pasqualini — bem mais tarde senador, mas então com 29 anos de idade e recém-egresso da Faculdade de Direito de Porto Alegre — foi um dos encarregados de prender os radiotelegrafistas das embarcações e entregar aos respectivos comandantes uma ordem escrita em nome de Getúlio: se tentassem fazer alguma manobra ou ousassem abandonar a costa, teriam seus navios bombardeados. "Fica igualmente proibida qualquer transmissão radiotelegráfica pela estação de bordo, sob pena de fuzilamento", determinava o ofício.[58]

Apenas o 7º Batalhão de Caçadores, localizado na antiga praça do Portão, permanecia na resistência. Para Getúlio, isso significava que mandar os filhos para a casa do coronel Agnelo Corrêa fora uma péssima ideia. O sogro de Protásio morava na rua Jerônimo Coelho, bem nas imediações daquela unidade militar. Enquanto o resto da cidade já estava sob controle, Alzira, Jandira, Lutero, Manuel Antônio e Getulinho ficaram muito próximos da única linha de fogo ainda acesa em Porto Alegre.

Para tentar vencer a resistência do último baluarte da legalidade na capital gaúcha, atiradores foram posicionados nos telhados da Escola de Engenharia e no último andar da requintada Confeitaria Rocco. De dentro do 7º Batalhão de Caçadores, cerca de duzentos soldados do Exército respondiam com saraivadas de metralhadora. As balas varriam o céu e ricocheteavam no piso da praça onde estava entrincheirada parte do grupo de ataque. Com o fogo cruzado rugindo ao fundo, Alzira ligou para o palácio. Pediu permissão para voltar. Darcy, aflita, mandou que ela ficasse onde estava. Embora a mãe reconhecesse que a proximidade com o 7º Batalhão de Caçadores fosse uma temeridade, muito mais perigoso seria alguém tentar sair à rua, pelo risco das balas perdidas.[59]

Uma chuva forte, cortada por trovões e relâmpagos, tornava o cenário ainda mais dramático. Às nove horas da noite, ante a persistência do tiroteio, Góes Monteiro ordenou o bombardeio do 7º Batalhão com os morteiros confiscados dos depósitos de artilharia do morro do Menino Deus. Logo um primeiro disparo provocou grande incêndio em um dos pavilhões do prédio. Confiante no efeito moral da explosão, Góes Monteiro ordenou o restabelecimento da comunicação telefônica com os resistentes e pediu para falar com o comandante do batalhão, tenente-coronel Benedito Marques da Silva Acauan, a quem foi proposta uma rendição honrosa: os morteiros fariam trégua de uma hora, tempo suficiente para que um emissário da revolução fosse até o local para discutir os termos do acordo. O advogado e jornalista Leonardo Truda, outro velho colega de Getúlio nos bancos da Faculdade de Direito, foi escalado para a missão.[60]

Já passava da meia-noite quando Getúlio Vargas foi informado que Truda retornara ao palácio, devidamente acompanhado de um oficial do 7º Batalhão de Caçadores, o capitão Rui França, enviado pelo tenente-coronel Acauan para que as negociações tivessem prosseguimento. Ficou acertado que o capitão França teria licença para fazer uma inspeção pela cidade, escoltado por dois oficiais, a fim de confirmar a informação de que em todas as demais unidades já tremulava a bandeira vermelha da revolução, ao lado do pavilhão tricolor rio-grandense. Depois de rodar por Porto Alegre inteira debaixo do forte aguaceiro, o representante do coronel Acauan retornou à presença de Góes Monteiro e aceitou assinar, em nome de seu comandante, os termos da rendição.[61]

A batalha de Porto Alegre findara. Notícias chegadas ao posto telegráfico do palácio, o único autorizado a funcionar na cidade, davam conta de que a revolução também rebentara nos demais estados, sobretudo em Minas Gerais e na Paraíba, mas também no Ceará, Pernambuco, Pará e Paraná. De posse dessas informações e com os filhos postos em segurança, Getúlio decidiu recolher-se aos seus aposentos.[62] O jornalista do *Correio do Povo* que estava fazendo a cobertura do movimento no palácio ainda conseguiu trocar meia dúzia de palavras com ele, antes que rumasse de vez para o quarto.

"O presidente do estado, Getúlio Vargas, com quem palestramos durante alguns minutos, estava absolutamente tranquilo", testemunhou o repórter, surpreso com o visível contraste entre a excitação geral que reinava no ambiente e a serenidade demonstrada pelo líder civil da revolução.[63]

No diário pessoal, antes de dormir, Getúlio incluiu uma derradeira anotação nas páginas referentes àquele eletrizante 3 de outubro. Quem apostasse numa frase eloquente ou em alguma espécie de autoglorificação, erraria feio:

"Às 2 da madrugada, fui deitar-me", escreveu simplesmente Getúlio.[64]

No dia seguinte, sábado, 4 de outubro, uma multidão invadiu as ruas de Porto Alegre. As famílias que haviam deixado a cidade retornaram no meio da manhã para visitar os cenários das batalhas. Por toda parte tremulavam bandeiras rio-grandenses. Civis e militares cantavam hinos patrióticos e gritavam vivas à revolução, exibindo lenços vermelhos no pescoço e no bolso. As aglomerações populares se concentraram na rua da Praia, nas proximidades das sedes dos principais jornais da cidade. Na fachada do *Correio do Povo* e de *A Federação*, a cada hora as sirenes anunciavam a transcrição a giz de novos telegramas com notícias do resto do país, cuja leitura era seguida de aclamações ruidosas.[65] As informações não eram de todo confiáveis, dada a censura imposta pelo governo do estado. Apenas as boas-novas mereciam destaque nos informes que chegavam ao público. Os dados relativos a eventuais derrotas e contratempos eram convenientemente suprimidos.

Da mesma forma que os porto-alegrenses estavam alheios ao que acontecia fora da cidade, fluminenses e paulistas permaneciam sem nenhuma informação dos episódios ocorridos no Sul. Na capital da República, a polícia "convidara" os diretores dos jornais amigos para uma "visita" às delegacias de ordem pública. As autoridades lhes recomendaram que não imprimissem uma única linha a respeito do movimento no Rio Grande. Ao mesmo tempo, os "tintureiros" — como eram apelidados os camburões que transportavam presos — saíram de redação em redação, recolhendo os jornalistas dos diários oposicionistas, para garantir que toda a imprensa silenciasse a respeito do caso.[66]

Em São Paulo, uma pequena nota na página três do *Correio Paulistano* — órgão oficial do Partido Republicano Paulista (PRP) — criticava o "movimento contra o crédito e a honra do Brasil", expressão que o jornal passaria a adotar dali por diante para se referir ao episódio, recusando-se a endossar o termo "revolução". Contudo, a nota se referia apenas ao caso de Minas Gerais, onde os principais oficiais legalistas haviam sido detidos e o presidente estadual Olegário Maciel divulgara um manifesto revolucionário aos municípios. O *Correio* ignorava por completo os acontecimentos de Porto Alegre.[67]

"Circularam ontem à noite, veiculadas por estações radiotelegráficas clandestinas localizadas em pontos diferentes, boatos anunciando que em Minas se teria verificado um movimento perturbador da ordem", dizia o periódico. "Não queremos dar crédito a semelhantes notícias, mas se o fato for verdadeiro devemos ter a segurança de que as forças do Exército, da Armada e da polícia marcharão, prontamente, contra os agitadores, jugulando qualquer manobra sediciosa."[68]

Ao levantar da cama pela manhã, Getúlio recebeu os dados atualizados da situação. O general Gil de Almeida, assim como outros cerca de cinquenta oficiais legalistas, estavam recolhidos ao vapor *Comandante Ripper*, do Lloyd, convertido em navio-prisão. As estatísticas davam conta de um total de dezenove mortos na cidade. A lista de vítimas fatais — que cresceria nos próximos dias, quando outros corpos dessem entrada no necrotério — não era composta apenas dos mortos em combate. Havia alguns civis, incluindo uma mulher, Jurema Gomes, que saíra atarantada pelas ruas na noite anterior em busca do amante, guarda-civil. Desavisada, Jurema pisara em um fio de energia elétrica arrebentado pelo tiroteio. Morrera na hora, eletrocutada.[69]

O relatório entregue a Getúlio informava que, pelo interior do estado, a maioria das guarnições do Exército aderira ao levante, de forma ainda mais célere do que previra Góes Monteiro. Em Erechim, a vanguarda das tropas gaúchas comandadas pelo general Felipe Portinho, um dos mais respeitados líderes maragatos da Revolução Federalista de 1893, dominara a cidade e marchara para o norte, já tendo atravessado a fronteira com Santa Catarina. Na altura de Marcelino Ramos, Portinho obtivera um de seus principais troféus de guerra: a prisão do general legalista Cândido Mariano da Silva Rondon, que voltava de uma inspeção na fronteira com a Argentina. Rondon estava acompanhado de um índio, José, de apenas catorze anos.

"O general Rondon é bem moreno. Mas quando foi preso, ficou branco", diria mais tarde o oficial que lhe deu voz de prisão em nome do comando revolucionário.[70]

As notícias provenientes das outras unidades da federação também eram promissoras. No Norte do país, apesar de o início das operações ter sofrido um atraso de algumas horas em relação ao Rio Grande e Minas, a ofensiva a cargo de Juarez Távora obtivera vitórias significativas. Um telegrama expedido do Recife cientificou Getúlio de que a capital pernambucana estava sob fogo cerrado e que, no Piauí, o governante local, João de Deus Pires Leal, o Joca Pires, já fora derrubado.[71]

Os dias seguintes seriam marcados pela continuidade dos embates — e da consequente guerra de informações. No Rio de Janeiro, com os jornais ainda amordaçados, Washington Luís tomou quatro atitudes extremas para tentar manter o controle da situação: estabeleceu o estado de sítio (primeiro apenas para o Distrito Federal e os estados do Rio Grande do Sul, Minas Gerais, Paraíba e Rio de Janeiro, mas depois extensivo ao resto do país), decretou feriado até o dia 21 de outubro (para evitar a correria aos guichês dos bancos), convocou os reservistas de todo o território nacional com idade até trinta anos e, em plena crise econômica, fez o Congresso aprovar um crédito de 100 mil contos de réis para poder financiar os custos da repressão à luta armada.[72]

Para completar o plano geral de emergência, o governo federal definiu que ninguém poderia se ausentar da capital da República sem o devido salvo-conduto, expedido pelas delegacias especializadas. Os gêneros alimentícios de primeira necessidade foram tabelados, na tentativa de impedir a especulação decorrente do temor geral de desabastecimento. Não só o charque gaúcho, produto básico no prato dos brasileiros quando ainda não havia a refrigeração da carne *in natura*, sumira do mercado. Previa-se também que os estoques de grãos nos armazéns atacadistas não seriam suficientes para atender a demanda, em caso de prolongamento do conflito.[73]

As medidas do governo expunham a gravidade do momento, embora o Catete continuasse a divulgar notícias otimistas, querendo vender à opinião pública uma visão edulcorada dos fatos, segundo a qual as Forças Armadas estariam infligindo derrotas clamorosas aos insurgentes. Os indivíduos que se arriscavam a questionar a versão oficial eram mandados sumariamente para a cadeia, sob a acusação de estarem semeando a subversão e o derrotismo.[74]

"Guerra ao boato e fora o boateiro", proclamava a "campanha cívica" do governo federal, incentivando a delação dos que divulgassem rumores contrários ao Catete. "O boateiro é o pusilânime a serviço do inimigo das instituições. Seu fito é criar o pânico e alarmar as famílias. Bani-lo é um ato de higiene moral", incitavam os jornais governistas. Nos quadros de avisos das repartições públicas, passaram a ser afixados cartazes com dizeres intimidatórios: "O derrotista é indesejável. Queira retirar-se".[75]

Quando, apesar da censura, tornou-se impossível ocultar o avanço do fogo revolucionário pelo país, o governo federal passou a tentar associá-lo a uma velha assombração: a do comunismo. O *Correio Paulistano* martelou a suposta aliança entre "os bolchevistas de Luís Carlos Prestes e os patrícios que tentam ferir mortalmente a nação, desmembrando seu território, destruindo nosso futuro". Segundo o jornal, os revoltosos comandados por Getúlio Vargas haviam apelado ao "conúbio infernal" com "os inimigos de Deus, da Pátria e da Família".[76]

Em Porto Alegre, para neutralizar as acusações de que estava em aliança com os comunistas, Getúlio solicitou ao cardeal de Porto Alegre, d. João Becker, que assinasse uma mensagem ao povo, desmentindo as denúncias. O arcebispo anuiu. "A revolução do estado do Rio Grande do Sul tem caráter puramente político e está completamente alheia ao comunismo, cujas doutrinas e perversas práticas repele com energia", escreveu d. Becker na proclamação enviada ao episcopado de todo o país e também ao secretário de Estado do Vaticano, Eugenio Pacelli (o futuro papa Pio XII). "O sentimento religioso anima e fortalece nossos soldados. O governo do Rio Grande nomeia capelães militares de pleno acordo comigo. São infames calúnias as crueldades atribuídas às nossas autoridades, que desempenham suas funções com justiça e critério."[77]

A mensagem do arcebispo era também uma resposta ao manifesto oficial mandado publicar por Washington Luís na imprensa governista do Rio de Janeiro e São Paulo, que classificava o movimento de "sanguinário". "Seus autores querem derramar o sangue brasileiro, atentando contra a propriedade, na destruição da pátria", dizia o texto remetido pela assessoria do Catete às redações. Desde a campanha eleitoral, acusava o presidente da República, os aliancistas teriam desenvolvido "desenfreada propaganda de ideias subversivas com o fito de afrouxar os laços de solidariedade nacional e de estimular os germes anárquicos e comunistas que por acaso existam no seio da sociedade".[78]

As insinuações de que Getúlio organizava um levante bolchevique eram sabidamente falsas. Bastava dizer que desde o dia seguinte à tomada das guarnições militares de Porto Alegre o palácio do governo estadual vivia apinhado de reconhecidos figurões locais, incluindo os mais prósperos comerciantes, industriais e banqueiros da cidade. Em fotos posadas ao lado de Getúlio, as chamadas "classes conservadoras" gaúchas faziam questão de evidenciar seu apreço ao comandante civil da revolução.[79] O embaixador norte-americano no Brasil, Edwin Morgan, também estava convicto de que o país não corria o risco de bolchevização:

"As bandeiras vermelhas representam a revolução e não o comunismo", comunicou Morgan em despacho oficial da embaixada aos superiores nos Estados Unidos.[80]

Um telegrama tranquilizador de Getúlio às matrizes do Henry Schröder Banking Corporation, de Londres, e do National City Bank, de Nova York, garantiu que a revolução manteria "todos os compromissos externos do país assumidos até 3 de outubro pelo governo federal e pelos governos dos estados", bem como garantiria "a propriedade e outros direitos individuais, assim como as instituições republicanas".[81]

Como se não bastasse, ainda no dia 4 de outubro Getúlio salientara o caráter "conservador" do movimento, quando fora incitado a falar do balcão do palácio para uma multidão que minutos antes participara de uma solenidade pública ocorrida na rua da Redenção — naquele dia rebatizada, por força de decreto municipal, de avenida João Pessoa.

"Não é propriamente uma revolução o que fizemos. É, antes, uma contrarrevolução. A revolução já tinha sido feita pelos poderes públicos federais, a quem cumpria o dever de manter a ordem e respeitar a lei", definiu Getúlio. "O instante não é mais de palavras, é de ação", disse ele, para justificar a brevidade do discurso.⁸²

Apesar da impassibilidade demonstrada em público, Getúlio se via acossado por dilemas de toda ordem. Em primeiro lugar, os custos de manutenção da máquina de guerra estavam se elevando a níveis insustentáveis. Caso o confronto com as tropas legais se dilatasse por muito mais tempo, faltaria munição para manter o vigor dos combates. Estimava-se que os insurgentes dispunham de apenas mais 1 milhão de tiros, número considerado suficiente para alimentar apenas mais algumas semanas de fogo, não mais que isso.⁸³

Além das apreensões de ordem material, havia as querelas de natureza política. Os senadores Paim Filho e Vespúcio de Abreu, assim como os deputados federais Carlos Penafiel, Barbosa Gonçalves e Domingos Gonçalves, todos gaúchos, haviam apoiado o governo federal quando da discussão no Congresso da decretação do estado de sítio.⁸⁴

"Votaram a favor do sítio no Rio Grande!", escandalizava-se Getúlio, em seu diário. "Por enquanto, não há quem possa executá-lo", ironizava, referindo-se ao fato de todos os oficiais do Exército fiéis ao Catete em Porto Alegre estarem detidos a bordo do *Comandante Ripper*.

O movimento revolucionário, como já era esperado, aprofundara a clivagem no Partido Republicano. Borges de Medeiros recomendou a Getúlio que tentasse compensar a implosão da legenda, trabalhando para que a ação armada ficasse sob o efetivo controle dos republicanos, não permitindo que os libertadores se apropriassem da causa e, por consequência, das benesses da vitória. Borges não aderira à revolução para entregar o poder aos antigos adversários no estado. Getúlio, sempre previdente, não ficara desatento a tal particularidade. As tropas gaúchas destacadas para a invasão de Santa Catarina e do Paraná eram compostas na maioria por oficiais do Exército ou da Brigada Militar — e, nesse último caso, coadjuvados por membros históricos do PRR.

"Parece-me que assim ficará perfeitamente assegurada a preponderância do elemento republicano", tranquilizou Getúlio em carta a Borges datada de 7 de outubro.⁸⁵

Havia outro aspecto bem mais delicado a considerar. Com as notícias que chegavam do resto do país relatando os sucessos da revolução nos mais diferentes estados, parecia cada vez mais premente a partida de Getúlio para a vanguarda da ação, no Paraná, próximo à fronteira com São Paulo. O gesto o confirmaria como o grande comandante em chefe do movimento e impediria que outro nome disputasse com ele a preferência de conduzir a nova ordem instituída no caso de efetivada a queda de Washington Luís.

Já havia quem trabalhasse com essa hipótese. Reunido em caráter extraordinário, o Diretório Central do Partido Libertador pusera duas possibilidades em debate. A primeira, defendida por Assis Brasil, previa que a tomada do poder federal fosse acompanhada do reconhecimento de Getúlio como presidente do Brasil, sob o argumento de que a vontade popular manifestada em 1º de março teria sido esbulhada pela fraude e pela violência. A segunda tese, esposada por Raul Pilla — outro destacado expoente do PL —, era de que deveria ser organizada uma Junta Provisória para dirigir o país até a convocação de uma Assembleia Constituinte. Essa Junta ficaria encarregada de estabelecer as regras para a escolha do próximo presidente da República, em nova eleição, com voto secreto e rigorosos mecanismos de controle contra as fraudes. A primeira ideia, a de Assis Brasil, acabou vitoriosa na votação entre os libertadores. Mas Getúlio sabia que era preciso evitar que outros líderes revolucionários, país afora, pudessem abraçar o parecer de Raul Pilla.[86]

Daí o fortalecimento da decisão de seguir para o front. Havia um notório potencial de risco embutido na viagem. Se de algum modo o Catete conseguisse inverter os cenários, recuperando o controle sobre os territórios conflagrados, Getúlio teria tomado um caminho sem volta. Além do mais, os líderes paulistas prometiam receber as vanguardas revolucionárias à bala.

"São Paulo não será tangido de suas fronteiras. Seus lares não serão violados", avisava o *Correio Paulistano*, na edição de 8 de outubro.

Como atenuante, podia-se considerar que, embora a contenda ainda não pudesse ser dada como totalmente ganha, tudo apontava para um final favorável aos revolucionários. No Norte do país, a coordenação de Juarez Távora fora arrasadora. Alagoas, Ceará, Paraíba, Pará, Pernambuco, Piauí, Maranhão e Rio Grande do Norte já se encontravam em poder do movimento, enquanto a Bahia vinha sendo sitiada pelas forças dos "tenentes" Agildo Barata e Juracy Magalhães. No Sul, além do próprio Rio Grande, os estados do Paraná e de Santa Catarina (com exceção apenas de Florianópolis) haviam capitulado. Em Minas, após oferecer obstinada resistência inicial, o 12º Regimento de Infantaria, sediado em Belo Horizonte, enfim, também se rendera.

Até ali, a cronologia dos embates deixara um rastro de sangue no país. Entre as mortes registradas como saldo da refrega, sobressaía a do general Lavanère Wanderley, comandante da 7ª Região Militar, baleado na barriga durante o assalto ao 22º Batalhão de Caçadores, em Recife, numa ação que fulminou ainda três tenentes e dois soldados. O ataque ao 23º Batalhão de Caçadores, sediado em Fortaleza e então acantonado na cidade de Sousa, na Paraíba, resultou na morte do comandante da guarnição, o coronel Pedro Ângelo Correia, que depois de acuado em seu posto de comando saiu sozinho, de arma em punho, para enfrentar os amotinados — foi abatido a tiros. Em Três Corações, Minas Gerais, durante a tomada do 4º Regimento de Cavalaria, o tenentista Djalma Dutra, ex-comandante de um dos quatro destacamentos da Coluna Prestes, também caiu morto em combate.[87] Dos dois lados era impossível indicar o número exato dos que pereceram na luta — ou depois, em decorrência de ferimentos graves. Sobretudo no caso de soldados, praças, cabos e oficiais de baixa patente, não havia estatísticas a respeito.

Fora das batalhas propriamente ditas, o mapa da violência também fez suas vítimas. As mais notórias no dia 4 de outubro, na Casa de Detenção do Recife, onde estavam presos os acusados pelo assassinato de João Pessoa: o advogado João Dantas e seu cunhado, Augusto Caldas, indiciado como cúmplice do crime. Recolhidos à enfermaria da instituição, eles ainda chegaram a pedir garantias de vida à direção do presídio, pois temiam ser mortos pela turba que, lá fora, exigia o linchamento de ambos para vingar o assassinato de Pessoa em nome da revolução. Desconsiderado o pedido, horas depois os dois foram encontrados mortos, deitados nas respectivas camas e completamente ensanguentados, com as carótidas abertas a bisturi. A versão oficial foi de suicídio. A prova seriam os bilhetes de despedida deixados por Dantas e Caldas, justificando o ato como medida preventiva para não serem entregues ao "julgamento de fanáticos e salteadores". A família, porém, jamais aceitou as conclusões da perícia e questionou o fato de os lençóis e travesseiros terem sido incinerados, o que impediu a realização de novas investigações.[88]

Cinco dias depois, no Rio de Janeiro, o deputado João Suassuna, também apontado no inquérito como cúmplice do assassinato de João Pessoa, teve destino igualmente trágico. No dia 9 de outubro, Suassuna caminhava pela rua quando foi seguido por um homem que, na primeira oportunidade, acertou-lhe um tiro à queima-roupa, matando-o com frieza. O criminoso, Miguel Alves de Sousa, preso e interrogado pela polícia, declarou ter assassinado Suassuna para vingar a morte do irmão, que perdera a vida durante a revolta de Princesa. Para o autor do disparo, o deputado era o verdadeiro responsável pelo conflito que enlutara a família.[89]

Imperava um clima de brutalidade generalizada. Ao decidir rumar para o centro das ações na divisa do Paraná com São Paulo — à altura da cidade paulista de Itararé, onde prometia se dar o maior de todos os embates das tropas legalistas com as fileiras revolucionárias —, Getúlio jogava com a sorte. Havia os que defendiam acima de tudo sua permanência em Porto Alegre, pois consideravam que não valeria a pena arriscar a vida do comandante civil do movimento em uma manobra essencialmente militar. Outros avaliavam que Getúlio deveria, sim, integrar o comboio ferroviário em que seguiria o estado-maior da revolução. Havia um componente simbólico naquela excursão que, provavelmente, não escapava à compreensão de Getúlio. Se ele retornasse vitorioso, seria aclamado como herói.[90]

"Começo a fazer meus preparativos a fim de seguir para o teatro de operações, no Paraná", escreveu em seu diário, no dia 7 de outubro.[91]

A simples decisão de seguir com as tropas lhe rendeu uma onda de quase divinização. Quatro dias depois daquela anotação no diário, ele partiu, a bordo de um trem que deixou Porto Alegre à meia-noite do dia 11, um sábado. Apesar do horário, uma multidão foi se despedir dele, saudando-o em completo delírio. Quando Getúlio desceu do automóvel presidencial e se dirigiu à gare, o povo abriu alas e, reverente, o deixou passar. Mas em seguida a massa humana fechou o círculo e o envolveu por completo, entre gritos de consagração. Todos queriam abraçá-lo, tocá-lo, beijar-lhe a mão, senti-lo de perto.

"Era como se toda Porto Alegre tivesse comparecido à gare da Viação Férrea do Rio Grande do Sul, para apresentar suas despedidas ao chefe da revolução e seus acompanhantes", testemunhou o escritor Viana Moog, um dos presentes à cena.[92]

Somente a muito custo a comitiva conseguiu desvencilhar-se do cerco e chegou à plataforma do vagão, de onde um afável Getúlio, trajando um pesado sobretudo por cima do paletó, acenou para o público. Quando a composição de onze vagões abarrotados de soldados e voluntários se locomoveu, os brados se fizeram ainda mais eufóricos.

"Viva o presidente da República!", gritou Oswaldo Aranha, erguendo o chapéu de feltro no ar.

De acordo com o que narraria o *Correio do Povo*, o gesto de Aranha eletrizou por completo a multidão, que correu ao lado do trem presidencial até três quadras depois da estação.[93]

"Sigo com o Rio Grande: povo e Exército", telegrafou Getúlio ao representante das forças revolucionárias no Paraná, major Plínio Tourinho.[94] No diário — que levou consigo —, deixou a seguinte anotação a respeito dos motivos que o fizeram embarcar naquela incerta aventura:

"Desejo fazê-lo, porque este é o meu dever, decidido a não regressar vivo ao Rio Grande, se não for vencedor."[95]

20. A massa não grita mais "Queremos!". O brado agora é outro: "Já temos Getúlio!" (1930)

A escala do comboio revolucionário em Erechim, no terceiro dia de percurso, 14 de outubro de 1930, produziu uma das cenas mais significativas de toda a viagem. Uma moça sorridente, trazendo um lenço de seda vermelha nas mãos, abriu alas em meio à multidão e se aproximou de Getúlio. Ele, que havia descido do trem e estava sendo carregado nos ombros do povo, notou a presença da jovem e adivinhou sua intenção. Inclinou então levemente a cabeça, também sorrindo, para permitir que ela lhe pusesse o lenço em torno do pescoço e depois o amarrasse nas pontas, com o típico nó maragato.

O flagrante, captado pelo fotógrafo que acompanhava o estado-maior da Revolução, seria estampado com destaque nos jornais e revistas de Porto Alegre. A imagem era carregada de simbolismos. Getúlio Dornelles Vargas, membro do Partido Republicano, legítimo herdeiro da tradição dos antigos pica-paus de lenço branco, deixara que uma mulher do povo lhe brindasse com a insígnia mais característica dos federalistas, o lenço encarnado dos arqui-inimigos de outrora.

"Foi um escândalo no Rio Grande do Sul. A cor vermelha era tabu para os republicanos. Teria Getúlio Vargas rompido com o seu partido? Os boatos, até então insignificantes, começaram a crescer", relembraria a filha, Alzira.[1]

Mas logo ficou claro que a coloração do lenço ofertado pela moça de Erechim era o que menos importava em tal circunstância. Desde que deixara a capital gaúcha, Getúlio vinha sendo alvo de uma consagradora manifestação de apreço por parte da população de seu estado. Nos últimos três dias, a cada nova estação situada em meio ao caminho da ferrovia São Paulo-Rio Grande, o entusiasmo era o mesmo. Em todas as cidades do trajeto, maragatos e pica-paus confraternizavam, dando vivas a Getúlio a uma só voz. O povo cercava o trem, entoava hinos cívicos e aplaudia febrilmente os soldados que apareciam às janelas da composição. Cigarros, frutas, sanduíches, água, café e refrescos eram ofertados à tropa. Para Getúlio, reservavam-se os presentes mais especiais, entregues por jovens e belas senhorinhas da sociedade local: corbelhas e ramalhetes de flores do campo, bandeiras e flâmulas bordadas em linha dourada nas quais se lia sempre a mesma inscrição: "Rio Grande, de pé pelo Brasil!" — o trecho final do manifesto de Getúlio, que passou a ser utilizado como principal slogan daquela excursão triunfal.[2]

Entre os milhares de manifestantes, a presença feminina se destacava em todas as paradas ao longo da ferrovia. "Senhoras e moças subiam ao vagão e lhe levavam flores, lenços bordados, distintivos, santos e orações", descreveria o jornalista enviado pela *Revista do Globo*.[3] Nas palavras mais solenes de outro repórter, correspondente do *Correio do Povo*, "as senhoritas porfiavam em saudar a máscula figura da pátria — o dr. Getúlio Vargas".[4]

O homenzinho pequenino e barrigudo se transfigurara, no imaginário da revolução, em guerreiro garboso, que conquistava a admiração dos cavalheiros e arrancava suspiros das damas. Para adotar figurino mais apropriado a uma campanha revolucionária, logo depois de deixar a capital gaúcha Getúlio trocara os trajes civis pelo uniforme militar de brim cáqui. A indumentária, contudo, não lhe caíra bem. O abdômen proeminente ficou ainda mais manifesto quando circundado pelo grosso cinto de couro preto, que destacou sua silhueta cada vez mais roliça. As botas de cano longo, que iam até quase à altura dos joelhos e formavam uma espécie de balão duplo na calça comprida embocada dentro delas, pareciam encurtar ainda mais as pernas miúdas. Mas nem mesmo isso conseguia empanar a auréola — habilmente construída com a devida ajuda da imprensa rio-grandense — de um líder que seguia para a guerra em defesa de seu povo.

Proposital ou não, existia certa similitude entre aquela jornada apoteótica e a chamada Marcha sobre Roma, ocorrida oito anos antes, na Itália. Também fora em um mês de outubro, em 1922, que Benito Mussolini convocara os "camisas-negras" para rumar à capital do império e pressionar o rei Vittorio Emanuele a lhes entregar o poder. De modo semelhante ao do *Duce*, Getúlio empreendia a sua própria "marcha revolucionária" — como definiam os jornais de Porto Alegre —, igualmente instalado em um vagão de trem. Por um surpreendente capricho da natureza, até mesmo as chuvas torrenciais que então caíram sobre as terras italianas e acompanharam os homens de Mussolini no percurso até Roma estavam se repetindo sobre os caminhos que levavam Getúlio Vargas ao destino planejado.

"Amanhece chovendo, e continua chovendo durante todo o dia", escreveu Getúlio no diário. "Só à noite termina a chuva — é este o maior obstáculo que temos encontrado na marcha das operações", reiterou, um dia depois. "Dia de chuva contínua, nublado. Não percebi as lindas paisagens que atravessamos, numa região montanhosa, onde o traçado ferroviário apresenta dificuldades", anotou de outra feita.[5]

Apesar de tudo, desfrutava-se de relativo conforto a bordo, pelo menos nos vagões iniciais. O primeiro deles, no qual Getúlio viajava em companhia do filho Lutero, do cunhado Walder Sarmanho, do oficial de gabinete Luiz Vergara e do ajudante de ordens Aristides Krauser, estava diretamente atrelado a um carro-restaurante, onde as refeições feitas pelo alto-comando eram servidas em pratos de boa porcelana. As bebidas, em taças de cristal.[6] O segundo vagão era ocupado por Góes Monteiro e seu estado-maior. O coronel não esquecera de levar consigo o gramofone e uma pilha de discos de óperas italianas, que providenciaram a trilha sonora da expedição.[7]

Os vagões posteriores, antes daqueles onde vinha a soldadesca, abrigavam o contingente da chamada "escolta presidencial", grupo formado não só por oficiais militares, mas também por civis que se ofereceram para acompanhar a viagem. Nela, figuravam políticos como o democrata paulista Paulo Nogueira Filho e os deputados federais gaúchos João Neves da Fontoura, Simões Lopes e Antunes Maciel Júnior, além do deputado estadual Maurício Cardoso. Viajavam também intelectuais e jornalistas, a exemplo de Viana Moog e do poeta Vargas Neto, sobrinho de Getúlio, filho de Viriato Vargas e cronista oficial da viagem.[8] Góes Monteiro, incomodado com a proliferação de paisanos sem nenhuma instrução militar junto à tropa, fazia pilhéria:

"Pois é, vejam só. Hoje até o poeta Vargas Neto apareceu-me elegantemente fardado de major, por certo graduado pelas musas."[9]

Havia razões para aquela caravana ser tão pouco marcial. O perigo de se deparar com tropas e reações legalistas pela frente era quase nulo, sobretudo em território gaúcho, pois todos os rincões incluídos no roteiro — Rio Pardo, Cachoeira, Santa Maria, Júlio de Castilhos, Tupancireta, Cruz Alta, Santa Bárbara, Carazinho, Passo Fundo, Erechim e Marcelino Ramos — se encontravam sob absoluto domínio revolucionário desde o dia 3 de outubro. O verdadeiro risco estava muito além das fronteiras do estado, após Santa Catarina, já no norte do Paraná, onde a vanguarda comandada por Miguel Costa (o homem que dividira a liderança da "Coluna Invicta" com Luís Carlos Prestes) tentava rasgar caminho rumo a São Paulo. Era de lá que o comboio de Getúlio recebia as informações das batalhas travadas entre as tropas fiéis ao governo federal e os destacamentos rebeldes.

"Recebemos confirmação da primeira vitória importante das nossas forças, próximo a Jacarezinho, no Paraná. Cinco horas de fogo, o inimigo retira-se para Carlópolis, deixando em nosso poder apreciável material de guerra e prisioneiros", registrou o diário de Getúlio, na anotação relativa a 14 de outubro.[10] O butim constou de nove metralhadoras pesadas e dezesseis caminhões. O número de prisioneiros chegou a 150 homens. Outros cem haviam morrido, computadas as baixas de ambos os lados.[11]

O que Getúlio Vargas encontrava pelo caminho, portanto, já era terra conquistada. Daí a quantidade de festas, recepções e churrascos oferecidos à comitiva, uma constante até a última cidade gaúcha do roteiro, Marcelino Ramos, na fronteira catarinense. Mesmo quando acontecia de passar por algum município durante a madrugada, o trem era obrigado a parar, pois o povo do local varara a noite à espera de Getúlio. Muitas vezes ele já estava de pijama, caído no leito. Mas então acordava com o ruído lá fora, vestia de volta o uniforme e acenava, radiante, para a multidão.[12]

De quando em quando, podiam ser divisadas grandes fogueiras iluminando os trilhos à frente. Eram grupos de civis, munidos de espingardas, lanças e espadas, que faziam sinal e pediam para acompanhar o comboio montados a cavalo. Esses voluntários acocorados à beira da estrada eram aconselhados a procurar a guarnição mais próxima para poder se alistar oficialmente. Uma vez inscritos em tropa regular, juntar-se-iam às centenas de homens que acampavam nos arredores das estações, já alistados, aguardando uniformes, munição e armamento adequados, antes de partir rumo ao teatro de operações. Em Marcelino Ramos, até o vigário do lugar, frei Justino, e seu coadjutor, frei André, pediram licença ao arcebispo para embarcar com as tropas. Queriam trocar a cruz pelo rifle.[13]

"Getúlio Vargas mostra-se sensibilizadíssimo com as demonstrações de tocante solidariedade do povo rio-grandense. Sua Excelência disfarça a comoção tanto quanto lhe é possível", reparou o correspondente do *Correio do Povo*. "Mas nós todos que o acompanhamos não sabemos às vezes se devemos rir ou chorar, porque o espetáculo que se nos depara comove-nos até às lágrimas."[14]

Se o entusiasmo popular era o principal trunfo dos revolucionários, o adversário mais imediato continuava a ser a chuva. O dilúvio que caía sobre a ferrovia provocava frequentes atrasos. Além disso, a cada curva, os trilhos molhados, a visibilidade diminuída e as quedas de barrancos aumentavam as chances de acidente. A 14 de outubro, Getúlio precisou esperar um dia inteiro em Marcelino Ramos até que fossem removidos os destroços de dois trens abalroados à altura do rio do Peixe, afluente do Uruguai. Um deles transportava os soldados do 7º Regimento, de Porto Alegre. A violência do choque provocou a morte de dois homens e deixou dezenas de feridos graves.[15]

Somente quando a linha férrea foi desobstruída, no dia 15, a viagem pôde seguir adiante. Após cruzar a ponte sobre o rio Uruguai, o comboio deixaria finalmente o Rio Grande do Sul naquele dia para entrar em Santa Catarina, atravessando as terras do antigo Contestado, onde as forças legalistas batiam em retirada diante do avanço das tropas revolucionárias comandadas pelo caudilho gaúcho Fidêncio Mello, um dos mais temidos chefes maragatos da Revolução de 1923. Colunas auxiliares, lideradas pelos generais Waldomiro Lima e Ptolomeu de Assis Brasil, também abriam caminho para a passagem do estado-maior rebelde.[16]

Do outro lado do limite geográfico entre os dois estados, a visão que aguardava Getúlio era impressionante. Os ramais da ferrovia estavam completamente congestionados, devido ao tráfego intenso. Para qualquer lado que se olhasse, avistavam-se trens, indo ou voltando. As composições que seguiam em direção ao Paraná estavam lotadas, repletas de soldados. As que vinham em sentido contrário retornavam vazias, depois de despejar tropas próximo ao front. Muitas locomotivas aguardavam, paradas, sua vez na fila. O som dos apitos e o resfolegar das marias-fumaça preenchiam o ar. O ranger das rodas metálicas sobre os trilhos completava a barulheira. Estimava-se que, desde o dia 3 de outubro, cerca de cem comboios já haviam passado sobre aquela mesma ponte de ferro e pilastras de concreto. Outros tantos ainda estavam por vir.[17] Por volta das 15 horas do dia 15 de outubro, o correspondente do *Correio do Povo* mandou por meio de um radiograma a notícia para a redação em Porto Alegre:

"Vamos transpor o rio Uruguai. As terras de Santa Catarina estão diante de nós. Há um alvoroço na comitiva. Ainda lançamos todos um olhar sobre a multidão que freme e palpita. Até breve, Rio Grande."[18]

Na capital gaúcha, uma menininha de apenas seis anos de idade, Maria Henriqueta Sampaio Brunner, insistia em entrar no palácio do governo para falar com Oswaldo Aranha, que desde a partida de Getúlio ficara respondendo oficialmente pelo governo do estado. A pequena Henriqueta queria doar à revolução todo o saldo de sua caderneta de poupança da Caixa de Depósitos Populares do Tesouro do Rio Grande do Sul. O dinheiro fora economizado de modo diligente pelos pais, que planejavam investir o pé-de-meia na educação da filha. A soma chegava a 700 mil-réis, valor extremamente considerável para ser ofertado por uma criança. Entretanto, para a contabilidade da luta armada, se comparada aos altos custos de guerra, a quantia representava uma simples migalha.

Aranha mandou avisar à garota que o governo do Rio Grande e o comando revolucionário agradeciam, sensibilizados, o oferecimento de doação tão generosa. Mas Henriqueta deveria voltar para casa e utilizar o dinheiro em benefício do próprio futuro. A menina, todavia, insistiu. Bateu pé. Fez beicinho. Disse que não sairia dali enquanto não fosse recebida pelo "doutor Aranha". Ante a obstinação da pequena, sua entrada no gabinete foi autorizada. Henriqueta deixou lá uma carta garatujada em caligrafia ingênua, em que explicava os motivos que a moviam: queria ajudar a "salvar o Brasil".

"Viva a Revolução! Viva o dr. Getúlio Vargas! Viva a nossa pátria amada!", lia-se no final da mensagem.[19]

Oswaldo Aranha decidiu acolher a doação e divulgar a carta da menina nos jornais. A caderneta de poupança de Henriqueta serviria de símbolo para a campanha idealizada para angariar fundos a favor da insurreição. Gestos iguais àquele eram incentivados diariamente pela propaganda revolucionária em todo o Rio Grande. Na capital gaúcha, Darcy Vargas comandava os trabalhos da Legião de Caridade, instituição encarregada de obter alimentos, roupas, medicamentos e outros gêneros de primeira necessidade, enviados às famílias dos combatentes mutilados ou mortos em combate. A campanha também aceitava dinheiro em espécie. As mocinhas que participaram do tradicional "Dia da Flor" daquele ano ofereceram rosas vermelhas em troca de donativos para a causa. Com a ajuda do arcebispo d. Becker, em 24 horas apuraram cerca de setenta contos de réis.[20]

Com o mesmo objetivo foi confeccionada uma série de cartões-postais ilustrados — com estampas alegóricas da revolução, retratos de Getúlio a bico de pena e charges coloridas, nas quais autoridades ligadas ao governo federal eram chacoteadas pelo traço do artista e engenheiro José S. A. Pinheiro. Num desses desenhos, Washington Luís era retratado levando uma porretada na cabeça. Noutra, uma bomba de pavio curto intentava mandar Júlio Prestes pelos ares.

A renda obtida com a venda dos cartões — que viraram uma relíquia para futuros colecionadores — foi encaminhada à Legião de Caridade, que ainda lançou a "campanha dos carretéis", por meio da qual foram angariados quilômetros em linha de costura, utilizados na confecção dos uniformes dos soldados e das roupas para os órfãos e inválidos da revolução. As companhias teatrais em cartaz na cidade também abraçaram a campanha beneficente. Destinaram 10% de suas bilheterias "para socorrer as vítimas pela redenção do Brasil". Uma das atrações de maior sucesso em Porto Alegre, encenada no palco do Theatro Coliseu, era uma revista musical, com "dois atos de grande patriotismo" escritos pelo gaúcho Carlos Cavaco.

O título do espetáculo não podia ser mais sugestivo: *A caminho do obelisco*.[21]

Na tarde de 16 de outubro, em Ponta Grossa, já no Paraná, João Neves despediu-se de Getúlio. Iria abandonar o comboio e partir para a zona de combate. Integraria a coluna liderada por Flores da Cunha, composta por dois regimentos de cavalaria, um do Exército, outro da Brigada Militar. O grupamento de Flores estava de partida para Sengés, então um lugarejo quase perdido na fronteira com São Paulo, no antigo caminho utilizado pelos tropeiros que levavam o gado gaúcho até Sorocaba.

Era em Sengés que Miguel Costa, promovido a general pela revolução, fixara o maior contingente da vanguarda sediciosa, estimado em cerca de 7800 homens, entre soldados e voluntários, com os quais planejava invadir o território paulista. Menos de 12 quilômetros adiante de Sengés, em linha reta, ficava a cidade de Itararé, onde o coronel legalista Antônio Paes de Andrade estava encarregado pelo governo federal de conter o avanço dos rebeldes a qualquer custo, dispondo para tanto de 6200 combatentes — 3600 homens da Força Pública de São Paulo, 1600 soldados do Exército e cerca de mil voluntários civis.[22]

A missão de Flores da Cunha era cortar caminho por um trecho da fronteira não ocupado pelos legalistas, penetrar no estado de São Paulo pelo flanco direito, dar a meia-volta e, com um movimento de pinça, surpreender Paes de Andrade. Fustigaria a retaguarda inimiga, para facilitar o ataque frontal de Miguel Costa e para evitar a possível retirada do adversário pela Estrada de Ferro Sorocabana.[23] A batalha, que se anunciava decisiva, era aguardada para os próximos dias. João Neves, de acordo com o que declarou a Getúlio, queria fazer parte dela.

"Dessa viagem se volta com honra ou não se volta", já avisara Flores.[24]

Getúlio ainda tentou convencer Neves a ficar. Propôs-lhe que continuasse ao lado do estado-maior, desistindo da rematada loucura de ir para a linha de frente. Afinal, ele não era um soldado treinado para a guerra, era um advogado, um tribuno brilhante, e continuaria a ser muito mais útil na organização política do movimento. Getúlio não concebia a imagem de Neves com o rifle na mão, atirando contra o inimigo, arrastando-se pelas trincheiras, atravessando ninhos de metralhadoras e enfrentando bloqueios de arame farpado para escapar da explosão das granadas e do fogo dos canhões.

Porém, João Neves estava decidido. Queria provar a si mesmo — e em especial a Getúlio — que não entrara naquela história para depois assisti-la de longe, como mero espectador. Se tinha de morrer, morreria lutando pela revolução que tanto evocara em seus discursos no Congresso Nacional. Não era homem de bravatas. Pregara a conflagração, sem peias na língua. Precisava vivenciá-la corpo a corpo.[25]

Getúlio Vargas percebeu que era inútil tentar demover João Neves. Ele, melhor que ninguém, sabia que o amigo estava magoadíssimo.

Ao transferir o governo do Rio Grande do Sul para Oswaldo Aranha, Getúlio obedecera a uma circunstância objetiva. Aranha, pela peculiar capacidade de articulação, era o homem mais adequado ao cargo, particularmente em uma contingência política tão delicada. Ao contrário, a intempestividade de João Neves — que de fato e de direito era o vice, o segundo na linha sucessória — poderia talvez provocar atritos bem difíceis de administrar, calculara Getúlio. Por isso, no dia imediatamente anterior à partida do comboio, procurara as palavras mais convincentes para comunicar-lhe a decisão.

"Não é conveniente que durante minha ausência assumas o governo, o qual deverá ser ocupado pelo Oswaldo Aranha. Embora esteja certo da vitória, não posso prever o desenlace do movimento", escrevera Getúlio a Neves. "Assumindo o governo, ficarias impossibilitado, desde logo, para exercer o mandato de deputado. Isso, evidentemente, não seria aconselhável, porque ficaríamos privados do líder da bancada, quando ainda não sabemos qual o rumo definitivo dos acontecimentos." A carta encerrara com uma promessa: "Se eu for chamado a assumir o governo do país, passar-te-ei, de imediato, o do Rio Grande, mesmo porque um dos meus primeiros atos será dissolver esse Congresso, que não representa a opinião nacional".[26]

João Neves recebera a notícia ainda em Cachoeira, sua cidade natal, onde fora coordenar a luta armada no município. Ao ler a justificativa de Getúlio, ficara inconformado. Incrédulo nas promessas que lhe eram feitas, respondera que por uma questão de decoro pessoal renunciaria de imediato à vice-presidência do estado. Com uma dose de amarga ironia, ainda se dissera "agradecido pela confiança" nele depositada.[27]

Ao perceber que o ferira de forma tão intensa, Getúlio mandara chamar Neves para uma conversa no palácio do governo. Neves, entretanto, se recusara a ir. Apenas remetera um recado a Getúlio por meio de Aranha:

"Eu estou obedecendo à lei histórica — as revoluções devoram sempre os seus primeiros arautos."[28]

No início da viagem, quando o comboio de Getúlio passou por Cachoeira, Neves integrou-se à comitiva. Mas desde o primeiro momento demonstrou não querer se associar ao estado-maior da revolução. Pretendia apenas obter uma carona até o Paraná. De lá, seguiria diretamente para as forças de vanguarda comandadas por Miguel Costa. Iria se apresentar no acampamento de Sengés como simples soldado raso.

Antes de partir para o front, João Neves ainda lançou uma advertência a Getúlio: era preciso ter cuidado para que a revolução não degenerasse num surto militarista. Uma vez derrotado o governo federal, os quartéis tenderiam a querer se apoderar da situação. Caso os homens da caserna se sentissem donos da vitória, ninguém conseguiria tirá-los tão cedo do poder.

Getúlio escutou o mau presságio e não deu uma só palavra como resposta. "Ouvi calado", anotou em seu diário.[29]

Neves parecia ter antecipado seus pensamentos. Em poucos dias, esse passaria a ser exatamente o maior de todos os pesadelos de Getúlio.

A chegada a Curitiba no dia 20 de outubro foi "deslumbrante", segundo o adjetivo que o próprio Getúlio encontrou para defini-la.[30] Quando desembarcou na estação completamente abarrotada de populares, uma limusine conversível já o aguardava para levá-lo até o palácio do governo estadual. Com um vistoso arranjo de flores colocado sobre o capô, o veículo mais parecia um carro alegórico. Getúlio sentou no banco de trás e o luxuosíssimo Packard Touring modelo 1930, de sete lugares, seguiu em marcha lenta, escoltado por batedores em motocicletas à frente e cavalarianos atrás. Pelas ruas, milhares de curitibanos acompanharam o cortejo. Homens, mulheres e crianças davam vivas a Getúlio, que respondia com acenos e sorrisos. Pela segunda vez, uma moça lhe amarrou um lenço vermelho no pescoço. A cena, de novo fotografada, também ficaria como a marca registrada da passagem pelo Paraná.[31]

"Flores, discursos, mimos; sou carinhosamente tratado, entusiasticamente aclamado", escreveu Getúlio no caderninho de capa marrom.[32]

Desde o dia 5 de outubro, a capital paranaense estava sob domínio revolucionário. Após o levante das unidades militares locais, o então presidente do estado, Affonso Alves de Camargo, abandonara o palácio e embarcara em um trem com destino ao estado de São Paulo. Ao assumir o comando militar das ações, o major Plínio Tourinho — antes legalista, relutante até a última hora em aderir ao movimento armado — indicou o irmão, o general da reserva Mário Alves Monteiro Tourinho, para tomar posse como o novo governante do Paraná. A decisão despertou insatisfações tanto entre os revolucionários civis quanto entre os tenentistas, que se julgavam com direito inalienável ao cargo. Em retaliação, os dois grupos preteridos passaram a se referir aos Tourinho como os "irmãos rabanetes" — vermelhos por fora, brancos por dentro.[33]

Getúlio teria em Curitiba uma primeira amostra das dificuldades que o aguardavam em um futuro breve. Com a possibilidade cada vez mais concreta de uma vitória nacional, o grande desafio que então se apresentava era conseguir construir a nova ordem a partir de interesses e ideologias tão conflitantes.

"Entro em contato com os políticos, ouço queixas, os exaltados contra os moderados, os adesistas, os aproveitadores etc.", confidenciou Getúlio às páginas curitibanas de seu diário. "No Paraná não há partidos, há grupos que se digladiam, todos querendo influir sobre o presidente, o general Mário Tourinho, homem bom, bem-intencionado, alheio à política e às manhas desta."[34]

Convencido da necessidade de contornar as desavenças regionais, Getúlio passou três dias na cidade. Por mais de uma vez, reuniu-se com Plínio e Mário Tourinho, para acertar providências de ordem militar e administrativa. Também buscou se entender com os líderes civis e, com a ajuda de João Alberto, procurou amenizar as insatisfações que grassavam na ala tenentista.

"Tomo algumas providências sobre abastecimento, serviço policial; aconselho, tento conciliar", registrou no diário. "À noite, dou um passeio de auto e recolho-me."[35]

As anotações revelavam que o retardamento em Curitiba não rendeu apenas preocupações a Getúlio. Pela primeira vez, ele pôde desfrutar das mordomias oferecidas ao comandante em chefe da revolução. Hospedou-se no Hotel Moderno — o melhor da cidade —, comeu em bons restaurantes e aproveitou para tomar o primeiro banho em mais de dez dias de viagem. Também assistiu a espetáculos teatrais, foi homenageado na universidade local e, para ficar de bem com o clero e mais uma vez afastar as insinuações de que comandava um levante comunista, beijou o anel do arcebispo da diocese paranaense, d. João Francisco Braga.[36]

Na última noite na cidade, em 22 de outubro, Getúlio recebeu no Hotel Moderno o corpo consular do estado. Como se tratava de uma visita ao líder civil de uma revolução em curso, a reunião não teve os foros de solenidade diplomática oficial. Mesmo assim, os cônsules foram lhe prestar homenagens, com direito aos rapapés e discursos de ocasião.[37] Em nome de todos eles, falou o representante da Itália, o napolitano Amedeo Mammalella, intelectual assumidamente fascista, cujo maior orgulho era ter participado da Marcha sobre Roma.[38] Havia algum tempo, Mammalella escrevera um artigo na revista *Ilustração Paranaense* — publicação que também não escondia suas simpatias pelo *Duce* —, para comparar a obra do escultor João Turin, natural do Paraná, à "arquitetura da potência fascista" idealizada "pelo gênio multiforme de Benito Mussolini".[39]

Cumprida a agenda social, procrastinadas as disputas locais de poder, Getúlio resolveu que era chegada a hora de seguir em frente. Naquela mesma noite, retornou à estação de Curitiba. Acomodou-se no interior do vagão presidencial e deu a ordem de partida. O comboio rodou durante a noite pela estrada de ferro, em direção ao norte do estado. Na manhã do dia 23, Getúlio já acordou em Ponta Grossa, a cerca de 140 quilômetros de Itararé. Dali a dois ou três dias, segundo o planejado, as tropas do general Miguel Costa investiriam sobre as forças legalistas do coronel Paes de Andrade, consideradas imbatíveis pelo governo da União.[40]

Os reforços revolucionários para a grande batalha não paravam de chegar.

Em Ponta Grossa, onde o comboio do estado-maior ficaria estacionado, Getúlio assistiu à passagem para Sengés de uma grande composição proveniente da cidade gaúcha de Uruguaiana. Era a coluna dirigida por Batista Lusardo, que trouxera consigo aproximadamente 1500 homens e um grupo de artilharia montada. Sua missão era reforçar o ataque a Itararé.[41] Havia um voluntário especial na tropa que seguiria com Lusardo para a vanguarda das operações: o filho caçula do velho Manuel do Nascimento Vargas, Bejo Vargas. Por decisão de Getúlio, Lutero se reuniu a ele e, juntos, tio e sobrinho rumaram para o front, incorporados à "indiada brava do Lusardo", como definia o deputado Antunes Maciel, referindo-se ao fato de o destacamento, composto de rapazes das melhores famílias da zona da fronteira gaúcha, contar com o reforço de guerreiros habituados a cortar gargantas nas lutas históricas do Rio Grande.[42]

"Os paulistas vão ver...", vangloriava-se Maciel.[43]

Por aqueles dias, a movimentação das tropas revolucionárias ganhara um novo correspondente de guerra. O jornalista Assis Chateaubriand, o Chatô, depois de uma viagem acidentada, chegara a Ponta Grossa fardado, com uma pistola Lugger na cintura. No caminho até lá, passara por aventuras rocambolescas — por duas vezes quase fora morto, por motivos opostos. Em Florianópolis, caçado pela polícia legalista, escapara do cerco disfarçado de padre. No interior de Santa Catarina, quase acabara diante de um pelotão revolucionário de fuzilamento, após ser confundido com um espião do governo federal.[44]

Chatô seria o primeiro jornalista de uma publicação do Rio de Janeiro a entrevistar Getúlio em pleno acampamento revolucionário. Mas, dada a censura imposta pelo governo federal às notícias colhidas em terreno inimigo, a entrevista só pôde ser publicada no órgão gaúcho dos Diários Associados, o *Diário de Notícias*, de Porto Alegre.[45] Lido apenas na capital rio-grandense, o material perdeu a maior parte do impacto, já que os correspondentes da concorrência regional estavam integrados ao comboio desde a partida. De todo modo, Getúlio aproveitou a oportunidade para mandar, por meio de Chatô, um recado nada cifrado aos aliados:

> Até ontem agíamos em função de um programa político. Mas a Aliança Liberal foi formada para se fazer a campanha da sucessão. Hoje estamos diante de um segundo tempo, uma insurreição armada. É uma coisa muito diferente. A revolução terá que ser radical tanto nos princípios quanto na execução deles.[46]

Enquanto isso, as chuvas continuavam a castigar Ponta Grossa, transformando o acampamento em um enorme lamaçal. Depois de experimentar as regalias de Curitiba, Góes Monteiro e seus oficiais preferiram se instalar na sede de um clube social do município, o Pontagrossense, embora Getúlio tenha decidido permanecer no vagão, cônscio do valor simbólico envolvido no gesto. Portanto, ele estava praticamente sozinho, cuidando de atualizar as notas do diário, quando, na noite de 23 de outubro, o aguaceiro diminuiu. No dia seguinte, 24, uma segunda-feira, enfim o sol apareceu.[47]

Pela manhã, Getúlio foi informado de que o serviço de rádio do acampamento estava captando comunicados extraoficiais do Rio de Janeiro. As transmissões eram desencontradas, um tanto quanto confusas, mas falavam de sublevações na capital do país, de unidades militares em estado de prontidão e de ameaças de bombardeio aéreo sobre o Palácio Guanabara, a residência oficial da presidência da República.[48]

Pouco depois do almoço, os primeiros informes foram se consolidando. Segundo as notícias, o alto-comando das forças armadas havia apresentado um ultimato a Washington Luís. Os quartéis exigiam sua renúncia, em nome da pacificação nacional. Somente muito mais tarde, à meia-noite, após uma série de contrainformações e novas mensagens imprecisas, chegou a ratificação: a 22 dias da conclusão de seu mandato legal, o presidente acabara de ser deposto por um golpe militar.[49]

Uma Junta Governativa Provisória, formada por dois generais —Augusto Tasso Fragoso e João de Deus Mena Barreto— e um contra-almirante, José Isaías de Noronha, presidente do Clube Naval, assumira o comando da nação.

"Só aos pedaços sairei daqui!", prometeu Washington Luís a seus ministros, sentado na poltrona de couro da sala de despachos do Palácio Guanabara.[50] Mesmo informado de que aviões do Exército estavam sobrevoando a área, o presidente não se dobrava:

"Que bombardeiem, mas não saio! Ainda há de haver soldados para defender o meu governo!"[51]

Washington Luís estava completamente enganado. Não existia mais nenhum braço armado para resguardá-lo. O presidente só ficou convencido disso quando a porta do gabinete se abriu e três senhores fardados entraram, alheios às formalidades de praxe, sem ao menos se preocupar em pedir licença. Atônito, Washington se levantou para receber de pé os generais Tasso Fragoso, Alfredo Malan d'Angrogne e João de Deus Mena Barreto. Foi o general Fragoso, com a autoridade das três estrelas brilhando no colarinho do uniforme, quem lhe dirigiu a palavra. O militar uniu os calcanhares, bateu continência e, em posição de sentido, comunicou que agia de comum acordo com seus pares. No papel de representantes do Exército, estavam ali para exigir-lhe que renunciasse à presidência, para evitar mais derramamento de sangue no país.

"Eu não renuncio!", respondeu Washington Luís.

Foi um momento de máxima tensão.

"Pois, então, Vossa Excelência responderá por sua vida e assumirá toda a responsabilidade que houver", retrucou o general.

O presidente abriu os braços e espalmou as mãos, sem demonstrar a mais leve sombra de receio.

"Assumo inteira responsabilidade", disse, com tranquila altivez.

Tasso Fragoso continuou perfilado, rígido.

"Pois, então, nada mais me resta a fazer aqui", despediu-se o general, antes de bater nova continência, dar a meia-volta e sair da sala, acompanhado de perto pelos dois colegas de farda.[52]

Os ministros que assistiram à cena sabiam que qualquer resistência era inútil. Desde cedo, as fortalezas da cidade haviam iniciado disparos de intimidação, com pólvora seca, para expressar sua anuência ao golpe. Nas principais ruas do Rio, paralelepípedos, pneus de caminhão, sacos de cereais e fardos de alfafa faziam as vezes de barricada. Por trás dos obstáculos improvisados, soldados punham canhões leves e metralhadoras em posição de tiro. O próprio palácio já estava cercado por grupos de artilharia. A força policial encarregada da defesa do prédio depusera as armas e, placidamente, dera entrada aos soldados do 3º Regimento de Infantaria, que passaram a ocupar os setores centrais do edifício. Centenas de manifestantes civis, muitos deles armados, também invadiram os jardins do Guanabara. Com gritos e palavras de ordem contra o presidente, ameaçavam forçar a entrada interna. O pacote de medidas de emergência baixado por Washington Luís, sobretudo a convocação compulsória dos reservistas, minara-lhe os últimos resquícios de popularidade.[53]

Fragoso não podia simplesmente mandar dissolver a turba à base de coronhadas, pontapés e estocadas. Isso só acirraria ainda mais os ânimos. O deputado

Maurício de Lacerda, atendendo aos apelos do militar, procurava conter a massa. Sem abrir mão de fazer críticas acerbas ao governo, Lacerda pedia calma aos presentes que, excitados, desejavam fazer justiça pelas próprias mãos. O impasse só seria resolvido com a mediação de d. Sebastião Leme, chegado havia cinco dias de Roma, aonde fora receber do papa Pio XI o barrete cardinalício. Após ouvir os conselhos e ponderações do novo cardeal brasileiro, Washington Luís continuou firme na decisão de não renunciar formalmente. Mas aceitou se entregar, para depois ser recolhido como prisioneiro ao Forte de Copacabana, sendo conduzido para lá em uma limusine Lincoln modelo 1928, sentado no banco de trás e ladeado por d. Sebastião Leme e pelo bispo de Vitória, d. Benedito Paulo Alves de Souza. Nos bancos escamoteáveis à frente, seguiram o general Tasso Fragoso e o auxiliar do cardeal, monsenhor Rosalvo da Costa Rego. Nos estribos do automóvel, iam quatro oficiais do Exército. Um deles era o então primeiro-tenente Arthur da Costa e Silva, futuro presidente da República.[54]

Enfurecidos, os populares tinham sede de vingança. Como não conseguiram saciá-la no Guanabara, resolveram dirigir sua ira contra outros símbolos da velha ordem. Os prédios dos principais órgãos da imprensa governista foram invadidos e depredados. Na esquina da avenida Rio Branco com a Sete de Setembro, o majestoso edifício no qual funcionava *O Paiz* foi consumido pelas chamas. Ali perto, a calçada de *A Crítica* ficou atapetada pelas laudas, páginas de arquivo e provas tipográficas — amassadas, rasgadas e atiradas ao meio da rua. *A Crítica*, *Jornal do Brasil*, *A Notícia*, *A Vanguarda*, *Gazeta de Notícias* e *O Malho* também tiveram suas redações e oficinas completamente destruídas. Mesas, cadeiras, máquinas de escrever, fichários, papéis e todos os materiais que puderam ser encontrados na redação de *A Noite*, na praça Mauá, foram reunidos em uma enorme pilha e incendiados, em plena via pública.[55] Na véspera, o jornal publicara em primeira página um comunicado oficial do governo, no qual se lia a seguinte afirmação do ministro da Justiça, Viana do Castelo:

"Não se alterou a situação de calma em que tem vivido a capital da República, onde reina a completa ordem."[56]

Efetivado o golpe militar no Rio de Janeiro, cabia estendê-lo ao resto do país. Uma proclamação transmitida por rádio em nome da Junta Provisória e endereçada a todos os governantes estaduais, incluindo Getúlio, informava que as forças armadas, "com a cooperação da massa popular" e "sem efusão de sangue", tinham tomado o poder da República com o "patriótico intuito de pôr um paradeiro à chacina que ameaçava degradar a família brasileira". A nota dizia ainda que "o ex-presidente", "o ex-ministro da Justiça" e o "ex-ministro da Guerra" estavam presos, em guarnições do Exército.[57]

Um informe adicional, também transmitido por rádio, determinou que tanto as tropas do Exército quanto as forças revolucionárias cessassem imediatamente as hostilidades e depusessem as armas, em nome da grande obra de pacificação nacional. Em Ponta Grossa, no acampamento do estado-maior revolucionário, os dois comunicados foram recebidos com receio. Além de darem os combates por encerrados sem que fossem discutidas todas as condições que levaram à luta armada, os textos não deixavam claro até que ponto a Junta Governativa pretendia ser "provisória".[58]

Com o tempo bom que fazia naquele dia em Ponta Grossa, Getúlio resolveu dar um passeio pelos arredores do acampamento, para esticar as pernas e espairecer as ideias. Ao avistar Viana Moog próximo à plataforma da estação, fez sinal para que se aproximasse. Queria colher suas impressões a respeito dos últimos acontecimentos no Rio de Janeiro.

"Era só o que nos faltava, a gente se ver livre da espada do Luís Carlos Prestes para cair, agora, sob as espadas dos generais", comentou Moog.[59]

O próprio escritor, ao reconstituir a cena alguns anos mais tarde, diria que o comandante em chefe da revolução, Getúlio Vargas, para não exteriorizar as preocupações que decerto o consumiam, resolveu mudar de assunto:

"Onde compraste esta tua camisa?", foi o único comentário que Getúlio deixou escapar, apontando para a japona que Moog envergava.[60]

Ainda segundo a narrativa do futuro autor de *Bandeirantes e pioneiros*, Getúlio depois disso apenas sorriu, tirou uma baforada do charuto e retomou o passeio. Como sempre, procurava dissimular as próprias angústias, embora se permitisse um pouco mais de transparência nas páginas do diário:

> Nos elementos que me cercam, surgem apreensões sobre os intuitos dos dirigentes do golpe de Estado no Rio. Receia-se que os generais queiram aproveitar-se do nosso movimento indubitavelmente vitorioso para apoderar-se do poder, reduzindo a uma sedição militar o que iniciamos como uma revolução.[61]

De Porto Alegre, Oswaldo Aranha chegou a sugerir um plano alternativo. Ele viajaria ao Rio para negociar com a junta militar. Assumiria o governo federal em nome de Getúlio, permanecendo no cargo em caráter extraordinário, como representante interino da revolução, até 15 de novembro, data oficial em que se encerraria o mandato de Washington Luís. Decorrido o prazo, passaria o poder, constitucionalmente, a Getúlio Vargas.

"As medidas excepcionais que precisam ser tomadas não comportam um governo constitucional", respondeu Getúlio a Aranha, recusando a sugestão e antecipando o aspecto discricionário do regime que pretendia inaugurar.[62]

Em harmonia com Góes Monteiro, Getúlio deliberou que o avanço em direção à frente paulista deveria prosseguir, ignorando a ordem de cessar-fogo imposta pela junta. Afinal, não existiria nenhuma segurança de que, uma vez depostas as armas, o triunvirato que se instalara no Catete cedesse às injunções dos revolucionários.

"Estamos percebendo manobras, que não toleraremos", radiografou Góes Monteiro em tom de intimidação ao Ministério da Guerra, ainda na madrugada de 24 para 25 de outubro. "Advirto que se até zero hora de 26 não se esclarecer a situação, instituiremos um governo nacional, recomeçando as hostilidades."[63]

Em resposta à ameaça lançada por Góes Monteiro, o Catete enviou radiograma urgente, dirigido a Getúlio. Pelo adiantado da hora, a mensagem pedia que ele aguardasse novos entendimentos para a manhã seguinte, antes de ordenar a retomada de quaisquer escaramuças na fronteira paulista. Foi, sem dúvida, a madrugada mais tensa de toda a jornada.[64]

Conforme prometido, no dia 25, por volta das dez horas, um radiograma assinado pelos três componentes da junta tentava explicar que as dificuldades para assegurar a ordem pública no dia anterior os impedira de informar Getúlio, desde o primeiro momento, sobre suas verdadeiras intenções. Como se pedissem um voto de confiança, apelavam mais uma vez para que ele ordenasse a suspensão da ofensiva, abandonasse o teatro de operações imediatamente e fosse ao Rio de Janeiro para confabular a respeito. A necessidade de sua presença na capital da República era classificada como "urgentíssima".[65]

Getúlio desconfiou que a convocação envolvesse uma felonia. No Rio, longe do comando civil das tropas revolucionárias, nada impediria que ele caísse prisioneiro, da mesma forma que ocorrera com Washington Luís. Precavido, por meio de nova mensagem radiográfica, definiu os termos pelos quais aceitaria alguma espécie de diálogo. Por não conhecer previamente os propósitos da junta, não iria à capital da República. Preferia, ao contrário, que os militares enviassem a Ponta Grossa um emissário incumbido de esclarecer a "situação um tanto confusa". Até lá, preveniu, "a situação militar ficará subordinada à situação política".⁶⁶

Getúlio abandonou o tom moderado que o caracterizava para deixar explícito que, nesse caso, não estava disposto a fazer concessões:

> Acho-me nas fronteiras do estado de São Paulo com 30 mil homens de tropas do Exército e do povo do Rio Grande do Sul, Paraná e Santa Catarina, perfeitamente armados e municiados, agindo em combinação com Minas e com o Norte, sob direção de Juarez Távora, não somente para depor Washington Luís, mas, também, com o fim de realizar o programa da revolução. [...] Os membros da junta no Rio de Janeiro serão aceitos como nossos colaboradores, porém não como dirigentes, uma vez que seus elementos [só] participaram da revolução quando ela já estava virtualmente vitoriosa.⁶⁷

Para demonstrar solidariedade e coesão de propósitos, Olegário Maciel, em Minas, e Juarez Távora, no Norte do país, também pressionavam:

"Dessa junta não receberei ordens, enquanto ela não jurar obediência aos princípios básicos da democratização e moralização do regime pelos quais me venho batendo de comum acordo com os revolucionários civis e militares do Rio Grande, Minas e Paraíba", radiografou Távora ao general Antenor Santa Cruz, responsável pelo comando das tropas legalistas na região.⁶⁸ "O que visa o povo mineiro, de perfeito acordo com os estados do Norte e do Sul, é a reivindicação da soberania nacional, usurpada pelo governo deposto, para o fim de reorganizar, consertar e prestigiar o Brasil, entregando a chefia da nação ao representante da vontade do povo brasileiro, dr. Getúlio Vargas", endossou Olegário, em telegrama ao Catete.⁶⁹

A coação combinada surtiu efeito. Na manhã de 26 de outubro, Tasso Fragoso, Mena Barreto e Isaías de Noronha expediram nova mensagem a Getúlio, para lhe garantir que não tencionavam conservar-se no poder de forma indefinida.⁷⁰

"Estou pronto, e sempre foi este o meu pensamento, para passar o governo a Vossa Excelência quando Vossa Excelência aqui se apresentar. Com esse intuito solicitei sua vinda", explicitou Fragoso.⁷¹

Embora o general assegurasse que jamais lhe passara pela cabeça a ideia de se conservar à frente do Catete, restaria a suspeita histórica de que ele e seus colegas de junta governativa tenham de fato cogitado tal possibilidade, pelo menos enquanto esta pareceu algo plausível. Um dos indícios a sustentar tal hipótese seria o fato de, na manhã de 25 de outubro, a junta ter chegado a nomear o próprio ministério, composto pelo general de brigada José Fernandes Leite de Castro (Guerra), o contra-almirante Isaías de Noronha (Marinha), o fluminense Agenor Roure (Fazenda), o mineiro Afrânio de Melo Franco (Relações Exteriores) e o paulista Paulo de Morais Barros (Agricultura, Indústria e Comércio). Fragoso, contudo, sempre justificou a medida como uma providência necessária, de ordem emergencial, apenas para que os postos não ficassem acéfalos.[72]

Outro indicativo de que a Junta Governativa Provisória talvez não acreditasse na própria transitoriedade era o programa revolucionário que distribuiu a todo o país. O documento previa a continuidade do triunvirato à frente da nação enquanto não fossem postas em prática uma série de medidas de médio e longo prazos, a exemplo da reforma tributária, a uniformização dos vencimentos dos funcionários públicos federais, a revisão e o julgamento dos atos administrativos do último decênio e, ainda, a regularização das promoções dos militares, afetadas pelos expurgos infligidos aos revolucionários desde 1922.[73]

Mesmo depois de Tasso Fragoso haver manifestado publicamente a disposição de passar o governo ao comando civil da revolução, circulou pelas redações dos jornais cariocas uma nota categórica assinada pelo coronel Bertoldo Klinger, investido pela junta governativa na função de novo chefe da polícia do Rio de Janeiro. Segundo a nota de Klinger, a informação de que Tasso Fragoso, Mena Barreto e Isaías de Noronha iriam entregar o poder a Getúlio era, textualmente, uma "invencionice":

> Senhor do pensamento que congrega as vontades dos dirigentes nas diversas frentes, declaro que é destituída de qualquer consistência a balela de que a Junta Governativa será sumariamente substituída, que ela entregará as rédeas do governo ao dr. Getúlio Vargas, cujos partidários, segundo tal invencionice, o considerariam como vencedor no último pleito eleitoral. [...] Seria uma comédia e seria uma violência desnecessária, seria uma inabilidade, que destruiria de uma penada todo o longo e glorioso esforço de pacificação.[74]

Mas Klinger, depois de enquadrado por Tasso Fragoso, ficou falando sozinho. Em Ponta Grossa, por volta das 22h30 do dia 26, Getúlio participava de um baile quando, bem no meio da dança com uma moça da cidade, foi interrompido pela notícia da chegada de uma comissão enviada do Rio de Janeiro até ali. O grupo — formado por três oficiais do Exército (o primeiro-tenente Carlos Flores de Paiva Chaves e os tenentes-coronéis José Antônio Coelho Neto e Emílio Lúcio Esteves) e um civil (o deputado gaúcho Ariosto Pinto)[75] — tomara um avião da Condor na capital da República e descera em Paranaguá, litoral paranaense, a cerca de 90 quilômetros de Curitiba. Depois, seguira em trem especial até o acampamento revolucionário. Na bagagem, os integrantes da comissão traziam um ofício assinado em conjunto por Fragoso, Mena Barreto e Noronha.[76]

A Junta Governativa Provisória convidava oficialmente Getúlio ao Rio de Janeiro, para tomar posse imediata na presidência da República.[77]

Diante do "convite" para se tornar presidente do país, talvez outro em seu lugar tomasse o primeiro avião rumo ao Rio de Janeiro. De fato, voar para a capital abreviaria a chegada ao Catete. Mas Getúlio sabia que, nesse caso, a pressa agiria contra o espetáculo e, mais importante, contra o controle efetivo do poder. Chegar ao Rio de Janeiro por terra, a bordo de um comboio revolucionário e sob gritos entusiasmados de vivas a cada parada, tornaria sua posse não apenas épica, como também legitimada pela aclamação popular. Além disso, cancelar a passagem por São Paulo seria temerário. Uma briga intestina entre tenentistas e democráticos prometia reproduzir no estado, em escala ampliada, as discórdias registradas em Curitiba. Antes que os dois grupos aliados se engalfinhassem pelo domínio político do estado mais economicamente poderoso da federação, Getúlio precisava afirmar sua própria liderança — e de maneira insofismável.

O plano foi arquitetado com cuidado. Em primeiro lugar, Getúlio tratou de demarcar território no Rio de Janeiro. Telegrafou para Oswaldo Aranha e pediu-lhe que fosse à capital federal para garantir um cenário propício à chegada do comboio. Antes vista como prematura, a ida de Aranha ao Rio ganhara status de missão, pois caberia a ele a responsabilidade de acordar os termos da transferência de poder.[78] Em segundo lugar, Getúlio escalou João Alberto para assumir o posto de "delegado da revolução" em São Paulo. Ele deveria chegar à capital um dia antes da caravana do estado-maior para executar uma tarefa secretíssima — e crucial para os rumos que a história viria a tomar.[79]

Na avaliação de Getúlio Vargas, havia um problema e tanto a ser enfrentado.

No dia 24 de outubro, o então presidente do estado de São Paulo, Heitor Penteado, entregara o cargo. A junta pusera em seu lugar, interinamente, o comandante da 2ª Região Militar, o general Hastínfilo de Moura, homem notoriamente ligado a Washington Luís. Com Júlio Prestes asilado na residência do cônsul da Inglaterra, Arthur Abbott, localizada à rua México, 90, no bairro Jardim América, o general já se havia entendido com as lideranças civis e aceitado, sem protestos, um gabinete constituído por representantes das classes produtivas locais, o que manteria as correntes revolucionárias mais radicais à margem de qualquer poder de decisão.[80]

Estava previsto pela junta que, nas horas seguintes, cumpridas as obrigações de manutenção da ordem pública, Hastínfilo passaria o cargo para o advogado e deputado federal Francisco Morato, fundador do Partido Democrático e um dos principais membros da Aliança Liberal no estado. Para os democratas, a solução parecia ser a mais lógica e, também, a mais justa.[81] Entretanto, Getúlio não tinha nenhuma intenção de entregar os destinos de São Paulo ao PD. Ao longo da conspiração, os aliados paulistas não haviam dado a cota de colaboração material que os revolucionários gaúchos tanto esperavam deles.[82]

No dia 27, em deferência ao comandante em chefe das forças rebeldes, Morato ainda enviou um radiograma a Getúlio. Ele indagava se deveria aceitar a presidência estadual das mãos do general Hastínfilo ou recusar colaboração a um representante da velha ordem. Como resposta, recebeu a determinação aparentemente sensata de manter inalterado o estado de coisas na capital paulista, pelo menos até a chegada do "delegado da revolução", João Alberto, prevista para o dia seguinte.[83] Ao mesmo tempo que cozinhava Morato, Getúlio combinou com Góes Monteiro a ocupação militar de São Paulo, com base no acantonamento de tropas rio-grandenses na capital e em diversas guarnições do interior.[84]

"A soldadesca gaúcha enchia a cidade, dando-lhe pelo colorido e pitoresco da indumentária aspectos carnavalescos", testemunharia o democrata Paulo Nogueira Filho.[85]

Francisco Morato sofreu grande decepção quando João Alberto chegou e foi direto tomar conta do palácio do governo, munido das credenciais expedidas por Getúlio. Em nome do "Chefe Supremo", o procurador revolucionário revelou que não daria posse a ninguém. Ficou acertado que o secretariado já escolhido seria mantido, mas para trabalhar sob a supervisão militar do próprio João Alberto.⁸⁶ A decisão, negociada com os próprios secretários e a mediação de Virgílio Melo Franco, foi considerada estapafúrdia por Morato:

"São Paulo não precisa de pernambucanos nem de mineiros", revoltou-se o paulista, aludindo às respectivas origens de João Alberto e Virgílio.⁸⁷

Na quarta-feira, 29 de outubro, quando o comboio revolucionário chegou à cidade de São Paulo, Getúlio já encontrou a porta convenientemente arrombada. Na Estação da Luz, foi recebido com glórias de herói. O diário pessoal se encarregaria de descrever a entrada arrebatadora na cidade, vista pelos olhos de seu protagonista:

> Chegamos à capital paulista cerca de 11 horas da noite, levados em triunfo da gare até o automóvel. Este percorre as ruas no meio de verdadeiro delírio popular. Parece que toda a população de São Paulo comungava com a revolução. Magnífico povo.
>
> Sou conduzido até os Campos Elísios, onde me aguardavam muitas famílias da melhor sociedade paulista, que me acolheram carinhosamente. Mando franquear os jardins do palácio e, da escadaria deste, falo ao povo, fazendo declarações sobre os propósitos da revolução. [...]
>
> Vou deitar-me quando já passavam das 3 horas da madrugada.⁸⁸

Na manhã seguinte, o jornal *O Estado de S. Paulo* publicava uma imensa foto de Getúlio no centro da primeira página, encimada pela seguinte manchete: "São Paulo recebe triunfalmente o presidente Getúlio Vargas". O jornal descrevia a multidão de 2 mil pessoas presentes à Estação da Luz como "um grande mar escuro sobre o qual parecia ter chovido o sangue de miríades de flâmulas e lenços vermelhos". E detalhava: "As árvores eram tomadas pela turba. Em cada forquilha engarfava-se um homem. Os muros estavam cobertos de espectadores, as gateiras, os portões, os terraços, as grades, as platibandas, onde houvesse apoio para um pé acomodava-se um espectador". À passagem de Getúlio, pétalas de rosa eram atiradas sobre o automóvel que o conduzia. "Já não se ouviam mais os vivas de duas mil pessoas, mas de cinco, seis, dez mil. E sob esse fragor de aplausos rumou para a cidade, acompanhado de um cortejo enorme, o dr. Getúlio Vargas", descrevia ainda *O Estado de S. Paulo*.⁸⁹ Em substituição ao "Queremos Getúlio", entoado no início daquele ano durante a visita do então candidato da Aliança Liberal à cidade, uma nova palavra de ordem era gritada pelos paulistas:

"Nós *temos* Getúlio!"⁹⁰

Nos Campos Elísios, Getúlio Dornelles Vargas agradeceu as homenagens e pronunciou um discurso forte, digno de um líder revolucionário que chegava ao poder:

> Se a vitória da Aliança Liberal se concretizasse pela eleição de seu candidato, os seus resultados não iriam além da reforma eleitoral e outros pontos do programa então organizado. Agora, porém, está assegurada a realização de um programa muito maior e mais profundo — a dissolução do Congresso, pois este se revelou absolutamente incapaz de cumprir sua missão; a reforma eleitoral; a reforma do sistema tributário, evitando a iníqua situação que grava todo o povo em benefício de meia dúzia de magnatas; a anistia ampla; a execução de um programa de grandes economias, para salvar as finanças nacionais; a tomada de contas dos que lançaram mão dos dinheiros públicos, os quais responderão com os seus bens particulares, que serão confiscados, e com a sua liberdade, pelos gastos ilícitos, que serão apurados.[91]

Naquele dia, a *Folha da Manhã* e a *Folha da Noite*, jornais que pertenciam ao mesmo grupo editorial e depois dariam origem à *Folha de S. Paulo*, não circularam. Já no dia 24 uma horda invadira o prédio da organização e repetira os episódios ocorridos no Rio de Janeiro, destruindo as redações e oficinas das publicações governistas.[92] Naquele 30 de outubro, enquanto o *Estadão* e o *Diário Nacional* viam suas edições com a cobertura da chegada de Getúlio à capital paulista se esgotarem rapidamente, um inconsolável Francisco Morato sentiu-se no direito de reclamar para si o governo estadual.

Morato preferia ter tratado do assunto em particular, mas Getúlio encontrou uma forma de fazer com que a conversa tivesse a participação de João Alberto. Em um movimento talvez ensaiado, foi justamente o "delegado da revolução" quem propôs uma possibilidade de arranjo: como ainda não montara seu próprio ministério e pretendia destituir os nomes escolhidos pela junta governativa, Getúlio bem poderia fazer de Morato o novo ministro da Fazenda. A sugestão não surtiu o efeito calculado.[93]

"Senhor tenente João Alberto, eu não estou aqui mendigando emprego. Tenho uma banca de advocacia que é das mais rendosas da República", estrilou Morato. "Estou aqui reivindicando para São Paulo o direito de governar a si próprio, salientando que, não fosse a ação do Partido Democrático, do qual sou chefe, não haveria revolução, ou ela estaria derrotada, e o senhor continuaria um simples tenente em exílio."[94]

Alarmado com os rumos da reunião, Getúlio decidiu encerrá-la. Como era de seu feitio, empurrou o problema para depois. Avisou que partiria de trem naquela mesma noite para o Rio de Janeiro, onde deveria estar já na manhã seguinte. Só depois de tomar posse na presidência da República chegaria a hora de resolver as questões regionais. Antes, tomaria pé da situação, estudaria o cenário político nacional e ordenaria as primeiras providências do governo revolucionário. Em quinze dias, assegurou, empossaria Francisco Morato na presidência do estado de São Paulo.[95]

Mas Getúlio jamais cumpriria a promessa.

"A mentalidade criada pela revolução não admitia mais o emprego dos velhos processos, do critério puramente político", justificaria.[96]

Foi impossível conter a vaga humana. Os cordões de isolamento se romperam assim que o trem trazendo Getúlio parou na plataforma da Central do Brasil, às 18h25 do dia 31 de outubro. Desde as nove da manhã, a massa compacta já começava a se formar nas imediações da gare, pois os jornais e as emissoras de rádio haviam informado à população carioca que a chegada do comboio revolucionário estava marcada para as dez horas.[97] A notícia estava correta. O longo atraso se devia às inúmeras paradas a que fora submetida a composição desde a saída de São Paulo, na noite anterior, quando Getúlio, como se fosse um astro de cinema do porte de um Emil Jannings ou de um Chester Morris, cansara os dedos de tanto rabiscar o próprio nome:

"Fui assediado constantemente pelos pedidos de autógrafos em cartões, cadernetas, pedaços de papel — provavelmente uns cem autógrafos lançados a esmo", registrara.[98]

Após a partida da capital do estado, os paulistas de Mogi das Cruzes, Jacareí, Taubaté, Cachoeira, Cruzeiro e Queluz obrigaram o trem a parar sucessivamente. Para se certificar de que a composição não seguiria direto, sem dar chances à população local de saudar Getúlio, barricadas humanas se formaram no leito da via férrea, forçando o maquinista a acionar o sistema de freios para evitar atropelamentos fatais.[99]

"Por todo o caminho, em todas as estações, por mais insignificantes, tínhamos de atender ao povo entusiasmado, vibrante. No geral, trabalhadores rurais, operários etc. Flores, discursos, foguetes", escreveu Getúlio, quando já passava das duas da madrugada. Vencido pelo sono e pelo cansaço, permitiu-se ficar debaixo dos lençóis em algumas paradas. Em seu lugar, escolhia-se um ou outro membro do estado-maior para receber as repetidas homenagens. "Escrevo estas notas quando passo, já deitado, por uma estação cujo nome ignoro, ouvindo o eco de vivas e músicas. Toda a comitiva admira-se da vibração do espontâneo entusiasmo do povo paulista."[100]

Embora recolhido ao leito, Getúlio mal conseguiria pregar o olho naquela noite. Após a divisa dos estados de São Paulo e Rio de Janeiro, as manifestações públicas prosseguiram, com arrebatamento ainda maior. As cidades fluminenses de Barra Mansa, Resende, Barra do Piraí, Vila do Rodeio (mais tarde Engenheiro Paulo de Frontin) e Nova Iguaçu também fizeram questão de dirigir honrarias aos revolucionários. O sol já estava alto quando o comboio chegou aos arredores da cidade do Rio de Janeiro, ocasião em que o estado-maior revolucionário foi transferido para o trem presidencial, enviado pela junta governativa. Nos subúrbios da capital da República, cada estação precisou ser igualmente contemplada. Nos bairros de Deodoro, Marechal Hermes, Madureira, Cascadura, Piedade, Engenho de Dentro e Engenho Novo, as multidões não permitiram que Getúlio as ignorasse e passasse direto a caminho do Centro. Todos, mais uma vez, queriam vê-lo, ouvi-lo, aplaudi-lo, festejá-lo.[101]

"Um dia de grande, intensa, formidável vibração popular", definiu a manchete do *Correio da Manhã*. "Chegou o presidente Getúlio Vargas. A população carioca faz-lhe verdadeira apoteose", dizia o jornal.[102]

Na Central do Brasil, o burburinho foi tão grande que dezenas de acidentes chegaram a ser registrados, todos provocados pelo inevitável empurra-empurra. Cada pessoa, entre os milhares ali presentes, queria chegar mais próximo de Getúlio para olhá-lo bem de perto e, se possível, tocar-lhe a mão. Na balbúrdia que se formou, os mais velhos eram derrubados; as mulheres, atiradas ao chão; as crianças, pisoteadas. Impotente em face da força incontrolável da turba, a polícia tentava contê-la, sem sucesso. Os mais afoitos, ignorando as medidas de segurança, se precipitavam perigosamente, em ondas, rente ao vão entre a plataforma e os trilhos.[103]

Quando Getúlio apareceu à porta do vagão presidencial, a torrente desenfreada se voltou em sua direção. Comprimido no meio do público, Afrânio de

Melo Franco passou mal. Perdeu os sentidos e teve de ser socorrido às pressas. Em simultâneo, tragado por um redemoinho de incontáveis pernas e braços, Getúlio desapareceu por alguns instantes em meio à maré de gente.[104]

"A massa em delírio, num frêmito de exaltação patriótica, arrebatou o presidente Getúlio Vargas, mal pisava ele na plataforma", registrou o repórter do *Correio da Manhã*. Segundos depois, Getúlio emergiu do centro do burburinho, como se lançado para o alto. Estava completamente despenteado, com o uniforme militar em desalinho. "Sobre a cabeça do chefe civil da revolução despetalavam-se rosas, e as senhoritas rodearam o estadista sul-rio-grandense, atirando-lhes confetes. Com o rosto a transbordar de alegria, iluminado por um sorriso de júbilo sincero, o presidente entregou-se aos braços do povo."[105]

Até conseguir alcançar o portão de saída, a marcha se desenrolou em passo lento, com Getúlio sacolejado de um lado para outro, submetido a encontrões involuntários, que ele suportava com serenidade, sem tirar o sorriso do rosto um só minuto. No pátio, lá fora, a explosão popular também havia rompido os cordões de isolamento estabelecidos pela polícia. Foi necessária a intervenção da cavalaria para que Getúlio pudesse tomar assento no carro oficial que o aguardava. Antes que o automóvel desse a partida, o comandante em chefe da revolução vitoriosa ficou de pé no estribo do veículo e fez um gesto de agradecimento ao público, que entendeu o sentido do meneio e irrompeu em novos gritos e aplausos.[106]

Getúlio então entrou no carro aberto, o Lincoln modelo L, da presidência da República. Esparramou-se no banco de trás e seguiu acenando para todos. O restante da comitiva ainda tentava se desvencilhar do tumulto para se avizinhar dos automóveis postados em sequência. Membros do estado-maior foram deixados para trás, sem conseguir abrir caminho, engolidos pela agitação.[107] Os secretários Luiz Vergara e Walder Sarmanho não puderam avançar um único passo. Ficaram bloqueados dentro do vagão, impossibilitados de ao menos sair à gare.[108]

Escoltado por cavalarianos em uniforme de gala, o carro que conduziu Getúlio desceu uma avenida Marechal Floriano coalhada de gente, rompeu caminho em meio ao povo que tomara de assalto a rua Visconde de Inhaúma e depois dobrou à direita na Rio Branco, para chegar ao ponto de maior concentração pública de todo o trajeto, nas proximidades do Theatro Municipal. O burburinho popular se somava ao som cadenciado do trote dos cavalos sobre o pavimento de macadame, intercalados pela sirene estridente dos jornais que anunciavam a passagem do séquito. Nos céus, aviões militares faziam evoluções e davam rasantes sobre a avenida, quase raspando a cúpula dos edifícios mais altos. Toneladas de papel picado, serpentinas e pétalas de rosa eram despejadas das janelas dos prédios e sobrados.[109]

Pelo adiantado da hora, o carro presidencial imprimia relativa velocidade, sem obedecer às paradas programadas. Assim, frustrou um grupo de 22 mocinhas saltitantes, todas vestidas de branco e com um cesto de flores na mão. Cada uma delas representava um dos vinte estados da federação, mais o território do Acre e o Distrito Federal. Embora houvessem planejado fazer um singelo discurso de agradecimento "em nome da mulher brasileira", elas tiveram que se contentar com o aceno e o sorriso que Getúlio lhes ofereceu de relance, de dentro do carro, sem que o motorista tenha sequer diminuído a marcha, pois precisava obedecer à ordem de chegar ao Catete o mais rápido possível.[110]

Poucos metros antes do automóvel atingir a avenida Beira-Mar e depois virar na rua Silveira Martins, um repórter notou que, apesar de irradiar simpatia, Getúlio Vargas parecia exaurido. Depois de vinte dias de viagem e outras tantas noites mal dormidas, ele buscava forças para simular algum fôlego extra. Foi o suficiente para que a imprensa carioca atribuísse àquele homenzinho atarracado e fora de forma os vigores físicos de uma natureza quase sobre-humana:

"Só a resistência de um homem-dínamo poderia se mostrar insensível à marcha formidável de tantos dias, cruzando montes, atravessando vales, singrando rios e veredas, através das situações mais diversas, das comoções mais fortes."[111]

Exatamente às 8h20, o carro dobrou a esquina da rua do Catete e estacionou bem defronte ao palácio. O piquete da cavalaria repassou a tarefa da escolta presidencial aos cadetes da Escola Naval e da Escola Militar, perfilados na fachada do prédio, de uniforme claro. Quando Getúlio Vargas pôs os dois coturnos sobre a calçada, todos eles lhe bateram continência e a banda de música iniciou a execução do Hino Nacional. Ao término da última nota, Getúlio caminhou alguns passos e adentrou a sede do poder republicano. Do lado de fora, milhares de vozes bradavam seu nome.[112]

Depois de receber os cumprimentos das autoridades presentes, ele resolveu subir ao segundo piso do palácio para sair à sacada e proferir breves palavras ao povo:

"O país, oprimido pela violência, pela brutalidade, não podia tolerar por mais tempo os seus opressores!", exclamou, para receber em troca a maior consagração coletiva de toda a sua vida até ali.[113]

Abordado pelos jornalistas, que queriam arrancar dele alguma declaração exclusiva, Getúlio se esquivou das entrevistas. Naquele momento, precisava combinar com os membros da junta governativa a data oficial da posse. Como se estava em plena sexta-feira, iria solicitar ao triunvirato que a cerimônia de transmissão de cargo fosse marcada para a segunda-feira seguinte. Aproveitaria o fim de semana para descansar e escolher o ministério.[114]

"Espero que façamos camaradagem", disse aos repórteres, caminhando entre eles, em direção a uma sala reservada. Nisso, um jornalista mais perspicaz lançou uma pergunta no ar, que fez Getúlio estancar o passo e voltar-se.[115]

"O senhor está de acordo com os pontos de vista do comandante Juarez Távora?" — foi a indagação.

Getúlio fixou os olhos no jornalista e, parado, permaneceu alguns segundos em silêncio, em busca da melhor resposta.[116]

No dia anterior, Távora chegara ao Rio de Janeiro e dera uma declaração polêmica, publicada com amplo destaque no *Correio da Manhã*. "Aprovo a ditadura, no seu exato sentido", dissera, quando indagado sobre os rumos que o governo federal deveria tomar dali por diante, a fim de tornar realidade as transformações prometidas pela revolução. Instado a explicar qual o "exato sentido" que via na palavra ditadura, Távora definira: "A ditadura de um homem com honra, com as virtudes do puro administrador. A ditadura sem limite fixado, até que todos verifiquem por atos, não por palavras, a regeneração e a reabilitação dos costumes políticos e administrativos". Ainda segundo Távora, a primeira providência do novo governo deveria ser abolir a Constituição e fechar o Congresso, que classificou como um "viveiro de parasitas" no qual reinaria "a incompetência associada à corrupção, à ignorância e ao servilismo".[117]

Pressionado pela pergunta incômoda, depois do instante de mutismo, Getúlio enfim respondeu:

> Acho muito respeitáveis todas as ideias expedidas por Juarez. Estou de acordo com elas. O programa revolucionário comporta, realmente, planos grandiosos de reconstrução nacional, estando agora os homens do Brasil em ótimas condições para conduzir o país ao lugar que há muito tempo ele merecia ocupar.[118]

Um dia depois, 1º de novembro, quando a entrevista pôde ser lida nos jornais cariocas, um grupo de gaúchos envergando o uniforme de campanha cumpriu a promessa de amarrar seus cavalos no obelisco da avenida Rio Branco.[119]

Uma coincidência histórica marcou o 3 de novembro de 1930, dia em que Getúlio tomou posse como "chefe do governo provisório da República dos Estados Unidos do Brasil".[120] Também em um 3 de novembro, mas 39 anos antes, o então presidente Deodoro da Fonseca, agredindo a Constituição, mandara fechar o Congresso Nacional, sob o pretexto de que o Legislativo se transformara em um "ajuntamento anárquico" que devia "desaparecer para a felicidade do Brasil".[121]

Getúlio repetia o gesto, com uma diferença primordial: ao desprezar o Congresso e a representação política que, mal ou bem, a Casa encarnava, Deodoro assumira poderes absolutos, mas decretara, sem o saber, sua própria ruína política. Dezenove dias depois, seria forçado a renunciar. Passaria os últimos meses de vida no ostracismo, sentado em uma poltrona e tendo ao colo, como único companheiro fiel, um pequeno cão vira-lata chamado Tupi.[122] Ao contrário, ao dissolver o parlamento e abolir a Constituição, Getúlio sabia estar referendado por um grande apoio civil e militar. Com os jornais de oposição fora de circulação, a imprensa em peso também o apoiava.

No dia da posse de Getúlio Vargas, o *Correio da Manhã* brindou seus leitores com um poema publicado na coluna Pingos e Respingos, que expressava bem a expectativa nacional:

Mal despontara o Sol republicano
Quando, após um político zunzum,
A melódia se deu: findava o ano
Mil oitocentos e noventa e um

No Senado e na Câmara, o Deodoro,
Aos pais da Pátria interditava o ingresso,
E em ácidos de enxofre, azoto e cloro,
Num momento dissolve-se o Congresso

Mas, em breve, o defunto ressuscita,
Volta a bandeira dos politicantes,
Os tempos mudam, mas é a mesma escrita,
E tudo volta a ser o que era antes.

Não seja o caso tal reproduzido
Morto, bem morto, não reviva o bruto,
Pois o Congresso agora dissolvido
Será sempre um Congresso dissoluto.[123]

No discurso de posse, já sem o uniforme militar, de paletó e gravata, Getúlio estabeleceu as prioridades do governo que se iniciava: conceder a anistia; sanear moralmente a nação; melhorar o ensino público; nomear comissões de sindicância contra crimes financeiros; remodelar e reequipar as forças armadas; fazer a reforma eleitoral; reformular o funcionalismo público; cortar despesas supérfluas; incentivar a produção agrícola e promover a policultura; extinguir progressivamente o latifúndio; rever o sistema tributário; implementar estradas e ferrovias; criar dois novos ministérios: o do Trabalho e o da Instrução e Saúde Pública. Nenhuma palavra, porém, sobre a convocação de uma Assembleia Constituinte e muito menos a respeito de quando se dariam as futuras eleições no país.[124]

Como era de esperar, o primeiro ministério foi organizado com nomes quase todos saídos das fileiras revolucionárias. Oswaldo Aranha recebeu a pasta da Justiça e Negócios Interiores. Juarez Távora ficou com a de Viação e Obras Públicas (embora depois abdicasse do cargo, ocupado logo em seguida pelo escritor paraibano José Américo de Almeida). Assis Brasil foi para a Agricultura. Francisco Campos, para a Educação e Saúde Pública. Lindolfo Collor, para o Trabalho, Indústria e Comércio. Afrânio de Melo Franco foi nomeado para as Relações Exteriores. As pastas militares, Guerra e Marinha, couberam respectivamente ao general José Fernandes Leite de Castro e ao contra-almirante Isaías de Noronha. A representação de São Paulo foi garantida pela nomeação do banqueiro José Maria Whitaker para a Fazenda. Por último, e não menos importante, Batista Lusardo ficou responsável pela Chefia de Polícia.[125]

Nos primeiros dias de governo, a equipe de gabinete de Getúlio — a mesma que o servira no Rio Grande — se viu às voltas com um problema grave. O expediente do palácio do Catete fora tocado até ali de forma anárquica. Não havia livros de registros burocráticos, os fichários estavam desatualizados, os despachos eram anotados em folhas avulsas que se extraviavam. Luiz Vergara, Walder Sarmanho e Simões Lopes ficaram encarregados de pôr ordem na casa, com a ajuda do único funcionário que não debandara com o quadro de Washington Luís:

Gregório da Fonseca, por isso mesmo imediatamente apelidado por Getúlio de "São Gregório".[126]

Em 20 de novembro, o ex-presidente foi embarcado para a Europa, na condição de exilado político. Nesse mesmo dia, quando a vitória da revolução ainda não havia completado um mês de existência, Getúlio deixou uma significativa anotação nas páginas do diário:

> Quantas vezes desejei a morte como solução da vida. E, afinal, depois de humilhar-me e quase suplicar para que os outros nada sofressem, sentindo que tudo era inútil, decidi-me pela revolução, eu, o mais pacífico dos homens, decidido a morrer. E venci, vencemos todos, triunfou a revolução! Não permitiram que o povo se manifestasse para votar, e inverteram-se as cenas. Em vez de o sr. Júlio Prestes sair dos Campos Elísios para ocupar o Catete, entre as cerimônias oficiais e o cortejo dos bajuladores, eu entrei de botas e esporas nos Campos Elísios, onde acampei como soldado, para vir no outro dia tomar posse do governo no Catete, com poderes ditatoriais. O sr. Washington Luís provocou a tormenta, e esta o abateu.
> Dizem que o destino é cego. Deve haver alguém que o guie pela mão![127]

Fatalista, Getúlio preferia atribuir sua chegada ao poder máximo da República à mão caprichosa do destino, como se ele próprio fosse um predestinado. Mas, na verdade, sua ascensão fora fruto da combinação de uma série de circunstâncias e conjunturas históricas, em parte habilmente conduzidas com a ajuda de um impressionante senso de oportunidade e um quase inacreditável talento para conjugar a dissimulação, o estratagema e a prudência.

Dali por diante, os brasileiros seriam submetidos a um período de quinze anos ininterruptos sob o comando de um único homem. Nesse intervalo, Getúlio ajudaria a construir mudanças essenciais na economia, na sociedade e na política nacional. Tais transformações — e suas inevitáveis tensões — agiriam também sobre a trajetória do próprio Getúlio, expondo suas muitas contradições e ambivalências.[128]

De 1930 a 1945, as intolerâncias, violências e perseguições do regime getulista deixariam marcas traumáticas na vida do país. Mas esse mesmo intervalo de tempo também serviria para arrancar o Brasil de uma condição essencialmente agrária, transformando-o em uma nação com aspirações urbanas e industriais, embora este não fosse o objetivo delineado pela revolução.[129]

Em todo caso, seria mais admissível falar de uma outra "mão", aquela que almejaria, a qualquer custo, dali por diante, guiar os rumos do país e de todo um povo. Uma mão forte, logo se veria. Pronta para esmagar sem nenhuma condescendência os muitos adversários, reais ou imaginários. Ao mesmo tempo, uma mão suscetível aos gestos leves, capaz de acenar às massas com suavidade, como um grande "pai" que imagina conseguir manter a eterna tutela sobre os filhos.

A mão de Getúlio Dornelles Vargas.

Este livro

Ao contrário do que afirmou em 1950 ao jornalista Rubens Vidal, repórter da extinta *Revista do Globo*, Getúlio Vargas não era contra biografias. Na verdade, era a favor. Mas, como todo biografado, desde que falassem bem dele.

Em vida, Getúlio já abrira parte de seus arquivos pessoais a pelo menos um trio de biógrafos: André Carrazoni, Paul Frischauer e Leal de Souza. O resultado foram três panegíricos lançados em plena vigência do Estado Novo, o regime ditatorial inaugurado por Vargas em 1937 e que durou até 1945. Além disso, naquele mesmo período, a máquina de propaganda do getulismo produziu uma série de cartilhas e livretos, alguns deles ilustrados e coloridos, de caráter pretensamente didático e biográfico. Editados pelo Departamento de Imprensa e Propaganda, o DIP, tinham como público-alvo as crianças e os jovens. Basta uma conferida nos títulos para se ter a exata noção de seus respectivos conteúdos: *História de um menino de São Borja: A história do presidente Getúlio Vargas contada por Tia Olga aos seus sobrinhos, Getúlio Vargas para crianças, Getúlio: Uma biografia para a gente moça, O Brasil Novo: Getúlio Vargas e sua vida para a criança brasileira*.

Dono de uma trajetória conturbada e controvertida, Getúlio, voluntariamente ou não, forneceria muito mais material para os pretendentes a biógrafos, fossem eles apologistas ou detratores. Talvez por isso mesmo ele seja, de longe, o personagem histórico sobre o qual mais se escreveu no Brasil. Mesmo assim, curiosamente, em meio a essa profusão de títulos, não existia até aqui, a rigor, nenhuma biografia, na verdadeira acepção do termo, de Getúlio Dornelles Vargas.

O historiador norte-americano Robert Levine, na abertura de *Pai dos pobres?* (Companhia das Letras, 2001), explicitava todo o incômodo ao constatar a inexistência de "uma biografia completa e atualizada de Vargas". O também brasilianista Thomas Skidmore, autor de *Brasil: De Getúlio a Castello* (republicado pela mesma Companhia das Letras em 2010), já chegou a dizer que a tarefa de biografar Getúlio exigiria "quase toda a vida de um eventual biógrafo". Maria Celina D'Araújo, doutora em Ciência Política e pesquisadora do Centro de Pesquisa e Documentação de História Contemporânea da Fundação Getúlio Vargas (CPDOC-FGV), em simpósio realizado em Porto Alegre no ano de 2004 — "Da vida para a história: o legado de Getúlio" — chamou a atenção para o fato de a maior parte das "biografias" publicadas sobre o personagem terem caráter ficcional, ou seja, enquadrarem-se no gênero "romance histórico". "É mais fácil pedir licença à ficção para interpretar o personagem do que lhe dar vida pelos caminhos metodológicos da história e das ciências sociais. Com isso se reproduz e se reafirma um Getúlio esfinge", analisava Maria Celina.

De fato, sempre me inquietou o fato de Getúlio nunca ter sido alvo de uma biografia jornalística exaustiva, moderna, cuidadosa no trato com as fontes primárias, atenta à abundância de estudos acadêmicos a respeito do período e, em especial, sem o impressionismo da maioria dos relatos biográfico-jornalísticos já publicados sobre o personagem. Em se tratando de Getúlio, muitas perguntas permanecem sem resposta. Este livro não se propõe a eliminá-las, esgotá-las ou resolvê-las em definitivo, mas, antes, a oferecer novas contribuições, elementos e possibilidades ao debate.

Afinal, já foram utilizadas toneladas de papel e tinta para se tentar "decifrar" Getúlio. Os biógrafos oficiais, Frischauer, Carrazoni e Leal de Souza, se encarregaram de traçar uma espécie de hagiografia — caudalosa e laudatória — do ex-presidente. No flanco oposto, êmulos como Affonso Henriques e seu cáustico *Ascensão e queda de Getúlio Vargas* (Record, 1977) apostaram na total desconstrução do biografado. Nesse embate, apologistas e detratores forçosamente se anulam, pela parcialidade dos sinais contrários.

Os historiadores Boris Fausto (*Getúlio Vargas: O poder e o sorriso*, Companhia das Letras, 2008) e Paulo Brandi (*Vargas: Da vida para a história*, Zahar, 1983) escreveram perfis biográficos tão sintéticos quanto fundamentais. Entretanto, pela especificidade de seus trabalhos, deliberadamente passaram ao largo da percuciência do detalhe, da dimensão estética da narrativa e da investigação quase arqueológica da esfera privada, matérias-primas de uma biografia jornalística.

Hélio Silva, ao compor o extenso "Ciclo de Vargas", em 16 volumes, preocupou-se em "biografar" toda uma época, e não um homem. E John W. Foster Dulles (*Getúlio Vargas: Biografia política*, Renes, 1967) estava interessado, como anunciava desde o título da obra, "apenas" na história política do personagem, evitando explorar as demais dimensões do indivíduo.

A todos os autores citados acima, este livro faz questão de prestar seu tributo, devidamente reiterado nas citações e, principalmente, nas notas incluídas ao final do volume. Não se trata apenas de um dever de honestidade intelectual, mas de reconhecimento sincero. Sem eles, meu trabalho talvez simplesmente não viesse sequer a existir.

Seria impossível citar aqui neste espaço todas as outras obras de referência das quais necessariamente me servi para escrever esta biografia. A relação completa, todavia, deve ser consultada na bibliografia que precede as notas. Ali, podem ser encontradas menções a textos de toda natureza. A inclusão deles na lista não significa, obviamente, adesão às ideias e interpretações adotadas pelos respectivos autores.

Muitos são estudos acadêmicos, publicados em livro ou lidos ainda no formato de dissertações de mestrado e, particularmente, teses de doutorado. Getúlio, como não poderia deixar de ser, é um tema que desperta interesse privilegiado na universidade brasileira. As reflexões e análises desses estudiosos ajudaram a estabelecer minha própria compreensão do biografado — e, sobretudo, a duvidar de minhas certezas e verdades prévias.

Mas o leitor notará — ou já terá notado — que boa parte da narrativa deste livro foi construída a partir da pesquisa em fontes primárias, no garimpo de arquivos públicos e privados. Durante os dois anos e meio que levei para escrever este livro, percorri diferentes cidades brasileiras, em busca de documentos, jornais de época, objetos, publicações raras, depoimentos, filmes, músicas e fotografias, qualquer pista que me ajudasse a contar a história de Getúlio.

Muitos esclarecimentos de episódios até então nebulosos estão vindo pela primeira vez ao conhecimento do público. Não me conformei enquanto não consegui localizar, por exemplo, os autos dos processos relativos ao assassinato do jovem paulista Carlos de Almeida Prado em Ouro Preto. O mesmo pode ser dito em relação aos documentos jurídicos referentes à morte criminosa do índio Tibúrcio Fongue, em Inhacorá. Uma série de outros eventos atinentes à trajetória pessoal e política de Getúlio antes da chegada ao Catete foram obtidos na vasta correspondência existente no arquivo pessoal de Borges de Medeiros, hoje sob a custódia do Instituto Histórico e Geográfico do Rio Grande do Sul. Dezenas das cartas e documentos ali depositados eram absolutamente inéditas até este momento. No caso da Revolução de 30, embora já exista uma sólida bibliografia a respeito do tema, preocupei-me sobretudo em situar a narrativa a partir de uma perspectiva mais próxima à figura de Getúlio Vargas, salientando aspectos e detalhes pouco explorados ou muitas vezes desprezados pela historiografia. Já os fatos recuperados no prólogo não têm apenas o papel de instigar e convidar à leitura do livro, mas também de oferecer alguns possíveis subsídios à eterna questão sobre até que ponto o movimento que levou Getúlio ao poder já carregava o gérmen autoritário, apesar de ao mesmo tempo ter representado o início da modernização do Brasil.

A multiplicidade de fontes, entretanto, teve como fio condutor a correspondência ativa e passiva do próprio Getúlio, organizada e mantida pelo CPDOC-FGV. Os acervos de outras personalidades públicas existentes na mesma instituição também foram alvo de seguidas consultas, a fim de estabelecer as conexões e confrontar as diferentes perspectivas dos atores envolvidos nos episódios relatados.

Quando propus ao meu editor, Luiz Schwarcz, uma biografia de Getúlio Vargas, sabia o tamanho da responsabilidade aí envolvida. Mas o apoio e o entusiasmo de Luiz foram tão contagiantes que comecei a trabalhar nisso apenas um dia depois de apresentar à editora os originais de *Padre Cícero: Poder, fé e guerra no sertão*, meu livro anterior, publicado em 2009.

Desde o momento inicial, compreendi que seria impossível reunir em um único volume toda a trajetória política e pessoal de Getúlio Vargas. Quando cogitei a possibilidade de uma trilogia, a Companhia das Letras comprou a ideia sem nenhuma hesitação.

O plano da obra prevê que os três volumes sejam organizados de forma cronológica. Este primeiro tomo abrange o percurso do biografado desde o nascimento — e seus antecedentes familiares — até a chegada ao poder, em 1930, estendendo-se ligeiramente, no prólogo, aos primeiros meses de 1931. O segundo versará sobre os quinze anos subsequentes, até 1945, cobrindo o primeiro período da chamada Era Vargas, destacando-se aí a ditadura do Estado Novo. O terceiro e último volume abordará o "exílio" de Getúlio em São Borja após sua derrubada pelos militares e a volta à presidência pelo voto popular, chegando ao trágico desfecho de agosto de 1954. A divisão por períodos atende a uma questão de ordem estritamente didática e de contingência editorial. Compreendo que não faz nenhum sentido decompor e conceber a trajetória política e pessoal de Getúlio em tempos estanques, como se houvesse, digamos, três "Getúlios" distintos, um "revolucionário", um "ditador" e um "democrata". Ao contrário dos que alguns especulam, Getúlio foi um só, embora ambivalente e contraditório.

Também pela mesma necessidade de facilitar o entendimento ao leitor contemporâneo, permiti-me atualizar a grafia de palavras em conformidade com a ortografia vigente, assim como corrigir e simplificar a pontuação no caso das citações que ofereçam a possibilidade desse recurso, igualmente em nome da legibilidade, sem comprometimentos na forma, conteúdo e sentido dos textos originais, que podem ser consultados pelos interessados a partir das referências precisas às fontes.

Uma vez aprovados os propósitos e critérios do projeto, a editora cuidou para que eu usufruísse condições objetivas para me dedicar a esse trabalho em regime de dedicação exclusiva. Nesse aspecto, foi imprescindível a parceria com Rodrigo Teixeira, da RT Features, produtora que adquiriu os direitos de adaptação para a tevê e cinema de uma obra que, até aquele momento, existia apenas na minha intenção e no meu compromisso com o projeto anunciado. Desse modo, acima de qualquer circunstância, este livro só existe porque houve quem acreditasse e apostasse nele. A Luiz e Rodrigo, faço questão de explicitar aqui a minha gratidão.

Aproveito a oportunidade para fazer os indispensáveis agradecimentos. Destaco a interlocução que mantive durante a pesquisa e redação desta obra com duas generosas inteligências: o historiador Gunter Axt e o pesquisador Antônio Sérgio Ribeiro. Confiei a Gunter e Sérgio, separadamente, o trabalho de revisão histórica dos originais. Gunter, doutor em História pela Universidade de São Paulo (USP), professor visitante na Université Denis Diderot, Paris VII, junto ao Institut de la Pensée Contemporaine, é autor de dezenas de livros e escreveu uma tese de doutorado magistral sobre a política gaúcha durante a República Velha (*Gênese do Estado moderno no Rio Grande do Sul*, Paiol, 2011), livro que norteou muitas das questões aqui tratadas, em particular no que diz respeito aos cenários e contextos em que se deu o processo de formação política de Getúlio.

Antônio Sérgio Ribeiro, como bem definiu Jô Soares na dedicatória de *O homem que matou Getúlio Vargas*, é um "arquivo vivo" sobre o getulismo. Detentor de um acervo extraordinário de jornais e revistas sobre a história brasileira no século xx, o "Fenômeno" — como é conhecido por colegas biógrafos que já recorreram à sua preciosa colaboração, a exemplo de Fernando Morais — é capaz de obter qualquer informação que alguém o desafie a levantar. Eficientíssimo na coleta de dados, é também implacável na hora de detectar erros, imprecisões e derrapadas históricas em um texto. Com um olhar atento para os detalhes, sempre consegue oferecer elementos que possibilitem estabelecer o máximo rigor e, ao mesmo tempo, um maior colorido à narrativa.

Por uma questão de justiça, e não apenas por mera praxe, é preciso ressalvar que os prováveis escorregões que este livro ainda venha a apresentar não são, de modo algum, responsabilidade de Gunter e Sérgio. A culpa, assumo, é toda minha, pois confesso que continuo a mexer no texto até o último minuto, só largando os originais depois de o editor conseguir arrancá-los de minhas mãos.

Uma biografia como esta é, essencialmente, uma obra coletiva. A pesquisa para escrever *Getúlio* contou com a cooperação e o trabalho árduo de pesquisadores e colegas jornalistas que tive a sorte de identificar e selecionar ao longo do processo. São eles que, muitas vezes, auxiliam nas descobertas de novas fontes, na paciência quase beneditina de remexer em papéis empoeirados e nos fundos dos arquivos. Em Porto Alegre, Clarissa Barreto e Marcello Campos se revezaram no ofício, ajudando a levantar documentos relacionados à vida acadêmica e ao início da carreira política do biografado. Ambos desempenharam a função com peculiar talento e extraordinária disponibilidade. No Rio de Janeiro, Ícaro Lira percorreu os acervos do Arquivo do Exército, da Biblioteca Nacional e da Fundação Getúlio Vargas, resultando também em uma contribuição inestimável. No Paraná, o colega Luís Andriolli me auxiliou a reconstituir a passagem pelo estado do comboio revolucionário de 1930. Em Londres, meu prezadíssimo Pablo Uchoa concentrou-se nos arquivos do Foreign Office. E em Washington, Adriana Maximiliano respondeu pela investigação nos arquivos do Departamento de Estado norte-americano.

A lista de agradecimentos não estaria completa se não incluísse aqui, com o devido destaque, o nome da editora Marta Garcia, minha principal interlocutora na Companhia das Letras durante o processo de edição deste volume. A sensibilidade, a experiência, a solicitude, o carinho e, sobretudo, as recomendações de Marta são sempre bem-vindos e ansiosamente aguardados.

Cabe uma referência especial a dois amigos-irmãos, a quem, desde o meu primeiro livro publicado, venho atazanando a paciência, exigindo que leiam cada linha do que escrevo, antes de liberar os originais à editora. Para Kelsen Bravos e Vessillo Monte, portanto, o meu muitíssimo obrigado, por sempre aceitarem tão amargo encargo com tamanha resignação. Suas dicas, sugestões, toques, repreensões e palpites permitiram maior fluência, precisão, coerência e coesão ao texto final. A leitura suplementar do amigo Victor Gentilli, como de costume, também foi decisiva para pôr frases e parágrafos em seus devidos lugares.

Outro amigo de longa data, Thiago Mello, mais uma vez me auxiliou no trabalho meticuloso de pesquisa e reconstituição de muitas das imagens históricas contidas nos cadernos de fotos deste livro.

Há, ainda, uma enorme dívida de gratidão com uma série de pessoas que, de um modo ou de outro, foram essenciais para a realização desta biografia.

O meu obrigado a Ana Laura Souza, Antônio Luiz Araújo, Astier Basílio, Carlos Ângelo, Clara Dias, Cléber Bidegain Pereira, Diana Passy, Edvaldo Filho, Eliade de Melo Sabio, Eliane Trombini, Elisa Braga, Fernanda Alvares, Fernando Costa, Fernando Morais, Gilmar de Carvalho, Joana Fernandes, Joca Reiners Terron, Juliana Vettore, Karine Moura Vieira, Karine Rodrigues, Laurentino Gomes, Leny Cordeiro, Luciana Arakaki, Lucila Lombardi, Marcelo Levy, Matinas Suzuki, Natercia Rocha, Paula Neiva, Pedro Luiz Bueno Flores, Pedro Luiz Molino Flores, Priscilla Iagi, Renata Abdo, Tatiane Pereira e Tiago Lopes.

Por fim, pela necessária ênfase, fica o agradecimento a meus filhos — Ícaro, Nara, Emília e Alice. Nesse caso, um agradecimento que vem acompanhado por um encabulado pedido de desculpas, por nem sempre ter podido estar junto deles nas horas em que talvez mais me solicitassem, pois Getúlio também cobrava minha impreterível presença.

Para Darcy, minha mãe, por tudo — e, de forma específica, pela leveza de sempre.

Para Bela, nossa elegante e sapeca *golden retriever*, pela companhia alegre, fiel e dedicada.

E para minha mulher, Adriana, pela beleza, pelo sorriso e pelo amor desmedido.

São Paulo, verão de 2012

Fontes

ARQUIVOS

Arquivo Antônio Sérgio Ribeiro, São Paulo, SP
Arquivo da Assembleia Legislativa do Estado do Rio Grande do Sul. Porto Alegre, RS
Arquivo da Faculdade de Direito de Porto Alegre. Porto Alegre, RS
Arquivo da Secretaria do Bispado de Uruguaiana. Uruguaiana, RS
Arquivo do Estado do Rio de Janeiro. Rio de Janeiro, RJ
Arquivo Edgard Leuenroth, da Universidade de Campinas. Campinas, SP
Arquivo Histórico de Porto Alegre Moisés Velhinho. Porto Alegre, RS
Arquivo Histórico do Exército. Rio de Janeiro, RJ
Arquivo Público de São Paulo. São Paulo, SP
Arquivo Público do Estado do Rio Grande do Sul. Porto Alegre, RS
Arquivo Público Mineiro. Belo Horizonte, MG
Arquivo Nacional, Rio de Janeiro, RJ
Biblioteca Getúlio Vargas. São Borja, RS
Biblioteca Nacional. Rio de Janeiro, RJ
Biblioteca Pública do Estado do Rio Grande do Sul. Porto Alegre, RS
Casa de Contos. Ouro Preto, MG
Centro de Pesquisa e Documentação de História Contemporânea do Brasil da Fundação Getúlio Vargas (CPDOC-FGV). Rio de Janeiro, RJ
Foreign Office. Londres, Inglaterra
Instituto Histórico e Geográfico do Rio Grande do Sul. Porto Alegre, RS
Museu da Comunicação José Hipólito da Costa. Porto Alegre, RS

Museu da República. Rio de Janeiro, RJ
Museu Getúlio Vargas. São Borja, RS
Museu Paranaense. Curitiba, PR
National Archives and Records Administration. Washington, Estados Unidos

ARQUIVOS ELETRÔNICOS

Anais da Câmara Federal (http://www2.camara.gov.br/)
Center for Research Libraries (CRL): Brazilian Government Documents (http://www.crl.edu/brazil)
Centro de Pesquisa e Documentação de História Contemporânea do Brasil (CPDOC). Fundação Getúlio Vargas (http://www.cpdoc.fgv.br/)
Coleção das Leis da República Federativa do Brasil (http://www2.camara.gov.br/atividade-legislativa/legislacao/publicacoes/republica)
Dicionário Histórico-Biográfico Brasileiro. CPDOC/FGV. CD-ROM
Fundação Biblioteca Nacional. (http://bndigital.bn.br/)
BONAVIDES, Paulo; AMARAL, Roberto. *Textos políticos da História do Brasil*. CD-ROM. Brasília: Senado Federal, 2002

OBRAS CONSULTADAS

ABREU, Luciano Aronne. *Getúlio Vargas: A construção de um mito (1928-30)*. Porto Alegre: EDPUCRS, 1997.
ABREU, Maurício de. *Evolução Urbana do Rio de Janeiro*. Rio de Janeiro: IplanRio/Zahar, 1987.
ALENCAR ARARIPE, General Tristão de. *Tasso Fragoso: Um pouco de história do nosso Exército*. Rio de Janeiro: Biblioteca do Exército, 1960.
ALIANÇA LIBERAL: DOCUMENTOS DA CAMPANHA PRESIDENCIAL. Brasília: Câmara dos Deputados, 1982.
ALMANAK LITERÁRIO E ESTATÍSTICO DO RIO GRANDE DO SUL. Porto Alegre: Livraria Americana. Várias datas.
ALMEIDA, Antônio da Rocha. *Dicionário de História do Brasil*. Porto Alegre: Globo, 1969.
ALMEIDA, José Américo de. *O ano do Nego*. Rio de Janeiro: Record, 1968.
ALMEIDA, Gil de. *Homens e fatos de uma revolução*. Rio de janeiro: Calvino Filho, s/d.
ALVES, Francisco das Neves. *Porto e Barra do Rio Grande: História, memória e cultura portuária*. 2 vol. Porto Alegre: Corag, 2008.
ALVIM, Newton. *Pinheiro Machado*. Porto Alegre: Instituto Estadual do Livro, 1991.
AMADO, Gilberto. *Depois da política*. Rio de Janeiro: José Olympio, 1960.
_____. *Presença na política*. Rio de Janeiro: José Olympio, 1958.
AMARAL. Rubens do. *A campanha liberal*. São Paulo: Sociedade Impressora Paulista, 1930.
AMARAL PEIXOTO. Alzira Vargas do. *Getúlio Vargas, meu pai*. Rio de Janeiro/Porto Alegre/São Paulo: Globo, 1960.
ANTONACCI, Maria Antonieta. *RS: As oposições & a revolução de 1923*. Porto Alegre: Mercado Aberto, 1981.
ARAÚJO, Rubens Vidal. *Os Vargas*. Porto Alegre: Globo, 1985.
_____. *Os Vargas*. Vol. 2, Porto Alegre, s/d.
ARDENGHI, Lurdes Grolli. *Caboclos, ervateiros e coronéis*. Passo Fundo: UPF, 2003.

A REVOLUÇÃO DE 30: SEMINÁRIO INTERNACIONAL. Brasília: UnB, 1982.
A REVOLUÇÃO DE 30: TEXTOS E DOCUMENTOS. 2 vols. Brasília: UnB, 1983.
ARNO, Ciro. *Memórias de um estudante*. 2ª ed. Rio de Janeiro: Olímpica, s/d.
ASSIS BRASIL. Joaquim Francisco de. *Ideias políticas de Assis Brasil*. Brasília: Senado Federal; Rio de Janeiro: Casa de Rui Barbosa, 1989.
_____. Perfil biográfico e discursos. Porto Alegre: Assembleia Legislativa do Estado do Rio Grande do Sul, 2006.
AUGUSTO, Sérgio. *Este mundo é um pandeiro (a chanchada de Getúlio a JK)*. São Paulo: Companhia das Letras, 1989.
AXT, Gunter (org.). *As guerras dos gaúchos*. Porto Alegre: Nova Prova, 2008.
_____. (org.). *Júlio de Castilhos e o paradoxo republicano*. Porto Alegre: Nova Prova, 2005.
_____. "A dimensão política e social do contrabando no Rio Grande do Sul". Em: *História em revista*. Pelotas: Universidade Federal de Pelotas, 2006.
_____. "O Poder Judiciário na sociedade coronelista gaúcha (1889-1930)". Em: *Revista da Ajuris*, nº 82. Porto Alegre: Associação dos Juízes do Rio Grande do Sul, 2001.
_____; "Política portuária e de navegação e a formação do Estado no Rio Grande do Sul (1900-1930)". Em: TARGA, Luiz Roberto Pecoits (org.). *Breve inventário de temas do Sul*. Porto Alegre: UFRGS/FEE/Univates, 1998.
_____; BARROS FILHO, Omar L.; SEELIG, Ricardo Vaz; BOJUNGA, Sylvia (orgs.). *Reflexões sobre a Era Vargas*. Porto Alegre: Procuradoria Geral de Justiça, Memorial do Ministério Público, 2005.
_____. "Constitucionalidade em debate: A polêmica Carta Estadual de 1891". *Revista Justiça & História*. Vol. 2, nº 3. Porto Alegre: Memorial do Ministério Público do Estado do Rio Grande do Sul, 2002.
_____. "Votar por quê? Ideologia autoritária, eleições e justiça no Rio Grande do Sul borgista". *Revista Justiça & História*. Vol. 1, nos 1 e 2. Porto Alegre: Memorial do Ministério Público do Estado do Rio Grande do Sul, 2001.
_____. *Gênese do Estado moderno no Rio Grande do Sul (1889-1929)*. Porto Alegre: Paiol, 2011.
_____. *O Ministério Público no Rio Grande do Sul: Evolução histórica*. Porto Alegre: Procuradoria Geral de Justiça/ Memorial do Ministério Público, 2006.
_____; RECKZIEGEL, Ana Luiza Setti (orgs.). *História geral do Rio Grande do Sul: República Velha*, tomos I e II. Porto Alegre: Méritos, 2007.
_____; AITA, Carmen. *Parlamentares gaúchos: Getúlio Vargas. Discursos (1903-1929)*. 2ª ed. Porto Alegre: Assembleia Legislativa do Estado do Rio Grande do Sul, 1999.
_____; *Parlamentares gaúchos: José Antônio Flores da Cunha. Discursos (1909-1930)*. 2ª ed. Porto Alegre: Assembleia Legislativa do Estado do Rio Grande do Sul, 1998.
AZEVEDO, Aroldo de. *Arnolfo Azevedo: parlamentar da Primeira República*. São Paulo: Companhia Editora Nacional, 1968.
BAKOS, Margareth Marchiori. *Porto Alegre e seus eternos intendentes*. Porto Alegre, Edipucrs, 1996.
BALBO, Italo. *Legiões aladas sobre o mar*. Rio de Janeiro: Jornal do Brasil, 1932.
BARATA, Agildo. *Vida de um revolucionário*. São Paulo: Alfa-Ômega, 1978.
BARETTA, Sílvio Rogério Duncan. *Political violence and regime change: A study of the 1893 Civil War in Southern Brazil*. University of Pittsburgh, Ph.D., 1985.
BASBAUM, Leôncio. *História sincera da República (de 1889 a 1930)*. São Paulo: Alfa-Ômega, 1976.

BELMONTE. *Assim falou Juca Pato*. São Paulo: Companhia Editora Nacional, 1933.

BENTO, Cláudio Moreira; GIORGIS, Luiz Ernani Caminha. *Escolas militares de Rio Pardo: 1859-1911*. Porto Alegre: Genesis, 2005.

BESSONE, Darcy. *Wenceslau: Um pescador na presidência*. Rio de Janeiro: Sociedade de Estudos Históricos Pedro II, 1968.

BERNARDI, Mansueto. *A Revolução de 30 e temas políticos*. Porto Alegre: Escola Superior de São Lourenço de Brindes/ Sulina, 1981.

BERTASO, José Otávio. *A Globo da Rua da Praia*. São Paulo: Globo, 1993.

BERSON, Theodore Michael. "A political biography of dr. Oswaldo Aranha". Dissertação de Ph.D., New York University, 1971.

BERTOL, Silvana. "Quem faz caso de estudantes?: Um estudo da participação política do Bloco Acadêmico Castilhista". Dissertação de mestrado. Porto Alegre: PUC-RS, 1993.

BICA, Alessandro Carvalho & TAMBARA, Elomar. "O Comitê Pró-Liberdade de Consciência e Ensino Religioso em Pelotas na perspectiva do Estandarte Cristão (1925-1935)". Em *Anais do X Encontro Sul-Rio-Grandense de Pesquisadores em História da Educação*. Pelotas: ASPHE, 2004.

BINZER, Ina von. *Os meus romanos: Alegrias e tristezas de uma educadora alemã no Brasil*. Rio de Janeiro: Paz e Terra, 1982.

BISCHOFF, Álvaro Walmrath; SOUTO, Cíntia. "Getúlio Vargas promotor". Em *IV Mostra de pesquisa do arquivo público do Estado do Rio Grande do Sul: Produzindo história a partir de fontes primárias*. Porto Alegre: Corag, 2006.

BITTENCOURT, Dóris Maria Machado. "Os espaços do poder na arquitetura do período positivista no Rio Grande do Sul: O palácio do governo". Dissertação de mestrado. Porto Alegre: PUC-RS.

BISSÓN, Carlos Augusto (org.). *Sobre Porto Alegre*. Porto Alegre, UFRGS/Secretaria da Cultura, 1993.

BORGES. Vavy Pacheco. *Getúlio Vargas e a oligarquia paulista*. São Paulo: Brasiliense, 1979.

_____. *Tenentismo e revolução brasileira*. São Paulo: Brasiliense, 1992.

BRANDI, Paulo: *Vargas: da vida para a história*. Rio de Janeiro: Zahar, 1983.

BRASIL. MINISTÉRIO DA FAZENDA. GERÊNCIA REGIONAL DE ADMINISTRAÇÃO NO ESTADO DO RIO DE JANEIRO. *60 anos do Palácio da Fazenda*. Brasília: ESAF, 2003.

BRITO, Chermont. *Vida luminosa de dona Darcy Vargas*. Rio de Janeiro, LBA, 1984.

BRITO, Severino de Sá. *Trabalhos e costumes dos gaúchos*. Porto Alegre: Livraria do Globo, 1928.

BUARQUE DE HOLLANDA (superv.), Sérgio. *Grandes personagens da nossa história*. São Paulo: Abril Cultural, 1973.

CABEDA, Rafael; COSTA, Rodolpho. *Os crimes da ditadura: A história contada pelo dragão*. Porto Alegre: Procuradoria Geral de Justiça, 2002.

CABRAL, Cid Pinheiro. *O senador de ferro*. Porto Alegre: Sulina, 1969.

CAGGIANI, Ivo. *Flores da Cunha*. Porto Alegre: Martins Livreiro, 1996.

_____. *João Francisco: A Hiena do Cati*. Porto Alegre: Martins Livreiro, 1988.

_____. *Rafael Cabeda: Símbolo do federalismo*. Porto Alegre: Martins Livreiro, 1996.

CALDAS, Breno. *Meio século de* Correio do Povo: *Glória e agonia de um grande jornal*. Porto Alegre: L&PM, 1987.

CALLADO, Ana Arruda. *Darcy: A outra face de Vargas*. Rio de Janeiro: Batel/ Biblioteca Nacional, 2011.

CALLAGE, Roque. *Episódios da revolução (3 a 24 de outubro de 1930)*. Porto Alegre: Livraria do Globo, 1930.

CALLAGE, Roque. *Uma época do Rio Grande*. Porto Alegre: C. O. Callage, 1998.

CAMARGO, Aspásia; HIPÓLITO, Lúcia. D'ARAÚJO, Maria Celina Soares; FLASKMAN, Dora Rocha. *Artes da política: Diálogo com Amaral Peixoto*. Rio de Janeiro: Nova Fronteira, 1986.

_____; GÓES, Walder de. *Meio século de combate: Diálogo com Cordeiro de Farias*. Rio de Janeiro: Nova Fronteira, 1981.

_____; ARAÚJO, João Hermes Pereira de; SIMONSEN, Mário Henrique. *Oswaldo Aranha: A estrela da revolução*. São Paulo: Mandarim, 1966.

CAMARGOS, Marcia. *Villa Kyrial: Crônica da Belle Époque paulistana*. São Paulo: Senac, 2001.

CANTON, Olides. *Getúlio Vargas: Depoimento de um filho*. Porto Alegre: Est, 2004.

CARLYLE, Thomas. *Os heróis*. São Paulo: Melhoramentos, 1965.

CARDOSO, Fernando Henrique. *Capitalismo e escravidão no Brasil meridional*. São Paulo: Difusão Europeia do Livro, 1962.

CARNEIRO, Glauco. *História das revoluções brasileiras*. 2 vols. Rio de Janeiro: O Cruzeiro, 1965.

_____. *Lusardo: o último caudilho*. 2 vols. Rio de Janeiro: Nova Fronteira, 1977.

CARONE, Edgard. *A Primeira República*. Rio de Janeiro: Difel, 1969.

_____. *A República Velha: Evolução política (1989-1930)*. 3ª ed. Difel, 1975.

_____. *A República Velha: Instituições e classes sociais*. Difel, 1970.

_____. *O tenentismo*. Difel, 1975.

_____. *Revoluções do Brasil contemporâneo (1922-1938)*. 3ª ed. Rio de Janeiro / São Paulo: Difel, 1977.

CARRAZONI, André. *Depoimentos: Da ideologia à ação revolucionária*. Rio de Janeiro: Schmidt, 1932.

_____. *Getúlio Vargas*. Rio de Janeiro: José Olympio, 1939.

_____. *Perfil do estudante Getúlio Vargas*. 2ª ed. Rio de Janeiro: A Noite, 1943.

CARVALHO, Afonso de. *Rio Branco*. Rio de Janeiro: Biblioteca Militar, 1945.

CARVALHO, José Murilo de Carvalho. *A Escola de Minas de Ouro Preto: O peso da glória*. São Paulo: Editora Nacional; Rio de Janeiro: Finep, 1978.

CARVALHO, Setembrino. *A pacificação do Rio Grande do Sul*. Porto Alegre: Livraria do Globo, 1923.

CASTILHOS, Júlio de. *O pensamento político de Júlio de Castilhos*. Martins Livreiro, 2003.

CASTRO, Celso. *A invenção do Exército brasileiro*. Rio de Janeiro: Zahar, 2002.

_____. *O espírito militar*. Rio de Janeiro: Zahar, 1990.

CHACON, Vamireh. *História dos partidos brasileiros*. Brasília: UnB, 1981.

CHAGAS, Carlos. *O Brasil sem retoques: 1808-1964. A história contada por jornais e jornalistas*. Vol. 1. Rio de Janeiro: Record, 2001.

CHATEAUBRIAND, Assis. *O pensamento de Assis Chateaubriand*, vols. 1 a 8. Brasília: Fundação Assis Chateaubriand, 1998.

CIDADE, Francisco de Paula. *Cadetes e alunos militares através dos tempos*. Rio de Janeiro: Biblioteca do Exército, 1961.

CINQUENTENÁRIO DA REVOLUÇÃO DE TRINTA NO PARANÁ. Curitiba: Instituto Histórico, Geográfico e Etnográfico Paranaense, 1980.

COELHO, Marco Antônio Tavares. *Herança de um sonho: Memórias de um comunista*. Rio de Janeiro: Record, 2000.

COIRO, José Rafael Rosito. *Os anos dourados na praça da Alfândega*. Porto Alegre: Artes e Ofícios, 1995.

COLUSSI, Eliane Lucia; DIEHL, Astor Antônio. *Guardados da memória política: O caso dos Vargas*. Passo Fundo: UPF, 2008.

COHEN, Ilka Stern. *Bombas sobre São Paulo*. São Paulo: Unesp, 2007.

COMTE, Auguste. "Catecismo positivista". In: *Os pensadores*. 5ª ed. São Paulo, Nova Cultural, 1991.

CONSTITUIÇÕES SUL-RIOGRANDENSES. Porto Alegre: Imprensa Oficial, 1963.

CORRÊA, Anna Maria Martinez. *A rebelião de 1924 em São Paulo*. São Paulo: Hucitec, 1976.

CORRÊA, Silvio Marcus de Souza. *Sociedade e poder na Belle Époque de Porto Alegre*. Santa Cruz do Sul: UNISC, 1994.

CORTÉS, Carlos E. *Política gaúcha (1930-1964)*. Porto Alegre: PUC-RS, 2007.

COSTA, Ciro; GÓES, Eurico. *Sob a metralha*. São Paulo: Monteiro Lobato, 1924.

CUNHA, José Antônio Flores da. *A campanha de 1923*. Brasília: Senado Federal, 1979.

COUTINHO, Lourival. *O general Góes depõe...* Rio de Janeiro: Coelho Branco, 1956.

DACANAL, José Hildebrando; GONZAGA, Sergius. (orgs.) RS: *Cultura e ideologia*. Porto Alegre: Mercado Aberto, 1980.

_____. RS: *Economia e política*. Porto Alegre: Mercado Aberto, 1979.

DAMASCENO, Athos; *Imagens sentimentais da cidade*. Porto Alegre: Livraria do Globo, 1940.

_____. CESAR, Guilhermino; MORITZ, Paulo Antônio; CARO, Herbert. *O Theatro São Pedro na vida cultural do Rio Grande do Sul*. Porto Alegre: SEC, 1975.

DEAN, Warren. *A industrialização de São Paulo*. 4ª ed. Rio de Janeiro: Bertrand, 1991.

DEBES, Célio. *Júlio Prestes e a Primeira República*. São Paulo: IMESP/DAESP, 1982.

_____. *Washington Luís (1925-1930)*. São Paulo: Imprensa Oficial/Academia Paulista de Letras, 2002.

DELFIM NETTO, Antônio. *O problema do café no Brasil*. 3.ed. Campinas: Unesp, 2009.

DENYS, Odylo. *Ciclo revolucionário brasileiro*. Rio de Janeiro: Biblioteca do Exército, 1993.

DEQUECH, David. *Isto dantes em Ouro Preto*. Belo Horizonte, 1984.

DORATIOTO, Francisco. *Maldita guerra: Nova história da Guerra do Paraguai*. 2ª ed. São Paulo: Companhia das Letras, 2002.

DUARTE, Paulo. *Agora nós!* São Paulo: Imprensa Oficial, 2007.

_____. *Que é que há? Pequena história de uma grande pirataria*. São Paulo: 1931.

DULLES, John W. F. *Getúlio Vargas: Biografia política*. Rio de Janeiro: Renes, 1967.

ESCOBAR, Wenceslau. *Apontamentos para a história da Revolução Rio-Grandense de 1893*. Brasília: Editora Universidade de Brasília, 1983.

_____. *30 anos de ditadura rio-grandense*. Rio de Janeiro: Canton & Beyer, 1922.

FABRÍCIO, José de Araújo. "Os Vargas: Uma estirpe faialense no Rio Grande do Sul". Em *Revista do IHGRS*, vols. 123 e 124, Porto Alegre, 1986, 1992.

FALANGA, Gianluca. *Mussolini's Vorposten in Hitler's Reich. Italiens Politik in Berlin 1933-1945*. Berlim: Ch. Links, 2008.

FAORO, Raymundo. *Os donos do poder: Formação do patronato político brasileiro*. 3ª ed. São Paulo: Globo, 2001.

FAUSTO, Boris. *A Revolução de 30: Historiografia e história*. 16ª ed. São Paulo: Companhia das Letras, 1997.

_____. *Getúlio Vargas*. São Paulo: Companhia das Letras, 2008.

_____. *História do Brasil*. São Paulo: Edusp/FDE, 2001.

_____. *História geral da civilização brasileira: Período republicano* (dir.). 4 vols. São Paulo: Difel, 1984.

_____. *O pensamento nacionalista autoritário*. Rio de Janeiro: Jorge Zahar, 2001.

FÉLIX, Loiva Otero. *Coronelismo, borgismo e cooptação política*. Porto Alegre: Mercado Aberto, 1987.

FERREIRA, Manoel Rodrigues. *A evolução do sistema eleitoral brasileiro*. Brasília: Senado Federal, 2001.

FERREIRA, Marieta de Moraes. "A reação republicana e a crise política dos anos 20". Em *Estudos Históricos*, vol. 6, nº 11, pp. 9-23.

FERREIRA. Oliveiros S. *Vida e morte do partido fardado*. São Paulo: Senac, 2000.

FERREIRA FILHO, Artur. *Revolução de 1923*. Porto Alegre: Imprensa Oficial do Estado, 1973.

FIGUEIREDO, Antônio dos Santos. *1924: Episódios da revolução de São Paulo*. Porto: Empresa Industrial Gráfica, s/d.

FIGUEIREDO, Eurico de Lima (org.). *Os militares e a Revolução de 30*. Rio de Janeiro: Paz e Terra, 1979.

FONSECA, Pedro Cezar Dutra. *Vargas: O capitalismo em construção*. São Paulo: Brasiliense, 1989.

_____. *RS: Economia e conflitos políticos na República Velha*. Porto Alegre: Mercado Aberto, 1983.

FONTOURA, João Neves da. *Discursos parlamentares (1923-1928)*. Porto Alegre: Assembleia Legislativa do Estado do Rio Grande do Sul, 1997.

_____. *Memórias*. 2 vols. Porto Alegre: Globo, 1958.

_____. *Accuso!* Rio de Janeiro: 1933.

FORJAZ. Maria Cecília Spina. *Tenentismo e Aliança Liberal (1927-1930)*. São Paulo: Polis, 1978.

_____. *Tenentismo e forças armadas na Revolução de 30*. Rio de Janeiro: Forense Universitária, 1988.

FORTES, João Borges. *Os casais açorianos: Presença lusa na formação do Rio Grande do Sul*, 3ª ed. Porto Alegre: Martins Livreiro, 1999.

FORTINI, Archymedes. *Reinventando o passado*. Porto Alegre: Sulina, 1953.

FRANCES, May. *Cartas de uma jovem inglesa na fronteira de Uruguaiana*. Porto Alegre: Sulina, 2010.

FRANCISCO, João. *Psychologia dos acontecimentos políticos sul-rio-grandenses*. São Paulo: Monteiro Lobato, 1923.

FRANCO, Álvaro; SILVA, Morency; SCHIDROWITZ, Jerônimo (orgs.). *Porto Alegre, biografia duma cidade*. Livro Comemorativo do Bicentenário da Fundação da Cidade. Porto Alegre: Tipografia do Centro, 1940.

FRANCO, Sérgio da Costa. *A velha Porto Alegre*. Porto Alegre: Canadá, 2008.

_____. *Dicionário político do Rio Grande do Sul (1821-1937)*. Porto Alegre: Suliani Letra & Vida, 2010.

_____. *Júlio de Castilhos e sua época*. 3ª ed. Porto Alegre: Editora da Universidade/UFRGS, 1996.

_____. O Partido Federalista do Rio Grande do Sul (1892-1928). *Cadernos de História*. Memorial do Rio Grande do Sul. Edição eletrônica (http://www.memorial.rs.gov.br/cadernos.htm).

FREITAS, Osório Tuyuty de Oliveira. *A invasão de São Borja*, 2ª ed. Porto Alegre: A Nação, 1943.

FRISCHAUER, Paul. *Presidente Vargas*. São Paulo: Companhia Editora Nacional, 1944.

FUNDAÇÃO DE ECONOMIA E ESTATÍSTICA. *De província de São Pedro a estado do Rio Grande do Sul — censos do RS: 1803-1950*. Porto Alegre, 1981.

GABAGLIA, Laurita Pessoa Raja. *Epitácio Pessoa*. 2 vols. Rio de Janeiro: DASP, 1955.

GASTAL, Susana de Araújo. "Ações comunicacionais e transporte aéreo no Brasil: Os passos iniciais da Varig". *Anais do XXII Congresso Brasileiro de Ciências da Comunicação*. Curitiba, 2009.

GAULD, Charles A. *Farquhar: O último titã — um empreendedor norte-americano na América Latina*. São Paulo: Cultura, 2006.

GAY, cônego João Pedro. *Invasão paraguaia na fronteira brasileira do Uruguai*. Porto Alegre: Instituto Estadual do Livro, Escola Superior de Teologia São Lourenço de Brindes; Caxias do Sul: Universidade de Caxias do Sul, 1980.

GERALDO, Alcyr Lintz. *1930: O furacão veio do Sul*. Rio de Janeiro: Biblioteca do Exército, 2004.

GERTZ, René. *O aviador e o carroceiro: Política, etnia e religião no Rio Grande do Sul dos anos 1920*. Porto Alegre: EDIPUCRS, 2002.

GOLIN, Cida; CESAR. Guilhermino; VASCONCELLOS, Luiz Paulo; LOPEZ, Luiz Roberto. *Theatro São Pedro: Palco da cultura*. Porto Alegre: Instituto Estadual do Livro, 1989.

GONZAGA, Sergius; FISCHER, Luiz Augusto (orgs.). *Nós, os gaúchos*. 2 vols. Porto Alegre UFRGS, 1994/1998.

GOUVÊA, Paulo de. *O grupo: Outras figuras, outras paisagens*. Porto Alegre: Movimento/ Instituto Estadual do Livro, 1976.

GRIJÓ, Luiz Alberto. "Origens sociais, estratégias de ascensão e recursos dos componentes da chamada 'Geração de 1907'". Dissertação de mestrado. Porto Alegre: UFRGS, 1998.

_____. "Ensino jurídico e política partidária no Brasil: A Faculdade de Direito de Porto Alegre (1900-1937)". Dissertação de doutorado. Niterói: Universidade Federal Fluminense, 2005.

_____; NEUMANN, Eduardo Santos (org.) *O continente em armas: Uma história da guerra no sul do Brasil*. Rio de Janeiro: Apicuri, 2010.

GUEIROS, J. A. *Juracy Magalhães: O último tenente*. Rio de Janeiro: Record, 1996.

GUIMARAENS, Rafael. *Rua da Praia: Um passeio no tempo*. Porto Alegre, Libretos, 2010.

HARNISCH, Wolfgang Hoffman, *O Rio Grande do Sul: A terra e o homem*. Porto Alegre: Livraria do Globo, 1941.

HARTMANN, Ivar. *Getúlio Vargas*. 2ª ed. Porto Alegre: Tchê, 1984.

HAYES, Robert A. *Nação armada: A mística militar brasileira*. Rio de Janeiro: Biblioteca do Exército, 1991.

HENRIQUES, Afonso. *Ascensão e queda de Getúlio Vargas*. 3 vols. Rio de Janeiro/São Paulo: Record, 1977.

HENTSCHKE, Jens R. *Vargas and Brazil: New Perspectives*. Nova York: Palgrave Macmillan, 2006.

HILTON, Stanley. *Oswaldo Aranha: Uma biografia*. Rio de Janeiro: Objetiva, 1994.

INOJOSA, Joaquim. *República de Princesa (José Pereira x João Pessoa – 1930)*. Rio de Janeiro: Civilização Brasileira; Brasília: INL, 1980.

JOFFILY, José. *Revolta e revolução: Cinquenta anos depois*. Rio de Janeiro: Paz e Terra, 1979.

JORGE, Fernando. *Getúlio Vargas e o seu tempo*. 2 vols. São Paulo: T. A. Queiroz, 1994.

JUVENAL, Amaro. *Antônio Chimango*. Porto Alegre: Livraria do Globo, 1952.

KEITH, Henry Hunt. *Soldados salvadores*. Rio de Janeiro: Biblioteca do Exército, 1989.

KLIEMANN, Luiza Helena Schmitz, "A ferrovia gaúcha e as diretrizes de ordem e progresso: 1905-1920". Em *Estudos Ibero-americanos*, vol. 3, nº 2. Porto Alegre: Pontifícia Universidade Católica do Rio Grande do Sul, 1977.

_____. *RS: Terra e poder: História da questão agrária*. Porto Alegre: Mercado Aberto, 1986.

KLINGER, Bertoldo. *Narrativas autobiográficas*. Vol. 1. Rio de Janeiro: O Cruzeiro, 1944.

KOIFMAN, Fábio. *Presidentes do Brasil*. São Paulo: Cultura, 2002.

LACERDA, Maurício de. *Segunda República*. Rio de Janeiro: Freitas Bastos, 1931.

LACOMBE, Américo Jacobina. *Afonso Pena e sua época*. Rio de Janeiro: José Olympio, 1986.

LAGEMANN, Eugenio. *O Banco Pelotense & o sistema financeiro regional*. Porto Alegre: Mercado Aberto, 1985.

LAGO, Luiz Aranha Corrêa do. *Oswaldo Aranha: O Rio Grande e a Revolução de 1930 — um político gaúcho na República Velha*. Rio de Janeiro: Nova Fronteira, 1996.

LEITE, Aureliano. *Dias de pavor*. São Paulo: Monteiro Lobato, 1924.

LEITE, Mauro Renault; NOVELLI JÚNIOR. *Marechal Eurico Gaspar Dutra: O dever da verdade*. Rio de Janeiro: Nova Fronteira, 1983.
LEPSCH, Inaldo Cassiano da Silveira. *E eles fizeram história*. Itu: Ottoni Editora, 2010.
LESSA, Barbosa. *Borges de Medeiros*. Porto Alegre: Tchê, 1985.
LEVINE. Robert M. *Pai dos pobres? O Brasil e a Era Vargas*. São Paulo: Companhia das Letras, 2001.
LIMA, Azevedo. *Memórias de um carcomido*. Rio de Janeiro: Leo, 1958.
LIMA JÚNIOR, Augusto de. *Serões e vigílias: Páginas avulsas*. Rio de Janeiro: Livros de Portugal, 1952.
LIMA, Cláudio de Araújo. *Plácido de Castro: Um caudilho contra o imperialismo*. Rio de Janeiro: Civilização Brasileira, 1973.
LIMA, José Augusto de. *Augusto de Lima: Seu tempo, seus ideais*. Rio de Janeiro: MEC, 1959.
LIMA, Lourenço Moreira. *A Coluna Prestes: Marchas e combates*. São Paulo: Alfa-Ômega, 1979.
LIMA, Valentina da Rocha. *Getúlio: Uma história oral*. 2ª ed. Rio de Janeiro: Record, 1986.
LIMA BARRETO, Afonso Henriques de. *Toda crônica*. Rio de Janeiro: Agir, 2004.
LIMA SOBRINHO, Barbosa. *A verdade sobre a revolução de 1930*. São Paulo: Alfa-Ômega, 1975.
LINDENMEYER, Marcos (org.) *Álbum de Porto Alegre*. Porto Alegre: Nova Roma, 2007.
LINS, Álvaro. *Rio Branco*. 2 vols. Rio de Janeiro: José Olympio, 1945.
LINS DE BARROS, João Alberto. *A marcha da Coluna*. Rio de Janeiro: Biblioteca do Exército, 1997.
LOPES FILHO, Ildefonso Simões. *Defendendo meu pai*. Rio de Janeiro: Coelho Branco, 1930.
LOVE, Joseph. *O regionalismo gaúcho*. São Paulo: Perspectiva, 1975.
_____. "O Rio Grande do Sul como fator de instabilidade na República Velha". Em FAUSTO, Boris, *História geral da civilização brasileira*. Tomo III. *O Brasil republicano*, vol. 1 (Estrutura de poder e economia).
LOWY, Michel. *As aventuras de Karl Marx contra o barão de Munchhausen*. 5 ed. São Paulo: Cortez, 1994.
LUSTOSA, Isabel. *Histórias de presidentes: A República do Catete*. Petrópolis: Vozes, 1989.
LUZ, Maturino. *Antiga Escola Militar de Rio Pardo: História e arquitetura*. Porto Alegre: Defender, 2007.
MAESTRI, Mário. *Uma história do Rio Grande do Sul: Da pré-história aos dias atuais*. Passo Fundo: Ed. Universidade de Passo Fundo, 2005.
MACEDO, Riopardense de. *Porto Alegre: História e vida da cidade*. Porto Alegre: UFRGS, 1973.
MACAULAY, Neill. *A Coluna Prestes*. Rio de Janeiro/ São Paulo: Difel, 1977.
MAGALHÃES JR., R. *Getúlio. Pró e Contra: O julgamento da história*. Melhoramentos, 1976.
MAGALHÃES. João Batista. *A evolução militar do Brasil*. Rio de Janeiro: Biblioteca do Exército, 1998.
MALTA, Octávio. *Os "tenentes" na revolução brasileira*. Rio de Janeiro: Civilização Brasileira, 1969.
MÂNTUA, Simão de. *Figurões vistos por dentro*. São Paulo: Monteiro Lobato & Cia, 1921.
MARCONDES, Neide e BELLOTTO, Manoel. *Cidades: Histórias, mutações, desafios*. São Paulo: Arte & Ciência, 2007.
MARQUES, Antero. *Mensagem a poucos e do Ibirapuitã ao armistício: Revolução de 1923*. Porto Alegre: Edigal, 2005.
MARKUN, Paulo. *Anita Garibaldi: Uma heroína brasileira*. São Paulo: Senac, 1999.
MCCANN, Frank D. *Soldados da Pátria: História do Exército Brasileiro, 1889-1937*. São Paulo: Companhia das Letras, 2007.
MEDEIROS, Laudelino T. *Escola Militar de Porto Alegre*. Porto Alegre: UFRGS, 1992.
_____. "Getúlio Vargas na Escola de Rio Pardo". *Revista do Instituto Histórico e Geográfico do Rio Grande do Sul*, nº 132. Porto Alegre, IHGRGS, 1998.

MEDINA, Sinval. *A batalha de Porto Alegre*. Porto Alegre: Martins Livreiro, 2010.

MENDONÇA, Lúcio de. *Caricaturas instantâneas*. Rio de Janeiro: A Noite, s/d.

MEIRELES, Domingos. *As noites das grandes fogueiras: Uma história da Coluna Prestes*. 5ª ed. Rio de Janeiro: Record, 1997.

_____. *1930: Os órfãos da revolução*. Rio de Janeiro: Record, 2005.

MELO FRANCO, Afonso Arinos. *Afrânio de Melo Franco e seu tempo*. Rio de Janeiro: Nova Aguilar, 1976.

_____. *Curso de Direito Constitucional*. 2 vols. Rio de Janeiro: Forense, 1958.

MELO FRANCO, Virgílio A. *Outubro: 1930*. Rio de Janeiro: Nova Fronteira, 1980.

MEYER, Augusto. *Gaúcho: História de uma palavra*. Porto Alegre: Instituto Estadual do Livro, 1957.

_____. *Segredos da infância: No tempo da flor*. Porto Alegre: UFRGS/ Instituto Estadual do Livro, 1996.

MOACYR, Pedro. *Discursos parlamentares*. Porto Alegre: Globo, 1925.

MONTEIRO, Charles. *Porto Alegre e suas escritas: História e memória da cidade*. Porto Alegre: UFRGS, 2006.

MONTEIRO, Góes. *A Revolução de 30 e a finalidade política do Exército*. Rio de Janeiro: Adersen, 1932.

MORAES, Luiz Carlos de. *Vocabulário sul-riograndense*. Porto Alegre: Globo, 1935.

MORAES, Mascarenhas de. *Memórias*. 2 vols. Rio de Janeiro: Biblioteca do Exército, 1984.

MORAIS, Aurino. *Minas na Aliança Liberal e a Revolução de 1930*. Brasília: Câmara dos Deputados, 1990.

MORAIS, Fernando. *Chatô: O rei do Brasil*. São Paulo: Companhia das Letras, 1994.

MORAES, Dênis de; VIANA, Francisco. *Prestes: Lutas e autocríticas*. Petrópolis, 1982.

MORITZ, Gustavo. *Acontecimentos políticos do Rio Grande do Sul*. Porto Alegre: Tipografia Thurmann, 1939.

MOURA, Euclydes B. de. *O vandalismo no Rio Grande do Sul: Antecedentes da Revolução de 1893*. Porto Alegre: Martins Livreiro, 2000.

NOGUEIRA FILHO, Paulo. *Ideais e lutas de um burguês progressista*. 2 vols. São Paulo: Anhambi, 1958.

NORONHA, Abílio. *Narrando a verdade: Contribuição para a história da revolta de São Paulo*. São Paulo: 1924.

NOSSO SÉCULO. 5 vols. São Paulo: Abril Cultural, 1980.

NUNES, Zeno Cardoso; NUNES, Rui Cardoso. *Dicionário de regionalismos do Rio Grande do Sul*. Martins Livreiro, 2010.

O'DONNELL, Fernando O. M. *Aparício Mariense: Contextuação histórica e dados biográficos*. São Borja: Coleção Tricentenário, 1982.

_____. *Notícias dos combates de Capão do Mandiju e Estância dos Figueiredos: A revolução de 23 e 24 em São Borja, Itaqui e Santiago*. Porto Alegre: Martins Livreiro, 1985.

_____. *Oswaldo Aranha*. Porto Alegre: Sulina, 1980.

_____. RILLO, Aparício Silva. *Populário são-borjense*. 2ª ed. São Borja: Nova Prova, 2004.

OLIVEIRA, Alcebíades de. *Um drama bancário: O esplendor e a queda do Banco Pelotense*. Porto Alegre: Globo, 1936.

OLIVEIRA, Olímpio Olinto de. *Relatórios de 1909 a 1912 do Instituto de Belas Artes do Rio Grande do Sul*. Porto Alegre: Livraria do Globo, 1912.

ORICO, Oswaldo. *O feiticeiro de São Borja*. Rio de Janeiro: Edição do autor, 1976.

OSÓRIO, Joaquim Luís. *Partidos políticos no Rio Grande do Sul: Período republicano*. Porto Alegre: Assembleia Legislativa do Rio Grande do Sul, 1992.

OSÓRIO, P. L. *O Banco Pelotense*. Pelotas: A Universal, 1935.

PAIM, Antônio (org.). *A filosofia política positivista*. 2 vol. Rio de Janeiro: Documentário, 1979.

PEIXOTO, general Demerval. *Memórias de um velho soldado*. Rio de Janeiro: Biblioteca do Exército, 1960.

PEREIRA, Duarte Pacheco. *1924: O diário da revolução: Os 23 dias que abalaram São Paulo*. São Paulo: Imprensa Oficial, 2010.

PEREIRA, Lígia Maria Leite; FARIA, Maria Auxiliadora de. *Presidente Antônio Carlos: Um Andrada da República — o arquiteto da Revolução de 30*. Rio de Janeiro: Nova Fronteira, 1998.

PERES, Sebastião. "Coronéis & colonos: Das crises internas do poder coronelístico à emergência dos colonos como sujeitos autônomos". Dissertação de mestrado. Porto Alegre: Pontifícia Universidade Católica do Rio Grande do Sul, 1994.

PESAVENTO, Sandra Jatahy. *Borges de Medeiros*. Porto Alegre: IEL, 1990.

_____. *O espetáculo da rua*. Porto Alegre: UFRGS, 1996.

_____. *República Velha Gaúcha*. Porto Alegre: Movimento/IEL, 1980.

PESSOA, Epitácio. *João Pessoa — Aliança Liberal — Princesa*. Rio de Janeiro: INL, 1965.

_____. *Revolução de Outubro de 1930 e República Nova*. Rio de Janeiro: INL, 1965.

PESSOA, Pantaleão. *Reminiscências e imposições de uma vida*. Rio de Janeiro: 1972.

PEZAT, Paulo Ricardo. "Auguste Comte e os fetichistas: Estudo sobre as relações entre a Igreja Positivista do Brasil, o Partido Republicano Rio-Grandense e a política indigenista na República Velha". Dissertação de mestrado. Porto Alegre: Universidade Federal do Rio Grande do Sul, 1997.

PILAGALLO, Oscar. *O Brasil em sobressalto*. São Paulo: Publifolha, 2002.

PINHEIRO, Paulo Sérgio. *Estratégias da ilusão: a revolução mundial e o Brasil*. São Paulo: Companhia das Letras, 1991.

PONCE FILHO. *O menino que eu era*. Rio de Janeiro: Lançadora, 1967.

PORTO, Aurélio. *Getúlio Vargas à luz da genealogia*. São Paulo: Cruzeiro do Sul, 1943.

PORTO, Costa. *Pinheiro Machado e seu tempo*. Porto Alegre: L&PM/ Brasília: INL, 1985.

PORTO, Walter Costa. *O voto no Brasil*. Rio de Janeiro: Topbooks, 1989.

PORTO ALEGRE, Apolinário. *Popularium sul-rio-grandense: Estudo de filologia e folclore*. Porto Alegre: URGS/ Instituto Estadual do Livro, 1982.

PRESTES, Anita Leocádia. *A Coluna Prestes*. São Paulo: Brasiliense, 1990.

QUEIRÓS, César Augusto Bubolz. "A questão social no Rio Grande do Sul: Positivismo, borgismo e a incorporação do proletariado à sociedade moderna". Revista Mundos do Trabalho. nº 1, vol. 1. Porto Alegre: UFSC, 2009. (Disponível em versão eletrônica em http://www.periodicos.ufsc.br/index.php/mundosdotrabalho/about.)

QUEIROZ JÚNIOR, *Memórias sobre Getúlio*. Rio de Janeiro: Copac, 1957.

_____. *222 anedotas de Getúlio Vargas*. 2ª ed. Rio de Janeiro: Companhia Brasileira de Artes Gráficas, 1955.

QUESTÃO MONETÁRIA NO BRASIL: ARTIGOS PUBLICADOS PELO *CORREIO PAULISTANO* EM ABRIL DE 1926. São Paulo: Casa Garraux, 1926.

RACHE, Pedro. *Homens de Ouro Preto: Memórias de um estudante*. Rio de Janeiro: Coelho Branco, 1954.

RACIOPPI, Vicente de Andrade. *Estudantes do Rio Grande do Sul em Ouro Preto*. Belo Horizonte: Tip. Castro, 1940.

RAPOSO, Eduardo. *1930: Seis versões e uma revolução*. Recife: Fundação Joaquim Nabuco/ Massangana, 2006.

REALE, Ebe. *Lindolfo Collor*. São Paulo: DBA, 1991.

REVERBEL, Carlos. *Assis Brasil*. Porto Alegre: Instituto Estadual do Livro, 1996.

____. *Pedras Altas: A vida no campo segundo Assis Brasil*. Porto Alegre: L&PM, 1984.

REZENDE, Marina de Quadros. *Rio Pardo: História, recordações, lendas*. Rio Pardo: Edição da autora, 1993.

RIBEIRO, José Augusto. *A Era Vargas*. 3 vols. Rio de Janeiro: Casa Jorge Editorial, 2001.

RODRIGUES, Cláudio Oraindi. *São Borja e sua história*. São Borja: Coleção Tricentenário, 1982.

RODRIGUES, Inês Caminha Lopes. *A Revolta de Princesa: Uma contribuição ao estudo do mandonismo local*, João Pessoa: A União, 1978.

RODRÍGUEZ, Ricardo Vélez. *Castilhismo: uma filosofia da República*. Caxias do Sul: Universidade de Caxias do Sul, 1980.

____. *Oliveira Vianna e o papel modernizador do Estado brasileiro*. Londrina: UEL, 1997.

ROMERO, Sílvio. "O castilhismo no Rio Grande do Sul". Em *A filosofia política positivista*. Rio de Janeiro: Documentário, Conselho Nacional de Cultura e PUC-RJ, 1979.

ROSDA, Othelo. *Júlio de Castilhos: Perfil biográfico e escritos políticos*. Porto Alegre, Globo, 1928.

RUSCHEL, Nilo. *Rua da Praia*. Porto Alegre: Editora da Cidade/ Instituto Estadual do Livro, 2009.

RUSSOMANO, Vitor. *Adagiário gaúcho*. Porto Alegre: Livraria do Globo, 1938.

SÁ, Mem de. *A politização do Rio Grande*. Porto Alegre: Tabajara, 1973.

SANDRONI, Cícero; SANDRONI, Laura Constância A. de A. *Austregésilo de Athayde: O século de um liberal*. Rio de Janeiro: Agir, 1998.

SANTA ROSA, Virgínio. *O sentido do tenentismo*. São Paulo: Alfa-Ômega, 1976.

SAINT-HILAIRE. Auguste de. *Viagem ao Rio Grande do Sul*. Porto Alegre: Martins Livreiro, 2002.

SAINT PASTOUS. A. *Páginas da vida*. Porto Alegre: Livraria do Globo, 1972.

SANTOS, João Pedro dos. *A Faculdade de Direito de Porto Alegre: Subsídios para sua história*. Porto Alegre: Síntese, 2000.

SANTOS. Mariza E. Simon dos. *Honório Lemes: Um líder carismático. Relações de poder no Rio Grande do Sul (1889-1930)*. Porto Alegre: Martins Livreiro, 1998.

SCHWARCZ, Lilia Moritz. *As barbas do imperador: D. Pedro II, um monarca dos trópicos*. São Paulo: Companhia das Letras, 1998.

SCLIAR, Moacyr. *Porto de histórias: Mistérios e crepúsculo de Porto Alegre*. Rio de Janeiro: Record, 2000.

SEGRÈ, Claudio G. *Italo Balbo, una vita fascista*. Bolonha: Il Mulino, 2010.

SENA, Davis Ribeiro da. "Sargento Vargas". *Revista do Instituto Geográfico e Histórico da Bahia*, v. 101. Salvador: IGHB, 2006.

SILVA, Ciro. *Pinheiro Machado*. Brasília: UnB, s/d.

SILVA, João Pinto da. *Bolhas de espuma*. Porto Alegre: Livraria do Globo, 1920.

SILVA, Hélio. *Vargas: Uma biografia política*. Porto Alegre: L&PM, 2004.

____. *1922: Sangue nas areias de Copacabana*. Rio de Janeiro: Civilização Brasileira, 1971.

____. *1926: A grande marcha*. Rio de Janeiro: Civilização Brasileira, 1965.

____. *1930: A revolução traída*. Rio de Janeiro: Civilização Brasileira, 1966.

____. *1931: Os tenentes no poder*. Rio de Janeiro: Civilização Brasileira, 1972.

SILVA, Resende J. *A fronteira do Sul*. Rio de Janeiro: Imprensa Nacional, 1922.

SIMPÓSIO SOBRE A REVOLUÇÃO DE 30. Porto Alegre: ERUS, 1983.

SOARES, José Carlos de Macedo. *A política financeira do presidente Washington Luís*. São Paulo: Instituto D. Ana Rosa, 1928.

SODRÉ. Nelson Werneck. *A Coluna Prestes*. Rio de Janeiro: Civilização Brasileira, 1978.

_____. *História da imprensa no Brasil*. Rio de Janeiro: Civilização Brasileira, 1966.

_____. *História militar do Brasil*. Rio de Janeiro: Civilização Brasileira, 1968.

_____. *Memórias de um soldado*. Rio de Janeiro: Civilização Brasileira, 1967.

SOUZA, Leal de. *Getúlio Vargas*. Rio de Janeiro: Gráfica Olímpica, 1940.

SPALDING, Walter. *Construtores do Rio Grande*. 3 vols. Porto Alegre: Sulina, 1969.

SPENCER, Herbert. *O indivíduo contra o estado*. São Paulo: Brasil, s/d.

STEPAN, Alfred. *Os militares na política*. Rio de Janeiro: Artenova, 1971.

TARGA, Luiz Roberto Pecois. *Breve inventário de temas do Sul*. Porto Alegre: UFRGS/FEE; Lajeado,Univates, 1998.

TAVARES, Francisco da Silva. *Diários da Revolução de 1983*. 2 vols. Porto Alegre: Procuradoria-geral da Justiça, 2004.

TÁVORA, Juarez. *À guisa de depoimento sobre a Revolução Brasileira*. Rio de Janeiro: O Combate, 1927-8.

_____. *Uma vida e muitas lutas*. 2 vols. Rio de Janeiro: José Olympio, 1973.

TOCANTINS, Leandro. *Formação histórica do Acre*. 2 vols. Rio de Janeiro: Conquista, 1963.

TORRES, Alberto. *O problema nacional brasileiro*. Rio de Janeiro: Imprensa Nacional, 1914.

TOSTES, Theodomiro. *Nosso bairro (memórias)*. Porto Alegre: Fundação Paulo de Couto e Silva, 1989.

THEATRO SÃO PEDRO: ÁLBUM ILUSTRADO COMEMORATIVO DE SUA REINAUGURAÇÃO. Porto Alegre: Secretaria de Cultura, 1984.

TRINDADE, Hélgio. *Poder Legislativo e autoritarismo no Rio Grande do Sul (1891-1937)*. Porto Alegre: Sulina, 1980.

_____. *Revolução de 30: Partidos e imprensa partidária no RS (1928-1937)*. Porto Alegre: L&PM, 1980.

_____. NOLL, Maria Izabel. *Subsídios para a história do parlamento gaúcho*. Porto Alegre: Assembleia Legislativa do Estado do Rio Grande do Sul, 2005.

TUYUTY, Osório. *A invasão de São Borja*. Porto Alegre: Tipografia do Centro, 1943.

VIANA FILHO. *A vida do barão do Rio Branco*. Rio de Janeiro: José Olympio, 1959.

VAMPRÉ, Leven. *São Paulo: Terra conquistada*. São Paulo: Sociedade Impressora Paulista. 1932.

VARGAS NETO, *General Vargas*. Rio de Janeiro: Imprensa Nacional, 1938.

VARGAS, Alzira. *Getúlio Vargas, meu pai*. Porto Alegre: Globo, 1960.

VARGAS, Getúlio. *A nova política do Brasil*. Vol. 1. "Da Aliança Liberal às realizações do primeiro ano de governo (1930-1931)". Rio de Janeiro: José Olympio, 1938.

_____. *A serpente e o dragão: Dissertações acadêmicas*. Organizado por Décio Freitas e Álvaro Laranjeira. Porto Alegre: Sulina, 2003.

_____. *Diários*. 2 vols. São Paulo: Siciliano; Rio de Janeiro: Fundação Getúlio Vargas, 1995.

VARGAS, Luthero. *Getúlio Vargas: A revolução inacabada*. Rio de Janeiro, 1988.

VARGAS, Viriato Dornelles. *Páginas de fraternidade e civismo*. São Paulo: Gráfica da Revista dos Tribunais, 1944.

VERGARA, Luiz. *Fui secretário de Getúlio Vargas*. Porto Alegre: Globo, 1960.

VERISSIMO, Erico. *O tempo e o vento*. 5 vols. São Paulo: Companhia das Letras, 2004.

VIANA FILHO, Luiz. *A vida do barão do Rio Branco*. Rio de Janeiro: José Olympio, 1959.

VIANA, Oliveira. *Populações meridionais do Brasil*. 2 vols. Rio de Janeiro: José Olympio, 1952.

VICTORINO, Eduardo. *Actores e actrizes*. Rio de Janeiro: A Noite, 1937.
VIDAL, André. *1930: História da revolução na Paraíba*. São Paulo, Companhia Editora Nacional, 1933.
VIDAL, Barros. *Getúlio Vargas: Um destino a serviço do Brasil*. Rio de Janeiro: Gráfica Olímpica, 1945.
VIVEIROS, Esther de. *Rondon conta sua vida*. Rio de Janeiro: Cooperativa Cultural dos Esperantistas, 1969.
WEBER, Beatriz Teixeira. "Identidade e corporação médica no Sul do Brasil na primeira metade do século XX". Em *Varia História*, vol. 26. Belo Horizonte: UFMG, 2010.

JORNAIS E REVISTAS — TÍTULOS E PROCEDÊNCIA DOS ARQUIVOS CONSULTADOS

A Crítica (RJ) — Biblioteca Nacional
A Esquerda (RJ) — Biblioteca Nacional
A Federação (RS) — Biblioteca Nacional e Museu da Comunicação Hipólito da Costa
A Manhã (RJ) — Biblioteca Nacional
A Noite (RJ) — Biblioteca Nacional e Arquivo Antônio Sérgio Ribeiro
A Reforma (RS) — Biblioteca Nacional
Careta (RJ) — Biblioteca Nacional e coleção do autor
Correio do Povo (RS) — Biblioteca Nacional e Museu da Comunicação Hipólito da Costa
Correio da Manhã (RJ) — Biblioteca Nacional e Arquivo Antônio Sérgio Ribeiro
Correio Paulistano (SP) — Arquivo Público do Estado de São Paulo e Arquivo Antônio Sérgio Ribeiro
Diário de Notícias (RS) — Museu da Comunicação Hipólito da Costa
Diário de Pernambuco (PE) — Biblioteca Nacional
Diário Nacional (SP) — Arquivo Antônio Sérgio Ribeiro
Folha da Manhã (SP) — Biblioteca Nacional e Acervo *Folha de S. Paulo*
Folha da Noite (SP) — Biblioteca Nacional e Acervo *Folha de S. Paulo*
Gazeta de Notícias (RJ) — Biblioteca Nacional
Gazeta do Comércio (RS) — Biblioteca Nacional
Gazeta do Povo (PR) — Biblioteca Nacional
Ilustração Paranaense (PR) — Museu Paranaense
Jornal do Brasil (RJ) — Biblioteca Nacional
Jornal do Commercio (RJ) — Biblioteca Nacional
O Commercio de São Paulo (SP) — Arquivo do Estado de São Paulo
O Cruzeiro (RJ) — Biblioteca Nacional, Museu da Comunicação Hipólito da Costa, Arquivo Antônio Sérgio Ribeiro e coleção do autor
O Debate (RS) — Instituto Histórico e Geográfico do Rio Grande do Sul
O Estado de Minas (MG) — Arquivo Público de Minas Gerais
O Estado de S. Paulo (SP) — Arquivo Público de S. Paulo e Arquivo Antônio Sérgio Ribeiro
O Globo (RJ) – Biblioteca Nacional
O Independente (RS) — Arquivo Histórico de Porto Alegre Moisés Velhinho
O Jornal (RJ) — Biblioteca Nacional
O Malho (RJ) — Biblioteca Nacional e coleção do autor
O Paiz (RJ) — Biblioteca Nacional
Piauí (RJ/SP) — Coleção do autor

Uruguay (RS) — Biblioteca Nacional
Pantum (RS) — CPDOC-FGV
Petit Journal (RS) — Biblioteca Nacional
Revista Acadêmica (RS) — CPDOC-FGV
Revista da Semana (RJ) — Coleção do autor
Revista do Globo (RS) — Museu da Comunicação Hipólito da Costa e coleção do autor
Revista do Instituto Geográfico e Histórico da Bahia (BA) — Coleção do autor
Revista do Instituto Histórico e Geográfico do Rio Grande do Sul (RS) — Instituto Histórico e Geográfico do Rio Grande do Sul
Tribuna da Imprensa (RJ) — Biblioteca Nacional

Notas

PRÓLOGO: ONZE AVIÕES SOBREVOAM O RIO DE JANEIRO.
NA FUSELAGEM, OSTENTAM O EMBLEMA FASCISTA (1930) [pp. 13-27]

1. *Correio da Manhã*, 16 de janeiro de 1931.
2. Idem.
3. Para a travessia e a história da missão aérea italiana, ver Italo Balbo, *Legiões aladas sobre o mar*. A reconstituição da travessia também se baseou nas notícias e informações publicadas à época no Brasil pelos jornais *Folha da Manhã*, *Folha da Noite* e *Correio da Manhã*. Edições de 15 a 20 de janeiro de 1930.
4. *Correio da Manhã*, 16 de janeiro de 1931.
5. "Relatório do ministro Italo Balbo ao governo da Itália". Publicado pelo *Correio da Manhã* em 17 de janeiro de 1930. Ver também Italo Balbo, *Legiões aladas sobre o mar*.
6. *Correio da Manhã*, 16 de janeiro de 1931.
7. Para a biografia do ministro italiano, ver Claudio G. Segrè, *Italo Balbo, una vita fascista*.
8. Italo Balbo, *Diário*, 1922. Citado por Donald Sassoon, *Mussolini e a ascensão do fascismo*, pp. 106-7.
9. Claudio G. Segrè, *Italo Balbo, una vita fascista*.
10. Italo Balbo, *Legiões aladas sobre o mar*.
11. *Correio da Manhã*, 17 de janeiro de 1931.
12. Idem.
13. Idem.
14. Idem.
15. *Correio da Manhã*, 16 de janeiro de 1931.
16. *Folha da Manhã*, 17 de janeiro de 1931.

17. Idem.
18. Idem.
19. Getúlio Vargas, *Diário*, vol. 1, p. 43.
20. Idem.
21. *Folha da Manhã*, 17 de janeiro de 1931.
22. Para os detalhes do banquete, ver *Correio da Manhã*, 17 de janeiro de 1931.
23. Idem.
24. Idem.
25. *Folha da Manhã*, 16 de janeiro de 1931.
26. Boris Fausto, "Expansão do café e política cafeeira". Em: *O Brasil republicano*, vol. 1, *Estrutura de poder e economia*. Ver também Antônio Delfim Netto, *O problema do café no Brasil*.
27. Decreto nº 19688, de 11 de fevereiro de 1931. *Coleção das Leis da República Federativa do Brasil. Leis de 1931. Atos do Governo Provisório. Decretos de janeiro a abril*.
28. Para a agenda carioca de Balbo, ver *Correio da Manhã*, edições de 14 a 22 de janeiro de 1931.
29. Para a agenda paulista de Balbo, ver *Folha da Manhã* e *Folha da Noite*, edições de 26 de janeiro a 4 de fevereiro de 1931.
30. *Folha da Noite*, 4, 5 e 6 de fevereiro de 1931.
31. Idem.
32. *Folha da Noite*, 6 de fevereiro de 1931.
33. Idem.
34. *Folha da Noite*, 4 de fevereiro de 1931.
35. *Folha da Manhã*, 7 de fevereiro de 1931. Getúlio Vargas, *Diário*, vol. 1, pp. 45-8.
36. Para a trajetória de Vittorio Cerrutti, ver Gianluca Falanga, *Mussolini's Vorposten in Hitler's Reich*.
37. Carta de Plínio Barreto a José Maria Whitaker, 24 de novembro de 1930. Arquivo CPDOC-FGV (Documento GV c 1930.11.20/2).
38. Luís Carlos Prestes, "Aos revolucionários do Brasil": *Em*: Paulo Bonavides e Roberto Amaral, *Textos políticos da História do Brasil* (CD-ROM).
39. *Correio da Manhã*, 13 de novembro de 1930.
40. *O Jornal*, 18 de novembro de 1930.
41. Idem.
42. Boris Fausto, "Um ditador fascista?", *Piauí*, nº 61, outubro de 2011.
43. *O Jornal*, 17 de dezembro de 1930.
44. *Folha da Manhã*, 14 de novembro de 1931.
45. "Gê-Gê (Seu Getúlio)", Marcha de Lamartine Babo, gravada por Almirante com o Bando dos Tangarás e a Orquestra Guanabara. Disco Parlaphon, nº 13274-B, lançado em janeiro de 1931.
46. *Careta*, 8 de novembro de 1930.
47. *Careta*, 15 de novembro de 1930.
48. *Correio da Manhã*, 20 de janeiro de 1930.
49. Carta de Manuel do Nascimento Vargas a Getúlio, 3 de dezembro de 1930. Arquivo CPDOC-FGV (Documento BV c 1830.12.03).

1. A TERRA ALI É VERMELHA FEITO BRASA.
DIZEM QUE É POR TANTO SANGUE DERRAMADO NELA (1865-96) [pp. 28-44]

1. Paul Frischauer, *Presidente Vargas*, p. 28; Vargas Neto, *General Vargas*, p. 7; e Wolfgang Hoffman Harnisch, *O Rio Grande do Sul: A terra e o homem*, p. 252.

2. O episódio foi narrado em detalhes pelo próprio Getúlio ao repórter Rubens Vidal, em entrevista à *Revista do Globo*, publicada em edição especial, em agosto de 1950, "Subsídios para as memórias de Getúlio Vargas".

3. Sérgio da Costa Franco em *Júlio de Castilhos e sua época*, p. 26.

4. *Revista do Globo*, agosto de 1950, "Subsídios para as memórias de Getúlio Vargas", p. 9.

5. Vargas Neto, *General Vargas*, pp. 37-8.

6. Para a biografia tão sumária quanto laudatória do general Manuel do Nascimento Vargas, ver o mesmo livro de Vargas Neto citado na nota anterior, *General Vargas*.

7. João Pedro Gay, *Invasão paraguaia*, p. 69, nota 56; Cláudio Oraindi Rodrigues, *São Borja e sua história*.

8. João Pedro Gay, *Invasão paraguaia*, p. 69.

9. Osório Tuyuty de Oliveira Freitas, *A invasão de São Borja*, pp. 144-5.

10. Idem, pp. 149-52.

11. Francisco Doratioto, *Maldita guerra*, p. 221.

12. André Carrazoni, *Getúlio Vargas*, p. 21; Barros Vidal, *Um destino a serviço do Brasil*, p. 33; *Revista do Globo*, agosto de 1950, "Subsídios para as memórias de Getúlio Vargas".

13. Francisco Doratioto. *Maldita guerra*, p. 453.

14. Leal de Souza. *Getúlio Vargas*, pp. 38-9.

15. Fernando Jorge, *Getúlio Vargas e seu tempo*, vol. 1, pp. 364-5.

16. Idem.

17. Leal de Souza, *Getúlio Vargas*, p. 39.

18. André Carrazoni, *Getúlio Vargas*, p. 25. Entrevista de Espártaco Vargas a Valentina de Rocha Lima, *Getúlio: Uma história oral*, p. 30.

19. Pedro Vergara, *Lembranças que lembram*, vol. 1, p. 179.

20. *Revista do Globo*, agosto de 1950, "Subsídios para as memórias de Getúlio Vargas", p. 9.

21. Paul Frischauer. *Getúlio Vargas*, p. 38.

22. Vargas Neto, *General Vargas*, p. 18.

23. Luiz Alberto Grijó, *Origens sociais, estratégias de ascensão e recursos dos componentes da chamada "Geração de 1907"*, p. 37.

24. O mito da vocação militar do gaúcho foi desenvolvido e fixado, entre outros autores, por Oliveira Viana no segundo volume de seu clássico *Populações meridionais do Brasil*. Euclides da Cunha, em *Os sertões*, falava de uma certa "intuição guerreira dos gaúchos" (Euclides da Cunha, *Os sertões*, p. 509). Em *Gaúcho: História de uma palavra*, Augusto Meyer mostra como a literatura romântica contribuiu, sobremaneira, para a transformação semântica do vocábulo. Para outras análises críticas da construção do estereótipo do rio-grandense, ver Sergius Gonzaga, "As mentiras sobre o gaúcho: primeiras contribuições da literatura", e Décio Freitas, "O mito da produção sem trabalho", ambos em Jorge Hildebrando Dacanal e Sergius Gonzaga, RS: *Cultura e ideologia*.

25. Entrevista de Espártaco Vargas a Celina Vargas do Amaral Peixoto. Datilografada. Arquivo CPDOC-FGV.

26. "Getúlio Vargas em São Borja. Narrativa feita pelo coronel Viriato Vargas". *O Malho*. Edição especial de 1943, comemorativa do aniversário de Getúlio, p. 97.

27. Há divergências entre autores sobre o local e a data de nascimento de Getúlio. Quanto ao local, alguns afirmam que ele nasceu numa casa no centro de São Borja. Seu filho Lutero Vargas, contudo, sustentava que o pai nasceu na Fazenda Triunfo, a exemplo de Viriato e Protásio (Lutero Vargas, *Getúlio Vargas: A revolução inacabada*, p. 8). Quanto à data, os biógrafos oficiais informam que seria 1883. Mas, quando das comemorações do centenário de Getúlio, descobriu-se que ele nascera na verdade no ano anterior. A certidão de batismo, datada de 19 de maio de 1882 e que consta dos arquivos da secretaria do Bispado de Uruguaiana (RS), no livro 11B de assentamentos da matriz de São Borja, revela que a data correta é mesmo 19 de abril de 1882.

28. Leal de Sousa, *Getúlio Vargas*, pp. 36-7.

29. *Revista do Globo*, agosto de 1950, "Subsídios para as memórias de Getúlio Vargas".

30. Depoimento de Manuel Antônio Vargas, em Valentina de Rocha Lima, *Getúlio: Uma história oral*, p. 29. Ver também André Carrazoni, *Getúlio Vargas*, p. 24, e Paul Frischauer, *Getúlio Vargas*, p. 52.

31. Ver Aurélio Porto, *Getúlio Vargas à luz da genealogia*, pp. 12-5, além do segundo volume de *Os Vargas*, de Rubens Vidal de Araújo, e *Os Vargas: Uma estirpe faialense no Rio Grande do Sul*, de José de Araújo Fabrício.

32. Para um estudo clássico sobre a imigração açoriana no Rio Grande do Sul, ver João Borges Fortes, *Os casais açorianos: Presença lusa na formação do Rio Grande do Sul*.

33. Depoimento de Alzira Vargas em Valentina de Rocha Lima, *Getúlio, Uma história oral*, p. 28, confirmado por Lutero Vargas em *Getúlio Vargas: A revolução inacabada*, p. 4. Para o aproveitamento político da Guerra do Paraguai e a visita de d. Pedro II a Uruguaiana, ver Lilia Moritz Schwarcz, *As barbas do imperador*, pp. 295-318.

34. "Bases programáticas do Partido Republicano do Rio Grande do Sul", transcrito por Othelo Rosa em *Júlio de Castilhos: Perfil biográfico e escritos políticos*, pp. 72-5.

35. Paul Frischauer, *Getúlio Vargas*, p. 37

36. Sérgio da Costa Franco, *Júlio de Castilhos e sua época*, pp. 32-8. Sobre o trabalho escravo no Rio Grande do Sul, ver Fernando Henrique Cardoso, *Capitalismo e escravidão no Brasil meridional*, e "O escravo africano no Rio Grande do Sul", de Mário Maestri, em Jorge Hildebrando Dacanal e Sergius Gonzaga, RS: *Economia & política*, pp. 29-54.

37. Para uma biografia de Júlio de Castilhos, ver Sérgio da Costa Franco, *Júlio de Castilhos e sua época*. Importante também é a coletânea de textos organizada por Gunter Axt (e outros), *Júlio de Castilhos e o paradoxo republicano*.

38. João Neves da Fontoura, *Memórias*, vol. 1, p. 26.

39. Ver Paul Frischauer, *Getúlio Vargas*, pp. 42-4

40. Ver Joseph Love, "O Rio Grande do Sul como fator de instabilidade na República Velha", em Boris Fausto, *O Brasil republicano*, vol. 1 (*Estrutura de poder e economia*), p. 111.

41. Uma visão panorâmica das ideias e práticas de Júlio de Castilhos foi estabelecida por Ricardo Vélez Rodriguez, "Castilhismo: uma filosofia da República". Em *Júlio de Castilhos e o paradoxo republicano*, de Gunter Axt (org.).

42. Carta de Manuel do Nascimento Vargas a Cândida Vargas. 17 de dezembro de 1889. Arquivo CPDOC-FGV (Documento BV c 1889.12.17).

43. Sérgio da Costa Franco, *Júlio de Castilhos e sua época*, p. 80. Para uma análise detalhada da Constituição castilhista, ver Gunter Axt, "Constitucionalidade em debate: A polêmica Carta Estadual de 1891". *Revista Justiça & História*, vol. 2, nº 3.

44. Constituição política do estado do Rio Grande do Sul de 1891, em *Constituições sul-rio-grandenses*.

45. Ver Sandra Jatahy Pesavento, "República Velha Gaúcha: Estado autoritário e economia". Em Jorge Hildebrando Dacanal e Sergius Gonzaga, RS: *Economia e política*, p. 220.

46. Ricardo Velez Rodrigues. *Castilhismo: Uma filosofia da República*, p. 153.

47. Gunter Axt. *Gênese do Estado moderno no Rio Grande do Sul (1889-1929)*, p. 82.

48. Para a análise do cenário político e econômico da época, ver Sílvio Rogério Duncan Baretta, *Political violence and regime change: A study of the 1893 Civil War in Southern Brazil*.

49. Para a crônica dos episódios, ver o livro de Gustavo Moritz, *Acontecimentos políticos do Rio Grande do Sul*.

50. Osório Tuyuty de Oliveira Freitas, *A invasão de São Borja*, p. 153.

51. Euclides Moura, *Vandalismo no Rio Grande do Sul*, pp. 171-89.

52. Sobre a reunião secreta em Monte Caseros, ver Joseph Love, *O regionalismo gaúcho*, p. 54. A respeito das circunstâncias da volta de Júlio de Castilhos ao poder, ver Sérgio da Costa Franco, *Júlio de Castilhos e sua época*, p. 80.

53. Ofício reservado de Júlio de Castilhos aos coronéis Artur Oscar, Antônio Adolpho da Fonseca Menna Barreto e Joaquim Elias Amaro, 6 de março de 1863. Arquivo de Antônio Adolpho da Fonseca Menna Barreto. Biblioteca Nacional. Citado por Paulo Brossard, "A Revolução de 1923", em Gunter Axt, *As guerras dos gaúchos*, p. 280.

54. Wenceslau Escobar. *Apontamentos para a história da Revolução Rio-Grandense de 1893*, p. 273.

55. Idem, p. 65.

56. Joseph Love, *Regionalismo gaúcho*, pp. 61-2.

57. Telegrama do general João Teles ao marechal Floriano, 2 de novembro de 1892. Reproduzido por Wenceslau Escobar, *Apontamentos para a história da Revolução Rio-Grandense de 1893*, pp. 79-80.

58. Ver prefácio de Gunter Axt para *Os crimes da ditadura*, de Rafael Cabeda e Rodolpho Costa, p. 22.

59. Sobre as causas políticas e econômicas da guerra civil, ver Gunter Axt, "A Revolução Federalista". Em *As guerras dos gaúchos*, volume organizado pelo próprio Axt, pp. 225-47. Para os significados dos termos "maragatos" e "pica-paus", bem como dos respectivos lenços vermelhos e brancos, ver Luiz Carlos de Moraes, *Vocabulário sul-rio-grandense*, p. 144, e Antônio da Rocha Almeida, *Dicionário de História do Brasil*, p. 273.

60. Entrevista de Lutero Vargas a Valentina da Rocha Lima. Datilografada. Arquivo CPDOC-FGV.

61. Viriato Dornelles Vargas, *Páginas de fraternidade e civismo*, p. 134. O mesmo texto também foi publicado na revista *O Malho*, em edição especial de 1943, comemorativa ao aniversário de Getúlio, pp. 97-9.

62. De acordo com o censo do Rio Grande do Sul de 1890, a população masculina de Porto Alegre à época era de 26 012 habitantes. O dado está disponível em *De província de São Pedro a estado do Rio Grande do Sul — Censos do RS: 1803-1950*.

63. Mariza E. Simon dos Santos. *Honório Lemes, um líder carismático: Relações de poder no Rio Grande do Sul*, pp. 48-9. Wenceslau Escobar, *Apontamentos para a história da Revolução Rio-Grandense de 1893*, pp. 285-7. Há outras versões para a história. Segundo alguns autores, apenas as orelhas de Gumercindo Saraiva teriam sido cortadas e salgadas.

64. *Revista do Globo*, agosto de 1950, "Subsídios para as memórias de Getúlio Vargas".

2. NO TIROTEIO, UM JOVEM TOMBA MORTO.
SERIA GETÚLIO, AOS QUINZE ANOS, O ASSASSINO? (1896-8) [pp. 45-57]

1. O relato do crime foi baseado no que consta dos autos do processo de autoria da justiça pública em Ouro Preto, com data de autuação de 21 de junho de 1897 e término a 2 de junho de 1898. O documento completo, com mais de quinhentas páginas manuscritas, incluindo o inquérito policial, está disponível em microfilmes sob a guarda do arquivo da Casa de Contos de Ouro Preto. Rolo 5004 e 5005, vol. 16.

2. Relatório final do inquérito. Arquivo da Casa dos Contos, rolo 5004, vol. 16. Páginas não numeradas.

3. O diálogo foi reconstituído com base nos depoimentos prestados à polícia e à justiça pelas testemunhas Gabriel Teixeira, Raul de Queiroz Telles e Wilfrido Duarte Arruda, presentes à cena. Arquivo da Casa dos Contos, rolo 5004, vol. 16. Páginas não numeradas.

4. Relatório policial e audiência dos réus. Arquivo da Casa dos Contos, rolo 5004 e 5005, vol. 16. Páginas não numeradas.

5. Depoimentos de Diogo Luiz de Almeida Vasconcelos e Francisco Querelle. Arquivo da Casa dos Contos, rolo 5004, vol. 16. Páginas não numeradas.

6. Depoimentos prestados à polícia e à justiça pelas testemunhas Gabriel Teixeira, Raul de Queiroz Telles e Wilfrido Duarte Arruda. Arquivo da Casa dos Contos, rolo 5004, vol. 16. Páginas não numeradas.

7. Autópsia. Arquivo da Casa dos Contos, rolo 5004, vol. 16. Páginas não numeradas.

8. Depoimentos à polícia prestados por Protásio Vargas, Fernando Guilherme Kaufmann e Rodolpho Simch. Arquivo da Casa dos Contos, rolo 5004, vol. 16. Páginas não numeradas.

9. Relatório policial e depoimentos prestados à polícia e à justiça pelas testemunhas Gabriel Teixeira, Raul de Queiroz Telles e Wilfrido Duarte Arruda. Arquivo da Casa dos Contos, rolo 5004, vol. 16. Páginas não numeradas.

10. Atestado de óbito. Arquivo da Casa dos Contos, rolo 5004, vol. 16. Páginas não numeradas.

11. Pedro Rache, *Homens de Ouro Preto*, pp. 43-51.

12. *O Estado de Minas*, 16 de junho de 1897.

13. Para a família de Carlos Vasconcelos de Almeida Prado, ver Inaldo Cassiano da Silveira Lepsch, *E eles fizeram história*, pp. 76-8

14. Petição assinada por Carlos Vasconcelos de Almeida Prado. Arquivo da Casa dos Contos, rolo 5004, vol. 16. Páginas não numeradas.

15. *O Estado de Minas*, 16 de junho de 1897.

16. *O Commercio de São Paulo*, 12 de junho de 1897.

17. Fernando Jorge, *Getúlio Vargas*, p. 425.

18. Uma cópia do requerimento de matrícula no Gymnasio Mineiro, em nome de Getúlio,

mas provavelmente não escrita por ele e sim por um dos irmãos que já moravam em Ouro Preto, está reproduzida em David Dequech, *Isto Dantes em Ouro Preto*, p. 71.

19. Paul Frischauer, *Presidente Vargas*, pp. 48-9.

20. André Carrazzoni, *Getúlio Vargas*, p. 19.

21. Lutero Vargas, *Getúlio Vargas, a revolução inacabada*, p. 8.

22. Rubens Vidal de Araújo, *Os Vargas*, vol. 1, p. 27.

23. A fundação, o apogeu e a decadência da instituição foram bem documentados e analisados por José Murilo de Carvalho em *A Escola de Minas de Ouro Preto*.

24. Pedro Rache, *Homens de Ouro Preto*, p. 47.

25. Para um perfil de Mariense ver Fernando O. M. O'Donnell, *Aparício Mariense: Contextualização histórica e dados biográficos*. A referência à viagem com Getúlio está na p. 102.

26. Fernando Jorge, *Getúlio Vargas*, p. 425.

27. Vicente Racioppi, *Estudantes do Rio Grande do Sul em Ouro Preto*, pp. 55-9.

28. Zeno Cardoso Nunes e Rui Cardoso Nunes. *Dicionário de regionalismos do Rio Grande do Sul*, p. 246.

29. Pedro Rache, *Homens de Ouro Preto*, p. 47.

30. Existe uma cópia do exame no arquivo particular do pesquisador Antônio Sérgio Ribeiro. O episódio também é citado por Fernando Jorge em *Getúlio Vargas*, vol. 1, pp. 427-9.

31. A conta do número de estudantes gaúchos à época na então capital mineira é feita por Pedro Rache em *Homens de Ouro Preto*, p. 42.

32. O cotidiano dos estudantes gaúchos em Ouro Preto foi bem documentado e descrito por memorialistas como Vicente Racioppi, *Estudantes do Rio Grande do Sul em Ouro Preto*; Ciro Arno, *Memórias de um estudante*; e Pedro Rache, *Homens de Ouro Preto*.

33. Pedro Rache, *Homens de Ouro Preto*, pp. 42-3.

34. Idem.

35. Augusto de Lima Junior, *Serões e vigílias*, p. 36.

36. Interrogatório de Fernando Guilherme Kaufmann. Processo crime. Arquivo da Casa dos Contos, rolo 5004, vol. 16. Páginas não numeradas.

37. Laudo médico e guia de internação. Arquivo da Casa dos Contos, rolo 5004, vol. 16. Páginas não numeradas.

38. Depoimentos de Tito Ferreira de Carvalho, Jorge Washington Silviano Brandão, Messias Teixeira Lopes, Artur de Oliveira Rodrigues e Heitor Frederico Guambara. Arquivo da Casa dos Contos, rolo 5004, vol. 16. Páginas não numeradas.

39. Relatório policial. Arquivo da Casa dos Contos, rolo 5004, vol. 16. Páginas não numeradas.

40. Interrogatórios de Protásio Vargas, Fernando Kaufmann e Rodolpho Simch. Arquivo da Casa dos Contos, rolo 5004, vol. 16. Páginas não numeradas.

41. Código Penal de 1890. Capítulo IV, artigo 289, parágrafo único.

42. Valentina da Rocha Lima, *Getúlio: Uma história oral*, p. 31.

43. Entre os autores que simplesmente silenciaram a respeito do assunto está André Carrazoni, em *Getúlio Vargas*; Barros Vidal, na biografia laudatória *Um destino a serviço do Brasil*; e Leal de Souza, *Getúlio Vargas*. Outro biógrafo oficial, Francisco Frischauer, em *Presidente Vargas*, cita o caso, mas nega o envolvimento de Getúlio, embora não ofereça provas conclusivas a respeito. Alzira Vargas, em *Getúlio Vargas, meu pai*, atribui o confronto a uma mera discussão por causa de namora-

das, o que não se sustenta na leitura dos autos do processo. Por outro lado, Renato Jardim, em *A aventura de outubro e a invasão de S. Paulo*, chega a afirmar que Getúlio foi preso por causa do episódio, o que também não consta dos autos. Em 1930, uma carta publicada na edição de 15 de janeiro do jornal paulista *Folha da Manhã*, assinada por Fausto de Almeida Prado Penteado, sobrinho de Carlos de Almeida Prado, afirma que Getúlio teve participação ativa no conflito, que se dera, segundo ele, quando os estudantes gaúchos surpreenderam Carlos, alvejando-o com nove tiros à queima-roupa, devidamente protegidos por um muro, o que difere radicalmente do que consta na autópsia e nos depoimentos das testemunhas oculares da própria acusação.

44. Depoimento de Gabriel Teixeira. Arquivo da Casa dos Contos, rolo 5004, vol. 16. Páginas não numeradas.
45. Depoimento de Raul de Queiroz Telles. Arquivo da Casa dos Contos, rolo 5004, vol. 16. Páginas não numeradas.
46. Depoimento de Wilfrido Duarte Arruda. Arquivo da Casa dos Contos, rolo 5004, vol. 16. Páginas não numeradas.
47. Auto de respostas do réu Fernando Guilherme Kaufmann. Arquivo da Casa dos Contos, rolo 5004, vol. 16. Páginas não numeradas.
48. Auto de respostas do réu Protásio Vargas. Arquivo da Casa dos Contos, rolo 5004, vol. 16. Páginas não numeradas.
49. Audiência. Depoimento de Raul de Queiroz Telles. Arquivo da Casa dos Contos, rolo 5004, vol. 16. Páginas não numeradas.
50. Decisão judicial assinada pelo juiz Augusto de Lima. Arquivo da Casa dos Contos, rolo 5005, vol. 16. Páginas não numeradas.
51. Sentença. Arquivo da Casa dos Contos, rolo 5005, vol. 16. Páginas não numeradas.
52. Augusto de Lima Júnior, *Serões e vigílias*, pp. 37-41; José Augusto de Lima, *Augusto de Lima, seu tempo, seus ideais*, p. 169.
53. José Augusto de Lima, *Augusto de Lima, seu tempo, seus ideais*, p. 169.
54. Augusto de Lima Júnior, *Serões e vigílias*, p. 41.
55. Ciro Arno, *Memórias de um estudante*, p.158.
56. Carmen Aita e Gunter Axt. *Getúlio Vargas, discursos*, p. 22.
57. *Revista do Globo*, agosto de 1950, "Subsídios para as memórias de Getúlio Vargas", p. 13.

3. GETÚLIO LEVANTA O BRAÇO E ADERE AO MOTIM.
O GESTO VAI MUDAR SUA VIDA (1898-1903) [pp. 58-78]

1. A narrativa da primeira parte deste capítulo foi composta com base no minucioso relato feito pelo próprio Getúlio Vargas ao jornalista Barros Vidal e publicado em edição especial da *Revista do Globo* em agosto de 1950, sob o título "Subsídios para as memórias de Getúlio Vargas".
2. Os diálogos reproduzidos neste trecho do capítulo foram reproduzidos tal qual constam na reportagem de Rubens Vidal para a *Revista do Globo*, citada na nota anterior.
3. *Revista do Globo*, agosto de 1950, "Subsídios para as memórias de Getúlio Vargas", p. 13.
4. Para as reservas de Manuel Vargas à ideia da carreira militar do filho Getúlio, ver Paul Frischauer, *Getúlio Vargas*, p. 66; e o depoimento de Manuel Antônio Vargas transcrito parcialmente em Valentina de Rocha Lima, *Getúlio: Uma história oral*, p. 32.

5. Aurélio Porto, *Getúlio Vargas à luz da genealogia*, p. 16.

6. Para a biografia de Anita Garibaldi, ver Paulo Markun, *Anita Garibaldi: Uma heroína brasileira*.

7. A história é mencionada por Rubens Vidal Araújo, *Os Vargas*, p. 5; e Wolfgang Hoffman Harnisch, *O Rio Grande do Sul: A terra e o homem*, p. 253.

8. José Louzeiro, *O anjo da fidelidade*, p. 69.

9. Paul Frischauer, *Presidente Vargas*, p. 73.

10. Sobre o fato de Manuel Vargas escolher ou tentar influenciar as profissões do filho, ver Rubens Vidal de Araújo, *Os Vargas*, p. 27. A despeito do projeto paterno, Espártaco tornou-se dentista, e não médico.

11. Paul Frischauer, *Getúlio Vargas*, p. 66.

12. Um bom estudo sobre a evolução histórica do Exército brasileiro foi realizado por Frank D. McCann em *Soldados da Pátria*. Ver também Nelson Werneck Sodré, *História militar do Brasil*.

13. Exposição de motivos do Regulamento Benjamin Constant. Citado por Laudelino T. Medeiros, *Escola Militar de Porto Alegre*, p. 32.

14. Laudelino T. Medeiros, "Getúlio Vargas na Escola de Rio Pardo", *Revista do Instituto Histórico e Geográfico do Rio Grande do Sul*, nº 132, p. 13.

15. Barros Vidal, *Um destino a serviço do Brasil*, p. 38

16. Para um histórico da Escola Preparatória e de Tática de Rio Pardo, ver Maturino da Luz (coord.), *Antiga Escola Militar de Rio Pardo*.

17. Barros Vidal, *Um destino a serviço do Brasil*, p. 39.

18. Escalas de serviço e alterações do pessoal da 1ª Companhia da Escola Preparatória e de Tática de Rio Pardo, ano 1890. Caixa 30188. Arquivo Histórico do Exército.

19. Atestado expedido pelo comando da Escola Militar do Rio Pardo, 12/09/1902. Arquivo da Faculdade de Direito de Porto Alegre.

20. A certidão original está no arquivo da secretaria do Bispado de Uruguaiana (RS), livro 11B de assentamentos da matriz de São Borja.

21. Bertoldo Klinger, *Narrativas* autobiográficas, vol. 1, p. 90.

22. Mauro Renault Leite e Novelli Júnior, *Marechal Eurico Gaspar Dutra: O dever da verdade*, p. 15.

23. Fábio Koifman (org.), *Presidentes do Brasil*, p. 378.

24. Francisco de Paula Cidade, *Cadetes e alunos militares através dos tempos*, pp. 85-6 e 115.

25. Os "caldos" são mencionados por Bertoldo Klinger em "Narrativas autobiográficas", enquanto a morte de um calouro é informada por Francisco de Paula Cidade, *Cadetes e alunos militares através dos tempos*, p. 115.

26. Francisco de Paula Cidade, *Cadetes e alunos militares através dos tempos*, p. 115.

27. Dermeval Peixoto, *Memórias de um velho soldado*, p. 175. Também citado por Fernando Jorge, *Getúlio Vargas e o seu tempo*, vol. 2, p. 12.

28. Francisco de Paula Cidade, *Cadetes e alunos militares através dos tempos*, p. 88.

29. Paul Frischauer, *Presidente Vargas*, p. 68.

30. Atestados escolares da Escola Militar de Rio Pardo. Arquivo da Biblioteca da Faculdade de Direito de Porto Alegre.

31. Francisco de Paula Cidade, *Cadetes e alunos militares através dos tempos*, pp. 120-4.

32. A descrição da cidade à época está no Relatório Anual do Comando da Escola Preparatória e de Tática de Rio Pardo. Arquivo Histórico do Exército (1900). Fundo Escola Militar do Rio

Pardo. Caixa 30187. Os dados populacionais são do censo demográfico de 1890, em *Da província de São Pedro a estado do Rio Grande do Sul*, p. 85.

33. Paul Frischauer, *Presidente Vargas*, p. 68.
34. Lutero Vargas, *Getúlio Vargas: A revolução inacabada*, p. 11
35. Pantaleão Pessoa, *Reminiscências e imposições de uma* vida.
36. O cotidiano dos cadetes em Rio Pardo foi reconstituído em obras de teor memorialístico, escritas por ex-alunos: Pantaleão Pessoa, *Reminiscências e imposições de uma* vida; Francisco de Paula Cidade, *Cadetes e alunos militares através dos tempos*; Mascarenhas de Moraes, *Memórias* (vol. 1); e Bertoldo Klinger, *Narrativas autobiográficas: Como fui tenente*. Ver ainda Laudelino T. Medeiros. "Getúlio Vargas na Escola de Rio Pardo", *Revista do Instituto Histórico e Geográfico do Rio Grande do Sul*, n° 132, p. 14; e Cláudio Moreira Bento & Luiz Ernani Caminha Giorgis, *Escolas Militares de Rio Pardo: 1859-1911*.
37. Diálogo reproduzido na Ordem do Dia n° 158, do Comando da Escola Preparatória e de Tática de Rio Pardo, 15 de maio de 1902. Arquivo CPDOC-FGV (Documento GV c 1902.05.17).
38. Escalas de serviço e alterações do pessoal da 1ª Companhia da Escola Preparatória e de Tática de Rio Pardo, ano 1890. Caixa 30188. Arquivo Histórico do Exército.
39. Ordem do Dia n° 158, do Comando da Escola Preparatória e de Tática de Rio Pardo, 15 de maio de 1902. Arquivo CPDOC-FGV (Documento GV c 1902.05.17).
40. Ordem do Dia n° 160, do Comando da Escola Preparatória e de Tática de Rio Pardo, 17 de maio de 1902. Arquivo CPDOC-FGV (Documento GV c 1902.05.17).
41. Barros Vidal, *Um destino a serviço do Brasil*, p. 45.
42. Ordem do Dia n° 161, do Comando da Escola Preparatória e de Tática de Rio Pardo, 19 de maio de 1902. Arquivo CPDOC-FGV (Documento GV c 1902.05.17).
43. *A Federação*, 22 de maio de 1902.
44. Marina de Quadros Rezende, *Rio Pardo: História, recordações, lendas*, p.75.
45. Entrevista de Espártaco Vargas a Celina Vargas do Amaral Peixoto. Datilografada. Arquivo CPDOC-FGV.
46. Queiroz Júnior, *Memórias sobre Getúlio*, p. 30.
47. Sobre o "desencanto" de Getúlio com a carreira das armas, ver Luiz Alberto Grijó, *Origens sociais, estratégias de ascensão e recursos dos componentes da chamada "Geração de 1907"*, pp. 64-5.
48. *Almanak litterario e estatístico do Rio Grande do Sul, 1897*.
49. Paul Frischauer, *Presidente Vargas*, pp. 73-4.
50. Idem.
51. Certificados de exames preparatórios do estudante Getúlio Dornelles Vargas. Arquivo da Faculdade de Direito de Porto Alegre.
52. João Pedro dos Santos, *A Faculdade de Direito de Porto Alegre*, p. 159, e artigo 71, parágrafo 10, da Constituição Rio-Grandense de 1891.
53. Barros Vidal, *Um destino a serviço do Brasil*, p. 61.
54. Hélio Silva, *A grande marcha*, p. 116.
55. *A Federação*, 10 de fevereiro de 1903.
56. A carta de Getúlio a Martim Gomes foi reproduzida por Barros Vidal, *Um destino a serviço do Brasil*, pp. 56-7.
57. André Carrazoni, *Getúlio Vargas*, p. 40.

58. Carta de Getúlio a Martim Gomes. Reproduzida por Barros Vidal, *Um destino a serviço do Brasil*, pp. 56-7.

59. *O Independente*, 6 de agosto de 1903.

60. Para a descrição física do barão do Rio Branco, ver Álvaro Lins, *Rio-Branco*, p. 239.

61. Para a trajetória pessoal e pública de José Maria Paranhos, ver além dos dois volumes escritos por Álvaro Lins, *Rio-Branco*, a biografia assinada por Luís Viana Filho, *A vida do barão do Rio Branco*.

62. Os dados estão em Álvaro Lins, *Rio-Branco*, p. 407.

63. Carta de Getúlio a Martim Gomes. Reproduzida por Barros Vidal, *Um destino a serviço do Brasil*, pp. 56-7.

64. Carta de Rio Branco a José Veríssimo. Citada por Luís Viana Filho, *A vida do barão do Rio Branco*, p. 332.

65. Uma das principais obras sobre o assunto foi escrita por Leandro Tocantins, *Formação histórica do Acre*.

66. Leandro Tocantins, *Formação histórica do Acre*, p. 409.

67. Para a biografia de Plácido de Castro, ver Cláudio de Araújo Lima, *Plácido de Castro: Um caudilho contra o imperialismo*.

68. Carta de Getúlio a Martim Gomes. Reproduzida por Barros Vidal, *Um destino a serviço do Brasil*, pp. 56-7.

69. *O Independente*, 6 de agosto de 1903.

70. *O Independente*, 16 de agosto de 1903.

71. Os pormenores do acordo estão em Álvaro Lins, *Rio-Branco*, pp. 434-5.

4. APÓS SUSPIRAR POR UMA DAMA DE VERMELHO,
GETÚLIO CAI DE AMORES PELA MILITÂNCIA ESTUDANTIL (1903-7) [pp. 78-102]

1. *A Federação*, 3 de novembro de 1903.

2. Sérgio da Costa Franco. *Júlio de Castilhos e sua época*, p. 172.

3. Sérgio da Costa Franco. *Júlio de Castilhos e sua época*, pp. 172-3.

4. Gustavo Moritz, "História política de Porto Alegre". Em *Porto Alegre, biografia de uma cidade*, p. 172.

5. *A Federação*, 3 de novembro de 1903.

6. A íntegra do discurso de Getúlio está em *Parlamentares gaúchos: Getúlio Vargas*, organizado por Gunter Axt e Carmen Aita, pp. 67-8. A presença de Borges de Medeiros na solenidade foi informada pelo jornal *A Federação*.

7. Gunter Axt, "A emergência da liderança política de Getúlio Vargas no Rio Grande do Sul coronelista e o seu governo no estado. Em *Reflexões sobre a Era Vargas*, p. 41.

8. Flores da Cunha, *A campanha de 1923*.

9. Para um perfil do sucessor de Castilhos, ver Sandra Jatahy Pesavento, *Borges de Medeiros*.

10. Gunter Axt, *Gênese do Estado moderno no Rio Grande do Sul (1889-1929)*, p. 94.

11. Auguste Comte. "Catecismo positivista". Em *Os pensadores*, p. 230.

12. Gunter Axt, "Apontamentos sobre o sistema castilhista-borgista". Em: *Júlio de Castilhos e o paradoxo republicano*, pp. 115-32.

13. Barros Vidal, *Um destino a serviço do Brasil*, p. 50.
14. João Neves da Fontoura. *Memórias*, vol. 1, p. 84.
15. Gunter Axt, *Gênese do Estado moderno no Rio Grande do Sul (1889-1929)*, p. 95.
16. Getúlio Vargas, com pseudônimo de Adherbal. "D'après nature". *Revista Acadêmica, órgão da Federação dos Estudantes do Rio Grande do Sul*, n° 2, novembro de 1907.
17. A frase é citada por Alzira Vargas do Amaral Peixoto em *Getúlio, meu pai*, p.14.
18. O *Diário Oficial da União* de 05/10/1936 traz portaria concedendo pensão a Alzira Prestes Soares, viúva de Alfredo de Carvalho Soares. Em carta a Getúlio datada de 1915, João Neves da Fontoura informa sobre o casamento da "Dama de Vermelho" e lhe revela o nome. Arquivo CPDOC-FGV (Documento GV.1915.01.00).
19. Conforme tradução de Jamil Almansur Haddad para *As flores do mal*.
20. Carta de Maurício Cardoso a Getúlio Vargas, 9 de julho de 1910. Arquivo CPDOC-FGV (Documento GV.1910.06.09).
21. Alzira Vargas do Amaral Peixoto, *Getúlio, meu pai*, p.13. No original, está "Dom João", em vez de "Don Juan".
22. André Carrazoni, *Getúlio Vargas*, p. 54.
23. Olides Canton, *Getúlio Vargas: Depoimentos de um filho*, p. 32.
24. *O Debate*, 11 de julho de 1907.
25. Olides Canton, *Getúlio Vargas: Depoimentos de um filho*, p. 31.
26. Domingos Meirelles, *1930: Os órfãos da Revolução*, p. 235.
27. Paul Frischauer, *Presidente Vargas*, 87.
28. André Carrazoni, *Getúlio Vargas*, p. 63.
29. Décio Freitas, em *Getúlio Vargas, a serpente e o dragão: Dissertações acadêmicas*, p. 12.
30. Eduardo Victorino, *Actores e actrizes*, pp. 62-4. Citado por Fernando Jorge, *Getúlio Vargas e o seu tempo*, vol. 2, p. 131.
31. Paul Frischauer, *Presidente Vargas*, p; 106.
32. Décio Freitas, em *Getúlio Vargas, a serpente e o dragão: Dissertações acadêmicas*, p. 10.
33. Prova de Economia do aluno Getúlio Vargas. Arquivo da Faculdade de Direito de Porto Alegre.
34. Idem.
35. Pedro Cezar Dutra Fonseca, *Vargas: O capitalismo em construção*, p. 54.
36. *Pantum*, n° 2, setembro de 1906.
37. João Neves da Fontoura, *Memórias*, vol. 1, pp. 63-6.
38. João Neves da Fontoura, *Memórias*, vol. 1, pp. 40-4.
39. Paul Frischauer, *Presidente Vargas*, p. 92.
40. Paul Frischauer, *Presidente Vargas*, pp. 87-8.
41. Alzira Vargas do Amaral Peixoto, *Getúlio, meu pai*, p. 4.
42. *O Debate*, 11 de julho de 1907.
43. Paul Frischauer, *Presidente Vargas*, p. 90.
44. Entrevista de Espártaco Vargas a Celina Vargas do Amaral Peixoto. Datilografada. Arquivo CPDOC-FGV.
45. Paul Frischauer, *Presidente Vargas*, p. 88.

46. As provas, relatórios de frequência e certificados acadêmicos de Getúlio Vargas estão preservados — e devidamente digitalizados — no arquivo da Faculdade de Direito de Porto Alegre.

47. Ofício do Centro Acadêmico ao diretor da Faculdade de Direito, 13 de agosto de 1906. Arquivo da Faculdade de Direito de Porto Alegre.

48. Charles Monteiro, *Porto Alegre e suas escritas*, p. 50. Para uma história do *Correio do Povo* do ponto de vista dos proprietários, ver Breno Caldas, *Meio século de Correio do Povo*.

49. *Correio do Povo*, 12 de agosto de 1906.

50. Firmino Paim Filho, "A vida acadêmica de Getúlio Vargas". *O Malho*, edição especial de 1943, comemorativa ao aniversário de Getúlio, p. 103.

51. João Neves da Fontoura, *Memórias*, vol. 1, p. 41.

52. Paul Frischauer, *Presidente Vargas*, p. 47.

53. Carlos Chagas, *O Brasil sem retoques: 1808-1964. A história contada por jornais e jornalistas*, vol. 1, p. 229.

54. Infelizmente, não há nenhuma biografia de Pinheiro Machado à altura do personagem. Para um panegírico de Pinheiro, ver Ciro Silva, *Pinheiro Machado*. Outras fontes de informação são Costa Porto, *Pinheiro Machado e seu tempo*; Newton Alvim, no volume dedicado ao senador na coleção "Rio Grande Político", do Instituto Estadual do Livro (RS); e Cid Pinheiro Cabral, *O senador de ferro*.

55. *Jornal do Commercio*, 28 de maio de 1905.

56. Para as articulações políticas de Pinheiro Machado nos bastidores da República Velha, ver Raymundo Faoro, *Os donos do poder*, pp. 651-75.

57. Isabel Lustosa, *Histórias de presidentes: A República do Catete*, p. 50. Para uma biografia de Afonso Pena, ver Américo Jacobina Lacombe, *Afonso Pena e sua época*.

58. Barros Vidal, *Um destino a serviço do Brasil*, pp. 173-83.

59. *Correio do Povo*, 16 de agosto de 1906.

60. A reconstituição do discurso foi publicada à época pela *Gazeta do Comércio* em 17 de agosto de 1906.

61. João Neves da Fontoura, *Memórias*, vol. 1, p. 82.

62. *Mensagem à Assembleia dos Representantes do Rio Grande do Sul pelo presidente Antônio Augusto Borges de Medeiros em 20 de setembro de 1903*, p. 36.

63. Barros Vidal, *Um destino a serviço do Brasil*, p. 86.

64. João Neves da Fontoura, *Memórias*, vol. 1, pp. 78-9.

65. Silvio Romero, "O castilhismo no Rio Grande do Sul", em *A filosofia política positivista*, vol. 2, p. 73.

66. Paul Frischauer, *Presidente Vargas*, p. 118.

67. *Petit Journal*, 12 de julho de 1907.

68. *A Federação*, 27 de abril de 1907.

69. Para a análise do papel do Bloco Acadêmico Castilhista, ver Silvana Bertol, *Quem faz caso de estudantes?: Um estudo da participação do Bloco Acadêmico Castilhista*, e Luiz Alberto Grijó, *Origens sociais, estratégias de ascensão e recursos dos componentes da chamada "Geração de 1907"*.

70. John W. F. Dulles, *Getúlio Vargas, biografia política*, p. 26. A frase de Getúlio está em Paul Frischauer, *Presidente Vargas*, p. 118.

71. *Os crimes da ditadura*, de Rafael Cabeda e Rodolpho Costa, foi reeditado em 2002 pelo

Ministério Público do Rio Grande do Sul, com o subtítulo *A história contada pelo dragão*. Um perfil biográfico de Cabeda foi escrito por Ivo Caggiani, *Rafael Cabeda: símbolo do federalismo*.

72. Para a descrição física do tribuno, ver o prólogo de Assis Brasil para o volume *Discursos parlamentares*, de Pedro Moacyr.

73. João Neves da Fontoura, *Memórias*, vol. 1, p. 84.

74. Idem.

75. Paul Frischauer, *Presidente Vargas*, pp. 115-6.

76. Alzira Vargas, *Getúlio Vargas, meu pai*, p. 9.

77. *O Debate*, 7 de agosto de 1907.

78. *O Debate*, 17 de agosto de 1907.

79. Para um perfil laudatório de Carlos Barbosa Gonçalves, ver Walter Spalding, *Construtores do Rio Grande*, vol. 3, pp. 153-60.

80. *O Debate*, 10 de setembro de 1907.

81. Barros Vidal, *Um destino a serviço do Brasil*, p. 112.

82. Barros Vidal, *Um destino a serviço do Brasil*, p. 88.

83. Silvio Romero, "O castilhismo no Rio Grande do Sul". Em *A filosofia política positivista*, vol. 2, p. 85.

84. *O Debate*, 6 de junho de 1907.

85. *Petit Journal*, 12 de novembro de 1907.

86. *O Debate*, 13 de junho de 1907.

87. *O Debate*, 15 de junho de 1907.

88. *O Debate*, 22 de junho de 1907.

89. *O Debate*, 7 de julho de 1907.

90. *O Debate*, 11 de julho de 1907.

91. Paul Frischauer, *Presidente Vargas*, p. 110.

92. *Petit Journal*, 12 de novembro de 1907.

93. *A Federação*, 29 de novembro de 1907.

94. Sobre a subordinação da promotoria pública aos desígnios do governo estadual gaúcho à época, ver Gunter Axt, *O ministério público no Rio Grande do Sul*, pp. 100-2.

5. SIMPÁTICO, REPUBLICANO E DEPUTADO: GETÚLIO É UM BOM PARTIDO PARA A FILHA DE FIGURÃO LOCAL (1908-12) [pp. 103-122]

1. *Uruguay*, 19 de novembro de 1908.

2. Para a reconstituição da casa da família Sarmanho, ver o laudatório *Vida luminosa de dona Darcy Vargas*, de Chermont de Brito, pp. 15-6.

3. Joseph L. Love, *O regionalismo gaúcho*, p. 70.

4. *Uruguay*, 19 de novembro de 1908.

5. *Uruguay*, 5 de março de 1908.

6. *Uruguay*, 19 de novembro de 1908.

7. Citado em *Nosso Século*, vol. 1, p. 101.

8. Ver Luiz Alberto Grijó, *Ensino jurídico e política partidária no Brasil: A Faculdade de Direito de Porto Alegre (1900-1937)*, pp. 192-3.

9. João Neves da Fontoura, *Memórias*, vol. 1, p. 117.

10. Os processos em que Getúlio atuou como promotor estão no Arquivo Público do Estado do Rio Grande do Sul.

11. Ver, especialmente, Barros Vidal, *Um destino a serviço do Brasil*, pp. 199-226; Paul Frischauer, *Presidente Vargas*, pp. 123-7; e André Carrazoni, *Getúlio Vargas*, pp. 73-9.

12. Para uma análise mais isenta do desempenho de Getúlio na promotoria pública, ver Álvaro Walmrath Bischoff e Cíntia Souto, "Getúlio Vargas promotor". Em IV *Mostra de Pesquisa do Arquivo Público do Estado do RS: Produzindo história a partir de fontes primárias*, pp. 33-45.

13. Processo 2229, réu: Antônio Paixão, 1908. Arquivo Público do Estado do Rio Grande do Sul.

14. *Correio do Povo*, 8 de abril de 1908.

15. Barros Vidal, *Um destino a serviço da nação*, pp. 213-6.

16. Barros Vidal, *Um destino a serviço da nação*, pp. 217-9.

17. Processo 2238, réu: Praxedes José da Silva, 1908. Arquivo Público do Estado do Rio Grande do Sul.

18. Carta de Manuel Vargas a Getúlio Vargas, 3 de abril de 1908. Arquivo CPDOC-FGV (Documento GV c 1908.04.03).

19. João Neves da Fontoura, *Memórias*, vol. 1, pp. 154-1.

20. Carta de Viriato Vargas a Getúlio Vargas, 7 de maio de 1908. Arquivo CPDOC-FGV (Documento GV c 1908.05.07).

21. João Neves da Fontoura, *Memórias*, vol. 1, p. 109.

22. Olímpio Olinto de Oliveira, *Relatórios de 1909 a 1912 do Instituto de Belas Artes do Rio Grande do Sul*, p. 75.

23. Carta de Firmino Paim Filho a Getúlio Vargas, 16 de junho de 1908. Arquivo CPDOC-FGV (Documento GV c 1908.06.16).

24. Carta de Manuel Vargas a Getúlio Vargas, 19 de março de 1908. Arquivo CPDOC-FGV (Documento GV c 1908.03.19).

25. Entrevista de Espártaco Vargas a Celina Vargas do Amaral Peixoto. Datilografada. Arquivo CPDOC-FGV.

26. Idem.

27. Carta de Viriato Dornelles Vargas a Getúlio Vargas, 1º de agosto de 1908. Arquivo CPDOC-FGV (Documento GV c 1908.08.01).

28. J. Resende Silva, *A fronteira do Sul*, pp. 449-450.

29. Para um ensaio sobre o comércio ilegal na fronteira gaúcha, ver Gunter Axt, "A dimensão política do contrabando no Rio Grande do Sul". Em *História em Revista*. Disponível em versão eletrônica (www.ufpel.tche.br/ich/.../historia_em_revista_08_Gunter_Axt.pdf)

30. J. Resende Silva, *A fronteira do Sul*, p. 572.

31. Gunter Axt. *Gênese do Estado moderno no Rio Grande do Sul (1889-1929)*, p. 284.

32. Carta de Viriato Dornelles Vargas a Getúlio Vargas, 1º de agosto de 1908. Arquivo CPDOC-FGV (Documento GV c 1908.08.01).

33. Fernando O. M. O'Donnell, *Mariense: Contextualização histórica e dados biográficos*, p. 135.

34. *Uruguay*, 23 de janeiro de 1909.

35. *Uruguay*, 9 de janeiro de 1909.

36. Idem.

37. *Uruguay*, 27 de fevereiro de 1909.
38. Idem.
39. Telegrama de Borges de Medeiros aos correligionários de São Borja. *Uruguay*, 20 de março de 1909.
40. Joseph Love, em *O regionalismo gaúcho*, irá denominar o grupo político oriundo da Faculdade de Direito e da redação de *O Debate* como a "Geração de 1907". A denominação será utilizada em seguida por vários historiadores e estudiosos do tema.
41. *Annaes da Assembleia dos Representantes do Rio Grande do Sul*. Sala de Comissões, 16 de setembro de 1909.
42. Perfil do deputado eleito Getúlio Dornelles Vargas, *Uruguay*, 20 de março de 1909.
43. Carta de João Neves da Fontoura a Getúlio Vargas. Arquivo CPDOC-FGV (Documento GV c 1909.07.04).
44. André Carrazoni, *Getúlio Vargas*, p. 88.
45. *Annaes da Assembleia dos Representantes do Rio Grande do Sul*, 1909.
46. Sérgio da Costa Franco. *O Partido Federalista no Rio Grande do Sul (1892-1928)*, p. 27.
47. Idem, p. 29.
48. *Annaes da Assembleia dos Representantes do Rio Grande do Sul*, 20ª Sessão, 14 de outubro de 1909.
49. *Annaes da Assembleia dos Representantes do Rio Grande do Sul*, 10ª Sessão, 19 de outubro de 1911.
50. *Annaes da Assembleia dos Representantes do Rio Grande do Sul*, 40ª Sessão, 9 de novembro de 1909.
51. *Annaes da Assembleia dos Representantes do Rio Grande do Sul*, 10ª Sessão, 10 de outubro de 1910.
52. *Annaes da Assembleia dos Representantes do Rio Grande do Sul*, 10ª Sessão, 19 de outubro de 1911.
53. *Annaes da Assembleia dos Representantes do Rio Grande do Sul*, 6ª Sessão, 1º de outubro de 1911.
54. *Annaes da Assembleia dos Representantes do Rio Grande do Sul*. Parecer da comissão de petições e reclamações, 5 de novembro de 1910.
55. *Annaes da Assembleia dos Representantes do Rio Grande do Sul*. Parecer da comissão de petições e reclamações, 26 de outubro de 1909.
56. *Annaes da Assembleia dos Representantes do Rio Grande do Sul*. Parecer da comissão de petições e reclamações, 27 de outubro de 1910.
57. *Uruguay*, 22 de maio de 1909.
58. Paul Frischauer, *Presidente Vargas*, pp. 140-1.
59. Carta de Otávio de Ávila a Getúlio Vargas, 2 de março de 1912. Arquivo CPDOC-FGV (Documento GV c 1912.03.02).
60. Carta de Protásio Vargas a Getúlio Vargas, 9 de outubro de 1912. Arquivo CPDOC-FGV (Documento GV c 1912.10.09).
61. Carta de João Neves da Fontoura a Getúlio Vargas, 3 de janeiro de 1910. Arquivo CPDOC-FGV (Documento GV c 1910.01.03).
62. Ana Arruda Callado, *Darcy: A outra face de Vargas*, p. 14.
63. *Íris*, citada em *Nosso Século*, vol. 1, p. 119.
64. A frase está reproduzida em carta de João Neves da Fontoura a Getúlio Vargas, 15 de maio de 1910. Arquivo CPDOC-FGV (Documento GV c 1910.01.03).
65. Carta de Joaquim Maurício Cardoso a Getúlio Vargas, 9 de junho de 1910. Arquivo CPDOC-FGV (Documento GV c 1910.06.09).
66. Alzira Vargas. *Getúlio Vargas, meu pai*, p. 16.

67. Auguste Comte. "Catecismo positivista", Quarta Conferência, em *Os pensadores*, p. 127.
68. Barros Vidal, *Um destino a serviço da nação*, p. 278.
69. João Neves da Fontoura, *Memórias*, vol. 2, p. 60.
70. Discurso de Getúlio Vargas como orador oficial da turma de bacharelandos da Faculdade Livre de Direito de Porto Alegre. Arquivo CPDOC-FGV (Documento GV c 1907.12.25).
71. Lutero Vargas, *A revolução inacabada*, pp. 17-8.
72. Thomas Carlyle, *Os heróis*, p.129.
73. *Annaes da Assembleia dos Representantes do Rio Grande do Sul*, 2ª Sessão Preparatória, 22 de setembro de 1913.
74. João Neves da Fontoura, *Memórias*, vol. 1, p. 198.
75. *Annaes da Assembleia dos Representantes do Rio Grande do Sul*, 9ª Sessão, 6 de outubro de 1913.
76. Idem.
77. Luiz Vergara, *Fui secretário de Getúlio Vargas*, p. 24.

6. DESAFETO DOS VARGAS RECEBE UM TIRO NO OUVIDO.
ELE SABIA — E FALAVA — DEMAIS (1913-6) [pp. 123-49]

1. *Representação ao Excelentíssimo senhor doutor Borges de Medeiros contra o coronel Viriato Vargas, intendente do município de São Borja, feita pelo doutor Benjamin Torres, médico ali residente*. Documento anexado ao processo crime 2292, M. 91, E. 96, p. 765. Arquivo Público do Rio Grande do Sul.
2. Ivo Caggiani. *João Francisco: A Hiena do Cati*, p. 208.
3. Idem, pp. 36-7.
4. Telegrama de Viriato Vargas a Getúlio Vargas, 8 de setembro de 1913. Arquivo CPDOC-FGV (Documento GV 1913.10.08).
5. A reconstituição da trajetória pessoal de Benjamin Torres desde o episódio de Ouro Preto até aquele ponto da história foi feita pelo próprio Viriato Vargas, em artigo publicado na seção livre do *Uruguay*, em 4 de fevereiro de 1914: "O caso de São Borja: Relações de Viriato Vargas e Benjamin Torres. Resultado da aliança de seus destinos". À época, Benjamin não contestou as informações.
6. Rubens Vidal de Araújo, *Os Vargas*, p. 36.
7. Idem.
8. Eliane Lucia Colussi e Astor Antônio Diehl, *Guardados da memória política: O caso dos Vargas*, p. 79.
9. Relatório do delegado especial Amaro de Campos Pereira. Documento anexado ao processo crime 2292, M. 91, E. 96, pp. 753-64.
10. *Uruguay*, 1º de novembro de 1943.
11. Relatório do delegado especial Amaro de Campos Pereira. Documento anexado ao processo crime 2292, M. 91, E. 96, pp. 753-64.
12. Idem.
13. Idem.
14. Idem.
15. Idem.
16. Carta de Getúlio Vargas a Borges de Medeiros, 20 de novembro de 1913. Fundo Documental Borges de Medeiros. Série Correspondência, subsérie passiva (Documento 8636).

17. Idem.

18. Gunter Axt. "Apontamentos sobre o sistema castilhista-borgista de relações de poder". Em: *Júlio de Castilhos e o paradoxo republicano*, p. 128.

19. Carta de Manuel Vargas a Borges de Medeiros, 2 de junho de 1911. Fundo Documental Borges de Medeiros. Série Correspondência, subsérie passiva (Documento 8628).

20. Carta de Manuel Vargas a Borges de Medeiros, janeiro de 1914. Arquivo CPDOC-FGV (Documento GV 1914.01.00); carta de Manuel Vargas a Borges de Medeiros, 24 de março de 1914. Fundo Documental Borges de Medeiros. Série Correspondência, subsérie passiva (Documento 8644).

21. Telegrama de Manuel Vargas a Getúlio Vargas, 3 de janeiro de 1914. Arquivo CPDOC-FGV (Documento GV 1914.01.03)

22. Carta de Salvador Ayres Pinheiro Machado a Borges de Medeiros, 20 de dezembro de 1913. Fundo Documental Borges de Medeiros. Série Correspondência, subsérie passiva (Documento 8639).

23. "Esclarecimento ao eleitorado", 12 de janeiro de 1914. Arquivo CPDOC-FGV (Documento GV 1914.01.10).

24. Eliane Lucia Colussi e Astor Antônio Diehl. *Guardados da memória política: O caso dos Vargas*, p. 99.

25. Entrevista de Alzira Vargas do Amaral Peixoto a Maria Cristina Guido. Datilografada. Arquivo CPDOC-FGV.

26. Entrevista de Lutero Vargas a Valentina da Rocha Lima. Datilografada. Arquivo CPDOC-FGV.

27. Carta de Ribeiro Dantas a Getúlio Vargas, 9 de junho de 1914. Arquivo CPDOC-FGV (Documento GV 1914.06.09).

28. Carta de Armando Porto Coelho a Getúlio Vargas, 23 de julho de 1914. Arquivo CPDOC-FGV (Documento GV 1914.07.23).

29. Carta de João Neves da Fontoura a Getúlio Vargas, janeiro de 1915. Arquivo CPDOC-FGV (Documento GV 1915.01.00).

30. Carta de Getúlio Vargas a Telmo Monteiro Escobar, 13 de dezembro de 1914. Arquivo CPDOC-FGV (Documento GV 1914.12.13).

31. Carta de João Neves da Fontoura a Getúlio Vargas, janeiro de 1915. Arquivo CPDOC-FGV (Documento GV 1915.01.00).

32. Carta de Getúlio Vargas a Francisco Paim Filho, novembro de 1914. Arquivo CPDOC-FGV (Documento GV 1914.11.16).

33. Carta de Francisco Paim Filho a Getúlio Vargas, 16 de novembro de 1914. Arquivo CPDOC-FGV (Documento GV 1914.11.16).

34. Carta de Getúlio Vargas a Francisco Paim Filho, novembro de 1914. Arquivo CPDOC-FGV (Documento GV 1914.11.16).

35. Carta de Manuel Vargas a Borges de Medeiros, 24 de março de 1914. Fundo Documental Borges de Medeiros. Série Correspondência, subsérie passiva (Documento 8644).

36. Carta de Rafael Escobar a Borges de Medeiros, 3 de maio de 1914. Fundo Documental Borges de Medeiros. Série Correspondência, subsérie passiva (Documento 8649).

37. Carta de Manuel Vargas a Borges de Medeiros, 14 de agosto de 1914. Fundo Documental Borges de Medeiros. Série Correspondência, subsérie passiva (Documento 8654).

38. Carta de Manuel Vargas a Borges de Medeiros, 27 de outubro de 1914. Fundo Documental Borges de Medeiros. Série Correspondência, subsérie passiva (Documento 8656).

39. Paul Frischauer, *Presidente Vargas*, p. 162.

40. Recorte de *O Missioneiro*, sem data, anexado ao processo crime 2292, M. 91, E. 96, p. 765. Arquivo Público do Rio Grande do Sul.

41. *Uruguay*, 19 de agosto de 1914.

42. Ver Eliane Lucia Colussi e Astor Antônio Diehl, *Guardados da memória política: O caso dos Vargas*, pp. 101-4, que reconstitui o fato com base no processo crime 2192, M. 81, E. 96, 1914. Réus: Pelópidas Escobar e Viriato Torres. Arquivo Público do Rio Grande do Sul.

43. *Uruguay*, 16 de dezembro de 1914.

44. Carta de Firmino Paim Filho a Getúlio Vargas, 8 de junho de 1914. Arquivo CPDOC-FGV (Documento GV 1914.06.04).

45. Carta de Manuel Vargas a Borges de Medeiros, 8 de outubro de 1914. Fundo Documental Borges de Medeiros. Série Correspondência, subsérie passiva (Documento 8655).

46. Carta de Manuel Vargas a Borges de Medeiros, 22 de junho de 1914. Fundo Documental Borges de Medeiros. Série Correspondência, subsérie passiva (Documento 8652).

47. Carta de Manuel Vargas a Borges de Medeiros, 8 de outubro de 1914. Fundo Documental Borges de Medeiros. Série Correspondência, subsérie passiva (Documento 8655).

48. A reconstituição dos acontecimentos foi feita com base no relatório e na declaração das testemunhas incluídas no processo crime 2292, M. 91, E. 96, p. 753-64. Também foi utilizada matéria publicada no *Correio do Povo*, edição de 15 de março de 1915, intitulada "O Crime de São Borja — O assassinato do dr. Benjamin Torres — Como se deu o crime". Ver ainda Eliane Lucia Colussi e Astor Antônio Diehl, *Guardados da memória política: O caso dos Vargas*, pp. 31-40.

49. *Correio do Povo*, 19 e 20 de março de 1915.

50. Idem.

51. *Correio do Povo*, 14 de março de 1915.

52. Entrevista de Lutero Vargas a Valentina da Rocha Lima. Datilografada. Arquivo CPDOC-FGV.

53. Telegrama de Borges de Medeiros a Maria Felícia Escobar, Carmen Valle Aguiar, Alaíde Álvares e outras. Reproduzido pelo *Correio do Povo* em 1º de abril de 1915.

54. Entrevista de Lutero Vargas a Valentina da Rocha Lima. Datilografada. Arquivo CPDOC-FGV.

55. *Correio do Povo*, 14 de março de 1915. Ver também Eliane Lucia Colussi e Astor Antônio Diehl, *Guardados da memória política: O caso dos Vargas*, p. 53.

56. Fernando O. M. O'Donnell. *Notícias dos combates de Capão do Mandiju e Estância dos Figueiredos*, p. 31.

57. Carta de João Neves da Fontoura a Getúlio Vargas, 4 de abril de 1915. Arquivo CPDOC-FGV (Documento GV 1914.03.29).

58. Carta de Armando Porto Coelho a Getúlio Vargas, 29 de março de 1915. Arquivo CPDOC-FGV (Documento GV 1914.03.29). No original, por lapso de Coelho, a carta está datada de 1914.

59. Carta de Firmino Paim Filho a Getúlio Vargas, 3 de abril de 1915. Arquivo CPDOC-FGV (Documento GV 1915.03.29).

60. Carta de Firmino Paim Filho a Getúlio Vargas, 13 de agosto de 1913. Arquivo CPDOC-FGV (Documento GV 1913.08.08).

61. Eliane Lucia Colussi e Astor Antônio Diehl, *Guardados da memória política: O caso dos Vargas*, pp. 142-6.

62. *Correio do Povo*, 14 de março de 1914.

63. *Uruguay*, 17 de março de 1915.

64. *Uruguay*, 7 de abril de 1915.

65. Carta de Armando Porto Coelho a Getúlio Vargas, 15 de abril de 1915. Arquivo CPDOC-FGV (Documento GV 1915.04.15/2).

66. Idem.

67. Carta de Protásio Vargas a Getúlio Vargas. 24 de junho de 1915. Arquivo CPDOC-FGV (Documento GV 1915.06.24).

68. Sobre a articulação de Pinheiro Machado para eleger Hermes da Fonseca como senador pelo Rio Grande do Sul, ver Joseph Love, *O regionalismo gaúcho*, p. 182.

69. Rubens Vidal de Araújo, *Os Vargas*, p. 201.

70. Amaro Juvenal, *Antônio Chimango*.

71. Joseph Love, *O regionalismo gaúcho*, p. 182.

72. Citado por Rafael Guimaraens, *Rua da Praia: Um passeio pelo tempo*, pp. 114-5.

73. Costa Porto. *Pinheiro Machado e seu tempo*, p. 186.

74. Newton Alvim, *Pinheiro Machado*, p. 14.

75. Ciro Silva, *Pinheiro Machado*, p. 114.

76. *O Paiz*, 17 de outubro de 1921.

77. Joseph Love, *O regionalismo gaúcho*, p. 184.

78. Ver Sebastião Peres, *Coronéis & Colonos: Das crises internas do poder coronelístico à emergência dos colonos como sujeitos autônomos*, p. 35.

79. Gunter Axt, *Gênese do Estado moderno no Rio Grande do Sul (1889-1929)*, p. 108.

80. A íntegra do discurso de Getúlio foi publicada pelo *Uruguay*, em 14 de novembro de 1915.

81. Carta de Armando Porto Coelho a Getúlio Vargas, 25 de novembro de 1915. Arquivo CPDOC--FGV (Documento GV 1915.11.25).

82. Eliane Lucia Colussi e Astor Antônio Diehl. *Guardados da memória política: O caso dos Vargas*, pp. 130-2.

83. Carta de Protásio Vargas a Getúlio Vargas, 24 de junho de 1915. Arquivo CPDOC-FGV (Documento GV 1915.06.24).

84. Carta de Érico Ribeiro da Luz a Getúlio Vargas, 2 de janeiro de 1916. Arquivo CPDOC-FGV (Documento GV 1916.01.02).

85. Idem.

86. Carta de Maurício Cardoso a Getúlio Vargas, 12 de outubro de 1915. Arquivo CPDOC-FGV (Documento GV 1915.10.12).

87. Telegrama de Borges de Medeiros a Getúlio Vargas, 24 de novembro de 1915. Arquivo CPDOC-FGV (Documento GV 1915.11.23).

88. Carta de Rafael Escobar a Borges de Medeiros, 20 de dezembro de 1915. Fundo Documental Borges de Medeiros. Série Correspondência, subsérie passiva (Documento 8675).

89. Telegrama de Getúlio Vargas a Borges de Medeiros, dezembro de 1915. Arquivo CPDOC-FGV (Documento GV 1915.11.23).

90. Carta de Armando Porto Coelho a Getúlio Vargas, 29 de novembro de 1915. Arquivo CPDOC-FGV (Documento GV 1915.11.29).

91. Carta de Getúlio Vargas a Telmo Monteiro, 27 de maio de 1919. Arquivo CPDOC-FGV (Documento GV c 1919.05.27).

92. Getúlio Vargas. *Diário*, vol. 1, pp. 486-7.

7. ÍNDIA É ESTUPRADA E CACIQUE, MORTO A TIRO.
O CULPADO É GETÚLIO DORNELLES VARGAS (1917-21) [pp. 150-73]

1. A cena foi reconstituída com base no depoimento das testemunhas e do relatório policial que constam dos autos do processo crime instaurado contra Leriano Rodrigues de Almeida e Getúlio Dornelles Vargas no cartório do júri e execuções criminais da sede do termo de Palmeira, com autuação datada de 29 de julho de 1920. Arquivo Público do Estado do Rio Grande do Sul.

2. Relatório policial. Idem.

3. Recurso ao Tribunal de Relação. Idem.

4. Relatório apresentado ao dr. A. A. Borges de Medeiros, presidente do Estado do Rio Grande do Sul, pelo engenheiro Ildefonso Soares Pinto, secretário de estado dos Negócios das Obras Públicas, em 15 de agosto de 1923.

5. *Tribuna da Imprensa*, 10 de agosto de 1954.

6. Cartório Distrital do Cível e Crime de Palmeira. Autos da ação crime contra Getúlio Dornelles de Vargas, com autuação datada de 4 de fevereiro de 1919. Arquivo Público do Estado do Rio Grande do Sul.

7. Registro civil de Getúlio Dornelles de Vargas. Registro Civil de Campo Novo, Rio Grande do Sul. 10 de maio de 1899.

8. Cartório Distrital do Cível e Crime de Palmeira. Autos da ação crime contra Getúlio Dornelles de Vargas, com autuação datada de 4 de fevereiro de 1919. Arquivo Público do Estado do Rio Grande do Sul.

9. *Annaes da Assembleia dos Representantes do Rio Grande do Sul*, 2ª Sessão Preparatória, 17 de setembro de 1919.

10. *Annaes da Assembleia dos Representantes do Rio Grande do Sul*, 16ª Sessão, 7 de novembro de 1919.

11. Idem.

12. Idem.

13. Idem.

14. *A Federação*, 8 de março de 1917.

15. *Annaes da Assembleia dos Representantes do Rio Grande do Sul*, 23ª Sessão, 18 de novembro de 1919.

16. *Annaes da Assembleia dos Representantes do Rio Grande do Sul*, 49ª Sessão, 30 de novembro de 1921.

17. Aspásia Camargo, João Hermes Pereira de Araújo e Mário Henrique Simonsen, *Oswaldo Aranha: A estrela da revolução*, p. 30.

18. *Annaes da Assembleia dos Representantes do Rio Grande do Sul*, 16ª Sessão, 7 de novembro de 1919.

19. Idem.

20. Idem.

21. Idem.

22. Paul Frischauer, *Presidente Vargas*, p. 177.

23. André Carrazoni, *Getúlio Vargas*, p. 149.

24. Nilo Ruschel, *A rua da Praia*, p. 208.

25. Entrevista de Manuel Antônio Sarmanho Vargas a Aspásia Alcântara Camargo e Valentina da Rocha Lima. Datilografada. Arquivo do CPDOC-FGV.

26. Alzira Vargas do Amaral Peixoto, *Getúlio Vargas, meu pai*, p. 2.

27. Entrevista de Lutero Vargas a Valentina da Rocha Lima. Datilografada. Arquivo do CPDOC-FGV.

28. Entrevista de Manuel Antônio Sarmanho Vargas a Aspásia Alcântara Camargo e Valentina da Rocha Lima. Datilografada. Arquivo do CPDOC-FGV.

29. Olides Canton. *Getúlio Vargas, depoimento de um filho*, p. 31.

30. Carta de Érico Ribeiro da Luz a Getúlio, 20 de setembro de 1923. Arquivo CPDOC-FGV (Documento GV c 1923.10.20).

31. Alzira Vargas do Amaral Peixoto, *Getúlio Vargas, meu pai*, p. 24.

32. Entrevista de Lutero Vargas a Valentina da Rocha Lima. Datilografada. Arquivo do CPDOC-FGV.

33. Entrevista de Manuel Antônio Sarmanho Vargas a Aspásia Alcântara Camargo e Valentina da Rocha Lima. Datilografada. Arquivo do CPDOC-FGV.

34. Entrevista de Alzira Vargas do Amaral Peixoto a Maria Cristina Guido. Arquivo do CPDOC-FGV.

35. Alzira Vargas do Amaral Peixoto. *Getúlio Vargas, meu pai*, p. 1.

36. Idem.

37. Entrevista de Lutero Vargas a Valentina da Rocha Lima. Datilografada. Arquivo do CPDOC-FGV.

38. Alzira Vargas do Amaral Peixoto. *Getúlio Vargas, meu pai*, p. 1.

39. Sobre o as noitadas do Clube dos Caçadores, ver Paulo de Gouvêa, *O Grupo: Outras figuras, outras paisagens*, pp. 104-6.

40. Entrevista de Manuel Antônio Sarmanho Vargas a Aspásia Alcântara Camargo e Valentina da Rocha Lima. Datilografada. Arquivo do CPDOC-FGV.

41. Alzira Vargas do Amaral Peixoto, *Getúlio Vargas, meu pai*, p. 16.

42. *Annaes da Assembleia dos Representantes do Rio Grande do Sul*, 26ª Sessão, 22 de novembro de 1919.

43. *Annaes da Assembleia dos Representantes do Rio Grande do Sul*, 26ª Sessão, 22 de novembro de 1919.

44. Gunter Axt. *Gênese do Estado moderno no Rio Grande do Sul (1889-1929)*, p. 235.

45. Francisco das Neves Alves. *Porto e barra do Rio Grande: História, memória e cultura portuária*, vol. I, pp. 93-4 e 414-7.

46. Charles A. Gauld. *Farquhar, o último titã*, pp. 235-8.

47. *Nosso Século (1910-1930)*, p. 169.

48. Charles A. Gauld. *Farquhar, o último titã*, p. 317.

49. Mensagem apresentada à Assembleia dos Representantes do Rio Grande do Sul pelo presidente Antônio Augusto Borges de Medeiros na 3ª Sessão Ordinária da 8ª Legislatura em 20 de setembro de 1919, p. 36.

50. Mensagem apresentada à Assembleia dos Representantes do Rio Grande do Sul pelo presidente Antônio Augusto Borges de Medeiros na 2ª Sessão Ordinária da 5ª Legislatura em 20 de setembro de 1906, p. 21.

51. Gunter Axt, *Gênese do Estado moderno no Rio Grande do Sul (1889-1929)*, p. 201.

52. *Annaes da Assembleia dos Representantes do Rio Grande do Sul*, 46ª Sessão, 26 de novembro de 1921.

53. Maria Antonieta Antonacci, RS: *As oposições & a Revolução de 1923*, p. 21.

54. Barbosa Lessa, *Borges de Medeiros*, p. 64.

55. *Annaes da Assembleia dos Representantes do Rio Grande do Sul*, 46ª Sessão, 26 de novembro de 1921.

56. Mensagem do presidente do estado do Rio Grande do Sul, Júlio Prates de Castilhos, à Assembleia dos Representantes de 1891.

57. *Annaes da Assembleia dos Representantes do Rio Grande do Sul*, 46ª Sessão, 26 de novembro de 1921.

58. Idem.

59. Idem.

60. *Annaes da Assembleia dos Representantes do Rio Grande do Sul*, 43ª Sessão, 23 de novembro de 1921.

61. Processo crime contra Benjamin Vargas, foro de São Borja, com data de 16 de novembro de 1915. Arquivo Público do Estado do Rio Grande do Sul.

62. Informação prestada por Cléber Bidegain Pereira, filho de Naor Lopes Pereira, ao autor, outubro de 2010.

63. Processo crime contra Benjamin Vargas, foro de São Borja, com data de 16 de novembro de 1915. Arquivo Público do Estado do Rio Grande do Sul.

64. Telegrama de Borges de Medeiros a Protásio Vargas, 14 de março de 1922. Arquivo CPDOC-FGV (Documento GV c 1922.03.14/1).

65. Carta de Flores da Cunha a Getúlio Vargas, 26 de junho de 1917. Arquivo CPDOC-FGV (Documento GV c 1917.06.26).

66. Carta de Getúlio Vargas a Borges de Medeiros, 15 de abril de 1919. Fundo Documental Borges de Medeiros. Instituto Histórico e Geográfico do Rio Grande do Sul.

67. O processo e a frase de Benjamin é citado por Eliane Lucia Colussi e Astor Antônio Diehl, *Guardados da memória política: O caso dos Vargas*, p. 241.

68. Mensagem e proposta de orçamento enviadas à Assembleia dos Representantes do Rio Grande do Sul pelo presidente Antônio Augusto Borges de Medeiros na 3ª Sessão Ordinária da 8ª Legislatura em 20 de setembro de 1919.

69. Maria Antonieta Antonacci, RS: *As oposições & a Revolução de 1923*, p. 37.

70. Idem.

7. *Annaes da Assembleia dos Representantes do Rio Grande do Sul*, 43ª Sessão, 23 de novembro de 1921.

72. *Annaes da Assembleia dos Representantes do Rio Grande do Sul*, 29ª Sessão, 26 de novembro de 1919.

73. Cartão de Getúlio Vargas a Telmo Monteiro Escobar, 8 de dezembro de 1917. Arquivo CPDOC-FGV (Documento GV c 1917.12.08).

74. Sandra Jatahy Pesavento, "República Velha gaúcha: Estado autoritário e economia". Em José Hildebrando Dacanal e Sergius Gonzaga, RS: *Economia e política*, p. 226.

75. Ana Maria Machado da Costa, "Origens do direito do trabalho no Brasil: O legado castilhista". *Em*: Gunter Axt, *Júlio de Castilhos e o paradoxo republicano*, p. 110.

76. Sandra Jatahy Pesavento, "República Velha gaúcha: estado autoritário e economia". Em José Hildebrando Dacanal e Sergius Gonzaga, RS: *Economia e política*, p. 226.

77. Sílvia R. Ferraz Petersen, "As greves no Rio Grande do Sul (1890-1919). Em José Hildebrando Dacanal e Sergius Gonzaga, RS: *Economia e política*, p. 310. Gunter Axt, *Gênese do Estado moderno no Rio Grande do Sul (1889-1929)*, p. 210.

78. Citado por Sílvia R. Ferraz Petersen, "As greves no Rio Grande do Sul (1890-1919)". Em José Hildebrando Dacanal e Sergius Gonzaga, RS: *Economia e política*, p. 320.

79. Idem.

80. Idem

81. *Annaes da Assembleia dos Representantes do Rio Grande do Sul*, 46ª Sessão, 26 de novembro de 1921.

82. Idem.

83. Eugênio Lagemann, *O Banco Pelotense e o sistema financeiro regional*, p. 124.

84. Alcebíades de Oliveira, *Um drama bancário: O esplendor e a queda do Banco Pelotense*, p. 184.

85. *Annaes da Assembleia dos Representantes do Rio Grande do Sul*, 25ª Sessão, 26 de outubro de 1921.

86. Carta de Getúlio Vargas a Florêncio de Abreu, 14 de julho de 1921. Arquivo CPDOC-FGV (Documento GV c 1921.07.14).

87. Mensagem enviada à Assembleia dos Representantes do Rio Grande do Sul pelo presidente Antônio Augusto Borges de Medeiros na 1ª Sessão Ordinária da 9ª Legislatura em 20 de setembro de 1921, p. 28.

88. Carta de Getúlio Vargas a Florêncio de Abreu, 14 de julho de 1921. Arquivo CPDOC-FGV (Documento GV c 1921.07.14).

89. Alcebíades de Oliveira, *Um drama bancário: O esplendor e a queda do Banco Pelotense*, p. 184.

90. Idem.

91. Idem.

8. NOVA GUERRA CIVIL DERRAMA SANGUE NO RIO GRANDE. O PARECER DE GETÚLIO É O ESTOPIM DO CONFLITO (1922-3) [pp. 174-93]

1. Paulo Brossard. "A Revolução de 1923". Em: Gunter Axt, *As guerras dos gaúchos*, p. 276.

2. "A campanha de 1923". Em: Gunter Axt e Carmen Aita, *José Antônio Flores da Cunha. Discursos*, p. 159. Rubens Vidal Araújo, *Os Vargas*, p. 47.

3. Parecer da Comissão de Constituição e Poderes sobre eleições de 25/11/1922. Citado por Hélgio Trindade, *Poder Legislativo e autoritarismo no Rio Grande do Sul*, p. 206.

4. Erico Verissimo, *O tempo e o vento*, "O arquipélago", vol. 1, p. 299.

5. Flores da Cunha, *A campanha de 1923*, p. 147.

6. *Annaes da Assembleia dos Representantes do Rio Grande do Sul*, 2ª Sessão Preparatória, 16 de setembro de 1921.

7. Carta de Érico Ribeiro da Luz a Getúlio Vargas, 29 de setembro de 1922. Arquivo CPDOC-FGV (Documento GV c 1922.10.29).

8. *Correio do Povo*, 29 de outubro de 1922.

9. O presidente eleito para o quatriênio 1918-22 foi o paulista Rodrigues Alves, que faleceu antes de entrar em efetivo exercício do cargo, em 19 de janeiro de 1919. A escolha de Epitácio para ocupar o cargo vago se deu por uma conveniência política, após acordo entre os governantes de Minas Gerais e São Paulo.

10. Boris Fausto, "Expansão do café e política cafeeira". Em: *História geral da civilização brasileira, O Brasil republicano* (I): *Estrutura de poder e economia*, p. 236. Ver também Marieta de Moraes Ferreira, "A reação republicana e a crise política dos anos 20", *Estudos Históricos*, vol. 6, nº 11, pp. 9-23.

11. Idem.

12. João Francisco. *Psychologia dos acontecimentos políticos sul-riograndenses*, pp. 98 e 109.

13. *Annaes da Assembleia dos Representantes do Rio Grande do Sul*, 49ª Sessão, 30 de novembro de 1921.

14. Hélio Silva, *1922: Sangue nas areias de Copacabana*, pp. 50-2.

15. *Annaes da Assembleia dos Representantes do Rio Grande do Sul*, 49ª Sessão, 30 de novembro de 1921.

16. João Neves da Fontoura, *Memórias*, vol. 1, p. 256.

17. Fábio Koifman (org.), *Presidentes do Brasil*, p. 245.

18. Artur Ferreira Filho, *A Revolução de 1923*, p. 23.

19. João Neves da Fontoura, *Memórias*, vol. 1, p. 262.

20. A história de Manoel Ananias dos Santos foi contada por Glauco Carneiro em *História das*

revoluções brasileiras, vol. 1, pp. 237-42; e a de José Rodrigues Marmeleiro na edição de 19 de setembro de 1930 do *Correio da Manhã*.

21. No fim foram de fato onze militares: quatro oficiais — Siqueira Campos, Newton Prado, Mario Carpenter e Eduardo Gomes; sete subalternos — sargentos e soldados —, além de um civil, Otavio Correia, que aderiu ao movimento na praia de Copacabana, e pagaria com sua própria vida o gesto. Para a crônica dos episódios do levante, ver Hélio Silva, *1922: Sangue nas areias de Copacabana*.

22. *Annaes da Assembleia dos Representantes do Rio Grande do Sul*, 6ª Sessão, 26 de outubro de 1922.

23. Hélio Silva, *1922: Sangue nas areias de Copacabana*, p. 285.

24. *Annaes da Assembleia dos Representantes do Rio Grande do Sul*, 6ª Sessão, 26 de outubro de 1922.

25. Hélio Silva, *1922: Sangue nas areias de Copacabana*, pp. 283-4.

26. Glauco Carneiro, *Lusardo, o último caudilho*, p. 124.

27. João Francisco, *Psychologia dos acontecimentos políticos sul-rio-grandenses*, p. 136.

28. Carta de João Neves da Fontoura a Getúlio Vargas, 18 de julho de 1922. Arquivo CPDOC-FGV (Documento GV c 1922.07.18).

29. Glauco Carneiro, *Lusardo, o último caudilho*, p. 131.

30. *Annaes da Assembleia dos Representantes do Rio Grande do Sul*, 10ª Sessão, 1º de dezembro de 1922.

31. Maria Antonieta Antonacci, RS: *As oposições & a Revolução de 1923*, pp. 46-56.

32. Glauco Carneiro, *Lusardo, O último caudilho*, p. 124.

33. João Neves da Fontoura, *Memórias*, vol. 1, p. 270. No original, a palavra "nocaute" está gravada em inglês, "*knock out*".

34. *Annaes da Assembleia dos Representantes do Rio Grande do Sul*, 10ª Sessão, 1º de novembro de 1922.

35. Assis Brasil, *Ideias políticas de Assis Brasil*, p. 444.

36. Assis Brasil, citado por Glauco Carneiro, *Lusardo, o último caudilho*, p. 123.

37. *Annaes da Assembleia dos Representantes do Rio Grande do Sul*, 10ª Sessão, 1º de novembro de 1922.

38. Telegrama de Borges de Medeiros ao senador Soares dos Santos. Lido pelo deputado A. Caetano na Assembleia dos Representantes. *Annaes da Assembleia dos Representantes do Rio Grande do Sul*, 21ª Sessão, 15 de dezembro de 1922.

39. *Annaes da Assembleia dos Representantes do Rio Grande do Sul*, 10ª Sessão, 1º de novembro de 1922.

40. Alzira Vargas, *Getúlio, meu pai*, pp. 1-2.

4. Depoimento de Manuel Antônio Vargas à Rádio Guaíba, Porto Alegre, 26 de julho de 1992.

42. Decreto nº 3143, de 24 de abril de 1923. Citado por Flores da Cunha, *A campanha de 1923*, p. 211.

43. Idem.

44. Fernando O. M. O'Donnell, *Notícia dos combates de Capão do Mandiju e Estância dos Figueiredos*, p. 24.

45. Para um perfil do "Leão de Caverá", ver Mariza E. Simon dos Santos, *Honório Lemes: Um líder carismático. Relações de poder no Rio Grande do Sul (1889-1930)*.

46. Flores da Cunha, *A campanha de 1923*, p. 24.

47. Rubens Vidal Araújo, *Os Vargas*, p. 50.

48. Eliane Lucia Colussi, Astor Antônio Diehl, *Guardados da memória política: O caso dos Vargas*, pp. 194-8.

49. Paul Frischauer, *Presidente Vargas*, p. 199.

50. Rubens Vidal Araújo, *Os Vargas*, p. 51.

51. Idem.

52. Paul Frischauer, *Presidente Vargas*, p. 200.
53. Artur Ferreira Filho, *Revolução de 1923*, p. 31.
54. Artur Ferreira Filho, *Revolução de 1923*, p. 31.
55. Hélio Silva, *1922: Sangue nas areias de Copacabana*, pp. 288-9.
56. Fernando O. M. O'Donnell, *Notícia dos combates de Capão do Mandiju e Estância dos Figueiredos*, p.34.
57. Idem.
58. Idem.
59. Artur Ferreira Filho, *Revolução de 1923*, p. 30.
60. Alzira Vargas, *Getúlio, meu pai*, pp. 20-1. A mesma história é mencionada, com ligeiras variações, por Rubens Vidal do Araújo, *Os Vargas*, p. 51. Araújo a teria ouvido também do próprio Getúlio.
61. Glauco Carneiro, *Lusardo, o último caudilho*, pp. 116 e 128.
62. *Annaes da Assembleia dos Representantes do Rio Grande do Sul*, 21ª Sessão, 15 de dezembro de 1922.
63. *Annaes da Assembleia dos Representantes do Rio Grande do Sul*, 18ª Sessão, 9 de dezembro de 1922.
64. *Annaes da Assembleia dos Representantes do Rio Grande do Sul*, 21ª Sessão, 15 de dezembro de 1922.
65. Parecer da Comissão de Constituição e Poderes sobre eleições de 25/11/1922. Citado por Hélgio Trindade, *Poder Legislativo e autoritarismo no Rio Grande do Sul*, p. 206.
66. João Neves da Fontoura, *Memórias*, vol. 1, p. 273.
67. Parecer da Comissão de Constituição e Poderes sobre eleições de 25/11/1922. Citado por Hélgio Trindade, *Poder Legislativo e autoritarismo no Rio Grande do Sul*, p. 206.
68. João Neves da Fontoura, *Memórias*, vol. 1, p. 277.
69. Glauco Carneiro, *Lusardo, o último caudilho*, p. 135.
70. João Neves da Fontoura, *Memórias*, vol. 1, p. 283.
71. Idem, p. 281.
72. Artur Ferreira Filho, *A Revolução de 1923*, p. 36.
73. Fernando O. M. O'Donnell, *Notícias dos combates de Capão do Mandiju e Estância dos Figueiredos*, p. 33.
74. Mariza E. Simon dos Santos, *Honório Lemes, um líder carismático*, p. 75.
75. Flores da Cunha, *A campanha de 1923*, p. 23.
76. Hélio Silva, *1922: Sangue nas areias de Copacabana*, p. 247.
77. João Francisco, *Psychologia dos acontecimentos políticos sul-rio-grandenses*, pp. 136-7.

9. "SÓ É POSSÍVEL REPRIMIR VIOLÊNCIA COM VIOLÊNCIA",
LÊ GETÚLIO EM SEU PRIMEIRO DISCURSO NO RIO (1923) [pp. 194-213]

1. O episódio é narrado por Alzira Vargas, *Getúlio Vargas, meu pai*, p. 26.
2. Para a população do Rio de Janeiro em 1920, ver Maurício de Abreu, *Evolução urbana do Rio de Janeiro*, p. 80. Para a população de Porto Alegre no mesmo período, ver o censo de 1920 em *De província de São Pedro a estado do Rio Grande do Sul*, p. 120.
3. Carta a Getúlio Vargas, 24 de dezembro de 1919. Arquivo CPDOC-FGV (Documento GV c 1919.12.24).
4. *Gazeta de Notícias*, 5 de janeiro de 1923.

5. *Correio da Manhã*, 11 de fevereiro de 1923.

6. *Anais da Câmara Federal*, 18 de novembro de 1924.

7. *Anais da Câmara Federal*, 26 de maio de 1923.

8. Gilberto Amado, *Presença na política*, p. 220.

9. Idem, p. 221.

10. *Anais da Câmara Federal*, 12 de julho de 1923.

11. *Anais da Câmara Federal*, 10 de julho de 1923.

12. A frase é citada por Antunes Maciel em discurso na casa. *Anais da Câmara Federal*, 10 de julho de 1923.

13. *Anais da Câmara Federal*, 10 de julho de 1923.

14. *Anais da Câmara Federal*, 10 de julho de 1923.

15. Azevedo Lima, *Reminiscências de um carcomido*, p. 66. Citado por Fernando Jorge, *Getúlio Vargas e o seu tempo*, p. 354.

16. *A Federação*, 4 de setembro de 1923.

17. *Anais da Câmara Federal*, 12 de julho de 1923.

18. João Neves da Fontoura, *Memórias*, vol. 1, p. 334.

19. André Carrazoni, *Getúlio Vargas*, p. 165.

20. *Anais da Câmara Federal*, 28 de agosto de 1923.

21. Alzira Vargas, *Getúlio Vargas, meu pai*, pp. 26-7.

22. Idem.

23. Gilberto Amado, *Presença na política*, p. 220.

24. Alzira Vargas, *Getúlio Vargas, meu pai*, p. 31.

25. "Seu Mé", de Freitas Júnior e Careca. Marchinha. Gravação: Bahiano. Casa Edison, 1921.

26. Idem, pp. 29-30.

27. Idem.

28. Paul Frischauer, *Presidente Vargas*, p. 206.

29. Carta de Manuel do Nascimento Vargas a Getúlio Vargas, 22 de julho de 1923. Arquivo CPDOC-FGV (Documento GV c 1923.07.22).

30. Carta de Protásio Vargas a Getúlio Vargas, 11 de julho de 1923. Arquivo CPDOC-FGV (Documento GV c 1923.07.11).

31. Carta de Deoclécio Dornelles Mota a Getúlio Vargas, 18 de fevereiro de 1923. Arquivo CPDOC-FGV (Documento GV c 1923.02.18).

32. Episódio mencionado pelo deputado Antunes Maciel e confirmado por Getúlio Vargas. *Anais da Câmara Federal*, 28 de setembro de 1923.

33. Telegrama de Protásio Vargas a Borges de Medeiros, 17 de junho de 1923. Arquivo Histórico do Rio Grande do Sul.

34. Fernando O. M. O'Donnell, *Notícias dos combates de Capão do Mandiju e Estância dos Figueiredos*, p. 52.

35. Idem, pp. 50-66.

36. Idem.

37. Discurso de Getúlio. *Anais da Câmara Federal*, 28 de setembro de 1923.

38. Carta de Armando Porto Coelho a Getúlio Vargas, 23 de setembro de 1923. Arquivo CPDOC-FGV (Documento GV c 1923.09.23).

39. Idem.

40. Carta de Viriato Vargas a Getúlio Vargas, 27 de setembro de 1923. Arquivo CPDOC-FGV (Documento GV c 1923.09.27).
41. Walter Costa Porto, *O voto no Brasil*, p. 188.
42. *Anais da Câmara Federal*, 28 de agosto de 1923.
43. Carta de Manuel Duarte a Getúlio Vargas, 31 de agosto de 1923. Arquivo CPDOC-FGV (Documento GV c 1923.08.31).
44. *O Paiz*, 29 de agosto de 1923.
45. *A Federação*, 5 de setembro de 1923.
46. *Correio do Povo*, 20 de setembro de 1923.
47. *Anais da Câmara Federal*, 27 de setembro de 1923.
48. *Anais da Câmara Federal*, 27 de setembro de 1923.
49. Carta de João Neves da Fontoura a Getúlio Vargas, 21 de outubro de 1923. Arquivo CPDOC-FGV (Documento GV c 1923.10.21).
50. Carta de Inácio Silva a Getúlio Vargas, 3 de dezembro de 1923. Arquivo CPDOC-FGV (Documento GV c 1923.12.03).
51. Carta de Florêncio Carlos de Abreu e Silva a Getúlio Vargas, 20 de fevereiro de 1923. Arquivo CPDOC-FGV (Documento GV c 1923.02.20).
52. *Dicionário histórico-biográfico brasileiro*. Verbete "Setembrino de Carvalho".
53. Carta de Érico Ribeiro da Luz a Getúlio Vargas, 20 de outubro de 1923. Arquivo CPDOC-FGV (Documento GV c 1923.10.20).
54. Idem.
55. *Dicionário histórico-biográfico brasileiro*. Verbete "Setembrino de Carvalho".
56. Carta de João Neves da Fontoura a Getúlio Vargas, 21 de outubro de 1923. Arquivo CPDOC-FGV (Documento GV c 1923.10.21).
57. Setembrino de Carvalho em *A pacificação do Rio Grande do Sul*, p. 43.
58. Para uma descrição da propriedade de Pedras Altas, ver Carlos Reverbel, *Pedras Altas: A vida no campo segundo Assis Brasil*.
59. Os termos do Pacto de Pedras Altas estão detalhados por Setembrino de Carvalho em *A pacificação do Rio Grande do Sul*.
60. Paulo Brossard, "A Revolução de 1923". Em: Gunter Axt, *As guerras dos gaúchos*, p. 292.
61. *Anais da Câmara Federal*, 29 de outubro de 1924.

10. A COLUNA PRESTES COMEÇA A INFLAMAR O BRASIL.
GETÚLIO A COMPARA A UMA "CORRERIA DE CANGACEIROS" (1924-6) [pp. 214-41]

1. Alzira Vargas, *Getúlio Vargas, meu pai*, p. 31.
2. Glauco Carneiro, *Lusardo: O último caudilho*, vol. 1, p. 243.
3. Idem, p. 253.
4. Carta de Getúlio a Borges de Medeiros, 8 de dezembro de 1924. IHGRGS.
5. Carta de Getúlio a Borges de Medeiros, 10 de setembro de 1925. IHGRGS.
6. *Anais da Câmara Federal*, 29 de julho de 1924.
7. *Jornal do Commercio*, 6 de julho de 1924.
8. Para a reconstituição do cenário de São Paulo durante a revolta de 1924, além dos jornais

de época, foram utilizadas várias fontes. Para a versão dos legalistas, Aureliano Leite, *Dias de pavor*; Abílio de Noronha, *Narrando a verdade*; Ciro Costa e Eurico de Góes, *Sob a metralha*. Para a versão dos rebeldes, Paulo Duarte, *Agora nós!*; Antônio dos Santos Figueiredo, *1924: Episódios da revolução de São Paulo*; Juarez Távora, *Memórias: Uma vida e muitas lutas*, vol. 1. Para uma bibliografia mais recente, Ana Maria Martinez Corrêa, *A Rebelião de 1924 em São Paulo*; Ilka Stern Cohen, *Bombas sobre São Paulo: A revolução de 1924*; Duarte Pacheco Pereira, *1924: O diário da revolução: Os 23 dias que abalaram São Paulo*; Domingos Meirelles, *A noite das grandes fogueiras*; Hélio Silva, *Sangue nas areias de Copacabana*.

9. Domingos Meirelles, *A noite das grandes fogueiras*; Hélio Silva, *Sangue nas areias de Copacabana*, p. 68.

10. *Anais da Câmara Federal*, 29 de julho de 1924.

11. *Anais da Câmara Federal*, 18 de novembro de 1924.

12. Juarez Távora, *À guisa de depoimento sobre a Revolução Brasileira*, vol. 1, p. 91.

13. Para o caráter autoritário da ideologia tenentista, ver Boris Fausto, *Revolução de 30: Historiografia e História*, pp. 80-92.

14. *Anais da Câmara Federal*, 18 de novembro de 1924.

15. Lourenço Moreira Lima, *A Coluna Prestes*, p. 37.

16. Ivo Caggiani, *João Francisco, a Hiena do Cati*, p. 156.

17. *Anais da Câmara Federal*, 18 de novembro de 1924.

18. Paulo Duarte, *Agora nós!*, p. 188.

19. Citado por Ilka Stern Cohen, *Bombas sobre São Paulo*, p. 84.

20. Citado por Domingos Meirelles, *A noite das grandes fogueiras*, p. 122.

21. Alzira Vargas, *Getúlio Vargas, meu pai*, p. 30.

22. Domingos Meirelles, *A noite das grandes fogueiras*, p. 84.

23. *Anais da Câmara Federal*, 29 de julho de 1924.

24. Idem.

25. *Anais da Câmara Federal*, 18 de novembro de 1924.

26. Glauco Carneiro, *O revolucionário Siqueira Campos*, vol. 1, p. 319.

27. Glauco Carneiro, *O revolucionário Siqueira Campos*, vol. 1, p. 320.

28. "São Borja e a revolução de 1924", *Correio do Povo*, 3 de abril de 1982.

29. Idem.

30. Idem.

31. *Anais da Câmara Federal*, 18 de novembro de 1924.

32. Idem.

33. Idem.

34. Ivo Caggiani, *João Francisco, a Hiena do Cati*, pp. 166-9. O encontro com João Francisco, em São Borja, foi confirmado pelo próprio Prestes, em carta a Caggiani, reproduzida naquela obra.

35. *Correio do Povo*, 24 de janeiro de 1926.

36. Alzira Vargas, *Getúlio Vargas, meu pai*, p. 36.

37. *Anais da Câmara Federal*, 24 de novembro de 1924.

38. *Correio do Povo*, 24 de janeiro de 1926.

39. *Correio do Povo*, 24 de fevereiro de 1926.

40. Margaret Marchiori Bakos, *Porto Alegre e seus eternos intendentes*, pp. 89-121.
41. *Correio do Povo*, 24 de fevereiro de 1926.
42. João Neves da Fontoura, *Memórias*, vol. 1, pp. 358-9.
43. João Neves da Fontoura, *Memórias*, vol. 1, p. 372.
44. *Grandes personagens da nossa história*, vol. 4, p. 917.
45. *Correio do Povo*, 24 de janeiro de 1926.
46. Idem.
47. *Correio do Povo*, 27 de janeiro de 1926.
48. Aspásia Camargo, Lucia Hipólito, Maria Celina Soares D'Araújo e Dora Rocha Flaksman, *Diálogo com Amaral Peixoto*, p. 69.
49. Carta de Getúlio a Borges de Medeiros, 28 de maio de 1926. IHGRGS.
50. *Folha da Manhã*, 6 de julho de 1926.
51. Para detalhes da revisão constitucional de 1926, ver Afonso de Melo Franco, *Curso de Direito Constitucional*, vol. 2, pp. 155-67.
52. *Careta*, 11 de julho de 1925.
53. *Anais da Câmara Federal*, 20 de outubro de 1924.
54. Telegrama de Borges de Medeiros a Getúlio, s/d. Transcrito por Getúlio em discurso na Câmara. *Anais da Câmara Federal*, 20 de outubro de 1924.
55. Telegrama de Getúlio Vargas a Borges de Medeiros, s/d. Transcrito por Getúlio em discurso na Câmara. *Anais da Câmara Federal*, 20 de outubro de 1924.
56. Telegrama de Borges de Medeiros a Getúlio, s/d. Transcrito por Getúlio em discurso na Câmara. *Anais da Câmara Federal*, 20 de outubro de 1924.
57. *Folha da Manhã*, 8 de julho de 1925.
58. Beatriz Teixeira Weber, "Identidade e corporação médica no Sul do Brasil na primeira metade do século XX". Em *Varia História*, vol. 26, pp. 421-35.
59. *Estandarte Cristão*, 30 de outubro de 1925. Citado por Alessandro Carvalho Bica e Elomar Tambara, "O Comitê Pró-Liberdade de Consciência e Ensino Religioso em Pelotas na perspectiva do estandarte cristão (1925-1935)". Em *Anais do X Encontro Sul-Rio-Grandense de Pesquisadores em História da Educação*.
60. *Diário de Notícias*, 9 de agosto de 1925.
61. *O Paiz*, 10 de setembro de 1925.
62. *Anais da Câmara Federal*, 20 de outubro de 1925.
63. Idem.
64. Barbosa Lima Sobrinho, *A verdade sobre a revolução de outubro — 1930*, p. 33.
65. Para a influência da obra inaugural de Oliveira Viana na ação do deputado Getúlio Vargas, ver Ricardo Vélez Rodrigues, "O legado de Getúlio Vargas: Trajetória parlamentar". Em Gunter Axt, *Reflexões sobre a Era Vargas*, pp. 23-40.
66. *Anais da Câmara Federal*, 20 de outubro de 1925.
67. Idem.
68. Fernando Morais, *Chatô*, pp. 144-5.
69. Gilberto Amado, *Depois da política*, p. 6.
70. Idem, p. 7.

71. Aroldo de Azevedo, *Arnolfo de Azevedo, parlamentar da Primeira República*, pp. 419-21.
72. *Folha da Manhã*, 15 de novembro de 1926.

11. O MINISTRO DA FAZENDA NÃO ENTENDE DE FINANÇAS. MAS SABE TUDO DE POLÍTICA (1926-7) [pp. 242-71]

1. *O Globo*, 16 de outubro de 1926.
2. Luiz Vergara, *Fui secretário de Getúlio Vargas*, p. 16, João Neves da Fontoura, *Memórias*, vol. I, p. 334-5.
3. Carlos Heitor Cony, *Folha de S. Paulo*, 15 de abril de 2011.
4. João Neves da Fontoura, *Memórias*, vol. 1, pp. 334-5.
5. Lima Barreto, *Toda crônica*, p. 393.
6. Bilhete de Getúlio a Artur Bernardes, 19 de outubro de 1926. Arquivo pessoal de Artur Bernardes. Arquivo Edgard Leuenroth, Unicamp.
7. Augusto Meyer, *Segredos da infância/ No tempo da flor*, p. 179.
8. Gustavo Capanema, citado por Boris Fausto, *Getúlio Vargas*, p. 120.
9. Carta de Getúlio a Borges de Medeiros, 20 de setembro de 1926. Fundo Documental Borges de Medeiros. Instituto Histórico e Geográfico do Rio Grande do Sul.
10. Barbosa Lima Sobrinho, *A verdade sobre a revolução de outubro — 1930*, p. 33.
11. Célio Debes, *Washington Luís, 1925-1930*, pp. 138-9.
12. José Carlos de Macedo Soares, *A política financeira do presidente Washington Luís*. Ver também o opúsculo *Questão monetária no Brasil: Artigos publicados pelo Correio Paulistano em abril de 1926*.
13. Mensagem apresentada ao Congresso Nacional na abertura da primeira sessão da décima terceira legislatura pelo presidente da República Washington Luis P. de Sousa, 1927.
14. *Diário do Congresso Nacional*, 4 de dezembro de 1926.
15. *Folha da Manhã*, 4 de dezembro de 1926.
16. *Folha da Manhã*, 9 de dezembro de 1926.
17. *Folha da Manhã*, 2 de dezembro de 1926.
18. *General conditions prevailing in Brazil*. Relatório de Edwin V. Morgan, 26 de outubro de 1926. National Archives and Records Administration.
19. Relatório da embaixada inglesa ao Foreign Office, 16 de março de 1927. Pasta FCO 371/11117. Foreign Office.
20. Relatório da embaixada inglesa ao Foreign Office, 19 de outubro de 1926. Pasta FCO 371/11117. Foreign Office.
21. Azevedo Lima, *Memórias de um carcomido*, p. 160.
22. Rubens do Amaral, *A campanha liberal*, pp. 35-6.
23. *O Malho*, 13 de novembro de 1926.
24. *A Federação*, 15 de outubro de 1926.
25. *O Paiz*, 14 de outubro de 1926.
26. *O Jornal*, novembro de 1927. Citado por Fernando Morais, *Chatô: O rei do Brasil*, p. 175.
27. Fernando Morais, *Chatô: O rei do Brasil*, p. 175.
28. Cícero Sandroni e Laura Constância A. de A. Sandroni, *Athayde: O século de um liberal*, p. 227.
29. Fernando Morais, *Chatô: O rei do Brasil*, pp. 177-9.

30. Cícero Sandroni e Laura Constância A. de A. Sandroni, *Athayde: O século de um liberal*, p. 227.
31. Osvaldo Orico, *O feiticeiro de São Borja*, p. 33.
32. Entrevista de Lutero Vargas a Valentina da Rocha Lima. Datilografada. CPDOC-FGV.
33. Idem.
34. Idem.
35. Alzira Vargas, *Getúlio Vargas, meu pai*, p. 33.
36. Idem.
37. *Folha da Manhã*, 28 de janeiro de 1927.
38. *O Globo*, 12 de outubro de 1927.
39. João Neves da Fontoura, *Memórias*, vol. 1, p. 110.
40. Telegrama de Borges de Medeiros a Getúlio, 12 de outubro de 1926. Fundo Documental Borges de Medeiros. Instituto Histórico e Geográfico do Rio Grande do Sul.
41. Telegrama de Getúlio a Borges de Medeiros, 13 de outubro de 1926. Fundo Documental Borges de Medeiros. Instituto Histórico e Geográfico do Rio Grande do Sul.
42. Telegrama de Borges de Medeiros a Getúlio, 13 de outubro de 1926. Fundo Documental Borges de Medeiros. Instituto Histórico e Geográfico do Rio Grande do Sul.
43. *A Federação*, 5 de novembro de 1926.
44. Carta de Getúlio a Borges de Medeiros, 21 de outubro de 1926. Fundo Documental Borges de Medeiros. Instituto Histórico e Geográfico do Rio Grande do Sul.
45. Idem.
46. *A Federação*, 4 de maio de 1927.
47. Osvaldo Orico, *O feiticeiro de São Borja*, p. 110.
48. *Folha da Manhã*, 23 de fevereiro de 1927.
49. Célio Debes, *Washington Luís (1925-1930)*, p. 140.
50. *Diário do Congresso Nacional*, 10 de dezembro de 1926.
51. Citado por Célio Debes, *Washington Luís (1925-1930)*, p. 140.
52. *Folha da Manhã*, 23 de fevereiro de 1927.
53. "Seu doutor". Marcha de Eduardo Souto. Francisco Alves com a Orquestra Pan American. Gravação Odeon 10373-A.
54. "General conditions prevailing in Brazil", relatório de Edwin V. Morgan, fevereiro de 1927. National Archives and Records Administration.
55. Relatório da embaixada inglesa ao Foreign Office, 1º de dezembro de 1927, Pasta FCO 371/11117. Foreign Office.
56. Gilberto Amado, *Depois da política*, pp. 2-3. Isabel Lustosa, *Histórias de presidentes: A República do Catete*, pp. 97-9. Fábio Koifman (org.), *Presidentes do Brasil*, pp. 257-65.
57. Paulo Sandroni, *Novíssimo dicionário de Economia*, p. 72.
58. Célio Debes, *Washington Luís (1925-1930)*, pp. 162-70.
59. *Jornal do Brasil*, 26 de janeiro de 1927.
60. *Jornal do Brasil*, 27 de janeiro de 1927.
61. Isabel Lustosa, *Histórias de presidentes: A República do Catete*, p. 100.
62. *Folha da Manhã*, 28 de janeiro de 1927.
63. *O Globo*, 4 de março de 1927.
64. Carta de Getúlio a Borges de Medeiros, 21 de outubro de 1926. IHGRGS.

65. Carta de Getúlio a Borges de Medeiros, 7 de março de 1927. IHGRGS.
66. Gunter Axt e Carmen Aita, *José Antônio Flores da Cunha*, p. 64.
67. Oswaldo Orico, *O feiticeiro de São Borja*, p. 20.
68. Glauco Carneiro, *Lusardo: o último caudilho*, p. 356.
69. João Neves da Fontoura, *Memórias*, vol. 2, p. 39.
70. *A Federação*, 10 de dezembro de 1927.
71. *A Federação*, 9 de outubro de 1927.
72. *A Manhã*, 10 de julho de 1927.
73. F. Talaia O'Donnell, *Oswaldo Aranha*, pp. 39-41. Para o perfil de Aranha, ver também Theodore Michael Berson: *A political biography of dr. Oswaldo Aranha*; Luiz Aranha Corrêa do Lago, *Oswaldo Aranha: O Rio Grande e a Revolução de 1930*. Aspásia Camargo, João Hermes Pereira de Araújo e Mário Henrique Simonsen, *Oswaldo Aranha: A estrela da revolução*.
74. João Neves da Fontoura, *Memórias*, vol. 2, p. 8.
75. Pedro Cezar Dutra Fonseca, *Vargas: O capitalismo em construção*, pp. 93-6. Luciano Arrone de Abreu, *Getúlio Vargas: A construção de um mito (1928-1930)*, p. 66.
76. Idem.
77. Luiz Vergara, *Fui secretário de Getúlio Vargas*, p. 22.
78. *Correio do Povo*, 24 de julho de 1927.
79. Glauco Carneiro, *Lusardo: O último caudilho*, p. 355.
80. *Correio do Povo*, 2 de agosto de 1927.
81. Glauco Carneiro, *Lusardo: O último caudilho*, p. 357.
82. *Terra gaúcha*, novembro de 1927.
83. *A Manhã*, 15 de setembro de 1927.
84. *Correio do Sul*, 9 de agosto de 1927. Citado por Luciano Arrone Abreu, *Getúlio Vargas: A construção do mito*, p. 67.
85. *Correio do Povo*, 24 de julho de 1927.
86. *Correio do Povo*, 19 de agosto de 1927.
87. *Correio do Povo*, 19 de outubro de 1927.
88. *Correio da Manhã*, 2 de agosto de 1927.
89. *Annaes da Assembleia dos Representantes do Rio Grande do Sul*. Sessão de posse e encerramento, 28 de janeiro de 1928.
90. Para a íntegra do discurso de Getúlio, ver *Correio do Povo*, 19 de agosto de 1927.
91. *Correio do Povo*, 13 de dezembro de 1927.
92. *Folha da Manhã*, 16 de novembro de 1927.
93. *O Estado de S. Paulo*, 18 de novembro de 1927.
94. Idem.
95. *Folha da Manhã*, 18 de novembro de 1927.
96. *A Esquerda*, 16 de novembro de 1927.
97. *Diário da Noite*, 19 de novembro de 1927.
98. *O Estado de S. Paulo*, 18 de novembro de 1927.
99. *O Malho*, 17 de dezembro de 1927.
100. Walter Costa Porto, *O voto no Brasil*, p. 233.
101. Idem, p. 236.

102. *O Estado de S. Paulo*, 18 de novembro de 1927.
103. Fernando Morais, *Chatô: O rei do Brasil*, p. 176.
104. *Folha da Manhã*, 18 de novembro de 1927.
105. *O Jornal*, 19 de novembro de 1927.
106. *Correio do Povo*, 7 de dezembro de 1927.
107. *A Esquerda*, 16 de dezembro de 1927.

12. E SE A REPÚBLICA DO CAFÉ COM LEITE SE TRANSFORMASSE NA REPÚBLICA DO CAFÉ COM PÃO? (1928) [pp. 272-98]

1. A reconstituição da posse de Getúlio foi feita a partir da consulta às edições de *A Federação* e *O Correio do Povo* entre os dias 24 e 27 de janeiro de 1928.
2. *Correio do Povo*, 26 de janeiro de 1928.
3. Idem.
4. *O Malho*, 11 de fevereiro de 1928.
5. *Correio da Manhã*, 27 de janeiro de 1928.
6. *Jornal do Brasil*, 25 de janeiro de 1928.
7. *O Globo*, 25 de janeiro de 1928.
8. *O Jornal*, 25 de janeiro de 1928.
9. *Correio do Povo*, 13 de janeiro de 1928.
10. *Correio do Povo*, 25 de janeiro de 1928.
11. *Correio do Povo*, 18 de janeiro de 1928.
12. *Correio do Povo*, 25 de janeiro de 1928.
13. *Correio do Povo*, 25 de janeiro de 1928.
14. Paul Frischauer, *Presidente Vargas*, pp. 221-2.
15. *Correio do Povo*, 26 de janeiro de 1928.
16. *Correio do Povo*, 25, 26 e 27 de janeiro de 1928.
17. *Correio do Povo* e *A Federação*, 27 de janeiro de 1928.
18. *Correio do Povo*, 27 de janeiro de 1928.
19. *Correio do Povo*, 17 de janeiro de 1928.
20. *Correio do Povo*, 29 de janeiro de 1928.
21. João Neves da Fontoura, *Memórias*, vol. 2, pp. 3-5.
22. Idem, p. 62.
23. Idem, p. 6.
24. *Correio do Povo*, 18 de dezembro de 1928.
25. Carta de Washington Luís a Getúlio Vargas, 5 de janeiro de 1928. Arquivo CPDOC-FGV (Documento GV c 1928.02.05).
26. João Neves da Fontoura, *Memórias*, vol. 2, p. 5.
27. João Neves da Fontoura, *Memórias*, vol. 2, pp. 25-30.
28. Alzira Vargas, *Getúlio Vargas, meu pai*, p. 39.
29. Idem, pp. 40-1.
30. Paulo Raymundo Gasporotto, "Apogeu de cultura e requinte". Em Luiz Antônio de Assis

Brasil, Paulo Raymundo Gasporotto, Gunter Weimer e Luiz Eduardo Robinson Achutti, *Palácio Piratini*, pp. 50-79.

31. *Correio do Povo*, 18 de janeiro de 1928.

32. Dóris Maria Machado Bittencourt, *Os espaços do poder na arquitetura do período positivista no Rio Grande do Sul: O palácio do governo*, p. 196.

33. Alzira Vargas, *Getúlio Vargas, meu pai*, p. 40. Augusto Meyer, *Segredos da infância/No tempo da flor*, p. 179.

34. *Revista do Globo*, 6 de janeiro de 1929.

35. *Diário de Notícias*, 1º de fevereiro de 1928.

36. Entrevista publicada originalmente em *O Paiz* e citada pela revista *Terra Gaúcha*, junho--julho de 1928.

37. Hélio Silva, *1926: A grande marcha*, p. 166.

38. *Terra Gaúcha*, outubro-novembro de 1928.

39. Mensagem enviada à Assembleia dos Representantes do Rio Grande do Sul pelo presidente Getúlio Vargas, na 4ª sessão ordinária da 10ª legislatura, 1928.

40. General Gil de Almeida, *Homens e fatos da Revolução*, p. 19.

41. *O Globo*, 20 de maio de 1928.

42. Carta de Getúlio Vargas a Borges de Medeiros, 16 de agosto de 1930. Arquivo CPDOC-FGV (Documento GV c 1930.08.16).

43. Carta de João Daudt de Oliveira a Getúlio Vargas. 17 de abril de 1929. Arquivo CPDOC-FGV (Documento GV c 1929.04.17).

44. Rubens Vidal Araújo, *Os Vargas*, vol. 1, p.14.

45. *A Federação*, 24 e 25 de outubro de 1924.

46. Paul Frischauer, *Presidente Vargas*, p. 222.

47. Luiz Vergara, *Fui secretário de Getúlio Vargas*, p. 27.

48. *Correio do Povo*, 20 de dezembro de 1927.

49. Paul Frischauer, *Presidente Vargas*, p. 225.

50. Citado por Luciano Arrone de Abreu, *Getúlio Vargas: A construção de um mito (1928-30)*, p. 84.

51. Mensagem enviada à Assembleia dos Representantes do Rio Grande do Sul pelo presidente Getúlio Vargas, na 4ª sessão ordinária da 10ª legislatura, 1928.

52. Gunter Axt, "O governo Getúlio Vargas no Rio Grande do Sul". Em *Estudos Históricos*, 2002, nº 29, p. 124.

53. João Neves da Fontoura, *Memórias*, vol. 2, p. 15.

54. *O Malho*, 28 de abril de 1928.

55. Pedro Cezar Dutra Fonseca, *Vargas: A construção do capitalismo*, p. 96.

56. Idem, pp. 100-5.

57. *A Federação*, 21 de julho de 1928.

58. *Correio do Povo*, 7 de março de 1928.

59. *Correio do Povo*, 23, 24 e 29 de fevereiro de 1928.

60. *Correio do Povo*, 1, 3, 6 e 8 de março de1928.

61. Rafael Guimaraens, *Rua da Praia: Um passeio no tempo*, p. 118.

62. Pedro Cezar Dutra Fonseca, *O ideário de Vargas e as origens do Estado desenvolvimentista no Brasil*. Anais do XXXII Encontro Nacional de Economia da ANPEC, João Pessoa, PB.

63. Gunter Axt, "O governo Getúlio Vargas no Rio Grande do Sul". Em *Estudos Históricos*, 2002, nº 29, pp. 130-4.

64. Mensagem enviada à Assembleia dos Representantes do Rio Grande do Sul pelo presidente Getúlio Vargas, na 4ª sessão ordinária da 10ª legislatura, 1928.
65. Pedro Luiz Osório, *O Banco Pelotense*, pp. 9-11. Alcebíades de Oliveira, *Um drama bancário*, pp. 180-8.
66. João Neves da Fontoura, *Memórias*, vol. 2, pp. 31-4.
67. Aurino Morais, *Minas na Aliança Liberal e na Revolução de 1930*, p. 12.
68. Idem, p. 12.
69. Idem, pp. 17-9.
70. Carta de João Neves a Getúlio Vargas. 29 de novembro de 1928. Arquivo CPDOC-FGV (Documento GV c 1928.11.28).
71. Afonso Arinos, *Um estadista da República*, pp. 1130-2.
72. João Neves da Fontoura, *Memórias*, vol. 2, pp. 31-4.
73. Carta de Paulo Hasslocher a Getúlio Vargas, 19 de novembro de 1928. Arquivo CPDOC-FGV (Documento GV c 1928.11.19/2).
74. João Neves da Fontoura, *Memórias*, vol. 2, pp. 31-6.
75. Idem.
76. Idem.
77. Gilberto Amado, *Depois da política*, pp. 14-5.
78. João Neves da Fontoura, *Memórias*, vol. 2, pp. 31-6.
79. Carta de João Neves a Getúlio Vargas. Citada por Hélio Silva, *A grande marcha*, pp. 177-8.
80. João Neves da Fontoura, *Memórias*, vol. 2, pp. 20-2.
81. Idem
82. Idem.
83. Carta de João Neves a Getúlio Vargas, 14 de novembro de 1928. Arquivo CPDOC-FGV (Documento GV c 1928.11.14).
84. Carta de Flores da Cunha a Getúlio Vargas. Citada por Hélio Silva, *A grande marcha*, pp. 195-6.
85. *Correio Paulistano*, 27 de novembro de 1928.
86. João Neves da Fontoura, *Memórias*, vol. 2, p. 39.
87. Carta de João Neves a Getúlio Vargas. 14 de novembro de 1928. Arquivo CPDOC-FGV (Documento GV c 1928.11.14).
88. *O Globo*, 1º de dezembro de 1928.
89. *A Manhã*, 2 de dezembro de 1928.
90. *O Imparcial*, 1º de dezembro de 1928.
91. *Correio do Povo*, 27 de dezembro de 1927.
92. Carta de João Neves a Getúlio Vargas, 14 de novembro de 1928. Arquivo CPDOC-FGV (Documento GV c 1928.11.14).

13. GETÚLIO INAUGURA A ARTE DE TIRAR AS MEIAS
SEM DESCALÇAR OS SAPATOS (1929) [pp. 299-326]

1. Telegrama da Agência Americana reproduzindo correspondência mantida entre Washington Luís e Getúlio Vargas no período de 10 de maio a 29 de julho de 1929. Arquivo CPDOC-FGV (Documento GV c 1929.05.10).

2. *O Malho*, 21 de setembro de 1929.

3. Gilberto Amado, *Depois da política*, p. 4.

4. Célio Debes, *Washington Luís (1925-1930)*, pp. 439-41.

5. Barbosa Lima Sobrinho, *A verdade sobre a revolução de outubro – 1930*, p. 31-2.

6. Carta de Washington Luís a Getúlio Vargas, 5 de janeiro de 1929. Arquivo CPDOC-FGV (Documento GV c 1929.01.05).

7. Carta de Getúlio Vargas a João Neves, 16 de maio de 1929. Arquivo CPDOC-FGV (Documento GV c 1929.05.06).

8. Telegrama da Agência Americana reproduzindo correspondência mantida entre Washington Luís e Getúlio Vargas no período de 10 de maio a 29 de julho de 1929. Arquivo CPDOC-FGV (Documento GV c 1929.05.10).

9. Barbosa Lima Sobrinho, *A verdade sobre a revolução de outubro – 1930*, p. 38.

10. Idem, p.37.

11. "Seu Julinho vem", marcha de Freire Júnior, gravada por Francisco Alves com a Orquestra Pan American, disco Odeon, nº 10373-A.

12. Carta de João Neves a Getúlio Vargas, 6 de maio de 1929. Arquivo CPDOC-FGV (Documento GV c 1929.05.06).

13. Idem.

14. João Neves da Fontoura, *Memórias*, vol. 2, p. 47.

15. *Correio do Povo*, 18 de janeiro de 1929.

16. Fernando Morais, *Chatô: O rei do Brasil*, p. 197.

17. Idem.

18. Carta de João Neves a Getúlio Vargas, 6 de maio de 1929. Arquivo CPDOC-FGV (Documento GV c 1929.05.06).

19. Carta de João Pinto da Silva a João Daudt de Oliveira, 21 de janeiro de 1929. Arquivo CPDOC-FGV (Documento GV c 1929.01.16).

20. Carta de Getúlio Vargas a João Daudt de Oliveira, 25 de fevereiro de 1929. Arquivo CPDOC-FGV (Documento JD c 1929.02.25).

21. Carta de João Daudt de Oliveira a João Pinto da Silva, 29 de janeiro de 1929. Arquivo CPDOC-FGV (Documento JD c 1929.01.29)

22. João Neves da Fontoura, *Memórias*, vol. 2, p. 69.

23. Carta de João Daudt de Oliveira a Getúlio Vargas, 17 de janeiro de 1929. Arquivo CPDOC-FGV (Documento JD c 1929.01.16).

24. Queiroz Júnior, *222 anedotas de Getúlio Vargas*, p. 51.

25. Carta de João Neves da Fontoura a Getúlio Vargas. Citada por Hélio Silva, *1926: A grande marcha*, pp. 213-4).

26. Carta de Oswaldo Aranha a Getúlio Vargas, 6 de agosto de 1929. Arquivo CPDOC-FGV (Documento GV c 1929.08.06/6).

27. Barbosa Lima Sobrinho, *A verdade sobre a revolução de outubro – 1930*, p. 54.

28. João Neves da Fontoura, *Memórias*, vol. 2, p. 39.

29. Idem, p. 58.

30. Carta de João Neves da Fontoura a Getúlio Vargas, 15 de junho de 1929. Arquivo CPDOC-FGV (Documento GV c 1929.06.15/1).

31. População do Brasil (estimativas e recenseamentos), em *Estatísticas do século XX*. IBGE. Disponível em http://www.ibge.gov.br/seculoxx/default.shtm.

32. Idem.

33. Carta de Getúlio Vargas a João Neves, 29 de junho de 1929. Arquivo CPDOC-FGV (Documento GV c 1929.06.15/2).

34. Idem.

35. João Neves da Fontoura, *Memórias*, vol. 2, p. 74.

36. Carta de João Neves da Fontoura a João Daudt de Oliveira, 23 de junho de 1929. CPDOC-FGV (Documento JD c 1929.06.23).

37. Sérgio Augusto, *Este mundo é um pandeiro: A chanchada de Getúlio a JK*, p. 78.

38. João Neves da Fontoura, *Memórias*, vol. 2, p. 76.

39. Idem, p. 123.

40. *O pensamento de Assis Chateaubriand: Artigos publicados em 1929*, vol. 6, p. 87.

41. Idem.

42. *O Jornal*, 1º de julho de 1929.

43. Telegrama de João Neves a Getúlio Vargas. Arquivo CPDOC-FGV (Documento GV c 1929.06.17).

44. Carta de João Neves a Getúlio Vargas, 11 de julho de 1929. Arquivo Borges de Medeiros.

45. Carta de João Neves da Fontoura a João Daudt de Oliveira, 23 de junho de 1929. CPDOC-FGV (Documento JD c 1929.06.23).

46. Telegrama transcrito em carta de Getúlio Vargas a Borges de Medeiros em 17 de junho de 1929. Arquivo Borges de Medeiros.

47. João Neves da Fontoura, *Memórias*, vol. 2, p. 64.

48. Carta de Oswaldo Aranha a Getúlio Vargas, 26 de junho de 1929. Arquivo CPDOC-FGV (Documento GV c 1929.06.17).

49. Carta de Borges de Medeiros a Getúlio Vargas, 18 de julho de 1929. Arquivo CPDOC-FGV (Documento GV c 1929.07.18/2).

50. Carta de Borges de Medeiros a Getúlio Vargas, 28 de junho de 1929. Citada por Hélio Silva, *1926: A grande marcha*, pp. 213-44.

51. Carta de João Neves da Fontoura a Getúlio Vargas, 6 de julho de 1929. Arquivo CPDOC-FGV (Documento GV c 1929.07.06/2).

52. João Neves da Fontoura, *Memórias*, vol. 2, p. 43.

53. Carta de João Neves da Fontoura a Getúlio Vargas, 6 de julho de 1929. Arquivo CPDOC-FGV (Documento GV c 1929.07.06/2).

54. Carta de Paulo Hasslocher a Getúlio Vargas, 9 de julho de 1929. Arquivo CPDOC-FGV (Documento GV c 1929.07.09/2).

55. Carta de João Neves a Getúlio Vargas, 15 de junho de 1929. Arquivo Borges de Medeiros.

56. "Seu Julinho vem", marcha de Freire Júnior, gravada por Francisco Alves com a Orquestra Pan American, disco Odeon, nº 10 484-A.

57. Carta de Francisco Campos a Getúlio Vargas, s/d. Cópia incluída em correspondência de Getúlio a Borges de Medeiros, 15 de julho de 1929. Arquivo Borges de Medeiros.

58. Rubens do Amaral, *A campanha liberal*, p. 39.

59. Carta de João Neves da Fontoura a Getúlio Vargas, 6 de julho de 1929. Arquivo CPDOC-FGV (Documento GV c 1929.07.06/2).

60. *Revista do Globo*, 17 de julho de 1929.

61. André Carrazoni, *Depoimentos: Da ideologia à ação revolucionária*, pp. 136-7.

62. Idem.

63. Idem.

64. Idem.

65. Carta de Getúlio Vargas a Washington Luís, 11 de julho de 1929. Arquivo CPDOC-FGV (Documento GV c 1929.07.11/3).

66. André Carrazoni, *Depoimentos: Da ideologia à ação revolucionária*, p. 138.

67. Idem.

68. Barbosa Lima Sobrinho, *A verdade sobre a revolução de outubro – 1930*, pp. 49-50.

69. André Carrazoni, *Depoimentos: Da ideologia à ação revolucionária*, p. 138.

70. Idem, p. 139.

71. Idem, p. 140.

72. *Correio do Povo*, 22 de julho de 1929.

73. Relatório de Felipe Daudt de Oliveira sobre sua entrevista com Estácio Coimbra, 6 de julho de 1929. Arquivo CPDOC-FGV (Documento JD c 1929.07.16/1).

74. Carta de Getúlio Vargas a João Neves, 22 de julho de 1929. Arquivo CPDOC-FGV (Documento GV c 1929.07.22/3).

75. Carta a Paim Filho, 22 de julho de 1929. Arquivo CPDOC-FGV (Documento GV c 1929.07.23/6).

76. Carta de Getúlio Vargas a João Neves, 22 de julho de 1929. Arquivo CPDOC-FGV (Documento GV c 1929.07.22/3).

77. Telegrama de Washington Luís a Getúlio Vargas. Transcrito na carta de Getúlio a João Neves, 22 de julho de 1929. Arquivo CPDOC-FGV (Documento GV c 1929.07.22/3).

78. *Correio do Povo*, 11 de julho de 1929.

79. *Jornal do Brasil*, 19 de julho de 1929.

80. Carta de Getúlio Vargas a João Neves, 22 de julho de 1929. Arquivo CPDOC-FGV (Documento GV c 1929.07.22/3).

81. Idem.

82. Carta de Washington Luís a Getúlio Vargas, 25 de julho de 1929. Arquivo CPDOC-FGV (Documento 1929.07.25/5).

83. Segundo Luiz Vergara, a célebre expressão teria sido cunhada originalmente por ele próprio, ainda em 1926, durante um discurso estudantil. *Fui secretário de Getúlio Vargas*, p. 7.

84. Glauco Carneiro, *Lusardo, o último caudilho*, vol. 2, pp. 28-30.

85. Idem.

86. Carta de Getúlio Vargas a João Neves da Fontoura, 12 de julho de 1929. Arquivo CPDOC-FGV (Documento GV c 1929.07.12).

87. Carta de Oswaldo Aranha a Getúlio Vargas, 26 de julho de 1929. Arquivo CPDOC-FGV (Documento GV c 1929.07.26/10).

88. Célio Debes, *Washington Luís (1925-1930)*, p. 362.

89. *O Malho*, 7 de setembro de 1929.

90. Stanley Hilton, *Oswaldo Aranha: Uma biografia*, p. 19.

91. Maria Cecília Spina Forjaz, *Tenentismo e Aliança Liberal (1927-1930)*, pp. 35-45.
92. Carta de Oswaldo Cruz a Getúlio Vargas, 6 de agosto de 1929. Arquivo CPDOC-FGV (Documento GV c 1929.08.06/6).
93. Idem.
94. Carta de João Neves a Getúlio Vargas, 26 de julho de 1929. Arquivo CPDOC-FGV (Documento GV c 1929.07.26/2).
95. Carta de Oswaldo Aranha a Getúlio Vargas, 26 de julho de 1929. Arquivo CPDOC-FGV (Documento GV c 1929.07.26/10).
96. Luiz Vergara, *Fui secretário de Getúlio Vargas*, p. 34.

14. A "RENOVAÇÃO CRIADORA DO FASCISMO" É CITADA
COMO EXEMPLO PELO CANDIDATO GETÚLIO VARGAS (1929) [pp. 327-61]

1. *Dicionário histórico-biográfico brasileiro*, verbete "Antunes Maciel".
2. Carta de Telmo Monteiro a Getúlio Vargas. Arquivo CPDOC-FGV (Documento GV c 1929.02.25).
3. Resumo de conversação entre Getúlio Vargas e Francisco Antunes Maciel a respeito de articulações visando à conciliação entre Getúlio Vargas e o Partido Libertador. Arquivo CPDOC-FGV (Documento GV c 1929.07.25/4).
4. Idem.
5. Citado por Azevedo Lima, *Reminiscências de um carcomido*, pp. 176-7.
6. Resumo de conversação entre Getúlio Vargas e Francisco Antunes Maciel sobre os entendimentos entre ambos para a obtenção do apoio do Partido Libertador à candidatura de Getúlio Vargas à presidência da República. Arquivo CPDOC-FGV (Documento GV c 1929.07.26/3).
7. Palestra telegráfica entre Getúlio Vargas e Joaquim Francisco de Assis Brasil. Arquivo CPDOC-FGV (Documento GV c 1929.07.27/4).
8. Idem.
9. Telegrama de Delmar Diogo, subchefe de polícia de Bagé, a Getúlio Vargas, transcrevendo correspondência de Assis Brasil, 5 de agosto de 1929. Arquivo CPDOC-FGV (Documento GV c 1929.08.05/5).
10. Carta de Getúlio Vargas a João Neves da Fontoura, 26 de julho de 1929. Arquivo CPDOC-FGV (Documento GV c 1929.07.26/7).
11. Telegrama de Oswaldo Aranha a Paim Filho, 26 de julho de 1929. Arquivo CPDOC-FGV (Documento GV c 1929.07.26/5).
12. Hélio Silva, *1926: A grande marcha*, p. 321.
13. Carta de João Neves da Fontoura a Getúlio Vargas, 5 de setembro de 1929. Arquivo CPDOC-FGV (Documento GV c 1929.09.05/1).
14. Carta de Getúlio a João Neves, 4 de setembro de 1929. Arquivo CPDOC-FGV (Documento GV c 1929.09.04/2)
15. *Correio do Povo*, 26 de fevereiro de 1929.
16. João Neves da Fontoura, *Memórias*, vol. 2, p. 97.
17. Citado por Eduardo Raposo, *1930: Seis versões e uma revolução*, p. 74.
18. *A União*, 10 de abril de 1929. Citado por José Joffily, *Revolta e revolução: Cinquenta anos depois*, p. 199.

19. Telegrama de Epitácio Pessoa a João Pessoa, citado por Hélio Silva, *1926: A grande marcha*, p. 285.

20. Telegrama de João Neves a Getúlio Vargas. Arquivo CPDOC-FGV (Documento GV c 1929.07.30/4).

21. Joaquim Inojosa, *República de Princesa*, p. 67.

22. Eduardo Raposo, *1930: Seis versões e uma revolução*, pp. 71-86.

23. *O Jornal*, 31 de julho de 1929.

24. "É sopa (17 x 3)", marcha de Eduardo Souto, gravada por Francisco Alves e Orquestra Pan American, disco Odeon, nº 10 484-A.

25. "Comendo bola", marcha de Hekel Tavares e Luís Peixoto, gravada por Jaime Redondo com grupo regional, disco Columbia 5117.

26. "Harmonia, harmonia", marcha de Hekel Tavares e Luís Peixoto, gravada por Jaime Redondo com grupo regional, disco Columbia 5117.

27. Carta de Getúlio Vargas a João Neves, 14 de agosto de 1929. Arquivo CPDOC-FGV (Documento GV c 1929.08.14/1).

28. Carta de Washington Luís a Getúlio Vargas, 31 de dezembro de 1927. Arquivo CPDOC-FGV (Documento GV c 1927.12.31).

29. Carta de Alves de Souza, diretor de *O Paiz*, a Washington Luís, 30 de dezembro de 1927. Arquivo CPDOC-FGV (Documento GV c 1927.12.31).

30. Telegrama de Getúlio Vargas a Vespúcio de Abreu, citado por Hélio Silva, *1926: A grande marcha*, p. 288.

31. Carta de Getúlio Vargas a João Neves, 9 de setembro de 1929. Arquivo CPDOC-FGV (Documento GV c 1929.09.09/7).

32. "Notas informativas para uso particular". Arquivo CPDOC-FGV (Documento GV c 1929.00.00/9).

33. Citado por Célio Debes, *Washington Luís (1925-1930)*, pp. 470-1.

34. Citado por Vavy Pacheco Borges, *Getúlio Vargas e a oligarquia paulista*, p. 94.

35. Carta de Oswaldo Aranha a Getúlio Vargas, 30 de julho de 1929. Arquivo CPDOC-FGV (Documento GV c 1929.07.30/7).

36. Telegrama de João Fanfa Ribas a Silveira Martins e Ivo Roxo, agosto de 1929. Arquivo CPDOC-FGV (Documento GV c 1929.08.00/3)

37. Maurício de Lacerda, *Segunda República*, p. 47.

38. Carta de Honório Lemes a Maurício Cardoso, 17 de agosto de 1929. Arquivo CPDOC-FGV (Documento GV c 1929.08.17/3).

39. Carta de Getúlio Vargas a João Neves, 2 de agosto de 1929. Arquivo CPDOC-FGV (Documento GV c 1929.08.02/4).

40. Carta de Artur Caetano da Silva a Getúlio Vargas, 2 de setembro de 1929. Arquivo CPDOC-FGV (Documento GV c 1929.09.02/2).

41. Glauco Carneiro, *O revolucionário Siqueira Campos*, p. 528.

42. Frank. D. McCann, *Soldados da pátria: História do Exército Brasileiro (1889-1937)*, p. 363.

43. Depoimento de Guilhermino Cesar, em *Simpósio sobre a Revolução de 30*, p. 613.

44. *O Malho*, 24 de agosto de 1929.

45. *Folha da Manhã*, 30 de abril de 1930.

46. "Current political situation in Brazil". Relatório do major Lester Baker, 10 de setembro de 1929. National Archives and Records Administration.

47. Vavy Pacheco Borges, *Getúlio Vargas e a oligarquia paulista*, p. 96.

48. Carta de Joaquim Luís Osório a Getúlio Vargas, 26 de julho de 1929. Arquivo CPDOC-FGV (Documento GV c 1929.07.26/8).

49. Carta de Lindolfo Collor a Getúlio Vargas, 12 de agosto de 1929. Arquivo CPDOC-FGV (Documento GV c 1929.08.12/5).

50. Idem.

51. Carta de Getúlio Vargas a João Neves, 14 de agosto de 1929. Arquivo CPDOC-FGV (Documento GV c 1929.08.14/1).

52. Carta de Oswaldo Aranha a Getúlio Vargas, 31 de julho de 1929. Arquivo CPDOC-FGV (Documento GV c 1929.07.31/9).

53. "Notas informativas para uso particular". Arquivo CPDOC-FGV (Documento GV c 1929.00.00/9).

54. "Ao Rio Grande do Sul e à Nação". Manifesto de Paim Filho. *Correio Paulistano*, 11 de outubro de 1930.

55. Carta de Oswaldo Aranha a Getúlio Vargas, 6 de agosto de 1929. Arquivo CPDOC-FGV (Documento GV c 1929.08.06/6).

56. Carta de Oswaldo Aranha a Getúlio Vargas, 31 de julho de 1929. Arquivo CPDOC-FGV (Documento GV c 1929.07.31/9).

57. Glauco Carneiro, *Lusardo, o último caudilho*, vol. 2, pp. 28-30.

58. Luiz Aranha Corrêa do Lago, *Oswaldo Aranha: O Rio Grande e a Revolução de 1930*, p. 272.

59. Carta de Getúlio Vargas a Washington Luís, 29 de julho de 1929. Arquivo CPDOC-FGV (Documento GV c 1929.07.29/8).

60. Carta de Antônio Carlos a Washington Luís, 1º de agosto de 1929. Citada por Virgílio de Melo Franco, *Outubro, 1930*, pp. 96-7.

61. João Neves da Fontoura, *Memórias*, vol. 2, p. 112.

62. Domingos Meirelles, *1930: Os órfãos da Revolução*, p. 306.

63. *Correio do Povo*, 11 de agosto de 1929.

64. Paulo Nogueira Filho, *Ideais e lutas de um burguês progressista*, p. 371.

65. *Correio do Povo*, 11 de agosto de 1929.

66. *Revista do Globo*, 17 de agosto de 1929.

67. Citado por Célio Debes, *Washington Luís (1925-1930)*, p. 395.

68. *Revista do Globo*, 28 de setembro de 1929.

69. *A Federação*, 23 de setembro de 1929.

70. Idem.

71. *O Malho*, 24 de agosto de 1929.

72. *Correio do Povo*, 1º de maio de 1929.

73. Carta de Artur Caetano da Silva a Getúlio Vargas, 28 de agosto de 1929. Arquivo CPDOC-FGV (Documento GV c 1929.08.28/3).

74. *Revista do Globo*, 12 de outubro de 1929.

75. *Revista do Globo*, 15 de novembro de 1929.

76. *Revista do Globo*, 25 de janeiro de 1930.

77. *Revista do Globo*, 29 de junho de 1929.

78. *O Malho*, 24 de agosto de 1929.

79. Carta de Sady Valle Machado a Oswaldo Aranha, 29 de agosto de 1929. Arquivo CPDOC-FGV (Documento OA c 1929.08.14/2).

80. *O Malho*, 28 de julho de 1929.

81. João Neves da Fontoura, *Memórias*, vol. 2, p. 188.

82. Lígia Maria Leite Pereira e Maria Auxiliadora de Faria, *Presidente Antônio Carlos: Um Andrada da República, o arquiteto da Revolução de 30*, pp. 339-40.

83. *Revista do Globo*, 31 de agosto de 1929.

84. *Correio do Povo*, 29 de agosto de 1929.

85. Carta de João Neves a Getúlio Vargas, 26 de janeiro de 1929. Arquivo CPDOC-FGV (Documento GV c 1929.02.26).

86. Lutero Vargas, *Getúlio Vargas: A revolução inacabada*, p. 34.

87. Carta de Getúlio Vargas a João Neves, 31 de agosto de 1929. Arquivo CPDOC-FGV (Documento GV c 1929.08.31/4).

88. *Correio do Povo*, 1º de setembro de 1929.

89. Idem.

90. *A Federação*, 30 de agosto de 1929.

91. *Correio do Povo*, 8 de setembro de 1929.

92. *Correio do Povo*, 15 de junho de 1929.

93. *Jornal do Commercio*, 15 de junho de 1929.

94. *Correio do Povo*, 10 de setembro de 1929.

95. *Correio do Povo*, 8 de setembro de 1929.

96. Carta de Getúlio Vargas a João Neves, 10 de setembro de 1929. Arquivo CPDOC-FGV (Documento GV c 1929.09.10/2).

97. Idem.

98. Carta de Getúlio Vargas a João Neves, 6 de setembro de 1929. Arquivo CPDOC-FGV (Documento GV c 1929.09.06/5).

99. André Carrazoni, *Getúlio Vargas*, p. 205.

100. Telegrama de João Neves a Getúlio Vargas, 6 de setembro de 1929. Arquivo CPDOC-FGV (Documento GV c 1929.09.06/3).

101. Domingos Meirelles, *1930: Os órfãos da Revolução*, p. 272.

102. Carta de Sady Valle Machado a Oswaldo Aranha, 29 de agosto de 1929. Arquivo CPDOC-FGV (Documento OA c 1929.08.14/2).

103. Idem.

104. Hélio Silva, *1922: Sangue nas areias de Copacabana*, p. 384.

105. Carta de Getúlio Vargas a João Neves, 9 de setembro de 1929. Arquivo CPDOC-FGV (Documento GV c 1929.09.09/6).

106. Entrevista de Aristides Leal a Aspásia Alcântara Camargo e Paulo César Farah. Datilografada. Arquivo CPDOC-FGV.

107. Hélio Silva, *1922: Sangue nas areias de Copacabana*, p. 384. Dênis de Moraes e Francisco Viana, *Prestes: Lutas e autocríticas*, pp. 47-9.

108. Entrevista de Aristides Leal a Aspásia Alcântara Camargo e Paulo César Farah. Datilografada. Arquivo CPDOC-FGV.
109. Hélio Silva, *1922: Sangue nas areias de Copacabana*, p. 384. Dênis de Moraes e Francisco Viana, *Prestes: Lutas e autocríticas*, pp. 47-9.
110. Idem.
111. Hélio Silva, *1922: Sangue nas areias de Copacabana*, p. 385.
112. Domingos Meirelles, *1930: os órfãos da Revolução*, p. 327.
113. Hélio Silva, *1922: Sangue nas areias de Copacabana*, p. 385.
114. Carta de Getúlio Vargas a João Neves, 13 de setembro de 1929. Arquivo CPDOC-FGV (Documento GV c 1929.09.13/2).
115. Telegrama de Getúlio Vargas a Irineu Machado, 3 de setembro de 1929. Arquivo CPDOC-FGV (Documento GV c 1929.09.03/1).
116. *Diário de Notícias*, 6 de outubro de 1929.
117. Carta de Getúlio Vargas a João Neves, 10 de setembro de 1929. Arquivo CPDOC-FGV (Documento GV c 1929.09.10/2).
118. Carta de Getúlio Vargas a Oswaldo Aranha, 12 de agosto de 1929. Arquivo CPDOC-FGV (Documento GV c 1929.08.12/3).
119. Carta de Getúlio Vargas a João Neves, 6 de setembro de 1929. Arquivo CPDOC-FGV (Documento GV c 1929.09.06).
120. João Neves da Fontoura, *Memórias*, vol. 2, pp. 168-9.
121. Carta de Afrânio de Melo Franco a Epitácio Pessoa, 7 de setembro de 1929. Arquivo CPDOC-FGV (Documento GV c 1929.20.07/1).
122. Hélio Silva, *1926: A grande marcha*, p. 332.
123. *O Malho*, 5 de outubro de 1929.

15. GUERRA À VISTA: RIO GRANDE ENCOMENDA AO CANADÁ 5 MILHÕES DE "CARTUCHOS PONTIAGUDOS" (1929) [pp. 362-91]

1. A cena foi descrita por João Neves em *Memórias*, vol. 2, p. 192.
2. Alzira Vargas, *Getúlio Vargas, meu pai*, p. 52.
3. Idem.
4. *Correio do Povo*, 2 de agosto de 1929.
5. *Correio da Manhã*, 21 de agosto de 1929.
6. *Correio do Povo*, 29 de agosto de 1929.
7. *Correio do Povo*, 18 de agosto de 1929.
8. *Correio do Povo*, 2 de agosto de 1929.
9. *Correio do Povo*, 6 de setembro de 1929.
10. *Correio do Povo*, 15 de agosto de 1929.
11. *Correio do Povo*, 3 de agosto de 1929.
12. *Correio do Povo*, 5 de outubro de 1929.
13. *Correio do Povo*, 25 de agosto de 1929.
14. Cartaz da Aliança Liberal. Coleção do autor.
15. Manifesto da Aliança Liberal, em *A Revolução de 30: Textos e documentos*, tomo I, pp. 217-27.

16. *A Esquerda*, 26 de janeiro de 1929.
17. João Neves da Fontoura, *Memórias*, vol. 2, p. 192.
18. Idem, p. 172.
19. Hélio Silva, *1926: A grande marcha*, p. 367.
20. Rubens do Amaral, *A campanha liberal*, pp. 69-73.
21. João Neves da Fontoura, *Memórias*, vol. 2, p. 191.
22. Idem, p. 192.
23. *Correio do Povo*, 28 de agosto de 1929.
24. *Nosso Século (1910-1930)*, p. 281.
25. *Correio do Povo*, 9 de agosto de 1929.
26. Estudo sobre a crise econômico-financeira do Brasil. Arquivo CPDOC-FGV (Documento GV c 1929.11.00/2).
27. Estudo sobre a crise econômico-financeira do Brasil. Arquivo CPDOC-FGV (Documento GV c 1929.11.00/2).
28. *O Jornal*, 19, 28 e 29 de outubro de 1929.
29. Carta de João Neves a Getúlio Vargas, 28 de outubro de 1929. Arquivo CPDOC-FGV (Documento GV c 1929.10.28/2).
30. Paulo Nogueira Filho, citado por Maria Cecilia Spina Ferraz, *Tenentismo e Aliança Liberal*, p. 67. Boris Fausto, *Revolução de 30: Historiografia e História*, p. 130.
31. Carta de João Neves a Getúlio Vargas, 30 de outubro de 1929. Arquivo Borges de Medeiros.
32. Carta de Getúlio Vargas a João Neves, 31 de outubro de 1929. Arquivo CPDOC-FGV (Documento GV c 1929.10.31/1).
33. General Gil de Almeida. *Homens e fatos de uma revolução*, p. 41.
34. "Notas informativas para uso particular". Arquivo CPDOC-FGV (Documento GV c 1929.00.00/9).
35. Idem.
36. Idem.
37. Idem.
38. João Neves da Fontoura, *Memórias*, vol. 2, p. 198.
39. Idem, pp. 207-8.
40. João Neves da Fontoura. *Accuso!*, pp. 8-9.
41. Carta de F. W. Lorentzen a Oswaldo Aranha, 30 de outubro de 1929. Arquivo CPDOC-FGV (Documento OA c 1929.10.30/1).
42. Carta de Oswaldo Aranha a José de Freitas Valle, 20 de agosto de 1929. Arquivo CPDOC-FGV (Documento OA c 1929.07.05/15).
43. Luiz Aranha Corrêa do Lago, *Oswaldo Aranha: O Rio Grande e a Revolução de 1930*, p. 266.
44. Juarez Távora, *Uma vida e muitas lutas*, vol. 1, p. 241-4.
45. Idem.
46. Carta de Umberto Gomes a Juarez Távora. Citada por Luiz Aranha Corrêa do Lago, *Oswaldo Aranha: O Rio Grande e a Revolução de 1930*, p. 300.
47. Carta de Getúlio Vargas a João Neves. 19 de agosto de 1929. Arquivo CPDOC-FGV (Documento GV c 1929.08.19/2).

48. "Ao Rio Grande do Sul e à Nação". Manifesto de Paim Filho. *Correio Paulistano*, 11 de outubro de 1930.

49. Idem.

50. Carta de Simões Lopes a Oswaldo Aranha, 16 de dezembro de 1929. Citada por Domingos Meirelles, *1930: Os órfãos da revolução*, pp. 353-4.

51. Carta de Simões Lopes a Getúlio, 22 de novembro de 1929. Arquivo CPDOC-FGV (Documento GV c 1929.11.22).

52. Carta de Lindolfo Collor a Getúlio Vargas, 13 de novembro de 1929. Arquivo CPDOC-FGV (Documento GV c 1929.11.13).

53. Telegrama de João Neves da Fontoura a Getúlio Vargas, 26 de novembro de 1929. Arquivo CPDOC-FGV (Documento GV c 1929.11.26).

54. Telegrama de Getúlio a João Neves, 9 de dezembro de 1929. Arquivo CPDOC-FGV (Documento GV c 1929.12.09).

55. Notas sobre a situação financeira do Banco do Rio Grande do Sul, 19 de novembro de 1929. Arquivo CPDOC-FGV (Documento GV c 1929.11.19).

56. Carta de Manuel do Nascimento Vargas a Getúlio Vargas, 18 de novembro de 1929. Arquivo CPDOC-FGV (Documento GV c 1929.11.18/1).

57. Carta de Getúlio Vargas a João Neves, 27 de novembro de 1929. Arquivo CPDOC-FGV (Documento GV c 1929.11.27/1).

58. *Correio Paulistano*, 11 de agosto de 1930.

59. Carta de Lindolfo Collor a Getúlio Vargas, 29 de outubro de 1929. Arquivo CPDOC-FGV (Documento GV c 1929.10.26/2).

60. Idem.

61. Artur Carrazoni, *Depoimentos: Da ideologia à ação revolucionária*, p. 13.

62. Célio Debes, *Washington Luís (1925-1930)*, pp. 426-9.

63. "Ao Rio Grande do Sul e à Nação". Manifesto de Paim Filho. *Correio Paulistano*, 11 de outubro de 1930.

64. Idem.

65. Idem.

66. *Correio do Povo*, 12 de dezembro de 1929.

67. Idem.

68. *O Jornal*, 11 de dezembro de 1929.

69. *O Jornal*, 23 de dezembro de 1929.

70. *O Globo*, 12 de dezembro de 1929.

71. *Correio do Povo*, 12 de dezembro de 1929.

72. Idem.

73. João Neves da Fontoura, *Memórias*, vol. 2, pp. 245-6.

74. Idem.

75. Idem.

76. Idem.

77. Idem.

78. Idem.

79. Carta de Manuel Vargas a Getúlio Vargas, Arquivo CPDOC-FGV (Documento GV c 1930.01.08).

80. Idem, pp. 253-4.
81. Para detalhes do incidente entre Simões Lopes e Souza Filho, ver Ildefonso Simões Lopes Filho, *Defendendo meu pai*.
82. João Neves da Fontoura, *Memórias*, vol. 2, p. 261.
83. Relatório de Edwin Morgan ao Departamento de Estado dos Estados Unidos, 30 de dezembro de 1929. National Archives and Records Administration.
84. Idem, p. 260.
85. *Correio do Povo*, 31 de dezembro de 1929.
86. Ver Susana de Araújo Gastal, "Ações comunicacionais e transporte aéreo no Brasil: Os passos iniciais da Varig". *Anais do XXXII Congresso Brasileiro de Ciências da Comunicação*.
87. *Correio do Povo*, 31 de dezembro de 1929.
88. *Correio do Povo*, 3 de janeiro de 1930.
89. Idem.
90. Idem.
91. Idem.
92. *Correio do Povo*, 31 de dezembro de 1929.
93. A cena foi descrita por João Neves em *Memórias*, vol. 2, pp. 266-8.

16. O CLIMA NO RIO DE JANEIRO É DE "ORGIA CÍVICA"; MAS DESSA VEZ GETÚLIO NÃO É O ÚNICO A SORRIR (1930) [pp. 392-418]

1. *Correio do Povo*, 3 de janeiro de 1930.
2. *A Federação*, 3 de janeiro de 1930.
3. *Correio do Povo*, 3 de janeiro de 1930.
4. *Correio da Manhã*, 4 de janeiro de 1930.
5. *O Jornal*, 4 de janeiro de 1930.
6. *Folha da Manhã*, 4 de janeiro de 1930.
7. *Folha da Noite*, 3 de janeiro de 1930.
8. Carta de Manuel do Nascimento Vargas a Getúlio Vargas, 20 de janeiro de 1930. Arquivo CPDOC-FGV (Documento OA c 1930.01.20).
9. Vavy Pacheco Borges, *Getúlio Vargas e a oligarquia paulista*, p. 95.
10. *Correio da Manhã*, 11 de agosto de 1929.
11. *Correio da Manhã*, 3 de janeiro de 1930.
12. Virgílio A. de Melo Franco, *Outubro, 1930*, p. 130.
13. *Correio da Manhã*, 1º de janeiro de 1930. Citado por Domingos Meirelles, *1930: Os órfãos da Revolução*, p. 379.
14. Para o texto integral da plataforma, Getúlio Vargas, *A nova política do Brasil*, vol. 1, pp. 19-54. "Notas informativas para uso particular". Arquivo CPDOC-FGV (Documento GV c 1929.00.00/9).
15. Getúlio Vargas, *A nova política do Brasil*, vol. 1, p. 19.
16. Idem, p. 27.
17. Idem.
18. Idem, p. 21.
19. Pedro Cézar Dutra Fonseca, *Vargas: O capitalismo em construção*, p. 117.

20. Idem, p. 29.
21. Idem, p. 33.
22. Idem, pp. 36-40.
23. *Careta*, 18 de janeiro de 1930.
24. Getúlio Vargas, *A nova política do Brasil*, vol. 1, p. 37.
25. *O Malho*, 11 de janeiro de 1930.
26. Getúlio Vargas, *A nova política do Brasil*, vol. 1, p. 39.
27. *A Notícia*, 3 de janeiro de 1930.
28. *Jornal do Brasil*, 3 de janeiro de 1930.
29. *O Paiz*, 3 de janeiro de 1930.
30. *Folha da Manhã*, 1º de março de 1930.
31. Getúlio Vargas, *A nova política do Brasil*, vol. 1, p. 39.
32. Dênis de Moraes e Francisco Viana, *Prestes: Lutas e autocríticas*, p. 48.
33. João Neves da Fontoura, *Memórias*, vol. 2, p. 271.
34. *Fon! Fon!*, 11 de janeiro de 1930.
35. Paul Frischauer, *Presidente Vargas*, p. 247.
36. *Folha da Manhã*, 6 de janeiro de 1930.
37. João Neves da Fontoura, *Memórias*, vol. 2, p. 271.
38. João Neves da Fontoura, *Memórias*, vol. 2, p. 272.
39. *Correio do Povo*, 3 de janeiro de 1930.
40. *O Malho*, 11 de janeiro de 1930.
41. Paulo Nogueira Filho, *Ideais e lutas de um burguês progressista*, vol. 2, p. 403.
42. Hélio Silva, *1922: Sangue nas areias de Copacabana*, p. 405.
43. Idem.
44. Idem.
45. João Neves da Fontoura, *Memórias*, vol. 2, p. 273.
46. Idem.
47. *Revista do Globo*, 11 de janeiro de 1930.
48. Glauco Carneiro, *Lusardo: O último caudilho*, p. 75.
49. *O Malho*, 18 de janeiro de 1930.
50. *Correio do Povo*, 6 de janeiro de 1930.
51. *Folha da Manhã*, 5 de janeiro de 1930.
52. Paulo Nogueira Filho, *Ideais e lutas de um burguês progressista*, vol. 2, p. 406.
53. *Folha da Manhã*, 6 de janeiro de 1930.
54. *O Estado de S. Paulo*, 6 de janeiro de 1930.
55. Paulo Nogueira Filho, *Ideais e lutas de um burguês progressista*, vol. 2, p. 406.
56. Carta de Manuel do Nascimento Vargas a Getúlio Vargas, 20 de janeiro de 1930. Arquivo CPDOC-FGV (Documento GV C 1930.01.20).
57. *Correio do Povo*, 7 de janeiro de 1930.
58. João Neves da Fontoura, *Memórias*, vol. 2, p. 276.
59. General Gil de Almeida. *Homens e fatos de uma revolução*, p. 42.
60. Para o quase afogamento de Getúlio, ver General Gil de Almeida, *Homens e factos de uma revolução*, p. 98.

61. General Gil de Almeida, *Homens e factos de uma revolução*, p. 47.
62. Dênis de Moraes e Francisco Viana, *Prestes: Lutas e autocríticas*, p. 48.
63. Stanley Hilton, *Oswaldo Aranha: Uma biografia*, p. 30.
64. Dênis de Moraes e Francisco Viana, *Prestes: Lutas e autocríticas*, p. 48
65. Idem.
66. Alguns autores, como Hélio Silva e Edgar Carone, datam o segundo encontro de fevereiro de 1930, enquanto o próprio Prestes diz que ocorreu em janeiro.
67. A. Saint Pastous, *Páginas da vida*, p. 89.
68. Dênis de Moraes e Francisco Viana, *Prestes: Lutas e autocríticas*, p. 48.
69. Carta de Luís Carlos Prestes a Oswaldo Aranha, s/d. Arquivo CPDOC-FGV (Documento OA c 1930.02.00/4).
70. Dênis de Moraes e Francisco Viana, *Prestes: Lutas e autocríticas*, p. 48.
71. *A Federação*, 15 de fevereiro de 1930.
72. Para a linha sucessória no governo estadual, ver Constituição do Estado do Rio Grande do Sul de 1891, título II, seção primeira, capítulo I, artigo II.
73. Entrevista de Augusto do Amaral Peixoto a Aspásia Alcântara de Camargo, Gilberto Ferreira e Luiz Henrique Nunes Bahia. Datilografada. Arquivo CPDOC-FGV.
74. *A Federação*, 16 de fevereiro de 1930.
75. Virgílio de Melo Franco, *Outubro, 1930*, pp. 131-2. Domingos Meirelles: *1930: Os órfãos da Revolução*, p. 388.
76. Juarez Távora, *Memórias*, vol. 1, p. 245.
77. *Correio do Povo*, 16 de fevereiro de 1930.
78. João Neves da Fontoura, *Memórias*, vol. 2, p. 282.
79. Idem, p. 283.
80. Glauco Carneiro, *Lusardo: O último caudilho*, p. 83.
81. Idem, p. 84.
82. Hélio Silva, *1930: A revolução traída*, p. 47.
83. Idem, p. 48.
84. Domingos Meirelles, *1930: Os órfãos da revolução*, pp. 399-400.
85. General Gil de Almeida, *Homens e fatos de uma revolução*, pp. 44-70. Rubens do Amaral, *A campanha liberal*, pp. 77-8.
86. Telegrama de Oswaldo Aranha a Getúlio Vargas, 21 de fevereiro de 1930. Arquivo CPDOC-FGV (Documento GV c 1930.02.21/2).
87. Telegrama de Getúlio Vargas a Oswaldo Aranha, 24 de fevereiro de 1930. Arquivo CPDOC-FGV (Documento GV c 1930.02.24/2).
88. Telegrama de Oswaldo Aranha a Getúlio Vargas, 24 de fevereiro de 1930. Arquivo CPDOC-FGV (Documento GV c 1930.02.24/2).
89. Telegrama de Oswaldo Aranha a Getúlio Vargas, 25 de fevereiro de 1930. Arquivo CPDOC-FGV (Documento GV c 1930.02.25/3).
90. Telegrama de Getúlio Vargas a Oswaldo Aranha, 26 de fevereiro de 1930. Arquivo CPDOC-FGV (Documento GV c 1930.02.26/3).
91. *A Federação*, 28 de fevereiro de 1930.

92. Recenseamento de 1920, em *Estatísticas do Século XX*. IBGE. Disponível em http://www.ibge.gov.br/seculoxx/default.shtm.

93. Carta de Getúlio Vargas a Oswaldo Aranha, 1º de março de 1930. Arquivo CPDOC-FGV (Documento GV c 1930.03.01/3).

94. *O Malho*, 1º de março de 1930.

95. Telegrama de Oswaldo Aranha a Getúlio Vargas, 4 de março de 1930. Arquivo CPDOC-FGV (Documento GV c 1930.03.02/3).

96. Idem.

97. Telegrama de Getúlio Vargas a Oswaldo Aranha, 5 de março de 1930. Arquivo CPDOC-FGV (Documento GV c 1930.03.02/3).

98. Telegrama de Getúlio Vargas a Oswaldo Aranha, 4 de março de 1930. Arquivo CPDOC-FGV (Documento GV c 1930.03.02/3).

99. *Folha da Manhã*, 4 de março de 1930.

100. Célio Debes, *Washington Luís (1925-1930)*, p. 505.

101. *Folha da Manhã*, 6 de março de 1930.

102. *Correio do Povo*, 6 de março de 1930.

103. André Carrazoni, *Depoimentos*, p. 14.

104. Telegrama de Antônio Carlos a Getúlio Vargas, interceptado pela polícia e retransmitido por Júlio Prestes a Washington Luís, 3 de março de 1930. Arquivo de Washington Luís.

105. *Folha da Noite*, 6 de março de 1930.

106. Para os números finais das eleições de 1º de março, ver *Diário do Congresso Nacional*, 21 de maio de 1930.

107. Walter Costa Porto, *O voto no Brasil*, p. 182.

108. Domingos Meirelles, *1930: Os órfãos da revolução*, p. 413.

109. *Folha da Manhã*, 21 de março de 1930.

110. Telegrama de Getúlio Vargas a Oswaldo Aranha, 11 de março de 1930. Arquivo CPDOC-FGV (Documento GV c 1930.03.11/1).

111. *A Federação*, 17 de março de 1930.

112. Juarez Távora, *Memórias*, vol. 1, pp. 246-51.

113. *A Noite*, 19 de março de 1930.

114. *Folha da Manhã*, 20 de março de 1929.

115. Telegrama de Protásio Alves a João Daudt de Oliveira, 19 de março de 1930. Arquivo Washington Luís.

116. *Correio do Povo*, 20 de março de 1930.

117. *Correio do Povo*, 25 de março de 1930.

118. Carta de Borges de Medeiros a Getúlio Vargas, 23 de março de 1930. Arquivo CPDOC-FGV (Documento GV c 1930.03.23).

119. Carta de Getúlio Vargas a Borges de Medeiros, 5 de abril de 1930. Arquivo CPDOC-FGV (Documento GV c 1930.04.05).

120. *Correio do Povo*, 26 de abril de 1930. João Neves da Fontoura, *Memórias*, vol. 2, pp. 316-7.

121. Virgílio de Melo Franco, *Outubro, 1930*, p. 150.

122. João Neves da Fontoura, *Memórias*, vol. 2, pp. 316-7.

123. Virgílio de Melo Franco, *Outubro, 1930*, p. 145.

124. João Neves da Fontoura, *Memórias*, vol. 2, pp. 316-7.

125. Carta de Getúlio Vargas a Borges de Medeiros, 15 de abril de 1930. Arquivo CPDOC-FGV (Documento GV c 1930.04.15).

126. Carta de João Neves da Fontoura a Getúlio Vargas. Em Hélio Silva, *1930: A revolução traída*, p. 83.

17. UM JORNALISTA ENTREVISTA O OBELISCO: "OS CAVALOS GAÚCHOS NÃO VÊM MAIS" (1930) [pp. 419-46]

1. Glauco Carneiro, *Lusardo, o último caudilho*, p. 99.
2. A nota de *O Globo* foi transcrita pelo *Correio do Povo*, em 26 de março de 1930. Sobre o epíteto "A rendição de Irapuazinho", ver Rubens do Amaral, *A campanha liberal*, p. 143.
3. João Neves da Fontoura, *Memórias*, vol. 2, p. 322.
4. *O Malho*, 5 de abril de 1930.
5. Luiz Vergara, *Fui secretário de Getúlio Vargas*, p. 36.
6. Para os apelidos de Artur Bernardes, ver *Folha da Manhã*, 30 de janeiro de 1930 e Fábio Koifman (org.), *Presidentes do Brasil*, p. 237.
7. Glauco Carneiro, *Lusardo, o último caudilho*, p. 97. Para a formalidade e a indumentária características de Artur Bernardes, ver Marco Antônio Tavares Coelho, *Herança de um sonho*, p. 131.
8. Glauco Carneiro, *Lusardo, o último caudilho*, p. 98.
9. O termo foi cunhado pelo escritor paraibano José Américo de Almeida. Ver Hélio Silva, *1931: Os tenentes no poder*, p. 84.
10. Idem, p. 101.
11. Idem.
12. João Neves da Fontoura, *Memórias*, vol. 2, p. 188.
13. Glauco Carneiro, *Lusardo, o último caudilho*, p. 101.
14. *A Federação*, 25 de março de 1930.
15. Telegrama de Edgar Saboia a Aristides Mendes de Oliveira, 24 de março de 1930. Arquivo Washington Luís.
16. Telegrama de Gil de Almeida a Nestor Passos, 25 de março de 1930. Arquivo Washington Luís.
17. Para uma análise dos fundamentos da Revolta de Princesa, ver Inês Caminha Lopes Rodrigues, *A revolta de Princesa: Uma contribuição ao estudo do mandonismo local*. A bibliografia disponível sobre o episódio é marcada pela paixão e pelo partidarismo. Uma versão interessada dos fatos é feita por um aliado de José Pereira, Joaquim Inojosa, em *República de Princesa (José Pereira x João Pessoa – 1930)*. Do outro lado do front, estão José Américo de Almeida, em *O ano do Nego*; e Ademar Vidal, *1930: História da revolução na Paraíba*. Ver ainda Epitácio Pessoa, *João Pessoa – Aliança Liberal – Princesa* e José Joffily, *Revolta e revolução: Cinquenta anos depois*.
18. Para a frase de José Pereira, Joaquim Inojosa, *República de Princesa (José Pereira x João Pessoa – 1930)*, p. 64.
19. José Joffily, *Revolta e revolução: Cinquenta anos depois*, p. 237.
20. Sobre a opinião de Paim Filho a favor da intervenção federal na Paraíba, ver telegrama de Edgar Saboia a Aristides Mendes de Oliveira, 17 de junho de 1930. Arquivo Washington Luís.

21. *Folha da Manhã*, 7 de maio de 1930.
22. *Diário da Noite*, 11 de abril de 1930.
23. Rubens do Amaral, *A campanha liberal*, p. 141.
24. Hélio Silva, *1930: A revolução traída*, p. 113.
25. Virgílio de Melo Franco, *Outubro, 1930*, p. 149.
26. Telegrama de Gil de Almeida a Nestor Passos, 26 de março de 1930. Arquivo Washington Luís.
27. Telegrama de Gil de Almeida a Nestor Passos, 27 de março de 1930. Arquivo Washington Luís.
28. Idem.
29. Idem.
30. *Folha da Manhã*, 29 de março de 1930.
31. Telegrama de Gil de Almeida a Nestor Passos, 30 de março de 1930. Arquivo Washington Luís.
32. Idem.
33. Idem.
34. Vitor Russomano, *Adagiário gaúcho*, 58.
35. Luiz Vergara, *Fui secretário de Getúlio Vargas*, p. 41.
36. João Neves da Fontoura, *Memórias*, vol. 2, p. 340.
37. Idem, pp. 315-9.
38. Idem, pp. 312-4.
39. Cartas de Getúlio Vargas a João Neves e Borges de Medeiros, 15 e 21 de abril de 1930. Arquivo CPDOC-FGV (Documento GV c 1930.04.15).
40. Carta de Fernando de Abreu Pereira a Vespúcio de Abreu, 5 de maio de 1930. Arquivo Washington Luís.
41. Carta de Vespúcio de Abreu a Getúlio Vargas, 6 de maio de 1930. Arquivo CPDOC-FGV (Documento GV c 1930.05.06).
42. João Neves da Fontoura, *Memórias*, vol. 2, pp. 317-9.
43. Telegrama de Edgar Saboia a Aristides Mendes de Oliveira, 15 de maio de 1930. Arquivo Washington Luís.
44. Telegrama de Edgar Saboia a Aristides Mendes de Oliveira, 17 de maio de 1930. Arquivo Washington Luís.
45. Telegrama de Edgar Saboia a Aristides Mendes de Oliveira, 2 de julho de 1930. Arquivo Washington Luís.
46. Idem.
47. Telegrama de Edgar Saboia a Aristides Mendes de Oliveira, 14 de maio de 1930. Arquivo Washington Luís.
48. Telegrama de Gil de Almeida a Nestor Passos, 20 de maio de 1930. Arquivo Washington Luís.
49. Idem.
50. Gil de Almeida, *Homens e fatos de uma revolução*, p. 102.
51. Telegrama de Getúlio Vargas a Luiz Aranha, 12 de abril de 1930. Arquivo CPDOC-FGV (Documento GV c 1930.04.12).
52. Virgílio de Melo Franco, *Outubro, 1930*, pp. 152-3.
53. Idem.
54. Idem.
55. Citado por Hélio Silva, *1930: A revolução traída*, p. 115.

56. Idem.

57. Telegrama de Paulo Hasslocher a Paim Filho, 13 de abril de 1930. Arquivo Washington Luís.

58. Memorando de Gil de Almeida a Nestor Passos, 20 de abril de 1930. Arquivo Washington Luís.

59. Telegrama de Gil de Almeida a Nestor Passos, 28 de maio de 1930. Arquivo Washington Luís.

60. Telegrama de Gil de Almeida a Nestor Passos, 18 de abril de 1930. Arquivo Washington Luís.

61. Virgílio de Melo Franco, *Outubro, 1930*, p. 156.

62. Telegrama de Gil de Almeida a Nestor Passos, 18 de abril de 1930. Arquivo Washington Luís.

63. Telegrama de Gil de Almeida a Nestor Passos, 22 de abril de 1930. Arquivo Washington Luís.

64. Telegrama de Gil de Almeida a Nestor Passos, 17 de junho de 1930. Arquivo Washington Luís.

65. O relato do acidente é feito com detalhes pelo único sobrevivente: João Alberto, *A marcha da Coluna*, pp. 181-8.

66. *Correio do Povo*, 30 de maio de 1930.

67. Carta de Luís Carlos Prestes a Almeida (codinome revolucionário de Oswaldo Aranha), 5 de março de 1930. Arquivo CPDOC-FGV (Documento OA 1930.03.05).

68. Alzira Vargas do Amaral Peixoto, *Getúlio Vargas, meu pai*, p. 56.

69. Glauco Carneiro, *Lusardo, o último caudilho*, p. 100.

70. *A Federação*, 1º de junho de 1930.

71. Telegrama de Gil de Almeida a Nestor Passos, 24 de maio de 1930. Arquivo Washington Luís.

72. *Jornal do Brasil*, 2 de junho de 1930.

73. *O Jornal*, 2 de junho de 1930.

74. *Correio Paulistano*, 2 de junho de 1930.

75. *Diário Carioca*, 4 de junho de 1930.

76. *Correio do Povo*, 10 de junho de 1930.

77. Carta de Borges de Medeiros a Getúlio. Citada por Luiz Aranha Corrêa do Lago, *Oswaldo Aranha: O Rio Grande e a Revolução de 30*, pp. 318-9.

78. Virgílio de Melo Franco, *Outubro, 1930*, pp. 152-3.

79. Idem, pp. 167-8.

80. Idem, p. 170.

81. Idem, pp. 170-1.

82. Idem, p. 175.

83. *A Federação*, 27 de junho de 1930.

84. *Careta*, 26 de julho de 1930.

85. Telegramas de Edgar Saboia a Aristides Mendes de Oliveira, 27, 28 e 29 de maio de 1930. Arquivo Washington Luís.

86. Telegrama de Gil de Almeida a Nestor Passos, 28 de maio de 1930. Arquivo Washington Luís.

87. Telegrama de Gil de Almeida a Nestor Passos, 27 de maio de 1930. Arquivo Washington Luís.

88. Telegrama de Gil de Almeida a Nestor Passos, 30 de maio de 1930. Arquivo Washington Luís.

89. Telegrama de Edgar Saboia a Aristides Mendes de Oliveira, 29 de maio de 1930. Arquivo Washington Luís.

90. *Folha da Manhã*, 29 de junho de 1929.

91. *Correio da Manhã*, 29 de junho de 1929.

92. *A Noite*, 7 de julho de 1930.

93. João Alberto, *A marcha da Coluna*, p. 190.

94. Edição especial da *Revista do Globo: A Revolução de Outubro,* 1931.
95. Alzira Vargas, *Getúlio Vargas, meu pai*, p. 51.
96. Gil de Almeida, *Homens e fatos de uma revolução*, pp. 133-7.
97. *Correio do Povo*, 29 de julho de 1930.
98. *Correio do Povo*, 27 de julho de 1930.
99. *Correio do Povo*, 29 de julho de 1930.
100. João Neves da Fontoura, *Memórias*, vol. 2, p. 357.
101. Virgílio de Melo Franco, *Outubro, 1930*, pp. 182-3.
102. Idem, p. 186.
103. Idem.
104. Há várias narrativas, em livro, a respeito do assassinato de João Pessoa. As informações aqui reproduzidas foram coligidas em diversos jornais de época, de diferentes orientações políticas, como *A União, Correio da Manhã, Correio do Povo, Folha da Manhã, Jornal do Brasil, O Jornal* e *O Globo*.
105. *Folha da Manhã*, 27 de julho de 1930.
106. André Carrazoni, *Depoimentos: Da ideologia à ação revolucionária*, p. 80.
107. *Correio do Povo*, 29 de julho de 1930.
108. *Correio do Povo*, 12 de agosto de 1930.
109. *Correio do Povo*, 31 de julho de 1930.
110. João Neves da Fontoura, *Memórias*, vol. 2, p. 368.

18. TROPAS FEDERAIS CHEGAM A PORTO ALEGRE. GETÚLIO, TRANQUILO, PASSEIA A PÉ PELA CIDADE (1930) [pp. 447-66]

1. A cena é descrita, com detalhes, mas sem referência à data em que de fato ocorreu, em João Neves da Fontoura, *Memórias*, vol. 2, pp. 371-2. O dia em que se deu o episódio está definido em duas cartas de Getúlio a Borges, ambas datadas de 24 de agosto de 1930.
2. Vianna Moog, em *Simpósio sobre a Revolução de 30*, p. 619.
3. A notícia do ingresso de Otelo Rosa no IHGRGS foi dada pela *Revista do Globo*, na edição de 12 de julho de 1930. Sobre *O namoro*, hoje uma raridade bibliográfica, o livro foi publicado em 1927, trazendo o texto original de uma palestra proferida pelo autor em Montenegro, sua cidade natal. Rosa publicaria depois, entre outras obras, *Os amores de Canabarro* e *Vultos da epopeia farroupilha*.
4. Para um breve perfil político de Otelo Rosa, ver a *Revista do Globo*, na edição mencionada na nota anterior.
5. Carta de Borges de Medeiros a Getúlio Vargas, 23 de agosto de 1930. Fundo Documental Borges de Medeiros, IHGRGS.
6. João Neves da Fontoura, *Memórias*, vol. 2, p. 371.
7. Idem, p. 372.
8. Carta de Getúlio Vargas a Borges de Medeiros, 24 de agosto de 1930. Fundo Documental Borges de Medeiros, IHGRGS.
9. João Neves da Fontoura, *Memórias*, vol. 2, p. 372.
10. Carta de Getúlio Vargas a Borges de Medeiros, 29 de julho de 1930. Arquivo CPDOC-FGV (Documento GV 1930.07.29).
11. Idem.

12. Idem.

13. Carta de Getúlio Vargas a Borges de Medeiros, 21 de agosto de 1930. Fundo Documental Borges de Medeiros, IHGRGS.

14. Carta de Getúlio Vargas a Paim Filho, 17 de agosto de 1930. Arquivo CPDOC-FGV (Documento GV 1930.08.17).

15. Idem.

16. Idem.

17. Carta de Getúlio Vargas a Paim Filho, 8 de agosto de 1930. Arquivo CPDOC-FGV (Documento GV 1930.08.08).

18. *Correio do Povo*, 29 de julho de 1930.

19. *Diário Nacional*, citado pelo *Correio do Povo*, 5 de agosto de 1930.

20. *Folha da Manhã*, 16 de agosto de 1930.

21. O episódio e o respectivo diálogo foram narrados por João Neves da Fontoura, *Memórias*, vol. 2, pp. 372-4.

22. Carta de Getúlio Vargas a Borges de Medeiros, 24 de agosto de 1930. Fundo Documental Borges de Medeiros, IHGRGS.

23. João Neves da Fontoura, *Memórias*, vol. 2, p. 374.

24. Idem.

25. Idem, p. 405.

26. Idem, p. 377.

27. *Correio do Povo*, 30 de agosto de 1930.

28. *O Globo*, 30 de agosto de 1930.

29. *Jornal do Brasil*, 30 de agosto de 1930.

30. *Correio do Povo*, 9 de setembro de 1930.

31. Gil de Almeida, *Homens e fatos de uma revolução*, p. 141.

32. A ignorância de João Simplício sobre os rumos do levante é destacada pelo próprio Getúlio Vargas. *Diário*, vol. 1 (1930-1936), p. 5.

33. Gil de Almeida, *Homens e fatos de uma revolução*, pp. 151-3.

34. Idem, pp. 153-4.

35. Idem, pp. 154-5.

36. Idem.

37. *Correio do Povo*, 7 de setembro de 1930.

38. Gil de Almeida, *Homens e fatos de uma revolução*, p. 155.

39. *Correio do Povo*, 7 de setembro de 1930.

40. *A Federação*, 7 de setembro de 1930.

41. *A Federação*, 6 de setembro de 1930.

42. Idem.

43. Gil de Almeida, *Homens e fatos de uma revolução*, p. 161.

44. Idem, p. 111.

45. Idem, p. 152.

46. Idem, p. 164.

47. Idem, p. 167.

48. Carta de Getúlio Vargas a Paim Filho, 5 de setembro de 1930. Arquivo CPDOC-FGV (Docu-

mento GV 1930.09.01). Sobre a questão do Porto de Torres ver Gunter Axt, *Gênese do Estado moderno no Rio Grande do Sul (1889-1929)*, p. 253.

49. Carta de Getúlio Vargas a Paim Filho, 5 de setembro de 1930. Arquivo CPDOC-FGV (Documento GV 1930.09.01).

50. A ameaça de Paim Filho está subentendida na carta que Getúlio lhe escreve em 8 de setembro de 1930. Arquivo CPDOC-FGV (Documento GV 1930.09.06).

51. Carta de Getúlio Vargas a Paim Filho, 8 de setembro de 1930. Arquivo CPDOC-FGV (Documento GV 1930.09.06).

52. Telegrama de Yolanda Pereira a Getúlio Vargas. Transcrito pelo *Correio do Povo* em 10 de setembro de 1930.

53. O evento que deu o título a Yolanda foi feito à revelia do International Pageant of Pulchritude, realizado então tradicionalmente, todos os anos, desde 1926. Em 1930, o Brasil estabeleceu um concurso paralelo ao dos Estados Unidos, em protesto contra a desclassificação da Miss Brasil, Olga Bergamini, na edição do ano interior. Além disso, a Miss Universe Organization, atual detentora da marca "Miss Universo", só considera oficialmente os concursos realizados a partir de 1952.

54. Aurélio Buarque de Holanda, *Novo dicionário Aurélio da língua portuguesa*. Conferir verbetes "pancadão" e "peixão".

55. *Correio do Povo*, 20 de setembro de 1930.

56. Alzira Vargas do Amaral Peixoto, *Getúlio Vargas, meu pai*, p. 52.

57. Idem.

58. Idem, p. 53.

59. Idem.

60. Idem.

61. João Neves da Fontoura, *Memórias*, vol. 2, pp. 406-7.

62. Carta de Getúlio Vargas a Borges de Medeiros, 29 de julho de 1930. Arquivo CPDOC-FGV (Documento GV 1930.07.29).

63. Para a biografia resumida dos três militares citados — Francisco Ramos de Andrade Neves, Malan d'Angrogne e Tasso Fragoso —, ver os respectivos verbetes no *Dicionário histórico-biográfico brasileiro* da FGV.

64. General Tristão de Alencar Araripe, *Tasso Fragoso: Um pouco da história de nosso Exército*, p. 546.

65. "Situação geral". Documento elaborado por Oswaldo Aranha e dirigido a Getúlio Vargas, 13 de setembro de 1930. Arquivo CPDOC-FGV (Documento OA 1930.09.13/1).

66. João Neves da Fontoura, *Memórias*, vol. 2, p. 407.

67. A cena é descrita por Virgílio de Melo Franco em *Outubro, 1930*, p. 228-9.

68. Idem. Além de Aranha e Virgílio, o coronel Góes Monteiro também estava presente à cena.

19. A REVOLUÇÃO EXPLODE NAS RUAS. OS DOIS LADOS COMEÇAM A CONTAR SEUS MORTOS (1930) [pp. 467-92]

1. *A Federação*, 4 de outubro de 1930.
2. *A Revolução de outubro*. Número especial da *Revista do Globo*, 1931.
3. Idem.
4. A informação de que o manifesto assinado por Getúlio havia sido escrito um mês antes,

ainda em setembro, está em Luiz Vergara, *Fui secretário de Getúlio Vargas*, p. 46, embora o próprio Getúlio afirme em seu diário que o escreveu na madrugada daquele mesmo 3 de outubro.

5. *A Federação*, 4 de outubro de 1930.
6. Luiz Vergara, *Fui secretário de Getúlio Vargas*, pp. 46-9.
7. Getúlio Vargas, *Diário*, vol. 1, p. 3.
8. Idem.
9. Para os dados biográficos do general Waldomiro Lima, conferir verbete específico do *Dicionário histórico-biográfico brasileiro*.
10. Getúlio Vargas, *Diário*, vol. 1, p. 3.
11. Idem.
12. Idem, pp. 3-4.
13. *A Revolução de outubro*. Número especial da *Revista do Globo*, 1931.
14. *Correio do Povo*, 4 de outubro de 1930.
15. *Correio do Povo*, 4 de outubro de 1930 e *Revista do Globo*, 26 de outubro de 1930.
16. Getúlio Vargas, *Diário*, vol. 1, p. 4.
17. Alzira Vargas do Amaral Peixoto, *Getúlio Vargas, meu pai*, pp. 53-4.
18. Idem.
19. Idem.
20. Para os dados biográficos de Góes Monteiro, conferir verbete específico do *Dicionário histórico-biográfico brasileiro*.
21. Lourival Coutinho, *O general Góes depõe*, pp. 48-52.
22. Idem.
23. Góes Monteiro. *A Revolução de 30*, p. 38.
24. Lourival Coutinho, *O general Góes depõe*, p. 70.
25. Góes Monteiro, *A Revolução de 30*, p. 38.
26. João Neves da Fontoura, *Memórias*, vol. 2, pp. 379-81.
27. Idem, pp. 382-3.
28. Lourival Coutinho, *O general Góes depõe*, p. 71.
29. João Neves da Fontoura, *Memórias*, vol. 2, p. 430.
30. Lourival Coutinho, *O general Góes depõe*, pp. 95-8.
31. Getúlio Vargas, *Diário*, vol. 1, pp. 4-5.
32. Virgílio de Melo Franco, *Outubro, 1930*, p. 238.
33. Idem, pp. 238-9.
34. Idem, p. 239.
35. Gil de Almeida, *Homens e fatos de uma revolução*, p. 223.
36. Idem, p. 224-5.
37. Idem, p. 225.
38. Getúlio Vargas, *Diário*, vol. 1, p. 5.
39. Gil de Almeida, *Homens e fatos de uma revolução*, p. 227.
40. Sinval Medina, *A batalha de Porto Alegre*, p. 255.
41. Getúlio Vargas, *Diário*, vol. 1, p. 5.
42. Gil de Almeida, *Homens e fatos de uma revolução*, p. 229.
43. *A Revolução de outubro*, número especial da *Revista do Globo*, 1931.

44. Gil de Almeida, *Homens e fatos de uma revolução*, pp. 231-4.
45. *Correio do Povo*, 4 de outubro de 1930.
46. Gil de Almeida, *Homens e fatos de uma revolução*, pp. 229-30.
47. Vianna Moog, "Episódios revolucionários", em *Simpósio sobre a Revolução de 30*, p. 528.
48. Gil de Almeida, *Homens e fatos de uma revolução*, p. 232.
49. Idem, p. 233.
50. Idem, pp. 233-5.
51. Carta de Getúlio Vargas a Gil de Almeida, 3 de outubro de 1930. Arquivo CPDOC-FGV (Documento GV 1930.10.03).
52. Gil de Almeida, *Homens e fatos de uma revolução*, pp. 235-6.
53. Idem, p. 227.
54. Getúlio Vargas, *Diário*, vol. 1, p. 5.
55. Idem.
56. Gil de Almeida, *Homens e fatos de uma revolução*, pp. 241-5.
57. *Correio do Povo*, 4 e 5 de outubro de 1930.
58. Idem.
59. Alzira Vargas do Amaral Peixoto, *Getúlio Vargas, meu pai*, pp. 54-5.
60. Lourival Coutinho, *O general Góes depõe*, pp. 107-9.
61. Idem.
62. Getúlio Vargas, *Diário*, vol. 1, p. 5.
63. *Correio do Povo*, 4 de outubro de 1930.
64. Getúlio Vargas, *Diário*, vol. 1, p. 5.
65. *Correio do Povo*, 5 de outubro de 1930.
66. *Correio da Manhã*, 4 de outubro de 1930.
67. *Correio Paulistano*, 4 de outubro de 1930.
68. Idem.
69. *Correio do Povo*, 5 de outubro de 1930.
70. *Correio do Povo*, 9 de outubro de 1930.
71. Getúlio Vargas, *Diário*, vol. 1, pp. 5-6.
72. *Correio da Manhã*, 4 e 5 de outubro de 1930.
73. Idem.
74. *Correio Paulistano*, 12 de outubro de 1930.
75. Idem.
76. Idem.
77. *Correio do Povo*, 12 de outubro de 1930.
78. *A Noite*, 10 de outubro de 1930.
79. *Correio do Povo* e *A Federação*, 4 e 5 de outubro de 1930.
80. Relatório de Edwin Morgan ao Departamento de Estado em Washington. Citado por Domingos Meirelles, *1930: Os órfãos da revolução*, p. 589.
81. *Correio do Povo*, 16 de outubro de 1930.
82. *Correio do Povo*, 5 de outubro de 1930.
83. Domingos Meirelles, *1930: Os órfãos da revolução*, p. 588.
84. *A Noite*, 4 de outubro de 1930.

85. Carta de Getúlio Vargas a Borges de Medeiros, 7 de outubro de 1930. Arquivo CPDOC-FGV (Documento GV 1930.10.07).
86. João Neves da Fontoura, *Memórias*, vol. 2, p. 440.
87. Para a morte de Lavanère Wanderley, ver Ademar Vidal, *1930: História da revolução na Paraíba*, pp. 441-53. Para a morte de Pedro Ângelo Correia, *Hélio Silva, 1930: A revolução traída*, pp. 289-92. Para a morte de Djalma Dutra, ver *Hélio Silva, 1930: A revolução traída*, 338.
88. *Diário de Pernambuco*, 8 de outubro de 1930.
89. *Correio da Manhã*, 10 a 13 de outubro de 1930.
90. Alzira Vargas do Amaral Peixoto, *Getúlio Vargas, meu pai*, p. 57.
91. Getúlio Vargas, *Diário*, vol. I, p. 8.
92. Vianna Moog, "Episódios revolucionários". Em: *Simpósio sobre a Revolução de 30*, p. 528.
93. *Correio do Povo*, 12 de outubro de 1930.
94. Idem.
95. Getúlio Vargas, *Diário*, vol. I, p. 8.

20. A MASSA NÃO GRITA MAIS "QUEREMOS!". O BRADO AGORA É OUTRO: "JÁ TEMOS GETÚLIO!" (1930) [pp. 493-524]

1. Getúlio Vargas, *Diário*, vol. I, p. 8. Alzira Vargas do Amaral Peixoto, *Getúlio Vargas, meu pai*, p. 57. *A Federação*, 15 de outubro de 1930.
2. A reconstituição da viagem ferroviária foi feita a partir dos relatos do diário de Getúlio e das notícias publicadas à época pelo *Correio do Povo*, *A Federação* e *Revista do Globo*.
3. *A Revolução de outubro*, número especial da *Revista do Globo*, 1931.
4. *Correio do Povo*, 15 de outubro de 1930.
5. Getúlio Vargas, *Diário*, vol. I, pp. 13-5.
6. *Revista da Semana*, número extraordinário *Páginas da revolução*, outubro-novembro de 1930.
7. *A Revolução de outubro*, número especial da *Revista do Globo*, 1931.
8. Idem.
9. Luiz Vergara, *Fui secretário de Getúlio Vargas*, p. 56.
10. Getúlio Vargas, *Diário*, vol. I, p. 10.
11. Paulo Nogueira Filho, *Ideais e lutas de um burguês progressista*, p. 526.
12. *A Revolução de outubro*, número especial da *Revista do Globo*, 1931.
13. Idem. *Correio do Povo*, 16 de outubro de 1930.
14. *Correio do Povo*, 16 de outubro de 1930.
15. Getúlio Vargas, *Diário*, vol. I, p. 10.
16. *A Revolução de outubro*, número especial da *Revista do Globo*, 1931.
17. Idem.
18. *Correio do Povo*, 16 de outubro de 1930.
19. Idem.
20. *Correio do Povo*, 12 de outubro de 1930.
21. *Correio do Povo*, 10 de outubro de 1930.
22. *A Revolução de outubro*, número especial da *Revista do Globo*, 1931.

23. Glauco Carneiro, *Lusardo: o último caudilho*, vol. 2, p. 109. Hélio Silva, *1930: A revolução traída*, p. 218.
24. *Correio do Povo*, 16 de outubro de 1930.
25. João Neves da Fontoura, *Memórias*, vol. 2, pp. 431-6.
26. Idem, p. 432.
27. Idem.
28. Idem.
29. Getúlio Vargas, *Diário*, vol. 1, p. 13.
30. Idem, p. 14.
31. *A Revolução de outubro*, número especial da *Revista do Globo*, 1931.
32. Getúlio Vargas, *Diário*, vol. 1, p. 14.
33. *A Revolução de outubro*, número especial da *Revista do Globo*, 1931.
34. Getúlio Vargas, *Diário*, vol. 1, p. 14.
35. Idem.
36. Idem, pp. 14-5.
37. *Gazeta do Povo*, 23 de outubro de 1930.
38. Gianfranco Cresciani, "A not brutal friendship. Italian responses to national socialism in Australia". Em: *Altreitalie, rivista internazionale di studi sulle migrazioni italiane nel mondo*, nº 34, 2007.
39. Amedeo Mamalella, "Coluna Littoria e coluna paranaense". *Ilustração paranaense*, janeiro/fevereiro de 1929.
40. Getúlio Vargas, *Diário*, vol. 1, p. 15.
41. Hélio Silva, *1930: A revolução traída*, p. 218.
42. Getúlio Vargas, *Diário*, vol. 1, p. 15. Paulo Nogueira Filho, *Ideais e lutas de um burguês progressista*, p. 528.
43. Paulo Nogueira Filho, *Ideais e lutas de um burguês progressista*, p. 528.
44. Fernando Morais, *Chatô*, pp. 227-50
45. Idem, p. 249.
46. Idem.
47. Getúlio Vargas, *Diário*, vol. 1, pp. 15-6
48. Idem.
49. Idem.
50. Hélio Silva, *1930: A revolução traída*, p. 384.
51. Idem, p. 364.
52. Idem, pp. 385-7.
53. *Revista da Semana*, edição extraordinária *Páginas da Revolução*, outubro-novembro de 1930.
54. Antônio Sérgio Ribeiro, *Diário Oficial do Legislativo do Estado de São Paulo*, 9 de outubro de 2010.
55. Idem.
56. *A Noite*, 23 de outubro de 1930.
57. Radiograma do general Tasso Fragoso a Getúlio Vargas, 24 de outubro de 1930. Reproduzido em Mansueto Bernardi, *A Revolução de 30*, p. 49.
58. Idem. Getúlio Vargas, *Diário*, vol. 1, p. 16.
59. Vianna Moog, em *Simpósio sobre a Revolução de 30*, p. 535.
60. Idem.

61. Getúlio Vargas, *Diário*, vol. 1, p. 16.

62. Idem, p. 17.

63. Radiograma de Góes Monteiro ao coronel Lúcio Esteves, 24 de outubro de 1930. Reproduzido em Mansueto Bernardi, *A Revolução de 30*, pp. 48-9.

64. Radiograma do major Benício da Silva a Getúlio Vargas. 24 de outubro de 1930. Reproduzido em Mansueto Bernardi, *A Revolução de 30*, p. 49.

65. Radiograma da Junta Militar a Getúlio Vargas, 25 de outubro de 1930. Reproduzido em Mansueto Bernardi, *A Revolução de 30*, p. 50.

66. Radiograma de Getúlio Vargas à Junta Militar, 25 de outubro de 1930. Reproduzido em Mansueto Bernardi, *A Revolução de 30*, p. 50.

67. Radiograma de Getúlio Vargas à Junta Militar, 25 de outubro de 1930. Reproduzido em Mansueto Bernardi, *A Revolução de 30*, p. 50.

68. Radiograma de Juarez Távora ao general Santa Cruz, 24 de outubro de 1930. Reproduzido em Mansueto Bernardi, *A Revolução de 30*, p. 54.

69. Radiograma de Olegário Maciel à Junta Militar, 25 de outubro de 1930. Reproduzido em Mansueto Bernardi, *A Revolução de 30*, p. 50.

70. Radiograma da Junta Militar a Getúlio Vargas, 25 de outubro de 1930. Reproduzido em Mansueto Bernardi, *A Revolução de 30*, p. 51.

71. Radiograma de Tasso Fragoso a Getúlio Vargas, 25 de outubro de 1930. Reproduzido em Mansueto Bernardi, *A Revolução de 30*, p. 51.

72. General Tristão de Alencar Araripe, *Tasso Fragoso: Um pouco de história do nosso exército*, pp. 571-2.

73. Programa Revolucionário da Junta Governativa. Reproduzido em Mansueto Bernardi, *A Revolução de 30*, p. 43.

74. General Tristão de Alencar Araripe, *Tasso Fragoso: Um pouco de história do nosso exército*, pp. 584-5.

75. Radiograma da Junta Militar a Getúlio Vargas, 25 de outubro de 1930. Reproduzido em Mansueto Bernardi, *A Revolução de 30*, p. 53.

76. Getúlio Vargas, *Diário*, vol. 1, p. 17.

77. Radiograma da Junta Militar a Getúlio Vargas, 25 de outubro de 1930. Reproduzido em Mansueto Bernardi, *A Revolução de 30*, p. 53.

78. Getúlio Vargas, *Diário*, vol. 1, p. 18.

79. Idem.

80. Paulo Nogueira Filho, *Ideais e lutas de um burguês progressista*, pp. 549-50.

81. Virgílio de Melo Franco, *Outubro, 1930*, p. 258.

82. Idem.

83. Getúlio Vargas, *Diário*, vol. 1, p. 18.

84. Idem.

85. Paulo Nogueira Filho, *Ideais e lutas de um burguês progressista*, p. 589.

86. Idem, p. 562.

87. João Alberto Lins de Barros, *A marcha da Coluna*, p. 202.

88. Getúlio Vargas, *Diário*, vol. 1, pp. 19-20.

89. *O Estado de S. Paulo*, 30 de novembro de 1930.

90. Paulo Nogueira Filho, *Ideais e lutas de um burguês progressista*, p. 580.
91. *O Estado de S. Paulo*, 30 de novembro de 1930.
92. *Revista da Semana*, número extraordinário *Páginas da revolução*, outubro/novembro de 1930. Oscar Pilagallo, *O Brasil em sobressalto*, p. 39.
93. Paulo Nogueira Filho, *Ideais e lutas de um burguês progressista*, p. 583.
94. Idem.
95. Idem.
96. Getúlio Vargas, *Diário*, vol. 1, p. 21.
97. *Correio da Manhã*, 31 de outubro e 1º de novembro de 1930.
98. Getúlio Vargas, *Diário*, vol. 1, p. 20.
99. *Correio da Manhã*, 1º de novembro de 1930.
100. Getúlio Vargas, *Diário*, vol. 1, p. 20.
101. *Correio da Manhã*, 1º de novembro de 1930.
102. Idem.
103. Idem.
104. Idem.
105. Idem.
106. Idem.
107. Idem.
108. Luiz Vergara, *Fui secretário de Getúlio Vargas*, p. 60.
109. *Correio da Manhã*, 1º de novembro de 1930.
110. Idem.
111. Idem.
112. Idem.
113. Idem.
114. Getúlio Vargas, *Diário*, vol. 1, p. 21.
115. *Correio da Manhã*, 1º de novembro de 1930.
116. Idem.
117. *Correio da Manhã*, 31 de outubro de 1930.
118. *Correio da Manhã*, 1º de novembro de 1930.
119. *Correio da Manhã*, 2 de novembro de 1930.
120. O Governo Provisório seria instituído oficialmente alguns dias depois, pelo decreto nº 19398, de 11 de novembro de 1930. Ver *Coleção das Leis da República Federativa do Brasil de 1930 — Atos da Junta Governativa Provisória e do Governo Provisório (outubro a dezembro)*.
121. Sérgio Buarque de Holanda (superv.), "Marechal Deodoro". Em *Grandes personagens da nossa História*, p. 698.
122. Idem.
123. *Correio da Manhã*, 3 de novembro de 1930.
124. *Correio da Manhã*, 4 de novembro de 1930.
125. Idem. Os dois novos ministérios — com as denominações oficiais Educação e Saúde Pública e Trabalho Indústria e Comércio — foram criados pelos decretos nº 19 402, de 14 de novembro de 1930, e nº 19 433, de 26 de novembro de 1930, respectivamente. Ver *Coleção das Leis da Repúbli-*

ca Federativa do Brasil de 1930 — Atos da Junta Governativa Provisória e do Governo Provisório (outubro a dezembro).

126. Luiz Vergara, *Fui secretário de Getúlio Vargas*, pp. 61-3.
127. Getúlio Vargas, *Diário*, vol. 1, p. 27.
128. Maria Celina D'Araújo. "Getúlio Vargas, conservadorismo e modernização". Em Gunter Axt, Omar L. de Barros Filho, Ricardo Vaz Seelig e Sylvia Bojunga (orgs.), *Reflexões sobre a Era Vargas*, pp. 147-8.
129. Boris Fausto, *A Revolução de 30*, pp. 11-26.

Créditos das imagens

Todos os esforços foram feitos para determinar a origem das imagens deste livro. Nem sempre isso foi possível. Teremos prazer em creditar as fontes, caso se manifestem.

CADERNO 1

p. 1: Fundação Getúlio Vargas — CPDOC.

p. 2: (acima) *Revista do Globo*, ago. 1950. Coleção do autor. Reprodução de Renato Parada. / (abaixo): Arquivo pessoal de Antônio Sérgio Ribeiro.

p. 3: (acima) Acervo do Museu Paulista da Universidade de São Paulo. Fotografia de Hélio Nobre. / (abaixo) *Revista do Globo*, ago. 1950. Coleção do autor. Reprodução de Renato Parada.

p. 4: Museu Joaquim José Felizardo — Fototeca Sioma Breitman.

p. 5: (acima à esquerda e abaixo) Fundação Getúlio Vargas — CPDOC. / (acima à direita) *Revista do Globo*, ago. 1950. Coleção do autor. Reprodução de Renato Parada.

p. 6: (acima) Revista *O Malho*, 10/04/1943. Coleção do autor. / (abaixo à esquerda) *Revista do Globo*, ago. 1950. Coleção do autor. Reprodução de Renato Parada. / (abaixo à direita) Fundação Getúlio Vargas — CPDOC.

p. 7: Fundação Getúlio Vargas — CPDOC.

p. 8: Fundação Getúlio Vargas — CPDOC.

p. 9: (acima) Museu Joaquim José Felizardo — Fototeca Sioma Breitman. / (abaixo) Fundação Getúlio Vargas — CPDOC.

p. 10: Museu Joaquim José Felizardo — Fototeca Sioma Breitman.

p. 11: Museu Joaquim José Felizardo — Fototeca Sioma Breitman.

p. 12: (acima) DR/ Belmonte/ Folha da Noite, 17/10/1926. / (ao centro) Fundação Getúlio Vargas — CPDOC. / (abaixo) J. Carlos (José Carlos de Brito e Cunha), 1884-1950. *O Malho*, 13/11/1926.

p. 13: J. Carlos (José Carlos de Brito e Cunha), 1884-1950. *O Malho*, 24/12/1927.

p. 14: (acima e abaixo) Coleção do autor. / (abaixo à direita) Acervo do Museu da Comunicação Hipólito José da Costa.

p. 15: (acima) Fundação Getúlio Vargas — CPDOC / (abaixo) Fotografia de Sioma Breitman. Cortesia de Samuel Breitman. Reprodução de Eneida Serrano.

p. 16: Fundação Getúlio Vargas — CPDOC.

CADERNO 2

p. 1: Fundação Getúlio Vargas — CPDOC.

p. 2: (acima à esquerda) *Revista da Semana*, 16/11/1929. / (acima à direita) Coleção do autor. / (abaixo) *Correio do povo*, 29/08/1929.

p. 3: (acima) *O Cruzeiro*, edição especial "*A revolução nacional*", 1931 / (abaixo e ao centro) Fundação Getúlio Vargas — CPDOC.

p. 4: (acima) *O Malho*, 07/09/1929. / (abaixo) *Careta*, 18/05/1929.

p. 5: (acima à esquerda) *O Malho*, 24/08/1929. / (acima à direita): *O Malho*, 11/01/1930. / (abaixo) *Careta*, 21/09/1929.

p. 6: (acima) *O Cruzeiro*, edição especial "*A revolução nacional*", 1931. / (ao centro) *Correio do povo*, 10/10/1930. / (abaixo à esquerda) *Revista do Globo*, edição especial "*Revolução de outubro de 1930*", 1931. Coleção do autor. / (abaixo à direita) Revista *Ilustração paranaense*, dez. 1930. Museu Paranaense.

p. 7: Museu Joaquim José Felizardo — Fototeca Sioma Breitman.

p. 8: (acima e abaixo) *Revista da Semana*. Especial *Páginas da Revolução*, out.-nov. 1930. Coleção do autor. / (ao centro) Instituto Arqueológico Histórico e Nacional de Pernambuco. Arquivo Carlos Lima Cavalcanti. Reproduzida no catálogo "*Mostra de fotografia — Revolução de 30*". MEC/FUNARTE.

p. 9: *Revista da Semana*. Especial "*Páginas da Revolução*", out.-nov. 1930. Coleção do autor.

p. 10: (acima à esquerda e abaixo) Fotografia de Sioma Breitman. Cortesia de Samuel Breitman. Reprodução de Eneida Serrano. / (acima à direita): Revista *Ilustração paranaense*, dez. 1930. Museu Paranaense.

p. 11: (acima) DR/ Claro Gustavo Jansson/ Arquivo Nosso Século/ Abril Cultural.

Reproduzida no Catálogo da exposição *"Getúlio Vargas: 1938"* / (abaixo e ao centro) Revista *Ilustração paranaense*, dez. 1930. Museu Paranaense.

p. 12: (acima) Fundação Getúlio Vargas — CPDOC. / (abaixo) *O Cruzeiro*, edição especial *"A revolução nacional"*, 1931.

p. 13: (acima) Acervo do Museu da Comunicação Hipólito José da Costa. / (abaixo à esquerda) *O Cruzeiro*, edição especial *"A revolução nacional"*, 1931. / (abaixo à direita) Coleção do autor.

p. 14: (acima) *O Cruzeiro*, edição especial *"A revolução nacional"*, 1931. / (abaixo) Acervo JB.

p. 15: *O Cruzeiro*, edição especial *"A revolução nacional"*, 1931.

p. 16: Fundação Getúlio Vargas — CPDOC.

Índice remissivo

Abbott, Arthur, 513
Abbott, Fernando, 95-7, 99-100, 104, 162, 181
Abreu, Capistrano de, 239
Abreu, Florêncio de, 275, 287, 571n
Abreu, Vespúcio de, 337, 431, 440, 488, 588n, 599n
Acabaram-se os otários (musical), 310
Academia Brasileira de Letras, 250
Acauan, Benedito Marques da Silva, 482, 483
Acordo de Pedras Altas *ver* Pacto de Pedras Altas
Acre, 72, 74-8, 99, 183, 519, 558n
administração pública, 39, 81, 160, 164, 243
África, 14, 76
"Ai, seu Mé" (marchinha), 202
Alagoas, 74, 232, 411, 427, 466, 489
Albuquerque, João Pessoa Cavalcanti de, 333-5, 338-40, 345, 360, 364, 382, 388, 389, 407, 423-4, 426, 429, 442-6, 448-9, 451, 453, 475, 490
Albuquerque, Sandoval Cavalcanti de, 223
Alemanha, 21, 24, 244
Alencar, José de, 130
Aliança Liberal, 334, 338, 340-5, 347, 350-1, 353-4, 357-9, 361-7, 371-2, 376-80, 382, 384-6, 388-90, 392-6, 398-9, 403-8, 411, 413, 415-7, 420, 423-4, 429, 434, 436, 438, 442, 447-8, 462, 469, 472, 504, 513, 515, 583n, 587n, 591-2n, 598n
Aliança Libertadora, 264
Almeida, Cardoso de, 265-6
Almeida, Gil Antônio Dias de, 404, 423, 426-8, 432-5, 440, 442, 456-60, 469-70, 476-7, 479-80, 484, 582n, 592n, 595-6n, 598-602n, 604-5n
Almeida, José Américo de, 522, 598n
Almeida, Jovelino, 51
Almeida, Leriano Rodrigues de, 150-2, 568n
Almirante, 25, 549n
Alston, Beilby Francis, 247
Alta traição (filme), 316
Alves, Castro, 107
Alves, Francisco, 256, 301, 335, 579n, 584-5n, 588n
Alves, Protásio, 229-0, 232, 259, 263, 380, 415, 597n
Alves, Raul, 200
Alves, Rodrigues, 73-4, 189, 571n

Amado, Gilberto, 197, 202, 239, 240, 294, 574n, 577n, 579n, 583-4n

Amapá, 74

Amaral, Rubens do, 247, 315, 425, 578n, 585n, 592n, 596n, 598-9n

Andrada e Silva, José Bonifácio de (deputado), 309, 311, 313, 317, 334, 381

Andrada e Silva, José Bonifácio de (patriarca da Independência), 195, 269

Andrada, Antônio Carlos Ribeiro de, 269-71, 276, 278, 291-2, 294-5, 303-5, 308-10, 314-5, 338, 345, 350-1, 361, 366, 375, 379, 407, 410-4, 416-7, 421-2, 428, 434, 439, 444

Andrada, Martim Francisco Ribeiro de, 269

Andrade, Djalma, 351

Andrade, Marcos Alencastro de, 115

Andrade, Mário de, 373

Andrade, Oswald de, 373

Andrade, Paes de, 499-500, 503

Annuario do Rio Grande do Sul, 116

anticomunismo, 352

apadrinhados políticos, 133, 160, 243, 252

Aranha, Luiz, 425-6, 433-4, 580n, 589n, 592n, 599-600n

Aranha, Oswaldo, 262-3, 268, 275, 280, 312, 317, 322-6, 332, 339, 343-4, 346, 355-6, 358, 362, 367, 373, 375-6, 381, 383, 398, 405-6, 409, 411, 414-5, 423, 425, 429, 431, 433-4, 436, 439-43, 447, 452, 454, 456, 464, 466, 473-4, 476, 478, 479, 491, 498, 500, 509, 512, 522, 580n, 584-93n, 596-7n, 600n, 603n

Araújo, Alcides Teixeira de, 415

Araújo, Henrique, 100

Araújo, Maria Celina D', 526, 610n

Araújo, Nabuco de, 193

Argentina, 28, 40, 74, 112, 124, 156, 160, 187, 204, 223, 226, 254, 355, 473, 485

Arquivo Público de Porto Alegre, 152

Arruda, Wilfrido, 55

Arsenal de Guerra, 458, 481

Arturo Jamardo & Irmãos, 281

Ascensão e queda de Getúlio Vargas (Henriques), 526

Ásia, 76, 143

Assembleia Constituinte, 522

Assembleia dos Representantes, 113, 114, 121, 153-5, 159, 171, 174, 176-8, 181, 210, 274, 285, 329, 447, 471, 560n, 563-4n, 568-73n, 580n, 582-3n

Assis Brasil, Joaquim Francisco de, 76, 175, 182, 587n

Assis Brasil, Ptolomeu de, 497

Associação Brasileira de Imprensa, 237

Associação Comercial de São Paulo, 402

Ateneu, O (Pompeia), 85, 158

"Atlântico" (hidroavião Dornier Wal), 386-7

autoritarismo, 24, 38, 203, 393, 396, 463, 571n, 573n

Axt, Gunter, 529, 551-2n, 555n, 558-9n, 561-2n, 565n, 567n, 569-71n, 575n, 580n, 582n, 603n

Azambuja, Júlio, 337-8

Azevedo, Álvares de, 107

Azevedo, Arnolfo de, 196, 239, 240-1, 578n

Babo, Lamartine, 24, 549n

Bahia, 62, 74, 177, 178, 247, 320, 332-3, 414, 489, 596n

Baker, Lester, 341, 589n

Balbo, Italo, 14-21, 26, 548-9n

Balthazar do Bem, 46, 55, 57

Banco da Província do Rio Grande do Sul, 249

Banco do Brasil, 246, 249-50, 300, 366-7, 396, 481

Banco do Comércio, 225

Banco do Estado do Rio Grande do Sul (BERGS), 286, 289, 301, 377

Banco Pelotense, 103, 167, 171, 224, 289, 570-1n, 583n

bandeira brasileira, 94, 179, 198, 444

Bando dos Tangarás, 25

Bank of Montreal, 373

Barbosa, Rui, 124

Barcellos, Ramiro, 143

Barreto, Dantas, 197

Barreto, João de Deus Mena, 505, 506, 510, 512

Barreto, Lima, 244, 578n

Barreto, Plínio, 22, 549n

Barros, Fortunato de, 105
Barros, João Alberto Lins de, 340-1, 356, 374, 433-4, 436-7, 441, 474, 503, 512-5, 600n, 608n
Barros, Luís de, 310
Batalha de Porto Alegre, 483, 604n
Batalha de São Solano, 31-2
Batalha do Tuiuti, 32
Baudelaire, Charles, 84
Becker, João, 349, 486
Beiriz, Anaíde, 444
Benévolo, Aníbal, 223
Bernardes, Artur, 177, 178, 181, 184, 189, 191, 193, 197, 199-200, 202-3, 211, 215, 220-1, 231-6, 238, 244, 257, 314, 338-9, 341, 355, 379, 421-2, 434, 469, 578n, 598n
Bezerra, Antônio, 408
Biblioteca Nacional, 194-6, 214, 221, 552n
Bisturi, 161
Bittencourt, Edmundo, 91
Bloco Acadêmico Castilhista, 95-6, 99, 101, 560n
Bloco Operário Camponês, 345, 352
Bolívia, 72, 74-6, 78, 183, 245
Bolivian Syndicate, 75-6
Bopp, Raul, 282
Borges, Carlinda Gonçalves, 252
Borges, Horácio, 121
borgismo, 155, 156, 163, 174, 176, 180-1, 187, 213-4, 231, 239, 263, 273, 289
Bossi, Emilio, 120
Botelho, Francisco Chaves de Oliveira, 266
Braga, Fabriciano Júlio, 49
Braga, João Francisco, 503
Brandão, Bello R., 24
Brandão, Otávio, 345-6
Brandi, Paulo, 526
Brás, Wenceslau, 143, 189, 292, 314, 338, 341
Brasil: De Getúlio a Castello (Skidmore), 526
Brasília, 27
Brecheret, Victor, 373
Brigada Militar, 90, 95, 106, 125, 137-8, 144-5, 169, 171, 188, 191, 222, 273, 284, 287, 409, 436, 455, 460, 470, 481, 488, 499
Brito, Carvalho de, 366

Brito, Octávio de, 57
Brunner, Maria Henriqueta Sampaio, 498
Bucci, Umberto, 20-1
Bueno, Amador, 62
Bueno, Evaristo Vargas, 61-2
Bueno, Francisco de Paula, 62
Buenos Aires, 50, 103, 107, 183, 223, 254, 262, 340, 356, 374, 406, 436, 441

Cabanas, João, 291
Cabeda, Rafael, 97, 176, 552n, 560-1n
Cabral, Sacadura, 14
café, 18-9, 46, 143, 177, 216, 217, 246, 255-7, 260, 268, 272, 286, 289, 292, 326, 340, 346, 369-70, 396, 402, 449, 494, 549n, 571n, 581n
Café Rio Branco, 24
Caíto *ver* Prado, Carlos de Almeida
Caldas, Augusto, 490
Calógeras, Pandiá, 179
Câmara dos Deputados, 194, 199, 214, 216, 218, 220, 225, 227, 240, 290, 320, 361
Camargo, Affonso Alves de, 502
"camisas-negras", 15, 346, 494
Campos, Bernardino de, 91
Campos, Carlos de, 217, 220-1, 241, 267
Campos, Francisco, 315, 351, 434-5, 439, 522, 585n
Campos, Humberto de, 239
Campos, Siqueira, 179, 223-4, 340, 341, 356, 374, 407, 433, 434, 436-7, 439, 572n, 576n, 588n
Canadá, 362
Canadian Industries Limited (CIL), 373
Candoca, dona *ver* Vargas, Cândida Dornelles (dona Candoca, mãe de Getúlio)
Canto, Aristides Krauser do, 387
Cardoso, Fernando Henrique, 27, 551n
Cardoso, Maurício, 95, 119, 141, 148, 481, 495, 559n, 563n, 567n, 588n
Cardoso, Octávio, 478
Careta, 25, 92, 233, 396, 440, 549n, 577n, 595n, 600n
Caringi Filho, Antônio, 244
Carlos I de Portugal, d., 115
Carlyle, Thomas, 121, 564n

617

Carrazoni, André, 114, 467, 525, 526, 550-1n, 554n, 557n, 559n, 562-3n, 568n, 574n, 586n, 590n, 593n, 597n, 601n
Carta Geral da República, 80
Carta Geral do Império, 80
Carvalho, Álvaro Pereira de, 451
Carvalho, Estêvão Leitão de, 474, 477
Carvalho, Gilberto Oscar Virgílio de, 356
Carvalho, Setembrino de, 221, 465, 575n
Carvalho, Zelda de, 465
Casado, Plínio, 259, 314
Cassiano Ricardo, 340
Castelo, Augusto Viana do, 248
Castelo, Viana do, 507
castilhismo, 40, 82, 95, 120, 155, 213, 231, 239, 289, 291, 560-1n
Castilhos, Júlio de, 28-9, 37-8, 42, 50, 53, 57, 79, 81-3, 91, 95, 97, 135, 143, 148, 163, 195, 235, 265, 278, 284, 416, 430, 447, 551-2n, 558n, 565n, 570n
Castro, Geminiano Lira, 247
Castro, Gomes de, 199
Castro, José Fernandes Leite de, 511, 522
Castro, Plácido de, 76, 558n
caudilhos, 40, 238
Causa Operária, 352
Cavaco, Carlos, 499
Cavalcanti, João, 460
Cavalcanti, Odon, 88
Ceará, 211, 334, 360, 367, 411, 483, 489
Central do Brasil, Estrada de Ferro, 51, 516, 517
Cerrutti, Vittorio, 18, 20, 21, 549n
Chamberlain, Austen, 247
charges, 25, 90, 247, 324, 499
Chateaubriand, Assis, 23, 239, 249-50, 270, 273, 297-8, 303, 305, 310-1, 335, 369, 381-2, 393, 425, 438, 504, 577-8n, 581n, 584-5n, 607n
Chave de Salomão, A (Amado), 197
Chaves, Carlos Flores de Paiva, 512
Chioretti, José, 136-7
Cícero, padre, 211
Cidade, Francisco de Paula, 64, 556n
Cleveland, Grover, 74

clientelismo, 90, 243
Clube dos Caçadores, 159, 230, 287, 569n
Clube São-borjense, 165
Coelho Neto, José Antônio, 512
Coelho, Armando Porto, 140, 142, 147, 205, 206, 565-7n, 574n
Coimbra, Estácio, 320, 333, 360, 586n
Coimbra, Manso de Paiva, 145
Colégio Militar do Rio de Janeiro, 250, 251
Collor, Lindolfo, 180, 238, 240-1, 254, 255, 264, 266, 314, 342, 365, 377, 379, 390, 400-1, 423, 445, 448, 455, 464, 481, 522, 589n, 593n
Coluna Prestes, 214, 226-7, 229, 232, 245, 258, 290, 323, 329, 355, 357, 407, 421, 437, 465, 472, 490, 576n
Comitê Nacionalista Pró-Getúlio Vargas, 349, 363
Comitês Pró-Liberdade de Consciência, 236
Compagnie Auxiliaire de Chemins de Fer au Brésil, 162, 168
Compagnie Française du Port du Rio Grande do Sul, 161-3
Companhia Belgo-Mineira, 270
Companhia de Força & Luz, 288
Companhia de Navegação da Amazônia, 161
Companhia Nacional de Navegação Costeira, 273, 378
Companhia Siderúrgica Nacional, 270
Companhia Telefônica do Brasil, 161
Companhia Telefônica Rio-Grandense, 382
Comte, Auguste, 37-8, 67, 81, 87, 94, 119, 120, 349, 350, 353, 558n, 564n
comunismo, 86, 351-2, 357, 409, 436, 486-7
Concentração Conservadora, 366, 408, 413, 417
Confeitaria Rocco, 232, 482
Congresso Nacional, 25, 184, 210, 221, 227, 232, 236, 239, 255, 294, 309, 327, 421, 423, 437-8, 500, 521, 578-9n, 597n
Constant, Benjamin, 63, 79, 556n
Constituição estadual rio-grandense, 38, 235
Constituição Federal, 176, 186, 196, 233-4, 236, 521
Copacabana Palace, 19

Correio da Manhã, 14-5, 18, 91, 196, 245, 265, 273, 356, 393-4, 517-8, 520-1, 548-9n, 572n, 574n, 580-1n, 591n, 594n, 600-1n, 605-6n, 609n

Correio do Povo, 89, 93, 106, 141, 171, 226, 227-30, 267, 273, 277, 321, 345, 368, 382, 388, 403, 463, 471, 483, 492, 494, 497, 560n, 562n, 566, 571n, 575-7n, 580-4n, 586-7n, 589-98n, 600-7n

Correio do Sul, 264, 285, 580n

Correio Paulistano, 339, 341, 394, 438, 484, 486, 489, 578n, 583n, 589n, 593n, 600n, 605n

Correios e Telégrafos de Porto Alegre, 481

Correios e Telégrafos do Rio de Janeiro, 431

corrupção, 190, 219, 353, 393, 520

Corte Permanente de Justiça Internacional (Haia), 333

Cosme de Médici, 244

Costa, João, 364

Costa, Miguel *ver* Rodrigues, Miguel Crispim da Costa

Coutinho, Gago, 14

Coutinho, Lourival, 472, 473, 604-5n

Couto, Miguel, 239

Crash da Bolsa de Nova York, 19

cristianismo, 120, 352

Crítica, A, 339, 507

Cromwell, Oliver, 121

Cruz, Alcides, 114

cruzeiro (unidade monetária), 240, 246, 256, 306

Cruzeiro, O, 249-50, 389, 516

Cuba, 161

Cunha, Euclides da, 85, 94, 392, 550n

Cunha, José Antônio Flores da, 113, 186-7, 192, 193, 204, 229-30, 260-3, 293, 295-8, 300, 303, 312-4, 316-8, 323, 342, 350, 356, 362, 369, 385, 390, 415, 423, 431, 442, 445, 447, 448, 464, 479, 499, 558n, 570-3n, 580n, 583n

D'Angrogne, Alfredo Malan, 465, 506, 603n

Dantas, João, 444-5, 490

Dantas, Ribeiro, 131, 565n

Dante Alighieri, 121

Darwin, Charles, 86, 94

Debate, O, 99-102, 275, 559n, 561n, 563n

Declaração dos Direitos do Homem, 265

Defreitas, Corrêa, 390

Del Negri, Machado, 20

Delegacia de Ordem Política e Social (DOPS), 407

Democracia representativa (Assis Brasil), 183

Departamento de Estado (EUA), 247, 256, 341, 386, 594n, 605n

Departamento de Imprensa e Propaganda (DIP), 525

despotismo, 155, 208

"Dezoito do Forte", 179, 217, 223

Diário Carioca, 438, 600n

Diário, O, 144, 145

Diários Associados, 14, 23, 425, 504

Divisão Libertadora do Oeste, 186

Do governo presidencial na República brasileira (Assis Brasil), 183

Dornelles, Dinarte, 40-1, 224

Dornelles, Modesto, 42, 285

Dornelles, Serafim, 34

Dornelles, Zifirina, 153

Dornelles, Zulmira, 125

Dove, Billie, 277

Druck, Carlos, 452

Duarte, João Rio-Grandense, 106-7

Duarte, Manuel, 209, 320, 575n

Dulles, John W. Foster, 97, 527, 560n

Dutra, Eurico Gaspar, 64-5, 70, 73, 556n

"É sopa" (marchinha), 335-6

École des Hautes Études Sociales, 262

Em defesa da Ação Católica (Oliveira), 18

energia elétrica, 288, 485

Era Vargas, 164, 529, 558n, 577n, 610n

Escobar, Domingos, 111

Escobar, família, 111-2, 133

Escobar, João Pereira de, 39

Escobar, Pedro, 111

Escobar, Rafael, 111, 133, 135, 141-2, 148, 565n, 567n

Escola de Minas de Ouro Preto, 49, 554n

Escola Militar de Realengo, 179, 218
Escola Militar de Rio Pardo, 76, 404, 556n
Escola Militar do Brasil, 63
Escola Preparatória e de Tática de Rio Pardo, 63, 70, 556-7n
Escrava Isaura, A (Guimarães), 111
Espanha, 24
Espírito Santo, 203, 269, 408, 411
Esplanada Hotel (SP), 268-9, 296-7
Esquerda, A, 270, 365, 580-1n, 592n
Estação da Luz (SP), 20, 514
Estado de Minas, O, 48, 553n
Estado de S. Paulo, O, 22, 222, 269, 331, 346, 403, 514, 580-1n, 595n, 608-9n
Estado Novo, 238, 525, 529
Estados Unidos, 23, 212, 246-7, 255-6, 368, 603n
Estátua do Laçador, 244
Esteves, Emílio Lúcio, 512
Esteves, Galdino Luiz, 481
Estigarribia, Antonio de La Cruz, 31
Europa, 14, 18, 20, 107, 116, 244, 255, 262, 334, 436, 523
Exército brasileiro, 19, 61-2, 183, 556n, 588n

Faculdade de Direito de Ouro Preto, 46, 57
Faculdade de Direito de São Paulo, 21, 37, 48, 57, 91, 233, 353
Faculdade Livre de Direito de Porto Alegre, 71, 72, 77-9, 85, 87, 89, 95-6, 99, 113, 261, 373, 481
Farquhar, Percival, 161-2, 163, 569n
fascismo, 13-21, 23, 24, 327, 345-7, 352, 397, 503, 548-9n, 587n
Fausto, Boris, 526, 549n, 551n, 571n, 576n, 578n, 592n, 610n
Fazenda Santos Reis, 34
Fazenda Triunfo, 35, 37, 41, 42, 551n
Federação dos Estudantes do Rio Grande do Sul, 83, 559n
Federação Operária, 169, 171
Federação, A, 37-9, 70, 79, 82, 90, 100, 103, 113, 170, 180, 200, 210, 227, 248, 254, 294, 302-3, 337, 348, 351, 392, 406, 422-3, 440, 454, 459, 483, 557-8n, 560-1n, 568n, 574-5n, 578-82n, 589-90n, 594n, 596-8n, 600n, 602-6n
Fernandes Júnior, Cláudio, 100
Fernandes, Serapião, 105
Fernando de Noronha, ilha de, 26
Ferreira, Marcos Antônio Telles, 68-9
Figueiredo, Euclides de Oliveira, 474
Figueiredo, João Baptista de Oliveira, 474
Fleuri, Rafael, 408
Flores do mal (Baudelaire), 84
Flores, Francisco Thompson, 145
Folha da Manhã, 233-4, 241, 246, 247, 255, 258, 267, 270, 315, 393, 397, 402-3, 412, 414, 445, 463, 515, 548-9n, 555n, 577-81n, 588n, 594-5n, 597-602n
Folha da Noite, 20, 515, 548-9n, 594n, 597n
Fongue, Tibúrcio, 150, 152, 528
Fonseca, Deodoro da, 38, 39, 79, 521
Fonseca, Euclides Hermes da, 179
Fonseca, Hermes da, 143, 178, 189, 197, 199, 567n
Fontoura, Carneiro da, 203, 284
Fontoura, Isidoro Neves da, 108, 121
Fontoura, João Neves da, 87-8, 90, 93, 95, 98, 105, 108, 114, 118-9, 131, 140, 181-2, 191, 201, 210, 261, 263, 277, 280, 290, 293, 302, 303, 311, 383, 388, 406-7, 417, 429, 495, 551n, 559-66n, 571-5n, 577-87n, 589-99n, 601-4n, 606-7n
Força Expedicionária Brasileira, 64
Força Pública, 218, 268, 499
Fortaleza de Santa Cruz, 179, 415, 434
Forte de Copacabana, 179, 180, 217, 507
Fortes, Bias, 48
Fortuna, Diogo, 143
Fragoso, Augusto Tasso, 80, 465, 505-7, 510-2, 603n, 607-8n
França, 74, 86, 154, 354, 360
França, Rui, 482, 483
Franco, Afrânio de Melo, 191, 270, 292, 296, 359-60, 386, 474, 511, 522, 591n
Franco, Virgílio Alvim de Melo, 386, 417, 420-1, 426, 433-5, 466, 474, 476, 514, 596-7n, 599-601n, 603-4n, 608n
franquismo, 24

Freire Júnior, 202, 301-2, 584-5n
Freire, José de Melo Carvalho Muniz, 269
Freitas, Antônio Saint Pastous de, 405, 472, 473
Freitas, Herculano de, 233-5, 237
Freitas, Teixeira de, 399-400
Frente Única Rio-grandense, 323, 331, 447, 449-51, 458
Frischauer, Paul, 133, 398, 525-6, 550-1n, 554-7n, 559-63n, 566, 568n, 572-4n, 581-2n, 595n
Frontin, Paulo de, 333, 517

Gafrée, Januário, 97
Garibaldi, Anita, 62, 556n
Garibaldi, Giuseppe, 62
Gazeta de Notícias, 196, 507, 573n
"Gê-Gê" (marcha), 25
Gênese do Estado moderno no Rio Grande do Sul (Ribeiro), 529
Germinal (Zola), 85
Gesù Cristo non è mai esistito (Bossi), 120
Getúlio Vargas: Biografia política (Dulles), 527
Getúlio Vargas: O poder e o sorriso (Fausto), 526
getulismo, 24, 412, 525, 530
Ginásio Estadual Bom Conselho, 287
Ginásio Mineiro, 49, 52, 54, 101
"Giovinezza" (hino fascista), 18
Globo, O, 242, 252, 258, 273, 284, 297, 382, 419, 455, 578-9n, 581-3n, 593n, 598n, 601-2n
Godoi, Paulo, 382
Godoy, Jacinto, 95
Goethe, Johann Wolfgang von, 83
Gomes Neto, Raimundo, 205
Gomes, Eduardo, 179, 218, 572n
Gomes, Jurema, 484-5
Gomes, Martim, 72, 75-6, 557-8n
Gonçalves, Barbosa, 102, 488
Gonçalves, Carlos Barbosa, 99, 113, 118, 123, 259, 561n
Gonçalves, Domingos, 488
Gonzaga, pretinho, 29, 30, 33, 42-3, 310
Gordo, Adolfo, 221
Gordon, Huntley, 277
Goulart, João, 49

Goulart, Vicente, 49
Gouveia, Nabuco de, 212
Governo Provisório, 21, 23-5, 27, 269, 549n, 609-10n
Grande Depressão, 23
greco-romana, cultura / mitologia, 17, 120
Greenway, J. D., 256-7
Guarda Nacional, 30, 39
Guatemala, 161
Guerra de Canudos, 77
Guerra do Paraguai, 27, 30-1, 34, 36, 41, 58, 75, 91, 403, 465, 551n
Guerra dos Farrapos, 61
Guiana, 74
Guimarães, Bernardo, 111
Guimarães, Silvio, 364

Hasslocher, Germano, 38, 283, 292, 314, 376, 434, 583n, 585n, 600n
Hauer, Júlio, 390
Hearst, William Randolph, 14
Henriques, Affonso, 526
Henry Schröder Banking Corporation, 487
Heróis, Os (Carlyle), 14, 121, 564n
Hino do Rio Grande do Sul, 460, 463
Hino Nacional Brasileiro, 18, 52-3, 275, 402, 460, 519
História da literatura brasileira (Veríssimo), 75
História do Brasil (Rio Branco), 158
História literária do Rio Grande do Sul (Silva), 244
Hitler, Adolf, 21, 549n
Holanda, 333
Homem que matou Getúlio Vargas, O (Jô Soares), 530
Hotel Glória (RJ), 16, 309, 311, 313, 315, 317, 388, 390, 400-1

Igreja Católica, 236, 348
Igreja Positivista do Brasil, 198
Ilustração Paranaense, 503
Imparcial, O, 297, 583n
índios, 139, 150-3
individualismo, 265

Inglaterra, 212, 246, 513
Instituto de Belas-Artes do Rio Grande do Sul, 108, 116
Instituto Médio Dante Alighieri, 20
Isabel, princesa, 51, 104
Itália, 13-8, 24, 64, 346, 386, 494, 503, 548n
Itamaraty, 18, 73-5

J. Carlos, 248
Jannings, Emil, 316-6
"Jeca", 25
Jesus Cristo, 120, 195, 349
Joalheria Ibañez, 274
João Alberto ver Barros, João Alberto Lins de
João Gago ver Silva, João Antônio da
João IV, d., 62
João Mineiro (índio), 150, 152
Jockey Club (RJ), 19, 265, 290, 292, 294
Jornal do Brasil, 258, 273, 397, 456, 507, 579n, 581n, 586n, 595n, 600-2n
Jornal do Commercio, 217, 560n, 575n, 590n
Jornal, O, 239, 249, 270, 381, 549n, 578n, 581n, 585n, 588n, 592-4n, 600-1n
jornalismo, 115, 152
"Juca Pato", 246, 255-6, 341, 425, 463
Junta Comercial do Rio Grande do Sul, 172
Junta Governativa Provisória, 505, 508, 511, 512, 608-10n
Justiça Eleitoral, 184

Kant, Immanuel, 97
Kaufmann, Fernando, 53-6, 554n
Khan, Sana, 390, 391
Kissel, automóvel presidencial, 272, 275, 281
Klinger, Bertoldo, 64-6, 70, 511, 556-7n
Konder, Adolfo, 321
Konder, Vitor, 248
Kosmos, 104
Krauser, Aristides, 387, 495
Krausneck, Othmar, 364
Kretz, Ida, 116
Kroptkin, Piotr, 352

Lacerda, Carlos, 152, 359
Lacerda, Maurício de, 359, 394, 463, 507, 588n
Laet, Carlos de, 239
Lago, Felismina, 134
laicismo, 236
Latécoère, 436
Leal, Alice, 399
Leal, Aristides, 357, 407, 590-1n
Leal, João de Deus Pires, 485
Leal, João Leopoldo Modesto, 377
Leal, Newton Estillac, 415
Leal, Santos & Cia, 429
"Leão de Caverá" ver Lemes, Honório
Legião de Caridade, 499
Legião Mineira, 22
Legiões Revolucionárias, 22
Lei Áurea, 37
Lei Celerada, 267, 323
Leme, Sebastião, 507
Lemes, Honório, 186-7, 192-3, 196, 204, 225, 340, 553n, 572-3n, 588n
Lênin, Vladímir, 22
Leonardo da Vinci, 285
Leonel, Ataliba, 260, 295, 355, 381
Levine, Robert, 526
liberalismo, 23, 86, 160, 164, 305, 341-2, 396, 412, 415
libra esterlina, 246, 255
Light do Rio de Janeiro, 161
Lima Sobrinho, Barbosa, 237, 245, 577-8n, 584n, 586n
Lima, Alceu Amoroso, 239
Lima, Alzira de, 104
Lima, Augusto de, 57, 197, 554-5n
Lima, Azevedo, 247, 255-6, 352, 361, 393, 574n, 578n, 587n
Lima, Francisco Rodrigues, 104
Lima, João Batista Azevedo, 199
Lima, José Pereira, 423-4, 444-8
Lima, Waldomiro Castilho de, 469-70, 480, 497, 604n
Lincoln, limusine presidencial, 507, 518
Livraria do Globo, 244, 282, 352-3

Livraria Echenique, 87
Livro dos Heróis da Pátria, 27
Lloyd Brasileiro, 378, 484
Lobato, Monteiro, 239
Londres, 76, 247, 256-7, 487
Lopes, Isidoro Dias, 219, 225, 432, 472
Lopes, Simões, 253-4, 376-7, 385-6, 399, 495, 522, 593-4n
Loureiro, Marciano, 39
Lubitsch, Ernst, 316
Ludwig, Emil, 255
Luís Filipe, príncipe de Portugal, 115
Lula ver Silva, Luiz Inácio Lula da
Lusardo, Batista, 214-5, 227, 259, 263-4, 268, 273, 284, 314, 323, 344, 382, 389, 399, 401, 407, 408, 415-6, 419, 420-8, 433-4, 437, 446, 464, 504, 522, 572-3n, 575n, 580n, 586n, 589n, 595-6n, 598n, 600n, 607n
Lutero, Martinho, 120, 121
Luz, Arnaldo de Siqueira Pinto da, 248
Luz, Érico Ribeiro da, 147, 148, 166, 176, 211, 212, 567n, 569n, 571n, 575n

Machado, Irineu, 359, 591n
Machado, João Carlos, 423, 464
Machado, José Gomes Pinheiro, 40-1, 83, 90-3, 96-7, 100, 104, 124, 130, 143, 145-6, 177, 181, 280, 455, 560n, 567n
Machado, Sady Valle, 356, 590n
Machado, Salvador Ayres Pinheiro, 130, 565n
Maciel Júnior, Antunes, 327
Maciel Júnior, Francisco Antunes, 198
Maciel, Olegário, 366, 428, 439, 457, 466, 510, 608n
Madeira-Mamoré, Ferrovia, 78, 162
Malho, O, 196, 207, 248, 269, 273, 299, 324, 341, 350, 361, 386, 397, 399, 401, 415, 507, 551-2n, 560n, 578n, 580-2n, 584n, 586n, 588-91n, 595n, 597-8n
Mammalella, Amedeo, 503
Man versus the State, The (Spencer), 160
Mangabeira, Otávio, 197, 247-8
Manhã, A, 262, 264, 297, 303, 580n, 583n

Maomé, 121
Maquiavel, Nicolau, 23
Maragato, O, 264
Marcha da Fome", 26
Marcha Real Italiana, 18
Marcha sobre Roma, 15, 346, 348, 494, 503
Mariense Filho, 148
Marmeleiro, José Rodrigues, 179, 572n
Martins, Gaspar Silveira, 29, 36, 39, 40, 264, 519, 588n
Marx, Karl, 86, 352
Masella, Benedetto Aloisi, 18
Matarazzo, Francesco, 425
Mato Grosso, 32, 57, 72-3, 77, 156, 222, 405, 466
Medeiros, Borges de, 81-3, 89, 93, 95-6, 98, 100, 102, 105, 108, 110, 112-3, 117-8, 121-6, 128-30, 132-3, 135, 138, 142-3, 145-6, 148-9, 155-6, 162, 164, 166-70, 174-86, 189, 191-2, 196, 198, 200, 203-5, 208, 211-3, 215-6, 221, 228-30, 234-5, 238, 244-5, 248, 252-5, 258-9, 261-3, 265-6, 273-6, 281-2, 284, 286, 302-3, 305, 309, 312-3, 317-8, 327-8, 337, 341-2, 361, 378-80, 415, 417, 419, 422-3, 430, 432, 438, 441, 447-50, 452-6, 470, 474, 488, 528, 558n, 560n, 563-72n, 574-5n, 577-80n, 582n, 585n, 592n, 597-603n, 606n
Meireles, Francelísio, 188
Mello, Fernando Collor de, 180
Mello, Fidêncio, 497
Mello, Francisco de Assis Chateaubriand Bandeira de ver Chateaubriand, Assis
Melo, Joaquim Martins de, 69
Mendes, Teixeira, 198-9
Menichelli, Pina, 159
mercado internacional, 19, 161, 177, 246
Mesquita Filho, Júlio de, 331
Mesquita, Alaíde, 71
Mesquita, Carlos Frederico de, 71
Mesquita, Júlio de, 222, 341
Meyer, Augusto, 351, 550n, 578n, 582n
Meyer, Ernst, 387
Mibielli, Pedro Afonso, 215-6
Michelet, Jules, 83
Minas Gerais, 45, 57, 177, 178, 231, 260, 265, 269-

70, 273, 275, 277, 291, 301-3, 305, 308-10, 315, 317, 322, 335, 338, 345, 351, 359, 366-7, 370, 375, 379, 400, 407-8, 410-4, 416-7, 422, 430, 435, 439, 457, 464, 483-5, 490, 571n
Ministério da Agricultura, 76, 247, 248, 253-4, 281, 511, 522
Ministério da Educação e Saúde Pública, 26, 522, 609n
Ministério da Fazenda, 19, 39, 239, 240-2, 245, 247, 254, 264, 275, 279, 424, 511
Ministério da Guerra, 63, 74, 426, 440, 473, 509, 511
Ministério da Instrução e Saúde Pública, 522
Ministério das Relações Exteriores, 73, 247, 511; *ver também* Itamaraty
Ministério do Exército, 354, 433
Ministério do Trabalho, 26, 522
Ministério Público rio-grandense, 102
Minzoni, Giuseppe, 15
Mirabeau, Conde de, 83
Miranda, Emídio de, 357
"Missão Paim", 383, 400
Missioneiro, O, 134, 141, 167, 566
Moacyr, Pedro, 97-8, 561n
Montanha, Inácio, 71, 82
Monteiro, Pedro Aurélio de Góes, 472-6, 480, 482-3, 485, 495, 505, 509, 513, 603-4n, 608n
Monteiro, Telmo, 149, 168, 328, 565n, 567n, 570n, 587n
Moog, Viana, 282, 491, 495, 508
Moraes, João Baptista Mascarenhas de, 64
Morais, Antônio Evaristo de, 392, 394
Morais, Fernando, 530
Morais, Prudente de, 189
Morato, Francisco, 513, 515-6
Moreira, Delfim, 189
Morgan, Edwin, 386, 487, 594n, 605n
Morgan, Edwin V., 247, 256, 578-9n
Morris, Chester, 516
Mostardeiro, Antônio, 249, 250
Mosteiro de São Bento, 217
Mota, Armando, 136-8
Mota, Deoclécio Dornelles, 125-7, 204, 205, 574n

Moura, Hastínfilo de, 513
Mussolini, Benito, 13-8, 21, 346-8, 494, 495, 503, 548-9n

nacionalismo, 162, 164
Napoleão Bonaparte, 121
Nascimento, Firmo Freire do, 457, 479
Nascimento, Nicanor, 256
National City Bank, 487
nazismo, 24, 387
Neves, Francisco Ramos de Andrade, 465, 603n
Neves, João *ver* Fontoura, João Neves da
Nietzsche, Friedrich, 86, 94, 120
Nogueira Filho, Paulo, 347, 400, 402, 495, 513, 589n, 592n, 595n, 606-9n
Noite, A, 228, 379, 419, 423, 441, 507, 597n, 600n, 605n, 607n
Noronha, José Isaías de, 505, 510-2, 522
Notícia, A, 347, 397, 507, 595n
Nova York, 74, 162, 167, 368-9, 487

Olderich, 300
oligarquias, 130, 177, 285, 335, 351, 353, 368
Oliveira, Alcebíades de, 172, 570-1n, 583n
Oliveira, Aristides Mendes de, 431, 598-600n
Oliveira, João Daudt de, 303-5, 312, 390, 582n, 584-6n, 597n
Oliveira, Plínio Correia de, 18
Oliveira, Sergio Ulrich de, 230, 232
operários, 26, 87, 168-70, 182, 402, 467, 517
Organização das Nações Unidas (ONU), 262
Orquestra Guanabara, 25, 549n
Osório, Balthazar, 116
Osório, Joaquim Luís, 341, 589n

Pacelli, Eugenio, 486
Packard Touring (automóvel presidencial), 502
Pacto de Pedras Altas, 212-3, 215, 225, 228, 258, 328, 465, 575n
Pacto do Hotel Glória, 309
Padão, Aníbal, 205
Padre Cícero: Poder, fé e guerra no sertão (Lira Neto), 528

Pai dos pobres? (Levine), 526
Paim Filho, Firmino, 95, 99, 101, 109, 113, 132, 135, 140, 143, 229-30, 275, 280, 312, 321, 327, 343, 344, 362, 376, 380-1, 383, 416, 425, 427, 432, 434-5, 438, 440, 445, 450, 455-6, 461, 488, 560n, 562n, 565-6n, 586-7n, 589n, 593n, 598n, 600n, 602-3n
Paixão, Antônio, 105, 562n
Paiz, O, 197, 199, 209, 236, 238, 248, 337, 397, 507, 567n, 575n, 577-8n, 582n, 588n, 595n
Palácio das Pedras Altas, 212-3
Palácio do Tesouro, 242
Palácio Piratini, 281
Pando, José Manuel, 73
Panteão da Liberdade e da Democracia (Brasília), 27
Pará, 253, 321, 483, 489
Paraguai, 57
Paraíba, 322, 333-5, 343-4, 366-7, 375, 380, 388-9, 407, 412, 414, 416-7, 422-30, 434, 444-6, 448, 451, 483, 485, 489-90, 510, 598n, 606n
Paraná, 74, 207, 223, 225-6, 228, 319, 354, 390, 405, 411, 466, 473, 475, 483, 488-9, 491-2, 496-7, 499, 501-3, 510
Paranhos Júnior, José Maria da Silva *ver* Rio Branco, barão do
Partido Comunista, 267, 345, 414
Partido Democrático, 325, 331, 347, 367, 392, 513, 515
Partido Federalista do Rio Grande do Sul, 198
Partido Liberal, 29
Partido Libertador, 285, 286, 314, 328, 330, 339, 371, 410, 428, 489, 587n
Partido Nacional Socialista dos Trabalhadores Alemães (Partido Nazista), 21
Partido Republicano do Rio Grande do Sul (PRR), 28, 37-8, 79-82, 94-5, 111, 114, 121-2, 128-9, 146, 148, 153, 155, 160, 163, 174, 176, 178, 195, 210-1, 248, 253-4, 258-60, 263, 274, 276, 278, 284-5, 299, 305, 309, 312-3, 317-8, 321, 325, 337, 341, 379, 380, 415-6, 423, 427-32, 440-1, 446, 448, 450, 453, 455, 488, 551n

Partido Republicano Mineiro (PRM), 314-5, 338-9, 345, 366, 371, 379, 413
Partido Republicano Paulista (PRP), 48, 231, 296, 325, 339, 365, 394, 484
Partido Republicano Progressista, 342
Pasqualini, Alberto, 481
Passos, Nestor Sezefredo dos, 248, 423, 426-7, 435, 465, 472
Pecadora sem malícia (filme), 277
Peçanha, Nilo, 146, 177-8, 180, 184, 189, 197
Pedro II, d., 36-7, 51, 238, 422, 551n
Peixoto, Alzira Vargas do Amaral (filha de Getúlio), 84, 88, 98, 130-1, 157-8, 185-6, 189, 202, 214, 221, 227, 251, 252, 280, 281, 287, 464, 468, 471, 482, 493, 551n, 554n, 559n, 561n, 563n, 565n, 568-9n, 572-6n, 579n, 581-2n, 591n, 600-1n, 603-6n
Peixoto, Floriano, 27, 40-2, 52, 53, 79, 195, 278
Peixoto, Luiz, 336
Pena, Afonso, 89, 90, 92-4, 178, 189, 560n
Penafiel, Carlos, 488
Pensão Medeiros, 85, 94
Pensão Wilson, 201-2
Penteado, Heitor, 513
Pepita, dona *ver* Torres, Acindina Ferrugem
Pereira, Amaro de Campos, 125-7, 130, 564n
Pereira, Claudino Nunes, 455, 470
Pereira, Naor Lopes, 165, 570n
Pereira, Yolanda, 462, 463, 603n
Pernambuco, 74, 177-8, 265, 320, 321, 333, 334, 360, 367, 375, 385, 411, 414, 427, 483, 489, 606n
Pessoa, Epitácio, 177, 179, 189, 254, 333-4, 341, 359, 360, 421-2, 433-4, 588n, 591n, 598n
Pessoa, João *ver* Albuquerque, João Pessoa Cavalcanti de
Petrobras, 27
Pezzi, Francisco, 20
Pilla, Raul, 410, 489
Pinheiro, José S. A., 499
Pinto, Ariosto, 174, 175, 512
Pinto, Ildefonso Soares, 152, 568n
Pinto, José Vasconcelos, 174-5
Pio XI, papa, 349, 507

Pio XII, papa, 486
Poder Moderador, 238
Pompeia, Raul, 85
Populações meridionais do Brasil (Viana), 237, 238, 550n
populismo, 164
Portugal, 24, 115
positivismo, 37-8, 63, 67, 82, 119, 195, 349, 350
Prado, Carlos de Almeida, 46-8, 53-6, 101, 124, 135, 197, 528, 555n
Prado, Carlos Vasconcellos de Almeida, 48
Prensa, La, 254
Prestes, Alzira, 84
Prestes, Júlio, 239-40, 259-60, 265, 267-70, 275-8, 280, 290-2, 294-7, 300-3, 305-8, 310-2, 314, 317, 319-22, 325, 326, 330-2, 335, 339-40, 342, 344-6, 348, 350, 352-3, 356, 360, 366, 368-71, 376, 380-2, 384, 397, 401, 404, 408, 412-5, 417, 420-1, 437-8, 455, 457, 499, 513, 523, 597n
Prestes, Luís Carlos, 22, 226, 355-8, 374, 375, 382, 398, 405-7, 434, 436-7, 439, 473-4, 486, 496, 508, 549n, 596n, 600n
Primeira Guerra Mundial, 16, 143, 153, 162, 262
Primeira República, 40, 90, 226, 390, 578n
Proclamação da República, 29, 36, 238

Queirós, Eça de, 447
Querelle, Francisco, 47, 553n
Quevedo, Pompílio Florêncio de, 153
Quintana, Mário, 282

Rache, Pedro, 51, 52, 553-4n
Rádio Sociedade Gaúcha, 363
Rafael Luís, 296
Rafael Sanzio, 17
Ramos, Hugo de Oliveira, 419
Ramos, Marcelino, 485, 496
Ramos, Nereu, 419
Ramos, Virgínio Napoleão, 77
Reação Republicana, 177-8, 240, 252
Redondo, Jaime, 336, 588n
Reforma Protestante, 121
Rego, Rosalvo da Costa, 507

Reis, Joaquim Silvério dos, 339
República da Bastilha, 50-1, 53
República de Piratini, 61
Revista Acadêmica, 84, 559n
Revista do Globo, 59, 282, 316, 347, 349-51, 467, 494, 525, 550-1n, 553n, 555n, 582n, 586n, 589-90n, 595n, 601n, 603-4n, 606-7n
Revolta da Chibata, 197
Revolução Constitucionalista, 64
Revolução de 1923, 215, 229, 328, 457, 497, 569n, 571n, 573n
Revolução de 1930, 16, 22-3, 80, 113, 528, 576n, 580n, 583n, 589-92n, 600n, 604n, 607-8n, 610n
Revolução Farroupilha, 61, 85, 353, 447, 463
Revolução Federalista, 42, 50, 76, 91, 124, 180, 211, 219, 465, 469, 485, 552n
Revolução Francesa, 92, 265
Revolução Russa, 22, 169
Ribas, João Fanfa, 264, 285, 588n
Ribeiro, Antônio Sérgio, 529, 530, 554n, 607n
Rio Apa, navio, 160
Rio Branco, barão do, 73-6, 115, 158, 183, 558n
Rio de Janeiro, 13, 15, 19, 27, 50, 54, 63, 70, 73, 91, 96, 145, 146, 176-9, 181, 186, 191, 193-5, 197, 200-2, 204, 206, 209-10, 212, 215, 217, 221-2, 225, 227-8, 232, 238, 248, 250, 259, 262, 265, 273, 280, 283, 291-2, 294-5, 302-3, 309, 312, 317-21, 331-2, 335, 338-9, 344-5, 350, 353, 355, 364-5, 367, 376-7, 379-87, 389, 392, 395, 397-8, 400, 402, 407, 411, 414-6, 419, 421, 425, 427, 433, 435, 440-1, 462, 463-4, 473, 475, 479, 485, 487, 490, 504, 505, 507, 508, 512, 515-7, 520, 530
Rio Grande do Norte, 269, 408, 427
Rocha, Manuel André da, 89
Rocha, Otávio, 229
Rodrigues, Mário, 339
Rodrigues, Miguel Crispim da Costa, 218, 225, 432, 496, 499-501, 503
Rodrigues, Nelson, 339
Roma Antiga, 14, 17
Rondon, Cândido Mariano da Silva, 485
Röreck, Anna, 116

Röreck, Germano Gustavo, 116
Rosa, Alberto, 172
Rosa, Otelo, 447-8, 450, 601n
Roure, Agenor, 511
Rousseau, Jean-Jacques, 121
Ruschel, Nilo, 157, 568n
Rússia, 169

Sá, Alfredo, 366
Saint-Simon, Conde de, 86
salazarismo, 24
Saldanha, Gaspar, 154-6, 159-60, 163-4, 167-8, 171-2, 192
Saldanha, Sinval, 455
Sales, Campos, 91-2, 189
Samain, Albert, 282
Santa Catarina, 74, 207, 321, 353, 367, 411, 433, 473, 475, 485, 488-9, 496-7, 504, 510
Santa Cruz, Antenor, 510
Santo Agostinho, José Maria de, 207
Santos Júnior, Paulo Alves do, 68
Santos, Affonso Honório dos, 151-2
Santos, F. Mattozo, 116
Santos, Manoel Ananias dos, 179, 571n
Santos, Soares dos, 210, 572n
São Paulo, 20, 22, 48, 91-2, 169, 177-8, 217-9, 221-2, 224-6, 228, 231, 241, 246, 260, 265, 267-70, 273-7, 279-80, 292, 296, 303, 305, 307-8, 317, 319-21, 339-40, 344, 348, 353-5, 370, 376, 381, 400-5, 407, 409, 411, 414, 425, 434-5, 440, 452, 472, 475, 484, 487, 489, 491, 494, 499-500, 502, 510, 512-7, 522, 529, 531
Saraiva, Aparício, 219
Sarmanho, Antônio, 103-4, 172-3
Sarmanho, Walder, 244, 275, 387, 468, 495, 518, 522
Sarmanho, Wanda, 275
Savoia Marchetti, aviões, 13, 19
Schopenhauer, Arthur, 83
Schwarcz, Luiz, 528
Secretaria de Obras Públicas (RS), 62, 274
Segall, Lasar, 373
Segunda Guerra Mundial, 387

Serra, Soriano, 152
Sertões, Os (Cunha), 85, 158, 550n
Serva, Mario Pinto, 233
Seu doutor" (marchinha), 256, 579n
"Seu Getúlio" *ver* "Gê-Gê" (marcha)
Seu Julinho vem" (marchinha), 301-2, 315, 584-5n
Shakespeare, William, 121
Silva, Aparício Mariense da, 50-1, 104, 111, 147, 554n
Silva, Arthur da Costa e, 507
Silva, Artur Caetano da, 185, 192, 340, 349, 588-9n
Silva, Belizário Corrêa da, 123, 124
Silva, Brandina da, 150, 152
Silva, Claudino, 58-61
Silva, Hélio, 527, 557n, 571-3n, 576n, 582-4n, 587-8n, 590-2n, 595-6n, 598-9n, 606-7n
Silva, Inácio, 211, 575n
Silva, João Antônio da, 136-8, 141, 187
Silva, João Pinto da, 244, 275, 281, 304, 319, 429, 584n
Silva, Luiz Inácio Lula da, 27
Silveira, Alcides Ferreira da, 106-7
Simch, Rodolpho, 54, 56, 101, 553-4n
Simões Filho, Ernesto, 332
Simplício, João, 196, 198, 212, 456, 470, 477, 602n
Skidmore, Thomas, 526
Soares, Alfredo de Carvalho, 84, 559n
Soares, Jô, 530
Soares, José Carlos de Macedo, 402, 578n
Soares, Vital, 320, 333
socialismo, 86, 352
Sousa, Miguel Alves de, 490
Souto, Eduardo, 256, 335, 579n, 588n
Souza Filho, Manuel Francisco de, 199, 209-10, 385, 399, 408
Souza, Benedito Paulo Alves de, 507
Souza, João Francisco Pereira de, 123-4, 219
Souza, Leal de, 525, 526, 550n
Spencer, Herbert, 86, 94, 160
Stern, Adolph, 288
Stone, Lewis, 316
Storia di una donna, La (filme), 159

Suassuna, Ariano, 424
Suassuna, João, 424, 490
Supremo Tribunal Federal, 215-6
Sventatella, Una (filme), 159

Taine, Hippolyte Adolphe, 86
Tarde, A, 332
Tavares, Hekel, 336, 588n
Távora, Juarez, 218-9, 374, 375, 407, 415, 434, 474-5, 485, 489, 510, 522, 576n, 592n, 596-7n, 608n
Tchecoslováquia, 433
Teatro Municipal de São Paulo, 268
Teixeira, Gabriel, 55, 553n, 555n
Teixeira, Rodrigo, 529
Teles, Mário Rolim, 370
Telles, João Baptista da Silva, 41
Telles, Raul de Queiroz, 55, 56, 553n, 555n
Tempo e o vento, O (Verissimo), 175, 571n
tenentismo, 179, 218, 436
Teófilo, Aníbal, 197
Terra Gaúcha, 337-8, 582n
Theatro Lírico (RJ), 19
Theatro São Pedro, 79-80, 82, 85, 349
Tibúrcio, João, 150
Tiradentes, 79, 195
Torres, Acindina Ferrugem, 125
Torres, Benjamin, 57, 124-6, 128-9, 135-42, 564n, 566
Tourinho, Mário Alves Monteiro, 502
Tourinho, Plínio, 492, 502
Tradição, Família e Propriedade (TFP), 18
Tratado de Ayacucho, 75
Tratado de Petrópolis, 77-8
Tríplice Aliança, 36
Trois, Júlio, 107
Truda, Francisco de Leonardo, 101
Truda, Leonardo, 482

U.S. Rubber Co., 76
Ubirajara (Alencar), 130
União Soviética, 22
União, A, 445, 587n, 601n

Uruguai, 39, 97, 115, 124, 156, 160, 223, 283, 295, 373-4, 465
Uruguay, O (jornal), 103-4, 112-3, 126, 134-5, 141, 147-8, 561-4n, 566, 567n
Usina de Força e Luz de Porto Alegre, 170

Vale, Eurico, 321
Valença, Alves, 180, 183-4, 189
Valle, Giuseppe, 16
Valle, José de Freitas, 373, 592n
Vanguarda, A, 361, 507
Vansittart, Sir Robert, 257
Varela, Fagundes, 107
Vargas Filho, Getúlio (filho mais novo de Getúlio), 157, 252, 336, 420, 468, 471, 482
Vargas Neto (poeta), 495
Vargas, Albano Borges de, 153
Vargas, Alzira *ver* Peixoto, Alzira Vargas do Amaral (filha de Getúlio)
Vargas, Ana Joaquina, 62
Vargas, Benjamin Dornelles ("Bejo", irmão de Getúlio), 62, 165-7, 187, 504
Vargas, Cândida Dornelles (dona "Candoca", mãe de Getúlio), 33-6, 40, 42-3, 46, 50, 221, 384
Vargas, Darcy Sarmanho (esposa de Getúlio), 112-3, 118-20, 130, 157-9, 201, 203-4, 221, 227, 244, 251, 275, 280-2, 349, 387-8, 469-71, 482, 498, 561n, 563n
Vargas, Espártaco Dornelles (irmão de Getúlio), 35, 62, 109-10, 550-1n, 556-7n, 559n, 562n
Vargas, Evaristo *ver* Bueno, Evaristo Vargas
Vargas, Jandira (filha de Getúlio), 158, 252, 280-1, 287, 468, 471, 482
Vargas, Jovita Dornelles (irmã de Getúlio), 35
Vargas, Lutero (primogênito de Getúlio), 120-1, 138, 149, 157-8, 201, 250-2, 352, 468, 471-2, 482, 495, 504, 551-2n, 554n, 557n, 564-6n, 568-9n, 579n, 590n
Vargas, Manuel Antônio (filho de Getúlio), 54, 157-9, 185, 252, 468, 471, 482, 551n, 555n, 568-9n, 572n
Vargas, Manuel do Nascimento (pai de Getú-

lio), 27-35, 37-8, 40-3, 49-50, 54, 58, 61-2, 70, 90-1, 104, 107, 109, 123-5, 129-30, 133, 135, 137-8, 165-6, 186, 204, 224, 378, 403, 469, 504, 549-50n, 552n, 555-6n, 562n, 565-6n, 574n, 593-5n
Vargas, Maria Balbina, 125
Vargas, Protásio Dornelles (irmão de Getúlio), 35, 38, 49-51, 53, 54, 55, 56, 57, 62, 71, 117, 143, 147, 166, 187, 204, 205, 206, 224, 227, 304, 471, 482, 551n, 553-5n, 563n, 567n, 570n, 574n
Vargas, Viriato Dornelles (irmão de Getúlio), 35, 38, 46-7, 49-1, 53-7, 62, 107-11, 122-30, 133-41, 147, 166, 186-7, 205, 206, 219, 495, 551-2n, 562n, 564n, 566, 575n
Vargas: Da vida para a história (Brandi), 526
Varig, 387, 594n
Vasconcelos, Diogo de, 47
Vegas, Pinheiro, 197
Verdi, Giuseppe, 257
Vergara, Luiz, 263, 420, 468, 495, 518, 522, 564n, 578n, 580n, 582n, 586-7n, 598-9n, 604n, 606n, 609-10n
Vergara, Pedro, 33, 550n
Verissimo, Erico, 175, 282, 571n
Veríssimo, José, 75, 558n
Viação Aérea Rio-Grandense *ver* Varig
Viana, Celina Guimarães, 269
Viana, Fernando de Mello, 231, 290, 314-5, 338, 366, 379, 408
Viana, Manuel Teófilo Barreto, 113
Viana, Oliveira, 237-8, 550n, 577n
Victorino, Eduardo, 85, 559n

Vidal, Barros, 59, 61, 550n, 554-62n, 564n
Vidal, Rubens, 525, 550-1n, 554-6n, 564n, 567n, 571-3n, 582n
25º Batalhão de Infantaria de Porto Alegre, 70-2, 74
Vila Kyrial, 373
Vilaboim, Manuel, 265-6, 276-7, 290, 294, 324, 332
Villa, Euribíades Dutra, 89
Villa-Lobos, Heitor, 373
Vittorio Emanuele, rei da Itália, 494
voto feminino, 269

Wall Street, 23, 76, 368
Wallau, Carlos, 80
Wanderley, Alberto Lavanère, 448
Washington Luís, 16, 88, 189, 231-3, 239, 241, 245-8, 253-8, 260-1, 263-7, 270, 277, 279-80, 290-2, 295-7, 299-304, 306-7, 309-14, 316-22, 324-6, 329-30, 332-3, 336-7, 339, 345, 355, 359-60, 365-70, 373, 375-6, 379-83, 390, 393, 395-7, 399-400, 403, 412, 416-7, 424-5, 431, 444-5, 451, 455-6, 461-2, 469, 479, 485, 487, 489, 499, 505-7, 509-10, 513, 522-3
Whitaker, José Maria, 522, 549n
White Weld & Company, 285

Xavier, Joaquim José da Silva *ver* Tiradentes

Zeca Neto, 213
Zola, Émile, 85, 87
Zoologia Rio-grandense (Osório & Santos), 11

1ª EDIÇÃO [2012] 18 reimpressões

ESTA OBRA FOI COMPOSTA EM DANTE PELO ESTÚDIO O.L.M. / FLAVIO PERALTA
E IMPRESSA EM OFSETE PELA GEOGRÁFICA SOBRE PAPEL PÓLEN DA
SUZANO S.A. PARA A EDITORA SCHWARCZ EM MAIO DE 2024

A marca FSC® é a garantia de que a madeira utilizada na fabricação do papel deste livro provém de florestas que foram gerenciadas de maneira ambientalmente correta, socialmente justa e economicamente viável, além de outras fontes de origem controlada.